Histoire socialiste

de la France contemporaine
1789-1900

Sous la direction de **Jean Jaurès**

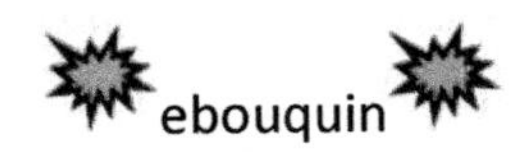

Histoire socialiste de 1789-1900 sous la direction de Jean Jaurès

Tome 1: Introduction, La Constituante (1789-1791)

Tome 2: La Législative (1791-1792)

Tome 3: La Convention I (1792)

Tome 4: La Convention II (1793-1794)

Tome 5: Thermidor et Directoire (1794)

Tome 6: Consulat et Empire (1799-1815)

Tome 7: La Restauration (1814-1830)

Tome 8: Le règne de Louis Philippe (1830-1848)

Tome 9: La République de 1848 (1848-1852)

Tome 10: Le Second Empire (1852-1870)

Tome 11: La Guerre franco-allemande (1870-1871), La Commune (1871)

Tome 12: Conclusion : le Bilan social du XIXe siècle.

Mentions légales

Éditeur : BOD-Books on Demand
12-14 rond-point des Champs-Élysées, 75008 Paris
Impression : Books on Demand, Norderstedt, Allemagne.
ISBN : 9782322257935
Dépôt légal : 11/2020

Tome VIII

LE RÈGNE DE LOUIS PHILIPPE

1830-1848

par Eugène FOURNIÈRE

Première partie

La révolution bourgeoise

Du 30 juillet 1830 au 4 mars 1831

Chapitre premier
La révolution confisquée.

Les menées orléanistes et l'inertie de Lafayette. — Le manifeste et l'intervention des saint-simoniens. — Les deux centres de la Révolution : l'Hôtel de Ville vaincu par l'Hôtel Laffitte. — Les 221 offrent le pouvoir au duc d'Orléans. — Louis-Philippe, à l'Hôtel de Ville, joue la comédie républicaine. Le « fidèle sujet » de Charles X lance le peuple sur Rambouillet. — Tout est perdu, fors l'étiquette.

La bataille est terminée. Les Suisses et la garde royale se sont enfuis par les Champs-Élysées. A qui sera la victoire ? Ou plutôt qui en disposera ? Le peuple, qui vient de verser son sang à flots pendant ces trois terribles journées ? Non, cette fois encore son heure n'est pas venue. Le moment d'agir est venu pour le petit groupe d'hommes d'État qui ont observé de loin la bataille, après l'avoir allumée, volontairement ou non ; à présent que nul retour offensif du roi Charles X et de ses troupes n'est plus à craindre, les voici accrus en nombre et en audace, assez forts désormais pour s'interposer entre le peuple et sa victoire et faire que ce peuple encore armé ne se laisse pas entraîner à garder sa souveraineté reconquise. Il fallait qu'il se souvînt de la Révolution pour renverser un trône, mais non jusqu'à proclamer la République.

Deux hommes, entre autres, ont entrepris de limiter la Révolution : Laffitte et

Thiers. Ils devanceront les rares partisans de la République et, d'une main aussi preste qu'habile, ils noueront l'intrigue qui doit placer le duc d'Orléans sur le trône. Le 30 juillet donc, les révolutionnaires victorieux peuvent, dès le matin, lire sur tous les murs une proclamation où Charles X est proclamé déchu et la République déclarée impossible, car « elle nous brouillerait avec l'Europe ». L'affiche continue en énumérant les mérites du duc d'Orléans qui « était à Jemmapes », qui « ne s'est jamais battu contre nous » et qui sera « un roi-citoyen ».

Thiers a rédigé cette affiche avec la collaboration de Mignet. Il annonce au peuple l'acceptation du duc d'Orléans « sans avoir consulté le prince qu'il n'a jamais vu », avoue M. Thureau-Dangin dans son Histoire de la Monarchie de Juillet. L'historien orléaniste n'insiste d'ailleurs pas autrement sur cette « audacieuse initiative », dont le succès effacera les périls et recouvrira l'immoralité. Il s'agit à présent de décider le duc, et sans retard. L'Hôtel de Ville est plein de républicains qui entourent Lafayette et le pressent de proclamer la République. Le peuple est tout prêt à se donner aux premiers qui se déclareront.

La Tribune, dont le directeur, Auguste Fabre, est républicain, pousse tant qu'elle peut à la solution républicaine. Dans son numéro du 29 juillet, elle dit bien qu' « on entend encore dans Paris le cri de vive la Charte », mais elle ajoute aussitôt que « les braves citoyens qui poussent ce cri n'y attachent pas une signification bien nette, puisqu'il est suivi sur leurs lèvres du cri : Plus de roi ! Vive la liberté !... » Et suggérant la chose sans se risquer à lâcher le mot, la Tribune ranime les vieux souvenirs en ressuscitant le vocabulaire de la Révolution. « C'est, dit-elle, le cri de vive la liberté ! vive la nation ! qui doit se trouver dans toutes les bouches, comme sur toutes les poitrines les couleurs du 14 juillet, de Fleurus, d'Arcole et d'Héliopolis. »

La révolution avait deux centres : l'hôtel Laffitte et l'Hôtel de Ville. Les républicains avaient conduit le peuple au combat, et le peuple était encore sous les armes. Ils occupaient l'Hôtel de Ville, mais l'indécision de Lafayette y régnait, nulle résolution n'était possible qui n'eût pas eu l'assentiment du populaire héros des deux mondes.

En outre des communistes, héritiers de la tradition de Babeuf, membres des sociétés secrètes, et qui se trouvaient naturellement au premier rang des combattants, il y avait une école socialiste, celle des disciples de Saint-Simon. Quelle fut l'attitude de ceux-ci pendant les trois journées et, ensuite, dans le moment de trouble et d'incertitude où chaque parti tentait de dégager la solution de son choix ? Écoutons-les parler eux-mêmes. Écoutons Laurent (de l'Ardèche) dans la notice sur Enfantin qu'il a placée en tête des œuvres de Saint-Simon :

« Les apôtres du progrès pacifique avaient une rude épreuve à traverser, dit-il. L'ancien régime engageait un combat à mort avec la Révolution. Les disciples de

Saint-Simon ne devaient pas se laisser entraîner dans cette lutte sanglante, bien qu'ils eussent la conviction d'être les adversaires les plus résolus et les plus redoutables du passé féodal et clérical qui s'était fait provocateur. Ils n'oublièrent pas, en effet, que leur mission n'était pas de détruire, mais d'édifier. Bazard, l'ancien membre de la vente suprême du carbonarisme, s'entendit à merveille avec Enfantin, l'ancien combattant de Vincennes, pour inviter les saint-simoniens à se tenir à l'écart de cette querelle fratricide. »

Dans la circulaire, adressée le 28 juillet « aux Saint-Simoniens éloignés de Paris », les chefs de la doctrine s'écrient : « Enfants, écoutez vos pères, ils ont su ce que devait être le courage d'un libéral, ils savent aussi quel est celui d'un saint-simonien. » Saint-Simon fut-il lâche pour avoir traversé « la crise terrible de la Révolution française avec ce calme divin qui eût été lâcheté, crime, pour tout autre que lui ? » Non. Les saint-simoniens, en présence des événements qui se déroulent, doivent être calmes, mais non pas inactifs. La période de la propagande n'a pas encore fait place à celle de l'organisation.

Pourtant, des saint-simoniens désobéirent. Si incomplète que fût la révolution qui s'opérait, ils estimaient qu'elle les rapprochait davantage de leur idéal que le règne de la Congrégation, Hippolyte Carnot, Jean Reynaud, Talabot, notamment, firent le coup de feu sur les barricades. Quant à ce dernier, il ne dut point, d'ailleurs, faire grand mal aux soldats de Charles X, car, nous apprend Laurent, il avait chargé son fusil la cartouche renversée, « de telle sorte qu'il ne put pas même la décharger en l'air en revenant ».

Dominés par le caractère religieux qu'Enfantin avait donné à leur doctrine, les saint-simoniens avaient bien renoncé à se battre, mais non à agir dans le sens de la révolution. Dans la soirée même du 29 juillet, le dernier coup de fusil à peine tiré, des réunions populaires se forment, notamment au restaurant Lointier, rue de Richelieu. Dans la réunion Lointier, Carnot et Laurent se joignent à leurs anciens amis les républicains, entre autres Buchez et Rouen, et protestent vivement contre la propagande qu'y font les amis du duc d'Orléans.

Puis avec Charles Teste et Félix Lepelletier Saint-Fargeau et deux saint-simoniens revêtus de leur uniforme de l'École polytechnique, ils s'en vont joindre sur la place de la Bourse un corps de volontaires de la Charte, composé d'environ quinze cents hommes et commandé par un polytechnicien, afin de les décider à se prononcer contre les menées des orléanistes. Ils rédigèrent à la hâte, sur le comptoir du magasin de librairie de Ch. Teste, une très brève proclamation qui commençait et finissait par ces mots : Plus de bourbons ! Lue aux volontaires, cette proclamation fut acclamée. Le bruit en vint à la réunion Lointier qui décida de stipuler, dans l'adresse envoyée à Lafayette et aux hommes de l'Hôtel de Ville, que toute candidature bourbonienne serait écartée.

Mais cela, de même que la démarche de Bazard auprès de Lafayette dont nous aurons à parler tout à l'heure, c'est de l'action officieuse. Les saint-simoniens se doivent de commenter l'événement qui a donné la victoire au peuple. Dès le 30 juillet, Bazard et Enfantin, dans une proclamation aux Français affichée sur les murs de Paris, glorifient l'insurrection victorieuse. Cela est pénible de les entendre crier aux Parisiens : « Gloire à vous ! » lorsqu'on sait que l'avant-veille ils ont blâmé ceux des disciples qui voulaient aller faire le coup de fusil aux côtés du peuple.

Le lecteur ne s'est pas mépris : Bazard et Enfantin n'étaient pas des lâches. Mais, comme tous les sectaires, qui veulent enfermer le monde et son mouvement dans la conception particulière qui les domine eux-mêmes, ils refusent de participer à une révolution qui n'est pas la leur, de combattre avec des hommes qui cherchent encore ce que, disciples de Saint-Simon, ils prétendent avoir trouvé. Pour que cette faute de nos aînés ait sa pleine utilité historique, pour que la leçon qu'elle contient ne soit pas perdue pour nous, pour que nul acte dans le sens du progrès général de l'humanité ne nous laisse indifférents désormais, pour que nulle marche en avant ne nous surprenne et ne nous oblige à l'humiliation de l'approuver sans y avoir pris part, écoutons les saint-simoniens au lendemain d'un combat où ils ne parurent pas et d'où ils éloignèrent ceux qui les suivaient :

« Français ! s'écrient-ils, enfants privilégiés de l'humanité, vous marchez glorieusement à sa tête !

« Ils ont voulu vous imposer le joug du passé, à vous qui l'aviez déjà une fois si noblement brisé ; et vous venez de le briser encore, gloire à vous !

« Gloire à vous qui, les premiers, avez dit aux prêtres chrétiens, aux chefs de la féodalité, qu'ils n'étaient plus faits pour guider vos pas. Vous étiez plus forts que vos nobles et toute cette troupe d'oisifs qui vivaient de vos sueurs, parce que vous travailliez ; vous étiez plus moraux et plus instruits que vos prêtres, car ils ignoraient vos travaux et les méprisaient ; montrez-leur que si vous les avez repoussés, c'est parce que vous savez, vous ne voulez obéir qu'à celui qui vous aime, qui vous éclaire et qui vous aide, et non à ceux qui vous exploitent et se nourrissent de vos larmes ; dites-leur qu'au milieu de vous il n'y a plus de rangs, d'honneurs et de richesses pour l'oisiveté, mais seulement pour le travail ; ils comprendront alors votre révolte contre eux ; car ils vous verront chérir, vénérer, élever les hommes qui se dévouent pour votre progrès. »

Ces paroles ne furent pas comprises, le peuple ne les accueillit que par l'indifférence la plus complète. Il n'avait pas vu au rude combat des trois jours ces hommes qui se proposaient pour organiser sa victoire. Aux rédacteurs de l'affiche qui lui disaient : « Nous avons partagé vos craintes, vos espérances », il eût pu répondre, s'il ne les avait profondément ignorés : « Mais vous n'avez partagé ni nos travaux, ni nos périls.

Car la vérité, les saint-simoniens l'avaient exprimée à leur mesure dans la circulaire du 28 juillet lorsque, parlant de ceux qui se battaient, ils avaient dit : « Ce sont des hommes qui cherchent avec ardeur ce que nous avons trouvé. » Le peuple et le parti libéral cherchaient en effet à achever la Révolution française, à en finir avec les vestiges de féodalité conservés et restaurés par Napoléon, puis par les Bourbons. Guidés par l'enseignement de Saint-Simon, Bazard et Enfantin affirmaient avoir trouvé la formule du monde nouveau : suppression de l'hérédité dans l'ordre économique comme la Révolution l'avait opérée dans l'ordre politique ; substitution du régime industriel au régime féodal et militaire ; prédominance de l'industrie sur la propriété foncière ; organisation d'une hiérarchie économique et sociale fondée uniquement sur la capacité et sanctionnée par l'amour. Voilà l'ordre nouveau que les saint-simoniens apportaient. Leur voix se perdit dans le tumulte des compétitions républicaines et orléanistes, et leur action fut moins remarquable encore que celle de certains libéraux qui intriguaient pour créer un courant en faveur du duc de Reichstadt.

La propagande faite en faveur du duc d'Orléans exaspéra les républicains réunis à l'Hôtel de Ville : « S'il en est ainsi, s'écriaient-ils, la bataille est à recommencer, et nous allons refondre des balles. » À vrai dire, il s'était formé autour de Lafayette, à l'Hôtel de Ville, un bureau de renseignements plutôt qu'un centre d'action, qu'un gouvernement. C'est que Lafayette, qui d'ailleurs toute sa vie reçut l'impulsion et jamais ne la donna, était à l'âge où l'initiative hardie est le plus rare. Béranger, aussi populaire que lui, croyait encore moins que lui à la possibilité de la République. Il n'y croyait même pas du tout.

Béranger était le poète de la bourgeoisie libérale. Sa pensée, comme son art, était juste-milieu. Il avait trop chanté la gloire de Napoléon Ier pour n'avoir pas un faible pour le jeune Napoléon II ; il avait trop chanté la liberté, chansonné les nobles et les prêtres, pour n'avoir pas un faible pour la République. Mais Napoléon II était prisonnier de son grand-père, ou plutôt de Metternich, à Schœnbrunn, et la bourgeoisie n'était pas républicaine. Béranger avait été aperçu dans un groupe d'orléanistes à la salle Lointier ; il s'était retiré dès que la majorité de la réunion avait manifesté sa préférence pour la République, et s'était rendu en hâte auprès de Lafayette, pour joindre ses efforts à ceux de Rémusat et d'Odilon Barrot en faveur du duc d'Orléans. Il fut certainement de ceux qui empêchèrent Lafayette de signer l'ordre de maintenir l'arrestation du duc de Chartres (fils aîné du duc d'Orléans) opérée par la municipalité de Montrouge au moment où le jeune prince tentait d'entrer dans Paris. Cet ordre avait été rédigé par Pierre Leroux, qui était le seul républicain du journal le Globe, où Cousin, Guizot, Rémusat avaient la haute main. Celui-ci avait achevé de paralyser Lafayette en lui disant : « Prenez-vous la responsabilité de la République ? »

Tandis que les républicains se débattaient à l'Hôtel de Ville contre l'inertie flottante de celui qui était pour eux un drapeau, non un chef ; tandis que les députés libéraux réunis chez Jacques Laffitte amusaient l'Hôtel de Ville et l'amadouaient, car il était hérissé de fusils encore fumants, — Thiers se rendait en hâte au château de Neuilly afin d'obtenir l'adhésion formelle du duc d'Orléans à tout ce qui se faisait en son nom dans Paris.

Il y trouva deux femmes : Madame Adélaïde, sœur du prince, et Marie-Amélie, duchesse d'Orléans. Quant au duc, il se cachait dans son château du Raincy, attendant les événements, sans doute aussi parce que Neuilly était trop proche de Saint-Cloud, où s'étaient retirées les troupes royales après le combat. Laffitte l'avait, en effet, invité à se mettre hors de portée des entreprises que la cour pouvait tenter sur lui.

Marie-Amélie accueillit fort mal le négociateur, ou plutôt les négociateurs, car Thiers s'était fait accompagner du peintre Ary Scheffer, ami de la famille d'Orléans. Elle accabla Scheffer de reproches pour avoir osé penser que le duc d'Orléans accepterait la couronne des mains de ceux qui l'enlevaient à son infortuné parent. Les deux ambassadeurs étaient assez embarrassés de leur personnage, lorsque parut madame Adélaïde qui leur fit un bref discours qu'on peut encore abréger, et fixer dans ce seul mot : « Réussissez ». Et elle envoya immédiatement un exprès au Raincy pour avertir son frère que la réunion des députés allait lui offrir le pouvoir.

Les 221 s'étaient réunis au Palais-Bourbon, dans la salle des séances, sous la présidence de Laffitte. De leur côté, les pairs s'étaient également rassemblés au Luxembourg. La Chambre (on peut lui donner ce nom, bien qu'elle eût déclaré n'être pas en séance) refusa de se prononcer sur la communication que lui fit M. de Sussy, de la part de Charles X, concernant la révocation des ordonnances et la désignation du duc de Mortemart, un libéral haï de la cour, comme président du conseil. Puis, sur la proposition du général Sébastiani, qui, nous apprend Louis Blanc, protestait le matin même que la France n'avait point d'autre drapeau que le drapeau blanc, elle offrit la lieutenance-générale du royaume au duc d'Orléans et vota le rétablissement de la cocarde tricolore. La réunion des pairs, qui venaient d'acclamer les héroïques résolutions de fidélité royaliste proposées par Chateaubriand, vota sans trop de résistance la proposition Sébastiani.

Le duc d'Orléans, averti du vote des députés et des pairs, et aussi de l'attitude des républicains de l'Hôtel de Ville, était rentré à pied, dans la nuit, au Palais-Royal, tandis que les délégués de la Chambre allaient à sa recherche. C'est là que le duc de Mortemart, envoyé par Charles X, le rejoignit. Remarquons ceci : la première personne que voit Louis-Philippe, ce n'est ni un républicain de l'Hôtel de Ville ni même un de ses partisans de l'entourage de Laffitte, mais l'envoyé du roi. Si celui-ci reprend l'offensive et triomphe de la révolution, il ne pourra imputer à son parent des démarches et des actes qu'il n'a pas même autorisés d'un signe. Si la révolution est victorieuse, rien à risquer non plus, puisque ceux qui sont à la tête de cette révolution travaillent pour lui bien mieux que s'il venait les gêner de sa collaboration. Nous le verrons, trois jours plus tard, alors qu'il a accepté officiellement la fonction de lieutenant-général du royaume, et virtuellement la candidature au trône, prendre encore ses sûretés au cas d'un retour de Charles X.

D'après le duc de Valmy, qui l'a publiée dans un ouvrage ultra-royaliste, car ce petit-fils de Kellermann fut un dévot de légitimité, voici le texte de la lettre que Louis-Philippe remit non cachetée au duc de Mortemart pour Charles X, et que le duc emporta dans un pli de sa cravate :

M. de... dira à Votre Majesté comment l'on m'a amené ici, par force : j'ignore jusqu'à quel point ces gens-ci pourront user de violence à mon égard, mais s'il arrivait (mots rayés), si, dans cet affreux désordre, il arrivait qu'on m'imposât un titre auquel je n'ai jamais aspiré, que Votre Majesté soit convaincue (mot rayé), bien persuadée que je n'exercerais toute espèce de pouvoir que temporairement et dans le seul intérêt de notre maison. J'en prends ici l'engagement formel envers Votre Majesté. Ma famille partage mes sentiments à cet égard.

Fidèle sujet. »
« Palais-Royal, juillet 31, 1830. »

Cette lettre est-elle apocryphe ? Les raisons qui font croire à sa réalité sont aussi fortes que les raisons contraires. M. Thureau-Dangin, dont les sentiments orléanistes sont bien connus, s'est attaché avec soin, dans son Histoire de la Monarchie de Juillet, à justifier Louis-Philippe de toutes les imputations calomnieuses, ivraie de l'histoire, qui tentent d'enlaidir les belles figures et de rendre les autres plus repoussantes encore. Si, d'autre part, M. Thureau-Dangin a eu trop le respect de sa qualité d'historien pour embellir quand même les traits de son héros, il ne s'est pas fait faute de passer parfois sous silence des faits authentiques qui en montraient les tares secrètes. Or, il ne dit mot, ni du récit de Louis Blanc, qui mentionne le fait sans donner le texte de la lettre, ni de ce texte publié en 1850 par le duc de Valmy. Les raisons de croire cette lettre authentique sont donc très fortes, outre qu'elles sont absolument dans la logique du caractère permanent et des actes actuels du duc d'Orléans. Et pourtant, un doute subsiste : Comment Charles X, comment le parti royaliste n'ont-ils pas souffleté de cette lettre terrible le prince parjure, lorsqu'il enferma la duchesse de Berri dans la citadelle de Blaye et la déshonora devant le monde entier ? Charles X n'était pas méchant, certes ; mais il n'avait pas l'âme grande, et l'on était très vindicatif dans son entourage.

Faut-il croire que le duc de Mortemart ne remplit pas le message dont il avait été chargé ? Invraisemblance. Charles X a dû recevoir cette lettre, et elle n'a probablement pas été étrangère à la résolution qu'il a prise d'abdiquer, ainsi que le dauphin, en faveur du duc de Bordeaux (le comte de Chambord), car il peut croire à présent que le jeune prince aura un défenseur.

Dans la même nuit que le duc d'Orléans recevait au Palais-Royal la visite du duc de Mortemart, le général Lafayette recevait à l'Hôtel de Ville celle du saint-simonien Bazard. Là, le monarque d'hier et le monarque de demain tentent, l'un et l'autre, d'assurer le sort de leur famille, et celui-ci amuse et joue celui-là. Ici, la République voit surgir devant elle son fils légitime, le Socialisme, et feint de ne pas le reconnaître.

Mais non : accuser de feinte l'innocent Lafayette, c'est trop. Nul plus que lui n'aime le peuple, mais il n'est capable que d'amour platonique. Il est sincère lorsque, dans ses Mémoires, arrivant à cette date du 30 juillet, il écrit : « Le peuple de Paris s'est couvert de gloire, et quand je dis le peuple, c'est ce qu'on appelle les dernières classes de la société qui, cette fois-ci, ont été les premières ».

Bazard avait fort hésité avant de céder aux instances d'Enfantin, qui le pressait d'employer ses « anciennes relations toutes providentielles » avec Lafayette pour décider celui-ci à agir, car le désarroi était grand et, à ce moment-là, l'indécision générale. « Admis auprès de M. Lafayette, dit Louis Blanc, il lui exposa ses idées qui n'allaient pas à moins qu'à remuer la société dans ses fondements. « L'occasion est belle, disait Bazard à Lafayette, et voici que la fortune vous a livré la toute-puissance. Qui vous arrête ? Soyez le pouvoir, et que par vous la France soit régénérée. » M. de Lafayette écoutait avec un étonnement inexprimable cet homme plus jeune que lui, mais dont la supériorité intellectuelle le frappait de respect. »

Voici comment Enfantin raconte cette entrevue dont il n'attendait pas un résultat immédiat, mais dans laquelle il plaçait l'espérance qu'elle donnerait des prétentions actuelles du saint-simonisme une idée différente de celle que le public s'en faisait, et surtout que ses successeurs, ses fils comme il les appelait, « y puiseraient une inspiration politique dont ils avaient besoin ».

« Lafayette, dit Enfantin, le reçut très bien, et lui dit de suite qu'en effet la position était très difficile. Bazard lui parla au bout de quelques instants de la dictature comme seul moyen de mettre, au moins momentanément, un peu d'ordre dans ce gâchis ; mais l'immuable Américain était complètement sourd de cette oreille, et Bazard vit assez promptement, non seulement dans Lafayette lui-même, mais dans tout son entourage, l'impossibilité de rien faire qui eût le sens commun avec des hommes aussi étrangers à la conduite des masses, à la politique. Lafayette avait hâte d'en finir ; ses premiers mots à Bazard avaient même été : « Ma foi, si vous m'aidez à me tirer de là, vous me rendrez un grand service. »

Bazard parlait une langue que Lafayette ne pouvait entendre. Et puis, ajoute justement Louis Blanc, « il était trop tôt pour une rénovation sociale ». L'heure de l'organisation sociale fondée sur la transformation des rapports économiques n'avait pas encore sonné. L'heure était au gouvernement de la bourgeoisie, enfin maîtresse du pouvoir, sans partage avec le peuple comme en 93, sans partage avec la noblesse comme sous la Restauration. L'entretien de Bazard avec Lafayette fut, dit Louis Blanc, « la seule tentative vraiment philosophique née de l'ébranlement de juillet : elle dut échouer comme tout ce qui vient avant l'heure ».

Pendant toute la matinée du 31 juillet, le duc d'Orléans ayant accepté la lieutenance-générale du royaume, Lafayette fut travaillé dans le sens orléaniste par Rémusat, qui, coiffé d'un chapeau à plumes flottantes, s'était improvisé son aide-de-camp, et par Odilon Barrot. À ces détails, M. Thureau-Dangin ajoute que « de nombreux émissaires arrivaient du Palais-Royal » et que l'envoyé des États-Unis même assurait à Lafayette les préférences de la République américaine pour la solution orléaniste.

On ne sait qui conseilla au duc d'Orléans de mettre fin aux hésitations de Lafayette et de décourager du même coup les républicains, qui ne pouvaient rien sans lui. Toujours est-il que, dès que la délégation de la Chambre se fut rendue au Palais-Royal et eut obtenu du duc l'acceptation officielle du titre et des fonctions temporaires qu'elle lui confiait, la résolution fut prise d'aller à la conquête de l'Hôtel de Ville, à la délivrance de Lafayette.

Le cortège, au dire de M. Thureau-Dangin, ne payait pas de mine. « D'abord un tambour éclopé, battant aux champs sur une caisse à demi crevée ; les huissiers de la Chambre en surtout noir, « les mieux vêtus de la bande » (selon l'expression d'un témoin) ; puis le duc d'Orléans, sur un cheval blanc, en uniforme d'officier général, avec un immense ruban tricolore à son chapeau, accompagné d'un seul aide-de-camp ». Suivaient quatre-vingts députés environ « en habits de voyage ». L'accueil de la foule fut assez chaleureux au sortir du Palais-Royal. Il se refroidit à mesure qu'on entrait dans les quartiers populeux et qu'on s'approchait de l'Hôtel de Ville. On n'entend plus le cri de : Vive le duc d'Orléans ! mais celui de : Plus de Bourbons ! lancé la veille comme un cri de ralliement républicain par les saint-simoniens de l'École polytechnique.

Mais le prince est entré dans l'Hôtel de Ville. Et, soudain, le peuple aperçoit au balcon Lafayette et le duc d'Orléans se tenant embrassés dans les plis du drapeau tricolore. Ce jeu de scène retourna la foule, ébranlée déjà par l'hésitation des républicains, et la fixa. Les cris de : Vive le duc d'Orléans ! se mêlèrent aux cris de : Vive Lafayette !

Les choses n'avaient pas été toutes seules dans l'Hôtel de Ville. Le duc d'Orléans avait naturellement fait les avances aux républicains, pour désarmer leur hostilité. « Messieurs, leur avait-il dit en entrant, c'est un ancien garde national qui fait visite à son général. » Dans ses Mémoires, Lafayette conte le dialogue suivant, qui se serait engagé entre lui et le duc :

« Vous savez, lui dit Lafayette (car Lafayette parle avec révérence de lui-même, toujours à la troisième personne), vous savez que je suis républicain, et que je regarde la Constitution des États-Unis comme la plus parfaite qui ait existé.

— Je le pense comme vous, répondit le duc d'Orléans ; il est impossible d'avoir passé deux ans en Amérique, et de n'être pas de cet avis ; mais croyez-vous, dans la situation de la France, et d'après l'opinion générale, qu'il nous convienne de l'adopter ?

— Non, lui répondit Lafayette ; ce qu'il faut aujourd'hui au peuple français, c'est un trône populaire, entouré d'institutions républicaines, tout à fait républicaines.

— C'est bien ainsi que je l'entends », reprit le prince.

Surpris par le revirement de la foule, déconcertés par la capitulation, pourtant prévue, de Lafayette enchanté de se débarrasser de ses responsabilités tout en continuant de faire figure, les républicains voulurent au moins profiter du moment où s'organisait la monarchie pour avoir d'autres garanties que les répliques du prince aux effusions naïves de Lafayette. Celui-ci les conduisit donc au Palais-Royal, où le duc prodigua les assurances et les protestations. Ils revinrent convaincus surtout de l'impossibilité de décider le peuple à refaire une révolution pour arracher celle-ci aux mains qui l'avaient saisie.

Est-ce vraiment la faute de Lafayette, est-ce vraiment grâce aux intrigues des Thiers et des Laffitte, si la République ne l'a pas emporté au moment où tant d'esprits généreux s'employèrent à la faire surgir du chaos de ce lendemain de victoire populaire ? Qui était républicain à ce moment ? Une partie de l'élite, dans la jeunesse des écoles et dans le peuple ouvrier. La masse l'était si peu que, dans cette même journée du 31, elle se laissa entraîner, par des agents orléanistes, à envahir les bureaux du journal républicain la Tribune. La garde nationale eut toutes les peines du monde à éloigner ces vainqueurs de juillet qui voulaient fusiller tous les républicains, au moment même où le roi du lendemain se proclamait lui-même républicain et recevait l'accolade du vieux républicain Lafayette.

Victor Hugo exprimait exactement la pensée de la bourgeoisie libérale lorsqu'il disait : « Après juillet 1830, il nous faut la chose république et le mot monarchie. » De son côté, l'abbé Grégoire, qui achevait sa vie dans une modeste retraite, s'écriait avec une ferveur de constituant désireux de ramener la Révolution à son point de départ : « Il serait donc vrai, mon Dieu ! nous aurions tout ensemble la République et un roi ! » Cette pensée se précise ainsi dans un article que le Globe publie sous l'impression de la journée du 31, et où l'adhésion à la royauté en formation est entourée de réserves :

« Le duc d'Orléans est-il roi ? Non. Il ne le sera que par nous, par notre volonté, et aux conditions que nous lui imposerons. Il recevra tout du peuple ; il lui devra sa couronne et sa reconnaissance... Nous le consacrerons en recevant ses serments ; s'il les violait, il disparaîtrait aussitôt. » L'auteur de l'article ajoute avec une naïveté qui est comique, à présent que l'on connaît les événements, et de quelle manière Louis-Philippe tint les promesses du duc d'Orléans et trompa des gens qui, d'ailleurs, ne demandaient presque tous qu'à être trompés : « Voilà comment nous comprenons nos devoirs. Qui de vous, héroïques Français, se vouerait aujourd'hui à la cause et au nom d'un homme ? »

Le peuple était maté. Tranquille de ce côté, le duc d'Orléans avisa à se débarrasser du roi déchu. Charles X s'était replié de Saint-Cloud sur Rambouillet, mais il n'en était pas moins à la tête d'une armée de douze mille hommes. De là, il avait offert, le 1er août, la lieutenance générale au duc, qui l'avait refusée, l'ayant déjà acceptée de la Chambre. Revenant à la charge le lendemain, il lui notifiait son abdication et celle du duc d'Angoulême, et le chargeait de proclamer le petit duc de Bordeaux sous le nom d'Henri V. Le duc d'Orléans fit enregistrer en hâte les deux abdications et s'abstint naturellement de souffler mot de la proclamation. Ou plutôt il y répondit en envoyant à Rambouillet une mission chargée de décider Charles X à quitter la France et, dit le Moniteur, de « veiller à sa sûreté jusqu'à la frontière ».

L'un des commissaires, Odilon Barrot, aurait, selon Louis Blanc, demandé au duo des instructions pour le cas où on leur remettrait le duc de Bordeaux, et le prince aurait répondu avec vivacité : « Le duc de Bordeaux ! mais c'est votre roi ! » Présente à cette scène, la duchesse d'Orléans se serait jetée dans les bras de son époux en disant : « Ah ! vous êtes le plus honnête homme du royaume ! » Ce trait de comédie est joli, surtout lorsqu'on ne peut plus se prendre, comme Louis Blanc, à la mine d'austérité de cette princesse, dont le rôle, dans la captation de l'héritage des Condé, est à présent connu.

Odilon Barrot, dans ses Mémoires, modifie les traits et neutralise les tons de ce tableau de famille, qui, selon lui, se place, non avant son départ pour Rambouillet, mais à son retour, c'est-à-dire après que Charles X eut éconduit les commissaires du nouveau gouvernement.

« Le duc, dit-il, se récriait sur la fatale destinée qui le condamnait à être l'instrument de la déchéance et de l'exil d'une famille qui l'avait comblé de bienfaits et pour laquelle il avait une si profonde affection. Ses paroles étaient entrecoupées de sanglots ; la duchesse, de son côté, livrée à une extrême agitation, se jetait au cou de son mari, cherchant à le consoler, à le soutenir, et se tournant vers moi : « Le voyez-vous, disait-elle, c'est le plus honnête homme du monde. »

Le second récit est peut-être le vrai ; mais le premier est certainement plus vraisemblable. Car, jusqu'au bout, le duc d'Orléans jouera un double jeu, recevant les républicains au Palais-Royal, allant même les trouver à l'Hôtel de Ville, et continuant à multiplier auprès de Charles X les protestations de loyalisme. Il ira même, au dire du marquis de Fiers, qui, dans le Roi Louis-Philippe, cite de sérieuses références, jusqu'à inviter le vieux roi à remettre entre ses mains le duc de Bordeaux.

Un officier anglais, le colonel Caradec (depuis lord Howden), attaché à l'ambassade de son pays, fut, sur la demande du lieutenant-général, autorisé par lord Stuart, l'ambassadeur, à remplir cette mission. « Le colonel se rendit au Palais-Royal le 3 août, dit le marquis de Flers, et le duc d'Orléans lui remit un billet qui fut cousu dans le collet de son habit ; il était ainsi conçu : « Croyez, sire, tout ce que le colonel Caradec vous dira de ma part. Louis-Philippe d'Orléans »... Charles X le reçoit avec empressement. Le colonel Caradec « fait entrevoir au roi que la présence du jeune duc de Bordeaux aux côtés du lieutenant-général était indispensable pour rendre courage à ses partisans et décider la Chambre des pairs à se prononcer... Il insiste pour ramener avec lui le duc de Bordeaux. Le roi fait immédiatement demander madame la duchesse de Berry, la met au courant de la situation et lui déclare qu'il est tout disposé à accepter. La duchesse de Berry fait les plus vives objections, et ajoute qu'elle ne croirait jamais l'enfant en sûreté loin d'elle-même ».

Ici ce n'est plus un légitimiste comme le duc de Valmy, ce n'est plus un ennemi de Louis-Philippe qui parle : le marquis de Flers, qui donne comme références la Correspondance de Donoso Cortez et les Dépêches, correspondances et mémorandums du feld-maréchal duc de Wellington, est un fervent apologiste de la monarchie de juillet, et il prétend faire honneur à Louis-Philippe de la démarche qu'il rapporte.

Cette démarche n'est pas avouée, mais en tout cas singulièrement évoquée par Odilon Barrot, lorsque, dans ses mémoires, il mentionne un propos que lui a tenu la duchesse de Berry lorsqu'il l'accompagnait sur la route de l'exil.

« Que serait-il arrivé, lui demanda-t-elle, si je m'étais rendue à l'Hôtel de Ville et si j'avais placé le duc de Bordeaux sur les genoux du duc d'Orléans

— Madame, répondit-il, il est probable que ni vous, ni moi, ne serions ici. »

Nous avons vu Odilon Barrot délayer et atténuer le tableau tracé par Louis Blanc. Voici le trait qui en ravive la couleur et en relève le ton. Il vient de rendre compte au prince de sa mission : Charles X n'a pas reçu les commissaires et a refusé la sauvegarde qu'ils lui offraient. « Au lieu de discourir selon son habitude », Louis-Philippe dit à Odilon Barrot, après l'avoir regardé :

« Vous avez raison, M. Barrot, il faut faire une démonstration armée sur Rambouillet, — prévenez le général Lafayette et que le rappel soit battu dans tous les quartiers de Paris ; — chaque légion de la garde nationale fournira un contingent de six cents hommes, et vous, messieurs, s'adressant à nous (aux commissaires : Odilon Barrot, de Schonen, de Trévise et Jacqueminot) vous précéderez cette colonne à Rambouillet. Cette fois, peut-être, je serai compris et vous serez accueillis ».

Notez que ceci se passait dans la nuit du 2 au 3 août, et que l'envoi du colonel Caradec à Charles X est du 3. Notez qu'en même temps que l'officier anglais se rendait à Rambouillet, une armée parisienne, conduite par le général Pajol, s'y portait également pour faire déguerpir le monarque déchu et sa famille, y compris l'enfant que Louis-Philippe reconnaissait pour son roi.

Quelques jours après, Charles X s'embarquait avec tous les siens à Cherbourg, après avoir traversé lentement l'indifférence des campagnes et prudemment évité par des détours l'effervescence des centres de population, car le peuple ouvrier des villes était partout soulevé contre les hommes de l'ancien régime. Cette lenteur convenait au roi et à son entourage, non parce qu'il sied aux majestés fainéantes de cheminer au pas des bœufs, mais parce qu'ils espéraient un retour de la fortune, un miracle que Dieu devait bien à leur zèle pour la religion, qui leur permettrait de reprendre la route de Paris. Mais, selon son habitude, Dieu fut avec les plus forts.

Deux traits seulement à noter dans ce voyage de la vieille monarchie vers l'exil, et qui montrent avec quelle futilité enfantine Charles X et sa suite s'attachaient à de vaines apparences. On avait installé le duc de Bordeaux dans la voiture royale magnifiquement dorée, tandis que son grand-père suivait dans une voiture simple et à armoiries effacées. Pour raviver la foi monarchique des passants, on faisait arrêter les voitures de place en place, dit le Globe du 16 août, et « alors les enfants jouaient leur rôle, envoyant au peuple force baisers et force saluts ».

À Laigle se présenta un grave problème d'étiquette. On n'avait, nous apprend

Odilon Barrot, trouvé que des tables rondes. Faire s'asseoir le roi à une table ronde, impossible d'y songer, tous les convives y étant au même rang. Les commissaires suggérèrent de scier la table ronde, et, gravement, ce qui restait de cour auprès de ces trois générations royales en fuite fit scier en carré une table ronde. Et le roi put dîner.

Chapitre II
Premiers tâtonnements.

Les briseurs de machines et la grève des imprimeurs. — Déclarations et menaces du nouveau pouvoir. — Attitude embarrassée des républicains devant l'agitation ouvrière. — Les hommes du mouvement et ceux de la résistance. — La manifestation des quatre sergents de la Rochelle et les alarmes conservatrices. — L'affiche des « Amis du Peuple » pose la question sociale. — La garde nationale envahit le local des « Amis du Peuple » et disperse leurs réunions.

Sur ces entrefaites, s'occupant de choses infiniment plus pratiques, Louis-Philippe était proclamé roi des Français, jurait la Charte en s'écriant, à l'adresse de ceux qui demandaient les garanties promises : « On ne m'en demandera jamais autant que je suis disposé à en donner ».

Dans les théâtres, la Parisienne, appelée d'abord la Marche française, due à la pâle et chétive muse de Casimir Delavigne, remplaçait la Marseillaise et faisait de la colonne Vendôme un énorme mirliton libéral.

> ...C'est la liberté des Deux-Mondes,
> C'est Lafayette en cheveux blancs.
> ...Les trois couleurs sont revenues.
> Et la colonne avec fierté
> Fait briller à travers les nues
> L'arc en-ciel de la liberté.
> Soldat du drapeau tricolore,
> D'Orléans, toi qui l'as porté,
> Ton sang se mêlerait encore
> À celui qu'il nous a coûté...

Barthélémy et Méry, de leur côté, saluaient le soleil levant par un poème intitulé l'Insurrection, qui se terminait par ce vers :

Un roi qu'un peuple nomme est le seul légitime.

Cet alexandrin était une bonne « galéjade » des deux auteurs marseillais. Le peuple avait fait la place nette, mais il n'y avait en réalité appelé personne. Ce fut la bourgeoisie, dans sa portion organisée et dirigeante, qui, par crainte de la démocratie, fit avorter le mouvement républicain.

Elle ne put éviter un autre mouvement, convulsif et désordonné encore, animé d'instincts plus que de pensée, à coup sûr moins immédiatement périlleux, mais qui croîtrait en force et en importance pour s'annexer finalement le premier, l'inspirer et le diriger.

Ce mouvement, qui se manifeste le lendemain même de la bataille, le 30 juillet, les communistes révolutionnaires eux-mêmes, les Buonarotti, les Voyer d'Argenson, les Teste, ne semblent pas le voir. Et s'ils le voyaient, ce serait pour le réprouver comme une diversion dangereuse, une déviation des efforts tentés pour orienter vers la République la révolution qui se fait. Comment d'ailleurs des socialistes pourraient-ils s'associer à l'aveugle fureur d'ouvriers brisant les machines qui leur coupent les bras ?

Blanqui lui-même, qui toute sa vie tentera d'utiliser les courants populaires les plus indifférents même au but que poursuit la démocratie sociale, Blanqui n'aurait pu que réprouver le geste de ces malheureux. Il eût pu, il est vrai, leur en indiquer un qui fût dans la direction de leurs destins. Mais à ce moment il n'a que vingt-cinq ans et il est encore perdu dans la masse des combattants. La veille même du jour où les ouvriers imprimeurs vont se ruer sur les presses mécaniques, Blanqui, noir de poudre, entre dans le salon de Mlle de Montgolfier. Il apparaît, nous dit Gustave Geffroy dans l'Enfermé, « avec la décision du triomphe, la bouche et les mains noires des cartouches déchirées et des balles parties, odorant de poudre et aspirant l'âcre parfum de la bataille gagnée, aussi doux qu'un bouquet de printemps et qu'une chevelure de femme. Il s'arrête sur le seuil et laisse tomber son fusil dont la crosse heurte lourdement le parquet, dont la crosse et la baguette sonnent avec un bruit de cristal et de chanson. Et le bruit, et la pensée, et le geste sont en rapport avec les paroles brutales et ironiques qui sont prononcées les premières : « Enfoncés, les romantiques ! » s'écrie l'étudiant qui rassemble en un cri ses haines politiques et ses colères littéraires, son goût de la mesure et des règles, son aversion du lyrisme, de la phrase et de la cathédrale ».

Ce que Blanqui n'a pas vu, ses aînés, les héritiers directs de la pensée de Babeuf, ne l'ont pas vu davantage. Ils sont tout à leur rêve d'une communauté agraire, que pouvait réaliser le seul triomphe préalable de la République, et cette explosion de fureurs ouvrières contre les machines, cette contagion du luddisme Anglais ne leur dit rien. Remarquons d'ailleurs que le mouvement qui se produisit dans la matinée du 30 juillet fut relativement insignifiant. « Quelques ateliers d'imprimerie furent envahis et quelques presses mécaniques brisées », dirent les journaux quinze jours après cet incident.

Ils n'en parlent même que parce que l'agitation ouvrière contre les machines a repris le 12 ou le 13 août. De son côté, Louis Blanc ne dit pas que les ouvriers ont brisé les machines, mais qu'ils ont voulu en briser. Cependant, le 3 septembre, les Débats ne parurent pas, leurs presses mécaniques ayant été détruites.

D'ailleurs, le bris des machines n'était qu'une des moindres manifestations du malaise qui mettait la classe ouvrière en mouvement. La révolution de juillet s'était produite au moment d'une crise économique et l'avait aggravée. Selon l'expression de Louis Blanc, « chaque coup de fusil tiré pendant les trois jour savait préparé une faillite ». On sait que les ordonnances, en supprimant le peu de liberté qui restait à la presse, avaient permis à la bourgeoisie libérale de jeter à l'insurrection les nombreux ouvriers parisiens occupés aux travaux de l'imprimerie. Au grief politique qu'ils avaient contre la Restauration, les libéraux avaient ajouté le grief économique qui mettait les ouvriers de leur côté. D'ailleurs, les propriétaires d'imprimeries et quantités de patrons libéraux s'étaient donné le mot pour fermer leurs ateliers.

La révolution faite, les ouvriers n'eussent pas demandé mieux que de reprendre le travail. Mais la révolution avait aggravé la crise. Paris, ville de luxe, patrie des métiers d'art, vit émigrer pour un temps les gens de luxe ; ceux qui restaient limitaient leurs dépenses, par crainte du lendemain plus encore que par bouderie. Le malaise économique, encore une fois, n'était pas né de la révolution. Nous allons examiner tout à l'heure quelles conditions générales l'avaient amené. Pour l'instant, constatons que les journées de juillet l'ont porté au comble. Dès lors se comprend « l'étonnement irrité de ce peuple qui, nous dit M. Thureau-Dangin, se sent mourir de faim au moment où l'on proclame le plus bruyamment sa souveraineté ».

L'agitation ouvrière, qui se prolonge pendant les mois d'août et de septembre, est naturellement fort confuse. Les uns demandent du travail et les autres protestent contre le salaire de famine que leur donnent leurs patrons. Ils défilent par corporations dans les rues de Paris, clamant leur détresse et demandant du travail ou du pain. Au moment même où les parasites de la monarchie se retournent vers le nouveau gouvernement et grossissent l'affluence qui se rue à l'assaut des places, les ouvriers, qui sont les artisans de cette révolution, errent affamés devant les palais où la bourgeoisie organise sa victoire.

Tout naturellement, les ouvriers firent appel au pouvoir que leurs fusils encore chauds du combat venaient d'installer. Diverses réponses leur furent faites. D'abord par Guizot. En sa qualité de ministre de l'intérieur, il demanda à la Chambre, qui le lui accorda, un crédit de cinq millions applicables à des travaux publics.

Ce fut ensuite le préfet de police, Girod (de l'Ain), qui répondit en préfet de police, c'est-à-dire en prenant un arrêté contre les attroupements. Dans l'article 3 de cet arrêté il disait : « Aucune demande à nous adressée pour que nous intervenions entre le maître et l'ouvrier au sujet de la fixation du salaire, ou de la durée du travail journalier ou du choix des ouvriers, ne sera admise, comme étant formée en opposition aux lois qui ont consacré le principe de la liberté de l'industrie. »

Tant que la bourgeoisie régnera seule et sans partage, tant que par la démocratie le peuple n'aura pas été appelé à peser sur la direction des affaires publiques, la doctrine de l'État sera fixée dans ces dures paroles de Girod (de l'Ain). C'est de cette doctrine que s'inspirera en 1843 un de ses successeurs à la préfecture de police, Delessert, lorsqu'il refusera à Jean Leclaire l'autorisation de réunir ses ouvriers pour leur répartir les bénéfices de son entreprise. Selon cette doctrine, l'État est réduit à la fonction de gendarme chargé de faire observer les lois faites par les riches contre les pauvres. Il est bien ainsi la chose d'une classe.

Ce fut enfin Odilon Barrot, qui, en qualité de préfet de la Seine, adressa dans les premiers jours de septembre une proclamation à ses concitoyens. Dans cette proclamation nous trouvons les affirmations suivantes : « Une commission a été créée pour rendre aux travaux publics et privés la plus grande activité. Des ateliers sont établis sur tous les points de la capitale. Nul ne peut se plaindre de manquer de travail. Des secours ont été et sont journellement distribués aux indigents infirmes ».

En bon représentant de l'autorité, et quoique tout neuf dans ce rôle, Odilon Barrot terminait sa proclamation par les menaces usuelles, rappelant que « la loi punit » les « démonstrations turbulentes » et les « coalitions », et, proclamant sa confiance dans la population parisienne, il déclarait compter sur « notre brave garde citoyenne. »

Négligeons ces menaces, qui sont de style officiel, et retenons les affirmations formelles du préfet de la Seine. « Nul, disait-il, ne peut se plaindre de manquer de travail ». Or, les journaux du temps, soigneusement compulsés par M. Thureau-Dangin, qui, je le répète, est un écrivain favorable au régime de juillet, les journaux du temps affirment tous la crise commerciale et la détresse des ouvriers. Une semaine à peine après la proclamation d'Odilon Barrot, les Débats déclaraient « affreux » l'état du commerce. Citant Louis Blanc, qui raconte qu'une imprimerie avait vu tomber son personnel de deux cents ouvriers à vingt-cinq et le salaire de cinq et six francs à vingt-cinq ou trente sous, M. Thureau-Dangin dit en termes précis : « Les ouvriers n'avaient pas d'ouvrage. »

Pour Odilon Barrot, les secours aux indigents, secours insuffisants et dont encore aujourd'hui nous connaissons la modicité (trois francs par mois l'été et cinq francs l'hiver) et les chantiers où la rétribution se rapprochait plus de l'aumône que du salaire normal, voilà qui avait suffi à donner satisfaction aux travailleurs. Et, dès lors, ceux qui réclamaient étaient des « turbulents » qui méritaient d'être punis par la loi.

Ch. Dupin, économiste, professeur au Conservatoire des Arts-et-Métiers, frère cadet du ministre, du factotum de Louis-Philippe, prêcha de son côté fort éloquemment les ouvriers.

« Mes anciens et bons amis, leur dit-il en substance, méfiez-vous de ceux que vous avez vaincus hier ; ce sont leurs perfides conseils qui vous poussent aujourd'hui à détruire à la fois la révolution que vous avez faite et les machines qui sont les moyens les plus sûrs d'améliorer votre sort.

« Il y a quarante ans, ajoutait-il, quand la Révolution a commencé, quand nos pères ont pris la Bastille, que défendaient non pas des régiments de garde royale, mais une poignée d'invalides, demandez à nos vieillards si l'ouvrier était aussi bien nourri, aussi bien meublé qu'aujourd'hui ; il vous diront tous que non. Cependant, en 1789, Paris avait dix fois moins de mécaniques et de machines qu'en 1830.

« Si l'on détruisait aujourd'hui ces beaux instruments d'une industrie perfectionnée, avec lesquels la France produit tout ce qui fait votre bien-être et sa splendeur, nous n'aurions plus rien qui plaçât notre pays au-dessus du pays des Napolitains, des Espagnols et des Portugais. Il faudrait qu'à l'imitation de leurs pauvres, de leurs manouvriers, de leurs lazzaronis, vous allassiez sans chaussures et sans coiffure. Vous seriez encore plus malheureux que ces hommes dénués d'industrie, car vous n'auriez pas comme eux un soleil du midi pour vous aider à supporter l'abrutissement et la nudité. »

C'était parfaitement dit. Mais les ouvriers eussent pu répondre à l'économiste qui les haranguait :

— Il est certain que, lorsque nous avons du travail, nous sommes moins malheureux qu'au temps jadis ; mais il est non moins certain que, lorsque la crise éclate, nous sommes d'autant plus malheureux que nous manquons subitement de ce bien-être, d'ailleurs trop vanté par vous, auquel nous étions habitués.

Ch. Dupin avait terminé sa harangue en affirmant aux réclamants qu'ils trouveraient une administration « amie de l'ouvrier », prête à satisfaire à ses « justes réclamations ». Ils trouvaient, huit jours après, l'impitoyable arrêté de Girod (de l'Ain). Leurs réclamations n'avaient pas été jugées conformes, à la doctrine économique ni à l'intérêt de la classe au pouvoir.

Une réponse, cependant, parvint au savant professeur du Conservatoire. Victor Hugo nous affirme, dans son Journal d'un révolutionnaire de 1830, que Dupin reçut le billet anonyme suivant : « Monsieur le sauveur, vous vous f... sur le pied de vexer les mendiants ! Pas tant de bagou, ou tu sauteras le pas ! J'en ai tordu de plus malins que toi ! Au revoir, porte-toi bien en attendant que je te tue. »

Ce billet est trop « littéraire », je veux dire trop apprêté, pas assez spontané, pour émaner d'un des ouvriers qui allaient par les rues demandant du travail ou du pain. Un mendiant même, un malheureux tombé de l'état d'ouvrier à celui d'indigent pourrait avoir de tels sentiments, mais il ne les exprimerait pas de la sorte.

J'ai dit que l'administration n'avait presque rien fait pour les ouvriers en détresse. Elle fit pis que de ne rien faire.

D'abord elle licencia les ouvriers que la commission municipale siégeant à l'Hôtel de Ville avait incorporés à la garde nationale mobile et auxquels, depuis le 31 juillet, il était alloué une solde de trente sous par jour. Devant les manifestations de la faim, le Globe du 17 août proposa, mais vaguement, la réincorporation des ouvriers à la garde nationale : « C'est un droit pour eux et un devoir d'y entrer », disait le journal libéral. Et il concluait en demandant « que la Ville fît un sacrifice d'argent pour faciliter l'équipement de tous les citoyens qui justifieraient de l'impossibilité où ils sont de se procurer en totalité ou en partie cet équipement ». On comprend sans peine que le nouveau pouvoir ait peu goûté l'expédient et qu'il ait tenu à faire, au contraire, de la garde nationale une milice essentiellement bourgeoise. Les ouvriers n'en furent pas moins cruellement ulcérés, plus encore que lésés, par cette insultante éviction.

D'autre part, bien loin de chercher à calmer l'effervescence, le gouvernement fit une fausse manœuvre qui ressemblait singulièrement à une provocation.

En accordant à l'Imprimerie royale une certaine somme pour les réparations à faire, le ministère donna l'ordre d'imprimer au Bulletin des lois l'ordonnance dans laquelle se trouvait spécifiée la réparation des presses mécaniques brisées dans la matinée du 30 juillet. Les ouvriers, disent les journaux, se refusèrent à imprimer cette ordonnance et quittèrent les ateliers. Une réunion fut tenue le 3 septembre à la barrière du Maine, à laquelle prirent part quinze à seize cents ouvriers imprimeurs : ils s'engagèrent à ne pas travailler dans les maisons qui employaient des presses mécaniques.

Une commission ayant été nommée par cette réunion à l'effet de percevoir les cotisations et de représenter les ouvriers, le Moniteur annonça des poursuites « contre les signataires d'un écrit dans lequel le fait de coalition a paru positivement exprimé ». Ce ne fut pas l'avis du tribunal qui, le 14 septembre, acquitta les treize « commissaires » dont voici les noms : Roget, Carré, Sainte-Anne, Domeri, Champion, Genuyt, Hy, Dauzel, Possel, Valant, Devienne, Cruché, Lamey.

Fermement attaché au principe de la non-intervention directe dans les relations entre les employeurs et les ouvriers, Benjamin Constant proposa comme remède à la crise l'abrogation du monopole de la librairie et de l'imprimerie. Il était connu, en effet, que déjà, rien qu'à Paris, douze imprimeries existaient sans privilège. Toute la presse libérale appuya l'initiative de Benjamin Constant. Un renfort inespéré lui vint d'Angleterre, où les sociétés typographiques ouvrières protestaient contre le bris des machines et disaient bien haut qu'il suffirait de diminuer les charges pesant sur l'imprimerie, droits de timbre, frais de poste exagérés, pour augmenter immédiatement la production.

Les journaux libéraux et républicains, notamment le Globe et la Tribune, s'attachaient à réduire l'importance de cette agitation ouvrière. Parlant de la misère des ouvriers et de leurs réclamations, la Tribune, s'adressait aux gens au pouvoir :

« Nous vous avons indiqué comment vous pouviez les satisfaire sans dépenser un sou, et en augmentant même les revenus de l'État, par l'abolition du monopole et des privilèges industriels ; et, quand vous avez refusé, quand votre aveuglement vous a forcés à ne voir plus qu'en eux un moyen de vous défendre contre eux-mêmes, nous nous sommes adressés au patriotisme si puissant sur leur âme, nous les avons conjurés de ne pas ternir sur le front de la patrie la gloire de leur triomphe. Frappés de ce langage, ils se sont dit : Puisque ceux qui marchaient avec nous le 27 juillet, blâment aujourd'hui notre marche, nous ne sommes pas dans la bonne route, et ils se sont arrêtés ; et, toujours patriotes et généreux, ils ont fait taire leurs souffrances devant l'intérêt public. »

Car l'ennemi commun est là qui guette, tout prêt à profiter des divisions qui surgiraient entre ses vainqueurs pour prendre sa revanche. À Nantes, des ouvriers ont brisé une machine à pêcher le sable. Le journal l'Ami de la Charte affirme que, lors de l'émeute, des « personnages suspects » se frottaient les mains et encourageaient les briseurs de machines en disant : « Ha ! ha ! c'est bien. En voilà de la liberté, de la vraie liberté ! Cassez, brisez tout ; plus vous en ferez, mieux ce sera. »

La presse royaliste s'exposait à ces reproches, il faut bien en convenir. À propos de l'incident de Nantes, elle annonçait que, le lendemain matin, des « placards incendiaires » avaient été apposés sur les murs. Or, en fait de placards incendiaires, il n'y avait sur les murs de Nantes que des affiches, très modérées de ton, demandant que l'autorité s'occupât « du moyen d'exercer les bras inactifs », parce que « sans ouvrage, pas de pain et qu'il faut du pain pour vivre. »

Pour sa part, la Quotidienne explique à sa manière le bris des machines et toute l'agitation ouvrière. « La multiplication exagérée des forces par les machines préparait depuis longtemps la crise actuelle », dit le journal légitimiste. Pour la Quotidienne, la révolution qui vient d'avoir lieu est « l'occasion plutôt que la cause » de cette crise. Cela est parfaitement exact. La Quotidienne poursuit en raillant « les adeptes de l'économie politique que nous allons enfin voir à l'œuvre ». Elle ajoute que « cet emploi démesuré des machines... devrait blesser les libéraux conséquents à leurs principes, puisqu'il tend incessamment à annuler les petits producteurs au profit de l'aristocratie industrielle ». Et fielleusement elle glissait : « Aujourd'hui que la révolution se fait par cette aristocratie, de tels mouvements se réprimeront facilement sans doute ». Car, si la répression ne venait pas, « si les rôles changeaient, qui sait où nous serions conduits ? La révolution de 93 a emporté bien autre chose que des mull jennys, des presses mécaniques et des machines à haute pression. »

En réponse à cet article, le Journal du Commerce accusa les rédacteurs de la Quotidienne de se faire « ouvertement les théoriciens des luddistes ». Il affirma que « MM. de Polignac et consorts comptaient avoir pour auxiliaire dans l'exécution de leur coup d'État la faim de 40 ou 50.000 ouvriers ». Ils durent décompter, car les ouvriers furent tous du bon côté des barricades. « Il est vrai, ajoute le journal libéral, que, dans la matinée du 30, quelques ateliers d'imprimerie furent envahis et quelques presses mécaniques brisées par de soi-disant ouvriers imprimeurs ; mais pour deviner quels étaient les véritables auteurs de ce désordre passager, il faut savoir que la fureur des luddistes s'exerça particulièrement contre les presses des journaux libéraux. »

L'histoire de nos luttes politiques a prouvé que ce n'est pas calomnier les partis conservateurs que leur attribuer l'espérance de tirer ce qu'ils estiment le bien de l'excès même du mal. Des premiers temps de l'Assemblée nationale aux Chambres d'aujourd'hui, nous avons toujours vu le côté droit employer la surenchère démagogique pour tenter de faire échouer les propositions démocratiques ou simplement libérales. Dans le manifeste communiste, Marx et Engels ont excellemment observé que, « par leur situation historique, l'aristocratie française et l'aristocratie féodale anglaise étaient appelées à écrire des pamphlets contre la société bourgeoise moderne. »

À présent, une chose paraît certaine, c'est que si les presses des journaux carlistes furent épargnées, c'est qu'apparemment ces journaux, en bons conservateurs qu'ils étaient, avaient repoussé avec horreur l'emploi de ces diaboliques engins de progrès qu'on appelle des presses mécaniques.

Ces agitations ne pouvaient que faciliter la formation du pouvoir nouveau et lui donner de l'équilibre. Pour fonder « la monarchie entourée d'institutions républicaines » dont il s'était proclamé le représentant dans la comédie qu'il alla jouer à l'Hôtel de Ville, Louis-Philippe transforma, le 11 août, en ministère régulier la commission provisoire qui s'était installée à l'hôtel Laffitte. Quant à la commission municipale, composée des combattants et de leurs chefs, l'adhésion de Lafayette à la nouvelle monarchie l'avait désemparée en lui ôtant toute raison d'être ; sans même qu'elle fût consultée, deux ou trois de ses membres prononcèrent sa dissolution, et elle disparut sans bruit.

Désireux d'exercer une action personnelle sur ses ministres, le roi n'avait pas nommé de président du conseil. Deux éléments se partageaient le cabinet, et Louis-Philippe voyait dans cette division le moyen d'assurer son pouvoir, dont il se montra toujours jaloux à l'extrême, même dans les plus minces détails, comme on le verra dans la suite de cette histoire.

Dans le ministère, Dupont (de l'Eure) et Laffitte représentaient plus particulièrement les libéraux, ceux pour qui la Révolution signifiait un changement de régime, une mise en marche vers le progrès politique. C'étaient, avec des nuances qui les différenciaient assez fortement et une égale crainte de déchaîner la démocratie, les hommes du mouvement. Le groupe des hommes de la résistance au mouvement, des doctrinaires, était plus particulièrement représenté par Guizot, Dupin, le duc de Broglie et Casimir Périer. Ceux-ci étaient en majorité dans le ministère ; mais, d'une part, la popularité de Dupont (de l'Eure) et de Laffitte et, d'autre part ; la présence d'Odilon Barrot à la préfecture de la Seine et de Lafayette au commandement général des gardes nationales du royaume assuraient la prééminence aux hommes du mouvement.

Ces hommes du mouvement épuisèrent leur énergie à inscrire dans la charte l'abolition de l'hérédité de la pairie, à se quereller dans les séances du conseil avec Louis-Philippe, à laisser faire l'agitation dans la rue et à la laisser réprimer par leurs collègues de la résistance, dont l'adhésion au nouvel état de choses était faite surtout de résignation.

Le calme plat ne succède jamais immédiatement à la tempête. Cette vérité est plus constante encore pour les mouvements humains que pour ceux de la nature. Et puis, les démocrates et les libéraux réels ne pouvaient tous se faire à l'idée qu'il n'y avait rien de changé, que le monarque et la couleur de sa cocarde.

Dans le combat auquel les avait acculés la folle provocation des ministres de Charles X, ils avaient pris une audace morale née de leur courage militaire. La victoire avait redressé leur échine, et s'ils avaient de nouveau placé un homme sur le pavois, ils entendaient porter cet homme à leur gré, dans leur direction propre, et non selon son bon plaisir.

La révolution avait fait surgir au grand jour les associations républicaines et libérales qui, sous le régime précédent, s'étaient secrètement organisées pour mener la lutte contre le pouvoir et la congrégation. Dès les premiers jours d'août, la société Aide-toi, le ciel t'aidera proposa l'érection d'un monument aux quatre sergents de La Rochelle, guillotinés en place de Grève le 21 septembre 1822 pour avoir conspiré le renversement de Louis XVIII. Une autre société, la loge maçonnique les Amis de la Vérité, prit, de son côté, l'initiative d'une cérémonie funèbre pour l'anniversaire de l'exécution. Toutes les sociétés libérales et démocratiques de Paris et des départements adhérèrent à ce projet, et la cérémonie eut lieu le 21 septembre, dans le plus grand recueillement. Quatre mille citoyens y prirent part, défilant par trois de front, précédés de quatre drapeaux et de tambours recouverts d'un crêpe.

Le cortège partit de la rue de Grenelle-Saint-Honoré, où se tenaient les séances des Amis de la Vérité. Lorsqu'il arriva sur la place de Grève, les gardes nationaux de l'Hôtel de Ville présentèrent les armes et leurs tambours battirent aux champs. Deux discours furent prononcés, l'un par le citoyen Cahaigne, vénérable des Amis de la Vérité, l'autre par l'avocat des quatre jeunes gens. Et la cérémonie s'acheva dans le plus grand calme.

Elle eut aussitôt son retentissement à la Chambre. À propos de bottes — il s'agissait d'une pétition des commissaires-priseurs — un membre obscur de la majorité. Benjamin Morel, blâma le préfet de la Seine d'avoir laissé se produire cette manifestation et demanda des explications au gouvernement. Guizot répondit à cet interpellateur de complaisance qu'il considérait comme dangereuses les sociétés populaires : « Toutes choses y sont mises en question, dit-il. Et, remarquez, messieurs qu'il ne s'agit point dans ces sociétés de discussions purement philosophiques ; ce n'est pas telle ou telle doctrine qu'on veut faire prévaloir ; ce sont les choses mêmes, les faits constitutifs de la société que l'on attaque ; c'est notre gouvernement, c'est la distribution des fortunes et des propriétés, ce sont enfin les bases de l'ordre social qui sont mis en question et ébranlés tous les jours dans les sociétés populaires ». Selon lui, ces sociétés prolongeaient et tendaient à rendre permanent l'état révolutionnaire ; l'Europe s'inquiétait de leur propagande et se souvenait de 1792. Bref, il fit le discours de réaction qui lui semblait approprié aux circonstances.

Dupin, ministre sans portefeuille, vint en renfort du ministre de l'Intérieur avec ses « arguments de coin de rue », selon l'expression aussi pittoresque qu'exacte du duc de Broglie. Il fit appel aux intérêts. « On ne peut pas, dit-il, entrer dans une boutique pour acheter quand on voit des agitateurs populaires se promener dans les rues ». Puis, sentant qu'on allait lui opposer que ces agitateurs avaient été jugés bons pour faire la révolution dont il était un des ministres, il disait en terminant : « Rappelez-vous que ce qui est bon pour détruire ne vaut rien pour consolider ».

Mauguin, qui était l'orateur le plus actif de l'opposition, souleva un tumulte en déclarant que les gouvernements sont les auteurs réels des fautes commises par les peuples : « La France entière est en guerre contre son administration », s'écria-t-il. Et il conclut en demandant une enquête sur la conduite du ministère depuis la révolution.

Le discours de Guizot eut pour résultat direct et immédiat de jeter la bourgeoisie dans la rue, non pour y faire des manifestations pacifiques comme celle des quatre sergents, mais pour envahir tumultueusement le manège Peltier, où se réunissait la société des Amis du Peuple. Le ministre avait dit : « Le désordre n'est pas le mouvement, le trouble n'est pas le progrès ». Ses amis politiques firent du désordre pour arrêter le mouvement. La réunion fut dissoute par deux officiers d'état-major de la garde nationale. Ceci se passait le 25 septembre, le soir même de la séance où Guizot avait dénoncé les sociétés populaires.

Mais on se doute bien que le discours de Guizot n'eût pas suffi à provoquer un mouvement violent contre la plus célèbre et la plus remuante des sociétés populaires. Qu'est-ce donc qui avait exaspéré la bourgeoisie parisienne contre cette société ? Pourquoi était-elle allée en tumulte dissoudre une réunion où, ce soir-là, disent les membres de la société dans leur protestation, on s'occupait pacifiquement d'économie sociale ?

La société des Amis du Peuple, composée de républicains, avait, dans les premiers jours de septembre, manifesté ses sentiments sur l'agitation ouvrière dont nous avons parlé plus haut. Au plus fort de cette agitation, le Moniteur raconta que la police venait de saisir une affiche dans laquelle on provoquait les « gardes nationaux, les chefs d'ateliers et les ouvriers à se réunir pour renverser la Chambre des députés ».

La vérité était que cette proclamation émanait des Amis du Peuple et qu'elle avait été déposée régulièrement par l'afficheur. Des poursuites, néanmoins, furent ordonnées, et un mandat d'amener décerné contre les signataires de cette affiche, Hubert, ancien notaire à la Villette, et Thierry. La presse libérale protesta contre ces poursuites, elle rappela qu'à l'Hôtel de Ville, lorsqu'on avait demandé au duc d'Orléans le jury pour les délits de presse, le futur roi avait répondu : « Des délits de presse, il n'y en aura plus ! » Le journal la Révolution dit que les Amis du Peuple étaient une « société composée de plus de trois cents membres, honorablement connus dans Paris ». L'affiche incriminée n'avait pas, selon ce journal, le caractère que lui attribuait le Moniteur. Elle « invitait tous les citoyens à renoncer à des querelles intestines pour s'occuper d'un seul objet, la dissolution de la Chambre ».

C'était, en effet, à ce moment, un sujet de discussions passionnées que cette question de dissolution. Les 221, majorité élue contre le ministère Polignac, étaient demeurés, et seuls quelques membres de la droite avaient cru devoir démissionner à l'avènement du nouveau roi. Mais ce n'était sûrement point sur le ton de la discussion que l'affiche des Amis du Peuple invitait la Chambre à s'en aller ; car si les journaux libéraux étaient unanimes à protester contre la saisie de l'affiche et les poursuites contre ses auteurs, ils montraient la même unanimité à blâmer le ton de cette affiche. D'ailleurs, la bourgeoisie avait un bien autre grief contre les rédacteurs du manifeste, et elle leur reprochait bien moins d'attaquer violemment la Chambre que de s'être élevés contre « l'aristocratie bourgeoise » et d'avoir essayé de donner une doctrine et une direction aux impulsions tumultueuses de la classe ouvrière.

Que disait donc cette affiche ? Elle dénonçait l'égoïsme de la bourgeoisie. Puis elle déclarait que les travailleurs n'échapperaient à la servitude que par l'association. Enfin elle invitait l'État à réorganiser le crédit et à donner le droit de suffrage aux ouvriers. La société des Amis du Peuple se proposait l'examen attentif et réfléchi de ces problèmes, tout en protestant de son respect pour le droit de propriété.

On trouve ici les premiers contours du socialisme démocratique dont, six ans plus tard, Pecqueur, et ensuite Vidal et Louis Blanc, seront l'expression la plus complète. Mais ce schéma devait être singulièrement développé par eux, puisqu'ils allèrent, les deux premiers jusqu'au collectivisme, — il est vrai qu'ils avaient passé l'un par l'école saint-simonienne et l'autre par l'école fouriériste, — et le troisième jusqu'au communisme. Néanmoins, comme le fait fort à propos remarquer M. Georges Weill dans sa remarquable Histoire du parti républicain, « le parti démocratique, sans formuler encore un programme spécial précis, exprimait cette idée, très nouvelle pour la France de 1830, que le sort des prolétaires doit être un des soucis constants du pouvoir ».

Le 28 septembre, les gardes nationaux envahissaient de nouveau le manège Peltier et en interdisaient l'entrée aux membres des Amis du Peuple, brutalisant et violentant ceux qui voulaient résister. Le lendemain, ces incidents furent portés devant la Chambre. Mauguin, parmi les murmures de l'Assemblée, prit la défense des « hommes généreux » qui avaient « établi le gouvernement », et que le gouvernement accusait aujourd'hui de vouloir le renverser. Les ministres reprirent leurs accusations et leurs récriminations contre les clubs. Ils invoquèrent l'émoi que l'agitation parisienne causait en province. Les déclarations de M. Guizot sur ce point soulevèrent les protestations d'un certain nombre de journaux libéraux des départements.

Cette séance consacra législativement ou plutôt gouvernementalement les violences de la garde nationale et achemina le pouvoir vers la suppression du droit de réunion et d'association conquis deux mois auparavant sur les barricades. Tout en protestant de son respect pour ce droit, Dupin le vit violer avec un plaisir non dissimulé : « C'est Paris, dit-il, qui a fermé les clubs ; c'est la force de Paris tout entière qui s'y est opposée ; il n'y a eu qu'à donner protection... » Paris et sa force, c'était la garde nationale, la bourgeoisie armée. Le peuple ne comptait déjà plus. Et, de fait, il ne comptait plus, puisqu'il ne se montrait pas, puisqu'il laissait ses maîtres économiques organiser le pouvoir politique que sa force un instant soulevée avait mis à leur portée. C'est pourtant lui que craignait cette bourgeoisie armée ; un réveil subit de cette plèbe qui venait d'emporter un trône était à craindre tant que les républicains pourraient l'appeler à profiter de sa victoire et à ne pas se la laisser escroquer. De là ces fureurs qui faisaient dire à Victor Hugo :

« Nous sommes dans le moment des peurs paniques. Un club, par exemple, effraye, et c'est tout simple : c'est un mot que la masse traduit par un chiffre : 93. Et pour les basses classes, 93, c'est la disette ; pour les classes moyennes, c'est le maximum ; pour les hautes classes, c'est la guillotine.

« Mais nous sommes en 1830. »

On était en 1830, mais la bourgeoisie à qui Victor Hugo disait : « Il y a pourtant longtemps que nous avons dépassé 1789 » songeait que 1793 avait succédé bien rapidement à 1789. Elle fit donc l'impossible pour que le peuple ne reprit pas goût à la démocratie. Dupin ainé avait eu beau prodiguer les protestations rassurantes et, par son naturel à la fois trivial et retors, mettre en gaieté la Chambre conservatrice : la bourgeoisie avait peur des républicains. Elle ne se sentirait en sûreté que lorsqu'il serait défendu de parler de la République au peuple.

— Quand on saisit un républicain, avait osé dire Dupin, on lui trouve dans les poches une pétition pour être préfet.

La bourgeoisie avait ri, mais elle n'avait pas désarmé.

Chapitre III
Les sociétés populaires et les clubs.

La propagande républicaine et patriotique continue. — Les « saint-simonistes » et la Chambre. — Les ministres de Louis-Philippe essaient de sauver ceux de Charles X. — Émeutes dans Paris : le peuple veut la tête de Polignac et de ses complices. — Blanqui et l'Association des Étudiants. — Agitation fiscale, économique et sociale dans les départements. — Le sac de Saint-Germain-L'auxerrois et le pillage de l'archevêché.

La révolution de juillet n'avait pas créé les associations libérales et démocratiques ; elle leur avait seulement permis de se manifester et d'agir au grand jour, Mais, on le sait, dès les premiers temps de la Restauration, la résistance contre l'ancien régime et ses retours offensifs, contre la Congrégation alors toute puissante, avait suscité des sociétés secrètes, dont la plus importante, la Charbonnerie, groupait tous les hommes d'action libéraux, bonapartistes et républicains. En même temps, des libéraux et des démocrates fondaient la société Aide-toi, le ciel t'aidera, dont Guizot fît partie quelque temps encore après son avènement au pouvoir.

Trois sociétés naquirent d'abord des journées de juillet : la Société constitutionnelle, fondée par Cauchois-Lemaire, celle des Trois jours, et les Amis du peuple. Les deux premières eurent une existence très courte et se fondirent dans la troisième. Celle-ci, qui ne devait disparaître que sous les coups de la loi de 1834, avait une allure nettement républicaine, et une pensée socialiste surgissait parfois de ses délibérations et de ses manifestes.

Henri Heine qui, en 1832, a assisté à une des séances des Amis du peuple en rend compte en ces termes :

« Il s'y trouvait plus de quinze cents hommes serrés dans une salle étroite, qui avait l'air d'un théâtre. Le citoyen Blanqui, fils d'un conventionnel, fit un long discours plein de moquerie contre la bourgeoisie, ces boutiquiers qui avaient été choisir pour roi Louis-Philippe, la boutique incarnée, qu'ils choisirent dans leur propre intérêt, non dans celui du peuple, qui n'était pas complice d'une si indigne usurpation. Ce fut un discours plein de sève, de droiture et de colère. Malgré la sévérité républicaine, la vieille galanterie ne s'est pas démentie, et l'on avait, avec une attention toute française, assigné aux dames (aux citoyennes) les meilleures places auprès de la tribune de l'orateur. La réunion avait l'odeur d'un vieil exemplaire relu, gras et usé du Moniteur de 1793. Elle ne se composait guère que de très jeunes hommes et de très âgés. »

Dès ses premières manifestations, la société des Amis du peuple s'était attiré les réprimandes d'Armand Carrel, dans le National, et même de la Tribune, organe des républicains, qui lui conseilla de renoncer à la tradition jacobine.

La société ne renonça à rien, sinon aux séances publiques, et redoubla d'ardeur dans la propagande. Les poursuites dont l'affiche fut l'objet permirent à Hubert, l'un des accusés, de faire une profession de foi républicaine dans le prétoire : « Juges de Charles X, dit-il aux magistrats, récusez-vous ; le peuple vous a dépouillés de votre toge en rendant la liberté à vos victimes. » Les juges de Charles X, qui n'étaient pas encore devenus tout à fait ceux de Louis-Philippe, répondirent en acquittant Hubert et Thierry, ce qui était encore une manière de se récuser.

Les Amis du Peuple publiaient rapidement des brochures sur les questions à l'ordre du jour. Dans l'une de ces brochures, remises au jour par les patientes recherches de M. G. Weill, on lit cette phrase significative : « Ceux-là se trompent qui croient que le fait principal de la Restauration fut le rétablissement de l'ancien régime ; son œuvre fut surtout l'organisation de l'aristocratie bourgeoise. C'est dans l'espoir de se débarrasser de cette aristocratie déjà trop lourde de 1830 que la plupart des combattants exposèrent leur vie. »

Le 25 août, la révolution éclate à Bruxelles. La société décide aussitôt de lever un bataillon à ses frais « avec un étendard spécial » et de l'envoyer au secours des insurgés belges. Nous la retrouverons ainsi au premier rang dans toutes les protestations, dans toutes les manifestations pour l'indépendance des peuples, la liberté des citoyens, l'émancipation des prolétaires. Au rapport du policier de la Hodde, qui fit longtemps partie des sociétés secrètes et fut même un des chefs de ces sociétés, il se trouvait dans les Amis du peuple une section révolutionnaire appelée les Droits de l'Homme. Là étaient dit-il, les « républicains les plus sérieux ». Ce groupe fut le noyau de la célèbre société des Droits de l'Homme, lorsque les Amis du peuple eurent disparu.

D'autres sociétés encore étaient écloses au soleil de juillet. L'étudiant Sambuc en avait fondé une dénommée Société de l'ordre et du progrès. Cette société était tout entière composée d'étudiants, et chacun de ses membres était tenu d'avoir un fusil et des cartouches, ce qui prouve bien que les avis étaient partagés en ce temps sur la manière d'assurer l'ordre et le progrès. La manière de Sambuc n'ayant pas été unanimement approuvée par la jeunesse républicaine des écoles, on vit surgir une seconde société, fondée et dirigée par Marc Dufraisse et Lhéritier. Cette société demandait « l'éducation libre, gratuite, obligatoire et purement laïque. »

Citons encore la Société gauloise, fondée par Thielmam. Cette association était organisée hiérarchiquement, militairement. Il en était de même des Amis de la patrie et des Francs régénérés, qui ne durèrent pas davantage qu'elle, l'Union, société d'allure nettement révolutionnaire, ne survécut guère aux barricades sur lesquelles elle était née. La liste sera à peu près complète si l'on y ajoute deux sociétés dont la plupart des membres actifs durent faire partie des sociétés citées plus haut : la Société des condamnés politiques, à laquelle Fieschi devait s'affilier en 1834, bien qu'il eût été condamné sous Louis XVIII pour un délit étranger à la politique, et les Réclamants de Juillet, organisés par O'Reilly pour participer aux secours et aux décorations accordés aux vainqueurs par le nouveau gouvernement. On ne sera pas surpris d'apprendre que le chiffre des Réclamants de Juillet finit par s'élever jusqu'à cinq mille. Ils n'en furent certainement point, les vaillants jeunes gens qui, par un ordre du jour, décidèrent que les quatre croix de la Légion d'honneur accordées par le lieutenant-général aux étudiants en droit seraient placées dans l'amphithéâtre de l'école. Pas davantage ceux d'entre les étudiants en médecine qui proposèrent un refus en bloc fondé sur ce motif : « qu'un devoir national accompli en commun ne doit pas recevoir une récompense individuelle. »

Dans son discours sur les associations libérales et républicaines, Manguin fut amené à parler de celle des saint-simoniens. Voici, d'après le Moniteur, dans quels termes il le fit :

« À Paris, une secte demi-religieuse et demi-philosophique s'est formée. Elle a tout ce qui accompagne l'enthousiasme, les idées généreuses et les erreurs. Elle a notamment sur la propriété des idées qui lui sont propres. (Mouvements d'étonnement. Plusieurs voix. Que veut-il dire ?... D'autres. Ce sont les saint-simonistes... On rit.)

« Certes, ce qu'il y a de moins à craindre en France, c'est d'y voir prévaloir le principe de la communauté des biens... (On rit). Fraction à peine aperçue dans la société, on a fait de cette secte l'objet d'un effroi universel !.. (Voix nombreuses Non ! non ! personne n'y pense). Sur ce qu'en ont dit ses écrivains, chacun a pu trembler pour sa propriété (Mêmes dénégations). On a cru voir la loi agraire à sa porte. (On rit, et de longs murmures s'élèvent.) »

Au cours de cette même séance du 29 octobre, Dupin, avec sa grosse verve de bourgeois égrillard, faussement pudique, avait accusé, sans les nommer, lui non plus, les saint-simoniens de vouloir une autre communauté encore que celle des biens. Et les rires complaisants de la majorité avaient prouvé au ministre que son allusion à la communauté des femmes avait été comprise. Entre gens vertueux, on s'entend à demi-mot.

Bazard et Enfantin saisirent au vol l'occasion nouvelle qui leur était offerte de préciser leur doctrine. Ils adressèrent le 1er octobre une lettre de protestation au président de la Chambre, contre les allégations de MM. Mauguin et Dupin, qui avaient désigné les saint-simoniens « à la France, à l'Europe entière, comme appelant la communauté des biens, et, selon une expression qu'il est impossible de reproduire sans répugnance, la communauté des femmes. »

Profitant de l' « immense publicité qui s'attache aux débats de la Chambre », les chefs de la doctrine précisèrent en ces termes les deux points dénaturés par l'orateur de l'opposition et par celui du gouvernement :

« Le système de la communauté des biens s'entend universellement du partage égal entre tous les membres de la société, soit du fonds lui-même de la production, soit des fruits du travail de tous.

« Les saint-simoniens repoussent ce partage égal de la propriété, qui constituerait à leurs yeux une violence plus grande, une injustice plus révoltante que le partage inégal qui s'est effectué primitivement par la force des armes, par la conquête ; car ils croient à l'inégalité naturelle des hommes, et regardent cette inégalité comme la base même de l'association comme la condition indispensable de l'ordre social.

« Ils repoussent le système de la communauté des biens, car cette communauté serait une violation manifeste de la première de toutes les lois morales qu'ils ont reçu mission d'enseigner, et qui veut qu'à l'avenir chacun soit placé selon sa capacité et rétribué selon ses œuvres.

« Mais en vertu de cette loi, ils demandent l'abolition de tous les privilèges de la naissance sans exception, et par conséquent la destruction de l'héritage, le plus grand de tous ces privilèges, celui qui les comprend tous aujourd'hui, et dont l'effet est de laisser au hasard la répartition des avantages sociaux, parmi le petit nombre de ceux qui peuvent y prétendre, et de condamner la classe la plus nombreuse à la dépravation, à l'ignorance, à la misère.

« Ils demandent que tous les instruments du travail, les terres et les capitaux, qui forment aujourd'hui le fonds morcelé des propriétés particulières, soient réunis en un fonds social, et que ce fonds soit exploité par association et hiérarchiquement, de manière à ce que la tâche de chacun soit l'expression de sa capacité et sa richesse la mesure de ses œuvres.

« Les saint-simoniens ne viennent porter atteinte à la constitution de la propriété qu'en tant qu'elle consacre, pour quelques-uns, le privilège impie de l'oisiveté, c'est-à-dire celui de vivre du travail d'autrui ; qu'en tant qu'elle abandonne au hasard de la naissance le classement social des individus.

« Le christianisme a tiré les femmes de la servitude, mais il les a condamnées pourtant à la subalternité et partout, dans l'Europe ; chrétienne, nous les voyons encore frappées d'interdiction religieuse, politique et civile.

« Les saint-simoniens viennent annoncer leur affranchissement définitif, leur complète émancipation, mais sans prétendre pour cela abolir la sainte loi du mariage proclamée par le christianisme ; ils viennent au contraire pour accomplir cette loi, pour lui donner une nouvelle sanction, pour ajouter à la puissance et à l'inviolabilité de l'union qu'elle consacre.

« Ils demandent, comme les chrétiens, qu'un seul homme soit uni à une seule femme, mais ils enseignent que l'épouse doit devenir l'égale de l'époux ; et que, selon la grâce particulière que Dieu a dévolue à son sexe, elle doit lui être associée dans l'exercice de la triple fonction du temple, de l'État et de la famille, de manière à ce que l'individu social qui, jusqu'à ce jour, a été l'homme seulement, soit désormais l'homme et la femme.

« La religion de Saint-Simon ne vient mettre fin qu'à ce trafic honteux, à cette prostitution légale, qui, sous le nom de mariage, consacre si fréquemment aujourd'hui l'union monstrueuse du dévouement et de l'égoïsme, des lumières et de l'ignorance, de la jeunesse et de la décrépitude.

« Telles sont les idées les plus générales des saint-simoniens sur les changements qu'ils appellent dans la constitution de la propriété et dans la condition sociale des femmes... »

Telles étaient, en effet, à ce moment-là, les idées des saint-simoniens sur la propriété et le mariage. Nous verrons par la suite que celles relatives au mariage ne devaient pas tarder à se modifier profondément sous l'impulsion d'Enfantin et malgré les efforts contraires de Bazard, qui fut réduit à se retirer en protestant contre l'immoralité de la nouvelle doctrine.

La protestation des saint-simoniens passa inaperçue. La Chambre était tout à la proposition de Destutt de Tracy, portant abolition de la peine de mort. Certes, le philosophe, dont la proposition attendait depuis deux ans qu'on voulût bien la discuter, ne fut pas peu surpris de la faveur qu'elle trouvait soudainement auprès de ses collègues. Il avait bien été décidé que les ministres de Charles X seraient traduits devant la cour des pairs, mais on n'entendait pas que la répression du crime de lèse-nation commis par le prince de Polignac et ses collègues allât jusqu'à dresser l'échafaud, la Chambre se prit donc d'un subit amour pour la proposition de Destutt de Tracy.

Étranger aux contingences politiques, guidé uniquement par les principes de la philosophie du dix-huitième siècle, d'autant plus résolu d'autre part à défendre sa proposition qu'il avait été un adversaire irréductible de la Restauration, Destutt de Tracy profita de ses avantages et, par la presse, tenta d'intéresser l'opinion à la grande réforme qu'il projetait.

La partie active et militante de la population parisienne prit à rebours la proposition et ne voulut y voir que ce qu'y voyait en effet la majorité de la Chambre : un moyen d'épargner le châtiment aux ministres qui avaient fait tirer sur le peuple Dans les clubs et dans les groupes, le sophisme, le sophisme démagogique fit ses ravages, par la faute même de la Chambre. On la montra, avec grande raison d'ailleurs, empressée à détruire l'échafaud, non parce qu'elle réprouvait la peine de mort, mais pour y soustraire des hommes riches et titrés.

L'adresse de la Chambre au roi, l'invitant à supprimer la peine de mort, mit le feu aux poudres. Des manifestations violentes eurent lieu, notamment le 17 octobre, au cri sinistre de : « Mort aux ministres ! » La garde nationale eut beaucoup de peine à les disperser, car sur ce point elle était d'accord avec la foule, et elle tenait à ne pas employer la violence. Arago, très populaire, essaya de calmer les furieux : « Nous sommes de la même opinion, leur disait-il. — Ceux-là, lui répondit-on, ne sont pas de la même opinion, dont l'habit n'est pas de la même étoffe. »

Le lendemain, la foule, au comble de la surexcitation, se porte sur Vincennes, où sont détenus les anciens ministres. La popularité de Daumesnil, gouverneur du château, a plus de succès que celle d'Arago. Les manifestants reviennent à Paris et se dispersent, non sans avoir violemment manifesté contre le roi, devant le Palais-Royal, qu'il n'a pas quitté encore pour les Tuileries.

Cet incident ne contribua pas pour peu à la crise ministérielle qui éclata quelques jours après. Guizot et ses collègues de la résistance. Molé, Dupin, le duc de Broglie, Casimir Périer et le baron Louis, se retiraient du ministère, en feignant d'être exaspérés par les complaisances que leurs collègues libéraux montraient pour l'émeute.

Mais les hommes de la résistance ne partaient pas sans esprit de retour. Ils partaient même afin de pouvoir revenir, car ils sentaient qu'ils s'useraient rapidement à résister aux derniers soubresauts de l'agitation révolutionnaire, et ils préféraient laisser cette tâche ingrate et périlleuse aux libéraux purs. Si libéraux qu'ils fussent, ils seraient obligés de maintenir l'ordre dans la rue ; d'autre part, ils craignaient trop les républicains pour laisser les choses aller bien loin dans le sens de l'action populaire. Les laisser seuls aux prises avec les responsabilités du pouvoir était une manœuvre indiquée par les événements eux-mêmes ; elle fut d'ailleurs conseillée ouvertement par le Journal des Débats.

Le 2 novembre, donc, Laffitte prit la présidence du Conseil. Immédiatement, et afin de manifester ses sentiments en faveur de la résistance, la Chambre donnait à Casimir Périer, un des ministres démissionnaires, le fauteuil de la présidence que Laffitte avait occupé depuis la révolution. Le ministère qui allait avoir en face de lui une telle majorité était-il au moins homogène ? Non, puisqu'il contenait des conservateurs inféodés à la personne de Louis-Philippe, tel le comte de Montalivet, et au moins un républicain, Dupont (de l'Eure), qui, sur la suppression du timbre et du cautionnement des journaux, votait contre ses collègues du ministère.

Le procès des ministres de Charles X eut lieu au Luxembourg, devant la Chambre des pairs érigée en Cour de justice. L'audience s'efforçait de rester calme ; mais, selon le mot de Victor Hugo, on entendait rugir le peuple dehors. Cet acharnement de la foule attriste le poète, et, dans son Journal d'un révolutionnaire de 1830, il trace ces lignes où se peint le désarroi de sa pensée :

« Ne demandez pas de droits pour le peuple tant que le peuple demandera des têtes. »

Aussi propose-t-il qu'avant de donner au peuple des droits qu'il tourne contre l'humanité, on commence par l'instruire. « Il faut, dit-il, faire faire au peuple ses humanités. »

Le peuple de 1848 ne sera guère plus instruit que celui de 1830. Pourtant son premier geste, avant même d'avoir déblayé les barricades, sera de renverser l'échafaud. C'est qu'en 1848 le peuple était souverain. Tandis qu'en 1830, il avait été remis aussitôt à la chaîne. Quoi d'étonnant à ce qu'il se conduisît en esclave et qu'il substituât les saturnales de la servitude aux généreux élans de la liberté !

Que dire de ce procès ? M. Thureau-Dangin affirme que l'accusation fut âpre, mais boursouflée, et que la défense fut grandiose et pathétique. Louis Blanc me paraît plus impartial lorsqu'il constate qu'accusateurs et accusés n'apportaient « ni dignité ni bonne foi », les uns et les autres rabaissant ce drame à une querelle de procureurs.

Victor Hugo ici suggère l'interprétation que, dix ans plus tard, Louis Blanc donnera de ce débat. Voici, en effet, les réflexions qui lui viennent et qu'il trace au cours même des incidents :

« J'ai assisté à une séance du procès des ministres, à l'avant-dernière, à la plus lugubre, à celle où l'on entendait le mieux rugir le peuple dehors. J'écrirai cette journée-là.

« Une pensée m'occupait pendant la séance : c'est que le pouvoir occulte qui a poussé Charles X à sa ruine, le mauvais génie de la Restauration, ce gouvernement qui traitait la France en accusée, en criminelle, et lui faisait sans relâche son procès, avait fini, tant il y a une raison intérieure dans les choses, par ne plus pouvoir avoir pour ministres que des procureurs généraux. Et, en effet, quels étaient les trois hommes assis près de M. de Polignac comme ses agents les plus immédiats ? M. de Peyronnet, procureur général ; M. de Chantelauze, procureur général ; M. de Guernon-Banville, procureur général.

« Qu'est-ce que M. Mangin, qui eût probablement figuré à côté d'eux si la révolution de juillet avait pu se saisir de lui ? Un procureur général ! Plus de ministre de l'intérieur, plus de ministre de l'instruction publique, plus de préfet de police, des procureurs généraux partout. La France n'était plus ni administrée, ni gouvernée au conseil du roi, mais accusée, mais jugée, mais condamnée.

« Ce qui est dans les choses sort toujours au dehors par quelque côté. »

Avant le prononcé de la condamnation, Montalivet, substituant la troupe à la garde nationale, enleva les ministres au nez de la foule surprise et les transporta au château de Vincennes, au grand trot d'un escadron. L'arrêt les condamna à la détention perpétuelle, aggravée de la mort civile pour le prince de Polignac.

La garde nationale, qui partageait les sentiments de la foule contre les ministres des ordonnances, n'avait que très mollement contenu les groupes qui hurlaient à la mort aux portes du Luxembourg. Il est certain que, sans l'initiative audacieuse du ministre de l'intérieur, la garde nationale, malgré la présence et les objurgations pressantes de Lafayette, se serait laissé déborder par la foule, qui aurait fait des prisonniers ce qu'elle eût voulu.

Sur quatre batteries que comprenait l'artillerie de la garde nationale, deux étaient républicaines ; la jeunesse dorée du parti s'était groupée là, fière de son uniforme bien pincé à la taille, comme disait ironiquement Raspail, et de ses nombreux colifichets. Ces jeunes gens étaient commandés par Bastide et Thomas pour la troisième batterie, et par Guinard et Cavaignac pour la seconde. C'est dire qu'ils recevaient tous l'inspiration de la société des Amis du peuple.

Le procès qui leur fut fait, sous l'accusation d'avoir pactisé avec l'émeute, démontra qu'ils s'étaient tenus dans la réserve, prêts à marcher seulement si le peuple s'ébranlait pour de bon. Ils déclarèrent ne s'être réunis que pour réprimer un complot bonapartiste dont on leur avait donné avis.

L'agitation parisienne se porta sur un autre point. Avant de transformer la société d'étudiants fondée par lui en groupe révolutionnaire armé, Sainbuc, aidé de Blanqui, Ploque et Morhéry, notamment, avait tenté d'organiser une fédération des étudiants de toutes les écoles.

Un Projet d'association des écoles fut publié dans la Tribune du 29 décembre. Son but était de « resserrer autant que possible les liens de patriotisme et d'amitié », et aussi d'entretenir parmi les étudiants « la concorde, la fraternité et l'uniformité des principes. » Les fonds provenant des cotisations étaient destinés à payer les frais d'impression des écrits où seraient exprimés ces principes.

Les signataires de cet appel furent traduits devant le conseil académique et condamnés à perdre une partie de leurs inscriptions. Blanqui notamment en perdit trois. Les étudiants s'ameutèrent, exaspérés, assaillirent à la sortie du conseil Mérilhou, le nouveau ministre de l'instruction publique, et Persil, le procureur général. Des huées les poursuivirent jusqu'à leur voiture, dont les vitres furent cassées ; on les bombarda avec des œufs. Bref, ce fut un tumulte scolaire tout à fait réussi.

Le gouvernement, qui venait d'avoir recours à la jeunesse des écoles pour pacifier la rue au moment le plus aigu du procès des ministres y tenta de pallier l'effet déplorable de cette algarade sur l'opinion publique. Au dire de la Tribune« on établit de toutes parts des registres destinés à recueillir des signatures d'étudiants où, sous prétexte de désavouer des excès odieux, on désavouait aussi l'Association des Écoles».

Le soir même de l'affaire, ou plutôt dans la nuit qui suivit, Sambuc, Ploque et Blanqui étaient arrêtés. Pour celui-ci, les rédacteurs parlementaires de plusieurs journaux établirent qu'il se trouvait à la Chambre au moment où se produisait la bagarre de la Sorbonne. La police et le parquet ne l'ignoraient point, ; mais ils savaient aussi que Blanqui était le rédacteur du manifeste des étudiants.

Sur les protestations des journaux, le préfet de police se défendit d'avoir usé de procédés inhumains envers les jeunes gens arrêtés. « Blanqui, nous dit Gustave Geffroy, dans son beau livre l'Enfermé, répond par une lettre violente, datée de la Force, où il dit la promiscuité avec les voleurs et les assassins imposée à ses amis et à lui, les promenades dans le panier à salade, la boue donnée comme boisson, l'humidité des murailles et des draps ; l'atmosphère infecte, tout cela pour récompenser les patriotes du sang versé en juillet pour la liberté. Il ne se plaint pas, d'ailleurs, et il finit par une citation latine et un vers de Béranger. Le soir même de la publication de la lettre, ses amis et lui sont remis en liberté, et le National demande pourquoi les trois semaines de détention après l'alibi prouvé. »

C'est ici la première étape de l'âpre révolutionnaire à travers les cachots qui contraindront son corps sans réduire sa volonté. De la Force, où il entre le 30 janvier 1831, à Clairvaux, d'où il sortira le 11 juin 1879, il donnera à la liberté de tous quarante ans de sa liberté à lui.

À l'agitation politique et ouvrière de Paris répondaient, en province, des mouvements par, lesquels se manifestaient les souffrances les plus aiguës et les besoins les plus immédiats. La révolution de Paris donna le courage de protester violemment à des gens qui, sans elle, eussent continué d'endurer en silence leurs maux accoutumés. Des troubles éclatèrent un peu partout, affirmant les griefs, et aussi les appréhensions de la foule.

À Besançon, les vignerons manifestent bruyamment. En tête de leur manifestation une pancarte avec ces mots : À bas les rats et les accapareurs !Le bureau des contributions indirectes est saccagé par cinq ou six cents furieux. Dans d'autres pays vignobles, à Bourges notamment, les troubles éclatent aux cris de : Plus de commis, ou il n'y a rien de fait ! C'est la vieille guerre du paysan et du fisc. Le gouvernement ayant été vaincu, le fisc doit disparaître, ou bien, pour le paysan, il n'y aura rien eu de fait, c'est une révolution qui ne comptera pas.

Mais c'est surtout la crainte de la disette, et par conséquent la défiance et la haine dont les négociants en grains sont l'objet, qui émeut et ameute les foules. À Auxerre, le marché est envahi, et les acheteurs, fixant d'autorité le prix au-dessous du cours se répartissent le blé disponible. La foule, de là, se rend chez un marchand réputé accapareur et le force à vendre au cours fixé par elle.

À Issoudun, des rassemblements armés se forment, arrêtent au passage les voitures de blé. La circulation des grains est également arrêtée dans les Deux-Sèvres, à Bordeaux, Orléans, Corbeil, Montreuil-sur-Mer, Saint-Pol, Hesdin, un peu partout d'ailleurs. À Gournay, qui est le siège du marché au beurre le plus important du nord de la France, une émeute éclate contre les gros marchands qui font des marchés amiables avant la criée et fixent ainsi les prix à leur gré.

À Rouen et dans toute la région cotonnière et drapière de Normandie, l'agitation est ouvrière. Là c'est la crise qui affame des milliers de malheureux et les surexcite. On envoie contre eux des troupes, et lorsque le calme est rétabli, on leur distribue d'insignifiants secours arrachés à la peur bien plus qu'à la pitié. À Marseille, les tonneliers forment une coalition pour relever leurs salaires.

Sur tous les points de la France surgissent des affiches anonymes menaçant de mort les carlistes et les prêtres. La presse libérale met en garde l'opinion publique contre ces excitations et les impute au parti vaincu. De fait, le clergé s'était associé à la politique du régime déchu, l'avait inspirée même. Rien d'étonnant, donc, à ce qu'il payât les frais de guerre. Mais en réalité, le mouvement fut bref, et ne constitua aucun péril sérieux pour les personnes. Le dégât se borna à peu près au renversement de quelques croix de mission. Il n'en fut pas de même dans les régions où les « carlistes » étaient en majorité.

Ainsi, dans les environs de Nîmes, il y avait un certain Graffan, qui voulut renchérir sur Trestaillons, au moins par le nom ; il se fit donc appeler Quatretaillons. Et pour mériter son titre, il envahit une ferme à la tête d'une bande, et y met le feu. Par les protestations du fermier, les bandits apprennent qu'il est catholique et non protestant comme ils le croyaient. Ils éteignent l'incendie, font des excuses et disparaissent.

Ces agitations n'impressionnent point les amis de la liberté au dehors. L'Angleterre libérale, notamment, tient à se signaler par l'empressement et l'unanimité apportés à reconnaître et à acclamer les vainqueurs de l'ancien régime. Chaque jour les journaux de Paris ont à publier des adresses enthousiastes, entre autres celles des municipalités de Nottingham et de Liverpool, d'une députation des habitants de Londres, du lord-prévôt d'Édimbourg, etc. Nous trouverons plus loin le tableau des espérances que la révolution donna un instant aux peuples conscients de l'oppression qui pesait sur eux. Disons seulement pour l'instant que Paris et la France répondaient à cette ardente aspiration vers la liberté des citoyens et des nationalités en préludant à la restauration du culte napoléonien.

Dès septembre, en effet, les théâtres parisiens, fidèles échos de la pensée publique et serviteurs intéressés des grands courants, font surgir des Napoléons aux Nouveautés, aux Variétés, au Vaudeville, à l'Ambigu, à la Porte Saint-Martin, partout ! Chaque théâtre veut avoir son Napoléon, faire recette avec un Napoléon. Et tout culte se plaçant dans des régions inaccessibles au ridicule, l'on voit sur les moindres tréteaux des Napoléons majestueux et familiers, des Napoléons terribles, des Napoléons tonitruants, offerts à l'adoration des foules. Dans le même temps, le Globe publie l'Ode à la Colonne, et l'on commence à réclamer aux Anglais les cendres du héros. Une émeute avait éliminé du pouvoir Lafayette et Dupont (de l'Eure). Une émeute en allait éliminer Laffitte et ses collègues du cabinet, et ramener les hommes de la résistance. Par une inconcevable aberration qui réunissait tous les caractères d'une bravade, les légitimistes parisiens avaient organisé à Saint-Germain l'Auxerrois un service funèbre à la mémoire du duc de Berry. Cette cérémonie, qui eut lieu le 14 février, tourna en manifestation royaliste sur le nom du jeune duc de Bordeaux. Le bruit court dans la foule amassée que l'on proclame roi l'enfant mis en fuite il y a quelques mois ; elle s'ameute, s'exalte, se rue et saccage l'église. Le mouvement emporte la foule par toute la ville, et en un clin d'œil toutes les croix sont abattues. Le lendemain, l'archevêché est mis à sac et démoli.

Tout cela s'était passé sous l'œil impassible, complice même, de la garde nationale et du pouvoir. Les historiens sont unanimes à constater que l'émeute fut dirigée par des chefs appartenant à la bourgeoisie. Ceux-ci voulaient donner une leçon aux carlistes et en même temps faire dériver sur eux l'agitation populaire entretenue par les républicains.

Avec une inconscience rare, l'archevêque de Paris, M. de Quelen, se prêta aux circonstances en autorisant la cérémonie de Saint-Germain l'Auxerrois, malgré l'avis que lui avait fait passer le ministre de l'Intérieur. Mais, ainsi que le dit M. Thureau-Dangin, ses sentiments monarchistes le rendaient, à l'égard du gouvernement, moins prompt à la conciliation que tel autre de ses collègues. D'autre part, on savait dans Paris que, lors de la prise d'Alger, dans le Te Deum à Notre-Dame, l'archevêque avait dit au roi Charles X, faisant allusion à la lutte engagée entre ses ministres et l'opinion : « Cette victoire est le présage d'une plus importante encore. »

Nous avons, de l'organisation méthodique qui présida au pillage et à la destruction de l'Archevêché, le témoignage précieux de Martin Nadaud, alors âgé de seize ans. Dans ses Mémoires de Léonard, où il raconte sa dure et laborieuse existence d'ouvrier maçon en même temps que sa longue et fructueuse propagande républicaine et syndicale. Nadaud narre ainsi les événements des 14 et 15 février :

« Parti de Saint-Germain l'Auxerrois, je me rappelle que des hommes mieux habillés que les ouvriers prenaient beaucoup de peine pour organiser cette manifestation ; on se mit à crier : « En rang et six hommes de front ! »

« Enfin, nous suivîmes les quais, nous traversâmes le pont Notre-Dame et la place du Parvis, puis nous arrivâmes devant la haute grille du palais. En un clin d'œil, elle fut escaladée, descellée et couchée à terre ; comme nous entrions dans une des premières pièces, notre regard se porta sur une jeune femme. L'entourer, la protéger, tout le monde aurait voulu s'y prêter ; on la conduisit, au milieu d'éclats de rire de cette foule, dans la boutique d'une fruitière peu éloignée de là, puis nous retournâmes à notre œuvre de destruction ; déjà, le petit bras de la rivière qui coulait au pied du palais était couvert de débris de meubles, de tables, de chaises et de matelas.

« Chose assez étrange, la garde nationale s'avançait au petit pas, passait devant nous, sans chercher à faire la moindre arrestation. Je m'échappai avec d'autres camarades sur un petit pont en bois qui nous conduisit vers l'île Saint-Louis. »

Entre autres récits, j'ai choisi celui-ci parce que, sans rien ajouter à ce qu'ils disent, il donne néanmoins avec une précision saisissante l'impression que ces émeutes furent organisées par la bourgeoisie pour détruire toute espérance de revanche dans l'esprit des vaincus des trois journées. Avec une amertume concevable et que nous ne pouvons nous empêcher de partager, bien que nous ne croyions pas comme lui à la nécessité sociale de la religion, Louis Blanc constate que « vers le même temps de pauvres ouvriers se rassemblèrent aux environs du Palais-Royal », encore habité par Louis-Philippe et sa famille. « Ils ne descendaient pas dans la rue, ceux-là, ajoute l'historien, ni pour abattre les croix et dégrader des mouvements, ni pour faire asseoir le carnaval sur l'autel ; ils criaient seulement : De l'ouvrage et du pain ! On marche sur eux la baïonnette au bout du fusil. »

Ces « bandes de prolétaires », qui, nous dit M. Thureau-Dangin, assaillaient le Palais-Royal certaine nuit de bal à la Cour et venaient mêler aux mélodies de l'orchestre le hurlement sinistre de la faim, on n'avait plus besoin d'elles pour faire peur à ceux qui, l'hiver précédent, avaient conduit le bal aux Tuileries.

Avec une hypocrisie si violente qu'elle est plus effrontée que le cynisme, la bourgeoisie toute puissante à la Chambre prit prétexte des incidents de Saint-Germain-L'auxerrois et de l'archevêché pour reprocher au gouvernement de Laffitte son manque d'énergie en face de l'émeute. À présent que, au péril de leur popularité, Laffitte et Odilon Barrot avaient enrayé la révolution, les hommes de la résistance, Casimir Périer en tête, se sentaient de taille à la faire reculer.

Chapitre IV
Le roi de la bourgeoisie.

Louis-Philippe continuateur de la Restauration. — Sa duplicité et son esprit d'intrigue. — Son rôle dans l'émigration : il signe la déclaration légitimiste d'Hartwell. — Il sollicite en vain un commandement contre la France. — Ses vertus familiales et ce qu'elles ont coûté à la France. — Son rôle dans la captation de l'héritage de Condé.

La bourgeoisie a fait roi Louis-Philippe d'Orléans. Mais est-il bien à elle ? Oui, en ce sens qu'elle sera la classe bénéficiaire du règne qui commence. Non, si l'on entend par là qu'il subordonnera sa volonté et soumettra ses actes aux représentants politiques et économiques de cette classe. Profondément bourgeois sous ce rapport, le nouveau roi accorde ses intérêts à ceux de la bourgeoisie : un marché plutôt qu'un pacte, d'ailleurs hautement avoué, les attache l'un à l'autre. La bourgeoisie n'a pas créé sa royauté ; cela, il ne l'a jamais admis, sauf dans les hypocrites effusions du premier jour où le sol tremblait encore sous le trône décalé : elle a ouvert à un prince de sang royal l'accès du trône, ce qui est bien différent.

La bourgeoisie n'est ni théoricienne, ni sentimentale. Peu lui importe donc que le roi qu'elle vient de faire entendre se fonde sur la quasi-légitimité plutôt que sur sa volonté à elle ! Ce pouvoir même, dont il se montrera si jaloux, il ne l'exercera que dans le sens où elle trouve son compte.

La paix internationale est nécessaire aux chefs de la banque, du négoce et de l'industrie, qui ont à asseoir le monde économique nouveau, surgi des transformations de l'outillage causées par l'emploi des machines à vapeur : Louis-Philippe sera un roi pacifique : il le sera contre le gré d'une nation belliqueuse, toute frémissante encore des invasions de 1814 et 1815. La bourgeoisie ne veut point partager le pouvoir avec les classes moyennes, encore moins avec les classes populaires : Louis-Philippe sera un roi conservateur ; à tel point qu'il poussera les hauts cris lorsque ses ministres lui proposeront d'accorder les droits électoraux aux contribuables qui paient deux cents francs de contributions. Il a donc bien été, somme toute, le roi de la bourgeoisie.

Les traits les plus caractéristiques de Louis-Philippe peuvent, je crois, se résumer ainsi : son intelligence était réelle, son application au travail très soutenue, son esprit d'une grande vivacité, sa ténacité et son esprit de suite absolument remarquables. Mais ces qualités de l'esprit étaient gâtées par les défauts mêmes que chacune d'elles contient naturellement lorsque l'esprit ne se soumet point à une sévère discipline intellectuelle et morale.

Ainsi Louis-Philippe n'applique son intelligence qu'à des œuvres, en somme, négatives. Convaincu que l'on ne règne qu'en divisant, il emploie toutes les ressources de son esprit à entretenir les oppositions des partis dans le Parlement et des hommes dans les partis, afin de demeurer leur arbitre et le maître de toutes les situations. C'est à ce point que lui, qui est avant tout un conservateur, il ira jusqu'à se faire un mérite auprès des libéraux d'avoir empêché Casimir Périer de supprimer la liberté de la presse et le jury.

Il gâtait l'esprit qu'il avait par le souci permanent de briller. Causeur séduisant, il ne savait pas se taire, malgré sa duplicité naturelle. « En parlant aussi longuement, dit M. Thureau-Dangin, il s'exposait à dire ce qu'il aurait mieux fait de taire. » Préférant leur réputation à la sienne, les historiens qui lui sont le plus favorables n'ont point osé nier la duplicité qui est un des traits dominants de son caractère. Il poussait si loin le goût de l'intrigue que, non content d'opposer les uns aux autres ses ministres et les chefs des partis politiques, il allait jusqu'à se mettre d'accord avec les diplomates étrangers, notamment Metternich, pour contrecarrer son propre gouvernement et sa propre diplomatie.

De ceci, qui est très grave, Metternich en fait l'aveu dans une « communication secrète » dont voici un extrait : « Les explications confidentielles dans lesquelles le roi Louis-Philippe me permet d'entrer avec lui, la facilité que ce prince met à nous rendre compte de sa propre pensée offrent, dans une situation qui généralement est difficile, de bien grands avantages à ce que je qualifie sans hésitation de cause générale et commune. » La cause générale et commune, le nom même du véritable chef de la Sainte-Alliance la désigne, c'est la cause des rois et des aristocraties contre les peuples et leurs libertés.

L'écrivain orléaniste Duvergier de Hauranne convient qu'en effet Louis-Philippe avait si peu compris le sens véritable de la révolution de juillet qu'« il blâmait Charles X non d'avoir voulu gouverner, mais d'avoir méconnu et heurté de front les opinions, les sentiments, les préjugés mêmes de la France, et surtout d'avoir eu recours à la violence là où l'habileté suffisait. » On ne peut pas mieux dire que le prince appelé à remplacer le roi des émigrés, le prince acclamé par la foule qui voyait en lui le soldat de Valmy, avait lui-même une âme d'émigré.

Mais il ne faut pas être injuste. On ne doit pas juger les princes à la commune mesure. Si celui-ci, comprenant que les temps sont changés, donne le pas à la ruse sur la violence, il n'est pas pour cela d'une qualité morale inférieure à celle de son prédécesseur, qui ne sut que recourir à la violence. En réalité, dans la conception héréditaire qu'ils ont de leurs droits et de leurs devoirs, il entre un élément moral. Sacrifier la morale au salut de l'État, c'est, selon eux, faire acte de moralité souveraine. La raison d'État est nécessairement pour eux la loi suprême, puisqu'ils sont de naissance des hommes d'État, et qu'ils ont pour premier devoir (quand ils n'y voient point uniquement, comme l'abject Louis XV, l'exercice d'un droit) de tout rapporter à l'intérêt de l'État. Mais il se trouve toujours que l'intérêt de l'État s'identifie à leur propre intérêt.

Louis-Philippe avait une âme d'émigré ; il était un internationaliste conservateur, précisément parce qu'il était prince. Louis Blanc a noté ce trait en reproduisant la lettre que le jeune duc écrivait, en 1804, à l'évêque de Landaff, au sujet de l'oraison funèbre du duc d'Enghien prononcée par ce prélat. Cette lettre se terminait par ces paroles : « J'ai quitté ma patrie de si bonne heure que j'ai à peine les habitudes d'un Français, et je puis dire avec vérité que je suis attaché à l'Angleterre non seulement par la reconnaissance, mais aussi par goût et par inclination. » Oui, le duc d'Orléans fut à Valmy avec Dumouriez, mais il fut aussi avec Dumouriez à Ath, et c'est avec ce traître qu'il passa dans le camp des Autrichiens.

Dans une autre lettre en date de 1808, adressée à M. de Lourdoueix, émigré comme lui, le duc d'Orléans écrit : « Je suis prince et Français, et cependant je suis Anglais, d'abord par besoin, parce que nul ne sait plus que moi que l'Angleterre est la seule puissance qui veuille et qui puisse me protéger. Je le suis par principes, par opinion et par toutes mes habitudes. » Est-ce une pose d'anglomanie comme en affectent à certaines époques les jeunes gens à la mode ? Le moment où la France et l'Angleterre sont aux prises serait en tout cas mal choisi. Mais c'est précisément parce que l'Angleterre anime l'Europe contre Napoléon, contre la France, que le duc d'Orléans, prince avant d'être Français, proclame son amour pour l'Angleterre. Ce qu'il aime, ce n'est pas la grande nation libérale qu'aiment tous les amis de la civilisation et du progrès des idées ; attachée à la politique de Pitt, elle soutient pour l'instant de son or et de ses soldats les vieilles monarchies européennes : c'est de cette Angleterre-là, acharnée à nouer des coalitions contre la France, que Louis-Philippe d'Orléans se réclame.

Mais l'ingrate Angleterre ne sert que ses intérêts à travers ceux des rois de l'Europe, et elle méconnaît un amour aussi intéressé que celui du duc d'Orléans. Gendre de Ferdinand de Bourbon, roi des Deux-Siciles, il sollicite et obtient en 1810 le commandement d'un corps d'armée espagnol pour soutenir les droits de Ferdinand VII, représentant de la maison de Bourbon, contre le roi Joseph, frère de Napoléon. Il se fait fort, auprès de Louis XVIII, de décider les soldats de Junot et de Murat à « tourner leurs armes contre l'usurpateur. » Il remercie en ces termes le Conseil suprême de régence :

« Seigneurs, le cri que la nation espagnole a jeté contre l'odieuse agression de Bayonne, en jurant de conserver son indépendance et sa fidélité à son roi légitime, le seigneur don Ferdinand VII, n'a jamais cessé de retentir dans mon cœur, et depuis cette époque le premier de nos vœux a été d'obtenir l'honneur que Votre Majesté me fait aujourd'hui en me permettant d'aller combattre avec ses armées. »

Malgré ces protestations évidemment sincères, Louis XVIII ne voulut pas oublier que naguère le fils d'Égalité s'était proclamé « jacobin jusqu'au bout des ongles » ; il eut peur d'un nouveau revirement, et il pria le gouvernement anglais d'intervenir auprès de la junte espagnole afin que le commandement de l'armée de Catalogne fût enlevé à son trop remuant parent. Celui-ci dut se résigner à ne pas combattre les armées françaises ; il revint à Palerme auprès de son beau-père et de sa belle-mère, la reine Caroline, cette « enragée de réaction », comme l'appelle si justement M. Debidour.

Louis XVIII avait pourtant, pour garantie de la fidélité de son cousin, la fameuse déclaration d'Hartwell, que Louis-Philippe d'Orléans avait signée, comme tous les membres de la famille royale. Cette déclaration prévoyait une révolution comme celle qui devait s'accomplir en 1830, et dans cette occurrence elle définissait en ces termes leur devoir aux princes qui l'avaient signée :

« Que, si l'injuste emploi d'une force majeure parvenait (ce qu'à Dieu ne plaise) à placer de fait et jamais de droit sur le trône de France tout autre que le roi légitime, nous déclarons que nous suivrons avec autant de confiance que de fidélité la voie de l'honneur, qui nous prescrit d'en appeler jusqu'à notre dernier soupir à Dieu, aux Français et à notre épée. »

Il y a un appel oublié, dans cette déclaration : c'est l'appel à l'étranger.

Louis-Philippe, pendant toute la période d'émigration, est si impatient d'agir, de se signaler au service de la réaction européenne contre la France, ou même simplement de remplir sa fonction de prince, qu'il ira jusqu'à solliciter la souveraineté des îles Ioniennes conquises à ce moment par la France. Dans la lettre à Lourdoueix que j'ai citée plus haut, il avoue en ces termes cette minuscule ambition, car il est « comme

Tantale, et affamé comme lui » :

« L'archiduc Ferdinand aura Modène, etc, et on se flatte que la Toscane passera au prince Léopold. Mais ce qui est bizarre, il reste un petit État à donner, c'est-à-dire à prendre, et personne n'en veut : cela est curieux ! La reine m'a dit : « La place est vide, mettez-vous y » ; et je lui ai dit : « Je m'y mettrais bien mais il faut que l'on veuille m'y laisser mettre… » Il importe à l'Angleterre d'arracher ces îles aux Français. l'Autriche accédera à tout, pourvu que les Français en soient exclus. Si elle me croit un personnage convenable pour ces îles, je suis tout prêt et j'en suis enchanté. Je vous réponds que j'y aurai bientôt un petit noyau de troupes avec lesquelles je ferai du tapage ».

Voilà ce que, moins de vingt ans après, on devait faire chanter au peuple ignorant. Louis-Philippe avait été un émigré tant que flotta en France le drapeau tricolore. Et quand, drapé dans ses plis, il escalada le pouvoir, il se fit pardonner l'audace grande et rentra en grâce auprès des cours absolutistes en trahissant ses ministres au profit de la politique de Metternich, qui devait se jouer de lui et utiliser les confidences pour animer l'Angleterre contre la France. Il ne cessa donc pas d'être un émigré : il fut un émigré de l'intérieur.

L'accord est unanime sur les vertus familiales de Louis-Philippe. Disons cependant qu'il les pratiqua de manière à justifier les boutades de Fourier contre la famille : « Le laboureur qui déplace les bornes du voisin, dit-il, le marchand qui vend de fausses qualités, le procureur qui dupe ses clients sont en plein repos de conscience quand ils ont dit : « Il faut que je nourrisse ma femme et mes enfants ». Le roi avait l'orgueil de limiter ses affections au cercle étroit de sa famille. « Je n'ai pas d'amis, disait-il un jour à Odilon Barrot, et je n'en veux pas avoir. »

C'était un principe de droit public sous la monarchie que le prince appelé au trône réunît ses biens personnels au domaine de la couronne. Louis-Philippe refusa cet enjeu à la révolution qui le mettait au pouvoir, car il prévoyait la révolution qui l'en écarterait. Il donna publiquement cette marque de défiance au peuple qui lui offrait une couronne, et par un acte du 7 août 1830, c'est-à-dire de l'avant-veille de sa proclamation, il fit donation à ses enfants mineurs de ses biens particuliers.

Dupin aîné, qui fut, on le sait, l'homme d'affaires, l'intendant privé de la maison d'Orléans, dégage sa responsabilité, dans ses Mémoires, et déclare que Louis-Philippe ne l'a pas consulté dans un acte aussi important. Cela paraît bien extraordinaire. S'il avait été mis au courant, il aurait, affirme-t-il, conseillé la réunion des biens d'Orléans au domaine, « comme marquant de la part du prince plus de confiance et d'abandon. »

Et ces biens que le nouveau roi soustrayait à la nation n'étaient pas peu de chose.

Depuis 1815, il s'était attaché à les réaliser, à les préserver, à les consolider. Pour cela, il n'avait accepté la succession de son père, Philippe-Égalité, que sous bénéfice d'inventaire. Passé maître en chicane, aidé du chicanier professionnel que fut Dupin aîné, il opposa la prescription à certains créanciers et, nous dit M. Debidour, « avec d'autres plaida longuement, parvint à racheter beaucoup de titres au rabais, poursuivit d'autre part âprement son dû et, après la mort de sa mère (1821) dont les biens lui revinrent pour les deux tiers, parvint à reconstituer un capital qu'on pouvait évaluer, comme la fortune de son père en 1789, à plus de 200 millions de francs. »

La faveur du roi Louis XVIII aida fort à ces opérations fructueuses. Il n'était pas encore installé aux Tuileries qu'il accordait aux sollicitations du duc d'Orléans la restitution immédiate de tous les biens de sa famille « soit qu'ils fassent partie du domaine de la couronne, soit qu'ils soient affectés à des établissements publics, etc. » Ces biens n'étaient point indemnes ; ils étaient grevés des dettes nombreuses de Philippe-Égalité, et deux arrêtés du Conseil d'État en avaient, en vendémiaire an X et pluviôse an XI, ordonné la vente comme biens d'émigré afin que, sur le produit, les créanciers fussent désintéressés. L'État les acheta et Louis XVIII les rendit au fils de Philippe Égalité par une ordonnance du 20 août 1814, trois mois après sa rentrée en France. On voit que le duc d'Orléans n'avait pas perdu de temps. Une autre ordonnance du 7 octobre 1814 stipule que le duc rentrera en possession des biens dont son père a joui « à quelque titre et sous quelque dénomination que ce soit. »

On verra dans le cours de ce récit à quels débats, à quelles avanies, à quelles humiliations Louis-Philippe s'exposera pour arracher au Parlement, et sans y parvenir toujours, une augmentation de la liste civile ou une dotation pour un de ses nombreux enfants. Ces querelles, où éclate l'âpreté au gain du roi de la bourgeoisie choquaient la bourgeoisie elle-même. Elles firent la fortune dos pamphlets de M. de Cornenin, dont M. Thureau-Dangin peut bien dire que le « fonds » était « misérable » ; mais l'historien orléaniste n'en est pas moins contraint d'avouer tout de même que Louis-Philippe, « comme prince et surtout comme père de famille, avait fort à cœur, trop à cœur parfois, la solution de ces questions de dotation. »

À présent, doit-on conserver à Louis-Philippe sa réputation d'avare et de thésauriseur ? Pour l'en décharger, M. Thureau-Dangin, qui avoue que « certaines manières d'être de Louis-Philippe aidaient sur ce point la méchanceté de ses ennemis », publie le fragment que voici du rapport du liquidateur général nommé par le gouvernement provisoire de 1848 :

« Louis-Philippe jouissait de sa liste civile en prince éclairé, protecteur des arts, propice aux classes ouvrières, bienfaisant pour les malheureux. La nation avait voulu que, sur le trône, il fût grand, digne et généreux ; il fit ce que la nation attendait de lui, peut-être même un peu plus encore et un peu mieux... Il faut donc repousser le reproche de parcimonie qui lui fut adressé ; il faut donc regretter ces accusations injustes qui furent élevées contre lui, et que dément aujourd'hui, que démentira dans la postérité le souvenir de ses actes et de ses œuvres, dont quelques-unes seront debout longtemps encore. »

De son côté, le marquis de Flers énumère les œuvres auxquelles Louis-Philippe s'est intéressé : « Ce prince qu'on a si justement accusé de parcimonie, dit-il, paya 23 millions et demi sur sa liste civile pour la restauration du palais de Versailles. » De plus, pendant tout son règne, il alloua « aux musées, aux manufactures royales, au service du mobilier de la couronne, aux haras et aux bibliothèques, une somme de 50 millions 868.000 francs, soit en moyenne à peu près trois millions par an. » Enfin, en qualité de propriétaire du Palais-Royal où se trouve la Comédie-Française, il fit à ce théâtre des remises successives de loyer pour près de cinq cent mille francs. »

Soit, Louis-Philippe fut avide sans être avare ; il daigna ne pas faire d'économie sur la liste civile que lui allouait la nation et se contenta, usufruitier des biens qu'il avait fait passer sur la tête de ses enfants, de capitaliser le revenu de ces deux cents millions soustraits illégalement à la France. Je dis soustraits illégalement, puisque le plus clair de cette immense fortune provenait d'apanages et qu'ils devaient donc, deux fois plutôt qu'une, retourner à l'État. Quand on sait ces choses, on prend en mépris profond le royal fourbe qui saisissait un jour les mains de Guizot et lui disait avec effusion : « Je vous dis, mon cher ministre, que mes enfants n'auront pas de pain. »

Jusqu'où il alla pour ajouter quelques miettes au morceau de pain de ses enfants, les faits suivants vont le dire. Le 27 août 1830 le prince de Condé était trouvé pendu à l'espagnolette d'une fenêtre de sa chambre, au château de Saint-Leu. Par un testament en date du 30 août 1829, le prince de Condé, qui avait perdu son fils unique, le duc d'Enghien, condamné et fusillé par ordre du premier Consul, avait institué le duc d'Aumale, second fils du duc d'Orléans, son légataire universel.

Si Louis-Philippe pouvait sans hyperbole être appelé le premier propriétaire de France et même d'Europe, le prince de Condé n'en était pas un des derniers, il s'en fallait de beaucoup. À qui, en l'absence d'héritiers, reviendrait son immense fortune ? Il avait pour maîtresse une Anglaise, Sophie Dawes, qu'il avait mariée au baron de Feuchères, un gentilhomme de sa maison. Celui-ci n'était pas un complaisant, et il n'avait passé nul marché honteux, accepté nulle compromission, nul partage ignominieux en épousant Sophie Dawes. Lorsque la vérité lui apparut, il s'éloigna de l'épouse indigne, donna sa démission et s'en fut.

L'affaire fit scandale et Louis XVIII interdit à la baronne de Feuchères de paraître à la Cour. Bien mieux : il la confina dans les seules résidences du prince de Condé, que sa pusillanimité, autant et plus que le sentiment de ses torts, garda de la velléité même de protester contre cet ostracisme d'ancien régime. La baronne chercha autour d'elle des appuis un peu plus fermes et plus sûrs que son vieil amant. Elle avait reçu de lui plusieurs donations importantes en terres et en argent, et elle en espérait encore davantage ; car elle comptait bien figurer en bonne place dans le testament du prince. Mais le roi, en qualité de chef de la famille des Bourbons, pourrait faire annuler le testament et même les donations antérieures. Pour mettre à l'abri sa part présente et future du butin princier, elle s'adressa au duc d'Orléans et l'attacha à ses intérêts par une prime vraiment royale, en entreprenant de faire passer dans la famille du duc l'immense héritage des Condés.

Du moment qu'il s'agit d'une négociation louche et malpropre, on peut être sûr que Talleyrand n'est pas loin. Il avait marié un sien neveu à une nièce de Mme de Feuchères, dotée d'un million par le prince de Condé. C'est par son entremise que la baronne fut mise en rapports avec la famille d'Orléans. La duchesse Marie-Amélie, femme du duc d'Orléans, avec son air de naturelle grandeur, sa piété rigoriste, ses principes de morale hautement affichés, reçut chez elle devant ses filles, la concubine du richissime parent à héritage, lui écrivit des lettres amicales. Le vernis de moralité et d'austérité de la duchesse fondit au feu des millions de Condé et ne laissa plus voir qu'une femme d'affaires, habile à seconder le propriétaire enragé auquel elle avait associé son existence.

Alors commença un siège qui dura huit ans. Le fils du chef de l'émigration ne pouvait pas sentir le fils de Philippe-Égalité. Il voyait dans tous les membres de la branche cadette des bourreaux du roi Louis XVI, des artisans de la révolution qui avait renversé la monarchie. Sans voir où on le menait, car il était d'intelligence aussi courte que sa volonté était faible, il avait accepté, en 1822, d'être le parrain du jeune duc d'Aumale.

Il n'avait pas de volonté, mais précisément cette absence de volonté, jointe à ses répugnances, lui tint lieu d'entêtement. Il opposa donc une résistance passive aux prières, aux querelles, aux séductions, aux menaces et, même, dit-on, aux violences de la baronne. Enfin elle le décida et le roi Charles X sanctionna de sa haute approbation le testament du 30 août 1829, dans lequel, comme bien on pense, Mme de Feuchères n'était pas oubliée. Sa part, cette fois, était à l'abri de toute contestation ultérieure.

Moins d'un an après, grande alarme. La révolution vient de jeter à l'exil la famille royale. Le prince de Condé va-t-il suivre son roi en Angleterre ? S'il émigre de nouveau, il risquera le testament ; il ne voudra pas que le fils de l'usurpateur soit son héritier. Il est d'ailleurs fort incertain. Il voudrait bien que la révolution l'épargnât et le laissât mourir en paix dans un de ses châteaux ou au Palais-Bourbon. Je trouve trace de ce sentiment dans le Constitutionnel des premiers jours d'août 1830, qui publie la très instructive note que voici :

« M. le duc de Bourbon, prince de Condé, a souscrit pour une somme de 6.000 francs en faveur des braves qui ont été blessés dans les mémorables journées des 27, 28 et 29 juillet, ainsi que des familles de ceux qui ont succombé. »

Fuir, c'était abandonner Chantilly et Saint-Leu au pillage. Car, pour le vieux prince, tombé véritablement en sénilité enfantine, c'était 93 qui revenait. Demeurer, c'était s'exposer à être massacré. De là ce don qu'il fit aux blessés des trois glorieuses, pour amadouer les vainqueurs. Pour le rassurer, le compromettre et le remercier à la fois, la duchesse d'Orléans lui portait, le 7 août, le grand cordon de la légion d'honneur et le pressait vivement de demeurer membre de la Chambre des pairs. Il n'osa pas refuser le cordon, mais il tenta de se soustraire à la pairie en faisant pour de bon, cette fois, ses préparatifs de départ. Le 27, à huit heures du matin, on le trouvait pendu à demi-agenouillé devant la fenêtre, comme s'il guettait quelqu'un dans la cour du château, et déjà froid.

Les Rohan, héritiers des Bourbons, attaquèrent le testament de leur parent. Ils repoussèrent véhémentement l'hypothèse d'un suicide, et déclarèrent bien haut que le prince avait été assassiné. Ils perdirent leur procès devant les tribunaux, et le fils cadet du roi garda la colossale fortune des Condé. Mais devant l'histoire un doute subsiste, et ce doute est plutôt défavorable à ceux qui mirent en jeu tant de manœuvres pour obtenir un testament qui, certainement, eût été révoqué si le prince n'était mort subitement.

Chapitre V
Le règne de la bourgeoisie.

Le roi sera-t-il à la finance ou à la boutique ? — Caractères libéraux de la petite bourgeoisie. — État de l'industrie française en 1830.— Les régions industrielles et les régions agricoles. — Enrichissement de la bourgeoisie.— Paupérisme dans les villes, mendicité dans les campagnes.

On ne peut mieux comparer la situation de la bourgeoisie vis-à-vis du peuple, dans les premiers jours de la monarchie de juillet, qu'à celle du chasseur qui veut empêcher son chien de dévorer le lièvre attrapé à la course.

Glissant d'opposition en révolution, sans le vouloir et quasi sans s'en apercevoir, finalement à son corps défendant, la bourgeoisie a lancé le peuple sur la monarchie de droit divin ; elle a fermé ses ateliers et jeté les ouvriers à la rue, aux barricades. La révolution faite, elle n'a plus qu'un rêve : remettre à la chaîne ces ouvriers que les barricades ont mis en appétit de république.

Mais la classe victorieuse n'est pas homogène. Si elle est unanime à vouloir jouir seule de la conquête que vient de lui assurer la force du peuple, c'est uniquement sur le terrain des intérêts matériels que se fait l'unanimité. Même, dans cet ordre, elle sacrifie volontiers les intérêts, ceux de la petite bourgeoisie, il est vrai, aux principes d'abstention de l'État professés par la grande bourgeoisie, car celle-ci n'en peut que tirer profit, sans contrainte ni contrôle. C'est ainsi qu'en novembre 1830, la Chambre acquise aux principes de l'économie politique libérale, c'est-à-dire aux grands intérêts, fit un accueil dédaigneux à la pétition d'un « grand nombre de négociants de Paris demandant que le gouvernement ouvre, par une loi, au ministère des finances, un crédit suffisant pour établir une caisse où seraient escomptées toutes les valeurs de portefeuille ayant au moins deux signatures, dont l'une autant que possible d'un manufacturier ou d'un commerçant quelconque, et toutes deux offrant une solvabilité suffisante. »

Chose curieuse et d'ailleurs bien compréhensible à ce moment, ce fut un démocrate, un communiste, Voyer d'Argenson, qui se prononça le plus ardemment contre cette mesure, justifiée pourtant par la crise que subissaient le commerce et l'industrie, crise encore aggravée par les événements de juillet. Dans l'ordre du jour qu'il proposait, à la séance du 26 novembre, il estima que le crédit demandé n'était « profitable qu'à des intérêts particuliers, qui n'apportaient aucune amélioration au sort du peuple, c'est-à-dire des travailleurs ».

Vivement critiqué par les journaux du libéralisme avancé, il répliqua par une lettre publique où il disait en substance que « pour celui qui vit du travail de ses mains, et même pour celui qui ne jouit que d'un revenu égal aux frais de son strict nécessaire, toute charge publique nouvelle correspond à une privation de plus. » Le Globe n'eut point de peine à battre Voyer d'Argenson sur le terrain étroit où il s'était placé.

En somme, la bourgeoisie, appelée au pouvoir par les événements plus que par sa volonté réfléchie, est condamnée à un perpétuel équilibre instable, et l'on ne peut rien comprendre à son attitude au cours des dix-huit premières années de son règne si on la considère comme un bloc homogène. Elle ne forme ce bloc que contre les retours offensifs de la féodalité et les premiers mouvements du prolétariat en formation. Contre la première elle est libérale, voltairienne et patriote. Contre le second elle est autoritaire à l'excès, et son libéralisme économique déguise mal l'unique désir de conserver les positions acquises.

Elle n'aime pas le roi qu'elle s'est donné. « Chez la plupart de ceux qui soutenaient la monarchie nouvelle, dit mélancoliquement M. Thureau-Dangin, le cœur n'était pas assez intéressé. » Ils ne le considèrent que comme « un paratonnerre pour protéger les boutiques. » La haute bourgeoisie gouverne bien les intérêts, elle conduit bien la boutique où elle veut, mais elle n'est pas plus que celle-ci attachée à la monarchie nouvelle ; plus clairvoyante que le commun des possédants, elle s'est résignée à la situation révolutionnaire. Louis Blanc a raison d'observer qu'elle eût préféré « faire capituler Charles X ». C'est d'elle que viendront les efforts pour donner au trône surgi des barricades un caractère de quasi-légitimité. Pour elle, Louis-Philippe ne tire pas son droit de la force populaire et de la sanction législative du 8 août, mais de l'abdication du roi et de la vacance forcée du trône.

Pour la boutique, il n'en est pas ainsi. Elle craint bien de sauter dans l'inconnu républicain et on l'effraie facilement avec les souvenirs de 93 ; elle suit bien aveuglément les directions économiques que lui impriment les chefs de la finance, de l'industrie et du négoce ; elle est bien nettement hostile à toute accession de la plèbe ouvrière au pouvoir économique et politique. Mais elle entend jouir du pouvoir, dont elle s'est emparée à coups de fusil tandis que la haute bourgeoisie attendait pour se prononcer la victoire du plus fort.

La garde nationale est pour elle une occasion de se connaître, un moyen de se constituer à l'état, sinon de classe du moins de catégorie distincte. Il se forme là une démocratie moyenne, discuteuse, frondeuse et turbulente, d'où le peuple est exclu et où la haute bourgeoisie est noyée dans la masse. Elle n'accepte donc pas Louis-Philippe parce qu'il est un Bourbon, mais en dépit de cette origine, dont le sang de juillet vient de le laver. L'anecdote suivante, rapportée par M. Thureau-Dangin, peint très exactement cet état d'esprit.

« Lors des illuminations du 28 juillet 1831, dit-il, un Parisien avait mis à sa fenêtre son propre portrait et celui du Roi, avec ce distique écrit sur un transparent :

> Il n'est point de distance entre Philippe et moi ;
> Il est roi-citoyen, je suis citoyen-roi. »

Cette bourgeoisie-là est sur beaucoup de points bien plus près du peuple que de ses propres dirigeants. Elle partage avec lui « la dernière passion révolutionnaire » que Sainte-Beuve, dans ses Premiers Lundis, aperçoive encore : « la haine des Bourbons, du drapeau blanc ramené par l'étranger, des jésuites. » Si elle professe, somme toute, un loyalisme égal à celui de la petite bourgeoisie, ses motifs ne sont ni plus ni moins intéressés. Et, ne distinguant pas sous ce rapport entre les deux catégories de la classe dominante, Proudhon pourra, dans les toutes premières lettres de sa correspondance, constater que ces « sots et épais bourgeois... n'admettent la monarchie que parce qu'ils veulent s'en faire une servante très humble et un instrument de domination. »

Proudhon rit des « angoisses des riches bourgeois » qui « invoquent tour à tour la royauté, qu'ils voudraient museler, la religion dont ils prétendent bien se passer, les systèmes d'économie qu'ils n'ont pas la force de comprendre ni le courage d'enrayer ». Confondant ensemble la haute bourgeoisie et la boutique, et prêtant à celle-ci les sentiments et l'état d'esprit de celle-là, Proudhon ajoute : « Ils font appel au désintéressement du fond de leur égoïsme ; ils reconnaissent et proclament la nécessité d'une réforme morale, mais ils ne veulent quitter ni leurs plaisirs ni leurs privilèges. »

Le grand révolutionnaire parle ici plutôt en moraliste qui prêche tout le monde qu'en philosophe faisant de l'analyse sociale. Il n'est pas encore devenu le théoricien du socialisme « petit bourgeois » ; l'artisan maître de son atelier et le paysan maître de son champ sont bien déjà les individus-types de la société qu'il rêve, mais il est encore tout proche de son origine prolétarienne, et il ne distingue pas les caractères qui différencient si profondément les deux catégories de la classe sous laquelle le prolétariat est courbé.

Certes, dans son portrait de ce qu'il appelle les « riches bourgeois », bien des traits sont communs aux deux catégories, mais certains de ces traits ne le sont qu'en surface. Ainsi, la haute bourgeoisie dissimule à peine sa main dans le sac de Saint-Germain-L'auxerrois et le pillage de l'archevêché, tandis que d'autre part la boutique continue d'envoyer ses femmes et ses enfants aux offices religieux et même ne boude guère à les y accompagner. Mais, en réalité, la haute bourgeoisie voit dans la religion un instrument de discipline sociale, et c'est précisément pour cela qu'elle entend, même par la terreur, en détacher les ministres d'une cause désormais perdue. Elle consent donc à une émeute qui épargnera les frais d'une nouvelle révolution, peut-être de deux. Elle donne au clergé un avertissement que celui-ci entend à demi-mot, et nous le verrons bientôt, dans sa masse tout au moins, se rallier au régime de juillet.

La boutique n'a pas ces hautes vues politiques. Son horizon intellectuel dépasse à peine les limites d'un cercle de rapports économiques et sociaux forcément restreint. Mais les négations du XVIIIe siècle sont dans l'air qu'elle respire ; matérialisée par le culte des intérêts, elle a réduit au minimum la catégorie de l'idéal ; le doit et l'avoir, le deux et deux font quatre lui ont fait prendre en dédain le mystère de la trinité ; elle est morale par prudence autant que par une habitude héréditaire. Le déisme de Voltaire et de Jean-Jacques Rousseau a détruit à ses yeux tous les prestiges du dieu absolu, despote omnipotent. Son dieu est le « Dieu des bonnes gens » de Béranger, un vieux papa débonnaire et familier, monarque constitutionnel de l'univers, dont on peut turlupiner les ministres.

Mais sa pensée, libérée par la critique des philosophes, n'a pu prendre son vol, retenu par mille liens dans les formes du passé. La boutique s'arrangera donc d'une religion réduite au minimum. Mais, voyant toutes choses sous l'angle des intérêts matériels, éprise aussi de l'indépendance qu'elle vient de conquérir, c'est surtout à la puissance temporelle, au pouvoir politique et social de l'Église, qu'elle fera la guerre. Elle aura donc des égards, à peine une ironie tempérée de beaucoup de courtoisie, une condescendance souveraine et toute pénétrée de son importance, pour le bon curé, celui qui ne se mêle pas de politique, sait dissimuler les richesses qu'il accumule, ne fanatise pas les femmes, ne divise pas les familles et s'enferme dans son église.

Telle quelle, cette classe moyenne constitue la partie vivante et progressive de la nation. À la veille de la révolution de juillet, on ne compte en effet que douze millions de Français sachant lire. Divisant la France en deux grandes régions, Ch. Dupin calcule que les treize millions d'habitants de la région nord-est fournissent 740.840 élèves, tandis que les 18 millions de la région sud-ouest n'en donnent que 375.931. « Il y a des départements, dit-il, où les écoles ne reçoivent qu'un jeune élève sur 229 habitants. » Aussi ne peut-il s'empêcher de s'écrier que « l'Europe ne reconnaît sur son territoire que la péninsule espagnole, les provinces musulmanes, le sud de l'Italie, les ruines de la Grèce et les steppes de la Russie où l'instruction populaire soit plus arriérée qu'en France. »

Ainsi se trouve justifié le discours que, dès 1802, dans la seconde de ses Lettres d'un habitant de Genève, Saint-Simon adressait aux ouvriers : « Vous dites : Nous sommes dix fois, vingt fois, cent fois plus nombreux que les propriétaires, et cependant les propriétaires exercent sur nous une domination bien plus grande que celle que nous exerçons sur eux. Je conçois, mes amis, que vous soyez très contrariés ; mais remarquez que les propriétaires, quoique inférieurs en nombre, possèdent plus de lumières que vous, et que, pour le bien général, la domination doit être répartie dans la proportion des lumières. »

Saint-Simon pouvait parler ainsi sans insulter à la détresse des prolétaires, car il proposait l'égalité du point de départ par la suppression de l'héritage et par l'enseignement donné à tous les enfants à la mesure de leur capacité. Mais lorsque, s'appuyant sur la réalité du moment et faisant de ce moment toute l'éternité à venir, la bourgeoisie tenait le même langage, elle avouait sa prétention de conserver à jamais le monopole des lumières, instrument de sa domination sociale.

Constatons cependant que, sur ce point encore, elle est loin d'être homogène. Par un phénomène de capillarité sociale, la bourgeoisie se recrute incessamment parmi les membres les plus actifs, et aussi les plus chanceux, du prolétariat. L'illettré que sa ruse ou sa force, ou des circonstances heureuses, ont fait émerger sent aussitôt son infirmité originelle. Mille autres sentiments et intérêts le poussent à en libérer ses enfants, qu'il veut éduqués et instruits. D'autre part, ce n'est pas en vain que l'esprit de liberté l'a effleuré au front de son aile. On ne peut affirmer l'excellence du savoir sans en éveiller le désir et l'appétit autour de soi, et l'on ne peut alors décemment se refuser au devoir de propager le savoir dans la mesure où l'intérêt personnel ne court nul risque.

Or, bien au contraire, les ouvriers dont l'esprit est éveillé par un rudiment d'instruction sont de bien meilleurs instruments de production. Ce sentiment est si net dans la bourgeoisie de la Restauration que nous avons vu le contingent scolaire, dans la région où elle domine, le nord-est, région plutôt industrielle, être relativement trois fois plus nombreux que dans la région plutôt agricole du sud-ouest, où les survivances féodales sont plus générales et plus fortes. C'est ainsi que la riche et plantureuse Touraine, le jardin de la France, ne fournit qu'un écolier sur 268 habitants, tandis que la Basse-Bretagne en a un sur 222 seulement.

À l'époque où Ch. Dupin publie ces chiffres, dans la Situation progressive des forces de la France depuis 1814, c'est-à-dire à la veille de la révolution de juillet, en 1827, l'enseignement primaire gagne par an trois cent mille élèves, l'enseignement secondaire plus de trente mille, l'enseignement supérieur plus de dix mille, et l'enseignement industriel plus de dix mille également.

Mais c'est surtout à la bourgeoisie que profite le développement intellectuel qui se manifeste dès 1815, et c'est son très grand honneur de ne pas s'être refusé ce profit. On peut même dire que ses progrès intellectuels ont été plus rapides que les autres de tout ordre. Le peuple n'est pas encore devenu le grand consommateur d'imprimés qu'il est aujourd'hui, si mal servi d'ailleurs encore dans sa soif de savoir. Et pourtant, alors que l'accroissement annuel de la population, pour la période qui va de 1814 à 1827 est d'un demi pour cent, et que le nombre de chevaux augmente d'un pour cent, et la production industrielle de quatre à quatre et demi, les publications et la presse augmentent de neuf un quart.

L'imprimerie française, dans la même période de quatorze ans, non compris les journaux, passe de 45 millions de feuilles d'impression à plus de 144 millions, doublant les écrits consacrés aux beaux-arts et à la littérature, et aussi les almanachs qui sont la consommation intellectuelle ordinaire des campagnes. Les écrits militaires, l'histoire s'élèvent au triple, la philosophie au quadruple, les sciences et la théologie presqu'au quintuple. Les écrits consacrés à la législation se multiplient par quatorze ; mais les études sociales et administratives n'augmentent que d'un quart : il faut penser que beaucoup d'ouvrages de cette dernière catégorie ont été comptés dans la précédente.

Ajoutant ainsi le savoir à son pouvoir économique croissant, la bourgeoisie devait nécessairement conquérir le pouvoir politique, sans partage avec les survivants de la féodalité. Ch. Dupin prévoit très exactement la révolution de juillet lorsqu'il constate que les journaux conservateurs qui avaient 40.000 abonnés en 1820 n'en ont plus que 25.000 en 1827 et lorsqu'il ajoute :

« Par les calculs que j'ai faits sur une liste électorale qui relatait l'âge des électeurs (censitaires naturellement, donc bourgeois,) j'ai trouvé que la moitié des électeurs a passé l'âge de 55 ans… Dès aujourd'hui, les 54.000 électeurs de la France croissante (lisez : libérale) sont appuyés par une masse supérieure à 28.300.000 individus, et les 46.000 électeurs de la France expirante (lisez : conservatrice, à regrets féodaux) sont appuyés sur une masse inférieure à 3.063.000 vieillards. »

La précision méticuleuse de cette fantaisie statistique peut faire sourire, mais on n'y voit pas moins en chiffres saisissants le monde moderne se délivrant victorieusement des entraves du passé. Et l'assentiment des foules non votantes, du troupeau passif n'est pas gratuitement supposé. La vieille France n'avait plus pour elle que les regrets impuissants d'une minorité de vieillards.

La crise économique qui avait éclaté en 1827 tirait à sa fin lorsque la révolution de juillet vint la réveiller et la prolonger. Cependant on peut dire que le prolétariat, plus que la bourgeoisie, même moyenne, supporta le poids de cette dure épreuve. La preuve en est dans ce fait que le rejet de la pétition dont il a été parlé plus haut ne passionna nullement la boutique, encore toute chaude des barricades. Déjà, le 29 septembre, Persil avait pu faire rejeter un projet analogue, donnant la garantie de l'État jusqu'à concurrence de soixante millions aux prêts et avances sur marchandises et effets de commerce. Il avait même pu adresser ces paroles plutôt dures à la classe moyenne, encore enfiévrée de sa victoire :

Les gens paisibles, les bons citoyens, les négociants s'inquiètent ; au lieu de s'occuper à la Bourse de spéculations commerciales qu'ils souhaitent pouvoir confier à l'avenir, ils passent leur temps à signer des pétitions contre les clubs. »

Ces « bons citoyens » en question n'avaient pas attendu d'avoir fermé les clubs de leur main pour se remettre aux affaires. Dès le 19 septembre, en effet, les journaux signalent une reprise du mouvement industriel. Il se fait au Havre d'importantes ventes de coton pour alimenter les filatures de la région rouennaise. L'agitation causée par les ordonnances de juillet avait suspendu tous les travaux dans les fabriques de Lyon. Ils furent vite repris. « Ce qui rend la situation de nos fabriques peu inquiétante, dit le Précurseur, c'est qu'il n'y a sur place que très peu de marchandises fabriquées. »

Le journal lyonnais ajoute : « Quant à celles de nos industries qui viennent après celle des soieries, et qui ne laissent pas que d'être encore importantes, nous croyons que depuis nombre d'années elles n'avaient été si prospères. En effet, la chapellerie, la dorure, la passementerie, les enjolivures et toutes les fournitures dépendantes ou nécessaires n'abondent qu'avec peine aux demandes, et augmentent de prix. »

Les soieries, en tout cas, n'étaient pas comprises dans cette augmentation des prix. Les fabricants lyonnais ne manquaient pas de commandes, ni les canuts de travail, mais une concurrence effrénée du dedans et du dehors pesait continuellement sur les salaires et préparait l'explosion ouvrière qui devait éclater quelques mois plus tard.

Quand on regarde le mouvement industriel qui se développe de 1812 à 1825, on pénètre immédiatement le secret de la crise de 1827. C'est bien ce que Fourier appelle dans le même moment un engorgement, une pléthore, dont il s'agit. Les forces de production de la France sont venues s'ajouter à celles de l'Angleterre, dépassant de beaucoup les facultés de consommation. Qu'on songe que dans cette courte période l'industrie lainière passe de 35 millions de kilos de laine à 50 millions, dont huit de laines étrangères. En 1812 nos filatures produisent 10 millions de kilos de fils de coton, en 1825 elles en produisent 28 millions à des degrés supérieurs de finesse. La consommation de la houille, dans le même temps, passe d'un million de tonnes à un million et demi.

Bien que Paris produise des soieries, et ajoute à la concurrence qui en a définitivement ôté le monopole à Lyon, cette ville n'en voit pas moins sa population s'élever de cent mille habitants à cent cinquante mille en une douzaine d'années. La France exporte maintenant jusqu'en Asie des tapis imités de la Perse et de la Turquie, plus parfaits que leurs modèles, et fabrique des crêpes comme en Chine. Paris fabrique des cotons, des laines et des cachemires, et produit pour 14 millions de châles, pour 6 millions de meubles et d'orfèvrerie.

L'optique, qui prend toute sa valeur par le développement des sciences, est un des triomphes de l'industrie française : elle fournit à l'étranger les lentilles substituées aux réflecteurs pour les phares. C'est le moment où nous cessons d'être tributaires de l'étranger pour les articles d'acier : limes, râpes, alènes, faux, faucilles et scies ; nous commençons à concurrencer la Suisse dans l'horlogerie commune ; nous produisons des poteries plus fines et nous rejoignons les Anglais dans la taille des cristaux.

Les traités de 1814 et de 1815 ont enlevé à la France toute la rive gauche du Rhin et la Belgique, la privant soudainement d'une quantité d'usines et de gisements houillers et métallurgiques en pleine exploitation. Aussitôt l'activité minière se réveille sur et sous notre sol pour suffire aux besoins, et des hauts-fourneaux et des laminoirs s'établissent dans la Nièvre, l'Yonne, la Moselle, la Loire. Des aciéries, des fabriques de fer blanc et de tôle surgissent dans la Nièvre, le Cher, l'Eure, le Doubs, la Côte-d'Or. Et, de cent mille quintaux de fer produits en 1814, nous passons en 1825 à cent soixante mille.

Non seulement, à cette époque, la France développe sa production, mais encore elle crée des nouvelles industries et transforme les anciennes à coups d'inventions répétées. La lithographie a démocratisé les œuvres d'art, l'industrie s'empare du procédé et l'applique sur toile, coton, laine, soie, poterie, faïence, porcelaine. Chaque jour apporte un nouveau progrès dans la teinture des fils et des tissus. Tandis que Saint-Quentin imite les linges damassés de Saxe et de Silésie, Mulhouse envoie ses imitations de cachemires et ses toiles peintes battre les produits allemands sur leur propre marché. L'industrie du papier peint progresse et s'approprie l'invention de la machine à fabriquer du papier d'une longueur indéfinie.

La production agricole, dont le développement est forcément moins rapide, a néanmoins pris part à cet essor. « La France produit trop ! s'écrie Ch. Dupin l'agriculture de la France est une agriculture trop productive !... Déjà nous avons cinq millions de bêtes à laine et 400.000 chevaux de plus qu'à l'instant où l'ennemi s'établissait comme à demeure sur notre territoire. » Et pourtant, par l'inégale répartition de cet excédent, il est des contrées, le pays de Caux et le Calvados, « où le paysan n'a pas assez de grands animaux domestiques pour empêcher que les femmes ne s'emploient comme bêtes de somme ou de trait. »

Somme toute, la France s'enrichit. Des chiffres communiqués par l'administration du timbre, il résulte que les familles françaises augmentent leurs meubles, leur vaisselle, leurs bijoux d'argent et d'or, pour vingt millions de francs par année. Cette indication nous renseigne immédiatement, et nous savons par elle que la France qui s'enrichit, ce n'est pas la totalité de la famille nationale, mais la minorité privilégiée.

« La richesse et ses avantages, dit Villermé dans son Tableau de l'état physique et moral des ouvriers, sont moins que jamais parmi nous le privilège exclusif d'une seule classe : mais tout le monde y prétend aujourd'hui, et pour cette raison les pauvres se regardent comme plus malheureux que jadis, bien qu'en réalité leur condition soit meilleure. » Soit, mais les faits mis au jour par sa magistrale enquête vont nous prouver que les pauvres n'ont pas profité dans la même mesure que les riches du développement économique de cette époque entre toutes remarquables, et que, trop souvent, ces progrès, d'ailleurs si justement vantés, se sont tournés contre ceux-là mêmes qui en étaient les metteurs en œuvre.

Au moment de sa première apparition dans l'histoire sociale et politique, quelle est la situation de la classe ouvrière ? Tous les écrivains s'accordent à la déclarer atroce, insupportable. Qu'il s'agisse de Villeneuve de Bargemont, royaliste et catholique, ou du baron de Morogues, qui déclare n'avoir aucune attache avec le parti féodal, qu'il s'agisse de Villermé lui-même ou d'Eugène Buret, enquêteurs résolus à rapporter loyalement ce qu'ils ont aperçu dans les bas-fonds d'extrême misère où ils ont plongé, l'unanimité est absolue : l'histoire ouvrière, dans la première moitié du XIXe siècle, est un martyrologe.

Il y a eu une misère pire, cependant, que celle dont nous allons indiquer quelques traits. Écoutons ce que quelques vieillards dirent à Villermé sur l'état de la fabrique avant 1789 :

« Il y a cinquante ans, les ouvriers en laine de Reims étaient, comme ceux des autres professions, dans une déplorable indigence. Les plus aisés d'alors, entassés dans des chambres étroites, mal nourris, mal vêtus, paraîtraient bien pauvres aujourd'hui. On citait ceux qui mangeaient une fois par semaine de la viande et de la soupe grasse, on enviait leur sort, et actuellement tout ouvrier qui n'est pas dans la misère en mange au moins deux fois. Enfin, la santé de l'ancien ouvrier rémois n'était pas aussi bonne, en général, que nous la voyons de nos jours. » Ce tableau de l'ancien état de misère des ouvriers de Reims est encore rembruni par une phrase du discours... de M. de Saint-Marceau, maire de cette ville : « Avant 1789, l'ouvrier de Reims était excessivement malheureux, et ne gagnait que 6 à 12 sous par jour. Mal nourri, mal vêtu, il n'osait se montrer les jours de dimanche et de fête. »

De quel abîme de servitude, d'abjection et de détresse émerge-t-elle donc cette malheureuse classe ouvrière, pour trouver relativement douce, lorsqu'elle remonte dans ses souvenirs, la situation qui lui est faite en 1830 !

De l'aveu des auteurs féodaux et catholiques eux-mêmes, d'ailleurs, et l'on sait s'ils sont intéressés à dénigrer le système mercantile et industriel moderne au profit du système d'agriculture patriarcale et féodale du passé, le développement industriel n'a pas créé le paupérisme. Villeneuve de Bargemont a beau nous dire que « le paupérisme marche toujours en raison de l'agglomération et de l'accroissement de la classe ouvrière », il est bien forcé d'avouer « qu'au moment de la révolution de juillet, il existait dans le royaume un nombre de mendiants moindre qu'avant 1789 ».

Pecqueur, de son côté, dans les Améliorations matérielles, constate que la création de fabriques dans les campagnes y fait disparaître la mendicité. Le système mercantile et industriel, en se substituant au système féodal et agricole, n'a donc pas créé le paupérisme. Mais, selon les écrivains qui regrettent le passé, voici pourquoi le paupérisme du régime moderne est moins supportable, donc plus douloureux, que l'indigence de l'ancien régime :

D'une part, nous dit Villeneuve-Bargemont, il n'existe plus pour les indigents « de ces aumônes abondantes qui pouvaient peut-être faire naître des mendiants, mais qui du moins les nourrissaient, ainsi que le remarque un profond publiciste (M. de Bonald). D'autre part, la plus grande partie de la classe ouvrière ne tombe dans l'état d'indigence que dans les moments où une crise de surproduction vient arrêter tout travail. Ces alternatives de surtravail et de chômage, cette incertitude constante du lendemain rendent nécessairement les ouvriers mécontents de leur sort. »

Voilà, en effet, les deux caractéristiques de la situation nouvelle faite aux producteurs par le monde moderne et les principes qui s'en déduisent : Le patron, l'entrepreneur, se considère comme un acheteur de travail vis-à-vis de l'ouvrier. Le prix de ce travail est soumis à la loi de l'offre et de la demande. Tant pis pour qui n'obtient pas de son travail un prix suffisant. Et pourquoi donc le patron paierait-il trente sous le travail qu'il peut acheter pour vingt sous ? Son devoir envers l'ouvrier n'est point de veiller sur sa santé, sa moralité, son existence, de le secourir en cas de péril, de le soigner en cas de maladie : Toutes ces obligations féodales, tous ces devoirs chrétiens, (d'ailleurs si rarement, et si imparfaitement, et si superficiellement remplis par les maîtres d'ancien régime), le patron moderne y est soustrait par la nature même des choses.

Il s'entend bien que ces rapports nouveaux ne sont que théoriquement exacts ; en fait, le patron imitera de son mieux le seigneur féodal, tout au moins quant aux droits que celui-ci possédait sur ses vassaux : pour ce qui est des devoirs et obligations du maître, celui-ci ne les remplira communément que dans la mesure où il y trouverait un nouvel avantage. Le premier patron qui s'est avisé de loger ses ouvriers s'est assuré ainsi une population ouvrière stable, que sa stabilité même rendait plus docile.

Quantité de patrons de l'ancien régime, d'ailleurs, donnaient à leurs ouvriers le principal du salaire en logement et en nourriture. Les industriels anglais, tôt imités par leurs confrères français, n'eurent qu'à continuer cette pratique lors de la création des manufactures.

La seconde caractéristique du régime industriel, l'incertitude du lendemain, contribue pour beaucoup à rendre leur situation intolérable aux ouvriers, qui souffrent plus vivement des maux temporaires d'une crise qui les met en chômage, qu'ils ne souffraient de la misère endémique, palliée de mendicité, où les laissait croupir l'ancien régime. Car ces ouvriers, qui surgissent en 1830 et ne quitteront plus la scène tragique de l'histoire, ne sont pas tous fils des artisans de l'ancien régime. Le régime nouveau a appelé dans les manufactures, les usines, les mines, qui se créent sur tous les points du territoire, une masse paysanne non propriétaire ou propriétaire d'un insignifiant morceau de terre.

Si l'on veut connaître le degré réel de misère des classes populaires, il n'est pas de meilleur moyen que de consulter le coût de consommation du pain et de le comparer au salaire. Les pauvres gens, en effet, font du pain la base de leur alimentation. On peut donc considérer tout ce que leur salaire leur permettra de se procurer en sus de l'alimentation essentielle comme la mesure de leur bien-être, ou plutôt de leur mal-être.

Vauban, en 1698, fixe le salaire moyen d'une famille de quatre personnes à 108 livres par an pour les villes et à 90 livres pour les campagnes ; la dépense pour le pain (méteil) est évaluée par lui à 60 livres. L'ouvrier du temps de Louis XIV consacre donc au pain 60 pour cent de son salaire.

Arthur Young, en 1787, porte le salaire ouvrier moyen à dix-neuf sous par jour et le prix de la livre du pain à deux sous, soit pour quatre personnes huit sous par jour. À la veille de la Révolution, le rapport du prix du pain à celui du salaire est donc, de 42 à 100.

En 1791, Lavoisier établit à 585 livres 13 sous 4 deniers la dépense totale d'un ménage de cinq personnes, et à 144 francs la dépense pour le pain, soit 24 pour cent.

Le baron de Morogues, au lendemain de la révolution de juillet, évalue le gain annuel d'une famille de cinq personnes relativement aisée à 860 francs par an, pour une grande ville, et la dépense pour le pain à 296 francs, soit à 36 pour cent.

Pour une famille urbaine peu aisée, également de cinq personnes, le salaire est réduit à 760 francs, ce qui élève le pourcentage de la dépense pour le pain à 39 pour cent.

Enfin pour une famille de cinq personnes vivant à la campagne, Morogues dit que le salaire est de 620 francs. La consommation du pain prélève donc 49 pour cent. Les ouvriers semblent donc être devenus plus malheureux. Mais il ne faut pas perdre de vue que Morogues a groupé ses chiffres pour tenter de prouver que le régime industriel moderne est socialement mauvais. Tout en se défendant d'être conservateur et féodal, il incarne la protestation de l'immobilisme agricole et l'oisiveté parasite du rentier contre les révolutions du progrès industriel et les rafles du capital avide de se grossir et de se reproduire par l'exploitation du travail.

Chapitre VI
Servitude et misère du prolétariat.

Le prétendu bien-être du prolétariat agricole et les aveux des écrivains féodaux. — Pourquoi la manufacture attire les ouvriers des campagnes. — Situation des ouvriers de l'industrie. — L'ouvrière et l'ouvrier de cinq ans : effroyable mortalité infantile. — Visite aux taudis de Nantes et aux caves de Lille. — Dégénérescence de la race par le travail industriel. — La servitude du livret. — L'ivrognerie et la débauche, moyens d'exploitation capitaliste. — Le régime de juillet est un régime de classe.

La révolution de juillet survenant vers la fin de la crise économique de 1827, lui redonna, nous l'avons dit, un regain d'intensité. Nous allons voir le plus rapidement possible quel était, à ce moment de notre histoire sociale, la situation des travailleurs dans les diverses parties de la France. Prenons provisoirement pour guide Villeneuve-Bargemont. La passion féodale, très réelle en lui, ne l'aveugle pas sur les faits, et il est animé d'une profonde pitié pour les maux de la classe ouvrière.

Dans le Nord, les classes ouvrières, livrées de bonne heure à l'industrie manufacturière, croupissent dans l'ignorance ; tout ressort physique et moral semble brisé en elles. L'ouvrier, dans cette région, n'est considéré par le patron que comme un instrument mécanique. L'agriculture est devenu une dépendance de l'industrie manufacturière, à l'imitation de ce qui s'est fait en Angleterre, et la culture des plantes oléagineuses s'est développée au point de nuire sérieusement à la production des céréales. « Un tel système d'industrie et d'agriculture, conclut Villeneuve-Bargemont, tend sans cesse, d'une part, à accroître la population manufacturière, de l'autre, à abaisser le taux des salaires, à concentrer les capitaux et les bénéfices de l'industrie et à amener ainsi tous les éléments généraux du paupérisme. »

Les régions de l'Est sont, au dire de Villeneuve-Bargemont, un véritable paradis, au regard de celles du Nord. L'agriculture y est très avancée, et l'industrie, au lieu de s'y annexer l'agriculture, en est une dépendance. Les communes sont propriétaires de prés, de forêts, dont les pauvres peuvent profiter comme les riches. L'indigence est ainsi plus rare. Il en est de même, affirme l'écrivain d'ancien régime, à peu de différence près dans les départements du centre, où les vivres sont à bas prix, les paysans dans l'aisance, ce qui assure « de l'ouvrage et des secours » aux ouvriers. Le tableau est flatté, comme nous pourrons nous en assurer plus loin, mais il est certain que Villeneuve-Bargemont a bien vu lorsqu'il a constaté que, dans l'Est et dans le Centre la classe ouvrière était, vers 1830, plus instruite et moins misérable que dans les autres parties de la France. Sauf, cependant certain cantons de l'Est, notamment à Mulhouse et dans les environs où la détresse des travailleurs ne le cède en rien à celle de leurs frères des autres régions.

L'Ouest, région essentiellement agricole, pour être moins riche que l'Est et le Centre, n'en assure pas moins des ressources constantes aux « classes indigentes ». La pêche et la navigation leur offrent des moyens de subsistance ; les vignobles occupent une infinité de bras. Si les bureaux de bienfaisance sont pauvres en général, les communes laissent les indigents exercer les droits de propriété et d'usage sur d'immenses étendues de terrains.

Si la Bretagne est appauvrie, dit l'écrivain féodal, ce n'est pas parce qu'elle est isolée des centres de civilisation, attardée aux vieilles méthodes. « Ce paupérisme, fait-il, se manifeste principalement dans les cantons où l'ancienne et riche industrie agricole et manufacturière des chanvres et des lins a disparu par l'introduction de l'industrie du coton. » Il y a là du vrai. Mais Villeneuve-Bargemont sent bien que tout le vrai n'est pas dans ce déplacement de l'activité industrielle. Et il l'avoue lorsqu'il compte, à la page suivante, 46,172 mendiants pour la seule province de Bretagne et lorsqu'il constate et déplore la « profonde ignorance » et l'« entêtement obstiné aux anciennes routines » du prolétariat breton.

Les sobres populations du Midi sont heureuses, au dire de Villeneuve-Bargemont, étant surtout vouées à l'agriculture. Les bras valides sont occupés toute l'année dans cette bienheureuse région. Les vaines pâtures permettent aux indigents l'entretien de quelques chèvres ou brebis. Ici encore un aveu :

« Il est vrai que dans les communes (des Pyrénées) les propriétaires fonciers se sont arrogé le droit d'être seuls admis au partage des pâturages parce qu'ils possèdent des masses de bestiaux capables de consommer les herbes produites par ces montagnes pastorales dont ils usurpent ainsi le monopole. Quant aux forêts, les coupes sont vendues au profit des caisses communales ; les habitants non propriétaires, et par conséquent les pauvres, sont exclus des bénéfices et demeurent frustrés des avantages de la communauté. Ces contrées présentent un plus grand nombre d'indigents, et, pendant l'hiver, si la température est rigoureuse, la misère est excessive et douloureuse dans les classes indigentes. »

Tout l'ordre social étant fondé, selon le mot de Mme de Staël, sur la patience des laborieux, les écrivains conservateurs qui, à l'exemple des Villeneuve-Bargemont, du barons d'Haussez et de Morogues, tracent le tableau des misères introduites — disons plutôt transportées des champs à la ville — dans la classe ouvrière, expriment plus ou moins ouvertement leur désir de voir la bourgeoisie, spoliatrice de la noblesse, dévorée enfin par les forces ouvrières déchaînées.

« Tout fait prévoir que l'aristocratie manufacturière anglaise sera violemment renversée dans un avenir qui ne saurait être éloigné, » dit Villeneuve-Bargemont. Et il ajoute, de cet accent qui devait réjouir Marx et Engels quinze ans plus tard : « Le tour de la féodalité industrielle en France viendra ensuite. » Ni en France, ni en Angleterre, ce moment n'est encore venu. Voilà qui apprendra aux révolutionnaires : ils ont prophétisé sur la foi des prophètes réactionnaires, et l'avenir ne leur a point obéi.

Combien Villermé voyait plus juste, combien il était plus humain que ces conservateurs acharnés à résister au développement du machinisme, lorsque son enquête de 1835 montrait, dans la maison centrale de Loos, près de Lille, les prisonniers employés comme force motrice de toutes les machines d'une filature de coton. « Ces malheureux, dit-il, absolument nus de la moitié supérieure du corps, essoufflés, haletants, couverts de sueur, avaient la plupart de leurs muscles dans une agitation continuelle, ils étaient descendus au rôle de bêtes de somme ; la vue en était révoltante. Heureusement qu'une pompe à feu (c'est ainsi qu'on appelait les premières machines à vapeur), a dû mettre un terme à cette barbarie, digne des temps où, pour écraser le blé, des esclaves s'attachaient à des meules comme des bœufs à un manège. » Il est certain que pour ces misérables, victimes de la société autant que de leurs propres instincts, les moteurs à vapeur ont été un véritable bienfait.

Les machines n'ont pas attaché la femme et l'enfant à l'industrie ; ils l'étaient déjà, mais en nombre infiniment moindre et dans de moins douloureuses conditions, au moment où parurent les premiers métiers mécaniques. Mais avant les machines, c'est à domicile que les femmes et les enfants coopéraient aux industries du tissage et du filage. Cette forme du travail à domicile subsiste encore dans certaines régions et pèse lourdement sur le salaire des ouvriers enrégimentés dans les fabriques. Dès que les métiers mécaniques furent introduits dans l'industrie textile, les femmes et les enfants s'engouffrèrent par centaines et par milliers, ainsi que les hommes, dans les nouveaux établissements.

La filature mécanique ayant remplacé le rouet familial où la vieille grand'maman utilisait sans trop de fatigue le reste de ses forces à côté du métier où le chef du ménage poussait la navette, le travail cessa d'être une occupation supplémentaire pour la femme et un jeu pour l'enfant, et l'on put voir à Lyon et dans les environs, notamment dans plusieurs communes de la Loire, des enfants de cinq ans, et même plus jeunes, occupés à rattacher dans les ateliers. En général, l'âge d'admission est de six ans, sauf à Saint-Quentin, où Villermé en a vu peu au-dessous de l'âge de huit ans.

Mais ajoute-t-il, « la durée de la journée, partout où l'on peut travailler à la lumière de la lampe, est, pour les deux sexes et pour tous les âges, suivant les saisons, de quatorze à quinze heures, sur lesquelles on en consacre une ou deux aux repas et au repos, ce qui réduit le travail effectif à treize heures par jour. Mais pour beaucoup d'ouvriers, qui demeurent à une demi-lieue, ou même à une lieue et cinq quarts de lieue de Saint-Quentin, il faut ajouter chaque jour le temps nécessaire. »

Les ateliers de Mulhouse occupent plus de cinq mille ouvriers des doux sexes, y compris les enfants occupés dès l'âge de six ans, logés dans les villages environnants. « Ces ouvriers sont les moins bien rétribués, dit Villermé. Il se composent principalement de pauvres familles chargées d'enfants en bas âge, et venues de tous côtés, quand l'industrie n'y était pas en souffrance, s'établir en Alsace pour y louer leurs bras aux manufactures. Il faut les voir arriver chaque matin en ville et en partir chaque soir. Il y a parmi eux une multitude de femmes pâles, maigres, marchant pieds nus au milieu de la boue, et qui, faute de parapluie, portent renversé sur la tête, lorsqu'il pleut, leur tablier ou leur jupon de dessus, pour se préserver la figure et le cou, et un nombre encore plus considérable de jeunes enfants non moins sales, non moins hâves, couverts de haillons tout gras de l'huile des métiers, tombée sur eux pendant qu'ils travaillent. Ces derniers, mieux préservés de la pluie par l'imperméabilité de leur vêtements, n'ont pas même au bras, comme les femmes dont on vient de parler, un panier où sont les provisions pour la journée ; mais ils portent à la main ou cachent sous leur veste, ou comme ils le peuvent, le morceau de pain qui doit les nourrir jusqu'à l'heure de leur rentrée à la maison. » Ici, l'enquêteur officiel ajoute en note que ces malheureux « forment la dernière classe ouvrière. »

S'étonne-t-on, après cela, qu'à Mulhouse la moitié des enfants n'atteigne pas la dixième année et que la durée de la vie moyenne y soit tombée de près de vingt-six ans qu'elle était en 1812 à moins de vingt-deux ans en 1827 ! Au commencement de la monarchie de juillet les chances de vie à la naissance se répartissent ainsi : classe des manufacturiers, etc., 28 ans ; domestiques, 21 ans ; boulangers, meuniers, tailleurs, 12 ans ; journaliers, 9 ans ; maçons, charpentiers, 4 ans ; tisserands, un an et demi ; ouvriers de filature (où sont surtout occupées les femmes et les enfants) un an et un quart.

Pris de pudeur, les industriels alsaciens s'occupèrent à diverses reprises « des moyens de ramener à des limites raisonnables le travail forcé et trop précoce auquel on astreint les enfants dans les manufactures de coton. » Villermé nous apprend que la Société industrielle de Mulhouse « a non seulement accueilli avec faveur toutes les communications, toutes les propositions qui lui ont été faites dans ce but ; mais encore qu'elle a déjà deux fois, par une pétition adressée aux Chambres et aux ministres, demandé une loi qui fixât la durée du travail des enfants dans les manufactures. »

Bien entendu, la journée de travail des femmes et des enfants se règle sur la durée du travail des hommes. Parfois elle dure seize heures, repas compris. Le travail effectif est rarement inférieur à treize heures. À Sedan, la journée commune est de seize heures, dont quatorze de travail effectif. Dans certaines manufactures de cette ville, la journée n'est pas ordinairement de plus de douze heures pour les hommes, et de huit heures et demie pour les femmes. Cependant, ajoute Villermé, dans beaucoup de ces manufactures « moyennant un supplément de salaire, le travail se prolonge fréquemment au-delà de ce nombre d'heures, sans que les ouvriers puissent s'y refuser. » On le croit sans peine.

Partout où le travail à domicile a subsisté à côté de la manufacture, l'homme, la femme et l'enfant y sont plus étroitement et plus durement encore attachés au labeur. Ainsi à Reims la journée de travail effectif est de douze heures et demie, et parfois de douze heures. Pour les laveurs de laine et les batteurs, il tombe même à onze heures, souvent à dix heures et demie. « Mais dit Villermé, le travail à domicile est ici, comme partout, plus long que dans les usines. » De même à Tarare où « la journée est de treize à quatorze heures et la durée du travail de dix à douze. Quant aux ouvriers qui tissent ou dévident chez eux, c'est comme ailleurs : ils quittent et reprennent le travail quand ils le veulent, mais en général ceux qui ne sont pas en même temps tisserands et agriculteurs le prolongent très avant dans la nuit. »

Eugène Buret, Engels, Karl Marx, nous ont dit l'existence douloureuse des enfants voués au travail dès le plus jeune âge dans les manufactures anglaises. J'ai consulté soigneusement les enquêtes françaises pour la même période, et j'y ai trouvé bien des faits douloureux et qui sont un outrage pour l'humanité, mais rien qui approche de ce que ces écrivains ont observé de leurs yeux ou trouvé dans les enquêtes officielles anglaises. Le baron d'Haussen a résumé les atrocités du capitalisme anglais au moment de son développement dans le saisissant tableau que voici :

« On soumet les enfants de six à sept ans à un travail de huit à dix heures de suite qui reprend après une interruption de deux ou trois heures et se continue ainsi pendant toute la semaine. L'insuffisance du temps accordé au repos fait du sommeil un besoin tellement impérieux qu'il surprend les malheureux enfants au milieu de leurs occupations. Pour les tenir éveillés, on les frappe avec des cordes, avec des fouets, souvent avec des bâtons, sur le dos, sur la tête même. Plusieurs ont été amenés devant le commissaire de l'enquête avec des yeux crevés, des membres brisés par suite des mauvais traitements qui leur avaient été infligés. D'autres se sont montrés mutilés par le jeu des machines près desquelles ils étaient employés. Tous ont déposé qu'outre ces accidents, des difformités, presque certaines, résultaient pour eux de la position habituelle nécessitée par un travail qui ne variait pas. Tous ont déposé que les accidents dont ils subissaient les fatales conséquences n'avaient donné lieu à aucune indemnité de la part de leurs maîtres, qui avaient même refusé à leurs parents les secours momentanés que réclamait leur guérison. La plupart étaient estropiés, faute d'avoir eu les moyens de se faire traiter. »

L'écrivain féodal, n'oublions pas qu'il fut le dernier ministre de la maison de Charles X, s'écrie en terminant : « Voilà l'humanité telle que l'a faite le radicalisme en Angleterre ! » Et naturellement il oublie de nous montrer les propriétaires anglais démolissant les cottages où végétait la plèbe agricole et la chassant dans les villes pour n'avoir plus à payer la taxe des pauvres, et remplaçant le labour par les pâturages afin de fournir de la laine à ces manufactures détestées.

Mais revenons en France, où tant de tristesses nous attendent. Les ouvriers y travaillent de toutes leurs forces, et au-delà de leurs forces. Reçoivent-ils au moins un salaire suffisant ? Dans l'industrie textile, le salaire moyen de l'homme est de deux francs par jour pour l'homme, d'un franc pour la femme, de 45 centimes pour les enfants au-dessous de douze ans, et de 75 centimes pour les enfants de douze à seize ans. Les salaires, pour l'homme s'élèvent jusque vers l'âge de trente ans, mais après trente-cinq et quarante ans ils baissent toujours ; bien qu'ils baissent « dans une progression plus lente que celle de leur accroissement », on constate ici la rapide usure de la force humaine.

Si l'on réunit ensemble les salariés de l'industrie et de l'agriculture sur la base de 260 journées par an, on obtient une journée moyenne de 1 fr. 38, ce qui porte le gain d'un ménage où l'homme et la femme travaillent à 477 francs par an. Mais ces chiffres sont une moyenne, et il y a autant de marge en deçà qu'au delà. C'est ainsi qu'en 1836 encore, « beaucoup d'enfants ne recevaient pas plus de six sous par jour », et que « dans les campagnes, trente-cinq à trente-six sous étaient le maximum du gain des tisserands à la main, au lieu de deux francs comme en 1834, ou de trois francs comme en 1824. »

Dans son rapport sur les produits destinés à l'Exposition de 1834, le jury départemental du Haut-Rhin avoue un salaire moyen de 1 fr. 57 1/3 par jour. Mais il n'a pas compris dans son évaluation les enfants et les jeunes gens qui gagnent : les bobineurs, 35 centimes ; les rattacheurs de 50 centimes à 1 franc par jour. La moyenne générale doit donc être abaissée de 30 à 35 centimes par jour. Un tableau statistique des ouvriers d'une grande manufacture du Haut-Rhin établit, en effet, que le salaire moyen dans les ateliers de filature est, en 1832 de 1 fr. 03 centimes par jour. Villermé, de son côté, déclare que « la moyenne du salaire a été, pour tous les ouvriers d'une grande manufacture d'Alsace, de 73 centimes en 1832. » Il ajoute que dans la même région « trente cinq mille ouvriers, dont une forte partie répandue dans la campagne ne tisse que par intervalles..., recevaient 4.825.000 francs... ; chacun de ces ouvriers touchait à peu près 138 francs par an, ou 46 centimes par jour. »

Ces chiffres sont sensiblement les mêmes que ceux de Buret dans son livre sur la Misère des classes laborieuses en Angleterre et en France. » Il est prouvé, dit-il, que le travail de quinze à seize heures par jour ne permet pas à la grande majorité des pauvres ouvriers tisserands de gagner plus de 1 franc ; le nombre de ceux dont le salaire est au-dessous est plus grand assurément que le nombre de ceux qui ont le bonheur de l'atteindre. À Mulhausen (Mulhouse), à Troyes, un tisserand ne gagne souvent que soixante centimes par jour. »

Tous les patrons ne gémissent pas, comme ceux de Mulhouse, de l'atroce situation faite aux ouvriers par des conditions d'existence aussi misérables. « M, Jourdan-Ribouleau, nous dit Buret, m'apprend que, pendant les embarras commerciaux qui ont suivi la révolution de juillet, les salaires ont varié environ d'un sixième. « C'est alors, dit l'honorable fabricant, pendant les crises commerciales, que les manufacturiers peuvent fabriquer à meilleur marché. »

Il y a eu, c'est certain, une dépression considérable des salaires à la suite de la crise qui s'est prolongée jusqu'en 1830, et, dans l'industrie textile tout au moins, on ne les a plus vus remonter aux taux qu'ils avaient atteints avant cette crise. Buret apporte sur ce point des détails intéressants :

« M. Caignard, de Rouen, dit-il, me donne les renseignements suivants sur la baisse des salaires. En 1817, il a payé 1 franc l'aune pour le tissage d'une cotonnade de 18 pouces de large ; l'ouvrier pouvait faire cinq aunes par jour. Maintenant, en 1834, il ne paie plus que quarante à quarante-cinq centimes par aune pour la façon d'une étoffe de 46 pouces de largeur. La façon d'une pièce de 110 à 120 aunes ne se paie que 20 francs.

« M. Fontaine-Gris, fabricant de Troyes, déclare que, depuis 1816, les salaires ont diminué de 25 pour cent. « Cette diminution provient, dit-il, d'une plus grande habitude du travail et d'une plus grande concurrence parmi les ouvriers. » — M.

Henriot, de Reims, se fait remarquer dans sa réponse par une franchise que nous regrettons de n'avoir pas toujours rencontrée chez le plus grand nombre des fabricants ses confrères. « Si nous voulons maintenir la tranquillité, dit-il, il devient urgent de ne plus diminuer le prix de la main-d'œuvre qui a varié trop souvent, « et rarement au profit de l'ouvrier. »

Pour les lullistes de Saint-Quentin, la dépression est encore plus forte. En 1823, ils pouvaient gagner jusqu'à quinze francs et même vingt francs par jour. Après la crise, les salaires sont de 1 franc 50 à 3 francs, chiffre maximum. À Rouen, dans l'industrie lainière et cotonnière, les graveurs qui gagnaient 12 francs par jour en 1825 n'en gagnent plus que 6 en 1830 ; le salaire des imprimeurs de premières mains tombe dans le même espace de temps de 10 à 3 francs ; des apprêteurs cylindreurs, de 3 à 2 francs ; des mouleurs et fondeurs, de 12 francs à huit et neuf francs. Quant aux fileurs rouennais, dont les salaires en 1825 se mouvaient entre 3 francs et 3 fr. 50, ils ne sont plus en 1830 que de 2 francs à 1 fr. 25.

Le haut salaire des mouleurs et fondeurs, qui devait finalement tomber entre cinq et six francs, s'explique, dit Villermé parle fait que « cette industrie n'a pu être naturalisée à Rouen qu'en employant des ouvriers anglais dont les salaires étaient très élevés. » Mais ajoute-t-il, « il n'y en a plus qu'un petit nombre dans les ateliers ; les ouvriers français devenus aussi habiles se paient moins cher. »

Mêmes diminutions à Lille dans les industries textiles, où le salaire des blanchisseurs de tulle tombe pour la même période de 2 francs et 2 fr. 25 à 1 fr. 75 et 1 fr. 50 ; celui des tullistes proprement dit de 10 et 12 francs à 4 et 6 francs, celui des brodeuses au crochet de 1 franc et 1 fr. 20 à 90 centimes et 1 franc. De même, les constructeurs de mécaniques à tulle voient tomber leur salaire de 8 et 10 francs à 3 et 5 francs.

C'est surtout sur les industries textiles qu'a porté la crise, puisque dans le même temps, à Lille, toujours nous verrons le salaire des fondeurs de fer monter de 2 fr. 75 et 3 francs à 3 fr. 25 pour s'élever en 1834 à 4 fr. 50 et 5 francs, salaire notablement supérieur à celui de Paris, qui n'atteint que 4 francs. À Paris même, les professions qualifiées, ouvriers du fer, de l'ameublement, du vêtement, de l'imprimerie, etc., reçoivent des salaires qui sont, pour les maréchaux-ferrants et les doreurs sur bois, de 2 fr. 50 par jour, et de 4 francs pour les apprêteurs de chapeaux de paille, les boulangers, les bijoutiers en or, les ciseleurs, les confiseurs, les fondeurs en cuivre, les fumistes, les gantiers, les fabricants de compas, les imprimeurs, les maçons, les paveurs, les tourneurs en chaises, les tailleurs de pierres, les teinturiers en soie et les tapissiers. Le salaire s'élève entre 4 et 5 francs pour les doreurs sur métaux, les forgerons, les imprimeurs en étoffes, les marbriers, les plombiers, les tailleurs et les vernisseurs. Toutes ces professions subissent bon an mal an un chômage, qui varie selon les industries, de trois à sept mois. Même chômage pour les hommes de peine, qui sont payés de 2 fr. 10 à 2 fr. 50 par jour. Naturellement, le salaire des femmes observe vis-à-vis du salaire masculin la distance qui convient. Il s'élève à 2 fr. 50 pour les couseuses de chapeaux de paille, mais ces privilégiées ont six mois de chômage par an. Les teinturières atteignent le même chiffre, sans chômage. Le chômage est également nul pour les lingères, pour les boutiques et pour les chaussonnières ; mais les premières gagnent 90 centimes par jour, et les secondes soixante centimes.

Pour revenir aux industries textiles, qui ont été le plus touchées par la crise, et où se constatent les plus bas salaires, leur surgissement s'est produit à l'imitation et en concurrence de l'industrie anglaise, et c'est par cette cause que s'explique la condition misérable des ouvriers qu'elles occupent. D'autre part, sauf pour quelques spécialités techniques, ces industries se sont recrutées dans la masse du prolétariat agricole, qu'elles ont ajoutée ainsi au prolétariat industriel. Aujourd'hui encore, les salaires du tissage et de la filature sont de beaucoup les plus bas.

Les ouvriers en draperies et lainages sont pourtant, en 1830, dans de moins mauvaises conditions que les ouvriers du coton. À Darnetal, les hommes gagnent de 1 fr. 80 à 2 francs par jour ; à Elbeuf et Louviers, de 1 fr. 60 à 3 fr. 80. Mais dans ces trois localités les femmes ne reçoivent qu'un franc et 1 fr. 25, et les enfants 50 à 80 centimes. Le tisseur roubaisien gagne entre 2 et 3 francs ; mais celui qui travaille chez lui doit se contenter de 30 sous. À Reims, les tisserands gagnent 3 francs et les fileurs en gros de 2 fr. 50 à 3 francs. À Sedan, ceux-ci ont à peu près le même salaire, 2 francs à 2 fr. 80, mais le salaire des tisserands peut descendre de 3 fr. 50 à 1 fr. 50, ce qui avec le bobinage des trames fixe le salaire réel entre 3 fr. 05 et 1 fr. 15. Les tisserands en laine de Carcassonne reçoivent à peu près le salaire des cotonniers de l'Est et du Nord : de 80 centimes à 1 fr. 16 et même de 73 à 91 centimes. Les fileurs gagnent un peu moins de 1 fr. 50 et les fileuses un peu plus d'un franc par jour.

Ces chiffres disent assez que, pour tous les ouvriers, c'est la misère noire en période d'activité du travail, et la plus affreuse détresse, la famine meurtrière, en temps de crise. Même en travaillant jusqu'à 17 heures par jour, des quantités innombrables d'ouvriers n'entretiennent leur misérable existence et celle de leur famille que grâce aux secours privés et publics. Dans quelle proportion sont, au regard des huit millions d'ouvriers industriels et agricoles, ceux qui doivent recourir à la charité ? Voilà qui est difficile à établir.

Les écrivains conservateurs ont trop intérêt à en exagérer le nombre, afin de fortifier leur polémique contre le régime industriel, pour qu'on les croie sur leur affirmation. Benoiston de Châteauneuf compte en France cinq millions d'indigents, et un rédacteur du Courrier de l'Europe élève ce chiffre à dix millions. Le baron de Morogues, qui avoue ses préférences pour le régime agricole, mais se défend avec énergie d'être un féodal, estime que le chiffre des indigents s'élève à deux millions environ. Villeneuve-Bargemont l'évalue à un million et demi ; 767.245 pour les villes et 819.195 pour les villes. Buret, de son côté, ne trouve que 1.120.961 indigents inscrits.

J'estime pour ma part ces derniers chiffres un peu faibles. Dominé par son préjugé contre l'industrie et son amour du bon vieux temps et de la douce vie rurale, Villeneuve-Bargemont n'a pas aperçu que le nombre des indigents réels, sinon officiels, devait être beaucoup plus considérable dans les campagnes qu'il ne le dit. Autrement, on ne s'expliquerait pas l'exode continu des campagnes vers les villes, au fur et à mesure du développement de l'industrie. Ces tissages et ces filatures dont nous venons d'indiquer les salaires ne sont pas peuplés d'ouvriers des villes, mais de prolétaires agricoles chassés par la faim.

D'un tableau dressé par le statisticien Balbi en 1830, il résulte que sept millions et demi de Français n'ont à dépenser que 25 centimes par jour, sept millions et demi trente-trois centimes, sept millions et demi quarante et un centimes, et trois millions cinquante-cinq centimes. Soit vingt-six millions d'être humains, sur trente et un, condamnés à se suffire avec un revenu de cinq à onze sous par jour. Ces chiffres, dit Pecqueur, qui les reproduit en 1839, « personne jusqu'à présent n'a pu en contester les bases ».

Pour nous en tenir à la misère industrielle, qui fait d'ailleurs supposer amplement ce qu'est la misère agricole, puisqu'on fuit celle-ci pour tomber dans celle-là, nous constatons qu'à la veille des journées de juillet le département du Nord, dont la population est d'un peu moins d'un million d'habitants, compte, au dire du baron de Morogues, 150.000 indigents dont 8.000 mendient leur pain. Pecqueur élève ce chiffre à 220.000.

Dans son enquête, Villermé parle d'un filateur de Rouen qui « a trouvé en 1831 que, sur cent ouvriers supposés continuellement employés dans sa filature de coton, soixante et un, c'est-à-dire les deux tiers, ne gagnaient pas assez pour se procurer le strict nécessaire. » Et ce strict nécessaire, Villermé l'évalue de 70 à 95 centimes par jour, pour la nourriture d'un ouvrier, « alors qu'il vit forcément avec trois ou quatre sous de pain et trois ou quatre sous de pommes de terre. »

Villeneuve-Bargemont affirme que le nombre des indigents à Paris atteint le septième de la population totale. Mais on ne peut accepter son évaluation que sous les plus expresses réserves. Il tend en effet à prouver que la révolution de juillet a causé le plus grand préjudice à la classe ouvrière.

Évaluant de douze mille à soixante-quinze mille le nombre des personnes riches qui ont quitté Paris pour fuir la Révolution ou bouder le nouveau régime, il estime à cent vingt millions de francs la perte supportée par les industries parisiennes. On a moins de peine à le croire quand il affirme que dans le douzième arrondissement (quartiers Saint-Jacques, du Jardin des Plantes, Saint-Marcel et Observatoire) le nombre des indigents inscrits forme le sixième du total de la population.

Lille compte un indigent inscrit pour quatre habitants. À Lyon, cent mille habitants, sur cent cinquante mille, sont dans le dénuement le plus complet et bientôt la faim va les chasser de leurs ateliers. « À Sedan, dit Pecqueur, il n'est pas rare de voir de malheureux ouvriers rassemblés autour des gens qui se chargent de l'abatage des chevaux malades, en attendant le moment où ces animaux sont dépouillés, pour s'en partager la chair. » Et il ajoute : « On sait quelles dévastations furent commises en général, 1830-1832, par des populations nombreuses, privées de feu au milieu de l'hiver. »

Dans l'Aisne, en 1831, des ouvriers sans travail parcourent les campagnes par bandes de mille à quinze cents « en demandant des secours et en menaçant de pillage », selon l'expression de la Gazette de France. Le préfet dut passer par-dessus les lois et les règlements, et enjoindre aux communes riches de joindre leurs ressources d'assistance à celles des communes moins pourvues. Ce fut un scandale dans le monde administratif.

Quelle pouvait être en temps normal l'alimentation d'ouvriers aussi misérablement rétribués ? Où et comment se logeaient-ils ? Dans quelles conditions d'hygiène ? Comment le surtravail, la nourriture insuffisante, le défaut presque absolu de tous soins du corps et de l'habitation retentissaient-ils sur l'organisme de ces millions de producteurs ? Enfin, quelles mœurs le nouveau milieu industriel leur avait-il faites ?

Les familles ouvrières sont nombreuses à Mulhouse. Six bouches en moyenne. On ne mange de viande, on ne boit de vin que le jour de la paie, c'est-à-dire deux fois par mois. La moyenne de la consommation quotidienne est de trente-trois à trente-quatre sous, et le pain y entre pour treize sous. Les célibataires sont plus heureux, cela va sans dire. « Auprès de Sainte-Marie (aux Mines), dit Villermé, les compagnons tisserands se mettent en pension pour 4 fr. 50 ou 5 francs par semaine, ils sont nourris avec la famille chez laquelle ils vivent et comme elle blanchis, couchés dans un lit ; en outre on leur fournit un métier sur lequel ils travaillent d'ordinaire pour leur compte. Le plus souvent, lorsque la pension est de 4 fr. 50, ils n'ont de la viande qu'une fois par semaine, et deux fois lorsque la pension est de 5 francs. »

Les plus pauvres ouvriers de Lille se nourrissent surtout de pommes de terre, de quelques légumes, de soupe maigre, de charcuterie. « Ils ne mangent ordinairement qu'un seul de ces aliments avec leur pain. L'eau est leur unique boisson pendant les repas. » Mais ils vont ensuite au cabaret boire de la bière ou du genièvre. Les ouvriers d'Amiens, plus mal nourris en général que ceux de Lyon, Rouen, Reims, et Sedan, ne boivent guère que de l'eau, ou de la petite bière coupée d'eau. Un peu partout et surtout à Reims, la femme étant une ouvrière et ses instants étant tous pris par la fabrique, les enfants sont allaités au biberon et « on se hâte trop de les nourrir avec de la bouillie ». Sur 916 enfants des hospices de Reims, 586, ou 64 pour cent, meurent dans la première année par l'allaitement artificiel.

Villermé constate que « l'espace et la lumière ne manquent pas, ou manquent rarement, dans les manufactures de la fabrique d'Amiens, » et que « c'est seulement chez les petits entrepreneurs de tissage que les ateliers ne sont pas toujours ni assez grands, ni assez aérés, surtout dans la ville ». Mais le travail y est, pour les enfants, plus pénible qu'ailleurs, et Villermé ne peut se résigner à taire « une cause particulière de ruine pour la santé des jeunes ouvriers dans les petites filatures qui manquent d'un moteur général. Cette cause, sur laquelle l'attention de la mairie d'Amiens a été appelée deux fois, à ma connaissance, par le conseil des prud'hommes de la ville, (la première en 1821, et la seconde, le 22 septembre 1834) consiste à faire mettre en mouvement, par des enfants, les machines à filer ou à carder, au moyen d'une manivelle à laquelle on fait décrire, avec la main, un cercle dont le point supérieur passe à cinq pieds des planches, et à exiger ainsi de ces enfants plus qu'ils ne convient à leur faiblesse et à leur taille. Je ne parlerais pas de cet abus de pouvoir des fileurs sur leurs aides, s'il n'avait été dénoncé à l'autorité municipale par le conseil des prud'hommes et si une double enquête n'était venue confirmer les assertions de ce conseil. » Les moteurs mécaniques apportèrent à ces pauvres enfants le même soulagement qu'aux détenus de Loos dont il a été parlé plus haut.

Au regard du logis ouvrier, surtout lorsqu'on y travaille, la manufacture est un séjour hygiénique. Et pourtant, sauf la lumière que l'intérêt patronal n'y mesure pas aux yeux de ses travailleurs, l'air y est confiné au point d'être irrespirable. Les ouvriers et les machines y sont entassés, et celles-ci happent fréquemment au passage un lambeau de chair prolétarienne. Les estropiés sont mis au rebut, et les employeurs n'ont qu'à les remplacer par des bras inemployés, qui ne manquent pas dans l'immense armée de réserve du travail.

Partout le travail est périlleux. La phtisie cotonneuse, ou pneumonie cotonneuse, décime les ouvriers occupés au battage du coton brut. Ici encore la machine apportera une amélioration, mais ce n'est pas une raison d'humanité qui la fera adopter par les patrons. Le cardage de la filoselle et de la soie, dans les maisons de détention, notamment celle de Nîmes, et dans les ateliers de l'industrie libre, appelle l'attention du docteur Boileau de Castelnau qui, dans des rapports répétés, proteste contre « l'extrême insalubrité » de ce travail. Les bourretaires, c'est ainsi qu'on appelle les cardeuses de la bourre, de la filoselle, des débris de cocons qui ne peuvent être dévidés, succombent, jeunes encore, aux maladies de poitrine, surtout à la phtisie pulmonaire.

Les autres opérations du travail de la soie ne sont pas moins pernicieuses. Écoutons encore Villermé : « J'ai vu à Nîmes, dit-il, dans un atelier de tirage de la soie, où il y avait quatre fourneaux ou bassines, une vieille femme bossue et trois jeunes filles très pâles, dont deux très contrefaites, qui servaient chacune de moteur pour tourner les dévidoirs. » Mais, ajoute-t-il, « cette profession est le refuge des plus faibles. » Il parle aussi « du mauvais état de santé de beaucoup d'entre elles et de l'odeur repoussante, sui generis, qui s'attache à leurs vêtements, infecte les ateliers et frappe tous ceux qui les approchent. Au travail s'ajoute encore la douleur qu'il cause, par la sensibilité qu'acquiert le bout des doigts plongé à chaque instant dans l'eau bouillante ou presque bouillante des bassines ». Toutes ces tortures pour 18 sous par jour, « bon salaire moyen ». Quant aux femmes infirmes et aux jeunes filles, elles doivent se contenter de 8 à 14 sous.

Les logements de ces malheureux, même ceux où l'on ne travaille pas, ne sont pas faits pour adoucir leurs tortures ni pour leur procurer un repos qui permette d'affronter mieux celles du lendemain. Les ouvriers en laine de Lodève, dans une contrée d'air et de lumière, peuplent les rues étroites de la ville, entassés par familles de cinq à six personnes dans une chambre au rez-de-chaussée, humide, mal éclairée, mal aérée, ou bien dans « des espèces de greniers trop froids pendant l'hiver, et surtout trop chauds pendant l'été ».

Dans la montagne vosgienne, près de Sainte-Marie-aux-Mines, les tisseurs et dévideurs « sont maigres, chétifs, scrofuleux, ainsi que leurs femmes et leurs enfants ». Dans ces vallons étroits et humides, rarement visités du soleil, toute une population se dégrade et s'étiole. À Dornaeh, à Mulhouse, il n'est pas rare de voir deux familles entassées dans une chambre de trois à quatre mètres de côté. Les lits sont formés de « paille jetée sur le carreau et retenue par deux planches ». Un grabat de cette sorte, recouvert de lambeaux de couverture et souvent, dit Villermé, d' « une espèce de matelas de plume, d'une saleté dégoûtante, sert à toute une famille ».

S'étonne-t-on, après cela, qu'au tirage au sort de 1823, le contingent du Haut-Rhin fournisse les conscrits de la plus petite taille des dix départements de l'Est, après avoir occupé le troisième rang au recrutement de 1810, et que, parmi les contingents des cinq classes de 1824 à 1828, ce département offre la plus grande proportion de conscrits réformés pour défaut de taille !

À l'autre extrémité de la France, à Nantes, voici, selon le docteur Guépin, le logis de l'ouvrier : « Entrez en baissant la tête dans un de ces cloaques ouverts sur la rue et situés au-dessous de son niveau : l'air y est froid et humide comme dans une cave ; les pieds glissent sur le sol malpropre, et l'on craint de tomber dans la fange. De chaque côté de l'allée, qui est en pente, et par suite au-dessous du sol, il y a une chambre sombre, grande, glaciale, dont les murs suintent une eau sale, et qui ne reçoit l'air que par une méchante fenêtre trop petite pour donner passage à la lumière, et trop mauvaise pour bien clore. Poussez la porte et entrez plus avant si l'air fétide ne vous fait pas reculer ; mais prenez garde, car le sol inégal n'est ni pavé ni carrelé, ou au moins les carreaux sont recouverts d'une si grande épaisseur de crasse, qu'il est impossible de les voir. Ici deux ou trois lits raccommodée avec de la ficelle qui n'a pas bien résisté : ils sont vermoulus et penchés sur leurs supports : une paillasse, une couverture formée de lambeaux frangés, rarement lavée parce qu'elle est seule, quelquefois des draps et un oreiller : voilà le dedans du lit. Quant aux armoires, on n'en a pas besoin dans ces maisons. Souvent un rouet et un métier complètent l'ameublement ; » et, peut-on dire en forme de conclusion, ajoutent l'insalubrité à l'insalubrité.

Les ouvriers normands sont aussi mal logés que les ouvriers bretons. À Rouen, dit Villermé, « ils habitent en général dans des rues étroites, des maisons sales, humides, mal distribuées, souvent bâties en bois, et dont les chambres sont petites et obscures ». Leurs frères de Picardie n'ont rien, hélas ! à leur envier. À Amiens, où « les hommes âgés de 20 à 21 ans ont été trouvés d'autant plus souvent aptes au métier des armes par leur taille, leur constitution, leur santé, qu'ils appartenaient à la classe aisée, et d'autant moins souvent qu'ils appartenaient à la classe pauvre, à la classe ouvrière de la fabrique », ces derniers sont aussi mal logés, et la ville n'est insalubre que pour eux.

Villermé signale que la plupart de ces logements n'y sont pas de plain-pied et qu'à chaque rez-de-chaussée « répond une chambre au premier étage, un grenier au-dessus de celle-ci, ou quelquefois un grenier seul ». Ainsi s'étagent deux ou trois familles, la famille de l'étage supérieur traversant les chambres de l'autre famille, toutes les fois qu'elle sort ou rentre. Les pauvres n'ont pas le droit d'être chez eux.

Les tisserands de Saint-Quentin font leur toile en famille « dans des espèces de caves ou de celliers humides, peu ou point aérés, où la température est basse, mais égale. Mais presque toutes les maisons où logent les tisserands « étaient construites en pierres parfaitement jointes, voûtées et assez bien éclairées », la lumière étant un des plus pressants besoins professionnels du tissage.

On a beaucoup parlé des caves de Lille, on en parlera encore longtemps. Villermé a visité en détail cette lamentable rue des Étaques, et il est descendu dans ces taudis souterrains « par un escalier qui en est très souvent à la fois la porte et la fenêtre ». Il a noté que, pour ces misérables troglodytes de notre civilisation, le jour arrive une heure plus tard que pour les autres, et la nuit, une heure plus tôt. Ici, comme à Rouen, comme dans les Vosges, comme à Lodève, le proverbe est démenti par le laissez-faire bourgeois, et le soleil ne luit pas également pour tout le monde.

Dans ces caves, Villermé a vu fréquemment « reposer ensemble des individus des deux sexes et d'âges très différents, la plupart sans chemise et d'une saleté repoussante. Père, mère, vieillards, enfants, adultes, s'y entassent ». Malgré cela, il n'hésite pas à préférer ces taudis aux greniers, « où rien ne garantit des extrêmes de la température ».

Victor Hugo a visité ces trous, et les Châtiments nous en ont rapporté l'horreur :

Caves de Lille ! on meurt sous vos plafonds de pierre !
J'ai vu, vu de mes yeux pleurant sous ma paupière
Râler l'aïeul flétri,
La fille aux yeux hagards de ses cheveux vêtue,
Et l'enfant spectre au sein de la mère statue !
Ô Dante Alighieri !

C'est de ces douleurs-là que sortent vos richesses,
Princes ! ces dénuements nourrissent vos largesses...

Le patriciat industriel de Lille soutenait si ardemment l'auteur de coup d'État et ses complices, qu'on peut presque oublier que Victor Hugo n'a pas aperçu celui-là à travers ceux-ci. Mais l'histoire n'a pas les mêmes licences que la poésie : les patrons qui relèguent leurs ouvriers dans des caves ont besoin des princes de coup d'État, et ceux-ci sont leurs entretenus et profitent de leurs « largesses ».

Il fallut l'« épidémie de choléra de 1848 pour que la bourgeoisie, sous la terreur de la contagion, songeât à assainir ces bouges » ; car la maladie des gueux, ainsi nommait-on le choléra à Lille, nous apprend M. Gossez, dans son ouvrage sur le Département du Nord sous la deuxième République, bien qu'elle exerçât surtout ses ravages dans la classe pauvre, n'en atteignait pas moins quelques-uns des heureux. La loi de 1850 devait assainir un peu les quartiers ouvriers, et les caves furent abandonnées peu à peu.

À quel degré d'abaissement moral était tombé un peuple ouvrier en proie à toutes les misères sociales, économiques et physiologiques dont je viens de tracer un rapide et insuffisant tableau sur le témoignage des enquêteurs du temps, j'hésiterais véritablement à le dire si le lecteur y devait voir autre chose que la condamnation des classes riches et instruites, emmurées dans leur égoïsme et leur inconsciente cruauté. Tous les articles du code le concernant tiennent l'ouvrier pour un être mineur, depuis l'obligation du livret jusqu'au témoignage en justice. Comme en toute chose, la loi est ici l'expression des mœurs générales. La Révolution qui a passé il y a quarante ans à peine sur tous les fronts, n'a pas encore redressé de son souffle libérateur ceux de la masse ouvrière. Les serfs de la glèbe sont devenus des serfs de l'usine, et l'insouciance sociale des nouveaux seigneurs égale celle des maîtres de la vieille féodalité, et parfois la dépasse.

Toute espérance, non de s'émanciper, mais de choisir son maître est ôtée au prolétaire de l'usine et de la manufacture. « Le fabricant ou chef d'atelier, dit Villermé, qui fait à un ouvrier des avances sur son salaire, les inscrit sur le livret dont celui-ci doit toujours être muni, conformément à la loi. L'ouvrier qui a reçu ces avances ne peut, en cessant de travailler pour un maître, exiger la remise de son livret et la délivrance de son congé qu'après avoir payé sa dette, soit en argent, soit par son travail. Il perd donc sa liberté. »

Et, en perdant sa liberté, il perd la moitié de son âme. Souci de ses droits, de sa dignité, de respect humain, tout cela disparaît dans le morne désespoir d'une vie de labeur surmenant et sans issue. Et dans leur fureur même, ses tristes vices d'être humain retourné aux impulsions de l'animalité ne causent de dommage qu'à lui-même et aux siens. Son imprévoyance le livre sans défense aux odieux calculs du patron qui, nous affirme Villermé, Il ne lui a fait des avances que pour le retenir plus tard sans augmentation de salaire lors des hausses dans le prix de la main-d'œuvre ou pour lui donner à exécuter de mauvaises pièces qu'un ouvrier libre refuserait ».

Précurseur du truck system, ou paiement en nature par le magasin patronal, que les patrons français importeront bientôt d'Angleterre, le système des avances inscrites au livret sévit avec intensité dans tous les pays de manufacture, et plus particulièrement à Sainte-Marie-aux-Mines, à Reims et à Amiens. Et c'est bien à ce moment que sévit dans toute sa rigidité la loi d'airain des salaires, modifiée, entravée et parfois annulée depuis par les lois démocratiques, et surtout par l'effort conscient des travailleurs organisés sur le terrain politique et corporatif.

Mais, dit Villermé, lorsqu'en 1830 on parle aux ouvriers de Reims d'ordre et d'économie, ce qui est en somme passablement ironique si l'on considère le taux des salaires et celui des besoins les plus essentiels toujours insatisfaits, « ils répondent que le commerce seul les fait travailler et vivre, que pour le faire aller il faut dépenser de l'argent, que l'hôpital n'a pas été fondé pour rien, et que s'ils voulaient tous faire des épargnes, être bien logés, bien vêtus, les maîtres diminueraient le salaire, et qu'ils seraient également misérables ».

Certains patrons d'Alsace, cependant, s'émeuvent de la situation faite aux serfs de l'industrie et, sachant qu'en eux tout ressort est brisé par la misère et le sentiment de son éternité, tentent d'adoucir leur sort. « Ainsi, nous dit Villermé, à Guebwiller, chez M. Nicolas Schlumberger, la journée de travail est moins longue qu'ailleurs d'une heure et demie. On y a soin, en outre, pour faire passer chaque jour tous les enfants à l'école sans nuire à la fabrication, d'en avoir, proportions gardées, un plus grand nombre que dans les autres filatures. De cette manière, on varie les attitudes de ces petits ouvriers, leurs exercices, les objets de leur attention ; on les repose du travail de l'atelier, et par conséquent on sert à la fois leur santé et leur instruction. »

À Mulhouse, le manufacturier Kœchlin inaugure le système des maisons ouvrières pour trente-six ménages ; le prix du loyer, moindre de moitié des prix ordinaires, est retenu sur la quinzaine. Villermé convient que ce système place l'ouvrier sous la dépendance du patron. Mais il considère que cette dépendance aura « nécessairement pour résultat de rendre l'ouvrier plus prévoyant, plus moral, et d'améliorer sa situation matérielle ». On sait ce que, depuis, d'autres employeurs ont fait d'un système que Kœchlin avait surtout conçu dans l'intérêt des ouvriers, et comment il est devenu un moyen de servitude économique, religieuse et politique qui dure encore aujourd'hui dans certains centres industriels. Mais, à l'époque et pour les manufactures dont nous parlons, Villermé constate que les ouvriers sont « mieux portants, moins déguenillés, plus propres enfin, surtout les enfants, que dans les manufactures de Thann et de Mulhouse ».

Presque partout, les ouvriers oublient leur misère au cabaret. En Alsace, où l'on boit moins que dans le Nord, ce sont surtout les gens étrangers au pays qui s'adonnent à l'ivrognerie. Le Nord n'avait pas attendu d'ailleurs la formation de la grande industrie pour s'adonner à ce vice funeste. L'intendant de la généralité de Flandre disait déjà en effet, dans un mémoire, en 1698 : « Ils sont exacts à la messe et au sermon, le tout sans préjudice du cabaret, qui est leur passion dominante. »

Los auteurs socialistes ont accusé le régime capitaliste d'avoir poussé les ouvrières à droguer leurs nourrissons afin de pouvoir aller travailler à la manufacture. Selon Villermé, à Lille c'est pour tout autre chose que le travail qu'on empoisonne les enfants de ce stupéfiant nommé dormant. « Je me suis assuré chez les pharmaciens qui vendent ces dormants, dit-il, que les femmes d'ouvriers en achètent surtout les dimanches, les lundis et les jours de fête, lorsqu'elles veulent rester longtemps au cabaret et laisser leurs enfants aux logis. » Soit. Mais pour n'être pas toujours aussi directe qu'on l'a dit, le patronat n'en porte pas moins la responsabilité d'avoir contribué à développer la démoralisation qu'un tel fait accuse.

Les mœurs des tisserands de Roubaix sont meilleures, sauf ceux qui travaillent dans les grands ateliers. À Rouen, l'alcoolisme n'a pas encore pris le développement qui fait aujourd'hui pousser un universel cri d'alarme, aussi la santé des ouvriers en 1830 y est-elle bien meilleure que celle des ouvriers du Nord. À Reims, les ouvriers sont incités à la boisson par le désœuvrement forcé qui résulte de la journée perdue le lundi à la remise en marche des moteurs à vapeur. Les ouvriers de Sedan sont sobres autant que laborieux. Dans le Midi également et, malgré les misérables salaires que j'ai dit, les ouvrières en soie du Gard et de la vallée du Rhône, plus particulièrement celles du Vivarais et des Cévennes, trouvent moyen de faire des épargnes.

Une débauche en appelle une autre. La promiscuité des sexes, de jour et de nuit, dans l'atelier et dans le logis trop étroit, n'est pas une école de retenue. Les ouvrières de Saint-Quentin, les imprimeuses de Mulhouse acquièrent à cette époque une fâcheuse renommée. « À Reims, dit Villermé, quand une jeune ouvrière quitte son travail le soir avant l'heure de la sortie générale, on dit qu'elle va faire son cinquième quart de journée. Ce mot peut faire sourire, mais on éprouve un sentiment pénible à voir de très jeunes filles, dont la taille n'annonce pas plus de douze à treize ans, s'offrir le soir aux passants. » Il affirme que sur cent enfants au-dessous de quinze ans qui n'ont pas d'autre moyen d'existence que la prostitution, dix ou douze n'ont pas atteint leur douzième année. Parent-Duchâtelet constate de son côté que la ville de Reims fournit à la prostitution un contingent plus fort que celui de toutes les autres villes.

Cette prostitution-là n'est pas un produit direct du vice, engendré indirectement par la misère, mais bien un produit direct de la misère. Eugène Buret le voit bien lorsqu'il déclare que « la prostitution est pour les jeunes filles pauvres à peu près ce qu'est le vagabondage pour les jeunes gens », et lorsqu'il ajoute : « La femme... est dans une condition économique moins favorable encore que l'homme ; si les travaux auxquels on l'applique le plus ordinairement sont moins pénibles et moins répugnants que ceux de l'ouvrier des manufactures, ils sont moins bien rétribués. »

En dehors des rares exemples que j'ai cités, l'indifférence des patrons est générale devant la misère morale des artisans de leur fortune. Villermé en a même trouvé qui ont eu le « courage » de lui avouer que, « loin de s'associer jamais à d'autres fabricants pour prévenir l'intempérance des ouvriers, ils profiteraient de semblables dépravations pour augmenter leur propre fabrication, en recueillant dans leurs ateliers les travailleurs qui seraient renvoyés des autres. Ils disaient qu'ils étaient fabricants pour devenir riches, et non pour se montrer philanthropes. »

Bien plus ! des « personnes dignes de foi » ont « entendu des chefs de maisons, et surtout de maisons récentes et encore mal affermies, avouer que, loin de vouloir donner à la classe ouvrière de bonnes habitudes, ils faisaient des vœux au contraire pour que l'ivrognerie et la mauvaise conduite s'étendissent à tous les individus qui la composent : de cette manière aucun d'eux ne pourrait sortir de sa condition, aucun ne pourrait s'élever au rang de fabricant, ni par conséquent leur faire concurrence ». Et Villermé ajoute avec indignation : « Enfin, n'ai-je pas moi-même entendu un pareil langage sortir de la bouche d'anciens ouvriers devenus fabricants ! »

De quel front, après de semblables aveux, les patrons oseront-ils se plaindre du manque de conscience professionnelle des ouvriers et « du peu de soin que ceux-ci apportent à la confection de l'ouvrage qu'on leur donne à faire ? » Ils l'osent, cependant, et l'enquêteur enregistre la réponse des ouvriers. « Quand nos pièces sont mal tissées, lui disent-ils, on sait nous le dire et nous faire une retenue sur le prix de façon. Mais si nous nous appliquons à les bien confectionner, si nous les remettons sans un défaut, on ne nous donne rien de plus. »

Les vices de la classe ouvrière ne nuisent finalement qu'à elle-même, et, on l'a vu, parfois les patrons spéculent sur eux. D'où l'indifférence. Les lecteurs ouvriers pour qui cette histoire est écrite sauront y trouver l'enseignement qui se dégage des faits que j'ai exposés avec une profonde tristesse. Les temps dont je parle sont assez loin de nous ; mais il est encore dans notre pays des milieux industriels qui n'en sont pas aussi éloignés qu'on se plait à le croire.

Et il est si vrai que cette démoralisation ajoute aux misères matérielles des travailleurs sans atteindre les maîtres, qu'en dépit des polémiques passionnées des écrivains féodaux contre le régime industriel et des statistiques qu'ils échafaudent pour établir que la criminalité est plus grande dans les régions manufacturières que dans les régions agricoles, Villeneuve-Bargemont lui-même est forcé « de reconnaître que si la portion indigente de la population flamande a des vices qui contribuent à la plonger et à la perpétuer dans ce hideux état d'abjection et de misère, la douceur, ou si l'on veut, le défaut d'énergie de caractère des indigents les préserve en général d'excès nuisibles à la société ».

Dans son Essai sur la statistique morale de la France (1830-1838), Guerry constate que la proportion des accusés illettrés baisse à mesure que les enfants fréquentent davantage les écoles. Mais, au moins pour cette courte période, la proportion des illettrés diminue moins rapidement dans la population criminelle ; que dans le reste de la population. Et, nous l'avons vu plus haut, le chiffre des illettrés est beaucoup plus considérable dans la population agricole, même aisée, que dans la population industrielle, même misérable. C'est donc à la misère et à l'inculture, tant rurale qu'industrielle, qu'il faut attribuer la criminalité.

Mme de Staël disait que tout l'ordre social est fondé sur la patience des classes laborieuses. Nous venons de voir sur quel fonds de misère matérielle et morale reposait cette patience en 1830. Les ouvriers avaient si peu le sentiment de leur valeur, de leur dignité, de leur destin futur, que Martin Nadaud pourra dire qu'en ce temps on les méprisait généralement : « À Paris, écrit-il, on ne nous témoignait guère plus d'égards lorsqu'on nous voyait attroupés le soir, à la porte de nos garnis, ou couverts de plâtre à la sortie de nos chantiers. » Mais, ajoute-t-il, « ce qui était moins excusable, ou plutôt ce qui ne l'était pas du tout, c'est la critique que faisaient de nous certains bourgeois de la Creuse, à notre retour : « Voilà nos députés d'hiver qui arrivent avec de plus beaux habits que les nôtres ! » Puis les rires moqueurs de ce beau monde d'ignorants et de crétins, qui croyaient à la servitude éternelle de la grande masse ouvrière, devenaient ou bruyants ou cyniques. »

Comment les ouvriers auraient-ils cru en eux-mêmes, écrasés ainsi non seulement sous le poids de leur détresse, mais encore sous celui de l'insouciance générale et même du mépris. Nous avons pu cependant noter quelques heureux symptômes d'un réveil prochain. En voici encore un. À Lille même, sombre ville de détresse, les ouvriers qui s'enrôlent dans les sociétés de secours mutuels et préludent ainsi à l'organisation de classe, sont nombreux. Mais, observe Villermé, « on conçoit combien une semblable organisation rend la coalition facile ; c'est sans doute ce qui a presque toujours en France empêché l'autorité de favoriser les sociétés dont il s'agit. On est frappé des inconvénients qu'elles peuvent avoir, et non de leurs avantages ».

On le voit par ce trait final, s'il y eut en France un gouvernement, un régime de classe, c'est bien celui dont nous avons entrepris l'histoire. Impressionné par la critique sociale des saint-simoniens, Victor Hugo, écrit, dans son Journal d'un révolutionnaire de 1830, qu'il ne peut y avoir « rien que de factice, d'artificiel et de plâtré dans un ordre de choses où les inégalités sociales contrarient les inégalités naturelles ». Il croit trouver « l'équilibre parfait de la société » dans « la superposition immédiate de ces deux inégalités ». Nous verrons que, pour avoir cherché cet équilibre dans la réalisation de la démocratie, les travailleurs ont plus sûrement obéi à la loi de l'histoire et plus sûrement servi leurs destins.

Chapitre VII
La révolution des idées.

Le romantisme vis-à-vis du mouvement politique. — Les préfaces-manifestes de Victor Hugo. — Conservatisme littéraire des libéraux et des républicains. — La rénovation philosophique et sociale. — Saint-Simon et ses élèves : Augustin Thierry et Auguste Comte. — Lamennais et sa doctrine de la liberté. — Montalembert n'en retient que la liberté d'enseignement. — Le parti qu'en tirent les cléricaux. — La révolution dans la science : Geoffroy Saint-Hilaire et Gœthe contre Cuvier.

La bataille des rues a été précédée, annoncée, ici comme partout et toujours, par la bataille des idées. Toutes proportions gardées, les journées de Juillet ont suivi l'irruption du romantisme dans la littérature et dans l'art, de même que la prise de la Bastille a mis le sceau à l'œuvre des encyclopédistes. Dès 1827, dans sa préface de Cromwell, qui est le manifeste de la nouvelle école, Victor Hugo s'écrie qu'il « serait étrange qu'à cette époque la liberté, comme la lumière, pénétrât partout, excepté dans ce qu'il y a de plus nativement libre au monde, les choses de la pensée ». Et résolu à révolutionner le domaine où pendant près d'un siècle il régnera par la puissance du génie, il lance ce cri de guerre : « Mettons le marteau dans les théories, les poétiques et les systèmes. Jetons bas ce vieux plâtrage qui masque la façade de l'art ! »

Peu avant que les barricades se dressent dans Paris insurgé contre le retour de l'absolutisme, les batailles d'Hernani, ce drame où un brigand révolté contre son roi légitime personnifie la droiture, la vaillance, les droits souverains de l'amour, peuvent être considérées comme des engagements d'avant-garde, et le poète peut légitimement inscrire ces fières et fortes paroles dans la préface de sa pièce nouvelle :

« Le romantisme, tant de fois mal défini, n'est à tout prendre, et c'est là sa définition réelle, si on ne l'envisage que sous son côté militant, que le libéralisme en littérature. Cette vérité est déjà comprise à peu près de tous les bons esprits, et le nombre en est grand ; et bientôt, car l'œuvre est déjà bien avancée, le libéralisme littéraire ne sera pas moins populaire que le libéralisme politique. La liberté dans l'art, la liberté dans la société, voici le double but auquel doivent tendre d'un même pas tous les esprits conséquents et logiques... Les ultras de tout genre, classiques ou monarchiques, auront beau se prêter secours pour refaire l'ancien régime de toutes pièces, société et littérature ; chaque progrès du pays, chaque développement des intelligences, chaque pas de la liberté fera crouler ce qu'ils auront échafaudé... À peuple nouveau, art nouveau. Tout en admirant la littérature de Louis XIV si bien adaptée à sa monarchie, elle saura bien avoir sa littérature propre et personnelle et nationale, cette France actuelle, cette France du XIXe siècle à qui Mirabeau a fait sa liberté et Napoléon sa puissance. »

Le libéralisme politique repoussa ces avances, répudia ces adhésions. Et bien que Victor Hugo eût déclaré vouloir créer un art national et se fût incliné devant le chauvinisme napoléonien de l'époque, il s'attira, dans la Tribune du 30 avril, une dédaigneuse réplique où l'auteur d'Hernani se vit contester, pour lui et sa doctrine, la qualité de libéral. « Connaissant l'attachement des jeunes Français pour notre glorieuse Révolution, dit le rédacteur de l'article, l'hypocrisie s'est emparée de ce mot magique pour les entraîner loin des doctrines qui préparaient les grands changements de notre ordre social. »

Et, dénonçant la « profonde perfidie » de Victor Hugo et des romantiques, ces cosmopolites, le rédacteur les assimile perfidement aux alliés qui venaient, quinze ans auparavant, d'envahir la France. « Le romantisme, dit-il, semble croire que les statues de Corneille, de Montesquieu, et de Racine avaient dû s'écrouler sous le canon de Waterloo. » Précisant l'accusation d'introduire l'étranger dans l'art national comme les royalistes l'ont introduit dans la patrie, il ajoute avec une ironique fureur nationaliste, dont nous entendrons tant de fois les échos même au seuil du siècle suivant :

« En échange de nos trésors et de nos armes, l'un nous aura laissé l'immortel Kant, l'autre le divin Byron, le très divin Scott, l'autre Calderon, l'autre Swedenborg. Les doctrines anti françaises que M. le prince de Metternich avait dictées à MM. Schlegel, et Kotzebüe passèrent le Rhin avec les Cosaques et les Baskirs. Quelques traîtres et un grand nombre de dupes se sont empressés de les propager. » Et sans doute, en sa qualité de chef, Victor Hugo devait être des premiers plutôt que des seconds. « Pour avoir une littérature nationale, reprend le journaliste libéral, il nous faut renoncer à la littérature française, et adopter au plus vite la littérature des Anglais, ou si l'on veut, des Allemands, car il y avait aussi des Prussiens à Waterloo. Pour plaire à certains génies élevés, parmi les réjouissances de l'invasion et les Te Deum des défaites, nos peintres ne sauraient trop promptement se persuader que, par la vertu de Waterloo, il s'est trouvé un beau jour une école de peinture sur les rivages de la Tamise. Brûlons Montesquieu, Racine et David ! Vivent Bentham, Schiller et Lawrence ! »

L'extrême gauche du libéralisme en travail de révolution est-elle plus équitable ? Pas plus que les libéraux purs, les républicains, les révolutionnaires ne croient à la sincérité du poète qui, à vingt ans, chanta la naissance du duc de Bordeaux. Ils ne veulent voir, eux aussi, dans le romantisme qu'une des formes de l'abaissement national devant les monarques coalisés et qu'un regret des prétendues mœurs patriarcales et chevaleresques de la féodalité abolie. Nous avons vu plus haut que, dans l'Enfermé, Gustave Geffroy, tout en montrant un dédain trop peu historique pour le romantisme, a exprimé avec précision les sentiments de l'unanimité des républicains de l'époque.

La révolution littéraire n'était pas pure des reproches que lui adressaient les partisans de la révolution politique et il est certain que son lyrisme s'était d'abord complu à l'exaltation des idées mortes et son pittoresque à l'admiration des vieilles cathédrales. Chateaubriand allait vers l'avenir les regards tournés vers le passé ; il drapait des magies de son style les cadavres religieux et monarchiques un instant doués d'une apparence de vie. Bien souvent la magnificence du verbe, le clinquant des épithètes, l'harmonie sonore de la phrase avaient abrité la misère d'une pensée effarée des austères et âpres réalités du présent. Des pages, des châtelaines, des donjons et des abbayes, des fantômes et des saints, exhumaient en beauté, du moins en pittoresque, le sombre et dolent moyen âge.

D'autre part, la révolution de 1789 se croyait née de la pensée grecque et romaine. Et ce n'était pas absolument une erreur. L'antiquité classique, ressuscitée par la Renaissance et adaptée au génie français par les écrivains du XVIIIe siècle, nous constituait une tradition d'ordre, de liberté, de clarté qui portait nos aînés à oublier, à noyer dans un océan de ténèbres et de barbarie les mille années d'oppression religieuse et féodale, et à ne vouloir compter ce cycle que comme une éclipse d'humanité dont il valait mieux ne pas se souvenir à présent que la lumière était revenue.

Mais l'histoire ne se laisse pas amputer ainsi de tout un millénaire. La jeunesse pensante de 1830 sentait bien que la France n'était pas née en 1789, qu'elle n'était pas une terre barbare avant que les humanistes du XVIe siècle lui rapportassent les cendres du flambeau qui d'Athènes et de Rome avait rayonné sur le monde. Sans repousser cette précieuse et immortelle beauté des formes et des pensées émanée du Parthénon et de l'œuvre de Platon, elle se refusait à méconnaître plus longtemps le vigoureux et rude effort de la pensée nationale, les gauches et ardentes aspirations de l'art national, les naïves et pénétrantes poésies des conteurs qui formèrent notre langue, le génie des maçons anonymes qui construisirent nos cathédrales et nos hôtels de ville.

D'autre part, avec toute l'injustice du triomphe, les classiques avaient rejeté dans la nuit du moyen âge ceux-là mêmes qui leur avaient permis de triompher. En se datant de Malherbe, ils oubliaient les vrais révolutionnaires et s'installaient en conservateurs pourvus des biens dont ils refusent d'avouer l'origine. Ils supprimaient Ronsard et toute la pléiade, et ils abolissaient Rabelais, réduit aux proportions d'un farceur des temps barbares. Voltaire, dont le regard cependant ne craint pas de s'aventurer au delà des frontières, traite Shakespeare de « sauvage ivre », et Ducis fait encore scandale quand il se risque à transcrire en traits atténués et en couleur anémique les puissantes fresques du grand Anglais.

Les victoires de Napoléon avaient reconstitué un instant le domaine des Césars et de Charlemagne. Paris avait succédé à Rome comme capitale de l'empire d'Occident ; le Saint-Empire romain avait sanctionné l'hégémonie française en donnant une de ses filles au César moderne, comme d'ailleurs il en avait donné une au dernier Capétien. Le parti libéral et le parti républicain avaient attiré à eux les rayons de toute cette gloire, et leur amour de l'art classique, si bas qu'en fussent alors tombées les productions avec les Baour-Lormian et autres Népomucène Lemercier, faisait partie de l'orgueil qu'ils avaient d'être le peuple qui, à lui seul, avait fait de si grandes choses et, ajoutons-le vite, avait été l'instituteur révolutionnaire de l'Europe.

Au mérite d'être remonté aux sources vivaces et encore fécondes de notre histoire nationale, le romantisme en ajoutait un autre. Il n'avait pas seulement exploré le temps ; pour raviver notre trésor d'impressions et d'émotions, il avait franchi nos frontières et revivifié notre génie national de la sève neuve, abondante et originale des génies exotiques. Et, en somme, ce n'était que reprendre notre bien. Schiller et Byron ont chanté la nature et la liberté. Mais qui donc furent leurs maîtres ? Rousseau, qui fit aimer la nature, et Voltaire, la liberté. Méconnaître ces vérités, et les plus démocrates les méconnurent le plus, c'était mériter l'apostrophe goguenarde de Victor Hugo : « Un classique jacobin, disait-il ; un bonnet rouge sur une perruque. » À force de génie, Victor Hugo sut contraindre le jacobin à jeter bas sa perruque.

Le « très divin Walter Scott », si lourdement raillé par le rédacteur de la Tribune, influence alors fortement toute la jeune littérature, et c'est sous cette inspiration, parfaitement visible, que Victor Hugo adolescent écrit son premier roman, Han d'Islande. Mais n'y a-t-il qu'une âme féodale et religieuse dans l'œuvre du grand romancier anglais ? N'est-ce pas à juste titre que, notant après d'autres que Walter

Scott introduit la foule comme personnage dans ses romans, M. Louis Gazamian, dans le Roman social en Angleterre, fait de lui un précurseur du socialisme féodal ? Féodalisme social, soit, mais non socialisme. Les imitateurs français, dans leurs cénacles, s'amuseront un instant du bric-à-brac féodal. Mais dès qu'ils prendront l'air du dehors, toutes ces vieilleries disparaîtront. Car le sens des foules survivra en eux, et ils sauront le mettre en valeur. Le peuple, qui a conquis sa place dans l'histoire, par eux se la fera dans l'art et la littérature, et on osera mettre sur le théâtre les souffrances et les joies des petites gens. Ici encore, avec Lesage, avec Diderot, avec Beaumarchais, les Français auront été des précurseurs, des initiateurs. « Aujourd'hui, dit Sainte-Beuve en 1830, l'art est désormais sur le pied commun, dans l'arène avec tous, côte à côte avec l'infatigable humanité. » Et, ajoute-t-il, « il y a place pour sa royauté, même au sein des nations républicaines ».

Tandis que dans la littérature le romantisme renouvelait et enrichissait la langue, créait des formes nouvelles, agrandissait son cadre et l'emplissait de pensées neuves, se retrempait dans la nature et donnait un rôle aux éléments, exprimait le peuple et s'adressait à lui, nous faisait communier avec Dante, Milton et Gœthe, il créait un courant de liberté dont toutes les formes de l'art et de la pensée tiraient le plus heureux profit : l'histoire, avec Michelet et Augustin Thierry, la peinture avec Géricault et Delacroix, la musique avec Berlioz et Félicien David. Dans ce domaine, la Révolution française, écrasée par l'Empire, étouffée par la Restauration, éclatait enfin en une magnifique floraison. Musset chantait ses Contes d'Espagne et d'Italie, Lamartine ses Méditations, Alexandre Dumas, allant au peuple, faisait de l'histoire un roman amusant d'où sortait un enseignement de liberté. Balzac songeait à créer la Comédie humaine. Ce fut une grande et belle révolution, une fête de l'esprit enfin délivré, ivre de sa liberté, mais d'une ivresse adorable même en ses excès.

Point de rénovation politique, intellectuelle et esthétique qui n'ait pour conséquence, ou plutôt qui ne voie se produire parallèlement, une rénovation philosophique et morale, sous l'impulsion commune des mêmes causes générales. Une paix de quinze ans succédant à une guerre de vingt ans, un développement industriel et commercial sans analogue dans l'histoire économique, les essais de compression intellectuelle et politique d'un pouvoir dont la force fut d'abord et surtout faite de la lassitude d'un peuple épuisé par la guerre et énervé par le despotisme napoléonien, firent germer la floraison d'idées et de sentiments qu'on vit s'épanouir au soleil de messidor.

Tandis qu'une élite littéraire enfermée dans le cénacle refusait d'en sortir avant d'avoir, selon l'expression de Sainte-Beuve, donné à l'art « une conscience distincte et profonde de sa personnalité », un penseur solitaire, profondément original en même temps que fortement rattaché à la philosophie du XVIIIe siècle, complétée par la notion de progrès qu'y avait introduite Condorcet, groupait autour de lui quelques élèves qui allaient devenir des maîtres. Quand éclata la révolution de Juillet, Saint-Simon était mort depuis cinq ans. Ses deux élèves, Augustin Thierry et Auguste Comte, l'avaient quitté, le premier pour renouveler l'histoire et le second la philosophie. Ils avaient abandonné sa doctrine, mais ils avaient gardé sa méthode et les disciplines intellectuelles qu'ils avaient reçues de lui, chacun selon son tempérament.

C'est d'Augustin Thierry, de sa Conquête de l'Angleterre par les Normands, de ses Lettres sur l'Histoire de France, de ses Récits des temps mérovingiens que datent chez le public le goût si vif qu'il manifeste pour l'histoire, et chez les historiens le souci du document recherché aux sources, du manuscrit exhumé de la poussière des archives. En ouvrant, en 1829, son cours de philosophie positive dans un modeste appartement du faubourg Montmartre, Auguste Comte introduit la méthode historique dans l'étude des sciences, développe l'idée de Condorcet sur le concours qu'elles se prêtent dans leurs propres progrès et celle de Saint-Simon sur la nécessité de fonder les sociétés sur l'industrie et non plus sur la guerre et la conquête.

Un groupe est resté fidèle à la doctrine de Saint-Simon. Nous étudierons plus loin les développements qu'ils donnèrent à la pensée de leur maître et la propagande socialiste qu'ils firent dans toutes les classes de la société. Notons seulement pour l'instant que ce groupe réunit à l'aurore de leur vie active la plupart des hommes qui devaient dominer leur temps dans l'ordre de la pensée et de l'action. À côté d'Olinde Rodrigues, de Bazard et d'Enfantin qui devaient plus spécialement exprimer, développer et, pour ce dernier, dévier la pensée philosophique et sociale de Saint-Simon, nous devons citer : l'économiste Michel Chevalier, le champion du libre échange, qui, devenu ministre de Napoléon III, fit adopter ses vues et conclut le traité de commerce avec l'Angleterre ; d'Eichtal et Talabot, qui créèrent les chemins de fer en France ; les Pereire, qui gouvernèrent si longtemps le monde de la finance ; Lesseps, qui en perçant l'isthme de Suez, réalisa un projet saint-simonien ; Adolphe Blanqui, qui tenta de faire de l'économie politique une science humaine ; Félicien David, le grand musicien dont l'art personnel et pénétrant donna le signal de la réaction contre la tyrannie des formules italiennes ; Edouard Charton un des maîtres de l'enseignement populaire ; Hippolyte Carnot, qui vit dans la politique l'instrument de la libération sociale des travailleurs ; Buchez, l'apôtre de l'organisation ouvrière ; Jean Reynaud, le philosophe social ; Pierre Leroux, qui imprégna de socialisme les plus hauts esprits de son temps ; Constantin Pecqueur qui, le premier, fonda méthodiquement le socialisme sur la science économique ; Pierre Vinçard, le poète populaire ; Victor Fournel, Flachat, Laurent de l'Ardèche, Lemonnier etc., etc.

Citons encore, parmi ceux qui furent impressionnés par la pensée saint-simonienne mais n'y adhérèrent que sous réserves : Armand Carrel, qui prit la défense de la doctrine contre les railleries de Stendhal ; Henri Heine, Liszt, qui suivirent l'enseignement saint-simonien consacré aux artistes ; Stuart Mill, que découragea le schisme de Bazard et qui se rallia à Auguste Comte.

Tandis que se concertaient et s'organisaient ainsi les forces de la pensée et de l'action pour la conquête de l'avenir dans le culte de la beauté, du savoir et de la justice, les tenants de l'autorité et de la tradition étaient travaillés eux-mêmes par ce renouveau humain, tels les vins emprisonnés dans les celliers entrant en fermentation dès que le soleil fleurit les vignes. Un jeune prêtre de foi ardente et de pensée audacieuse, Lamennais, exprima le premier ce mouvement, qui a eu sur notre histoire sociale des conséquences trop graves, et qui durent encore, pour que nous nous bornions ici à en noter rapidement les débuts.

Lamennais était une nature inquiète de certitude et éprise de logique. Le clergé avait continué d'être sous la Restauration le corps de fonctionnaires qu'il avait été sous l'Empire. D'avoir vu ce clergé conquérir, avec le retour des Bourbons, la première place dans l'État et employer la force publique pour asseoir sa domination, cela n'avait pas satisfait l'abbé de Lamennais, au contraire. Il avait constaté que la puissance politique des prêtres était en raison inverse de leur autorité morale. Et c'est la conquête des âmes, la domination des esprits qui lui importait surtout.

Bien plus par sentiment religieux sincère et profond que par la crainte de voir s'effondrer la domination des prêtres, Lamennais sentait combien était précaire la puissance cléricale, et que de ce fait la religion était en péril. Dès 1817 il avait, dans son Essai sur l'Indifférence, jeté un premier cri d'alarme. Sa pensée s'était précisée, à la veille même de la révolution de 1830, dans les Progrès de la Révolution et de la guerre contre l'Église, ouvrage qui lui valut les censures de l'autorité ecclésiastique. Selon lui, le salut pour l'Église était dans la domination spirituelle, et non dans l'attribution aux églises nationales d'une part de l'autorité temporelle. Il répudiait donc à la fois l'église gallicane et l'ingérence du clergé dans la politique.

Les journées de juillet et leurs conséquences furent une illustration éclatante de sa thèse. Le clergé français, qui avait été le plus ferme soutien de la monarchie déchue, perdit soudain tout pouvoir et toute influence ; il ne dut son salut qu'à la force de l'habitude, aux sentiments foncièrement conservateurs des nouveaux maîtres du pays et à la souplesse avec laquelle il se plia au régime nouveau. Les prêtres étaient redevenus des fonctionnaires effacés et passifs, et cette attitude ne leur avait pas donné l'autorité morale qui eût pu compenser la perte de leur influence politique. D'autre part, Lamennais avait bien aperçu que, selon l'expression de M. Thureau-Dangin, « l'irréligion avait alors ce caractère d'être plus bourgeoise encore que populaire ». Il fallait donc aller au peuple si on voulait sauver l'Église.

Des 1829, dans son livre sur les Progrès de la Révolution, sans arrière-pensée d'habileté et uniquement conséquent avec sa pensée, Lamennais avait invité les catholiques à cesser d'être les champions de l'autorité et de la contrainte, et à demander la liberté, à ne demander rien que la liberté : liberté de conscience, liberté de la presse, liberté d'association, liberté de l'enseignement. Les catholiques, alors en guerre contre l'Université, étaient, certes, partisans d'une liberté de l'enseignement qui ne pouvait profiter qu'aux collèges des jésuites, mais il leur semblait impossible d'accepter en bloc le programme du fougueux abbé breton, où soufflait un âpre vent de liberté.

Au moment où la révolution éclata, Lamennais cependant avait déjà groupé autour de lui un noyau de jeunes gens las d'étouffer dans l'atmosphère raréfiée de la politique absolutiste et impatients de vivre et d'agir, Lacordaire, Rohbacher, Gerbet, Montalembert, Salinis, F. de Mérode, Harel de Tancrel, tentaient de réconcilier le siècle et l'Église. Le siècle voulait la liberté, il fallait que l'Église s'accommodât de ce milieu nouveau et employât à sa propagande les moyens de la liberté. Ils proposaient le libéralisme américain en exemple et demandaient, au nom de la liberté du commerce et de l'industrie, que l'enseignement fût « une marchandise comme les autres ».

On sait avec quelle rapidité avait été modifiée, le 6 août, la charte proposée à l'acceptation du duc d'Orléans ; elle a justement pris dans l'histoire le nom de « charte bâclée ». Lafayette, dont les étourderies séniles pèsent lourdement sur les premiers jours de cette révolution, et d'ailleurs entiché d'américanisme, avait promis, dans une proclamation aux Parisiens, toutes les libertés, y compris la liberté d'enseignement. Lorsqu'à la Chambre la charte avait été remaniée, Bérard avait proposé que la liberté d'enseignement figurât dans le projet d'adresse parmi les réformes que le nouveau règne devait accomplir. C'est ainsi que la charte, par un article additionnel, promit une « loi sur l'instruction publique et la liberté d'enseignement. »

C'est de l'introduction pour ainsi dire subreptice de cette formule, en tout cas hâtive et irréfléchie, sans même qu'une discussion s'instituât sur la signification du mot et les conditions de la chose, que s'autorisèrent les cléricaux pour se poser en hommes de progrès et de liberté, et pour accuser le pouvoir de manquer aux promesses de la charte. Les ministres du nouveau roi sentaient bien que la liberté de l'enseignement n'était rien moins que le monopole de fait des congrégations enseignantes substitué au droit et au devoir de l'État en matière d'enseignement public. Aussi, dès le 16 octobre 1830, une ordonnance royale annonçait « des mesures propres à hâter les progrès et l'amélioration de l'instruction élémentaire dans toutes les communes de France, l'emploi des meilleures méthodes d'enseignement, le prompt établissement des Écoles normales. »

On saisit ici sur le vif l'infirmité du principe libéral négatif, qui consiste non à procurer à tous les citoyens les moyens de leur liberté, mais à les supposer libres, en dépit des inégalités de condition et de culture qui subordonnent les pauvres et les ignorants aux détenteurs de la richesse et du savoir. Que pouvaient en effet répondre valablement les libéraux qui, au nom de leurs principes d'abstention de l'État, au nom de la liberté du travail, enchaînaient des enfants de six ans quatorze heures par jour dans leurs manufactures, que pouvaient-ils répondre aux cléricaux demandant l'application de ce principe à l'instruction publique ?

Battue sur le terrain de la logique, la bourgeoisie libérale dut, comme nous le verrons plus loin, capituler non sur l'essentiel même du principe, mais sur quantité de détails d'application. Car si elle refusait de se subordonner au clergé, elle n'en voulait pas moins utiliser celui-ci pour entretenir dans les foules ouvrières des idées de respect et de soumission qui la préservassent de tout danger de révolution. Les congrégations eurent donc une grande part à l'enseignement primaire, et l'intervention du curé et de la religion dans l'école fut consacrée officiellement par la loi.

La partie était donc belle pour les libéraux du catholicisme ultramontain. Dès le mois d'août 1830, Lamennais et ses amis fondaient le journal l'Avenir, où l'on affirmait non seulement la liberté, qui peut se réglementer, mais « la licence de l'école comme celle de la presse ». La devise de ce journal de combat était : « Dieu et liberté ! » Tournant contre le libéralisme ses propres armes comme, dans ses précédents ouvrages, il avait fait de la raison, Lamennais entreprit de « catholiciser » la liberté, et, pour que cette liberté du catholicisme fut complète, il demanda la séparation de l'Église et de l'État.

Désireux de mener le combat sur toute la ligne et avec tous les moyens à leur disposition, les rédacteurs de l'Avenir fondèrent en même temps une Agence générale pour la défense de la liberté religieuse. Cette agence avait pour objet de dénoncer les fauteurs d'irréligion et de les poursuivre en justice lorsqu'ils s'exposaient aux coups d'une loi qui avait proclamé le catholicisme « religion de la majorité des Français ». Elle donna ainsi la mesure de son véritable sentiment sur la liberté ; mais cette attitude lui recruta nombre d'adhérents dans la partie la moins éclairée et la plus fanatique du parti clérical. Elle organisa en outre des souscriptions pour les écoles congréganistes et prit l'initiative d'un vaste pétitionnement en faveur de la liberté d'enseignement. Elle ouvrit enfin des écoles sans autorisation, et ses directeurs furent de ce chef poursuivis en justice. Le jury, épris de logique, les acquitta.

Une telle attitude de bataille, soutenue par d'ardentes convictions et fortifiée par le talent d'orateurs et d'écrivains tels que Montalembert, Lamennais et Lacordaire, enflamma et passionna le petit clergé. Les évêques s'émurent. Leur situation les faisait plus proches du budget et du pouvoir que de la masse des fidèles. Ils n'avaient d'autre part aucune vocation pour l'apostolat et ses risques matériels et pécuniaires. Ces jeunes gens en parlaient bien à leur aise lorsqu'ils proposaient de dénoncer le Concordat et de faire vivre l'Église libérée de l'État par la générosité des croyants !

Les évêques se joignirent donc au gouvernement pour demander à Rome d'arrêter ces audacieux, qui voulaient libérer l'Église et n'allaient pas moins qu'à la démocratiser. L'encyclique Mirari vos condamna les « erreurs » de Lamennais et de ses amis. Ceux-ci se soumirent et Lamennais, ayant refusé de s'incliner, alla seul vers le schisme et vers la démocratie de toute la force de sa logique et de son génie. Montalembert, à qui la mort de son père venait d'ouvrir l'entrée de la Chambre des pairs, fut traduit devant cette assemblée pour avoir ouvert une école sans autorisation. Il avait alors vingt et un ans. Interrogé sur ses nom et qualités, il se déclara « instituteur et pair de France ». On le condamna à une légère amende. Il n'en continua que plus ardemment sa propagande.

Mais il sut éviter dorénavant les foudres papales, en se débarrassant du bagage d'idées dangereuses que Lamennais avait lancées. L'encyclique de Pie VIII avait condamné la liberté de conscience, la liberté politique, la liberté de la presse et la liberté d'association. Montalembert restreignit son programme à la liberté d'enseignement, que le pape s'était bien gardé de condamner, puisqu'elle devait uniquement profiter aux congrégations, et à la liberté d'association, sur laquelle le pape ferma les yeux, comptant sur le gouvernement de Louis-Philippe pour la refuser aux associations subversives, c'est-à-dire républicaines et ouvrières, tout en tolérant les autres, c'est-à-dire les congrégations. De fait, quelques années plus tard, Lacordaire endossait le froc et reconstituait ouvertement l'ordre des dominicains.

L'Église a toujours excellé dans ces compromis. Elle n'est rigide qu'en théorie, et elle a des citations de l'évangile pour les cas les plus opposés. Le « rendez à César ce qui appartient à César » lui permet de s'incliner quand il le faut devant le pouvoir temporel et d'éviter les ruptures que sa révolte ouverte provoquerait. Par sa théorie que tout pouvoir vient de Dieu, non seulement elle peut justifier une telle attitude, mais encore elle entend que les représentants de Dieu, c'est-à-dire les prêtres, sont au-dessus même des rois et des gouvernements, et réserve ainsi tout ses droits pour des moments plus favorables. Montalembert était un grand politique, il le prouva par la suite en mariant Thiers et le prince Napoléon pour en extraire la loi Falloux. Il comprit à demi-mot ; il ne servit plus la liberté que dans la mesure où elle était favorable aux empiétements de l'Église et alla quand il le fallut jusqu'à la République, comme de nos jours son pâle successeur, M. de Mun, devait tenter de constituer un parti de réformes ouvrières.

Tandis que les cénacles littéraires et catholiques passionnaient l'opinion et prenaient leur direction naturelle dans le vaste tourbillon de liberté qui avait balayé la monarchie des Bourbons, les saint-simoniens organisaient leur vie en commun, ouvraient des salles de conférences, développaient leur propagande. Nous donnerons un chapitre à leur organisation et à leur propagande ; notons seulement ici qu'ils avaient déjà fait suffisamment impression au dehors, puisque dans les derniers mois de 1830, l'acteur Lepeintre jeune chantait sur eux, et sur les romantiques, dans un vaudeville, le couplet que voici, où la forme, dans sa bassesse, est appropriée à l'idée :

> Oui, les farceurs saint-simoniques
> Sont bafoués de toutes parts ;
> C'est comme feu les romantiques...
> Chaque époque a donc ses jobards !
> Le ciel en pitié les regarde ;
> Mais quel moyen de les sauver ?
> Quand le bon sens descend la garde,
> On ne peut plus le relever.

Les saint-simoniens, inattentifs à ces plates moqueries, montraient à tous leur supériorité morale par l'ardeur et la sincérité de leur propagande. Vraiment, ils pouvaient bien sentir les flèches de papier du ridicule, ceux qui sortaient de la salle Taitbout emportant dans leur cœur cette brûlante apostrophe de Barrault :

« Chez les Hébreux, lorsque sur le bord de la route était trouvé un cadavre, les habitants de la cité voisine, la main étendue sur le corps inanimé, juraient qu'ils n'avaient point trempé dans cet homicide. Eh bien, je vous adjure ici de m'entendre. À la vue de ce peuple entier que vous voyez dans la fange de vos rues et de vos places, sur de misérables grabats, au milieu de l'air fétide des caves et des greniers, dans des hôpitaux encombrés, dans des bagnes hideux, se mouvoir, pâle de faim et de privations, exténué par un rude travail, à moitié couvert de haillons, livré à des agitations convulsives, dégoûtant d'immoralité, meurtri de chaînes, vivant à peine, je vous adjure tous, enfants des classes privilégiées, levez-vous, et, la main appuyée sur ces plaies putrides et saignantes, enfants des classes privilégiées, qui vous engraissez de la sueur de cette classe misérable exploitée à votre profit, jurez que vous n'avez aucune part à ses souffrances, à ses douleurs, à son agonie. Jurez ! Vous ne l'oseriez pas. Ah ! que faites-vous du moins pour guérir ses blessures et pour le rendre à la vie ? Que faites-vous ? Rien... rien encore que de nous écouter. »

Un autre débat, limité au monde restreint de la science, vint concourir à la libération générale des esprits, qui est l'aspiration universelle de ce grand moment historique. Ce qu'Auguste Comte faisait pour la philosophie, à laquelle il tentait de donner une base scientifique par sa doctrine positiviste, Geoffroy Saint-Hilaire le faisait pour la science en essayant d'apercevoir le lien qui unit toutes ses parties. Reprenant la thèse de Lamarck sur l'origine des espèces animales et leurs modifications au cours des âges, il avança que toutes ces espèces peuvent provenir d'un type unique, différenciées dans le temps par les changements survenus dans les milieux où elles s'étaient développées.

Une telle théorie était la ruine des dogmes religieux qui font de chaque espèce animale une création à part. Cuvier, alors en possession de toute sa gloire et des multiples honneurs et profits qui y étaient attachés, s'offrit pour le bon combat contre la théorie révolutionnaire de Geoffroy Saint-Hilaire. Lui-même avait été un révolutionnaire, d'ailleurs. Mais ce révolutionnaire sans le vouloir avait pris peur des forces que sa science avait déchaînées, et, après avoir prouvé par sa reconstitution des animaux fossiles, la haute antiquité des espèces animales, il s'était empressé, contre toute évidence et pour éviter à l'Église et au pouvoir les conséquences de ses découvertes, de ramener cette haute antiquité de plusieurs milliers de siècles aux six mille ans de la Bible. « Il est malheureusement trop connu, disait Sainte-Beuve, que M. Cuvier n'avait pas ce courage qui lutte contre les préjugés puissants ; qu'il n'avait pas même le courage de la science, et qu'il a plus d'une fois fait fléchir celle-ci contrairement à ses propres convictions bien arrêtées. »

Le créateur de l'anatomie comparée et de la paléontologie se posa donc en champion de la fixité des espèces. Les rues étaient encore chaudes du combat révolutionnaire lorsque vint ce débat devant l'Académie des sciences. Il appartenait à Darwin et à son collaborateur Russel Wallace de le terminer victorieusement et de substituer à la volonté arbitraire d'un Dieu créant les formes et les fonctions une à une, le double mouvement naturel de l'hérédité qui les reproduit et du milieu qui les modifie et les différencie dans une éternité de temps bien plus majestueuse que l'enfantine création du monde en six journées.

Le 2 août 1830, la nouvelle de la révolution arrivait à Weimar, séjour habituel de Gœthe. — « Eh bien ! s'écria le poète en voyant entrer Eckermann, son ami et son confident ordinaire, que pensez-vous de ce grand événement ? Le volcan a fait explosion, tout est en flammes, ce n'est plus un débat à huis clos ! — C'est une terrible aventure, répondit Eckermann. Mais pouvait-on s'attendre à une autre fin, dans les circonstances que l'on connaît, et avec un tel ministère ? — Je crois que nous ne nous entendons pas, mon bon ami, répliqua Gœthe. Il s'agit bien de cela ! Je vous parle de la discussion qui a éclaté en pleine Académie entre Cuvier et Geoffroy Saint-Hilaire. »

Il faut se garder de sourire. Gœthe, en effet, ne peut pas être pris pour un poète-philosophe indifférent aux bouleversements politiques. Et s'il s'était détaché de la Révolution française dans laquelle à Valmy il avait, dit-il, salué « une nouvelle époque dans l'histoire du monde », ç'avait été autant sous l'impression des sentiments patriotiques que lui faisaient éprouver les idées françaises de conquête sur le Rhin sous le couvert de la propagande révolutionnaire, que par une répugnance très marquée contre « tout ce qui est violent et précipité » car, ajoutait-il avec un sens profond de l'évolution naturelle, « cela n'est pas conforme à la nature ». Fidèle à sa pensée hautaine et à son mépris constant pour les mouvements irréfléchis des foules, averti par là même que le peuple tirerait peu de profit des barricades qu'il venait de dresser victorieusement dans Paris, Gœthe était tout naturellement porté à attacher plus de valeur à la révolution scientifique dont la poussée, un jour, transformerait les idées et, plus sûrement que les fusils de l'insurrection, vaincrait les vieux dogmes et les vieilles servitudes. Car, il avait, lui aussi découvert l'unité des espèces animales en même temps que Lamarck, et il avait étendu cette unité au règne végétal, incité aux études botaniques par Linné et Jean-Jacques Rousseau.

L'Église, l'immuable Église qui devait condamner Darwin, comme elle avait condamné Lamennais et Montalembert, et par la voix du cardinal Manning protester contre « la philosophie qui supprime Dieu et fait de notre Adam un singe », tente aujourd'hui, par d'autres docteurs non moins autorisés, d'escamoter (il n'est pas d'autres mots) la contradiction qui éclate entre ses dogmes et la science. Et, tout récemment, le recteur de l'Université catholique de Paris autorisait en ces termes l'étude des théories darwiniennes : « La théorie de l'origine des espèces est une hypothèse incertaine, attaquable sans doute, mais c'est une hypothèse utile et féconde, et provisoirement elle doit être conservée comme instrument précieux d'étude, de travail et de recherche. » L'Église, qui est avant tout une institution politique, un organe de conservation sociale, ne pouvait manquer d'apprécier le parti qu'ont tiré du darwinisme certains écrivains rétrogrades. Du moment qu'ils en faisaient la doctrine des plus forts, elle n'avait plus aucun motif de répugnance contre une science qu'avec leur art de torturer les textes ses exégètes trouveraient bien moyen un jour de concilier avec le dogme. Ce qu'on appelle les progrès de l'Église vers la liberté et la science n'est ainsi fait que de ses capitulations devant elles et de leur emploi, après les avoir dûment faussées et adultérées, contre la science et la liberté.

Chapitre VIII
Le parlementarisme

Manœuvres des doctrinaires. — Louis-Philippe fait de la popularité. — Le ministère Laffitte. — Le roi se débarrasse de Lafayette. — L'œuvre législative consolide le régime censitaire. — Démission d'Odilon Barrot et de Dupont (de l'Eure). — Les agitations pour la Pologne. — Du travail ou du pain ! — La curée.

Les deux cent vingt et un députés opposants, dont la réélection avait décidé les ministres de Charles X au coup d'État des ordonnances de juillet, ne formaient pas un parti homogène, sinon dans leur hostilité contre l'absolutisme politique et la domination cléricale. Les doctrinaires, tels Royer-Collard et Guizot, n'avaient rien de commun avec les libéraux, sinon que ceux-ci avaient voulu Louis-Philippe, tandis que ceux-là l'avaient accepté contraints par la vacance du pouvoir et la force des baïonnettes de l'insurrection. Les libéraux, même, n'étaient guère homogènes, en outre des caractères et des tempéraments particuliers, qui portaient des hommes tels que Thiers à considérer le libéralisme comme un moyen de pouvoir, tandis, que d'autres, tels que Laffitte, considéraient le pouvoir comme un moyen de réaliser la doctrine libérale.

Le premier ministère, celui du 11 août, présidé par Dupont (de l'Eure), c'est-à-dire, par un républicain résigné à la monarchie par impossibilité de faire la République, était, nous l'avons dit, composé des éléments hétérogènes qui avaient voulu, accepté ou subi le changement de régime. Laffitte et Dupont (de l'Eure) y avaient, de par les barricades à peine démolies, situation prépondérante. Ils étaient les garants de Louis-Philippe devant la révolution encore grondante. C'est assez dire que la Chambre des députés les supportait avec plus d'impatience encore que le roi. Celui-ci, encore mal assis sur son trône, savait, pour avoir traversé deux révolutions, que les barricades peuvent détruire ce qu'elles ont édifié. La première révolution, dans sa phase populaire, l'avait coiffé du bonnet rouge. Il voulut plaire à la seconde en arborant le parapluie, cher à la boutique qui ne va pas en voiture et tient à ménager ses vêtements.

On le voyait donc, nous dit Henri Heine, se promener en chapeau rond par les rues de Paris, « jouant avec bonhomie raffinée le rôle d'un brave père de famille tout simple. Il serrait alors la main à tous les épiciers et aux ouvriers et portait, dit-on, pour cet usage un gant spécialement sale, qu'il retirait et remplaçait par un gant glacé plus propre aussitôt qu'il remontait dans sa région d'anciens gentilshommes, banquiers-ministres, d'intrigants et de laquais écarlates ».

C'était le temps où il disait à quelques jeunes républicains » que la couronne d'or était trop froide en hiver et trop chaude en été, un sceptre trop lourd pour s'en servir comme arme, trop court pour un appui, et qu'un chapeau rond en feutre et un bon parapluie étaient beaucoup plus utiles en ce temps ». Il ne s'était décidé, on le sait, à quitter sa demeure en apparence bourgeoise du Palais-Royal, que sur l'observation qui lui fut faite qu'on ne le croirait point roi tant qu'il n'habiterait pas les Tuileries. Il mit alors une hâte véritablement puérile à déménager.

Roi constitutionnel, il exerça en réalité un pouvoir personnel bien plus actif et plus réel que son prédécesseur, étant plus intelligent et surtout plus habile. Avec Dupont (de l'Eure), dont les sentiments s'exagéraient de brusquerie, il dut avaler bien des couleuvres. D'autre part, Laffitte l'avait fait roi, et ne l'oubliait pas ni ne le lui laissait oublier, très fier d'être auprès du peuple le répondant du roi et auprès de celui-ci le délégué de la révolution bourgeoise.

La retraite voulue des doctrinaires du cabinet au moment des émeutes causées par le procès des ministres avait décidé Dupont (de l'Eure) à laisser à Laffitte seul les responsabilités et les soucis du pouvoir. Il consentit cependant à faire partie du ministère. La Chambre ne paraissait pas disposée à faciliter la tâche de Laffitte, au contraire.

Elle seconda de son mieux les doctrinaires, dont le plan était de laisser le cabinet aux prises avec les derniers soubresauts de la révolution, afin que les hommes du mouvement perdissent dans l'exercice du pouvoir et les mesures d'ordre nécessaires le crédit qu'ils avaient encore auprès du public. De l'aveu même de M. Thureau-Dangin, Louis-Philippe servit cette manœuvre habile s'il ne l'inspira pas, en prodiguant les marques de confiance et d'amitié aux hommes du mouvement et en manifestant une réserve proche de la froideur aux hommes de la résistance.

Les émeutes du procès des ministres fournirent aux meneurs de la résistance une excellente occasion de libérer le roi du patronage dangereux de Lafayette. La boutique était lasse des agitations de la rue, et on avait su manier à propos l'épouvantail républicain, en lui montrant l'artillerie de la garde nationale aux mains des rouges. Elle laisserait donc, si on savait s'y prendre, sacrifier sans trop rechigner, l'idole de la veille. Le 23 décembre, après avoir voté des félicitations à la garde nationale sur la proposition de Dupin aîné, la Chambre supprimait la fonction de commandant général des gardes nationales du royaume.

Les auteurs de la proposition avaient bien manœuvré ; ils ne semblaient pas faire une loi de circonstance, puisque cette proposition s'était produite au cours de la discussion de la loi réorganisant la garde nationale et qu'elle ne devait recevoir son effet que lorsque cette loi organique serait votée par les deux Chambres et promulguée. De plus, ils avaient comblé Lafayette d'éloges hyperboliques et exprimé le vœu qu'il conservât ses fonctions jusqu'à ce que la loi fut promulguée. Nul argument valable ne pouvait d'ailleurs leur être opposé. Quel pouvoir eût pu, en effet, se maintenir dans la sécurité du lendemain en face d'une semblable autorité, à la fois civique et militaire.

Cruellement offensé par ce vote et s'illusionnant sur sa puissance réelle, Lafayette essaya d'abord de peser sur le gouvernement et de le contraindre à dissoudre la Chambre, à modifier la loi électorale et à réaliser les « institutions républicaines » dont le trône avait promis de s'entourer. Mais le moment était passé, il avait payé de sa personne dans la répression de l'émeute et s'était ainsi fait solidaire des actes du nouveau régime. On savait à présent, d'autre part, la faiblesse du parti républicain, et cette constatation ne devait pas porter le pouvoir à lui faire la moindre concession. Lafayette perdit le sang-froid et donna sa démission. Louis-Philippe, qui avait pris une part très grande à la manœuvre, qui dépossédait Lafayette, lui écrivit une lettre hypocritement amicale dans laquelle il jouait la surprise et exprimait l'espoir de le faire revenir sur sa détermination.

Dans la séance du 27 décembre, Lafayette exprima son amertume et ses déceptions par les paroles suivantes : « Cette démission, reçue par le roi avec tous les témoignages de sa bonté ordinaire pour moi, je ne l'aurais pas donnée avant la crise que nous venons de traverser. Aujourd'hui ma conscience d'ordre public est pleinement satisfaite. J'avoue qu'il n'en est pas de même de ma conscience de liberté. Nous connaissons tous ce programme de l'Hôtel de Ville : Un trône populaire entouré d'institutions républicaines. Il a été accepté, mais nous ne l'entendons pas tous de même ; il ne l'a pas toujours été par les conseils du roi comme par moi, qui suis plus impatient que d'autres de le réaliser ; et, quelle qu'ait toujours été mon indépendance personnelle dans toutes les situations, je me sens dans ma situation actuelle plus à l'aise pour discuter mon opinion avec vous. »

Cette démission remit Lafayette en faveur auprès des républicains, qui s'employèrent de leur mieux à la rendre irrévocable. Ils firent ainsi le jeu de la cour.

Le roi lança aux gardes nationales du royaume une proclamation plus hypocrite encore que sa lettre à Lafayette, et qui se terminait par ces phrases à la fois perfides et doucereuses : « Sa retraite m'est d'autant plus sensible, qu'il y a quelques jours encore, ce digne général prenait une part glorieuse au maintien de l'ordre public, que vous avez si noblement et si efficacement protégé pendant les dernières agitations. Aussi ai-je la consolation de penser que je n'ai rien négligé pour épargner à la garde nationale ce qui sera pour elle un sujet de vifs regrets, et pour moi-même une véritable peine. »

Indigné et découragé, Dupont (de l'Eure) quitta le ministère de la Justice, la préfecture de police fut ôtée à Treilhard et donnée à Baude, et Laffitte n'eut plus que le faible Odilon Barrot, demeuré à la préfecture de la Seine, pour l'aider à faire face aux difficultés, et surtout à servir de paravent aux projets de réaction concertés par le roi et les meneurs de la Chambre.

Cependant, celle-ci, tout en attendant les événements, continuait la discussion de la loi sur la garde nationale, qui fut votée le 22 mai 1831. Tous les citoyens valides en faisaient partie. Mais, comme de juste, on ne considérait comme citoyens que les contribuables pourvus d'une cote foncière. La masse du peuple ouvrier se trouvait donc écartée en fait. Le recrutement, certes, en était plus large que celui du corps électoral, mais il ne se fit plus exclusivement dans la bourgeoisie comme sous la Restauration, où des épurations successives en avaient chassé tous les éléments qui ne semblaient pas suffisamment intéressés au maintien de l'ordre établi. Ces précautions n'avaient pas empêché la garde nationale de tirer en juillet sur les troupes de Charles X. Celles que prend la Chambre de 1830 ne l'empêcheront pas davantage, dix-huit ans plus tard, d'envoyer Louis-Philippe rejoindre son prédécesseur.

Les artistes et les journalistes ont épuisé leur verve, pendant ces dix-huit années, sur la garde citoyenne. Les vaudevillistes et les caricaturistes la tournaient volontiers en ridicule. La nécessité de composer avec l'avarice des paysans, plus que le souci d'épargner une dépense aux citoyens peu aisés qui en faisaient partie, avait rendu le port de l'uniforme facultatif. Les uns avaient profité de cette facilité de la loi pour s'équiper à leur fantaisie, et les autres pour monter leur garde en vêtements civils. On appelait ces derniers des bizets, et l'imagerie satirique les criblait de railleries.

Les gardes nationaux ne prenaient pas tous également au sérieux leurs fonctions militaires. Pour les plus pauvres, elle était une charge. Pour les plus riches, elle était une gêne. Avec leur insouciance coutumière de la chose publique, tournée en répugnance par les moqueries qu'ils avaient eux-mêmes propagées dans le public contre cette institution, les artistes rechignaient souvent à monter la garde ou à répondre aux appels. Les uns et les autres étaient alors punis de prison. C'est-à-dire qu'ils devaient aller passer une ou plusieurs nuits dans une maison d'arrêt plutôt confortable.

L'Hôtel des haricots, ainsi se nommait ce peu terrible lieu de réclusion, se trouvait au 92 de la rue de la Gare, dans le douzième arrondissement, aujourd'hui le treizième. Les murs de la cellule portant le numéro 14, réservée aux artistes et aux écrivains, dit M. Paul Marin, « étaient couverts de dessins ou d'inscriptions en prose et en vers. Ach. Deveria, Decamps, Gavarni, Alfred de Musset, Théophile Gautier y laissèrent des souvenirs de leur séjour. »

Cette force armée, cette garde bourgeoise tant moquée, n'était cependant pas négligeable, et le roi le prouvait par les égards et les attentions qu'il lui prodiguait. Par de fréquentes revues, il se mettait en contact avec elle, la considérant avec raison comme le baromètre de l'opinion moyenne. Il fermait assez volontiers les yeux sur sa turbulence et ses actes d'indiscipline, fréquents surtout en province. À tour de rôle, les officiers de la garde nationale étaient invités à la table royale et admis ainsi dans la demi-intimité patriarcale de cette famille illustre dont les enfants coudoyaient les leurs sur les bancs du collège Henri IV.

Aussi le pouvoir put-il compter sur la garde nationale contre les fréquentes agressions à main armée du parti républicain, tout comme la bourgeoisie s'appuyait sur elle pour la répression des mouvements ouvriers. Moins disciplinée que l'armée régulière, mais aussi moins passive, elle fut véritablement la bourgeoisie se gardant elle-même de tout retour au passé et de toute échappée vers l'avenir. D'ailleurs, comment l'armée, récemment vaincue par une révolution, eût-elle apporté du zèle à combattre des mouvements populaires et se fût-elle ainsi exposée à se rendre hostiles des hommes qui demain peut-être seraient au pouvoir ? Cet état d'esprit dura longtemps, malgré le rétablissement du drapeau tricolore cher à l'immense majorité des soldats par les souvenirs de gloire qui y étaient attachés. En février, la Chambre vota une loi sur la composition des cours d'assises et du jury, qui réduisait de trois à cinq les membres de ces cours et ne modifiait pas essentiellement le recrutement et les attributions des jurés. Cependant, et ce fut un progrès, la nouvelle loi sépara plus exactement les pouvoirs de la cour de ceux des jurés. Ceux-ci jusqu'alors n'étaient pas les uniques juges du fait, et les membres de la cour pouvaient participer à la déclaration du fait et non uniquement prononcer sur le droit, ce qui, comme le dit très justement Louis Blanc, était attentatoire à la liberté du jury. Désormais les jurés seuls eurent à déclarer si le fait imputé à l'accusé était réel ou non, et les juges n'eurent plus à se prononcer que sur l'application de la peine.

Mais ce fut, on s'en doute bien, un jury de classe que celui qui se recrutait sur la liste des électeurs, puisque seuls étaient électeurs ceux qui payaient deux cents francs de contribution directes. Il est vrai que la constitution du jury dans l'état démocratique actuel n'est pas très sensiblement différente, après soixante-quinze ans écoulés et deux révolutions politiques. Parfois des ouvriers sont inscrits sur la liste du jury, mais le tarif de l'indemnité de déplacement est si faible qu'ils préfèrent renoncer aux servitudes de leur droit. Le fait s'est encore produit récemment, et il se produira tant que les travailleurs ne seront pas mis à même de remplir les charges publiques, comme les autres citoyens.

Nous verrons par la suite de ce récit que, tout jury de classe qu'il fût, il subit encore plusieurs années l'impulsion libérale du mouvement de 1830 en refusant systématiquement de condamner les journalistes même républicains qui avaient formulé leurs espérances, leurs déceptions ou leurs rancunes sur un ton plus que vif et en termes des plus injurieux pour le gouvernement. Mais, composé de propriétaires, il fut, et il est d'ailleurs demeuré, implacable pour toutes les atteintes, même théoriques, à la propriété. Ce sentiment ne fut pas étranger à la notion que Proudhon se fit, par réaction bien naturelle dans un esprit aussi généreux et aussi clairvoyant que le sien, des rapports juridiques dans un régime social qui comporte des pauvres et des riches. La justice et son appareil n'est que l'arme défensive de ceux-ci contre ceux-là. « La guerre, dit-il, peut avoir aussi, ne disons pas sa justice, ce serait profaner ce saint nom, mais sa balance. » Emprisonner et tuer, c'est donc acte de guerre et de tyrannie, car « ce que fait le code n'est pas de la justice, c'est de la vengeance la plus inique et la plus atroce, dernier vestige de l'antique haine des classes patriciennes envers les classes serviles. » Dix ans avant la révolution de juillet le vieil Hodgskin, qui fut un des éducateurs d'Herbert Spencer, et à qui Karl Marx se déclare redevable pour beaucoup, avait dit : « Est-ce que toutes les nations de l'antiquité n'étaient pas composées de maîtres et d'esclaves ? et les lois pénales ne peuvent-elles avoir pris naissance dans un état social de ce genre ? Ne furent-elles pas créées principalement pour faire régner l'ordre parmi les esclaves ? »

La loi municipale qui fut faite dans le même temps ne marqua pas non plus un progrès sensible dans la voie libérale et n'eut pour effet que de compléter le système de la domination de la classe censitaire. Les conseils municipaux élus par les plus imposés d'entre les contribuables ; les fonctionnaires, les officiers ministériels, les avocats et les médecins inscrits sur la liste électorale ; les maires des petites communes nommés par les préfets, et ceux des grandes par le roi, tel est le bilan de cette loi où l'esprit censitaire se mêla à l'esprit napoléonien pour étouffer tout essai de vie municipale.

Le grand débat de cette session fut la loi électorale. Cette loi fut à la mesure des précédentes. « Nos chambres décrépites, dit Victor Hugo, procréent à cette heure une infinité de petites lois cul-de-jatte, qui, à peine nées, branlent la tête comme de vieilles femmes, et n'ont plus de dents pour mordre les abus. » C'est profondément exact, et Victor Hugo avait raison de crier aux législateurs : « Vous avez la vieillesse, mais vous n'avez pas la maturité. » Mais tandis que des catholiques, tels que Lamennais, lancé, il est vrai, de plus en plus dans la voie de l'hérésie et de la démocratie, et de Genoude, directeur de la Gazette de France, s'unissaient aux républicains et à l'extrême gauche du mouvement libéral pour demander l'établissement du suffrage universel, nous entendons Victor Hugo, sous l'impression, il faut le dire, de l'émeute causée par le procès des ministres, s'écrier que « les droits politiques doivent sommeiller dans l'individu jusqu'à ce que l'individu sache clairement ce que c'est que des droits politiques ».

C'est bien d'ailleurs sur le sommeil des foules que comptait le directeur de la Gazette de France pour obtenir leur consentement passif au retour de la monarchie légitime. N'avons-nous pas vu récemment les cléricaux belges proposer le suffrage des femmes, non parce qu'il est juste de ne pas tenir la moitié de l'humanité en dehors du droit politique, mais parce qu'ils espéraient renforcer leur domination par l'appoint de voix acquises au clergé ? Il n'empêche que Victor Hugo eût été bien inspiré en s'en tenant là et en n'enfermant pas ironiquement le peuple dans le cercle vicieux de cette formule : « Très bonne loi électorale (quand le peuple saura lire) : Art. 1er, Tout français est électeur ; art. 2, tout Français est éligible. » C'était trop compter sur l'honnêteté du « tuteur » bourgeois préparant « l'émancipation de son pupille ».

La loi proposée par le ministère abaissait de 1.000 à 500 francs le cens de l'éligibilité et doublait le nombre des électeurs également répartis entre tous les départements sur une liste formée par les plus imposés. La commission de la Chambre releva le cens des éligibles à 750 francs et fixait à 240 francs le cens électoral, ce qui était encore plus dérisoire. Sur l'éligibilité elle faisait une légère concession, et sur l'électorat une concession moindre encore, puisque le cens électoral sous la Restauration était de 300 francs. Finalement le cens des éligibles fut fixé par la Chambre à 500 francs et celui des électeurs à 200 francs.

Soyons équitables : Le ministère n'avait pas seulement proposé d'abaisser le cens et de donner aux départements pauvres un nombre d'électeurs égal à celui des départements riches. Il n'avait pas fait uniquement de la richesse l'unique condition du pouvoir, et il proposait d'adjoindre les capacités. Dans son projet, les médecins, les professeurs, les juges, les avocats, notaires et avoués, les membres des corps savants devaient faire partie du corps électoral. La Chambre n'y admit que les officiers pourvus d'une pension de retraite d'au moins 1.200 francs et les membres et correspondants de l'Institut qui paieraient cent francs d'impôts directs. Cette concession dédaigneuse, faite par l'argent au savoir mis à là portion congrue du pouvoir, achève le caractère de classe du régime.

Le soulèvement de la Pologne, survenu en novembre, agitait à ce moment l'opinion libérale, et les partis d'opposition, des républicains aux royalistes, tentaient de pousser le nouveau gouvernement à intervenir en faveur d'un peuple qui réclamait sa nationalité. En agissant ainsi, les républicains étaient dans leur tradition. Ils étaient en effet solidaires de tous les peuples opprimés par le despotisme intérieur ou étranger, pour les radicaux suisses contre les conservateurs, pour les Irlandais contre les Anglais, pour les Belges contre les Hollandais, pour les Italiens contre les Autrichiens, les Bourbons de Naples et le pape, pour les Polonais contre la Russie et l'Autriche.

Les royalistes faisaient un choix dans ces revendications, auxquelles ils eussent été indifférents si le ferment du libéralisme catholique qui les travaillait au dedans et les concurrençait au dehors ne les eût secoués dans leur inertie organique et leur conservatisme systématique. Ils furent donc pour la catholique Pologne contre la schismatique Russie, pour la catholique Belgique et la plus catholique Irlande contre les hérétiques de Hollande et d'Angleterre. La solidarité religieuse et non le sentiment de la nationalité, encore moins celui de la liberté, les émut seule. Mais ils firent nombre et grossirent l'agitation qui créait des embarras au gouvernement de l'usurpateur, la dislocation du pouvoir par tous les moyens étant l'unique ressource et l'unique espérance des partis qui ne comptent point sur l'adhésion des masses pour le reconquérir.

En face de cette agitation qui, des journaux, notamment le National et la Gazette de France, descendait souvent dans la rue et retentissait dans la Chambre, le ministère était fort embarrassé. À propos de l'essai d'insurrection de Modène, il avait proclamé à la tribune le principe de la non-intervention dans les affaires des peuples et des gouvernements ; mais il avait tenté de sauver la face en déclarant qu'il ne souffrirait pas une atteinte contre ce principe de la part des gouvernements sans se considérer comme affranchi de toute obligation. C'était dire que non seulement la France était libérée de la Sainte-Alliance, mais encore qu'elle ne la laisserait pas se renouer. Naturellement, cela fut indiqué plutôt que formulé, et bien plus dans le dessein de calmer l'opinion en la rassurant que de menacer la Russie, l'Autriche et la Prusse, qui savaient parfaitement à quoi s'en tenir.

Le lendemain du jour, en effet, où Laffitte, pour contenir l'effervescence publique, déclarait fièrement que la France ne permettrait pas que le principe de la non-intervention fût violé, une note partant du quai d'Orsay, dictée par le roi, qui eut toujours la main sur son ministre des Affaires étrangères, fixait les cours du Nord sur les sentiments réels du gouvernement. Celles-ci, cependant, ne faisaient rien pour alléger sa tâche et, à la réception du corps diplomatique du 1er janvier 1831, le nonce, parlant en qualité de doyen au nom des représentants de l'Europe conservatrice, ne se gêna pas pour faire publiquement la leçon à Louis-Philippe en souhaitant « tout ce qui pouvait contribuer à raffermir de plus en plus le repos de la France, et par cela même l'état de paix et de bonne intelligence avec l'Europe ». Louis-Philippe avala comme miel cette mercuriale.

L'envahissement de Saint-Germain-L'auxerrois et le sac de l'archevêché, où furent pourtant avérées les complicités de toute la bourgeoisie pour une émeute complaisamment disciplinée par les chefs de la garde nationale, servit à double fin. Le clergé fut ainsi averti du péril qu'il courrait à lier plus longtemps son sort à celui de la monarchie déchue, et ceux-là qui en avaient profité purent se retourner contre les membres du gouvernement pour leur reprocher avec cynisme de n'avoir pas assuré l'ordre et réprimé l'émeute. C'était la répétition de la manœuvre qui avait dépossédé Lafayette du commandement de la garde nationale et contraint Dupont (de l'Eure) à sortir du ministère.

L'émeute avait un peu débordé le cadre. La maison de Dupin aîné avait failli subir le sort de l'archevêché ; et la garde nationale, cette fois, était arrivée à temps. Les dévastateurs n'avaient pas seulement abattu les croix fleurdelysées qui ornaient les églises, ils s'en étaient pris aux fleurs de lys elles-mêmes et, malgré les répugnances de la reine, Louis-Philippe avait consenti à les enlever de ses armoiries, à la grande fureur des partisans de la quasi légitimité. Ils firent tourner ce grief à leur profit, et l'un d'eux, Delessert, interpella le gouvernement sur les événements du 14 février.

Son grand argument, fut la faiblesse du gouvernement devant l'émeute et son parti pris d'en rejeter exclusivement les responsabilités sur les bravades du parti carliste. Les préfets de police et de la Seine répondirent par de longues explications embarrassées ; le premier laissa entendre qu'il n'était pas responsable, qu'il avait un chef, le ministre de l'Intérieur. Celui-ci se rejeta sur le préfet de la Seine, qui affirma n'avoir pas reçu d'ordres pour agir. Or, le ministre, c'était Montalivet, l'homme du roi, tout acquis à la résistance ; s'il laissa faire dans cette journée, lui qui avait fait preuve d'initiative et n'avait pas hésité à donner de sa personne pour soustraire les ministres de Charles X aux fureurs du peuple, c'est donc qu'il entrait dans les plans du parti de favoriser l'émeute.

N'avait-on pas vu, en effet dans la journée du 15, Thiers, alors sous-secrétaire d'État de Laffitte, intervenir pour empêcher les gardes nationaux d'arrêter la démolition de l'archevêché, donnant pour motif que la garde nationale ne devait pas se commettre avec le peuple dans ces circonstances. M. Thureau-Dangin, ajoute : « Des témoins sûrs m'ont en outre rapporté que, le soir du 15 février, dans les salons, M. Thiers parlait de ce qui s'était passé avec une sorte de frivolité satisfaite. » C'est bien là l'homme qui, quarante ans plus tard, devait donner du champ à la Commune afin d'y concentrer toute la force révolutionnaire du pays et tenter d'en finir avec elle.

Naïvement révolté par la duplicité de son ministre, Odilon Barrot lui jeta à la face sa démission de préfet de la Seine. Guizot profita de l'incident pour constater que l'anarchie était au pouvoir. Laffitte répliqua par un discours entortillé où étaient plaidées les circonstances atténuantes et l'impossibilité où n'importe quel gouvernement se trouvait d'empêcher une émeute d'éclater quand les émeutiers ne l'avaient pas averti. Cette discussion ne se termina pas, ou plutôt tourna court. Laffitte promit à la Chambre de lui faire connaître le lendemain les ordres du roi sur un projet de dissolution dont il la menaçait à mots couverts. Le lendemain, on parla d'autre chose. Le roi avait fait son choix entre le ministère et la Chambre, et ce n'est pas celle-ci qui devait s'en aller la première.

Les meneurs de la Chambre, cependant, hésitaient à prendre le pouvoir. Les agitations pour la Pologne, l'émeute anticléricale, succédant aux mouvements suscités par le procès des ministres, avaient aggravé la crise commerciale. Les faillites succédaient aux faillites, fermant ateliers et magasins et jetant sur le pavé des milliers de travailleurs. La rente baissait, les impôts rentraient mal, le déficit se creusait de jour en jour, le Trésor était vide. Aux mouvements désordonnés de la rue en faveur de la liberté et de la nationalité s'ajoutaient les convulsions de la faim. Dans le même moment que l'ambassade de Russie était assaillie à coups de pierres, les ouvriers en chômage, nous l'avons vu, jetaient leur cri de détresse par les fenêtres du Palais-Royal en fête et, dominant les sons de l'orchestre, portaient la terreur, sinon l'émotion dans le cœur des invités de la famille royale.

Trop d'intérêts individuels étaient engagés dans le régime pour qu'il ne fût pas pris à bref délai une résolution. Un à un les arbres de la liberté étaient arrachés et dépouillés « de leur beau feuillage », disait Henri Heine, puis équarris « en poutres destinées à étayer la famille d'Orléans », représentation du pouvoir de la bourgeoisie. Mais ce n'était pas sur les chefs du parti doctrinaire qu'il fallait compter. Royer-Collard, au dire de M. Thureau-Dangin, « affectait de n'être plus qu'un spectateur découragé, avec un peu de raillerie un peu méprisante ». Il gardait le silence depuis la révolution, un silence « qu'il savait du reste rendre aussi important que l'avait été sa parole ». Quant aux demandeurs et aux preneurs de places, qui mettaient, selon le mot amusant de Victor Hugo, « une cocarde tricolore à leur marmite », ils criaient bien haut qu'il fallait en finir avec l'anarchie, mais aucun d'eux n'eût risqué un écu ni un ongle pour sortir du gâchis. Le plus illustre d'entre eux, Benjamin Constant, qui avait reçu deux cent mille francs pour payer ses dettes, en réclamait cent seize mille encore, nous dit Dupin aîné dans ses Mémoires, « pour indemnité du tort à lui causé, disait-il, par une barricade construite devant sa maison avec les voitures de roulage prises dans sa cour ; ou nomma pour expert de la difficulté l'honnête M. Odier, qui, informations prises, pensa que seize mille francs seulement excédaient de beaucoup le préjudice dont on se plaignait. Le réclamant s'y soumit, et prit la somme en souriant ».

Lorsque l'homme nécessaire à l'œuvre de réaction et d'un caractère assez résolu pour la mener jusqu'au bout eut enfin accepté, et il fut plus longtemps encore à se décider que Louis-Philippe à accepter son impérieuse collaboration, tout ce monde respira. Casimir Perier, qui eût tout à fait arrêté la révolution de 1830 si cela avait été en son pouvoir, était l'homme qu'il fallait, par ses idées comme par son tempérament. Il était par définition un autoritaire. Tous les regards étaient tournés vers lui, tandis que le ministère achevait d'user sa popularité auprès des libéraux par son impuissance à les servir tout en surexcitant les fureurs conservatrices par son impuissance à maintenir l'ordre matériel. Casimir Perier retenait ses amis cependant, et allait jusqu'à refuser la parole aux plus impatients d'entre eux dans la crainte, dit le général de Ségur, « de les voir amener prématurément à la tribune la question décisive ».

— Il est trop tôt, leur disait-il, sachez attendre.

Ces paroles l'engageaient. Homme de combat plus que de manœuvre, il lui faudrait, dès que les manœuvres auraient rendu le combat nécessaire, en accepter la direction. On touchait au moment décisif. Un incident diplomatique amena la crise et permit au parti de la résistance de commencer ouvertement l'œuvre de réaction.

Chapitre IX
L'Europe en 1830.

Les cléricaux belges et la lutte pour la nationalité. — Louis-Philippe se sert des réfugiés espagnols contre Ferdinand VII, puis les sacrifie. — Causes de l'inertie relative de l'Allemagne. — Essais de révolution en Italie : Rome, îlot de barbarie. — L'agitation démocratique abolit en Suisse les constitutions cantonales rétrogrades. — Le soulèvement de la Pologne et sa répercussion en France. — Le chauvinisme agressif des démocrates français. — Laffitte est joué par le roi et remplacé par Casimir Perier.

Quelle était la situation de l'Europe, remaniée par les traités de 1815, au moment où éclata la révolution de juillet ? Les idées libérales y étaient proscrites et les nations, dépecées et asservies, en sourd travail de révolte contre le despotisme. Nous avons vu avec quelle sympathie cette révolution fut saluée en Angleterre. Le mouvement des esprits y fut tel que les élections qui eurent lieu à ce moment ramenèrent les whighs au pouvoir. Ce fut le premier ébranlement du système de 1815. Mais l'Angleterre n'a jamais fait de son libéralisme un article d'exportation. Elle le propose en exemple aux autres peuples, mais ne le leur apporte pas au bout de ses baïonnettes. Elle se prononça donc dès le premier moment pour le principe de la non-intervention.

Ce principe, d'ailleurs, tout au moins pour la Belgique soulevée à l'écho du canon des trois glorieuses, lui permit de parler assez haut pour empêcher les puissances du Nord de rétablir par la force le gouvernement des Pays-Bas à Bruxelles, de même qu'il devait plus tard lui permettre d'empêcher l'annexion de la Belgique à la France, car la possession d'Anvers par celle-ci, disait pittoresquement un de ses hommes d'État, eût été un pistolet chargé au cœur de l'Angleterre.

— Pourquoi ne faites-vous pas pour nous ce que vous avez fait pour la Grèce ? demandait à Palmerston un envoyé du gouvernement insurrectionnel de Pologne.

— Avec vous, répondit le ministre libéral, c'est autre chose ; la Grèce a lutté pendant cinq ans... notre commerce souffrait beaucoup des corsaires.

La révolution belge porta une atteinte plus sérieuse aux principes et aux faits établis quinze ans auparavant par la Sainte-Alliance. Cette révolution était inévitable. L'œuvre artificielle des vainqueurs de 1815 n'était pas viable. La Belgique, plus industrieuse et plus peuplée que la Hollande, ne pouvait supporter longtemps un statut politique qui la faisait contribuer à toutes les charges et limitait au minimum ses avantages dans l'association. Aux États-Généraux, les Hollandais avaient la majorité, les députés d'Anvers et de Gand étant avec eux. Les Belges avaient supporté cette situation tant qu'ils avaient été désunis.

Et ils avaient été désunis tant que les catholiques avaient eu la direction du mouvement de résistance aux empiétements des Hollandais et réduit le conflit aux proportions d'une lutte confessionnelle. Bien pis, par leur intransigeance cléricale, ils faisaient des Hollandais les champions des idées de tolérance et de liberté relative et donnaient à la revendication nationale belge une allure rétrograde et absolutiste qui paralysait les efforts des meilleurs patriotes.

Le premier incident de la lutte pour la nationalité s'était, en effet, tout d'abord produit sur le terrain le plus défavorable. La constitution octroyée en 1815 par le roi des Pays-Bas posait le principe de la liberté de la presse et des religions. À l'instigation de l'archevêque de Malines, les évêques de Belgique prétendirent interdire aux catholiques de jurer fidélité à une constitution dont les articles étaient « opposés à l'esprit et aux maximes de la religion catholique ». Dans le Jugement doctrinal, on mettait les catholiques en demeure de refuser les emplois publics ou de se révolter. « L'Église catholique, y était-il dit, qui a toujours repoussé de son sein l'erreur et l'hérésie, ne pourrait regarder comme ses vrais enfants ceux qui oseraient jurer de maintenir ce qu'elle n'a jamais cessé de condamner. » Donc, « jurer de maintenir l'observation d'une loi qui rend tous les sujets du roi, de quelque croyance religieuse qu'ils soient, habiles à posséder toutes les dignités et emplois, ce serait justifier d'avance les mesures prises pour confier les intérêts de notre sainte religion dans les provinces catholiques à des fonctionnaires protestants. »

Le pape blâma ces excès de zèle qui tendaient à susciter une aléatoire révolution des Belges catholiques contre les Hollandais protestants et à détruire l'œuvre des puissances conservatrices. D'accord avec Rome, le gouvernement hollandais fit condamner à la déportation l'archevêque de Malines, qui avait d'ailleurs prudemment gagné le large, et tout rentra pour un temps dans le calme. En 1827, même, un concordat ayant été passé entre le roi Guillaume et le pape Léon XII, les catholiques belges parurent se rallier au gouvernement.

Mais si la Belgique était catholique, elle n'était pas cléricale avec la même unanimité. Les Belges libéraux, qui devaient leur éducation politique à la Révolution française et qui souffraient autant et plus que leurs compatriotes de la domination orangiste, n'avaient aucun motif de désarmer. Réduits à leurs seules forces, ayant en face d'eux un élément catholique prêt à se rallier au pouvoir moyennant de sérieuses concessions faites à l'esprit clérical et conservateur, ils ne pouvaient rien.

C'est de la France que vint le secours. Ce fut une idée française qui permit à la Belgique de s'unifier. « Dans le parti catholique, nous dit M. Seignobos, quelques-uns des chefs politiques venaient d'adopter une nouvelle doctrine inspirée surtout par la lecture de Lamennais. » Ce fut le jeune comte Félix de Mérode qui leur porta la nouvelle doctrine. Il était, comme nous l'avons vu plus haut, un des membres les plus actifs du petit groupe qui devait fonder l'Avenir en 1830. « Au lieu de rejeter la liberté condamnée par le Jugement doctrinal des évêques en 1815, ils la réclamaient comme favorable au triomphe de la vérité catholique. Ces catholiques libéraux ne furent peut-être pas très nombreux, mais ils prirent la direction du parti et décidèrent l'action commune avec les libéraux. » Dès lors il y eut une expression de la nationalité belge, et en 1828 les deux partis unifiés sous le titre de l'Union entrèrent résolument en lutte contre l'hégémonie hollandaise.

Le 25 août 1830, à l'issue d'une représentation de la Muette de Portici où s'étaient exaltés leurs sentiments patriotiques, les Bruxellois se soulevaient en criant : Imitons les Parisiens ! Ce ne fut d'abord qu'une émeute aux chances incertaines, ravivée et surexcitée par les alternatives d'hésitation et d'énergie du gouvernement hollandais. L'agitation parisienne, les encouragements qu'elle donna aux Belges autant que son exemple attisèrent cette flamme vacillante et, malgré la résistance de la haute bourgeoisie qui se fût contentée de l'autonomie administrative, l'incendie révolutionnaire délivra tout le pays de la domination étrangère.

Il y eut dans le même moment une tentative d'agitation en Espagne, où les troupes de la Restauration, sept ans auparavant, avaient rétabli le pouvoir absolu de Ferdinand VII. Elle fut noyée dans le sang des libéraux victimes de la duplicité de Louis-Philippe. Fidèle à son principe absolutiste et aux liens de famille, Ferdinand VII avait refusé de reconnaître le roi des barricades de juillet, et même publié un manifeste qui mortifia profondément celui-ci.

Pour se venger de ce « coquin » bon à « pendre », Louis-Philippe mit à profit l'entente étroite qui existait entre les libéraux français et leurs coreligionnaires espagnols réfugiés en France. Les ministres, Guizot et Montalivet notamment, entrèrent dans leurs plans, leur fournirent des armes et de l'argent. Les préparatifs d'une expédition furent faits ouvertement à Bayonne, où s'étaient concentrés les réfugiés espagnols. Bien entendu, et c'est ce que voulait le cauteleux Louis- Philippe, le roi d'Espagne fut vite au courant de ce qui se tramait. À la révolution dans son propre pays, il préféra la royauté illégitime en France et se déclara prêt à la reconnaître. Faisant subitement volte-face, le gouvernement français retira son appui aux réfugiés, arrêta les envois d'armes et de munitions qui leur étaient destinés. Trop avancés pour reculer, travaillés par des divisions, victimes d'un point d'honneur endolori par ces divisions, ils passèrent la frontière et furent massacrés par les troupes royales. Les prisonniers furent fusillés à Irun aux cris de : Vive le roi absolu !

Le mouvement de juillet eut sa répercussion en Allemagne, nous l'avons déjà vu. Mais l'attitude des libéraux et des républicains français, leur incessante revendication de tous les pays germaniques situés sur la rive gauche du Rhin furent habilement exploités par les princes de la Confédération, qui surent exciter le patriotisme allemand en rappelant les invasions napoléoniennes. Plusieurs d'entre eux promirent une constitution, et ils eurent la paix.

Il n'en fut pas de même en Italie, où la domination étrangère la plus récente, celle qui durait encore, était naturellement la plus détestée. La révolution de 1830 y fut le signal d'un mouvement de conspirations et d'émeutes qui s'étendit à toute la péninsule. Là, il y avait unité absolue dans la pensée directrice, le patriotisme et le libéralisme enveloppaient d'une haine commune les Autrichiens, le pape et les Bourbons de Naples et de Parme. Le refus que fit le duc de Modène de reconnaître Louis-Philippe passionna l'Italie. Partout on criait : Imitons les Français ! et bientôt l'insurrection éclata à Modène, à Pérouse, à Ancône, à Bologne, et tenta de gagner la Lombardie.

On sait que les traités de 1815 avaient divisé l'Italie du Nord en une poussière de duchés et de principautés, sauf la Lombardie et la Vénétie placées sous la domination autrichienne, et le Piémont gouverné par la maison de Savoie. C'était en réalité l'Autriche maîtresse de toute cette région de la péninsule. L'absolutisme y était tatillon, bigot et féroce, opposant une résistance à la fois bureaucratique et militaire à tout essor de la pensée et de l'action. Du fait que cette région était morcelée en tant de souverainetés nominales, il fallait dix passeports pour faire un voyage de cinquante lieues. Le douanier et le policier étaient les rouages grinçants et nombreux de cette lourde machine de despotisme. Les prisons d'Autriche, de Lombardie, des duchés, étaient peuplées de libéraux et de patriotes. Certaines de ces prisons, le Spielberg notamment, ont acquis à cette époque une sinistre renommée qui dure encore.

Même régime à Naples et en Sicile ; mais l'indolence de ces populations méridionales, leur faible activité économique et leur longue habitude du despotisme le leur rendaient plus tolérable sous une monarchie qu'ils s'étaient accoutumés à considérer comme nationale. Les mouvements libéraux y furent isolés et sans grande conséquence, sinon pour leurs auteurs, qui furent traités avec rigueur.

La papauté, rentrée dans son pouvoir temporel à la chute de Napoléon, aggravait, s'il est possible, le régime imposé à l'Italie du Nord. Pie VIII avait poussé de toutes ses forces les ministres de Charles X à promulguer les funestes ordonnances de Juillet. Mais il sut s'incliner devant le fait accompli et tandis que le tzar, le roi d'Espagne et le duc de Modène refusaient de reconnaître la monarchie imposée par les révolutionnaires français, il se félicitait, dans un bref daté du 29 septembre 1830, des « sentiments dont son très-cher fils en Jésus-Christ, le nouveau roi Louis-Philippe, se disait animé pour les évêques et tout le reste du clergé ».

Mais s'il acceptait la situation pour la France, et les intérêts de l'Église dans notre pays lui en faisaient une obligation à peine d'isoler le clergé du reste de la nation, il était bien résolu à tout faire pour qu'elle ne s'étendit pas au domaine de Saint-Pierre et aux légations qu'y avaient adjointes les traités de 1815. Dans les États du pape proprement dits, il n'y eut pas de mouvement et l'insurrection se limita aux légations. Selon Sismondi, tous les Romains portaient la tonsure, la livrée ou la guenille. Un peuple réduit à ce degré de parasitisme est fermé à tous les grands courants par lesquels l'homme manifeste sa dignité et aspire à de plus hauts destins. Rome prélevait sa dîme sur l'univers catholique, aussi les impôts y étaient-ils légers, et, nous dit M. Bolton-King dans son Histoire de l'Unité Italienne, « quand les prix des aliments étaient élevés, les communes étaient forcées, l'opinion publique consentante, à acheter des approvisionnements et à les vendre à un prix de bon marché artificiel. Et, pour maintenir à Rome des prix bas, le blé pouvait être affranchi des droits communaux, mais seulement lorsqu'il devait être dirigé sur la capitale ».

Rome, on le voit, était demeurée, avec les papes, dans la tradition impériale. Il faut bien se garder, en effet, de confondre ces variantes de la sportule naguère distribuée à la plèbe romaine, faible part des dépouilles de l'univers conquis par l'épée, avec les mesures économiques temporaires, telle la loi du maximum adoptée par la Convention parmi les mesures de salut public nécessitées par la guerre intérieure et extérieure. La cour de Rome vivant des libéralités des fidèles du monde entier, tous les Romains, prélats, valets ou mendiants, devaient avoir leur part. Ceux qui étaient au dernier degré de cette échelle de mendicité ne recevaient que des miettes, et, nous apprend M. Bolton-King, « un juge irlandais qui avait beaucoup voyagé déclarait que les sujets du pape étaient le seul peuple d'Europe qui fut plus misérable que ses compatriotes ».

L'activité économique était nulle, et par conséquent nulle aussi l'activité intellectuelle. Le même pouvoir qui interdisait l'étude de Dante dans les écoles, d'ailleurs peu fréquentées, déclarait « illégal » l'usage du gaz d'éclairage. Il n'y avait pas d'enseignement primaire pour les filles, et un monsignor disait au marquis d'Azegho, le grand patriote italien : « Un peuple ignorant est plus facile à gouverner. » À la loterie divine, où peu sont élus, le gouvernement papal ajoutait la loterie temporelle, vendant l'espérance sous toutes les formes à ses misérables sujets. El donnant le pas aux biens périssables sur ceux de l'éternité, sans doute parce qu'il savait ce que valent ceux-ci, le pape les privilégiait aux dépens de la messe et des grâces spirituelles qui y sont attachées : les magasins et les cafés étaient bien obligés de fermer le dimanche, mais les loteries restaient ouvertes. En revanche, on privait des secours d'un médecin quiconque refusait les sacrements, et la religion, sinon l'humanité, se rattrapait ainsi.

Les lois chargées de régler des rapports de civilisation aussi sommaire n'en étaient pas plus simples pour cela, au contraire. Indépendamment de l'arbitraire qui est dans tout gouvernement de droit divin, — et peut-il en être qui le soit plus complètement que le gouvernement direct et personnel du prêtre ? — les lois furent jusqu'en 1831 « un composé monstrueux d'édits de toutes les époques, surannés et sans corrélation ». Et pour les appliquer il y avait « cinquante juridictions diverses à côté des tribunaux privés des barons et des corporations religieuses. » Le valet d'un prélat avait-il commis un assassinat ? Il relevait d'un tribunal ecclésiastique et participait aux immunités relatives de la caste sacerdotale, dont il dépendait. Les formes de cette justice, pour laquelle « avoir assisté à la réunion d'une société secrète était considéré comme une trahison, punissable de la mort et de la confiscation des biens », étaient bien celles que des militaires français, subjugués par la congrégation, appliquèrent en 1894 au capitaine Dreyfus. Pour les cas de trahison, « les inculpés étaient condamnés sans savoir quels étaient leurs accusateurs, et même après 1831, l'audition contradictoire resta interdite ». Dix ans après encore, en 1841, l'inquisiteur général de Pesaro enjoignait par édit à tout le peuple de « dénoncer les hérétiques, les juifs, les sorciers, tous ceux qui font obstacle au Saint-Office ou composent des satires contre le pape ou le clergé ».

De tels sentiments n'étaient pas pour adoucir les mœurs ; aussi les condamnés politiques qui avaient échappé à la sentence capitale étaient-ils enfermés avec les criminels et même, plus maltraités que ceux-ci, « enchaînés pour leur vie entière aux murs de leur cellule ». Un tel peuple était trop en arrière de la civilisation moyenne de l'Europe pour être sérieusement impressionné par le mouvement dont Paris avait donné le signal. D'autres chocs devaient le faire sortir de sa torpeur quelques années plus tard ; et Grégoire XVI eut beau interdire l'introduction des chemins de fer dans ses États, les idées nouvelles y pénétrèrent quand même, avec toutes leurs conséquences politiques et sociales.

La Suisse reçut, elle aussi, le choc révolutionnaire et suivit l'impulsion générale qui remettait le monde en marche vers la liberté. Elle constituait alors une fédération d'États, fondée sur le pacte fédéral de 1815. Chaque canton, étant souverain, réglait à sa guise les questions religieuses et d'enseignement, mais, nous dit M. Seignobos, « même dans les cantons de tolérance religieuse, c'était le clergé qui tenait l'état-civil ». Car la tolérance religieuse n'était pas un fruit de l'émancipation des esprits, comme en France, mais le résultat de l'impossibilité où les protestants étaient de réduire la minorité catholique à l'unité religieuse dans les cantons protestants et réciproquement, ces minorités étant trop nombreuses et trop actives des deux parts. La majorité tolérait le culte de la minorité, parce que celle-ci ne se fût pas laissé convertir, parce qu'il eût coûté trop cher à celle-là d'essayer de la force. Pas de tolérance, donc, dans les cantons où la minorité était incapable de se faire respecter.

Pas de culte protestant dans le canton du Valais, et pas de culte catholique dans le canton de Vaud. Comment la liberté politique existerait-elle où manque la liberté religieuse ? Les cantons pauvres de la haute montagne avaient conservé leurs formes démocratiques ; mais, dès 1815, les riches bourgeoisies des grands cantons possédaient tous les privilèges civiques. Cependant, en 1829, un mouvement d'opinion se manifesta, que la révolution de Paris accrut et encouragea. Un pétitionnement fut organisé à Zurich, sur l'initiative d'un professeur allemand réfugié, Zuell, rédacteur du Républicain suisse. Au pétitionnement en faveur de la révision de la constitution succédèrent des manifestations dans tous les cantons régis par une constitution aristocratique. Le parti radical, groupé autour de Zuell, réclama par le Mémorial de Kussnach la souveraineté du peuple, le suffrage universel et l'élection directe des représentants. Les gouvernements cantonaux eurent la sagesse de ne point attendre que l'agitation devînt révolutionnaire ; ils cédèrent l'un après l'autre, et les constitutions aristocratiques furent révisées.

La partie de la Pologne que les traités de 1815 avaient replacée sous la domination de la Russie avait reçu une constitution de l'empereur Alexandre. Cette constitution lui donnait une certaine autonomie administrative et militaire. Le grand-duc Constantin, frère du tzar, était placé à la tête du gouvernement polonais. Son caractère fantasque, ses irrégularités d'humeur, sa brutalité le firent promptement détester. L'insurrection qui éclata à Varsovie le 29 novembre 1830 ne surprit donc personne.

Le moment où se produisit ce soulèvement national ne pouvait qu'exalter les sentiments des libéraux et des révolutionnaires français pour la Pologne. Il est hors de doute, en effet, que l'insurrection du 29 novembre empêcha le tzar Nicolas de prendre l'initiative d'un mouvement des puissances du Nord contre la révolution qui venait de triompher à Paris et à Bruxelles. Pour décider ses alliés de Prusse et d'Autriche, encore hésitants, la Russie procédait à une concentration militaire. Elle devait servir à écraser l'insurrection polonaise.

L'occasion était unique de faire triompher à la fois les principes du libéralisme et de la nationalité dans toute l'Europe. Louis-Philippe le pouvait sans péril pour la France, au contraire. La Belgique indépendante, la Pologne reconstituée, l'Italie libérée, l'Espagne dotée d'une constitution, les princes allemands forcés de la consentir à leurs sujets, l'Angleterre libérale attachée plus que jamais au principe de la non-intervention, c'était l'Europe entrant en sécurité dans la voie du progrès pacifique.

Mais, il eût fallu qu'en Pologne la révolution fût véritablement nationale. Or, il y avait dans ce pays, où les prêtres dominaient les esprits, trois éléments irréductibles. Les nobles et les habitants des villes étaient patriotes ; mais la république des premiers était une république aristocratique reposant sur le servage des paysans. Les seconds étaient libéraux, fortement travaillés par l'esprit démocratique. Pour les paysans, c'était une masse corvéable ; beaucoup d'entre eux n'étaient Polonais que nominalement et seul le lien religieux les rattachait à leurs maîtres et à leur nationalité. Il n'y avait que l'aristocratie qui fût en état de fournir des chefs militaires au mouvement. Livrée à ses propres forces, ainsi divisées, contre la puissante discipline russe, la Pologne devait succomber.

Louis Blanc reconnaît que la France ne pouvait intervenir directement en faveur de la Pologne, et M. Thureau-Dangin tire argument de cet aveu pour innocenter Louis-Philippe de son inertie et justifier la cruelle et égoïste politique qui profita de l'insurrection par laquelle fut empêchée une action des puissances du Nord contre nous. L'écrivain orléaniste avoue de son côté que la révolution polonaise a empêché cette action, lorsqu'il écrit que « M. de Metternich gémissait de son côté sur ce que « la déplorable révolution polonaise avait empêché que l'entente, si nécessaire entre les trois cours, eût pu s'établir dans un sens vraiment utile. » Le passage guillemetté est extrait des Mémoires de Metternich.

Cette entente des trois cours et son but étaient si peu un mystère que Victor Hugo écrivait, au moment même où se préparait l'insurrection polonaise : « Au printemps il y aura une fonte de Russes. « Comment donc M. Thureau-Dangin peut-il sembler croire que l'agression méditée aurait eu pour cause non la révolution de juillet elle-même, mais l'attitude que prendrait le gouvernement issu de cette révolution ? Comment peut-il, parlant des déclarations de Laffitte sur la non-intervention que nous avons mentionnées plus haut, dire que ces « déclarations insuffisamment limitées... pouvaient inquiéter les puissances ? » N'avoue-t-il pas lui-même que Louis-Philippe faisait atténuer les discours de son ministre par des notes que sa diplomatie transmettait aux cours du Nord et où étaient affirmée ses sympathies conservatrices autant que ses sentiments pacifiques à outrance ? Il n'ignore pas, puisqu'il la mentionne, la dépêche de Metternich de novembre 1830 relative à la non-intervention et qui est suffisamment expressive : « Péril pour péril, dit le ministre autrichien, nous préférons la guerre à la révolution. »

La Russie empêtrée en Pologne, l'Autriche aux prises avec l'Italie, l'Angleterre forcément retirée de la Sainte-Alliance, la France n'avait plus devant elle que la Prusse, qui n'eût certainement pas remué un doigt si les libéraux et les républicains français avaient consenti à cesser de revendiquer la rive gauche du Rhin et d'alarmer ainsi en l'unifiant le patriotisme allemand suscité par le mouvement de 1813. C'était là notre point faible. Cette revendication obstinée de provinces allemandes de race, de mœurs, de langue et de sentiments, était aussi folle qu'injuste, attentatoire au principe des nationalités basé, depuis la proclamation des droits de l'homme, sur la volonté des peuples et non sur les limites territoriales de tel ou tel grand moment historique.

M. Thureau-Dangin connaît ce point faible et il joue de tous ses avantages en énumérant complaisamment les articles d'Armand Carrel dans le National et les exaltations du chauvinisme de Louis Blanc dans son Histoire de Dix ans. Certes, celui-ci se fait une étrange illusion lorsque, dix ans après, faisant écho aux sentiments de cette époque, il avance que « les provinces rhénanes qui, sans parler notre langue, voulaient garder nos lois », désirèrent nous appartenir, par orgueil. Adopter le Code français, mieux approprié à l'état économique et social du temps et du milieu que les coutumes confuses du moyen âge, dont les autres législations d'Allemagne ne s'étaient pas encore débarrassées, cela ne voulait pas dire adopter la souveraineté française. Des affirmations comme celle de Louis Blanc, qui étaient monnaie courante en 1830 et le furent jusqu'en 1870, attiraient aux publicistes français des répliques comme celle de la Gazette d'État, de Berlin, pour qui les « frontières naturelles de la France étaient les Vosges et les Ardennes ».

Il y a dans le ton belliqueux des libéraux et des républicains de 1830 la preuve que, selon l'expression de M. Thureau-Dangin, la France était « mal guérie des ivresses napoléoniennes », puisque les tenants de la liberté permettaient aux Français une « ambition sans limites » et que, ajoute Louis Blanc, « tout pouvoir digne de les gouverner allait évidemment par eux gouverner le monde ». Dépassant même en pensée l'effort de la Convention, l'auteur de l'Histoire de Dix ans s'écrie : « Les événements appelaient notre patronage à Constantinople et nous donnaient, avec l'empire des sultans raffermi, le moyen de sauver la Pologne. L'uniforme de nos soldats, brillant sur le sommet des Alpes, suffisait pour l'indépendance de l'Italie. Nous pouvions offrir aux Belges, pour prix d'une fraternelle union, la substitution du drapeau tricolore à l'odieux drapeau de la maison d'Orange, et nos marchés, non moins opulents que ceux des colonies hollandaises. En nous déclarant avec énergie pour dom Pedro, nous forcions les Anglais à contracter avec dom Miguel une alliance exécrable, et nous sapions à Lisbonne leur domination déshonorée. Nous emparer moralement de l'Espagne était facile, car nous n'avions pour cela qu'à pousser contre deux fonctions monarchiques, ardentes à s'entre-détruire, les réfugiés espagnols invoquant le magique souvenir des Cortès de 1820. »

Tandis que pour Louis Blanc « il suffisait que le drapeau tricolore fût déployé et vînt rappeler aux vieux soldats que la dernière amorce de Waterloo n'était pas encore brûlée », le National demandait la « révision immédiate » des traités de 1815, et déclarait que « la patrie n'est pas heureuse quand elle n'est pas suffisamment glorieuse. » La Tribune, de son côté, dans son numéro du 3 décembre, exige que l'on fortifie Paris. Dans le numéro de l'avant-veille, elle a pressé le ministère de mettre « une armée formidable entre les frontières et Paris ». En novembre, elle s'est vantée d'avoir osé « ressusciter, avec le mot patriote, les idées patriotiques ». Elle a exprimé ce regret : « L'élan prodigieux du peuple n'a pu, au bout de trois mois, nous procurer une armée ». « Nous voulons bien, dit-elle, ne pas qualifier encore le parti qui nous est opposé ; ceux qui appellent démagogues les amis de la dignité nationale pourraient donner à penser qu'ils appellent amis de l'ordre les amis de l'invasion. »

Contraindre la Prusse à reprendre son rang dans la Sainte-Alliance, y jeter l'Angleterre malgré son gouvernement libéral, voilà l'admirable politique que, par l'intervention en Portugal et la conquête du Rhin, les chefs de la démocratie conseillaient ouvertement. On ne pouvait mieux seconder la politique rétrograde de Louis-Philippe, ni la mieux identifier avec l'intérêt de la France.

Il faut insister sur cette attitude de la presse républicaine de 1830, qu'elle gardera pendant tout le régime de Louis-Philippe. Elle nous montre comment, sous l'impression des guerres napoléoniennes, le sentiment du droit des nationalités s'était fondu avec le sentiment de la liberté, puis avait disparu dans le haïssable sentiment de ce que la France devait à sa gloire. C'est là l'origine d'une tradition qui ne se conservera que trop bien dans le radicalisme français. C'est cette tradition qui frappera de paralysie partielle le parti républicain en 1898 lorsque le parti clérical s'affublera du masque patriotique, c'est elle qui fournira au nationalisme dirigé par les conservateurs son contingent de républicains abusés et dévoyés.

Les gouvernements de la Sainte-Alliance tenaient la France pour responsable de l'agitation qui s'était ainsi étendue à toute l'Europe. À défaut de tout autre encouragement, il est certain que son exemple eût suffi à les y entraîner. « Dès le premier jour, note M. Thureau-Dangin, M. de Metternich avait pressenti que la révolution éclatée en France aurait son contre-coup en Italie, et ses regards s'étaient tournés avec anxiété de ce côté. » Entre la politique que M. Thureau-Dangin approuve sans réserves, et celle qu'il reproche à Armand Carrel, à Lafayette et à Louis Blanc d'avoir préconisée, entre la paix à tout prix et la guerre au monde entier, entre la complicité avec l'absolutisme aux répressions féroces et l'intervention armée dans les affaires de tous les peuples, il y avait une troisième solution, vers laquelle penchait le cœur des libéraux, Laffitte en tête. Mais celui-ci avait le cœur aussi faible que l'esprit léger. Il n'était pas de force à tenir tête au rusé et tenace Louis-Philippe, et celui-ci se servit des velléités de son ministre pour se faire un mérite auprès des cours de les avoir contrecarrées et rentrer ainsi en grâce auprès d'elles.

La renonciation de la France à toute prétention sur la Belgique et à toute ingérence au Portugal suffisait à lui assurer la neutralité bienveillante de l'Angleterre ; la proclamation très nette du droit des nationalités rassurait la Prusse sur notre prétendue revendication de la rive gauche du Rhin et permettait au libéralisme allemand de prendre son mot d'ordre à Paris sans revêtir même les apparences d'une défection au sentiment patriotique ; une attitude défensive résolue et proclamant bien haut le dessein de ne pas plus laisser un soldat français mettre le pieds hors de nos frontières qu'à y laisser pénétrer un soldat étranger, eût donné une force immense aux insurrections nationales et libérales, tout en étant tout prétexte à l'absolutisme pour nouer une coalition européenne contre nous. De plus cette attitude l'eût paralysé dans la lutte contre les peuples en révolution. L'imprudence des républicains, et surtout le conservatisme de Louis-Philippe, ne permirent pas à la France de jouer ce grand rôle d'initiative par l'exemple, après avoir tenté vainement de le jouer par les armes. La réaction triompha partout, en Europe comme en France, et il devait appartenir au socialisme de reprendre la grande mission abandonnée par le parti républicain sous l'influence funeste de la gloire napoléonienne.

Ballotté par les événements, rendu impopulaire par la répression des émeutes, sans appui sérieux dans les Chambres, amusé et abusé par les caresses de Louis-Philippe, Laffitte n'avait plus que les apparences d'un pouvoir dont il n'avait rien su faire. Le roi avait pris enfin la résolution de le remplacer par Casimir Perier, et celui-ci, estimant le moment venu, avait accepté. « Je ne puis plus garder M. Laffitte, disait le roi à Dupin aîné, qui le rapporte dans ses Mémoires. Il ménage le parti qui cause tous mes embarras et auquel il est bien temps de résister. D'ailleurs, on me dit que le Trésor est à sec. » Précisément Casimir Perier venait de décider le baron Louis à accepter le portefeuille des finances, et cette acceptation avait même fait cesser les hésitations du chef de la résistance.

Les affaires personnelles de Laffitte étaient en aussi mauvais état que celles de la France, et cela augmentait son discrédit politique. Ceux-là mêmes au profit des intérêts politiques desquels il avait négligé les siens propres, accusaient l'imprudent financier. Dans un monde où l'argent était tout, la pire déchéance était d'en perdre dans une profession qui est d'en gagner. La mise en liquidation de sa maison de banque lui porta le dernier coup.

C'était le moment où l'Autriche venait d'annoncer au cabinet du Palais-Royal sa décision d'intervenir à Modène et dans les légations, et d'y anéantir les pouvoirs révolutionnaires qui s'étaient constitués. À cette note, le conseil avait répondu que l'entrée des troupes autrichiennes dans les États romains serait considéré comme une violation du principe de non-intervention que la France ne pourrait tolérer. Se croyant soutenu, ses collègues du ministère ayant été unanimement de son avis pour la rédaction de la note adressée à l'Autriche, Laffitte fut stupéfait en lisant le 8 mars dans le National la réponse du cabinet de Vienne, que le maréchal Sébastiani, son ministre des Affaires étrangères, instrument passif de la politique de Louis-Philippe, avait reçue le 4. Cette réponse, transmise par notre ambassadeur, le maréchal Maison, était hautaine et agressive. Thiers, qui était, on le sait, sous-secrétaire d'État à l'intérieur, fit comprendre à Laffitte qu'un président du conseil qu'on jouait ainsi n'avait plus qu'à se retirer. Sébastiani, interrogé par celui-ci sur le silence qu'il avait gardé à son égard sur la dépêche de Vienne, ne lui donna, selon sa consigne et selon son caractère, que des explications embarrassées. Le roi, qu'il alla voir incontinent, le calma par d'amicales paroles, se garda bien de laisser percer la résolution arrêtée ; et, dit M. Thureau-Dangin, « le ministre le quitta plus rempli que jamais d'espérance, plus sûr d'avoir l'avenir à lui ».

Il allait donc falloir pousser dehors par les épaules l'inclairvoyant ministre. C'était le seul moyen d'apaiser Metternich et de lui permettre l'invasion des légations. Le 13 mars, le coup fut fait et Casimir Perier nommé président du conseil.

Deuxième partie

La résistance

du 4 mars 1831 au 22 février 1836

Chapitre premier
La politique de Casimir PERIER

L'homme de la résistance. — Il fallait un verrou pour fermer la porte au nez du peuple. — Le procès des 19. — Les élections : la nouvelle Chambre et son président. — Le discours du trône refait par les saint-simoniens. — Obsèques de l'ancien évêque Grégoire. — Les décorés de juillet refusent le serment au roi. — Agitation républicaine. — L'hérédité de la pairie est abolie ; les saint-simoniens demandent qu'on abolisse toute hérédité.

Au banquier Laffitte, qui s'est ruiné pour assurer à la bourgeoisie le profit exclusif d'une révolution faite par le peuple, succède le banquier Casimir Perier, résolu à ne servir que la haute bourgeoisie et à mater la boutique en même temps que le peuple. Il ne donnera pas sa fortune à cette entreprise, mais il y laissera la vie.

Ce n'est pas un parvenu, comme l'autre, qui, s'étant élevé d'échelon en échelon jusqu'à la plus haute fortune, admettait que chacun pût en faire autant, avait la notion du mouvement et du développement continu. Casimir Perier représentait une dynastie d'industriels en possession de la richesse avant la Révolution, et à qui la Révolution avait donné le pouvoir politique. Il représentait la classe pourvue, et pensait que la Révolution n'avait pas eu d'autre but que de substituer la classe des chefs industriels à la classe des chefs militaires et religieux dans le gouvernement des masses.

Tout cela d'instinct, car son esprit ne s'embarrassait pas de théories. Il n'était certainement pas plus intelligent que le ministre auquel il succédait, et à plus forte raison que les Thiers, les Guizot, les Broglie. Mais il avait la passion furieuse de l'ordre par l'autorité, une passion qui tenait sans cesse ses nerfs en mouvement. Il n'était pas parvenu au commandement, il était né de gens qui exerçaient le commandement et le lui avaient transmis. Il ne pouvait gouverner l'État autrement qu'il gouvernait sa maison de banque, en maître indiscuté. Il apporta ses habitudes dans la politique, tolérant avec peine des égaux qui ne fussent pas nés dans le commandement, s'imposant à eux par son caractère impérieux, s'exaspérant de la moindre résistance jusqu'à la convulsion, jusqu'à la rage.

« Les bras fourrés des doctrinaires, dit Sainte-Beuve, ne sont guère solides quand il s'agit de résister à une attaque de fait. » Il fallait un « verrou » pour fixer la porte ébranlée de l'ordre bourgeois. « La force physique des maniaques est plus grande, comme on sait, que celle des gens sensés et prudents. On mit la main par bonheur sur un maniaque énergique ; on le poussa, il fit son office. »

Cette « figure sombre », dit Henri Heine, se plaça hardiment « entre les peuples et le soleil de juillet ». Il accepta d'être « l'Atlas qui porte sur ses épaules la Bourse et tout l'échafaudage des puissances européennes. » Pour Victor Hugo, c'est « un homme qui engourdira la plaie, mais ne la fermera pas ; un palliatif, non la guérison ; un ministère au laudanum ». Le poète se trompait. La plaie ne fut pas fermée, certes, mais ce n'est pas le laudanum qu'il employa. Il tailla en pleine chair, à coups furieux de bistouri, assurant ainsi à sa classe dix-huit ans de règne, sinon de tranquillité.

Il n'avait pas voulu la révolution. À ceux qui le pressaient d'y adhérer alors que la bataille était encore indécise, il répondait, songeant aux offres de ministère que lui avait faites Charles X : « Vous me faites perdre une position superbe. » Dès qu'il se fut résigné au fait accompli, il nia la révolution, s'employa à l'anéantir, tendit ses forces vers cet unique but : « Le malheur du temps, disait-il à Barrot, qui le rapporte dans ses Mémoires, est qu'il y a beaucoup d'hommes qui, comme vous, monsieur Odilon Barrot, s'imaginent qu'il y a eu une révolution en France. Non, monsieur, il n'y a pas eu une révolution en France. Non, monsieur, il n'y a pas eu de révolution ; il n'y a eu qu'un simple changement dans la personne du chef de l'État. »

Ses violences, redoutées de tous, s'exerçaient indifféremment sur ses amis et sur ses adversaires, en des crises où s'épuisaient ses forces. Président de la Chambre, il disait insolemment à ses questeurs qui, pour justifier une mesure d'ordre prise par eux, alléguaient qu'ils avaient la police de la Chambre : « Dites la police des corridors. »

On attribue à Royer-Collard ce mot, qui peint bien le désir ardent de réaction dont les doctrinaires étaient alors animés : « Un Casimir Perier eut un grand bonheur ; il vint au moment où ses défauts les plus saillants se transformaient en précieuses qualités : il était ignorant et brutal ; ces deux vertus ont sauvé la France. » La France de Royer-Collard tenait sinon sur un canapé, du moins dans quelques salons.

« Plus soucieux d'assurer la paix de la rue, la sécurité du commerce, le fonctionnement régulier de la machine administrative, que de restaurer dans les âmes l'ordre moral si gravement troublé, » nous dit M. Thureau-Dangin, il répondait mieux ainsi « au premier besoin du moment » et servait comme elle l'entendait une bourgeoisie plus occupée d'intérêts que de principes, plus accessible à la peur qu'à la foi. »

Ce trait dit tout sur la valeur morale de l'homme et de la classe qu'il représentait au pouvoir.

Évidemment, il avait l'honnêteté du doit et de l'avoir. Né riche, doué d'une grande activité qu'il n'avait pas exclusivement tournée vers les choses de la politique, secondé par tous ses proches dans de communes entreprises de banque et d'industrie, mines d'Anzin, fonderies de Chaillot, raffineries, tissages, etc. il n'avait pas eu besoin du pouvoir pour faire sa fortune par les moyens alors ouvertement reprochés à Thiers.

Mais, si elle prit sa santé et sa vie, qu'il eut d'ailleurs dépensées avec la même fougue dans les luttes de la banque et du négoce, la politique ne desservit pas ses intérêts : on put, sans le calomnier, mettre au nombre des motifs qui le portèrent à s'opposer à l'annexion de la Belgique, la crainte de la concurrence que les charbonnages de ce pays feraient aux mines d'Anzin.

De telles attaques, lancées par la presse républicaine, qui poussait imprudemment à l'annexion, le mettaient dans un état d'exaspération qu'il était incapable de maîtriser, même à la tribune. Les écarts où le poussait un tel caractère, tout entier dominé par les impulsions du tempérament, lui faisaient souvent commettre des maladresses et des injustices, dans lesquelles ses amis hésitaient à le suivre : « Je me moque bien de mes amis quand j'ai raison, s'écriait-il alors ; c'est quand j'ai tort qu'ils doivent me soutenir. » La politique est encore aujourd'hui dominée par de tels principes, et les partis ont leur raison d'État qui passe avant la raison et la justice. Il appartient au socialisme d'y introduire d'autres mœurs, en donnant au peuple une éducation civique et morale qui fasse cesser toute contradiction entre les règles de la vie privée et celles de la vie publique.

Loyal, Casimir Perier l'était à la manière de quiconque a la force pour soi, en est orgueilleux et peut dédaigner la ruse et le mensonge, ces armes du faible. Il lui était facile, d'ailleurs, de conserver sa réputation de loyauté, sa situation et son caractère le tenant très au-dessus des agents d'exécution, qui prenaient la responsabilité en même temps que la charge des besognes avilissantes et se payaient de leurs mains. Tel ce Gisquet, un des commis de sa banque, devenu raffineur et homme de Bourse, qui entreprit pour son propre compte une opération de fourniture de fusils anglais au gouvernement français. Ces fusils avaient été payés fort cher et étaient absolument défectueux. Les hommes d'affaires qui avaient soumissionné cette fourniture et avaient été évincés firent tapage. Armand Marrast s'empara de l'affaire dans la Tribune du 9 juillet. Poursuivi, il fut condamné, la preuve de la diffamation contre les particuliers n'étant pas admise devant les tribunaux. Cependant, Gisquet avait reçu à l'origine un mandat du gouvernement pour cet achat de fusils. Mais il s'était transformé de mandataire en fournisseur, et sa « commission » était devenu un « honnête bénéfice ». Trois mois après ce scandale, le 14 octobre 1831, il était nommé préfet de police.

Casimir Perier aima-t-il la cause qu'il servait, ou seulement le pouvoir ? C'est un mystère de conscience que nul, et parfois l'intéressé lui-même, ne peut approfondir. Mais dire qu'un homme est l'homme d'une classe, en fût-il un des représentants les plus intéressés, c'est lui reconnaître en somme un caractère de grandeur qu'on doit refuser à l'égoïste pur et simple, confiné dans la gestion de ses intérêts propres. Or, il est certain que Casimir Perier fit à sa classe, à son parti, le sacrifice de son repos, et même de sa vie. Et il le fit délibérément, car les inquiétudes que lui donnait sa santé balancèrent quelque temps son amour du pouvoir. « Avant un an, vous le verrez, j'aurai succombé, » disait-il au général de Ségur le matin du 13 mars. Il ne se trompait que de quelques semaines.

Pouvait-il confondre le dévouement à sa classe, à son parti, avec l'amour de son pays ? Oui, certainement. Il avait toujours combattu le parti légitimiste et clérical, et ses folles tentatives de retour au passé. D'autre part, le « mouvement » se composait de libéraux incapables de contenir les forces révolutionnaires qu'ils avaient déchaînées. Et ces forces révolutionnaires, assez puissantes pour agiter le pays, étaient incapables, par la pensée autant que par le nombre, de le gouverner.

Comment, à défaut des motifs profonds que nous lui connaissons, Casimir Perier eût-il eu foi dans la démocratie lorsque les démocrates les plus illustres, Lafayette et Béranger, considéraient encore Louis-Philippe comme la meilleure des Républiques ! Il faut ajouter qu'en dépit d'Armand Carrel et sous l'impulsion du petit groupe babouviste, les républicains ne se réclamaient pas seulement de 93 : ils mêlaient les réformes sociales à leurs aspirations de terrorisme.

Ce qui rendait Carrel soucieux et hostile devait à plus forte raison avoir toute la haine de Casimir Perier. Comment, enfin, eût-il traité en hommes libres dans l'État les hommes asservis qui peinaient dans ses mines et ses manufactures !

Sauf le baron Louis et l'amiral de Rigny, nommés aux Finances et à la Marine, le ministère Casimir Perier se composa des mêmes hommes que celui de Laffitte. Sébastiani conservait les Affaires étrangères, et Soult la Guerre ; Barthe passait de l'Instruction publique à la Justice, d'Argout de la Marine au Commerce, et Montalivet, cédant l'Intérieur à Casimir Perier, prenait l'Instruction publique. C'étaient les mêmes ministres, mais c'était un tout autre ministère. Le fait sera fréquent, dans notre histoire parlementaire, de ministres changeant de direction en même temps que de directeur. Ceux du 13 mars avaient fait du mouvement, ou plutôt de l'inertie, avec Laffitte, en trahissant à la fois Laffitte et le mouvement de tout leur pouvoir. Ils firent de la résistance, et cette fois de tout leur cœur, avec Casimir Perier.

Le programme du nouveau ministère, lu à la Chambre le 18 mars, peut se résumer ainsi : guerre à la démocratie et à tout effort vers la liberté ; paix avec l'Europe monarchique, alliance avec l'absolutisme pour réprimer toute agitation libérale. La révolution de Juillet n'existe pas, elle est non avenue ; on ne peut donc se fonder sur elle pour justifier la marche en avant. La monarchie continue, et ce n'est pas des barricades que la branche cadette des Bourbons tient la couronne, mais de l'abdication du chef de la branche ainée. M. Thureau-Dangin est forcé d'avouer que Casimir Perier soutint cette thèse aux « dépens de la logique ». Cet aveu lui coûte d'autant moins qu'à présent la branche cadette est, par la disparition de la branche aînée, en possession théorique de son droit à la couronne, heureusement illusoire. Mais il s'agissait bien de logique, pour Casimir Perier. Il était question avant tout d'en finir avec la révolution, de faire oublier au peuple qu'il venait de renverser un trône.

Nous avons parlé des poursuites ordonnées par le ministère Laffitte contre les jeunes gens accusés d'avoir excité la garde nationale à l'émeute lors du procès des ministres de Charles X. Cette affaire vint devant le jury de la Seine dans les premiers jours d'avril. Les accusés, au nombre de dix-neuf, appartenaient presque tous à la société des Amis du Peuple, dont les réunions avaient été dissoutes, nous savons comment, mais qui continuait d'exister et de faire une ardente propagande républicaine dans les départements.

Les principaux accusés étaient Cavaignac, Guinard et Trélat, tous trois jeunes, ardents, fortement convaincus. Leurs avocats appartenaient également à l'opinion républicaine : Dupont (de Bussac), doctrinaire, radical, d'une éloquence vigoureuse et mordante ; Marie, grave et pénétrant ; Michel (de Bourges), dont ce procès marque le début d'une carrière retentissante, qui fait succéder à des emportements passionnés une dialectique serrée et pressante, et tient ainsi son auditoire par toutes les fibres. Cet auditoire est d'ailleurs acquis aux accusés, à leur cause. Il les soutient de ses applaudissements à leurs moindres répliques.

Ce n'est pas un procès qui se juge, c'est une manifestation républicaine, c'est une séance de la société des Amis du Peuple qui se déroule dans le prétoire. Ce ne sont pas des accusés qui se défendent, mais des orateurs qui développent leur thèse devant l'attention bienveillante du jury. Les juges eux-mêmes, s'ils ne vont pas jusqu'à l'approbation, marquent du moins leur respect pour une doctrine qui peut être celle du gouvernement de demain. Sait-on jamais ce qui sortira des barricades ?

Et puis, ces accusés ne sont pas les premiers venus. Ils sont de la même classe sociale que les juges. Le président leur dit avec émotion qu'ils ne sont « pas nés pour l'humiliation de ces bancs ». Il s'excuse presque de les y faire asseoir. Quoique jeune, Trélat est déjà couvert de la double auréole du savoir et de la bonté. Qui donc le contredirait lorsqu'il dit la misère du peuple ? Ne sait-on pas qu'il en parle autrement qu'en théoricien ! Il l'a vue de près, il consacre tous ses efforts à la soulager. Et quand il dénonce l'impuissance des secours individuels en face de l'immense détresse ouvrière, et la faillite des promesses faites aux ouvriers pour les engager à poser le fusil et à reprendre l'outil, qui donc pourrait le démentir ? « Nous voulons, dit-il aux jurés, la plus longue existence et la plus heureuse pour le plus grand nombre possible d'hommes. » Et posant la question sociale il ajoute : « Savez-vous qu'au temps actuel une portion de la société n'est en lutte avec l'autre que parce qu'elle a faim ? »

Cavaignac, l'esprit sans cesse tendu, le corps raidi dans une attitude d'inflexibilité, vit des souvenirs de la Convention et dans le culte de son père le conventionnel. Il se défend dédaigneusement d'avoir voulu renverser le gouvernement par la force. On n'attaque pas un gouvernement qui est en train de se suicider. « Nous ne conspirons pas, dit-il, nous nous tenons prêts... Nous avons fait notre devoir envers la France, et elle nous trouvera toutes les fois qu'elle aura besoin de nous. »

Les témoins cités par la défense achevèrent d'intimider le ministère public et de méduser les juges. Lorsque Lafayette parut à la barre, l'auditoire tout entier se leva devant le vieux républicain qui venait se porter caution pour ses amis et prononcer leur éloge. Ce fut une débâcle pour l'accusation. Le président lui-même passait à l'ennemi, cachait à peine son désir de l'acquittement sous cette exhortation aux jurés : « Comme juges, si vous apercevez des coupables, vous sévirez ; mais si vous ne remarquez dans la cause que l'inexpérience et un enthousiasme irréfléchi, comme pères, vous saurez absoudre. »

Les dix-neuf accusés furent acquittés, aux acclamations de l'auditoire, qui fit à Trélat et à ses amis une escorte triomphale à travers les rues de Paris. De nombreux lampions parurent aux fenêtres. Le lendemain, on put croire que Paris soulevé allait relever les barricades et proclamer la République. Mais le peuple trouva en face de lui la garde nationale. Casimir Perier la renforça d'infanterie et de cavalerie. Les manifestants se dispersèrent après avoir évalué les forces de la bourgeoisie et leur propre faiblesse.

Le 5 juillet eurent lieu les élections, la Chambre ayant été dissoute le 31 mai. Casimir Perier, en ministre à poigne qu'il était, traça en ces termes à ses fonctionnaires leur devoir électoral : « Je vous dirai sans détour l'intention du gouvernement : il ne sera pas neutre dans les élections ; il ne veut pas que l'administration le soit plus que lui. » Les électeurs censitaires n'avaient aucune raison pour résister à une pression ainsi organisée. La majorité fut donc ministérielle.

Mais la minorité, d'ailleurs mêlée, avait à sa tête des hommes remuants : l'opposition modérée se groupait autour d'Odilon Barrot, et les libéraux proprement dits autour de Mauguin, du général Lamarque et d'Arago. La première bataille se livra sur la présidence de l'assemblée. L'opposition présentait Laffitte. Ce choix était habile. Son concurrent ministériel, Girod (de l'Ain), ne l'emporta que d'une voix. Casimir Perier, qui avait posé la question de confiance sur la nomination de son candidat, alla aussitôt porter sa démission au roi. La majorité s'accrocha aux basques de l'irascible ministre, qui consentit à rester.

Qu'était donc ce Girod, dont le maigre succès avait failli causer une crise ministérielle ? Par une sorte de bravade, Casimir Perier l'avait tiré de l'obscurité pour l'opposer à Laffitte, dont la popularité était grande, même parmi les députés ministériels. Était-ce donc uniquement pour éprouver son pouvoir sur la Chambre nouvelle que le ministre s'était arrêté à un tel choix ? Non, Casimir Perier connaissait son homme : il voulait à la tête de la Chambre un bon instrument ; il l'avait trouvé.

Henri Heine, parlant de ce président imposé par le ministre, dit qu'il était « le dévouement même », et note qu'il eut « l'art de bien servir les intérêts du roi par l'abréviation ou la prolongation des séances ». Le portrait qu'en trace le critique n'est pas flatté, mais combien expressif au physique et au moral : « C'est un homme ramassé, qui a l'air d'un Brunswickois vendant des têtes de pipes dans les foires, ou bien encore d'un ami de la maison qui apporte des croquignoles aux enfants et caresse les chiens. »

Louis-Philippe avait lu le discours de la couronne, le 23 juillet, devant les Chambres assemblées. Les débats de l'adresse s'engagèrent à la Chambre et l'opposition y déploya toutes ses ressources, accumulant les amendements. Ce qu'était le discours, le caractère de Casimir Perier qui l'avait rédigé peut en donner une idée. Le pouvoir trouve que tout est pour le mieux. S'il y a du chômage, la faute en est à ceux qui agitent le pays. Les armements sont lourds, mais une politique pacifique pourra permettre une jour de les réduire.

Ce discours fut refait dans le Globe. Supposant un monarque éclairé par la pensée de Saint-Simon, le rédacteur fait parler le roi ainsi : « Mes relations avec les souverains étrangers vont changer de caractère ; je vais réclamer d'eux que toutes les formes mystérieuses des chancelleries soient abandonnées... L'Angleterre et la France continueront à exercer sur tous les peuples une surveillance émancipatrice, et à les pousser tous dans la voie pacifique. »

Le rédacteur saint-simonien, sous le couvert de ce discours supposé, trace le plan d'un accord entre l'Angleterre, la Prusse et la France pour interposer cette « irrésistible influence là où il y a des glaives tirés, là où d'autres glaives s'aiguisent ». À la « voix pacifique mais ferme » de cette coalition libérale, « l'Italie respirera, l'héroïque Pologne recueillera le fruit de sa sublime résistance ; l'Europe sera en paix, et le tsar épanchera le flot de ses soldats vers l'Orient qu'il brûle de conquérir et que nous lui donnons mission de civiliser. » On sait comment l'autocrate russe s'est acquitté, depuis, de la « mission » que lui confiaient imprudemment les disciples de Saint-Simon, et la Chine n'est pas près d'oublier les atroces noyades de Blago-vetchenk, non plus que le monde comment il s'est fait battre sur terre et sur mer par un peuple d' « idolâtres » subitement surgi en pleine civilisation.

Le Globe poursuit sa fiction d'un roi converti au saint-simonisme. « Le but de la législation, lui fait-il dire, ne doit pas être de punir un coupable ou de venger la société, mais d'améliorer, par une initiation quelquefois rigoureuse, un malheureux que la société a laissé sans éducation, sans guide, sans patronage. Mon ministre de la Justice vous proposera l'abolition de la peine de mort, de la marque, de l'exposition, des bagnes et de la contrainte par corps. »

Le roi est censé proposer ensuite, comme remède à la crise économique, une « organisation industrielle au sein de laquelle les efforts isolés et rivaux aujourd'hui seront reliés et combinés de manière à maintenir toujours l'équilibre entre la production et la consommation, c'est-à-dire entre les forces créatrices du travail et les besoins des travailleurs ».

En attendant que soit élaboré le plan d'une « vaste institution de crédit », le ministre du commerce « présentera un projet de loi relatif à la réforme du Code hypothécaire et à la mobilisation du sol, qui aura pour effet de faire disparaître le caractère féodal dont les lois qui régissent la propriété sont encore empreintes ». Ce programme économique est aussi vague que général. Il annonce bien que les ministres « proposeront des mesures propres à améliorer le sort du travailleur emprunteur relativement au prêteur, celui du locataire et du fermier relativement au propriétaire » ; il promet bien un projet « qui sera de nature à produire une baisse de l'intérêt en matière de crédit public et de crédit privé ». Mais, pour le public non initié à la doctrine, un tel langage ne dit rien. Le saint-simonisme, nous le verrons plus loin, ne pouvait dire davantage sans s'écarter de ses principes économiques qui reposaient sur la substitution de la propriété industrielle mobilière à la propriété agraire et féodale, et sur l'organisation hiérarchique, par les chefs d'industrie, du monde du travail. Il est juste d'ajouter que seul le mérite donnait accès aux divers degrés de cette hiérarchie industrielle. Le « message » saint-simonien ne l'oubliait pas, et il l'affirmait en ces termes :

« Les privilèges héréditaires, monuments des temps d'esclavage, doivent disparaître. Mes ministres vous proposeront l'abolition de l'hérédité de la pairie, qui préparera les esprits à la suppression graduelle de toutes transmissions héréditaires des avantages sociaux. » La question de la suppression de l'héritage est ainsi très adroitement introduite. Si la puissance politique ne doit pas être transmise héréditairement, de quel droit la puissance économique, la propriété qui en est le fondement, le serait-elle ?

Puis, précisant, le roi saint-simonien qui ne craint pas d'augmenter le budget, car il est « persuadé que le gouvernement le plus économe n'est pas celui qui dépense le moins, mais celui qui dépense le mieux », projette de se procurer des ressources nouvelles « par un impôt progressif sur les successions et par la suppression de l'hérédité en ligne collatérale ». Des quatre-vingts millions ainsi recueillis annuellement par l'État, le « discours de la couronne » propose d'en consacrer quarante « à fonder par toute la France de vastes écoles » pour les enfants de « la classe la plus nombreuse et la plus pauvre », celle « qui joue le rôle le plus important dans la création de la richesse sociale » et qui « doit être retirée de l'état d'abaissement où elle est plongée » : dans ces écoles, ils « recevront une éducation morale, scientifique et industrielle, conforme à leurs degrés divers de capacité. Une autre somme de quarante millions sera consacrée à doter des banques qui leur fourniront des capitaux au sortir de ces écoles ».

Ce discours dont n'approchent point encore les discours-programmes ministériels d'aujourd'hui, déclarait bien prématurément — mais n'est-ce pas le privilège et le devoir des novateurs ! — que la France voulait « le travail », et ne voulait « plus d'immobilité, de privilèges héréditaires », ni « d'oisifs » et qu'elle avait « soif de développement industriel et scientifique », et « soif d'association ». C'était appeler « l'ère nouvelle » en l'annonçant, en l'installant dans les esprits.

Le rédacteur terminait en plaçant son œuvre sous la protection de Dieu. « Car disait-il, nous n'aurons tous qu'une seule volonté, une seule pensée, un seul but ; nous aurons alors une religion, Dieu sera avec nous. » Nous verrons plus loin jusqu'où le sentiment religieux, exaspéré par le mysticisme d'Enfantin, entraîna les saint-simoniens, comment il compromit leur œuvre sociale et finalement la ruina.Tandis que le véritable discours de la couronne se contentait d'admirer la patience des ouvriers victimes de la crise, tandis que les républicains rendaient le pouvoir responsable de cette crise et tentaient d'agiter les faubourgs, un appel aux ouvriers en chômage était lancé par affiches placardées dans les divers quartiers de Paris, sous un titre qui devait être célèbre dix-sept ans plus tard : « Exploitation de l'atelier national. » Les auteurs de ce placard, A. Crebassol et J. Rosier, invitaient en ces termes les ouvriers à se faire inscrire, 37, rue Poissonnière :

« On parle beaucoup des besoins du peuple, de sa misère, et rien d'utile n'a été fait pour le soulager. Voici l'heure d'y songer : que les heureux du siècle nous secondent ! Et vous, ouvriers, que le besoin assiège, venez à nous ; ce n'est point une aumône, c'est du travail qui vous attend. Cent métiers de différents genres seront ouverts à votre activité ; nous ne vous demandons que la preuve d'une vie irréprochable. »

Par quel moyen les signataires de cette affiche entendaient-ils tenir la promesse téméraire par laquelle ils appelaient les sans-travail, dont deux mille cinq cents se firent inscrire en trois jours ? Par une souscription publique sollicitée en ces termes dans un « premier bulletin » qui fut envoyé à domicile aux banquiers, agents de change, notaires, hauts fonctionnaires, capitalistes de Paris :

« Riches de toute la France, hauts fonctionnaires si généreusement rétribués... refuserez-vous une parcelle de votre superflu, quand peut-être il y va du repos de la France, de notre existence à tous ?... Ne voulant demander un peu de superflu qu'aux hommes en position de le donner, nous dresserons une statistique des diverses administrations, dont nos bulletins feront successivement connaître le nombre d'employés, ainsi que les appointements de chacun d'eux. Déjà, parmi ces employés des diverses administrations, beaucoup se sont empressés de nous envoyer leurs souscriptions ; leurs noms seront signalés à la reconnaissance nationale, ainsi que le nom de tous les hommes qui se seront ralliés à nous. À cet effet, chacun de nos bulletins contiendra la liste des souscripteurs inscrits depuis la publication du précédent bulletin, et en regard les noms des hommes qui nous auront répondu par un refus formel... On parle beaucoup des sacrifices à faire pour le peuple ; le peuple ici reconnaîtra ses vrais amis. »

Ce document fut imputé aux saint-simoniens par quelques journaux. Michel Chevalier protesta au nom « du collège de la religion saint-simonienne » et sa protestation fut d'autant plus indignée, quoique très modérée de ton, que précisément le Globe, dans son numéro du 19 juillet, s'était écrié, parlant de l'entreprise de Crébassol et Rozier : « Pourquoi dresser des listes de proscription ?... Et du reste, quels sont les titres à la confiance publique de ces directeurs improvisés ? »

Un examen sommaire du « bulletin » adressé aux « riches de toute la France », le rend suspect à plus d'un titre. Puisque ces « directeurs improvisés » ont déjà reçu des adhésions, que ne les publient-ils dans leur premier bulletin ? Ils sont profondément inconnus des ouvriers, des républicains, des saint-simoniens dont on les prétend des « néophytes ». Les menaces qu'ils adressent aux riches ont une forte odeur de chantage. Ceux-ci ne s'y laissèrent pas prendre et cette entreprise, qui eût dû relever de la police correctionnelle, tomba dans l'indifférence générale après avoir ajouté une déception aux misères des ouvriers sans travail.

L'opposition avait donné de toutes ses forces dans la discussion de l'adresse, et sa critique porta surtout sur la question étrangère. Elle avait là un terrain très vaste, où elle se mouvait d'autant plus à l'aise qu'elle échappait à toute responsabilité. Elle put reprocher au pouvoir de n'avoir pas annexé la Belgique à la France, de n'être pas intervenu en faveur de la Pologne, de s'être associé aux puissances pour protéger le pape contre les patriotes italiens, et, pour prix de tant de sacrifices, de n'avoir recueilli que l'hostilité de l'Angleterre et le mépris du tsar, dont l'ambassadeur s'était abstenu d'assister à la lecture du discours de la couronne.

Thiers, Guizot, Sébastiani, et deux nouveaux venus : Duvergier de Hauranne et de Rémusat, secondèrent Casimir Perier de toute leur énergie. Finalement l'adresse fut votée par 282 voix contre 73. Le ministère avait sa majorité. Casimir Perier. pouvait dès lors organiser la résistance en toute sécurité. Jusque-là, il avait eu des alternatives d'énergie et de laisser aller vis-à-vis des mouvements populaires, sans cependant se départir de sa rigueur, lorsque les intérêts de la bourgeoisie et de son roi étaient en jeu. Dorénavant, il allait faire de la réaction ouvertement, et sans discontinuité.

Lors des obsèques de l'ancien évêque constitutionnel Grégoire, à l'occasion desquelles on put croire un moment que l'intolérance cléricale allait susciter un mouvement analogue à celui qui, trois mois auparavant, avait amené le pillage de l'archevêché, le ministre laissa faire. Il n'y avait d'ailleurs aucun danger, mais tout profit pour le gouvernement, à tolérer une manifestation contre l'incorrigible archevêque. Casimir Perier avait pris des mesures pour que cette manifestation fût exclusivement dirigée contre les sentiments légitimistes de monseigneur de Quelen.

Grégoire, fort assagi par son passage au Sénat impérial, n'en était plus à considérer les rois comme étant dans l'ordre moral ce que les monstres sont dans l'ordre physique. Il avait adhéré à la monarchie de juillet, tout en demandant, dans une brochure publiée en 1830, que le roi populaire sût se contenter d'une liste civile modeste, dont la Chambre fixerait le montant chaque année. Demeuré fort attaché à la religion qu'il avait tenté naguère d'accorder avec la société civile issue de la

Révolution, Grégoire avait demandé et reçu les derniers sacrements, et le lendemain de sa mort, survenue le 28 mai, son corps avait été porté dans l'église de l'Abbaye-aux-Bois.

Sur l'ordre de l'archevêque, le clergé de la paroisse se retira. Grande émotion dans Paris. Les jeunes gens des écoles veulent faire à l'ancien évêque jureur les obsèques que lui refuse son curé. Ils tendent de noir l'église du village, exposent sur un catafalque les insignes épiscopaux du mort, font célébrer l'office par trois prêtres amenés de Paris, et, escortés de vingt mille manifestants, ils traînent à bras le corbillard jusqu'au cimetière Montparnasse où se fait l'inhumation.

Thibaudeau, ancien conventionnel, prit la parole, et remercia la révolution de juillet d'avoir associé la Convention nationale au trône, et le gouvernement « d'avoir ouvert aux conventionnels, pour leur défense, cette tribune de la mort ». Il justifia la sentence de mort prononcée par le défunt et par lui-même contre Louis XVI, en s'écriant à l'adresse des hommes qui venaient de faire la Révolution : « Que leur a-t-il manqué pour être ce que, par un haineux abus de la langue, ils ont appelé régicide ? Que Charles X fût fait prisonnier et que le peuple le leur livrât. » Vingt ans plus tard, Thibaudeau associait de nouveau à sa manière la Révolution au trône et entrait des premiers dans le Sénat du second Empire.

Quelques jours plus tôt, Casimir Perier s'était montré moins tolérant pour une autre manifestation. Les républicains, désireux de tirer bon parti de l'acquittement des dix-neuf, entretenaient l'agitation dans Paris, se mêlant à tous les mouvements populaires et au besoin les suscitant. Ils étaient parfois peu soucieux de conserver à leur action démocratique toute sa pureté, et non seulement laissaient se mêler à leurs rangs des bonapartistes qui acclamaient Napoléon II, mais encore participaient aux manifestations napoléoniennes.

Une commune hostilité contre un gouvernement résolu à ne pas entrer en guerre avec les puissances, et qui décevait à la fois les rêves de conquête caressés par les uns et les espérances de libération des peuples formées par les autres, les réunit dans une manifestation faite le 5 mai autour de la colonne Vendôme pour commémorer l'anniversaire de la mort de Napoléon. Le gouvernement ayant fait enlever les couronnes déposées par les bonapartistes, la foule s'ameuta et tandis que les uns acclamaient la République, les autres distribuaient des portraits du fils de Napoléon, dont on entretenait soigneusement la légende dans le peuple. Casimir Perier dispersa ces attroupements avec vigueur.

Par une sorte de bravade qui était dans son caractère, le nouveau ministre entreprit de transformer en manifestation de loyalisme la distribution des récompenses nationales votées par la Chambre aux combattants des trois journées.

Il soumit donc à la signature du roi une ordonnance créant une médaille commémorative, qui serait remise aux titulaires dans une grande cérémonie, aux Invalides, les nouveaux décorés prêteraient serment entre les mains de Louis-Philippe. Le dessein de Casimir Perier était très clair : il tendait à établir que la révolution n'avait été faite que pour asseoir sur le trône un Bourbon dont les sentiments fussent plus conformes au sentiment national. Fidèle à la doctrine de la quasi légitimité, le ministre, intervertissant audacieusement les situations, ne donnait pas au roi l'investiture révolutionnaire ; il faisait récompenser les fidèles sujets qui avaient ouvert, par des moyens un peu vifs, la succession au trône, occupé par la famille du nouveau roi huit siècles durant.

Cette ordonnance fit grand bruit. Les libéraux de gauche et surtout les républicains protestèrent, s'agitèrent, pétitionnèrent. On organisa des réunions où l'origine purement révolutionnaire de la jeune monarchie était affirmée avec véhémence. De nombreux titulaires de la médaille en arborèrent le ruban bleu à leur boutonnière, en protestation contre l'humiliante investiture à laquelle on voulait les astreindre. Poursuivis devant les tribunaux pour port illégal de décoration, ils furent acquittés.

On organise alors des banquets en leur honneur. La société des Amis du Peuple se multiplie, tient réunions sur réunions, dont les assistants se répandent ensuite par les rues, mettant la garde nationale sur les dents. Le 9 mai, à l'issue d'une de ces réunions, quinze cents manifestants se forment en colonne et défilent sur le boulevard au chant de la Marseillaise. Ils vont ainsi jusqu'à la place Vendôme, où la garde nationale les cerne facilement, mais est impuissante à les disperser. C'est alors que l'autorité militaire a cette lumineuse idée de noyer la manifestation sous le ridicule en dirigeant sur elle le jet de plusieurs pompes à incendie.

L'idée et l'exécution de ce haut fait ont été longtemps attribuées au maréchal Lobau. Le marquis de Flers, dans son Roi Louis-Philippe, les restitue à un autre. Dans une note qu'il date le soir même de Saint-Cloud, il rapporte que le roi lui a parlé des « pompes du général Jacqueminot », et il raconte l'affaire en ces termes :

« Un Russe, que le général Pozzo di Borgo m'a présenté ce soir, m'a dit qu'il avait assisté aux sommations qui avaient été faites à l'attroupement sur la place Vendôme, entre quatre et cinq heures, et ensuite au jeu de pompes qui l'ont dispersé. Il parait, d'après ce qu'il m'a dit, que ce nouveau moyen de répression a été d'un grand effet. »

Le pouvoir n'allait pas tarder d'employer des armes moins inoffensives. Mais si, à cette occasion, il eut pour lui les rieurs, il ne tira aucun profit de cette victoire ; puisque l'ordonnance qui avait causé tout ce bruit fut inexécutée, et les croix de juillet distribuées sans cérémonie et sans prestation de serment. L'agitation, cependant, ne cessait pas, entretenue par le parti républicain, point encore résigné à l'escamotage de l'année précédente et qui répandait à profusion des placards et des brochures sur l'impossibilité de la « monarchie républicaine » et contre l'obéissance passive des soldats.

Les anniversaires des journées révolutionnaires étaient préparés d'avance, et célébrés par des manifestations publiques où l'on s'essayait à les faire revivre plus qu'à les commémorer. C'est ainsi que, le 14 juillet, le peuple fut invité à planter un arbre de la liberté sur la place de la Bastille. La garde nationale intervint pour dissoudre le rassemblement. Le commissaire chargé de procéder aux sommations fut assailli par un jeune homme armé d'un pistolet. Les gardes nationaux criblèrent l'agresseur de coups de baïonnette et dispersèrent brutalement la foule, qui s'enfuit aux cris de : À bas la garde nationale ! Quelques jours plus tard, l'anniversaire des trois journées étaient l'occasion de nouvelles manifestations, également réprimées par la boutique en armes. Mais si la boutique s'armait volontiers contre les républicains, elle n'en avait pas moins ses exigences envers le pouvoir. Cette révolution était la sienne, et elle n'entendait pas plus se la laisser confisquer par le roi qu'elle avait fait qu'en partager les profits avec le peuple. Elle l'avait montré lors de l'affaire des croix de juillet, où elle consentit bien à maintenir l'ordre dans la rue, mais où son attitude contraignit le ministère à dispenser les décorés du serment.

Elle le montra de nouveau en l'obligeant à proposer l'abrogation de l'article 23 de la charte qui maintenait l'hérédité de la pairie. C'était déjà bien assez pour elle que le trône fût héréditaire, sans que les membres de la haute assemblée le fussent aussi. Casimir Perier se résigna de mauvaise grâce à déposer le projet de loi qui abrogeait cet article, emprunté par la Restauration à la constitution anglaise. À vrai dire, l'hérédité de la pairie avait un sens dans celle-ci, il n'en avait aucun dans la nôtre. Les révolutions anglaises avaient été de successifs compromis entre l'aristocratie terrienne et la bourgeoisie grandissante, tandis que cette révolution-ci avait été faite directement contre notre aristocratie au profit d'une bourgeoisie résolue à exercer seule le pouvoir.

Parmi les députés qui se prononcèrent pour le maintien de l'hérédité, Thiers, Guizot, Royer-Collard figurèrent au premier rang. Dans son Histoire de Dix ans, Louis Blanc démontre aux Rémusat et aux Odilon Barrot, aux Salverte et aux Lafayette, qu'ils commettent une inconséquence en touchant au principe de l'hérédité. Si l'on détruit celle de la pairie, que devient celle du trône ? « Quoi ! leur dit-il, vous ne comprenez pas que la royauté a besoin, pour vivre, d'avoir autour d'elle une classe qui ait le même intérêt, ou si vous voulez, le même privilège à défendre ?... Sachez-le bien, la République est au bout de votre système. »

Elle n'était pas au bout, mais au fond même. Louis Blanc raisonne comme si la logique devait gouverner les actions des classes au pouvoir ou en lutte pour le pouvoir, alors qu'elles sont obligées de s'accommoder de toutes les contradictions que leur imposent les faits, contradictions d'ailleurs apparentes. Ce n'était pas en vain qu'un principe nouveau, le principe d'égalité, avait été proclamé quarante ans auparavant. La force des choses contraignait la bourgeoisie triomphante à lui rendre hommage : l'hérédité du pouvoir politique ne dût-elle avoir pour bénéficiaires que des fils de la bourgeoisie, cette bourgeoisie ne pouvait l'accepter. L'hérédité du pouvoir économique, moins apparente, lui suffirait ; elle choquait moins le sentiment commun, tout en lui assurant la réalité du pouvoir politique.

Lorsque Louis Blanc demande si ceux qui voulaient abolir l'hérédité de la pairie avaient « compris qu'au nom des mêmes principes on leur demanderait l'abolition de l'hérédité dans l'ordre social », il fait œuvre de logicien pur. Il est certain que cette logique est irréfutable et qu'il n'y a aucun argument valable (contre la transmission des fonctions publiques, qui ne soit applicable dans un pays où la richesse donne exclusivement droit aux plus hautes fonctions, et où l'on n'est député que lorsqu'on est riche ».

Mais il oublie que jusque là le principe de l'hérédité des biens n'a encore reçu aucune atteinte sérieuse, tandis que celui de l'hérédité politique a été profondément ruiné dans l'esprit public par deux révolutions. Il oublie que la soupape de sûreté de la classe en possession du pouvoir consiste en ce qu'elle n'est pas une classe de sang, mais de richesse. On naît noble ou roturier et l'on demeure tel ; dans le régime des classes de sang, des castes. Tandis que, dans le régime bourgeois, c'est une sauvegarde pour les possesseurs de la richesse et du pouvoir que de montrer la richesse et le pouvoir non comme le privilège d'une classe fermée, mais comme la récompense promise aux efforts des plus laborieux et des plus intelligents. La richesse est héréditaire ; mais on peut dissiper son héritage, et il peut être recueilli et mis en valeur par un prolétaire laborieux et intelligent, à qui cette richesse acquise par son effort donnera participation au pouvoir politique. C'est la doctrine qui est encore enseignée aux enfants de l'école primaire dans les divers manuels d'éducation civique, tout au moins en ce qui concerne la conquête individuelle du pouvoir économique.

Il nous faut rapprocher l'argumentation de Louis Blanc de celle des saint-simoniens, qui intervinrent dans cette discussion. Les partisans de l'hérédité avaient menacé la Chambre des applications du principe à la propriété elle-même, en faisant allusion à la prédication saint-simonienne. Laurent répondit le 9 octobre, dans une conférence faite à la salle de la rue Taitbout, en appelant la création d'un parti qui classerait les hommes « sur la part que chacun prendra à la production et à la distribution du bien-être universel, sur la mise et le lot de chacun dans les travaux et les bénéfices de l'association, sur la valeur réelle, le mérite, les services des individus ». Ce parti rallierait à lui « les travailleurs de toutes les opinions et de toutes les croyances pour ne plus former qu'une seule et grande division dans l'État, celle qui met d'un côté les classes nombreuses qui produisent tout et ne possèdent rien, et de l'autre la minorité qui ne produit rien et qui jouit de tout. »

Laurent ajoutait : « Ce parti est venu : c'est nous qui en proclamons l'existence, c'est nous qui avons déployé le drapeau. » Il semble, à entendre ce langage, que la politique de classe du prolétariat soit affirmée. Mais on ne doit pas oublier que, dans la doctrine saint-simonienne, on ne rompt avec l'hérédité politique et propriétaire, que pour marcher « majestueusement à la hiérarchie des capacités, à la noblesse intellectuelle, à l'aristocratie des talents et des vertus », en conservant à la tête du prolétariat libéré de la faim et de ses servitudes les plus abjectes le groupe de banquiers, d'industriels, de savants et d'artistes qui doivent bénéficier des avantages de la société fondée sur le travail dans la mesure des services qu'ils lui rendent. L'orateur saint-simonien dépassait donc la doctrine lorsque, précisant son appel à l'organisation de classe du prolétariat, il s'écriait :

« Oui, le moment est venu de rallier les travailleurs. Les anciens préjugés et de vieilles haines divisent ; le moment est venu de donner une discipline, une organisation, une forme régulière et légale aux réclamations des classes pauvres qui font de l'insurrection royaliste ou de l'émeute républicaine selon que leur ignorance et leur misère se produisent à Paris ou en Vendée. » Et passant à la question qui préoccupe si vivement les députés de la France, » il déclare que « l'anathème lancé par la glorieuse génération de 1789 obtiendra une sanction toujours croissante dans l'esprit des peuples ».

L'aristocratie ne se fait pas au scrutin ; on a beau tenter de « refaire une aristocratie de naissance », le « colosse féodal » a été « vaincu dans une bataille de quarante années », et « le patronage héréditaire a cessé depuis longtemps de convenir à la France », la société n'ayant « plus de raison d'obéir à d'anciens chefs qui ont perdu leurs titres et leurs droits au commandement ». Pourquoi faut-il qu'un si bel élan de pensée ait dévié quelques mois plus tard dans le mysticisme dont Laurent, dans le même discours, essaie de discriminer la doctrine, attaquée sur ce chef à la tribune de la Chambre par l'orateur libéral qui réclamait l'abolition de l'hérédité, de la pairie, tout en se défendant de toute solidarité avec les saint-simoniens !

Après une discussion longue et passionnée, la Chambre des députés vota cette abolition. Quelques jours plus tard, la Chambre des pairs sanctionnait. Treize membres quittèrent cette assemblée, et l'affaire ne fit pas autrement de bruit.

Chapitre II
La révolution hors de France.

Comment Casimir Perier entend le principe de la non-intervention. — Intrigues orléanistes en Belgique. — Le rôle de Talleyrand à la conférence de Londres. — L'expédition du maréchal Gérard en Belgique. — Démonstration navale devant Lisbonne. — L'insurrection polonaise : aristocrates, militaires et démocrates. — Défaite inévitable. — Les insurrections italiennes et l'occupation d'Ancône.

Dès les premiers moments l'attitude de Casimir Perier avait rassuré l'Europe conservatrice. Son prédécesseur avait bien proclamé à maintes reprises le principe de la non-intervention, mais c'était sur un tout autre ton que désormais ce principe allait être affirmé, par des actes et non plus par des paroles. Lorsque Laffitte faisait en termes généraux cette proclamation, les libéraux et les révolutionnaires, qui essayaient un peu partout en Europe de secouer le joug de l'absolutisme, entendaient que la France ne permettrait pas aux puissances de la Sainte-Alliance de se prêter un mutuel appui dans la répression des soulèvements populaires.

En Italie, surtout, les révolutionnaires des duchés et des légations interprétaient ainsi les déclarations du ministère du 2 novembre. Casimir Perier agit de manière à leur ôter rapidement toute illusion. Les cours européennes, de leur côté, eurent tout de suite le sentiment que le nouveau cabinet était résolu à calmer l'effervescence révolutionnaire de la France et à l'empêcher de déborder au dehors. « Pour la première fois, dit M. Thureau-Dangin, on se sentit sûr d'échapper à la guerre. » Car, pour Casimir Perier, la guerre « serait la coalition au dehors et la révolution au dedans. »

Cette attitude excite l'indignation de Louis Blanc, qui s'étonne qu'après « la Convention, l'Empereur et la révolution de juillet, la France se trouve plus petite qu'elle ne l'était sous Louis XV ». Comment ! s'écrie-t-il, « il suffit à la France d'un effort de trois jours pour donner une secousse au monde », et on n'emploie pas cette « force » qui « ne nous appartient pas », qui « appartient à l'humanité ! » Et il déplore amèrement qu'on n'ait pas su revenir « à ce mélange d'impétuosité et de discipline, à cet enthousiasme réglé, d'où sortirent les triomphes de notre première révolution ». Aussi accable-t-il de ses sévérités le parti libéral, cette « école tout à la fois anarchique et timide », qui se borne à faire des vœux pour le succès de la révolution en Europe et, la paie de demi-promesses, retirées à demi par des demi-réticences, la déconcerte et, finalement, l'abandonne aux coups de l'absolutisme.

Aussi, lorsque la Belgique songe à se donner un roi, n'est-il pour Louis Blanc. « que deux candidatures sérieuses : celle du duc de Nemours et celle du duc de Leuchtenberg », car l'une et l'autre « convenaient à la France ». Par l'une comme par l'autre, la Belgique préparait sa réunion à la France : Le duc de Nemours, étant le second fils de Louis-Philippe, pouvait espérer réunir à sa couronne celle de son père ; quant au fils d'Eugène de Beauharnais, son accession au trône de Belgique lui permettrait un « jour » de « demander à la France une plus brillante couronne, et lui offrir en échange un beau royaume ».

C'est précisément parce que Louis-Philippe prévoyait cette dernière éventualité qu'il faisait combattre la candidature de Leuchtenberg par ses agents auprès du Congrès belge. Et lorsque cette candidature faisait trop de progrès, il laissait ces agents s'engager et promettre ouvertement aux députés belges que le roi des Français n'empêcherait pas son fils d'accepter la couronne si elle lui était offerte par le Congrès.

Bien entendu, le roi ne se faisait aucune illusion. Il savait par Talleyrand que l'Angleterre n'accepterait pas cette annexion à peine déguisée de la Belgique à la France. Le vieux diplomate, qui achevait sa carrière si agitée dans le poste d'ambassadeur à Londres, se fit-il, par vénalité ou faiblesse d'esprit, l'instrument de l'Angleterre contre les sentiments et les intérêts de la France ? Un tel personnage est, certes, sujet à caution, et il n'en était pas à une trahison près.

Henri Heine raconte plaisamment que lorsqu'il prit congé du roi, pour se rendre à Londres, celui-ci lui dit : « M. de Talleyrand, quelque considérables que soient les offres qu'on pourra vous faire, je vous donne le double dans tous les cas ». Louis-Philippe avait certainement d'autres moyens de se faire entendre à demi-mot d'un esprit aussi avisé. D'ailleurs, la précaution eût été parfaitement inutile.

La vérité est que Talleyrand entra exactement dans les vues de Louis-Philippe et le renseigna d'autre part avec fidélité — si un tel mot ne jure pas, s'appliquant à un tel homme — sur les sentiments de l'Angleterre et des puissances réunies à la conférence de Londres pour régler le sort de la Belgique. Ce que Louis Blanc n'a pas vu, dix ans après l'événement, un poète l'a senti sur-le-champ.

Tout en disant que « ce qui nous rend forts, c'est que nous pouvons lâcher son peuple sur tout roi qui nous lâchera son armée, » Victor Hugo aperçoit bien que « l'Angleterre seule est redoutable », et qu'elle peut nous entamer « par Alger ou par la Belgique ». Il est certain que, si le cabinet du Palais-Royal avait songé sérieusement à une annexion ouverte ou déguisée de la Belgique, il eût forcé les libéraux anglais à se joindre aux conservateurs dans un soulèvement de patriotisme contre nous.

Talleyrand, qui recevait les libéraux anglais et ses compatriotes en affectant des allures démocratiques, et d'autre part cherchait à étonner l'aristocratie par le luxe de sa table et de ses équipages, était un trop fin renard pour n'avoir pas constaté cette unanimité du sentiment anglais. L'Angleterre ne tolérerait les démarches de la France en faveur de la révolution belge qu'autant que ces démarches seraient absolument désintéressées. Dans la correspondance qu'il entretenait directement avec le roi, il pénétra fortement celui-ci de cette évidence. Il ne correspondait d'ailleurs que fort peu avec les ministres, et parfois même il n'informait le roi qu'après avoir agi.

À une voix de majorité, le Congrès réuni à Bruxelles offrit la couronne au duc de Nemours. Comme il était convenu, Louis-Philippe refusa pour son fils. Il y eut en Belgique de violentes récriminations. Le parti français accusa, non sans raison, le roi de l'avoir joué. En réalité, la Belgique ne devait pas être appelée à choisir elle-même le souverain qu'elle se donnerait ; et elle devait le recevoir des mains de l'Angleterre.

D'autres difficultés surgirent, qui ne firent pas oublier celle-ci, mais s'y ajoutèrent. Le Congrès de Bruxelles refusait de souscrire aux conditions posées par la conférence de Londres relativement à la séparation de la Belgique et de la Hollande, sur le partage de la dette publique entre le nouvel État et celui dont il se séparait, et sur la possession du Luxembourg, dont Guillaume 1er était souverain, non comme roi de Hollande, mais comme représentant de la maison d'Orange-Nassau.

Les prétentions de la Belgique émurent la Confédération germanique, dont faisait partie le Luxembourg, et la diète décida qu'un corps de 50.000 hommes appuierait le roi de Hollande dans la défense de ses droits comme grand-duc de Luxembourg. Dans ce débat entre la puissance naissante et les puissances établies, les populations intéressées ne furent naturellement pas consultées. La Sainte-Alliance les avait détachées de l'Allemagne pour les donner au roi de Hollande, en échange de sa renonciation au duché de Nassau. Elles s'étaient insurgées, cependant, elles aussi ; mais elles n'avaient pas de leur côté le droit de la force, n'étant point parvenues à déloger la garnison hollandaise de la forteresse de Luxembourg.

Tandis que les Belges et les Luxembourgeois se débattaient au milieu de ces difficultés, le gouvernement français remportait à Londres une victoire plutôt morale qu'effective : il obtenait de la conférence que les forteresses élevées en Belgique par la Sainte-Alliance contre la France seraient démantelées. En échange d'un sacrifice qui coûtait d'autant moins aux puissances que Louis-Philippe multipliait les preuves de son attitude pacifique, notre gouvernement déclara accepter le souverain que l'Angleterre, d'accord avec les puissances, imposait aux Belges, désemparés par le refus de Louis-Philippe et avertis que l'Europe monarchique ne tolérerait point qu'ils élussent pour roi le duc de Leuchtenberg.

Le Congrès, ayant accepté finalement le traité dit des Dix-huit Articles élaboré par la conférence de Londres, élut roi des Belges le prince Léopold de Saxe-Cobourg, et la Belgique finit par se persuader que son choix avait été libre. Il faut reconnaître que le nouveau roi se comporta toujours de manière à fortifier cette illusion.

Mais la Hollande n'acceptait pas le traité de Londres. Le 1er août, le roi Guillaume mettait ses troupes en marche sur Bruxelles. Au cri de détresse poussé par Léopold, Casimir Perier répondit par un coup de maître. L'invasion de la Belgique par l'armée hollandaise avait surpris le cabinet français en pleine crise. Furieux de n'avoir fait triompher qu'à une voix de majorité son candidat à la présidence de la nouvelle Chambre, Casimir Perier, nous l'avons vu plus haut, avait porté sa démission au roi.

À ce moment arrivait à Paris la nouvelle des événements de Belgique. Plus que jamais, on avait besoin au pouvoir d'un homme énergique et résolu. On fit comprendre sans peine à Casimir Perier que le retrait de sa démission pouvait se colorer d'un motif élevé. Il resta donc et prit sur-le-champ une décision à laquelle l'accord intervenu entre la Belgique et les puissances par le traité des Dix-huit Articles ôtait d'ailleurs toute hardiesse comme tout péril : il donna l'ordre au maréchal Gérard d'entrer en Belgique à la tête de cinquante mille hommes et de marcher sur l'armée hollandaise, qui avait déjà mis en déroute un corps belge et se dirigeait sur Bruxelles complètement découvert.

Il y eut bien quelques récriminations dans les cours européennes, mais il fut facile à Louis-Philippe de leur prouver qu'il n'avait agi ainsi que pour assurer l'exécution du traité de Londres. Il les rassura pleinement en rappelant le corps du maréchal Gérard aussitôt que l'armée hollandaise eut évacué le sol belge. L'acte du gouvernement français, en dépit de son apparence belliqueuse, servit en réalité très utilement la paix européenne.

Il est certain, en effet, que si la France fût demeurée inerte et que l'armée hollandaise eût reconquis la Belgique, les puissances, surtout les puissances continentales, eussent déchiré avec joie un traité que leur avait imposé la force du fait accompli. Ici, Louis-Philippe refusa donc de faire le jeu de la contre-révolution européenne, et comme il était fort de la signature des puissances, apposée au bas du traité des Dix-huit Articles, elles durent se résigner et faire bonne figure à mauvais jeu. En matière de politique extérieure, Louis-Philippe exerçait une action si personnelle et si directe qu'il est impossible d'hésiter à lui accorder le bénéfice d'une initiative qui accorda ensemble l'intérêt national, les droits de la nationalité belge, la paix européenne et les sentiments du gouvernement libéral de l'Angleterre, sans permettre aux puissances de l'Europe continentale de protester d'une manière précise.

Quelques jours auparavant, une flotte française avait forcé à coups de canon l'entrée du Tage et avait été porter jusque sur les quais de Lisbonne un ultimatum auquel accéda sur-le-champ le gouvernement absolutiste de dom Miguel. Ce prince, qui se comportait à la manière des dictateurs actuels de quelques républiques sud-américaines, ne se contentait pas de molester ses sujets. Deux Français, condamnés par des tribunaux à ses ordres, avaient été, l'un fustigé en place publique, l'autre déporté en Afrique.

Aux légitimes protestations de la France, dom Miguel avait répondu par l'affirmation de son droit de soumettre, non seulement ses sujets, mais les résidents étrangers, à des traitements d'un autre âge. Le gouvernement français mit aussitôt l'embargo sur les navires portugais, et une expédition fut décidée.

Le gouvernement anglais ne mit aucun obstacle à cette démonstration, car il n'avait pas reconnu dom Miguel comme roi légitime. Wellington protesta donc en vain contre le soufflet que, prétendait-il, la France venait d'infliger à l'Angleterre. Cette opération était donc encore sans péril. Louis-Philippe était d'ailleurs bien résolu à n'en pas accomplir qui eussent compromis la paix européenne. C'est ainsi qu'il pouvait protéger nos nationaux molestés au Portugal, mais se gardait bien de réclamer à la Russie les prisonniers français qui languissaient en Sibérie depuis l'invasion de 1812.

L'expédition du maréchal Gérard en Belgique et la démonstration navale de Lisbonne avaient donné quelque répit au cabinet présidé par Casimir Perier. L'effort de l'opposition en était réduit pour le moment à se porter sur les affaires de Pologne et sur la politique intérieure.

Soudain arrive à Paris la nouvelle de la capitulation de Varsovie. Cette chute était prévue, la défaite de l'insurrection polonaise ne pouvant être douteuse pour personne, étant donnée la tournure prise par les événements dans ce malheureux pays. L'événement n'en causa pas moins une émotion indicible dans toute la France. Car si elle était divisée sur l'opportunité d'une intervention en faveur de la Pologne, l'opinion était unanime dans les vœux qu'elle formait pour l'insurrection et dans l'intérêt passionné qu'elle apportait aux péripéties d'une lutte trop inégale, mais où l'héroïsme polonais fit plus d'une fois pencher la balance du côté du bon droit.

Nous avons dit, dans un chapitre précédent, le peu d'homogénéité de cette nation, sinon par la langue, les mœurs et la religion, du moins par les sentiments, les idées et les intérêts. En ce moment où, par l'effort de sa classe ouvrière, la nation polonaise affirme de nouveau sa vitalité et lutte pour sauver sa civilisation, presque entièrement occidentale, du despotisme à la fois oriental et bureaucratique de l'absolutisme russe, il est du plus haut intérêt de montrer, à soixante-quinze ans de date, les causes intérieures qui s'ajoutèrent aux déjà trop nombreuses causes extérieures pour consommer la défaite d'un peuple dont le long martyre prouve avec éloquence son droit à un meilleur sort.

La révolution polonaise de 1830 s'appuyait sur trois éléments presque inconciliables : Il y avait d'abord l'aristocratie, dont les membres n'étaient pas plus d'accord sur les griefs qui les animaient que sur le but à poursuivre en commun pour en obtenir le redressement. À côté de ceux qu'avaient révoltés les manières hautaines et incohérentes du grand-duc Constantin, et qui faisaient de l'insurrection une sorte de Fronde contre un pouvoir qui ne les avait pas récompensés selon les mérites qu'ils s'attribuaient, il y avait ceux qui ne pouvaient que gagner à l'établissement d'un pouvoir national, hobereaux besogneux qui rêvaient de se substituer aux fonctionnaires russes que la Pologne, redevenue indépendante, éliminerait. Parmi les uns et les autres, il y en avait que les idées libérales avaient conquis par sentiment, raison ou nécessité : ceux de l'Ukraine, par exemple, qui, pour engager leurs serfs à se jeter dans l'insurrection, leur promettaient l'affranchissement.

À côté de cet élément, dont les membres les plus en vue, ayant le plus à perdre, étaient plus disposés à négocier qu'à combattre, il faut compter l'élément militaire. Bien qu'il y eût une armée polonaise, les hauts grades et les faveurs n'en étaient accordés qu'aux créatures de la Russie. Il existait de ce chef, dans le corps des officiers, un mécontentement qui en fit entrer un grand nombre dans la conjuration d'où sortit le mouvement insurrectionnel. Sans être inaccessible à l'enthousiasme, et aux prodiges militaires qu'il accomplit, cet élément voyait surtout le salut de la Pologne dans une armée fortement organisée, exercée et encadrée selon les méthodes ordinaires, et n'avait que mépris pour les révolutionnaires, partisans de la ruée en masse de tout un peuple vers l'indépendance. Et puis, ce peuple, armé pour l'indépendance nationale, ne déposerait les armes que lorsqu'il aurait par surcroît conquis la liberté civique. Et c'était là une chose dont se fût difficilement accommodé un corps d'officiers recruté pour la plus grande part dans la noblesse et partageant ses sentiments à l'égard du libéralisme et surtout de la démocratie.

Or il y avait dans les grandes villes, à Varsovie surtout, un parti nombreux, actif jusqu'à la turbulence, qui ne voyait pas seulement dans la révolution moyen de reconstituer la nationalité dans son indépendance absolue, mais encore d'étendre la constitution octroyée par Alexandre Ier aux limites des constitutions anglaise et française, et même au delà. Cet élément, composé de professeurs, de juristes, d'industriels et négociants, d'ouvriers et d'étudiants, présentait toutes les nuances du libéralisme, depuis celui des doctrinaires selon Royer-Collard et Guizot, jusqu'à la démocratie inspirée par les souvenirs de la dictature terroriste de 1793. Donc, aucune homogénéité entre les trois principaux éléments de la révolution polonaise, non plus que communauté de vues et d'aspirations dans ces éléments eux-mêmes.

La diète qui s'était réunie à Varsovie avait nommé un gouvernement, où les nobles, les libéraux et les républicains se partageaient le pouvoir. Ce gouvernement avait élu pour chefs le général Chlopicki et le prince Lubecki qui, tous deux, songeaient beaucoup plus à négocier avec le tsar qu'à organiser la révolution dans le pays.

Pour occuper la remuante démocratie varsovienne, le général Chlopicki l'enferma dans la ville qu'il s'occupa surtout de mettre en défense. Il fit ce que devait faire Trochu dans Paris quarante ans plus tard : il douta de l'élan révolutionnaire, autant qu'il le redouta. Et, au lieu de l'utiliser contre l'ennemi, il tenta de l'énerver et de l'emprisonner dans les fortifications de la capitale.

Armé de la dictature par la diète, il s'appliqua beaucoup plus à contenir Varsovie qu'à réorganiser la défense nationale. Il ne réussit ainsi qu'à exaspérer dans l'inaction, et la jeter à l'émeute, une population impatiente qui ne tarda pas à le considérer comme traître à la cause de l'indépendance ; et tout son effort fut désormais tourné contre des mouvements populaires sans cesse renaissants.

Les généraux polonais tenaient la campagne avec des chances diverses. Skrynecky battait les Russes à Grochow et à Wawer, mais ces victoires étaient sans lendemain. L'immense armée russe s'ébranlait du fond des steppes, tandis que la Prusse lui faisait passer ouvertement des armes, des munitions et des vivres. Par crainte de voir se soulever la Galicie, l'Autriche observait mieux les apparences de la neutralité. Vinrent les revers. Dvernicki, battu, était refoulé en Autriche, où ses troupes étaient désarmées. Skrynecky essuyait une défaite décisive à Ostrolenska, et les armées russes, tournant Varsovie, s'adossaient à la Prusse, d'où leur venait une aide efficace.

Ces revers mettaient Varsovie en révolte. De furieux mouvements démagogiques y éclataient. On accusait de trahison et l'on décrétait d'accusation les généraux qui s'étaient laissé battre ; des bandes exaspérées se ruaient sur la prison où ils étaient enfermés, et les massacraient. Pour achever la défaite des armées polonaises, le choléra les décimait.

Un nouveau gouvernement fut institué, et la dictature donnée à Kuskoviecski. L'armée russe, forte de 120.000 hommes, s'avançait sur Varsovie, défendue par 80.000 hommes, débris des troupes ramenées par Dembinski. Épuisés par les fatigues et les privations, démoralisés par les défaites précédentes, les Polonais, après un essai infructueux de négociations avec le général Paskiewitch, acceptent le combat et sont vaincus. C'est la fin. Varsovie capitule.

La constitution est abrogée par le tsar, l'administration relativement autonome de la Pologne est supprimée et la direction des grands services transférée à Saint-Pétersbourg. L'ère des représailles commence, et les vaincus les plus compromis, dont les biens sont confisqués, prennent le chemin de l'exil. Nombreux furent ceux qui vinrent se fixer en France. Il se produisit alors dans notre pays un admirable élan de pitié fraternelle : partout on se serra pour faire place aux nouveaux venus et leur assurer l'existence.

Varsovie avait capitulé le 7 septembre. Le funeste événement fut connu à Paris le 15 ; il y souleva une émotion indescriptible qui s'exprima par de violentes explosions de fureur contre le gouvernement. Le lendemain, il était interpellé à la Chambre. Ce fut à cette occasion que le général Sébastiani prononça cette parole qui demeure inoubliablement attachée à sa mémoire :

— L'ordre règne à Varsovie.

La discussion reprit le 19. L'opposition reprocha au gouvernement, qui invoquait le principe de la non-intervention, d'avoir laissé la Prusse violer ce principe en faveur de la Russie et de ne l'avoir, d'autre part, pratiqué que pour permettre à cette dernière puissance de consacrer toutes ses forces à l'écrasement de la Pologne. Car c'était favoriser la Russie qu'avoir rappelé notre ambassadeur à Constantinople, le général Guilleminot, qui poussait la Turquie à profiter des embarras du gouvernement de Saint-Pétersbourg.

L'opposition n'avait raison qu'en apparence. Autant, en effet, le cabinet Casimir Perier eût été fondé à exiger de la Prusse une neutralité que celle-ci n'eût-d'ailleurs pas consentie, autant il se trouvait sans arguments contre les récriminations de la Russie sur l'attitude de notre ambassadeur à Constantinople. Répondre à une intervention favorable par une intervention hostile, même indirectement, ce n'est ni respecter le principe de la non-intervention, ni le faire respecter.

Étant donnée l'attitude de l'Angleterre, bien résolue à ne pas intervenir en faveur de la Pologne, le gouvernement français ne pouvait ni laisser le général Guilleminot l'engager et le compromettre dans ses démarches auprès du sultan, ni sommer la Prusse de rester neutre. Dans l'un comme dans l'autre cas, c'était grouper contre la France, réduite à l'appui bien incertain et en tout cas bien indirect de la Turquie, les trois puissances qui s'étaient partagé la Pologne en 1793, c'était reformer contre nous la Sainte-Alliance et déchaîner sur notre pays le péril, et l'exposer aux désastres subis en 1814 et en 1815.

L'effervescence dans Paris fut stérile, dit Louis Blanc. Elle ne pouvait être qu'une manifestation de douleur impuissante. Les républicains français ne se faisaient que trop illusion sur les forces du libéralisme en Europe et surtout sur les sentiments du peuple allemand à notre égard. Et Thiers, dans la séance du 19 septembre, résuma la situation en termes saisissants lorsque, parlant de l'impossibilité de secourir la Pologne, il s'écria : « Pouvons-nous refaire ce que n'a pu faire ni la République, ni Napoléon ? » Il eût été juste d'ajouter que Napoléon put, à un moment, et ne voulut pas. Ses armées n'envahissaient pas les royaumes pour fonder ou restaurer les nationalités, le temps des guerres de propagande ayant passé avant qu'il parût, mais pour les broyer, les rançonner et y lever les soldats des futures conquêtes impériales.

Dans le cas où la France fût intervenue, soit par une sommation à la Prusse, soit par la diversion turque, était-ce l'Italie, alors en rumeur et en mouvement de révolution, qui eût contraint l'Autriche à porter toutes ses forces de ce côté et à priver la Russie de son concours ? Le croire serait s'exagérer singulièrement l'importance, comme force et comme étendue, du mouvement qui agitait alors l'Italie.

D'autre part, l'Autriche eût alors fait bon marché de sa crainte qu'une diversion polonaise en Galicie ne vînt l'empêcher de se porter au secours de la Russie. Elle assurait en effet aux Polonais du royaume de Galicie leur domination sur les Ruthènes. Il lui eût été, par conséquent, assez facile de tourner ceux-ci contre leurs oppresseurs.

Il est à remarquer que le mouvement insurrectionnel qui éclata en Italie ne s'étendit pas aux provinces placées directement sous la domination autrichienne. Rien ne bougeait encore dans cette partie, la plus riche et la plus populeuse de l'Italie du Nord. Le Piémont se tenait également à l'écart, le royaume de Naples sommeillait encore dans le farniente d'un despotisme à demi-familial, la Toscane industrieuse et populeuse demeurait inerte.

L'insurrection était donc limitée aux duchés créés par les traité de 1815, aux légations romaines et aux États du pape. Des gouvernements révolutionnaires s'étaient installés à Parme, à Reggio d'Emilie, à Modène, mais n'avaient entre eux aucun lien ; nulle action commune ne venait donner à ces mouvements la force qui leur laissât quelque chance de victoire.

Les Autrichiens devaient en avoir facilement raison. Ce fut l'affaire d'une démonstration militaire. La révolution vaincue et les peuples replacés sous l'autorité de leurs souverains, l'Autriche évacua les États pontificaux. Dans son discours de la couronne du 23 juillet, Louis-Philippe déclara que cette évacuation s'était faite sur sa demande. Ce fut la seule satisfaction qu'il offrit à l'opposition. Casimir Perier l'avait déclaré à la tribune : Toute autre intervention que celle-là eût servi « de masque à l'esprit de conquête ». Et il avait ajouté : « Le sang des Français n'appartient qu'à la France. »

Pour éviter le retour de semblables difficultés et assurer au pape la paisible possession de ses États, il avait décidé celui-ci à consentir quelques réformes et à accorder une amnistie aux insurgés. Le pape amnistia pour la forme et poursuivit son système d'inquisition de la pensée, de persécution à l'égard de toute velléité libérale. Quant aux réformes, il n'en octroya naturellement aucune.

Il fit tant et si bien que, quelques mois après, l'insurrection éclatait de nouveau. Les Autrichiens envahirent de nouveau les légations. Ce fut pour Casimir Perier l'occasion d'un coup de maître. Puisque l'Autriche protégeait les États du pape, la France les protégerait également. Le 22 février 1832, les troupes françaises débarquaient à Ancône et l'occupaient.

Il y eut un moment de vive émotion dans les cours. Bien que, dès son arrivée au pouvoir, Casimir Perier les eût pleinement rassurées, par des paroles et par des actes, sur ses intentions, pacifiques au dehors et conservatrices au dedans, elles ne pouvaient se défendre d'une certaine inquiétude. Elles savaient que Louis-Philippe avait en réalité dans ses mains la direction de la politique extérieure, mais il était terriblement sujet à caution, quels que fussent ses sentiments pacifiques et conservateurs.

En moins de dix-huit mois, il leur avait donné de chaudes alarmes par sa politique de duplicité. Les cabinets européens n'ignoraient rien de ses intrigues. Il avait bien abandonné à leur sort les libéraux espagnols ; mais il avait commencé par leur fournir des subsides et des armes. Il avait bien renoncé pour son fils à la couronne de Belgique ; mais il avait fait poser par ses agents la candidature du duc de Nemours. Il avait bien observé la plus absolue neutralité envers la Russie, mais ce n'était certes pas de son propre mouvement que son ambassadeur à Constantinople avait un instant donné une si chaude alarme au tsar. Pour ce qui est de l'Italie, on trouvait la main de ses agents dans le mouvement qui avait éclaté à Modène.

J'ai dit plus haut que son attitude, c'est-à-dire celle du ministère Laffitte, avait autorisé les libéraux italiens à interpréter l'affirmation du principe de la non-intervention comme une menace contre toute puissance qui porterait secours à l'absolutisme hors de son propre territoire. Et voici que l'armée française occupait Ancône. Était-ce pour aider l'Autriche à rétablir l'absolutisme pontifical, ou pour empêcher cette puissance de le rétablir ?

Certes, le roi Louis-Philippe était conservateur et peu belliqueux. Mais il était le fils de Philippe-Égalité, et l'on savait que les scrupules ne l'étouffaient pas plus qu'ils n'avaient étouffé son père. On savait qu'un roi qui avait escaladé les barricades — après la bataille — pour conquérir un trône, pourrait ne pas hésiter à seconder les barricadiers d'Italie ou d'ailleurs, s'il n'était pas d'autre moyen d'y demeurer assis.

Il s'engagea formellement auprès des cours à retirer ses troupes en même temps que les troupes autrichiennes évacueraient les légations, une fois l'ordre rétabli. Metternich lui fit confiance et le cautionna. Il avait le bon esprit de comprendre qu'une attitude nettement réactionnaire eût contraint Louis-Philippe à céder la place à la révolution, ou à la suivre.

Chapitre III
L'insurrection de Lyon.

Situation de la fabrique lyonnaise en 1831. — Ce qu'étaient les canuts, au physique et au moral. — Fabricants d'un côté, chefs d'atelier et compagnons de l'autre. — Les ouvriers s'agitent pour le relèvement des tarifs. — Les patrons, soutenus par le pouvoir, violent l'engagement signé par leurs délégués. — Ils fusillent les grévistes et la grève se change en insurrection. — Vivre en travaillant, ou mourir en combattant ! — Maîtres de la ville, les ouvriers se divise et rentrent chez eux. — L'insurrection est vaincue sans combat. — Pourquoi il n'y a pas eu de répression violente.

À l'agitation parisienne pour le droit des peuples à l'existence et pour leur liberté, qui par instants put faire croire que, balayant le trône, le peuple français, allait à la fois prendre sa revanche de Waterloo et déchaîner la révolution en Europe, s'ajouta dans le même temps une autre agitation qui grandit rapidement et, par une insurrection imprévue, fit apparaître dans l'histoire un élément révolutionnaire qui n'en devait plus sortir désormais. Paris se soulevait pour conquérir la liberté et l'apporter aux peuples. Lyon s'insurgeait pour donner au peuple souverain le premier et indispensable attribut de la souveraineté : le pain quotidien.

Ce mouvement prolétarien, qui surprit et déconcerta les doctrinaires du libéralisme et les formalistes de la république, a ceci de caractéristique de ne se réclamer d'aucune tradition, de n'affirmer aucune théorie. Il est informe et chaotique en apparence. En réalité, il place au premier plan le problème essentiel : le droit du travailleur à l'existence. N'affirmer que cela, ne le rattacher à aucun des systèmes politiques et sociaux qui passionnent les assemblées délibérantes et font pâlir les philosophes sous leur lampe de travail, voilà l'originalité puissante, la force interne d'un mouvement inconscient de lui-même et des conséquences qu'il contient.

Certes, ce n'est pas une nouveauté dans l'histoire que des ouvriers se soulèvent parce que le salaire ne leur permet plus de vivre. Mais ce qui est nouveau, c'est qu'un tel soulèvement se produise dans un milieu social où l'on achève de détruire les derniers restes des rapports féodaux et où s'assoit la domination d'une seule classe, qui tient son pouvoir et sa richesse de la vente des produits du travail. Ce soulèvement pose la question des droits du producteur.

Le prolétariat n'exige pas encore des comptes : il veut seulement que sa part ne soit pas faite par le mécanisme de l'offre et de la demande, loi fondamentale de l'ordre capitaliste, mais à la mesure de sa faim. Il en a assez de cette déclamation bourgeoise qui le considère comme un libre marchand de travail, passant librement un contrat avec l'acheteur de travail. Il en a assez de cette fiction ironique derrière laquelle on s'abrite pour lui refuser de manger à sa faim, tout en le tenant dans la plus dure servitude économique et la plus flagrante infériorité sociale. Il veut que son salaire ne soit pas seulement considéré comme le paiement d'une marchandise qu'il a vendue au patron ; ses bras sont trop proches de son estomac pour qu'il considère leur mise en valeur comme une marchandise ordinaire, dont on se détache dès qu'on en a opéré la livraison à l'acheteur.

Ce salaire, pour lui, est le moyen d'existence, avant tout. Il est la représentation de la nourriture due par le maître pour qui ses bras ont travaillé. Conception rétrograde, dira-t-on, et qui ramène le patron et l'ouvrier à des rapports de féodalité ? Mais est-ce qu'en réalité ces rapports ont cessé d'exister ? Les rapports mercantiles s'y sont seulement ajoutés pour les masquer, et l'ouvrier n'est libre en fait que lorsqu'il est sans travail, c'est-à-dire fort en peine d'une liberté qui l'affame et dont il a hâte de se défaire au profit du maître qui voudra bien l'occuper.

Ce n'est d'ailleurs pas ainsi que les ouvriers lyonnais posent la question. Ils ne demandent pas qu'aux réalités de leur servitude correspondent des fictions de servitude, mais qu'aux fictions de liberté correspondent des réalités de liberté. Ils ne veulent pas agir sur le contrat de travail par débat individuel d'ouvrier à maître : ils savent trop ce que pèse un pauvre en face d'un riche, un pauvre diable ignorant en face d'un homme relativement instruit. C'est par la coalition des ouvriers que peut se constituer une force réelle, qui fasse du contrat de travail un acte de commerce et non plus une charte de servitude.

En demandant aux fabricants de Lyon l'unité de tarifs, les canuts forcent leurs maîtres à se grouper ; mais que leur importe, puisqu'ils sont groupés aussi ! Forts de leur nombre, de leur valeur professionnelle, ils sauront bien obtenir du patronat des conditions de travail qui leur permettent de manger à leur faim. Ils ne demandent que cela ; c'est peu au regard de ce que veut le prolétariat organisé d'aujourd'hui. C'est pourtant de là qu'est parti le mouvement par lequel il se dirige vers la possession du produit intégral de son travail.

Désormais, s'adaptant les théories des utopistes, utilisant les progrès du libéralisme et de la démocratie, s'enrichissant des constatations de la science, le monde du travail existera comme un facteur social autonome, développera son action dans la société et sur elle. Sa première manifestation a été une révolte d'estomacs vides, que les politiques de tribune et de cabinet ont cru sans lendemain.

Elle va se retrouver dorénavant, vivante et impérieuse, dans tous les actes de la vie sociale et politique : c'est contre elle, autant que contre l'émancipation des citoyens, c'est contre ses conséquences et ses développements que les maîtres du pouvoir agiront ; c'est pour elle que, souvent malgré eux, lutteront les champions des libertés civiques ; c'est par elle que sera inspirée une littérature qui était jusqu'alors la récréation des gens de loisir.

Quelle est la situation des travailleurs lyonnais, au moment où la misère va les grouper sous son lugubre drapeau noir pour l'affirmation de leur droit à l'existence ? Les canuts, ou tisseurs en soieries, qui font battre les dix mille métiers de la Croix-Rousse, sont au nombre de quarante mille, sans compter ceux des industries annexes : dévidage, teinturerie, etc. Le travail de la soierie est donc la principale industrie de cette agglomération de grosses communes ouvrières qui entourent la ville de Lyon : les Brotteaux et la Guillotière n'en sont séparés que par les ponts du Rhône, et la Croix-Rousse la domine.

Sont-ils des patrons, les chefs d'atelier, propriétaires de quatre à cinq métiers, chez qui travaillent les tisseurs ? Non, mais plutôt des façonniers. Les vrais patrons, ce sont les quelque huit cents fabricants et commissionnaires qui forment le noyau de l'aristocratie commerçante de la riche cité. Le chef d'atelier donne au canut la moitié du prix de façon donné par le fabricant, ainsi nommé parce qu'il ne fabrique pas, et que sa maison est un magasin, un établissement commercial.

L'industrie des soieries, plus que toute autre peut-être, est soumise aux caprices de la mode, et subit de ce chef des fluctuations que les chefs d'industrie peuvent d'autant plus facilement supporter qu'ils les ont fait entrer en ligne de compte dans le calcul de leurs risques et profits, et que, surtout, le système de la fabrique collective, c'est-à-dire des ateliers dispersés, laisse aux artisans la propriété, c'est-à-dire la charge du matériel de production.

Dans ce système, dit avec grande raison M. Edgard Allix dans les Annales des sciences politiques du 15 juillet 1904, « on fait faire aux artisans à domicile, aux ouvriers, des dépenses d'outillage que le grand industriel aurait certainement faites lui-même, en élevant une fabrique, s'il y avait trouvé avantage ; on leur fait opérer des mises de fonds dont il n'a pas voulu lui-même assumer les périls ». Par cette illusion de propriété et d'indépendance, qui est la forme la moins aléatoire de l'exploitation capitaliste, « l'industriel met dans l'exploitation le capital circulant générateur du profit futur, l'ouvrier fournit le capital fixe auquel s'attachent les risques. »

Et ils sont grands pour l'ouvrier, propriétaire ou non de l'outillage. Il est soumis au hasard des commandes. À des périodes d'effréné surmenage succèdent de mortelles accalmies. En 1831, Lyon n'était plus dans la situation avantageuse de naguère : son monopole des étoffes unies était anéanti par la concurrence que lui faisaient les fabriques suisses et allemandes, à Zurich, à Bâle, à Cologne, notamment. Et une période de prospérité avait précisément, quelques années auparavant, augmenté le nombre des métiers et fait affluer à Lyon de nombreux ouvriers des campagnes et des villes de la région.

À cette concurrence intérieure et extérieure, bien faite pour amener la réduction des salaires, s'ajouta la crise de 1830. Certes, les ouvriers étaient accoutumés à ces mouvements désordonnés de la production. Villermé nous dit que « la fabrique de Lyon est plus souvent que toutes les autres en proie à des crises ». Bien que cette fabrique n'ait « cessé depuis longtemps d'être la première du monde », que « le sort de ses ouvriers » dépende « toujours du sien » et qu'ils aient l'habitude de passer « rapidement de l'excès de misère à la prospérité, et de celle-ci à la détresse », il est cependant un point au-dessous duquel la détresse dépasse la capacité de souffrance. Selon ces alternatives de prospérité et de misère, nous dit encore Villermé, les ouvriers « diminuent ou augmentent de nombre, émigrent de Lyon ou y affluent, suivant sa fortune ou ses vicissitudes ».

En 1831, les ouvriers étaient nombreux, les années précédentes les ayant fait affluer, et la crise de l'année précédente, crue temporaire comme la révolution avec laquelle elle coïncidait bien plus qu'elle n'en était le résultat, ne les avait pas décidés à émigrer. Les fabricants les plus riches profitant des crises pour emmagasiner des produits dont la main-d'œuvre ne leur coûtait presque rien, les salaires des ouvriers qui travaillaient dans les étoffes unies étaient tombés, en novembre, à dix-huit sous par jour pour un travail de dix-huit heures.

Les chefs d'atelier n'étaient pas plus heureux que leurs ouvriers, ayant à leur charge des frais de loyer, d'entretien des métiers, tout aussi élevés dans les périodes de chômage ou d'avilissement des prix que dans celles de prospérité. Les uns et les autres étaient des ouvriers, de commune origine, vivant de la même existence, supportant les mêmes misères, étant soumis à la même domination capitaliste.

Villeneuve de Bargemont a tracé des canuts lyonnais un portrait peu flatté, dont voici les principaux traits généraux : « un teint pâle, des membres grêles et bouffis par des sucs lymphatiques, des chairs molles et frappées d'atonie, une structure au-dessous de la moyenne, telle est la constitution physique ordinaire des ouvriers en soierie. » Le docteur Martin aîné, dans une note manuscrite dont Villermé a eu connaissance, confirme en ces termes : « Son tempérament est flegmatique, son teint pâle, ses yeux hébétés, ses membres souvent déformés. »

Pour M. de Montfalcon, dans son Histoire des insurrections de Lyon, à qui Villeneuve de Bargemont a fait des emprunts, « la taille des tisseurs manque de proportion ; leurs membres inférieurs sont souvent déformés de bonne heure ; ils ont une allure qui les fait aisément reconnaître. Lorsque, les jours de fête, un habit semble les confondre avec les autres citoyens, on les reconnaît encore au développement irrégulier du corps, à leur démarche incertaine et entièrement dépourvue d'aisance ». Et c'est bien le métier qui les déforme ainsi, puisque « les jeunes gens des campagnes voisines de Lyon, qui arrivent dans cette ville pour y embrasser la profession de tisseurs d'étoffes de soie, ne tardent point à perdre leur fraîcheur et leur embonpoint ».

Villermé, sans nier « qu'il en fût ainsi autrefois » — son enquête est de 1836 — c'est-à-dire à une époque où les canuts étaient bien « plus mal logés et plus mal nourris qu'ils ne le sont actuellement », déclare, lui qui a exploré les caves de Lille et les taudis de Rouen, qu'ils « ne sont pas habituellement plus mal portants... que les habitants de nos grandes villes qui travaillent renfermés ». Il reconnaît cependant que « beaucoup travaillent quinze heures par jour, et quelquefois davantage » ; mais il ne peut penser que ce surmenage aggrave particulièrement leur état, au regard des ouvriers des autres régions, puisque ceux-ci subissent également ce régime des journées prolongées à l'excès. Selon lui, si les canuts paraissent plus débiles que les ouvriers des autres métiers, cette débilité n'est pas causée par le métier : « Leur profession n'exigeant point des individus robustes, beaucoup d'hommes qui ne peuvent être forgerons, charpentiers, ouvriers des ports, etc., se font tisseurs en soie. »

Pour quelques auteurs, le portrait moral des canuts correspond à leur portrait physique : Le docteur Martin déclare que leur « intelligence est circonscrite », et Montfalcon les dit d'intelligence « excessivement bornée » ; Villeneuve de Bargemont affirme qu'ils ont « peu d'idées » et que, « fidèles à leur imprévoyance, ils vivent toujours pauvres ». Ce dernier trait est on ne peut plus savoureux.

Villermé proteste avec une vivacité qui ne lui est pas coutumière contre « les livres fort graves » qui représentent les canuts « comme des êtres dégradés au physique et au moral ». « Ce portrait, dit-il, pouvait être ressemblant il y a cinquante ans ; ce n'est pas celui des canuts actuels de Lyon. » Sans remonter au delà d'une douzaine d'années, il ne craint pas d'affirmer « que ces ouvriers seraient, aujourd'hui, partout, dans nos grandes villes manufacturières, plus sobres, plus intelligents, et à certains égards non moins moraux que les autres ouvriers pris en masse. Enfin ils sont moins turbulents, moins ivrognes que les chapeliers et les teinturiers de la même ville ».

Il faut bien qu'ici l'on donne raison sans réserves à Villermé. Si, en effet, les canuts lyonnais avaient été les êtres déprimés que représentent « les livres fort graves », leur insurrection serait incompréhensible. Il est un certain degré d'abaissement dans la misère physique et morale qui ôte à l'homme tout ressort.

Les auteurs que j'ai cités représentent le canut comme « très attaché à ses préjugés », et n'opposant « à l'indigence que la force d'inertie ». Villermé, qui les a vus de près, et directement, note exactement la situation morale où ils se trouvent, et qui est une excellente prédisposition révolutionnaire, dans le sens le plus large du mot : « Ils sont mécontents », dit-il. Et ils le sont parce que leur esprit, leurs mœurs, leurs manières de sentir et leur mode d'existence sont entrés dans le grand courant du progrès général : « Ils se croient malheureux parce qu'ils se sont créé de nouvelles habitudes, de nouveaux besoins. »

Villermé ajoute qu'ils « jalousent les fabricants et les regardent comme leurs ennemis naturels. » Comment en serait-il autrement, comment ces abeilles laborieuses, qui fournissent jusqu'au matériel de production, ne considéreraient-elles pas comme un « ennemi » le frelon qui, sans risques, et par la seule puissance de l'argent, augmente sa fortune, même et surtout dans leurs pires moments de détresse ?

Villermé lui-même en convient lorsqu'il dit que « la facilité qu'a le marchand fabricant d'interrompre ses travaux, sans grand inconvénient pour lui, est funeste à l'ouvrier, qu'elle fait chômer plus souvent que ne chôme celui des autres manufactures dont les propriétaires ne peuvent fermer leurs ateliers sans se ruiner ». En constatant que, « dans la fabrique de Lyon, les crises sont... plus fréquentes et souvent plus longues que dans les autres fabriques », il nous fait toucher du doigt des rapports que le plus sommaire examen décèle immédiatement comme devant être des rapports d'hostilité, surtout lorsque ceux qui en pâtissent ont pris conscience de leur état, n'étant pas tombés encore au dernier degré de la misère physique et morale.

Et si les canuts n'en sont pas là, si le ressort n'est pas brisé en eux, s'ils ont pu recevoir de Villermé ce témoignage non suspect que, « dans les événements de 1831 et de 1834 », ils ont déployé un « caractère » et une « intelligence si remarquables », c'est précisément, et il le voit bien d'ailleurs, parce qu'ils n'étaient pas en proie à la misère continue, constamment et progressivement dépressive de force, d'intelligence et de volonté. « On conviendra, dit-il, qu'une détresse habituelle, comme celle à laquelle on les disait en proie, ne forme pas des hommes de leur trempe. »

Ils ont un sentiment très vif de la dignité humaine, ce qui n'est pas incompatible, ni même contradictoire, avec la liberté de leurs mœurs, exception faite « en faveur des ourdisseuses, dont la chasteté est presque proverbiale à Lyon ». En matière de relations amoureuses, la liberté n'implique pas nécessairement la vénalité ; elle en est même tout l'opposé. Aussi Villermé prend-il soin de nous prouver, sans le vouloir, que les ouvriers, sur ce point encore, ne considéraient pas sans raison leurs maîtres comme des ennemis :

« Les témoignages que j'ai recueillis, dit-il, portent à croire que les plaintes contre les fabricants n'ont pas toujours été sans motif ; leur tort a été de les avoir généralisées. J'ai aussi vu à Lyon des hommes qui, par leur position sociale, leur âge, les emplois qu'ils remplissaient, leur réputation de capacité, de probité, de prudence, donnent un grand poids à toutes leurs assertions et qui trouvaient fondée l'irritation des ouvriers contre plusieurs commis : suivant eux, des jeunes gens, que la fougue de la passion et l'étourderie de l'âge ne sauraient jamais excuser, auraient voulu, pour prix du travail dans des moments où il y en avait très peu, imposer de déshonorantes conditions à des femmes, à des filles d'ouvriers, ou bien s'en seraient vantés avec une sorte d'impudeur. »

Ce sont là, dira-t-on, des méfaits qui ne sont pas imputables aux patrons, du moins directement. Mais comment les ouvriers ne leur en feraient-ils pas grief ? N'indiquent-ils pas qu'il n'existe entre eux « presque aucun lien de clientèle et de patronage ? » Le fabricant ignore l'ouvrier, et réciproquement. Comment celui-ci apprécierait-il, dès lors, la fonction industrielle de celui-là et mesurerait-il la part qui lui revient, de ce chef, dans le produit. Pour l'ouvrier, le patron est un homme qui ne travaille pas, mais fait travailler les autres. Quand il va au magasin du patron, c'est le commis, toute une hiérarchie de commis, qu'il aperçoit en fonction de travail, et non le patron lui-même.

Il ne doit pas être fait, ici, de distinction entre l'ouvrier et le chef d'atelier. Ils sont très proches l'un de l'autre, et tous deux très loin du fabricant, qui est l'ennemi commun, le parasite, celui qui pervertit ou laisse pervertir par ses subordonnés la femme et la fille du travailleur.

Les chefs d'atelier sont des habitants de Lyon et les ouvriers des nomades, mais non des étrangers. Les premiers habitent à la Croix-Rousse et aux Brotteaux, des « maisons très hautes », dans « de larges rues », de grandes pièces où l'air et la lumière peuvent pénétrer, tandis que les seconds habitent les rues « étroites et mal percées », les « impasses obscures, irrégulières » des « plus mauvais quartiers » et se logent dans « les maisons les moins belles et les moins commodes » aux « étages trop bas » et aux cours, « quand il y en a, extrêmement petites, et d'une saleté repoussante », des « rues en pente qui conduisent à la Croix-Rousse » et du quartier Saint-Georges.

Mais souvent aussi les compagnons et les apprentis sont nichés dans la soupente ménagée à côté des métiers. Le chef d'atelier voit grandir l'apprenti qui sera son « compagnon » ; la nature même du travail ne permet pas d'exploiter le travail de l'enfant ; garçons et filles ne cessent d'être à la charge de leurs familles que vers la seizième année.

Autre trait, qui indique bien que l'extrême misère n'est pas le lot permanent de la classe ouvrière lyonnaise et que les chefs d'atelier et les ouvriers sont peu distants les uns des autres : Les familles sont peu nombreuses : « trois enfants, terme moyen », dit Villermé, et il ajoute que ce chiffre a une « tendance à diminuer encore ». Il voit là, fort justement, la preuve du soin que mettent les ouvriers lyonnais, « bien différents en cela de la plupart des ouvriers, à ne pas accroître leur postérité plus rapidement que leur fortune ».

Des ouvriers vivant dans de telles conditions ne peuvent avoir les mœurs de servitude qui sont imposées aux malheureux que la manufacture groupe par centaines dans ses murs et plie sous les disciplines directes du travail et l'autorité sociale d'un patron qui est parfois seul de son espèce parmi la population de toute une ville, véritable maître féodal imposant ses idées, ses opinions, les pratiques de son culte, aux serfs qu'il fait travailler dans son usine, nourrit par son économat, loge dans ses habitations ouvrières, administre comme maire de la localité, recrutant son conseil municipal parmi ses commis.

Sans être formellement républicains, les canuts de 1831 avaient des mœurs républicaines ; et à ceux qui avaient l'onéreuse propriété de leur outillage, cette propriété, sans leur donner l'indépendance économique, leur avait néanmoins fait contracter des habitudes d'indépendance personnelle qu'ils n'eussent pu refuser de partager avec leurs compagnons.

Comment, d'ailleurs, ne se fussent-ils pas considérés comme des prolétaires, à l'égal de ceux-ci ? La révolution de juillet leur avait bien, en quelque sorte, donné le droit de bourgeoisie en les incorporant à la garde nationale. Mais l'uniforme même, qui égalise les hommes en faisant disparaître leurs différences d'origine pour les astreindre à une discipline commune, rappelait aux maîtres d'atelier lyonnais leur infériorité vis-à-vis de la bourgeoisie de fait. Tandis qu'ils avaient adopté l'uniforme réglementaire, les fabricants, les commissionnaires, les chefs de l'industrie, du négoce et de la banque, s'étant équipés à leurs frais, avaient, par l'uniforme adopté, marqué nettement la distance qui les séparait des petites gens de la Croix-Rousse et des Brotteaux.

Et tandis que ce caractère encore éloignait de la bourgeoisie les maîtres d'atelier, un autre caractère les rapprochait de leurs ouvriers : la loi, une loi faite spécialement pour eux en 1806, les rejetait nettement dans le prolétariat, pour donner du reste à leur salaire une garantie qui ne devait être donnée que quatre-vingt-dix ans plus tard à tous les salaires indistinctement.

Le code distingue deux sortes de contrats de travail : le louage de services et le louage d'ouvrage. Il en distingue bien un troisième, concernant les voituriers par terre et par eau — et celui-ci nous montre la caducité des classifications juridiques — mais seuls les deux premiers importent en ce moment. Le louage de services, c'est le contrat de travail proprement dit, passé ou censé passé entre le « maître », — c'est l'expression même dont se sert le Code — et l'ouvrier ou le domestique ; le louage d'ouvrage, c'est le contrat passé entre le particulier et l'artisan qui exécute la commande de ce particulier. Un ouvrier est embauché par un patron : louage de services ; un cordonnier fait une paire de chaussures pour son client : louage d'ouvrage. Les tisserands, et en général tous les artisans propriétaires de leur outillage, mais travaillant pour des fabricants, étaient sous le régime du louage d'ouvrage, la loi affectant de les considérer comme des producteurs autonomes et libres. Ce qui mit longtemps les apparences du côté de cette fiction légale, c'est que certains fabricants « vendaient » aux artisans la matière première et leur « achetaient » ensuite le produit. Ce système fonctionne encore dans certaines régions pour certaines industries, notamment celles des tissus de fantaisie et de la vannerie.

Mais, à Lyon, cette fiction avait si peu tenu en face de la réalité, la contradiction en était tellement criante, que la loi, dès 1806, s'était inclinée et, par l'institution du livret d'acquit, avait reconnu au maître d'atelier sa situation réelle de salarié vis-à-vis du fabricant. Car c'était pour la fabrique lyonnaise, et en y instituant un conseil de prud'hommes, que la loi avait été surtout faite. Or, cette loi, qui imposait au chef d'atelier un livret d'acquit, véritable pendant au livret d'ouvrier pur et simple, portait que le salaire du chef d'atelier débiteur du fabricant ne pourrait être retenu tout entier par ce dernier.

« Lorsque le chef d'atelier, dit-elle, reste débiteur du négociant-manufacturier pour lequel il a cessé de travailler, celui qui veut lui donner de l'ouvrage fera promesse de retenir la huitième partie du prix des façons du dit ouvrage, en faveur du négociant dont la créance est la plus ancienne. »

En édictant cette disposition, le législateur de 1806 sentait bien que le canut lyonnais n'était pas un entrepreneur d'ouvrage comme l'artisan en atelier ou en boutique qui travaille pour la clientèle, pour le public. Il comprenait bien que la continuité des rapports entre le canut et le fabricant donnait à celui que la loi appelait un « chef d'atelier » situation réelle de salarié. C'est pourquoi il voulut que la loi donnât à ce salarié une protection contre le créancier qui pouvait le plus directement menacer le salaire, c'est-à-dire contre l'employeur, le patron.

Ainsi, le chef d'atelier jouissait d'une garantie qui manquait encore aux autres prolétaires, et le livret, qui était pour eux l'instrument de servitude par excellence, le soustrayait du moins à la forme la plus matérielle et la plus fondamentale de la servitude ouvrière. Le livret ne servait pas seulement à placer l'ouvrier sous la surveillance de la police. Il était déposé entre les mains du patron le jour de l'embauchage, les sommes avancées à l'ouvrier y étaient inscrites ; et comme l'ouvrier ne pouvait quitter son patron sans avoir repris son livret, c'est-à-dire sans s'être libéré de sa dette, il se trouvait de fait attaché à l'usine ou à l'atelier aussi sûrement que le serf de jadis à la glèbe, aussi lamentablement que la prostituée d'aujourd'hui à la maison close où la retient un crédit aussi scandaleusement onéreux qu'illégal.

En 1845, un député, le comte Beugnot, dénonçait cette abomination dans les termes que voici : « La Chambre comprendra l'étendue de ce mal, quand elle saura que, dans plusieurs villes manufacturières, les avances montent à la somme de trois ou quatre cent mille francs par an. Il en est une… où les ouvrières en dentelles, gagnant quarante centimes par jour, reçoivent des avances de trois cents francs. Que d'années ne leur faudra-t-il pas pour reconquérir leur liberté ! » Cette forme scélérate de la servitude ouvrière ne devait disparaître qu'en 1890, par la suppression du livret.

Déclarer insaisissables dans leur presque totalité les sommes dues aux maîtres d'atelier, c'était faire plus qu'assimiler ces sommes au salaire, c'était devancer les temps, puisque le salaire ne devait recevoir une semblable protection que de la loi de 1895, qui fixe des limites à la saisie-arrêt pratiquée sur lui et à la retenue que le patron peut opérer de ses mains pour se rembourser de ses avances. Par tous les caractères qui viennent d'être énumérés, donc, les maîtres d'atelier et leurs compagnons étaient bien des prolétaires également : nulle fiction légale ne venait déguiser cette égalité et les égarer, nulle opposition réelle d'intérêts ne venait les diviser, et, si la loi protégeait davantage les maîtres d'atelier, c'est sur eux que le chômage retentissait le plus durement. Toute aggravation du sort des uns atteignait forcément les autres ; ceux-ci protestaient-ils, ceux-là prenaient en main leur cause. Une crise réduisait-elle les salaires, tous s'unissaient, pour la défense commune, contre un ennemi commun.

Les prix de façon étant tombés an plus bas dans l'automne de 1831, les canuts entrèrent en effervescence. Ils savaient que les fabricants faisaient supporter aux ouvriers les frais de la lutte à laquelle ils se livraient entre eux pour la conquête de la clientèle. Chaque fabricant avait ses tarifs, et profitait de la crise pour les réduire à l'extrême, comptant sur l'abondance de la main-d'œuvre. C'était entre eux une course au clocher, le vainqueur devant être celui qui aurait le plus abaissé les prix de façon.

Le canut sentit quelle solidarité réelle unissait au fond les patrons dans cette concurrence qu'ils se faisaient uniquement à ses dépens, et il résolut de mettre fin à ce sport où, en fin de compte, lui seul, qui ne jouait pas, était battu. Les chefs d'atelier se réunirent donc et, au moyen de la Société du Devoir Mutuel, qui était un véritable syndicat ouvrier, commencèrent une agitation pour l'établissement d'un tarif minimum. Immédiatement les ouvriers firent cause commune avec eux et l'agitation s'étendit dans toute la ville.

Le préfet Bouvier-Dumolard connaissait la population laborieuse et n'était pas insensible à ses souffrances. De plus, il avait la responsabilité du maintien de l'ordre, et il ne voyait pas sans appréhension la grande cité ouvrière entrer en ébullition. Le gouvernement qu'il servait s'était édifié sur les barricades dressées par le peuple ; nul n'avait encore eu le temps de l'oublier, et une liberté relative de la presse le rappelait de façon parfois assez véhémente. Enfin il tenait à la popularité que lui avaient value ses manières accueillantes et sa sollicitude pour les ouvriers.

Dès les premières effervescences, il convoqua leurs délégués à la préfecture. Ils lui exposèrent leur réclamation, qu'il trouva juste, et il s'appliqua à y faire droit de tout son pouvoir. Réuni avec son assentiment, sinon par ses soins, car Louis Blanc note que, par un « bizarre intervertissement du pouvoir », ce fut le gouverneur militaire de Lyon, le général Roguet, qui fit la convocation, le conseil des prud'hommes rendit la décision suivante : « Considérant qu'il est de notoriété publique que beaucoup de fabricants paient réellement des façons trop minimes, il est utile qu'un tarif minimum soit fixé pour le prix des façons ».

L'intervention du préfet fit scandale dans le monde des fabricants. Ne violait-elle pas le principe d'abstention du pouvoir, la fiction de liberté derrière laquelle s'abritaient les intérêts des plus forts ! Il fut d'abord insensible à leurs récriminations, qui d'ailleurs étaient encore assez timides, la promptitude des ouvriers à s'organiser les ayant déconcertés et inquiétés fortement, et il convoqua les maires de Lyon, de la Croix-Rousse, des Brotteaux et de la Guillotière à une réunion tenue par la chambre de commerce et douze délégués des ouvriers. Dans cette réunion du 15 octobre, il fit décider qu'une délégation de vingt-deux fabricants se joindrait aux délégués des ouvriers, également au nombre de vingt-deux, pour discuter un tarif nouveau.

Le matin du jour fixé pour la réunion des quarante-quatre, les ouvriers affirmèrent leur solidarité par une manifestation à laquelle bien peu manquèrent. Par rangs de quatre, ils défilèrent dans le plus grand calme par les rues de la ville et vinrent se masser sur la place de la préfecture. Le préfet les harangua, les adjurant de cesser leur manifestation ; il fut acclamé, et, laissant leurs mandataires travailler en paix avec les mandataires du patronat, les manifestants se dispersèrent sans se livrer au moindre désordre.

Puissance morale de la collectivité organisée ! Du seul fait qu'ils ne représentaient plus leurs intérêts propres, mais ceux de l'ensemble des employeurs, et que la délibération s'en faisait en face des représentants de l'ensemble des ouvriers, les vingt-deux fabricants furent pris de respect humain et leur conscience, élevée au-dessus de son état habituel, les porta aux concessions nécessaires. Sans doute il y en avait parmi eux qui n'eussent pas demandé mieux que de consentir d'eux-mêmes le relèvement des tarifs ; mais la concurrence les en empêchait. Ils étaient donc enchantés de pouvoir appliquer à leurs confrères et concurrents des conditions qu'ils étaient tout prêts à subir eux-mêmes.

Mais à côté de ces patrons humains, qui souffraient d'imposer la famine à leurs ouvriers et ne l'imposaient que pour n'être pas ruinés eux-mêmes, il y en avait certainement d'autres qu'un tel scrupule n'était jamais venu tourmenter. Ceux-ci, néanmoins, durent subir l'ascendant moral de ceux-là, eurent honte de dire leurs motifs intéressés en présence des représentants ouvriers placés un moment en face d'eux sur le pied d'égalité, et ils subirent l'ascendant de la force immense que contenait le travail, jusque-là sans défense et sans voix. Leur égoïsme, élevé pour un instant à la notion de la solidarité de classe, et cette notion même, contenue autant par la crainte que par la pudeur, les décidèrent à consentir le sacrifice reconnu nécessaire, en même temps que rendu moins pénible du fait qu'il était imposé à tous les fabricants. Le tarif fut donc établi, et le conseil des prud'hommes fut invité à en surveiller l'application, et à consacrer une séance par semaine aux contestations qui pourraient se produire.

Lorsque les fabricants connurent la nouvelle, ce fut parmi eux une explosion de fureur. Tandis que les ouvriers se réjouissaient, et fêtaient leur victoire par des illuminations, des chants et des danses, leurs adversaires tenaient des conciliabules et s'organisaient pour la résistance. Les ouvriers avaient une telle confiance dans le traité qu'ils voulaient dissoudre immédiatement la commission des vingt-deux ; ce fut le préfet qui les en dissuada. Il voyait de plus près qu'eux les gens avec lesquels ils venaient pour la première fois d'être mis en contact, et il savait que seule une forte organisation ouvrière pourrait les contraindre à tenir la promesse faite en leur nom.

Ceux qui l'avaient faite, cette promesse, furent presque unanimement blâmés par leurs mandants ; on les accusa d'avoir eu peur des ouvriers, d'avoir cédé à la pression du préfet. On leur déclara tout net qu'un traité conclu dans de telles conditions de contrainte n'avait aucune valeur. Ils furent entourés, harcelés, circonvenus, démoralisés de toutes les manières ; si bien qu'on ne les vit pas faire un geste pour défendre leur œuvre, leur signature, leur honneur, lorsque la fabrique déclara refuser d'exécuter le traité.

Ce mouvement ne s'opéra pas d'un coup et avec ensemble. Les plus gros fabricants, ceux qui avaient à Paris une situation, des amis, une influence, commencèrent par informer le ministère du rôle joué par le préfet Bouvier-Dumolard. Ils l'accusèrent d'avoir trahi les intérêts de la fabrique pour se faire de la popularité, d'avoir enfreint la neutralité que les représentants du pouvoir doivent toujours observer dans les débats du travail et du capital.

Em même temps, cent quatre fabricants signaient une protestation contre le traité, le déclaraient d'ailleurs illégal autant qu'inexécutable, et engageaient leurs confrères à n'en tenir aucun compte. Ils ne furent que trop obéis. Les ouvriers assignèrent devant les prud'hommes les fabricants qui refusaient d'appliquer le tarif. Les prud'hommes condamnèrent les fabricants. Les ouvriers, alors, se tournèrent vers l'autorité, afin qu'elle fît exécuter la décision du tribunal.

Hélas ! l'autorité se trouvait bien empêchée. Casimir Perier avait donné des ordres à d'Argout, son ministre du Commerce, et d'Argout en avait donné au préfet. Ce d'Argout, rien ne peut mieux le peindre que le mépris où le tenait Casimir Perier. L'atrabilaire ministre traitait d'ailleurs mieux ses adversaires que ses amis, il faut lui rendre cette justice. Ses adversaires, il les combattait, violemment, rageusement, de toutes ses forces, en dépensant même sur eux plus qu'il n'était nécessaire, et c'était en somme une sorte d'hommage qu'il leur rendait. Quant à ses amis politiques, il les menait durement, les traitait en domestiques, sauf d'Agout, qu'il traitait comme un chien. Ceci est à la lettre.

Un jour qu'il s'éternisait à la tribune pour démontrer à l'opposition que les réfugiés militaires espagnols et polonais étaient, à égalité de grade, aussi tien traités que les Français, sinon mieux, Casimir Perier lui cria de son banc, ou plutôt siffla : « Ici, d'Argout ! » D'Argout regagna le banc des ministres sans un murmure. Il était bien dressé.

Dupin aîné prétend, dans ses Mémoires, que ce sont les députés du centre qui auraient dit : « Assez, d'Argout ! » pour qu'il cessât d'insister là-dessus « comme pour une apologie nécessaire ». On pourrait se résigner à croire Dupin si sa mémoire était d'ordinaire fidèle sur les faits qu'il raconte, et si ses Mémoires n'étaient à la fois une apologie personnelle et une œuvre de parti. Pour que M. Thureau-Dangin, dont on connaît la dévotion orléaniste, tienne le trait pour exact, il faut bien qu'il le soit.

La fabrique avait porté ses doléances à Casimir Perier, qui les avait transformées en ordres à d'Argout, et celui-ci avait tancé Bouvier-Dumolard en lui enjoignant de se tenir tranquille désormais. Le préfet, fonctionnaire avant tout, obéit à ses chefs et déclara piteusement que, le traité signé par les quarante-quatre n'ayant aucune valeur légale, les jugements du conseil des prud'hommes n'étaient pas exécutoires.

L'indignation fut au comble parmi les ouvriers. Révoltés d'un tel manquement à la parole donnée, au traité signé, ils se réunirent pour tenter d'obtenir, pacifiquement et par la seule force de leur entente et de leur endurance, les faibles avantages qui leur étaient audacieusement arrachés aussitôt que consentis. Déconcerté par la nouvelle attitude du préfet, le conseil des prud'hommes ne condamnait même plus les patrons qui lui étaient déférés pour refus d'application des tarifs.

Les ouvriers assistaient frémissants à ces audiences où l'équité était souffletée au nom de la loi, où la loi elle-même, gardienne des contrats librement consentis, s'abaissait devant les volontés du plus fort, où le juge déshonorait sa magistrature en soumettant le droit à l'arbitraire administratif. Ils comprirent alors qu'il n'est de droits qu'entre égaux, que ces fabricants n'observaient qu'entre eux les engagements pris et par crainte des sanctions qui les eussent atteints, et que leur conscience ne les empêchait pas de laisser protester leur signature dès que l'huissier n'était plus là pour les astreindre à la probité la plus élémentaire. Ils virent de quoi était faite l'honnêteté des honnêtes gens et sondèrent le tréfonds punique de l'honneur commercial dont la bourgeoisie était si vaine et dont elle faisait si grand étalage.

À cette faillite des lois et de la probité, il n'y avait à opposer que la force. Puisque la justice ne se suffisait pas à elle-même, puisque le droit n'était que l'équilibre de puissances égales tenues en respect par la crainte mutuelle qu'elles s'inspiraient, les ouvriers n'avaient plus qu'à montrer leur puissance. Ils décidèrent donc une grève de huit jours, à partir du lundi 21 novembre.

Cette décision, qu'ils firent connaître dans tous les ateliers, mit la ville en rumeur. Oubliant qu'il avait lui-même convoqué les prud'hommes pour les inviter à réunir les délégués des patrons et des ouvriers, le gouverneur militaire, excité par les fabricants, porté d'ailleurs par ses sentiments personnels à considérer toute grève comme une révolte, déclara bien haut qu'il ne la tolérerait pas et saurait la réprimer vigoureusement. Ces paroles enflammèrent les patrons, qui, perdant toute mesure, renchérirent encore, l'excitant en même temps qu'ils s'excitaient eux-mêmes.

C'est alors que l'un d'eux, au dire de Louis Blanc, aurait proféré cette atroce menace à l'adresse des ouvriers : « Ils n'ont pas de pain dans le ventre, nous y mettrons des baïonnettes. » Menace qui n'était qu'une bravade misérable, vu le peu de soldats dont disposait le général Roguet et le peu d'homogénéité de la garde nationale, où la bourgeoisie n'était pas en force. Mais cette menace devait être mise à exécution trois ans plus tard, et jeter pour de longues années la terreur dans les rangs ouvriers.

Le général Roguet se faisait illusion. Il croyait qu'il lui suffirait de mettre la main sur la garde de son épée pour faire immédiatement se tenir cois les ouvriers. Il ignorait tout d'eux, leur existence, leur caractère, leurs souffrances, devenues intolérables, l'exaspération où elles les jetaient, l'exaspération, plus grande encore, où les jetait l'audacieuse violation du pacte juré. Les avertissements, pourtant, ne durent pas lui manquer, et il ne les méprisa pas tous, puisque, sur l'avis des maires de Lyon et de la Croix-Rousse, il décommanda la revue de la garde nationale, qui devait avoir lieu le 20. C'était là, certes, une occasion de montrer la force des baïonnettes, puisque cela entrait dans son plan d'intimidation.

Mais ces baïonnettes n'étaient pas toutes au service de la bourgeoisie, les chefs d'atelier ayant été admis dans la garde nationale. Amener ceux-ci en armes sur la place publique, c'était donner le signal des troubles. Le général Roguet ne vit pas que, d'autre part, décommander la revue, c'était avouer qu'il ne pouvait compter sur la garde nationale pour la répression dont il menaçait les grévistes, et donner à ceux-ci confiance dans leur force.

Aussi, au jour fixé, la grève éclata-t-elle. Trois ou quatre cents ouvriers parcoururent dès le matin les rues de la Croix-Rousse et firent une tournée dans les ateliers, arrêtant les métiers qui battaient encore. Convoquée en hâte pour dissiper les groupes que rassemble ce mouvement, la garde nationale veut exécuter la consigne qui lui a été donnée et empêcher les grévistes de pénétrer dans les ateliers. La foule désarme sans peine ces gardes nationaux qui accomplissent leur tâche avec répugnance et tentent de la réduire à une œuvre de pure police urbaine.

Mais d'autres gardes nationaux arrivent. Ceux-ci sont les soldats de l'ordre, des fabricants qui ont pris à la lettre les bravades du gouverneur militaire et qui sont impatients de dompter la révolte de leurs serfs. Ils font feu sur les manifestants, sur la foule. Huit personnes sont blessées. À l'horreur succède rapidement la fureur. Un long cri de vengeance éclate et grandit, enflamme la cité ouvrière.

De toutes les maisons sortent des combattants armés de bâtons, de pelles, de pics, et des gardes nationaux baïonnette en avant. La garde nationale bourgeoise s'enfuit devant ces essaims dont tous les aiguillons sont pointés sur elle. Les ouvriers barricadent les rues, s'attellent aux deux canons de la garde nationale croix-roussienne et, conduits par un drapeau noir où flottent ces mots de désespoir : « Vivre en travaillant, ou mourir en combattant », descendent en tumulte guerrier sur la cité des maîtres.

Le préfet, qui a été tenu à l'écart des mesures d'ordre prises par le gouverneur militaire de concert avec les maires, se jette au devant de l'émeute, essaie de la désarmer par de bonnes paroles, de ces belles paroles qui lui valaient des acclamations quelques jours auparavant. Mais les ouvriers le huent, l'accusent violemment d'avoir manqué à la foi jurée et de s'être mis au service des fabricants. Il est entouré, désarmé de son épée, ridicule simulacre de puissance, et fait prisonnier avec le général Ordonneau, qui l'accompagne.

Peut-être la foule se fût-elle laissé prendre aux paroles d'un homme qui avait joui d'une trop grande popularité pour qu'elle se fût soudain retirée de lui. Elle n'eût pas désarmé, mais elle eût laissé aller ce fantôme d'autorité à qui l'on ne pouvait reprocher que son impuissance à faire le bien qu'il avait voulu et promis. On connaissait ses conflits avec le général Roguet, et comment celui-ci l'avait mis à l'écart tous les jours précédents. Mais au moment où il essayait de haranguer le peuple, des coups de fusil éclatèrent dans les rues avoisinantes.

Plus de doute : l'intervention du préfet est une manœuvre destinée à endormir les ouvriers afin de donner au vrai pouvoir, au gouverneur militaire, le temps de rassembler ses forces et d'écraser les révoltés. C'est alors qu'on désarma le préfet et qu'on l'entraîna, ainsi que son compagnon. Le soir même, les ouvriers relâchaient leur inutile capture, et le lendemain malin le général Ordonneau était également mis en liberté.

Cela, qu'on le remarque, en pleine bataille, dans l'excitation de la poudre et le bruit du canon. Pas un instant les ouvriers ne se disent qu'ils rendent au moins un chef à l'ennemi. Encore moins songent-ils à garder deux otages importants. Ils sont dans la fureur du combat, et nulle pensée de vengeance ne les effleure. Ils observent dans l'insurrection les lois de la guerre, et même les violent, jusqu'à l' imprudence coupable envers leur cause, dans le sens de l'humanité ; ceux qui se disent les défenseurs de l'ordre et de la civilisation les violent dans le sens de la barbarie.

Les insurgés relâchent les prisonniers, les soldats de l'ordre les massacrent. Les insurgés de 1848 et de 1871 ne se mettront eux-mêmes au niveau de ceux-ci que dans le désordre des premiers mouvements ou dans les convulsions de la défaite, et d'atroces tueries ordonnées et systématiques répondront en représailles à des fureurs isolées que nulle autorité insurrectionnelle n'aura commandée.

Tandis que la fusillade éclate et que le canon tonne, élargissant le combat sur tous les points de la ville, gagnant la Guillotière et les Brotteaux, où se lèvent des foules armées sommairement qui tentent de passer les ponts et de rejoindre l'insurrection, le pillage et l'incendie vont sans doute venger les ouvriers ? Non. Ils bivouaquent, pendant la nuit, sur le seuil, respecté par eux, des maisons de leurs ennemis ; ils montent la garde à la Monnaie et à la Recette générale.

On ne cite qu'une exception : Des fenêtres d'une maison, les fabricants ont tiré sur les insurgés des Brotteaux, puis se sont enfuis. La maison a été saccagée et les meubles, jetés dans la rue, alimentent le feu du bivouac. En revanche, il existait à la Sauvagère un fabricant qui avait toujours manifesté des sentiments d'humanité envers ses ouvriers.

« Il fut tout étonné, nous dit Villermé, en sortant de chez lui dans la matinée du second jour ; de trouver à sa porte un homme en faction, qu'il reconnut aussitôt pour un de ses anciens ouvriers qu'il avait renvoyé à cause de son inconduite.

— Que fais-tu là ? lui dit-il.

— Je vous garde.

— Comment, tu me gardes ! Et pourquoi ?

— Parce que tous vos ouvriers se sont entendus pour vous défendre, afin qu'il ne vous arrive rien ; là, dans la maison, ils sont une douzaine, et nous nous relèverons tous ici pendant que ça durera.

— Mais tu n'es pas de mes ouvriers, toi ; je t'ai renvoyé.

— C'est vrai, mais j'avais tort. »

Ce matin-la trouva debout la masse ouvrière. Seuls firent défection à leurs frères, nous dit Proudhon, les rigues lyonnaises, associations de portefaix et crocheteurs, dont les membres recevaient alors un « salaire supérieur à ceux des professeurs de Faculté ». Confinés dans leur étroite solidarité corporative, ils étaient, nous affirme le moraliste révolutionnaire, « ivrognes, crapuleux, brutaux, insolents, égoïstes et lâches ». Ceux-là, comme généralement tous les « hommes de rivière », ne montrèrent aucune sympathie aux ouvriers en soie et certains, même, leur furent hostiles.

Le premier jour avait été un soulèvement désordonné, le second fut une bataille. Les Brotteaux, la Guillotière, Saint-Just étaient à présent hérissés de barricades. Le peuple avait des chefs : Lacombe, homme de grande résolution, très populaire : Michel-Ange Périer, un décoré de juillet, républicain, blessé la veille avec son ami Péclet. Le mouvement n'a n'ailleurs aucun caractère politique : tandis que des républicains combattent l'insurrection à côté des fabricants, d'autres, comme cet armurier qui leur donne ses fusils, se rangent du côté des ouvriers. Baune, Lortet, Lagrange, Jules Favre, alors tout jeune, groupés autour du journal démocrate le Précurseur, rédigé par Petetin, ne se prononcent pas.

Malgré la résistance des troupes du général Roguet, peu nombreuses et à demi démoralisées d'ailleurs, les ouvriers des faubourgs passent les ponts et rejoignent ceux de la Croix-Rousse qui occupent le centre de la ville. Le général Roguet profite de la nuit pour évacuer Lyon.

Les insurgés occupent aussitôt l'Hôtel de Ville et improvisent un gouvernement, ou plutôt une commission, dont la plupart des membres sont totalement inconnus du peuple. Comme il arrive dans la première heure d'un triomphe imprévu, les premiers arrivés s'imposent. Lachapelle, Charpentier, Frédéric, sont des chefs d'atelier estimés de leurs camarades. Mais Pérénon le royaliste, Garnier, Dervieux, Filhol, qui les connaît ? Le vieux conspirateur républicain Rosset, rallié un moment à la monarchie de Juillet, figure parmi eux, mais n'exerce aucune influence particulière.

Très embarrassés de leur victoire, les occupants de l'Hôtel de Ville acceptent d'entrer en pourparlers avec le préfet. Ils se considèrent si peu comme un pouvoir nouveau, qu'un d'entre eux, Lacombe, se laisse nommer gouverneur de l'Hôtel de Ville. Cette manœuvre adroite de Bouvier-Dumolard présente l'insurrection comme se niant elle-même, et divise les collègues du gouverneur improvisé.

Quelques-uns d'entre eux protestent contre cette nomination par une affiche conçue en termes violents. D'autres ouvriers désavouent cette proclamation, par affiche également, protestent contre l'abus qui a été fait du nom de Lacombe, dont le nom a été inscrit à son insu parmi les signataires de la proclamation. Cette proclamation singulièrement équivoque porte la marque des opinions carlistes de Pérénon. Cette querelle d'affiches déconcerte les ouvriers en armes, qui, d'autre part, n'ont plus d'ennemis à combattre. Les adjoints au maire sont revenus à l'Hôtel de Ville, où ils jouent le rôle de conciliateurs entre les chefs divisés, en réalité attisent leurs querelles, tandis que des affidés du patronat parcourent les rangs des soldats de l'insurrection et sèment le soupçon parmi eux.

Dans cet énervement de l'action ouvrière, privée de chefs par leurs divisions, les fabricants se ressaisissent, tiennent conseil, redonnent courage à la garde nationale bourgeoise. De leur côté, les administrateurs municipaux reprennent un à un leurs fonctions, que, tout à leur querelle, à leur désarroi et à l'angoisse du lendemain, les chefs insurgés ne songent guère à remplir. Bientôt, ceux-ci quittent l'Hôtel de Ville, dont les ouvriers, rentrés chez eux, se sont désintéressés.

À grand tapage de pitié, la bourgeoisie ouvre des souscriptions publiques pour les blessés, et, le 3 décembre, le maire annonce à la ville absolument pacifiée l'arrivée d'un corps de troupes conduit par le maréchal Soult et le jeune duc d'Orléans. L'armée rentra dans Lyon sans rencontrer la moindre résistance. La garde nationale fut licenciée, le préfet Bouvier-Dumolard disgracié et les tarifs supprimés. Rien ne bougea.

Le retentissement à la Chambre fut d'une insignifiance violente et puérile. L'opposition, absolument démontée par le caractère de cette insurrection purement ouvrière, se perdit dans de misérables chicanes de mots. Les saint-simoniens furent accusés, au cours de cette discussion, d'avoir fomenté le mouvement de Lyon, quelques-uns d'entre eux étant allés récemment faire des conférences dans cette ville.

Dupin aîné, avec sa verve grossière et perfide, montra dans les adeptes de la « prétendue nouvelle religion » des affiliés des jésuites. « Les hommes qui n'osent plus aujourd'hui sous leur ancien masque, dit-il, et dont la figure est la même en dessous, propagent aujourd'hui une nouvelle religion, en haine de la propriété individuelle, de l'hérédité. Ils s'interdisent le mariage, ils ne connaissent pas les affections de la famille, ces gens-là. » C'était une allusion transparente à l'interdiction faite par Enfantin à Eugène Rodrigues d'épouser une jeune fille éperdument aimée, afin de se consacrer exclusivement à la doctrine.

Au milieu du rire général, noté par le Moniteur, l'orateur poursuivit : « Ils voudraient aujourd'hui faire de leur société un vaste couvent dont les chefs, sous le nom de capacités, seraient des moines, et dont les membres, sous le nom de travailleurs, seraient des pénitents. » Sa conclusion produisit une forte sensation : « Ils voudraient aujourd'hui, s'écria-t-il, réaliser l'Eldorado du Paraguay, où tout revient au chef suprême, et où il existe une véritable égalité, celle de la servitude et de l'abrutissement les plus complets. »

Mais tout cela n'établissait pas la complicité des saint-simoniens dans l'insurrection. Casimir Perier n'eût pas demandé mieux que de leur en faire porter directement la responsabilité, mais un député de ses amis, Félix Bodin, l'en dissuada en lui démontrant l'impossibilité d'établir un lien juridique entre la prédication saint-simonienne et le soulèvement des ouvriers lyonnais. Étant allé voir ensuite les saint-simoniens à leur maison de la rue Monsigny, Félix Bodin se fortifia dans la conviction qu'ils n'étaient pour rien dans l'insurrection.

« Les événements de Lyon, lui dit un membre du collège, (ainsi s'appelait le comité directeur), se sont accomplis en opposition directe avec nos principes et nos vœux ; mais ils justifient aussi nos prévisions, et c'est là notre tort auprès des conservateurs endurcis, lesquels se moquaient de nos avertissements, quand nous leur disions que le progrès pacifiquement consenti pouvait seul prévenir les tentatives du progrès brutal, poursuivi par la violence. » Autant eût valu parler hébreu à ce brutal, à ce violent qu'était Casimir Perier.

D'instinct, il avait beaucoup plus la crainte de la propagande pacifique des idées, contre laquelle il se sentait désarmé, que des complots révolutionnaires et des tentatives d'insurrection. Contre les complots, il avait la police, et contre l'insurrection, l'armée et la garde nationale. Il s'était peu effrayé du refus de quelques saint-simoniens de prendre leur service de gardes nationaux, refus qu'ils motivaient par leur caractère religieux. La propagande dans l'armée n'avait pas été entravée ; et si quelques officiers donnaient leur démission : tels Tourneux, Bruneau, Hoart, d'autres, les Lamoricière et les Bigot, gagnaient leurs camarades à la doctrine nouvelle, surtout parmi les officiers d'artillerie, le nombre de saint-simoniens sortis de l'École polytechnique étant très considérable, comme nous le verrons plus loin. Évidemment, une doctrine qui recrutait ses adhérents parmi les éléments intellectuels de l'armée ne pouvait laisser Casimir Perier indifférent. Il n'avait pas sévi, cependant.

Mais il guettait l'occasion, prêt à la saisir. Décidé sans doute par les conseils de Louis-Philippe à faire le moins de bruit possible sur les événements de Lyon, il n'essaya pas d'établir un lien entre ces événements et la propagande saint-simonienne, comme il y avait été invité. C'était d'ailleurs courir à un échec certain, même devant les juges les plus résolus à servir le pouvoir, car il n'y avait jamais eu les moindres rapports entre les ouvriers de Lyon et le groupe de théoriciens, d'orateurs et de journalistes de la rue Monsigny, dont tous les discours et les écrits se prononçaient contre l'emploi de la violence. Comment donc frapper ces ennemis de l'ordre, qui s'obstinaient à prêcher le respect des lois et dont l'attitude contrastait si fortement avec celle des polémistes et des conspirateurs républicains, tout en étant infiniment plus dangereuse pour l'ordre établi ?

Sur ce danger, le ministre était fixé. Un de ses frères, Augustin Perier, n'avait pu certainement le lui celer, lui qui, à l'issue d'une conférence de la rue Monsigny, avait causé avec les chefs de la doctrine et abordé « tout de suite la question capitale de la substitution de l'héritage selon la vocation à l'héritage selon la naissance » et manifesté le désir de savoir « comment cette substitution pourrait se faire paisiblement, sans injustice et sans spoliation ».

Bazard lui avait répondu qu'elle se ferait « par voie de conviction et de spontanéité religieuse chez les fidèles, et par le grand livre pour les retardataires ». Cette promesse aux « retardataires » avait dû sonner mal aux oreilles de l'aîné des Perier, et certainement celles de son frère le ministre avaient dû en recevoir immédiatement l'écho.

Bazard avait bien ajouté : « N'y avez-vous pas déjà inscrit des grands propriétaires ? » Mais pour des membres d'une dynastie capitaliste aussi étroitement attachés à leurs intérêts que l'étaient les Perier, il n'y avait rien là de rassurant. Capitalistes ils voulaient être, et non rentiers soumis aux conversions de la rente méditées et annoncées déjà par les saint-simoniens.

Il fallait conjurer le péril d'une propagande d'idées en déshonorant la doctrine, en accusant les ennemis de la propriété de s'approprier le bien d'autrui et en montrant les abolisseurs de l'héritage en posture de captateurs d'héritages. C'était faire coup double ; d'une part on les représentait comme de malhonnêtes gens, et d'autre part on identifiait leurs procédés à ceux des jésuites. On avait ainsi pour soi l'unanimité : les conservateurs, parce que la propriété est le fondement de tout ordre social selon leurs vues et leurs intérêts ; les libéraux, parce que les congrégations et leurs moyens de reconstituer la mainmorte et d'anéantir la liberté de l'individu ont toujours soulevé leurs légitimes protestations.

On intenta donc un procès aux saint-simoniens, on prétexta l'irrégularité de leur constitution en société pour perquisitionner chez Enfantin, alors chef de la doctrine, et, le 22 janvier 1832, un commissaire de police venait dissoudre la réunion de la rue Taitbout. Mais ce n'était pas le juge chargé d'instruire leur procès qui allait ruiner l'autorité morale des saint-simoniens. La funeste déviation religieuse imprimée à la doctrine par Enfantin n'y devait que trop suffire, ainsi que nous le verrons par la suite.

Les saint-simoniens servirent à distraire l'attention publique. En s'en prenant à eux, le gouvernement espérait détourner les esprits de toute réflexion sur le formidable soulèvement qui avait mis la seconde ville de France au pouvoir des ouvriers pendant dix jours. Mais est-ce bien à Casimir Perier qu'il faut attribuer le mérite de n'avoir pas inquiété des ouvriers qui s'étaient mis à la tête de l'insurrection et d'avoir tout fait, dans le pays comme à Lyon, pour réduire ce mouvement aux proportions d'une querelle locale entre ouvriers et patrons ? Il était si âpre à venger toute atteinte à l'autorité, et la conduite du gouvernement fut si habile (l'opposition elle-même en fut réduite à le servir en cette affaire), qu'il faut chercher une autre inspiration, émanant d'un esprit plus délié.

Une lettre du roi au maréchal Soult, du 29 novembre, dans laquelle il lui donne des instructions détaillées nous livre l'inspirateur de cette politique habile. Dans cette lettre, le roi montre combien il sent la nécessité d'atténuer le plus possible le caractère, le retentissement et les suites de l'insurrection. D'ailleurs, rien que le fait de faire figurer le duc d'Orléans, l'héritier de la couronne, à côté du chef militaire chargé de la répression, nous eût fixés à cet égard.

« Le grand point, le point culminant de notre affaire, dit le roi au maréchal, c'est d'entrer dans Lyon sans coup férir et sans conditions. Tout sera, si ce n'est fini, au moins sûr de bien finir, quand cela sera effectué. Sans doute, il faudra le désarmement, et les mesures nécessaires pour l'opérer. »

Mais s'il recommande « la sévérité » et souligne le mot, c'est surtout pour les soldats qui ont manqué à leur devoir, « surtout pour ces compagnies du génie et autres militaires qui ont quitté leurs drapeaux et sont restés à Lyon ». En tout cas, «

pas d'exécution », et Louis-Philippe, ici encore, souligne le mot et ajoute : « Ce n'est pas à vous que j'ai besoin de le dire. »

Il connaît bien la « modération » de Soult, mais il n'ignore pas les fureurs des fabricants et que, « dans le succès », « les conseils violents arrivent de toutes parts, et surtout de ceux qui se tenaient à l'écart pendant la lutte ». Ces conseils ne furent sans doute pas inutiles.

Pendant que le gouvernement s'efforçait d'atténuer l'importance, et les suites de l'insurrection, le saint-simonien Barrault, dans un discours du 27 novembre, en dénonçait le caractère nouveau en ces termes :

« Voici qu'aujourd'hui, vérifiant la justesse de nos prévisions tant de fois exprimées, une population entière d'ouvriers s'insurge. Et quel drapeau a-t-elle arboré ? Est-ce le drapeau tricolore ? Est-ce aux cris de liberté, de charte, de république, de Napoléon II qu'elle s'est ralliée ? Non ; elle arbore un drapeau noir, signe de son deuil et de son désespoir, et elle prend pour mot de ralliement cette devise : Vivre en travaillant, ou mourir en combattant. »

Et qu'enseigne cette convulsion sociale ? Elle enseigne « que la vraie politique est l'art de régler les rapports des travailleurs entre eux ». Et Barrault, que des salves d'applaudissements ont fréquemment interrompu, appelle ceux « dont cet événement a dû toucher le cœur et dessiller les yeux » à aider les saint-simoniens « à affranchir non seulement la classe la plus nombreuse et la plus pauvre du sort effroyable qui lui pèse, mais la classe privilégiée elle-même de ce danger qui la menace incessamment, de ce glaive qui demeure suspendu sur sa tête, et du hasard fatal de la banqueroute ! »

Ces éloquents appels ne devaient être entendus que d'une élite. Ils firent en tout cas impression sur les esprits clairvoyants. « Les saint-simoniens sont stupides, écrivit à cette occasion Charles de Rémusat, ils n'indiquent que des remèdes insensés, mais ils sont dans la question. » Les autres privilégiés, confiants dans leur force, faite de l'ignorance et de la dispersion des ouvriers, croyaient à l'éternité de leur puissance et à sa justice.

L'infructueuse tentative des saint-simoniens sur le cœur et sur la raison de la classe possédante trouva les privilégiés durs et fermés. Les travailleurs commencèrent ainsi à comprendre qu'ils n'avaient à compter que sur eux-mêmes. D'autres épreuves les attendaient, qui devaient le leur faire comprendre tout à fait.

Chapitre IV
Saint-Merri

Louis-Philippe et la question d'argent. — Le complot des tours Notre-Dame et celui de la rue des Prouvaires. — État d'esprit du parti républicain en 1832. — Les journaux et le jury. — Les associations républicaines et le procès de Quinze. — Le socialisme commence à percer dans le parti républicain. — Les disciples de Buonarotti. — La conduite de Grenoble. — Le choléra et la misère déciment les ouvriers. — Mort de Casimir Perier. — Le compte rendu de l'opposition. — Les obsèques du général Lamarque. — Insurrection des 5 et 6 juin. — La barricade de Saint-Merri.

Entre la bourgeoisie et son roi, les difficultés devaient surtout venir de question d'argent. Tandis que le peuple avait salué le retour du drapeau tricolore comme une revanche de la vaincue de 1815 contre l'Europe de la Sainte-Alliance et faisait grief à Louis-Philippe de n'avoir pas encore conquis le Rhin, envahi l'Italie et libéré la Pologne, la boutique voulait un monarque au plus juste prix. Puisqu'il était ennemi du faste, et d'ailleurs doué de toutes les vertus bourgeoises, il n'avait pas besoin de cour. On n'oubliait pas, d'autre part, qu'avant de monter sur le trône il était le plus riche propriétaire du royaume, et qu'il ne s'était dépouillé de ses immenses propriétés territoriales en faveur de ses fils que pour ne pas incorporer ces biens à la couronne.

Dès le mois de décembre 1830, Laffitte, cependant, avait fixé à dix-huit millions le chiffre de la liste civile. Si les Chambres avaient discuté son projet avant qu'il ne quittât le pouvoir, il se peut que la grande popularité du ministre eût réussi à le faire adopter tel quel. Ce projet donnait en apanage au duc d'Orléans un revenu de deux millions et fixait une dotation pour les autres princes et princesses de la famille royale. Le banquier libéral, on le voit, avait largement fait les choses.

Le marquis de Flers, dans son histoire apologétique de Louis-Philippe, insiste sur ce qu'« aucun président du Conseil n'était plus apte que M. Laffitte » à faire voter le projet de liste civile, « grâce à ses nombreuses relations avec les députés de la gauche. » Et il fait un mérite au roi, qui savait cela, de n'avoir pas hésité « à rassurer le parti conservateur » et à se séparer de son ministre lorsqu'il le vit « avoir avec la gauche une politique de concession et de faiblesse qui nuisait au gouvernement ». Tant il est vrai qu'aux mains d'un apologiste, tout événement est propre à devenir un éloge.

En renvoyant Laffitte, le roi ne crut et n'entendit faire sur ce chapitre le moindre sacrifice à la chose publique. Et comment l'eût-il cru ? Casimir Perier était-il moins soucieux de la gloire du trône que son prédécesseur ? Malgré ses airs cassants et dominateurs, n'était-il pas, lui qui avait accepté à regret les conséquences des journées de juillet, plus près de la cour que le banquier libéral auquel il succédait ? Enfin, les élections faites par les soins de Casimir Perier ne permettaient-elles pas à Louis-Philippe d'espérer une Chambre plus maniable ?

Si, en janvier 1832, le ministre dut ramener à douze millions le chiffre de la liste civile que lui-même, en décembre, avait fixé à dix-huit, écarter le principe de l'apanage pour le prince royal et rendre les autres dotations éventuelles, c'est qu'il dut tenir compte des véhémentes récriminations de la boutique. Or, Laffitte en eût à coup sûr tenu un compte plus large encore, lui qu'on accusait de tout céder à la moyenne et à la petite bourgeoisie, si fortement et si directement représentées par la garde nationale et par une presse attentive à refléter l'opinion publique.

C'est un des avantages des régimes de discussion, non certes pour ceux qui gouvernent mais pour ceux qui sont gouvernés, que certains scandales d'inégalité ne puissent se produire dans toute leur étendue. Comment eût-on pu rétablir les apparences somptuaires du régime qui venait de disparaître sans soulever de violents mouvements de réprobation, en un moment où, nous apprend Louis Blanc, le bureau de bienfaisance du douzième arrondissement publiait une circulaire dans laquelle il était rapporté que « vingt-quatre mille personnes » manquaient de pain et de vêtements et que beaucoup sollicitaient « quelques bottes de paille pour se coucher » ! Le rapporteur de la Chambre fixa la liste civile à douze millions, et force fut bien à Casimir Perier de discuter sur cette base.

La classe moyenne se passionnait en effet pour la liste civile. Les pamphlets de Cormenin sur la question étaient lus avidement, ils alimentaient les débats parlementaires. Avait-on fait une révolution simplement pour augmenter le traitement du premier fonctionnaire de l'État ? N'était-ce pas, au contraire, l'occasion de marchander et d'obtenir un rabais ? Un roi au rabais, voilà ce que voulait la boutique, habituée à compter, et aussi à vérifier soigneusement la feuille du percepteur. Puisque le roi n'était pas un conquérant, puisqu'il refusait de lancer ses bataillons sur le Rhin et de ramener le drapeau tricolore dans les plaines de la Lombardie, qu'avait-on besoin d'une maison militaire ? « Ce roi, disait ironiquement le Globe, chef d'une nation devenue industrielle, d'une bourgeoisie pacifique, n'est entouré que d'hommes ceignant l'épée et chaussant l'éperon. »

Dans le même organe des saint-simoniens, Michel Chevalier, parlant du récent voyage de Louis-Philippe en Alsace, dit qu'en réponse aux doléances des industriels, lui dépeignant le chômage qui fermait les ateliers et laissait les ouvriers sans pain, il n'avait trouvé que ces mots : « Je ne puis que gémir ». Et à cette impuissance du roi, qui se manifeste par des « vœux stériles », l'écrivain saint-simonien oppose sa puissance en face de malheurs d'une autre nature :

« Supposons qu'au moment où le roi Louis-Philippe venait de faire cette réponse aux magistrats alsaciens, un courrier arrivé en toute hâte, fût entré dans cette même salle et lui eût dit : « Sire, les troupes françaises se gardaient mal dans leurs cantonnements ; les colonels ne s'entendaient point, le désordre était parmi les soldats ; quatre-vingt mille Austro-Sardes ont débouché à l'improviste par Montmélian ; Grenoble est pris, Lyon est bloqué, l'armée est à la débandade ». Supposons qu'à cette funeste nouvelle, le roi eût répondu par ces mots : Je ne puis que gémir, qu'en eût-on pensé ? Qu'en eût-il pensé lui-même ? Et lorsque les industriels ne s'entendent pas, lorsque le désordre est dans l'organisation industrielle, lorsqu'une grande catastrophe vient les atteindre à l'improviste, lorsqu'ils sont bloqués par la faillite, n'a-t-on rien à leur dire que ces mots désespérants ? n'a-t-on rien à faire pour les sauver de leur perte ? Si les intérêts industriels sont reconnus supérieurs aux intérêts guerriers, conçoit-on tant de zèle pour la guerre, une si maigre sollicitude pour le travail ?... »

Payer dix-huit millions cette « si maigre sollicitude », c'était évidemment être volé. La critique saint-simonienne ne renforça guère l'opposition de la classe moyenne, bien que, dans sa passion, elle fît flèche de tout bois contre la cour. La liste civile, ramenée à douze millions, ébranchée de l'apanage et des dotations, fut tout de même votée. Mais il y eut à la Chambre cent dix-neuf opposants, et on put craindre un moment, dans l'économe ménage royal, d'être forcé de restituer au Trésor les sommes dépensées depuis le 8 août 1830 et qui avaient été ordonnancées au taux de dix-huit millions par an.

Pendant tout son règne, le roi au rabais allait avoir à mendier au Parlement les sommes qui étaient nécessaires au « rang » de sa nombreuse postérité, et à essuyer d'innombrables rebuffades d'une bourgeoisie résolue à marchander et à ne payer qu'au plus juste prix.

Tandis que ces chicanes occupaient la cour, la ville et les Chambres, un étrange complot révélait son avortement dans des circonstances curieuses, et vraiment puériles, qui excitèrent contre la police une risée universelle. Car sa main maladroite apparut avec une telle évidence que ses chefs durent avouer le rôle misérable joué par elle dans ce qu'on a appelé le complot des tours Notre-Dame.

Le 4 janvier, dans l'après-midi, les Parisiens n'avaient pas été peu surpris d'entendre le bourdon de Notre-Dame sonner le tocsin. Les passants, attroupés sur le parvis, se demandaient où pouvait bien avoir éclaté l'incendie signalé d'aussi insolite façon. On se précipite, agents de police en tête. Dans l'escalier, la police est accueillie par des coups de pistolet qui n'atteignent personne.

On se saisit sans beaucoup de peine des « insurgés », qui avaient donné le « signal » à une insurrection absente. Un des conjurés, Considère, fut arrêté au moment où il tentait de mettre le feu aux charpentes. La machination policière, où quelques républicains naïfs avaient été entraînés, fut si évidente que, sur huit accusés, cinq furent acquittés.

Le complot dit de la rue des Prouvaires disposait de moyens plus sérieux, étant organisé par le parti royaliste. Si comme le précédent il n'eut pas d'agents de police parmi les instigateurs, du moins y en eut-il pour le déjouer. C'est le sort de tous les complots lorsque l'opinion publique elle-même n'est pas en conspiration avec eux.

Dans la nuit du 1er au 2 février, des chefs de groupe, qui avaient à leur disposition une force insurrectionnelle de deux à trois mille hommes, se réunissaient pour donner le signal d'un mouvement qui devait se diriger d'abord sur les Tuileries, où un bal réunissait les ministres et les chefs de toutes les grandes administrations. C'était un coup de filet admirable.

Qu'étaient ces chefs de groupe ? Des agents secondaires du parti légitimiste, profondément inconnus, qui depuis quelques mois parcouraient les quartiers ouvriers si durement éprouvés par la misère, et, en y semant de discrètes libéralités au nom de la duchesse de Berri, recrutaient une petite armée parmi les anciens domestiques, les artisans réduits à la famine par la suppression de l'ancienne cour, les ouvriers aigris par le chômage. D'anciens gardes du corps, quelques sous-officiers et garde-chasses formaient les cadres de la petite armée carliste qui devait surgir à l'improviste dans la joie tempérée d'une fête officielle et ramener Charles X aux Tuileries.

L'affaire était dangereuse, les conjurés ayant le nerf de la guerre, qui manqua toujours aux républicains dans les entreprises du même genre qu'ils tentèrent si fréquemment. Aussi Henri Heine, parlant du complot de la rue des Prouvaires, en disculpe-t-il plaisamment ceux-ci ; « car, fait-il, ainsi que me le disait dernièrement l'un deux : « Si tu entends rapporter qu'il y a eu de l'argent répandu dans une conspiration, tu peux compter qu'aucun républicain n'y a trempé ». Et l'auteur de la France ajoute cet éloge : « Dans le fait, ce parti a peu d'argent, car il se compose principalement d'hommes désintéressés ».

Ce n'était pas un républicain, en effet, ce Poncelet, un bottier qui s'était surtout occupé d'organiser l'embauchage des ouvriers et qui avait les poches pleines d'or au moment où on l'arrêta. Car les conspirateurs furent pris au moment où, réunis dans un restaurant de la rue des Prouvaires, ils allaient donner l'ordre à leurs troupes de se diriger sur les Tuileries. Malgré les moyens dont elle disposait, cette conjuration comptait un trop grand nombre d'affiliés pour que quelques traîtres ne se fussent pas glissés dans leurs rangs, d'autant que parmi ces conjurés l'or des uns avait été l'appât des autres. Poncelet, qui pouvait compromettre deux maréchaux de France et un certain nombre d'hommes en vue, fut admirable de discrétion, et les tribunaux n'eurent à juger que des comparses. Il s'était mis dans le complot par déception : la révolution de 1830 n'ayant pas répondu à ses espérances, il s'était tourné vers les carlistes. Du moins, ce Gribouille fut-il désintéressé. Il se laissa condamner à la déportation avec une demi-douzaine d'hommes aussi obscurs que lui. Le jury fut clément pour les autres accusés, qui s'en tirèrent avec des peines de un à cinq ans de prison.

Si les républicains ne furent en rien mêlés au complot de la rue des Prouvaires, et si celui des tours Notre-Dame leur est moins imputable qu'aux agents de Gisquet, est-ce à dire qu'ils étaient inactifs ? Nous savons déjà qu'ils ne réprouvaient pas les moyens violents. Et comment les eussent-ils réprouvés ? Ne venaient-ils pas d'être frustrés des bénéfices d'une révolution par ceux-là mêmes qui les avaient appelés aux armes ? N'étaient-ils pas en droit de reprendre par la force ce que la force aidée de la ruse et du mensonge leur avait escamoté ? Où donc était la meilleure des républiques que leur avait promise le roi-citoyen ? Ne s'était-il pas empressé de chasser des abords du trône, à mesure qu'il se consolidait, les républicains Dupont (de l'Eure) et Lafayette, puis d'éloigner les hommes du mouvement avec Laffitte, pour faire appel aux hommes de la résistance ? Ce qu'une révolution avait défait, une autre révolution pouvait le défaire encore. Et puisque insensiblement, par la quasi-légitimité, un Bourbon tricolore se bornait à continuer un Bourbon de drapeau blanc, il n'y avait qu'à recharger les fusils et attendre l'occasion qui permît de dépaver de nouveau les rues.

À mesure que la monarchie accentuait son caractère de résistance, les républicains accentuaient leur caractère de violence. Henri Heine constate la « guillotino-manie » dont ils étaient alors atteints. « C'est folie, dit-il, de ressusciter le langage de 1793 comme le font les Amis du Peuple, qui, sans le savoir, agissent dans un sens aussi rétrograde que les champions les plus ardents de l'ancien régime. Celui qui prend les fleurs rouges du printemps pour les rattacher aux arbres une fois qu'elles sont tombées est aussi insensé que cet autre qui replante dans le sable les branches fanées des lis. »

C'est fort justement dit. Mais il faut se rendre compte de l'état des esprits républicains à ce moment. Le peuple n'avait pas voix au chapitre, puisque le régime du cens continuait, à peine atténué, pas même corrigé un peu par l'adjonction des capacités. Il fallait donc agiter ce peuple, qui s'était si promptement rendormi au milieu de sa victoire sans l'avoir achevée, et le pousser à reprendre le combat au point où il l'avait laissé.

Il y avait bien un autre moyen : instruire patiemment le peuple de ses droits, créer en lui une force consciente irrésistible. Mais les républicains d'alors étaient imbus de cette notion mystique qu'il suffisait de les lui révéler, et même de les lui donner, au besoin de les lui imposer révolutionnairement, par le coup de force heureux de quelques centaines de dévoués. Il semblait à l'impatience des républicains que le chemin le plus direct fût le plus court, et que c'était perdre un temps précieux que de le consacrer à l'éducation populaire.

Les journaux républicains, la Tribune et le National, montraient d'ailleurs beaucoup plus d'ardeur à exciter l'animosité des classes libérales contre le pouvoir qu'à répandre la lumière dans les classes populaires, où les journaux ne pénétraient du reste pour ainsi dire point. Mais si les ouvriers et les artisans ne lisaient pas les journaux, très coûteux encore à cette époque, puisque, quelques années plus tard, Émile de Girardin devait accomplir une véritable révolution dans le journalisme en fixant à deux sous le prix de sa feuille, ils n'en étaient pas moins tenus au courant, de seconde main, des polémiques retentissantes menées par les hommes de la Tribune et du National.

Armand Carrel, polémiste vigoureux, d'un talent froid et méprisant, venait de donner le National au parti républicain. Bien qu'il se fût classé parmi les modérés du parti, le ton de ses articles était parfois singulièrement violent. Au lendemain de son adhésion au parti républicain, le 24 janvier 1832, il écrivait, s'adressant à Casimir Perier pour lui reprocher l'arrestation illégale de journalistes : « Il faut que le ministre sache qu'un seul homme de cœur, ayant la loi pour lui, peut jouer, à chances égales, sa vie contre celle non seulement de sept ou huit ministres, mais contre tous les intérêts, grands ou petits, qui se seraient attachés imprudemment à la destinée d'un tel ministère. »

Mais voici qui est mieux dans le genre de violence à froid où il excellait : « Comme il n'y a que le malheur qui rende les princes intéressants, on se surprend à souhaiter aux femmes accomplies qui composent la famille de Louis-Philippe ce je ne sais quoi d'achevé que Bossuet admirait dans la veuve de Charles Ier. » L'article d'où j'extrais ce passage fut poursuivi. Le jury acquitta.

Si les modérés allaient de ce pas, quelle devait être l'allure des autres, les rédacteurs de la Tribune ? Voici un exemple, entre cent, de ses vivacités. Dans un article où elle rappelait la jeunesse du roi, ses sollicitations auprès de l'Angleterre pour obtenir un commandement contre les armées françaises, on lisait ces lignes : « Où est la force de la royauté ? La tire-t-elle de l'illustration de la maison d'Orléans ? Prenez son histoire : hommes et femmes, c'est à repousser de dégoût. Est-ce de la considération particulière de Louis-Philippe ? Nous consentons à la faire apprécier par un jury, et nous le tirerons au sort parmi ceux qui ont vu l'homme de plus près. » Le jury, appelé à apprécier, ratifiait le jugement de la Tribune.

Le journal républicain ne se contentait pas de faire appel aux appréciations des jurés. Il usait auprès d'eux d'un moyen plus efficace en publiant leur vote dans les procès de presse. Les jurés votèrent alors secrètement. La Tribune les menaça « de publier la liste de toutes les condamnations avec les noms des jurés en regard ». M. Thureau-Dangin affirme que ces dénonciations eurent « parfois des suites matérielles », et il se fonde sur le témoignage du procureur-général Persil pour citer le cas d'un notaire du faubourg Saint-Antoine « dévalisé, dans les Journées de juin 1832, pour avoir condamné la Tribune ». Il est bien étrange que ce fait n'ait été dénoncé qu'un an après à la Chambre.

Le jury n'acquittait pas toujours. En cinq ans, la Tribune avait collectionné cent quatorze procès et subi près de deux cent mille francs d'amende. Rien que pour les deux premières années du régime, on compte quatre-vingt-six condamnations prononcées contre des journaux opposants, dont quarante et une à Paris, formant un total de plus de douze cents mois de prison et de près de trois cent cinquante mille francs d'amende. Au premier octobre 1834 cette statistique devait s'élever à cent quatre années de prison réparties entre les divers journalistes de l'opposition.

Les récriminations des hommes de la résistance contre la mollesse du jury attestent donc surtout leur haine de toute liberté. D'ailleurs, le jury n'avait pas que des journalistes à condamner. Bien souvent le ministère traînait à sa barre des républicains dont le seul crime était d'avoir formé des associations pour la propagande des idées modernes et pour la création d'œuvres d'enseignement populaire.

Depuis que Raspail avait succédé à Trélat en qualité de président de la société des Amis du Peuple, ce groupe républicain, renonçant aux déclamations terroristes imitées de 1793, faisait dans la classe ouvrière parisienne une active propagande en essayant de créer des cours d'adultes. « Chaque sociétaire de bonne volonté, dit M.

G. Weill dans son Histoire du parti républicain, prit sous son patronage cinq ou six familles pauvres, en s'engageant à instruire les enfants, à chercher de l'ouvrage pour les parents, à placer leurs produits, à leur procurer des secours médicaux. »

Les associations républicaines de Paris, qui avaient des correspondants dans les grandes villes de province, rivalisaient de zèle dans cette œuvre de pénétration pacifique de la classe ouvrière. La société Aide-toi, l'Association pour la liberté de la presse, l'Association pour l'instruction du peuple aidaient puissamment au progrès des idées. Mais c'est surtout à la Société des Amis du peuple qu'on devait la publication de brochures d'actualité qui éclairaient les faits contemporains à la lumière de la doctrine républicaine. Certaines de ces brochures affirmaient le caractère social de la démocratie. L'une d'elles traitait de la question du machinisme et de la situation faite aux prolétaires par son introduction dans l'industrie.

Casimir Perier s'aperçut qu'une telle propagande était plus dangereuse pour le régime que les appels à la violence. Il prit donc prétexte des brochures et du bulletin que publiait la société des Amis du Peuple pour obtenir une condamnation de presse qui lui permettrait de mettre les propagandistes sous les verrous et de dissoudre la société. Ce procès, dit des Quinze, vint aux assises de janvier. Trélat, Raspail, Blanqui, Antony, Thouret, étaient parmi les accusés.

Cette fois, c'est la question sociale qui se pose, et non plus seulement celle de savoir si la république vaut mieux que la monarchie. Raspail, en effet, avait, sans préciser sa doctrine en formule, un sens très vif du lien intime qui existait entre la démocratie et le socialisme. Pour lui, la république était le moyen de réaliser graduellement l'émancipation des prolétaires. Avant toute chose, elle leur devait donc l'instruction et, par une intervention active de l'État, la protection de leur salaire. Ses travaux en chimie et en histoire naturelle, qui font de lui le précurseur immédiat de Pasteur, n'étaient à ses yeux qu'un instrument d'émancipation des travailleurs. Un des premiers, il aperçut le rôle capital de l'hygiène dans la vie sociale et morale.

Toujours en lutte contre les savants officiels et les académies, il refusa de s'agréger au mandarinat et, pauvre, n'accepta ni les places ni la décoration que le gouvernement lui offrait pour faire cesser son hostilité. Il avait refusé les honneurs d'un ton si fier, si insultant pour Casimir Perier, que sa lettre, publiée dans la Tribune, lui valut une condamnation à trois mois de prison, prélude d'une série de persécutions qui ne devaient finir qu'avec sa longue existence.

Interrogé sur le caractère de sa propagande, et sur son but, Raspail commença par récuser ses juges. Qu'est-ce que le jury ? leur dit-il. Les représentants des propriétaires. Ceux qui possèdent le privilège de la propriété ne peuvent s'arroger le droit de juger les représentants de ceux qui meurent de faim. « Il nous faut, dit-il, un système tel qu'en l'appliquant il n'existe plus en France un seul homme malheureux, si ce n'est par sa faute ou par le vice de son organisation. »

Dans sa défense, Trélat ne parla pas autrement. Tout comme Raspail, il posa la question sociale. « C'est encore la question du Mont-Aventin qui s'agite, dit-il, c'est la cause des patriciens contre les plébéiens, celle de toutes les aristocraties contre le peuple de tous les pays : c'est la cause qui a fait crucifier il y a deux mille ans le philosophe Jésus. » Il n'était d'ailleurs point pour les moyens violents : « Le temps de la Charbonnerie et des sociétés secrètes est passé, disait-il dans une brochure parue quelque temps après ; chacun, à l'heure qu'il est, agit à la face du ciel ; le plus puissant moyen d'action est la publicité, et c'est se condamner à l'impuissance que de mettre en œuvre d'autres agents que ceux de son époque. »

Blanqui acheva de donner un caractère socialiste à ce procès fait à des républicains. Interrogé sur sa profession, il répondit : « Prolétaire ». Il ne répudia pas les moyens violents et sa défense, ou plutôt son réquisitoire, commençait ainsi : « Je suis accusé d'avoir dit à trente millions de Français, prolétaires comme moi, qu'ils avaient le droit de vivre ». Et pour ne laisser aucune illusion aux jurés sur le caractère révolutionnaire et socialiste de l'agitation républicaine à laquelle il prenait part, il ajoutait : « Ceci est la guerre entre les riches et les pauvres ; les riches l'ont ainsi voulu, car ils sont les agresseurs ».

Telle était alors la notion libérale du jury parisien sur l'expression de la pensée, et l'on sait qu'il y est demeuré assez généralement fidèle, que tous les accusés furent acquittés. Malgré cet acquittement général, Raspail fut retenu et condamné par la cour pour la véhémence de son plaidoyer, dans lequel les deux phrases suivantes furent incriminées : « Périsse le traître, surtout s'il porte le nom de roi !... Il faudrait enterrer tout vivant, sous les ruines des Tuileries, un citoyen qui demanderait à la pauvre France quatorze millions pour vivre. » Cette sanglante apostrophe à Louis-Philippe, dont la liste civile se discutait en ce moment même dans la Chambre, ramena Raspail en prison.

Le socialisme commençait à percer dans le parti républicain. Philippe Buonarotti avait amené au communisme un certain nombre de jeunes gens. Louis Blanc lui-même avoue l'influence morale qu'exerça sur lui l'ami de Babeuf, le survivant de la conjuration des Égaux, dont l'austérité même « était d'une douceur infinie ». Il parle avec une émotion profonde et communicative de l'admirable sérénité de cet homme élevé par l'énergie de son âme « au-dessus des angoisses de la misère » ; il admire en lui « cette mélancolie auguste qu'inspire au vrai philosophe le spectacle des choses humaines ».

De fait, nulle existence plus digne ne pouvait imposer la vénération que ces paroles expriment. Qui nous redira les entretiens passionnés et graves où le vieillard, qui vécut les heures tragiques d'une révolution à laquelle il voulut donner un caractère social, formait la pensée du jeune Blanqui ? Celui-ci n'était pas un disciple docile et passif, acceptant sans examen la doctrine qu'on lui apportait et puisée directement dans l'ardente pensée de Jean-Jacques Rousseau.

Mais si Blanqui n'accepte pas le mysticisme de Buonarotti, qui dépasse même l'admiration de Louis Blanc, puisqu'il déclare que ses opinions étaient d'origine céleste, mais devaient être difficilement comprises dans un siècle abruti par « l'excès de la corruption », il reçoit de lui la triple empreinte qui le caractérisera toute sa vie : la démocratie, le patriotisme et le communisme. Sans doute Blanqui lut avidement le livre que, deux ans avant la révolution de juillet, Buonarotti avait publié à Bruxelles : La Conspiration de Babeuf, mais c'est surtout de la bouche du vieux révolutionnaire qu'il reçut la tradition fondée sur l'échafaud du 8 prairial.

Voyer d'Argenson, descendant d'une illustre famille parlementaire, était lui aussi un disciple de Buonarotti, et ce fut lui qui assura les derniers jours du proscrit. Mais ce fut un disciple de moindre envergure, et par conséquent plus docile. Dès les premiers jours du nouveau régime, il avait posé la question sociale à la Chambre en demandant l'impôt sur le revenu et l'assistance aux ouvriers sans travail. Ce qui lui avait attiré cette apostrophe de ses collègues effarée : « Vous parlez comme un saint-simoniste ». Voyer d'Argenson parlait en réformiste, mais il pensait en communiste révolutionnaire.

Déjà, sous la Restauration, il avait annoncé que la question économique allait prendre le pas sur la question politique, grâce à la science économique nouvelle ; c'est-à-dire « la science de la justice sociale, destinée à enseigner un jour à toute l'espèce humaine, sans distinction de contrées et de nations, comment elle doit s'agglomérer, s'associer, se partager les dons de la nature, et se régir ensuite dans l'intérieur de chaque société ».

Ici, en effet, on sent bien l'influence de la pensée de Saint-Simon, dont nous verrons que la grande originalité fut de donner le pas aux questions économiques, et de faire de celles-ci le pivot de l'activité politique. Mais dans une brochure qui lui valut d'être déféré au jury, qui l'acquitta, c'est bien la pensée révolutionnaire et égalitaire de Babeuf qui a pris le dessus. Cette brochure, intitulée Boutades d'un homme riche à sentiments populaires, constate que, sur huit milliards de revenus produits par la France, deux vont « aux riches et aux oisifs qui », dit-il au peuple, « rejettent sur vous toute la charge ». Et il ajoute :

« Vous manquez à tous vos devoirs envers Dieu, envers vous-mêmes, envers vos femmes, envers vos enfants, les auteurs de vos jours, s'ils vivent encore, et surtout envers vos enfants si, après un soulèvement suivi de succès, vous êtes assez lâches et assez ignorants pour vous borner à exiger une amélioration de tarif ou une élévation de salaires ; car ceux-ci, fussent-ils triplés, ne représenteraient pas encore votre portion virile dans l'héritage social ; et de plus, tant que vous laisserez les riches en possession de faire seuls les lois, quelques concessions qu'ils vous fassent, ils sauront bien vous les reprendre avec usure. »

Charles Teste, son ami, qui avait été poursuivi en même temps que lui comme imprimeur de cette brochure, vivait pauvrement en donnant des leçons. La librairie qu'il dirigea pendant quelque temps était nommée la Petite Jacobinière. Nous avons vu qu'en 1830 il fut de ceux qui essayèrent d'empêcher La Fayette de se prêter à la réédification du trône. Il devait être avec Buonarotti, Voyer d'Argenson et Blanqui un des plus ardents propagandistes du communisme dans le parti républicain.

Son « projet de constitution » qu'il publia, instituait la démocratie directe et organisait la répartition de la propriété par les soins du peuple. Mystique, lui aussi, il voulait donner à sa constitution une base religieuse ; mais il lui fallut ménager sur ce point les sentiments de plusieurs de ses amis, dont fut certainement l'athée et matérialiste Blanqui, et y renoncer. Tout au moins l'esprit de Jean-Jacques et de Robespierre revit-il dans le passage où il déclarait que « l'oisiveté doit être flétrie comme un larcin fait à la société et comme une source intarissable de mauvaises mœurs », et surtout dans l'institution de comités de réformateurs chargés de veiller sur les mœurs publiques, afin que les droits de citoyen ne fussent accordés qu'à des hommes irréprochables.

Parmi les autres républicains animés de la pensée communiste, il faut citer Mathieu d'Épinal, organisateur d'une Charbonnerie démocratique dans l'Est, dont l'objet était de « rattacher à un centre commun tous les amis de l'égalité, quels que soient leur pays et leur religion ; » Ballon, auteur d'un excellent petit résumé du livre de Babeuf, publié après 1830 sous le titre de Système politique et social des Égaux ; Joseph Rey, de Grenoble, ami de La Fayette, qui fit le premier connaître en France la pensée de Robert Owen, mais dont on ne trouve pas trace dans l'action républicaine après 1830 ; enfin Cabet, qui devait plus tard, au contact de Robert Owen, transformer la théorie communiste reçue de Buonarotti tout en en respectant les lignes principales : démocratie autoritaire et égalité absolue dans la communauté de tous les biens.

Mais au moment où nous parlons, Cabet est uniquement connu comme démocrate. Magistrat démissionnaire, il vient d'être élu, en juillet 1831, député de la Côte-d'Or sur un programme libéral où il demande « la non-hérédité de la pairie » et « l'amélioration du sort du peuple en élevant sa condition sans humilier ni abaisser celle des classes plus fortunées ».

En mars se produisit à Grenoble un incident qui a donné naissance à une locution désormais proverbiale, et que nous relatons surtout parce qu'il indique exactement les sentiments de l'opinion moyenne du moment et l'état d'esprit de l'armée au lendemain d'une victoire remportée sur elle par le peuple. À propos des fêtes du carnaval, des jeunes gens avaient organisé à Grenoble une mascarade représentant le budget et les crédits supplémentaires. Maladroitement, le préfet, Maurice Duval, envoya des soldats pour disperser la mascarade. Il y eut des bousculades et des coups, des femmes et des enfants furent piétinés.

En un clin d'œil, la ville fut sens dessus dessous. Les soldats qui avaient si brutalement exécuté les ordres absurdes du préfet appartenaient au 35e de ligne. Les habitants coururent sus à tous ceux qui portaient ce numéro détesté. Le soulèvement était si unanime que le général Hulot, commandant de Lyon, dut rappeler le régiment et le remplacer par le 6e. Pour calmer l'effervescence, le général Saint-Clair, commandant la place de Grenoble, fit faire le service de la place par la garde nationale. Cela n'empêcha pas le 35e d'être furieusement conspué lors de son départ. Il lui fut fait ce qu'on a appelé depuis une conduite de Grenoble.

Informé des faits, Casimir Perier haussa de plusieurs crans son état de fureur habituel : il envoya le général Hulot en disgrâce à Metz, destitua le général Saint-Clair et fit adresser des félicitations au 35e par le ministre de la guerre. Le temps était loin où Casimir Perier protestait contre « les excès des soldats conduis par des hommes coupables » et montrait aux ministres de Louis XVIII le « danger de développer tous les jours l'appareil militaire au milieu d'une population où chacun pouvait se rappeler qu'il avait été soldat ».

À la misère du chômage de l'hiver 1831-1832 vint s'ajouter un fléau qui ravagea surtout les taudis où les travailleurs étaient entassés. Le choléra était venu d'Orient, décimant sur son passage la Russie et la Pologne, ravageant l'Allemagne. La bourgeoisie n'en fit pas moins gai carnaval. « Cet hiver, dit Henri Heine, les bals à Paris ont été plus nombreux que jamais... il fallait faire monter les fonds... ils ont dansé à la hausse ». Mais le poète note une danse plus macabre, celle qu'exécutent devant le buffet vide les prolétaires sans travail. Il note que beaucoup « meurent réellement de faim » et il ajoute qu' « on verrait ici tous les jours plusieurs milliers d'hommes » dans l'état où était au mardi gras, près de la porte Saint-Martin, un malheureux « pâle comme la mort et en proie à un râle affreux », si ces hommes « pouvaient le supporter plus longtemps ».

Mais, ajoute-t-il, d'ordinaire « après trois jours passés sans nourriture, les pauvres gens trépassent, l'un après l'autre ; on les enterre en silence ; à peine le remarque-ton ». On pense si un peuple ainsi débilité offrait une proie toute prête au choléra. Nous avons vu dans la première partie de ce travail quelles étaient les affreuses conditions d'insalubrité et de délabrement physique dans lesquelles se trouvaient les ouvriers et leurs familles, à Paris comme en province.

Voici, à ce sujet, ce que constatait, à la date du 1er avril 1832, le conseil de salubrité du département du Nord dans son Rapport à la Municipalité de Lille sur les moyens à prendre immédiatement contre le choléra morbus :

« Il est impossible de se figurer l'aspect des habitations de nos pauvres, si on ne les a visitées. L'incurie dans laquelle ils vivent attire sur eux des maux qui rendent leur misère affreuse, intolérable, meurtrière. Leur pauvreté devient fatale par l'état d'abandon et de démoralisation qu'elle produit... Dans leurs caves obscures, dans leurs chambres, qu'on prendrait pour des caves, l'air n'est jamais renouvelé, il est infect ; les murs sont plâtrés de mille ordures... s'il existe un lit, ce sont quelques planches sales, grasses ; c'est de la paille humide et putrescente ; c'est un drap grossier dont la couleur et le tissu se cachent sous une couche de crasse ; c'est une couverture semblable à un tamis... Les meubles sont disloqués, vermoulus, tout couverts de saletés. Les fenêtres, toujours closes, sont garnies de papier et de verres, mais si noirs, si enfumés, que la lumière n'y saurait pénétrer ; et, le dirons-nous, il est certains propriétaires (ceux des maisons de la rue du Guet, par exemple), qui font clouer les croisées, pour qu'on ne casse pas les vitres en les fermant et en les ouvrant. Le sol de l'habitation est encore plus sale que tout le reste ; partout sont des tas d'ordures, de cendres, de débris de légumes ramassés dans les rues, de paille pourrie ; des nids pour des animaux de toutes sortes : aussi, l'air n'est-il plus respirable. On est fatigué, dans ces réduits, d'une odeur fade, nauséabonde, quoique un peu piquante, odeur de saleté, odeur d'ordure, odeur d'homme... — Et le pauvre lui-même, comment est-il au milieu d'un pareil taudis ? Ses vêtements sont en lambeaux, sans consistance, consommés, recouverts, aussi bien que ses cheveux, qui ne connaissent pas le peigne, des matières de l'atelier. Et sa peau ? Sa peau, bien que sale, on la reconnaît sur sa face ; mais sur le corps, elle est peinte, elle est cachée, si vous le voulez, par les insensibles dépôts d'exsudations diverses. Rien n'est plus horriblement sale que ces pauvres démoralisés. Quant à leurs enfants, ils sont décolorés, ils sont maigres, chétifs, vieux, oui, vieux et ridés ; leur ventre est gros et leurs membres émaciés ; leur colonne vertébrale est courbée, ou leurs jambes torses ; leur cou est couturé, ou garni de glandes ; leurs doigts sont ulcérés et leurs os gonflés et ramollis ; enfin, ces petits malheureux sont tourmentés par les insectes »...

Villermé, qui cite ce rapport, estime que « la partie qui concerne les enfants » lui « paraît un peu exagérée ». Il oublie que, lorsqu'il visita Lille, le choléra avait contraint les pouvoirs locaux à prendre quelques mesures de salubrité qui avaient un peu atténué l'effroyable misère physiologique constatée par les enquêteurs officiels de 1832.

Il en fut d'ailleurs de même à Lodève, où il rapporte « qu'avant le choléra on tenait toujours exactement fermées celles (les fenêtres) des filatures », et que « la crainte de la maladie » les fit ouvrir en 1832 et 1833.

Dans cette épreuve, la bourgeoisie reçut du choléra une terrible et salutaire leçon de solidarité. Les quartiers pauvres des villes étaient bien les foyers d'élection du choléra, mais il n'y bornait pas ses ravages, et il allait frapper le riche dans sa maison, si close et si assainie fût-elle. Mais, tandis que la peur révélait aux heureux leur devoir social et les contraignait à en remplir une faible partie, d'une manière d'ailleurs insuffisante, l'avidité de certains boutiquiers et industriels trouvait dans la détresse commune une source abondante de bénéfices.

Considérant, à ce propos, a noté avec véhémence « jusqu'à quel point l'esprit mercantile étouffe tout sentiment, dégrade l'homme et le fait infâme ». Ce choléra qui « semait par jour 1.500 morts et récoltait par nuit 1.500 cadavres, et surtout des cadavres de pauvres », était une aubaine pour les trafiquants.

« Les substances réputées préservatrices de la peste, le camphre, le chlorure de chaux et autres drogues, dont le commerce prévoyant avait empli ses magasins, s'élevèrent de prix en proportion de l'intensité du mal et de la terreur de la population. Il en est qui furent vendus à plus du centuple de leur valeur réelle, et beaucoup de boutiquiers, les pharmaciens entre autres, savaient que ces drogues qui leur servaient à rançonner riches et pauvres, à commercer de peur, de mort et de choléra, ils savaient qu'elles étaient sans nulle vertu contre le mal. Le pauvre, le pauvre ! vendait son pain et ouvrait ainsi la porte au fléau ; et le prix de ce pain tombait dans la banque avide, dans le barathre mercantile. »

Bien que, dans cette épreuve publique où se manifestèrent d'admirables dévouements, on vit des prêtres se porter au secours des cholériques, et notamment l'archevêque Quélen, qui ne s'épargna point, Henri Heine a remarqué la rareté des enterrements religieux d'alors. Ce phénomène devait moins tenir à l'irréligion des foules, toujours si attachées aux coutumes, qu'au nombre excessif des victimes du fléau et à la rapidité que l'on mettait à les inhumer.

La peur, la peur déprimante et affolante, déréglait les imaginations. Des émeutes éclataient soudain sur des rumeurs. Des gens niaient le choléra, disaient qu'en réalité le gouvernement faisait empoisonner le peuple, faute de pouvoir secourir sa misère. On trouvait sur les murs des avis anonymes dans ce goût :

« Depuis bientôt deux ans, le peuple est en proie aux angoisses de la pire misère ; il est attaqué, emprisonné, assassiné. Ce n'est pas tout, voilà que, sous prétexte d'un fléau prétendu, on l'empoisonne dans les hôpitaux, on l'assassine dans les prisons. »

Les républicains rejetaient l'odieux de ces excitations sur les carlistes, qui s'en défendaient en les imputant aux républicains. La boutique n'était pas éloignée de croire à la réalité de ces accusations mutuelles. Dans son Histoire des Sociétés secrètes, de la Hodde affirme qu'on entretient cette terreur dans la foule par des simulacres d'empoisonnement.

« Dans le faubourg Saint-Antoine, dit-il, des individus jettent un paquet de drogues dans un puits et se sauvent à la hâte… des malheureux se roulent dans les rues criant qu'ils sont empoisonnés ; on trouve ici des bonbons colorés, là du tabac saupoudré d'une matière blanche, ailleurs des pièces de vin couvertes d'une pâte rougeâtre. Vérification faite, la pâte rougeâtre est du savon ; la matière blanche de la farine ; les bonbons colorés des dragées ordinaires. Les hommes se disant empoisonnés, ou sont réellement atteints du choléra, ou simulent des convulsions. Quant au puits du faubourg Saint-Antoine, son eau, soigneusement examinée, est reconnue d'une salubrité parfaite. »

Les saint-simoniens essayèrent de réagir contre cette panique, et surtout pressèrent le gouvernement de relever le moral des populations « par l'ouverture de grandes entreprises et même par des fêtes… qui soient pour le peuple un signal de l'ère de santé, de bien-être et de gloire ». Les journaux monarchistes ayant critiqué ces propositions, le Globe leur répondit par cette apostrophe qu'on peut encore aujourd'hui, au nom de l'idéalisme novateur, lancer à la face du réalisme conservateur, aveugle et sourd :

« Prévenir le délire de l'âme et des sens, faire justice à tous et tarir enfin à sa source la contagion des vols et des assassinats !… Oh ! vraiment, c'est une idée folle ! pure vision ! Les juges et les bourreaux ne sont pas des rêveurs. Ils ont été semblables en face du fléau, ces conseillers du peuple, aux conseillers du roi devant l'ulcère des travailleurs. Quand l'émeute gonfle et se répand dans la rue, le conseil s'assemble et fait venir ses murailles hérissées de fer, et l'émeute est cernée, foulée jusqu'au sang dans un triple rang de baïonnettes. Mais remonter à l'écume bouillonnante, à la plaie qui brûle et qui déborde, aller aux greniers des villes, aux huttes des champs, aux hangars, aux ateliers misérables, là où il n'y a ni pain ni travail assuré et tarir enfin à sa source la contagion de l'émeute et de la faim, oh ! vraiment, pure vision ! les conseillers du roi ne sont pas des rêveurs. »

L'agitation causée par les bruits d'empoisonnement fut encore excitée et portée à son paroxysme par une mesure que prit l'administration municipale, dictée cependant par le souci d'hygiène que le choléra lui imposait. Le bail de l'entrepreneur chargé d'enlever les ordures ménagères étant expiré, le nouvel adjudicataire fut mis en demeure de faire passer une voiture le soir, afin de ne pas laisser séjourner les immondices toute une nuit dans la rue.

Mais cette mesure de salubrité privait les chiffonniers de leur pain, puisque c'est surtout la nuit qu'ils glanent de leur crochet dans les détritus, et l'on n'avait pas songé à cela. Ils s'ameutèrent, arrêtant les tombereaux, les démolissant ou les jetant à la Seine. Les charretiers furent maltraités violemment. Les journaux républicains se prononcèrent avec violence contre l'imprévoyance administrative. Les échauffourées s'aggravèrent, l'émeute gronda un instant, mais la garde nationale, qu'on ne vit jamais hésiter à marcher contre les prolétaires, en eut assez facilement raison.

Épuisé par les fatigues d'un moment politique exceptionnellement tourmenté, déjà gravement atteint lorsqu'il avait accepté le pouvoir, Casimir Perier ne put résister aux atteintes du choléra. Il mourut le 16 mai, après avoir accompli l'essentiel de sa tâche de réaction, libérant ainsi Louis-Philippe de toute reconnaissance.

La haine appelle la haine. Celle de Casimir Perier contre les adversaires du pouvoir avait été si ardente, si manifeste, si brutalement exubérante que ceux-ci en oublièrent la plus élémentaire retenue. Et l'on put lire, le 17 mai, la déclaration que voici : « À la nouvelle de la mort du président du conseil, les détenus politiques soussignés, carlistes et républicains, ont unanimement résolu qu'une illumination générale aurait lieu ce soir à l'intérieur de leurs humides cabanons. Signé : baron de Schauenbourg, Roger, Toutain, Lemerle, henriquinquistes {sic) ; Pelvillain, Considère, Deganne, républicains. »

Aux premiers jours de sa maladie, Casimir Perier avait dû céder le portefeuille de l'intérieur à Montalivet ; il ne fut pas remplacé immédiatement à la présidence du conseil. Tant qu'il le put, le roi conserva cette présidence. Cela répondait à ses sentiments secrets. Il masquait en effet sous des phrases libérales un violent appétit de gouvernement personnel. Nous savons déjà, et nous le verrons avec plus de précision dans la suite de ce récit, qu'il entendait être le véritable directeur de la politique étrangère. Casimir Perier, de son côté, n'était pas homme à lui abandonner la moindre parcelle de son autorité. Et de fait, n'était-ce pas lui qui, de par la charte, assumait les responsabilités ?

Aussi, rien n'était plus tristement comique que les doléances de Louis-Philippe sur son trop autoritaire ministre. M. Thureau-Dangin convient lui-même qu'il cherchait « à se faire une sorte de popularité libérale aux dépens de ses conseillers, notamment de Casimir Perier ». Il allait jusqu'à dire à ses intimes, et il prenait parfois ses intimes à dessein parmi les membres de l'opposition : « Ce matin, il y avait des avis pour la mise en état de siège et je m'y suis formellement opposé ». « Déclaration d'autant plus fâcheuse, dit M. Thureau-Dangin, que, le lendemain, le ministère décidait cette mise en état de siège... Louis-Philippe se vantait également de s'être « opposé aux mesures d'exception que Perier lui proposait souvent quand il était « dans ces accès de colère qui, ajoutait-il, nous ont nui plusieurs fois. » À un autre moment, il disait « n'avoir jamais deviné par quel caprice Perier s'était opposé obstinément à une démarche demandée par M. Arago ».

Il est certain qu'entre ces deux autoritaires, l'un violent et d'intelligence plutôt courte, l'autre cauteleux et avisé, la lutte devait être incessante, et Casimir Perier n'y eût jamais eu le dessus, s'il n'avait eu, dans des emportements qui le servaient, la ressource de mettre brutalement son royal adversaire en demeure de céder ou d'avoir à se débrouiller tout seul avec la fronde des salons, la polémique des journaux, l'opposition parlementaire et l'émeute de la rue.

L'émeute de la rue un instant calmée, pour éclater plus furieuse quelques jours après, l'opposition de la Chambre se manifesta d'une manière collective par un compte rendu adressé au pays, dû à la collaboration de Cormenin et d'Odilon Barrot. Cent trente-cinq députés avaient signé ce compte rendu qui aviva les polémiques et remua profondément l'opinion.

Le gouvernement y était dénoncé avec la véhémence de Cormenin attiédie par la prudence d'Odilon Barrot. On reconnaissait la marque du premier à des phrases comme celle-ci : « La Restauration et la Révolution sont en présence : la lutte que nous avions crue terminée recommence ». Et l'indécision du second se marquait par des invites comme celle-ci : « Que le gouvernement de Juillet rentre donc avec confiance dans les conditions de son existence. » Tous deux d'ailleurs étaient d'accord pour s'en tenir au côté purement politique de la question soulevée par la révolution. La question sociale n'était pas même envisagée, fût-ce pour nier son existence. Et cela six mois à peine après le formidable soulèvement des ouvriers lyonnais.

Au plus fort de cette agitation, mourut un des signataires les plus en vue du compte rendu, le général Lamarque. Les obsèques devaient être une manifestation de l'opposition constitutionnelle, dont il avait été un des plus ardents champions. Mais elle ne put empêcher toutes les oppositions de se donner rendez-vous : les bonapartistes, qui renaissaient et dont les chansons de Béranger transformaient l'histoire de leur héros en légende populaire, se rappelaient que Lamarque avait été fait maréchal de France en 1815 ; les républicains aimaient son libéralisme agressif et son patriotisme exalté, ils se rappelaient ses interventions en faveur de la Pologne ; les légitimistes enfin, encore persuadés qu'une conspiration heureuse avait enlevé le trône à Charles X, ne rêvaient que d'un coup de force qui le lui rendrait, et semaient l'argent à pleines mains dans le peuple, qui achetait avec cet argent, non du pain, mais des armes.

Les obsèques avaient été fixées au 5 juin. Les républicains allèrent à ce rendez-vous général sans plan arrêté, sans organisation, chaque société ayant convoqué ses membres de son côté. Beaucoup d'entre eux prévoyaient cependant qu'il y aurait bataille, et s'étaient armés. Les jeunes se ralliaient par groupes au cri de : Vive la République ! « À voir ces jeunes gens dans leur fier délire de liberté, dit Henri Heine, on sentait que beaucoup d'eux n'avaient pas longtemps à vivre. »

Ils avaient dételé les chevaux du corbillard et le traînaient à bras, à la grande inquiétude de La Fayette, du maréchal Clauzel, de Laffitte et de Mauguin, qui tenaient les cordons du poêle et semblaient les prisonniers de cette belliqueuse jeunesse, dont certains ne prenaient pas même la peine de cacher leurs armes. Le cortège, détourné de son itinéraire, défile autour de la colonne Vendôme et force le poste de l'État-major à rendre les honneurs. On ne sait, dans cette immense acclamation qui monte vers le bronze impassible, si c'est la liberté ou la gloire militaire que veut ce peuple soulevé par l'enthousiasme. Quinze ans lui ont suffi pour oublier que le César devant lequel montent leurs espérances fut le meurtrier de la liberté et que sa gloire démembra la patrie.

À un moment, l'acclamation redouble : aux uniformes des gardes nationaux et des invalides, vient se joindre l'uniforme désormais populaire de l'École Polytechnique. Soixante élèves, forçant la consigne qui les retenait à l'école, accourent, les vêtements en désordre de la lutte qu'ils ont soutenue contre leurs chefs, et se mêlent au cortège.

On fait halte au pont d'Austerlitz, où une estrade a été aménagée pour les orateurs. La Fayette, dans une lettre écrite le 9 à Dupont (de l'Eure), note ainsi ses impressions : « La cérémonie était embellie par les drapeaux nationaux de Pologne, d'Italie, de Portugal, d'Espagne, et celui d'Allemagne paraissant pour la première fois, tous salués par la multitude en se rangeant autour du cercueil. » Dans son discours, qui, ainsi que ceux de tous les orateurs, fut ponctué de cris de : Vive la République ! il appela ces drapeaux des peuples avides de nationalité et de liberté « les enfants du drapeau tricolore ».

Mais, parmi ces étendards et ceux des sociétés populaires, en surgit un autre, qui lui suggère cette remarque : « On voyait dans le nombre des drapeaux de toutes couleurs un drapeau rouge avec cette devise : la liberté ou la mort ». Ce drapeau, dit Louis Blanc, était porté par un inconnu à cheval, coiffé d'un bonnet phrygien. La Fayette estime que cette apparition eût été convenable avant 1793, mais « à cause des souvenirs » cela « devenait inconvenant ».

Mais écoutons ce récit d'un témoin bien placé pour voir ce qui se passa à ce moment décisif : « Lorsque, dit La Fayette, ce drapeau s'est approché du cercueil, il est sorti de je ne sais quelle poche un bonnet rouge qu'on a placé au-dessus du drapeau. Comme il passait devant l'estrade où nous étions, quelques couronnes lui ont été jetées, quelques-unes par des étrangers pour qui ce n'était qu'un symbole de liberté, une autre qui pourrait bien avoir été un tour de police. J'avais encore à la main une couronne que je m'étais aperçu avoir été mise sur ma tête ; je la jetai en témoignage de dissentiment et de dégoût pour ce qui se passait. »

Au même instant, et comme si l'apparition du drapeau rouge avait été un signal, la cavalerie parut et tenta de disperser l'attroupement, non sur le point où avait surgi cet emblème, mais sur la foule massée assez loin de là, près de l'Arsenal.

Les manifestants huent les dragons qui s'avancent, bousculant et foulant les premiers rangs de cette masse pressée. On leur riposte par une grêle de pierres. Ils chargent. Des coups de feu éclatent. Leur commandant tombe, frappé à mort. Ils s'enfuient. Une clameur de triomphe s'élève, les manifestants se transforment en insurgés, la flamme révolutionnaire gagne toute la ville.

Tandis que l'Arsenal est forcé d'ouvrir ses portes, les insurgés enlèvent, sur la rive gauche, la caserne des Vétérans et la poudrière des Moulins. D'autres bandes enlèvent le poste du Château-d'Eau et se fortifient dans les inextricables rues du vieux Paris dont l'Hôtel de Ville est le centre. Cependant, le pouvoir, qui a prévu une journée et consigné les troupes, fait venir des régiments de Vincennes, de Courbevoie, de Rueil, qui délivrent la Banque au moment où l'insurrection va s'en emparer.

À la cour et dans le conseil, le désarroi est grand. On sait que l'insurrection est maîtresse de toute la partie de Paris qui va de la Bastille aux Halles. On craint de faire donner la garde nationale. Soult se demande si les soldats, vaincus il y a deux ans par une insurrection qui a créé le nouveau pouvoir, oseront marcher contre celle-ci. Déjà, certains proposent que la famille royale se retire à Saint-Cloud.

Mais tout le monde ne perd pas la tête. Dès le premier moment, Thiers s'est transporté à l'Etat-major de la garde nationale, où il va s'exercer au rôle de général en chef qu'il jouera dans les grandes guerres civiles du siècle. Il ranime les courages en montrant la faiblesse réelle du parti républicain, dont aucun des chefs n'est avec les émeutiers ; il préside à la distribution des cartouches aux gardes nationaux, qu'il harangue avant de les envoyer au feu.

La garde municipale et les troupes ont repris les positions de la rive gauche. Sur la rive droite, l'armée a bientôt enfermé les républicains dans la rue Saint- Martin, devenue d'ailleurs une véritable forteresse, mais aussi une souricière. Deux barricades la défendent à l'angle de la rue Maubuée et à l'angle de la rue Saint-Merri. Les gardes nationaux de la banlieue, excités par le vin autant que par la colère, se jettent sur celle-ci. Une décharge les met en déroute, et on ne les reverra qu'après la défaite pour s'associer aux fureurs de la police contre les vaincus. C'est ce que M. Thureau-Dangin déclare avoir « répondu à l'appel » du gouvernement « avec une passion irritée ».

Jeanne, qui commandait la forteresse de la rue Saint-Martin, appartenait à « la fleur d'une jeunesse exaltée, dit Heine, qui sacrifiait sa vie pour les sentiments les plus sacrés ». Mais le canon fut amené, et la barricade dut être abandonnée. Dix-sept héros se retranchèrent dans la maison portant le numéro 30 de la rue Maubuée, tandis que Jeanne et quelques autres faisaient à la baïonnette une trouée dans les rangs épais des soldats, et se perdaient dans la ville. La maison fut forcée et ses défenseurs tués à la baïonnette.

« Ce fut, déclare Henri Heine, le sang le plus pur de la France qui coula rue Saint-Martin, et je ne crois pas qu'on ait combattu plus vaillamment aux Thermopyles qu'à l'entrée des petites rues Saint-Méry et Aubry-le-Boucher, où à la fin, une poignée d'environ soixante républicains se défendirent contre soixante mille hommes de la ligne et de la garde nationale, et les repoussèrent deux fois. Les vieux soldats de Napoléon, qui se connaissent en faits d'armes aussi bien que nous en dogmatique chrétienne, médiation entre les extrêmes ou représentations théâtrales, assurent que le combat de la rue Saint-Martin appartient aux faits les plus héroïques de l'histoire moderne. Les républicains firent des prodiges de bravoure, et le petit nombre de ceux qui ne succombèrent pas ne demandèrent pas merci. C'est ce que confirment toutes mes recherches faites consciencieusement ainsi que l'exigeait ma mission. Ils furent en grande partie percés par les baïonnettes des gardes nationaux. Quelques-uns de ces républicains, voyant que la résistance devenait inutile, coururent, la poitrine découverte, au-devant de leurs ennemis et se firent fusiller. »

Odilon Barrot feint de rabaisser l'héroïsme des vaincus afin de mieux satisfaire, à sa manière sournoise, ses sentiments à l'égard de Louis-Philippe. Celui-ci avait eu la pensée, courageuse en somme, de se montrer aux Parisiens immédiatement après la victoire. Cette promenade n'était pas sans péril, car si l'insurrection était vaincue, la répression ne l'avait pas désarmée.

Étant allé aux Tuileries, Odilon Barrot trouva « le roi encore tout animé de la course qu'il venait de faire à travers les rues de Paris, et assez exalté de la victoire que quelques coups de canon contre les murs du cloître Saint-Merri venait de lui assurer ». La Fayette, qui avait l'âme mieux placée, dit bien que « le système du 13 mars », c'est-à-dire le système de résistance inauguré par Casimir Perier « ne pouvait être sauvé que par l'incartade d'un petit nombre d'exaltés prenant pour symbole le bonnet rouge ».

Mais du moins il salue l'héroïsme de ces « exaltés » et déclare que « parmi ceux qui se sont battus, insurgés avec préméditation ou gens entraînés par un mouvement de sympathie, il a été déployé beaucoup de courage ». Et faisant avec bonhomie allusion à la proposition faite par quelques insurgés de le tuer afin de le présenter ensuite au peuple comme une victime des soldats de Louis-Philippe, La Fayette ajoute : « Il y avait bien là quelques jeunes fous qui voulaient me tuer en l'honneur du bonnet rouge ; je les plains de tout mon cœur ».

Plus équitable qu'Odilon Barrot pour le roi, le parti conservateur sut gré à Louis-Philippe de ne s'être pas enfui à Saint-Cloud et d'avoir défendu lui-même le pouvoir. Dans les documents inédits qui ont été mis à sa disposition, M. Thureau-Dangin constate cet état d'esprit. « Le roi a beaucoup gagné, écrivait un des chefs du parti conservateur, non seulement dans les rues, mais dans les salons. C'est le propos courant du faubourg Saint-Germain que, le 6 juin, il a pris sa couronne. » Qu'est-ce, en effet, qu'un roi qui ne verse pas le sang pour conquérir ou garder le pouvoir !

À ce signe, l'aristocratie reconnaît qu'elle peut cesser de bouder aux emplois et aux honneurs. Mais il faut que le roi continue. « C'est le moment ou jamais de prendre une attitude et de commencer une attitude de gouvernement. » Louis-Philippe, le lecteur le sait, ne demandait pas mieux.

Le soir même du 6 juin, alors qu'Odilon Barrot incriminait devant lui la politique des ministres et la rendait responsable de ce qui s'était passé, il l'interrompait brusquement et, déclarant qu'il ne savait ce qu'on entendait par la politique de ses ministres : « Sachez, messieurs, ajoutait-il, qu'il n'y a qu'une politique, et c'est la mienne. Essayez de me persuader, et j'en changerai ; mais, jusque-là, dût-on me piler dans un mortier, je ne m'en départirai pas. »

Et sa politique s'affirma immédiatement par des saisies de journaux et des arrestations de journalistes, notamment un mandat d'arrêt contre Armand Carrel. L'état de siège fut proclamé, l'artillerie de la garde nationale licenciée, l'école vétérinaire d'Alfort et l'École Polytechnique fermées. Des arrestations en masse furent faites ; les prisonniers étaient assommés dans les postes par les policiers, qui les traînaient ensuite devant les conseils de guerre.

Mais leurs jugements furent annulés par la cour de cassation et c'est devant le jury que les insurgés comparurent. Jeanne y fut admirable de fermeté sans bravade. Il fut condamné à la déportation. Sur vingt et un autres accusés, seize furent acquittés ; les cinq autres condamnés aux travaux forcés, à la réclusion et à la prison.

On peut comparer avec la férocité que Thiers déploiera quarante ans plus tard, lorsqu'il sera le seul maître. On peut aussi comparer l'attitude de l'Assemblée nationale de 1871, — où il ne se trouva point, même parmi les républicains, une voix pour protester contre les félicitations aux massacreurs qui s'acharnaient sur les vaincus — à celle de la Chambre de 1832, où du moins le général Demarçay s'éleva contre un député qui avait soutenu que « les soldats qui venaient de réprimer une émeute avaient même droit à la reconnaissance que les combattants de Juillet, » et dit courageusement :

« Les soldats obéissaient à la voix de leur chef ; rien n'obligeait la population de Paris à se dévouer. Les soldats n'affrontaient qu'une mort ; les combattants de juillet en affrontaient deux : les balles premièrement et, en cas de défaite, les supplices. »

Chapitre V
Les Saint-Simoniens

Les neuf « enseignements » saint-simoniens à Paris de 1829 à 1832. — Quelques propagandistes. — Les libéraux les assimilent aux jésuites. — Les églises saint-simoniennes en province. — Ce qu'on pensait des saint-simoniens. — Ils exposent leur programme économique et social dans le Globe. — La prédication mystique du Père Enfantin. — La doctrine de l'émancipation de la chair provoque une scission. — La retraite à Ménilmontant : le couvent saint-simonien. — Les saint-simoniens devant le Jury. — La dispersion et l'exode en Orient.

Le 27 août de la même année, c'était le tour des saint-simoniens d'éprouver les rigueurs de la répression. Le matin de ce jour, ils quittaient leur retraite de Ménilmontant et se rendaient en cortège au Palais de Justice, revêtus de l'uniforme bleu de ciel que venait de leur donner Enfantin. Le temps était fort beau. Ils suivirent les rues de Ménilmontant, Saint-Maur, Fontaine-au-Roi, du Temple, Saint-Avoie, Bar-du-Bec, des Coquilles, du Mouton, la place de Grève et le quai aux Fleurs, au milieu d'une foule assez nombreuse, nullement hostile. Dans la rue Saint-Avoie, un homme placé à une fenêtre leur ayant adressé des injures, le plus grand nombre lui imposa silence. L'affluence était telle autour du Palais de Justice que les accusés et leurs amis furent obligés, pour y pénétrer, de passer par la petite rue de la Juiverie.

Ce qu'étaient ces saint-simoniens, sur lesquels couraient mille légendes absurdes qui eussent fait d'eux aux yeux du peuple un objet de curiosité ironique si le pouvoir ne les eût sacrés par la persécution, le lecteur le sait. Viviani a dit la vie du philosophe dont ils se réclamaient, et a examiné les principes dont ses disciples tirèrent une doctrine sociale avec Bazard et religieuse avec Enfantin. Il a enregistré l'organisation de l'enseignement saint-simonien par la presse et par la parole. De notre côté, à mesure que se produisaient les événements, nous avons noté la part qu'y prenaient ces annonciateurs d'un monde nouveau, fondé uniquement sur le travail associé et où seul le mérite personnel donnait place dans la hiérarchie des fonctions utiles.

Nous les avons vus, dans les journées de juillet, proposer leur plan de réorganisation sociale, et, ensuite, répondre aux critiques que Mauguin leur adressait du haut de la tribune parlementaire, refaire selon la doctrine le discours du trône, donner leur avis sur la crise ouvrière, l'hérédité de la pairie, l'insurrection de Lyon, enfin s'attirer par leur propagande toute pacifique la haine d'un gouvernement ennemi des idées, haine qui se traduisit le 22 janvier 1832 par des poursuites pour infraction à la loi sur les associations non autorisées. Avant de rendre compte de ce procès, où l'on tenta vainement de déshonorer la doctrine en représentant les saint-simoniens comme une congrégation attentive à capter les héritages, il est nécessaire de montrer le saint-simonisme en fonction de propagande, en élaboration d'idées depuis le lendemain des journées de juillet jusqu'au moment de leur proscription.

La révolution avait eu ce résultat que le saint-simonisme, jusque-là enfermé dans les salons de la rue Monsigny, s'était répandu sur la place publique, non pour y faire de l'agitation, mais pour prêcher à tous la nouvelle parole. Aux Hippolyte Carnot, Ed. Charton, d'Eichtal, Michel Chevalier, Laurent, Cazeaux, Transon, Rességuier, Percin, Ch. Duveyrier, Buchez, Isaac Pereire, vinrent se joindre des propagandistes ardents, instruits, qui permirent bientôt de créer simultanément neuf « enseignements » de la doctrine, « les uns publics, les autres consacrés aux membres de certaines professions particulières. »

L'« enseignement central », avait lieu rue Taitbout, tous les jeudis, et comprenait « un coup d'œil sur l'avenir réservé à la société, la mission de Saint-Simon et celle de ses disciples, l'historique rapide du développement de l'humanité, » et de plus « l'histoire de l'industrie » et l'étude des « bases de son organisation dans l'avenir », les « vues de la doctrine sur la science » et « la législation considérée comme moyen d'éducation ». Cet enseignement était donné par Carnot et Dugied, directeurs, et par Guéroult, Lambert et Simon.

L'« enseignement de l'Athénée », divisé pour les matières à peu près comme l'enseignement central, était donné tous les mercredis soir à huit heures, par Simon, directeur, assisté de Baud, Guéroult, Benoist, Ribes et Massel. Dans le même local, l'après-midi du dimanche était consacrée au troisième enseignement, où l'on choisissait comme texte « quelques-uns des articles principaux du Globe, tantôt une question de politique ». Cet enseignement, toujours suivi de discussion publique, était dirigé par Simon, aidé par les membres de divers enseignements.

Au quatrième enseignement, qui se donnait rue Taranne, on n'était admis que sur la présentation de cartes distribuées au siège de l'association. « Les différents sujets de la doctrine » y étaient traités « selon les besoins de l'auditoire ». Le cinquième enseignement qui se donnait tous les lundis soir à l'Athénée avait ce même caractère, mais était public. Dans la même salle, le samedi soir, le sixième enseignement était destiné « aux hommes qui s'occupent de l'étude des sciences ». Rue Taitbout, tous les lundis soir, on s'adressait aux artistes. Le musicien Liszt y participa ; également Henri Heine, mais il ne fit que passer. Le génie du poète était trop essentiellement révolutionnaire et négateur pour se complaire à ces tâches de reconstruction systématique, et son esprit trop ironiquement critique pour s'incliner devant une religion nouvelle autrement que pour la voir de plus près. Le huitième enseignement, donné rue Monsigny tous les lundis soir, s'adressait à un petit nombre d'ouvriers choisis. Enfin un enseignement en langue italienne avait été organisé à la salle Taitbout.

Tous ces enseignements étaient suivis avec assiduité par un public attentif, avide de savoir. Ceux qui le dispensaient étaient presque tous préparés par de fortes études à exercer une influence sur les esprits. Citons parmi les orateurs principaux, Barrault, professeur de littérature à l'École Polytechnique. Comment n'eût-il pas ému le public lorsqu'il lui lançait des apostrophes telles que celle-ci :

« Pendant que notre raison pèse avec une orgueilleuse lenteur, scrute avec une minutieuse complaisance les moindres détails de l'ordre social que nous apportons, n'entendez-vous pas les cris de douleur on de rage, les gémissements, les cris étouffés et le râle de tant d'infortunés qui souffrent, se désolent, languissent, expirent ? Écoutez, écoutez, enfin ! »

Et, s'adressant aux « enfants des classes privilégiées, » avec une véhémence inspirée de prophète antique, il leur prouvait leur solidarité avec les misérables, il proclamait la responsabilité des heureux dans la détresse de ceux qui les nourrissent. Nous avons donné dans un précédent chapitre cette célèbre apostrophe. Tant qu'il demeurera dans le monde un être vivant du travail et de la peine d'autrui dans la joie et l'insouciance, l'appel de Barrault pèsera sur sa conscience.

Barrault, lorsque la doctrine lui inspirait de tels mouvements, était bien le fils, par le cœur et par l'esprit, de Saint-Simon, devant qui les savants eux-mêmes ne trouvaient pas grâce, dans leur œuvre d'enrichissement de l'avoir humain, puisque seuls les privilégiés avaient part à cette richesse et que la science était sans philosophie et sans morale, ne faisait rien même pour empêcher les hommes de s'entretuer. « Rien, que dis-je ! s'écriait-il. C'est vous qui perfectionnez les moyens de destruction. »

Imaginez le discours de Barrault avec « l'entraînement de la parole, la puissance du geste et de la voix » qui étaient les caractères de son talent et faisaient de lui un orateur de premier ordre, et vous vous rendrez compte qu'Enfantin ne devait pas exagérer lorsqu'il écrivait à Duveyrier, à propos de ce discours : « Hier, effet prodigieux de Barrault sur le public, applaudissements à tout rompre quand il dit de jurer. Sanglots, larmes, embrassements, tout le monde en émoi ! » Mais le pontife suprême de la doctrine ne se faisait pas illusion sur ces mouvements d'enthousiasme, « Et qu'en sort-il souvent ? disait-il, jusqu'ici du vent. »

C'était surtout parmi les professeurs et les anciens élèves de l'École Polytechnique que se recrutaient les propagandistes saint-simoniens. Laurent, qui y enseignait la philosophie, était un polémiste incisif. C'est lui qui rédigea l'article que nous avons cité sur l'hérédité de la pairie. Plus connu par la suite sous le nom de Laurent (de l'Ardèche), il entra dans la politique, se rallia au second Empire et couvrit de ses anathèmes la Commune, à laquelle il ne comprit rien, faute d'avoir lu le discours de Barrault, lui qui prit cependant pour tâche de publier les œuvres des saint-simoniens, et d'en avoir médité le significatif passage que voici

« Si nos paroles n'agissaient pas plus promptement sur la classe la plus nombreuse et la plus pauvre que sur vous, savez-vous bien que nous, qui pénétrons dans le secret de ces cœurs ulcérés, et recevons la confidence de leurs sentiments, savez-vous bien que nous frémirions pour vous ! » Laurent en vint à oublier qu'il fut un des premiers écrivains qui tentèrent un essai de réhabilitation de Robespierre.

Le pontife suprême de la doctrine était très fier de ces collaborateurs que lui envoyait une école où se recrutent les futurs chefs de l'industrie. « Nous comptons des premiers élèves de plusieurs générations successives de l'École Polytechnique, écrivait-il à son père ; Transon, Chevalier, Cazeaux, Fournel, Reynaud, Margerin, tous sont passés par les mines, et il n'y avait que les plus forts qui prissent cette route. »

Enfantin avait raison de s'enorgueillir d'un tel appoint : il est certain que si la bourgeoisie avait été à ce moment privée de tous ses éléments intellectuels, passés au saint-simonisme, la doctrine eût eu grande chance d'acquérir une incomparable puissance sur l'opinion. Mais il avait compté sans les inévitables défections des uns, et surtout sans le désir des autres d'utiliser leur savoir pour prendre rang parmi les maîtres du jour.

Le polytechnicien Transon n'avait pas le style littéraire qui caractérisait Laurent et surtout Barrault. Mais son désir ardent de communiquer sa conviction lui fit acquérir une sorte d'éloquence grave et tendre, d'un charme un peu féminin, qui exerçait une action profonde sur son auditoire. Comme celui des autres saint-simoniens, ses discours s'adressaient de préférence aux riches et aux heureux. Et comment n'eût-il pas remué en certain d'entre eux des sentiments profonds, lorsqu'il leur disait :

« Quand vous entouriez de soins délicats, de prévenances empressées, les vieux jours d'un père et d'une mère, vous avez songé souvent à tant de malheureux qui, pour n'être pas dévorés par la faim, lorsque leurs vieux parents sont à l'hôpital ou sur quelque triste grabat agonisants, sont forcés de les laisser seuls, ô mon Dieu ! et d'aller chercher de l'ouvrage, quand ils voudraient ne s'employer qu'à leur fermer doucement les yeux ! »

Il faut encore citer parmi les orateurs de la nouvelle doctrine, Édouard Charton, formé à l'éloquence par Barrault et Transon et qui exerça une grande influence sur les assemblées ; Baud, beau-frère d'Olinde Rodrigue, qu'Armand de Pont-martin décrit ainsi : « visage de sectaire, regards d'inspiré, gestes épileptiques, éloquence creuse et sonore, phrases à effet. » Rappelons-nous que le journaliste réactionnaire qui trace ce portrait peu flatté était, en dépit de son titre, un polémiste plutôt qu'un critique. Baud était un orateur véhément et passionné, certes, mais lorsqu'il parlait notamment « d'affranchir la femme du hideux trafic de la chair », il posait avec netteté une question qui n'a rien perdu de sa douloureuse actualité.

Jules Lechevallier, qui avait fait de fortes études de philosophie allemande, n'était pas pour cela devenu un homme de cabinet, bien au contraire ; il se voua à la propagande en province avec une ardeur infatigable.

Mentionnons encore, parmi les adhérents influents, Victor Fournel, directeur des usines du Creusot, Bontemps, associé de Thibaudeau à la verrerie de Choisy-le-Roi, Ribes, professeur à l'École de Médecine de Montpellier, Edmond Talabot, substitut à Évreux, le capitaine Hoart, qui en août 1831 envoyait sa démission au ministre de la guerre en lui disant :

« Je vous remets mon épée et mes épaulettes, témoignage honorable de votre confiance. Pendant seize ans je les ai portées, en m'en glorifiant avec dévotion parce que je voyais en (eux) de glorieux moyens de servir l'humanité ; je les dépose parce qu'une humanité plus large m'enseigne des moyens plus glorieux et plus puissants encore pour améliorer le sort moral, physique et intellectuel de la classe la plus nombreuse et la plus pauvre.

« Je suis Saint-Simonien.

« Mes pères m'ont dit, et j'ai senti que j'étais assez fort pour consacrer ma vie entière à la propagation de la foi nouvelle, je vous prie de recevoir ma démission. »

C'est à ce moment que nous voyons apparaître Constantin Pecqueur, un des précurseurs du socialisme économique, longtemps oublié et dont la figure grandit aujourd'hui, à mesure qu'on aperçoit mieux tout ce que lui doit la conception actuelle du socialisme. Dans une lettre d'Enfantin à Duveyrier, qui lui a demandé un propagandiste, le chef de la doctrine écrit le 15 juin 1831 : « Nous t'enverrons probablement Pecqueur, de Dunkerque, qui fait depuis deux mois la réception individuelle dans la journée. » Nous verrons par la suite tout ce que la doctrine de Pecqueur a reçu de l'enseignement saint-simonien, et nous acquerrons une fois de plus la preuve que les idées ne naissent pas spontanément dans un cerveau, mais se transforment et se développent en passant par la pensée de plusieurs, dont aucun ne les exprime telles qu'il les a reçues, mais les transmet à d'autres modifiées par son génie propre et ses observations de la réalité.

L'enseignement des saint-simoniens s'adressa d'abord à la bourgeoisie. Leur rêve était l'impossible accord des employeurs et des salariés pour l'organisation du travail, et leur moyen la prédication par les arguments de la raison et du sentiment. Ils n'étaient donc à aucun titre des révolutionnaires. On n'en imputait pas moins, à leur propagande, malgré leurs protestations, l'agitation ouvrière partout où elle se produisait. Nous avons vu qu'on tenta de les présenter comme les instigateurs de l'insurrection lyonnaise. Ces accusations les firent redoubler de prudence dans la partie de leur enseignement destiné aux ouvriers.

« À Nancy, dit Villeneuve-Bargemont, qui déclare ne pas croire à ces imputations, ils ont borné leur cercle d'auditeurs à quelques personnes prises hors des rangs de la classe inférieure. Ils semblent vouloir désormais ne livrer aux prolétaires une arme si dangereuse, qu'après avoir amené à leurs doctrines les sommités sociales. C'est à la puissance de la parole et de la conviction sur les intelligences qu'ils recourent uniquement pour opérer la grande réformation sociale, objet de leurs travaux. »

Autre chose encore leur commandait la prudence dans leur enseignement public. Pierre Vinçard, le poète ouvrier, qui devait adhérer à la doctrine et compter parmi les organisateurs de l'enseignement saint-simonien aux prolétaires, avoue que la première fois qu'il lut une de leurs affiches où le libéralisme négatif de l'époque était critiqué, il s'écria : « C'est une manœuvre des jésuites ».

À Versailles, où ils devaient organiser une réunion, le placard suivant fut apposé sur les murs : « Un rassemblement de jésuites doit avoir lieu vendredi soir, 18 février 1831, au Gymnase, avenue de Saint-Cloud. J'engage les bons patriotes de cette ville à vouloir bien se munir d'armes à feu, et à se transporter au lieu de la conspiration, afin de détruire toute cette canaille-là...Fait par un ami de la liberté. » Il ne faut pas oublier qu'à ce moment l'opinion était fortement remuée par la manifestation légitimiste de Saint-Germain-L'auxerrois et par les troubles qui s'en étaient suivis.

Vinçard, cependant, avait voulu se rendre compte par lui-même. Séduit par la doctrine, il y adhéra. Un ouvrier tailleur, Delas, « peu intelligent, mais convaincu », nous dit M. G. Weill, amena trente prolétaires. On fonda alors le « degré des ouvriers », qui fut placé sous la direction de Mme Bazard et de Fournel.

Bientôt les ouvriers adhérents furent au nombre de 280, dont cent femmes. On nomma pour chacun des douze arrondissements de Paris un directeur et une directrice, chargés de s'occuper spécialement des travailleurs. Dans chacun de ces arrondissements un service médical et pharmaceutique gratuit avait été organisé, ainsi qu'un service de vaccination. Deux cents enfants pauvres étaient élevés par les soins de l'église saint-simonienne, qui essayait en tout de se rapprocher de la primitive église.

Mais, dit Fournel, dans son « rapport sur le degré des ouvriers », « notre but n'est pas de faire l'aumône, nous venons pour la faire disparaître. » Et ceci marque une profonde différence entre les disciples de l'auteur du Nouveau Christianisme et les adeptes du christianisme primitif. « Ce que nous voulons avant tout, ajoute Fournel, c'est l'Association ; et, comme nous ne pourrions aujourd'hui la réaliser telle que nous la concevons, nous avons dû chercher au moins à la réaliser en partie. Ainsi le but constant de nos efforts a été d'associer les ouvriers pour le logement, la nourriture et le chauffage, et déjà dans deux arrondissements ces associations sont prêtes à se former. » Les dissidences religieuses devaient anéantir tous ces beaux projets.

Pour toutes ces œuvres, il fallait de l'argent. Les saint-simoniens n'en manquaient pas, comme nous allons voir plus loin, ce qui leur avait permis d'organiser de sérieux moyens de propagande. À l'Organisateur de 1829, qui avait succédé au Producteur, fondé en 1825 par Saint-Simon, ils avaient, en juillet 1831, substitué le Globe, journal quotidien, dont le directeur, Pierre Leroux, avait adhéré à la doctrine saint-simonienne dans un article-manifeste du 18 janvier, intitulé : Plus de libéralisme impuissant.

Il avait adhéré de tout son cœur et de toute sa fougue. Avec son ami Jean Reynaud, il partit pour une tournée de propagande dans le Midi. À Grenoble, où les catholiques se sont unis aux protestants pour les empêcher de parler, la foule des auditeurs est encore accrue par cette opposition. Jean Reynaud constate en ces termes le succès obtenu :

« Si nous avions une salle pour quatre ou cinq mille personnes, elle serait pleine. C'est comme une maladie, c'est comme une peste. Je crois qu'à la halle on ne cause que saint-simonisme. Ce matin, en demandant mon chemin à deux braves gens, qui heureusement ne me connaissaient pas, j'ai attrapé une grande histoire sur les saint-simoniens qui vont, comme Pierre l'Ermite, pour faire une croisade. »

Déjà, en janvier, Pierre Leroux avait obtenu un succès semblable en Belgique, où il s'était rendu avec Hippolyte Carnot, Dugied, Margerin et Laurent. Mal reçus à Bruxelles, les catholiques ayant soulevé contre eux la population, ils allèrent à Liège, où le recteur de l'Université mit une salle à leur disposition.

D'après un récit du mathématicien Joseph Bertrand, son ami de jeunesse, « bien qu'il fût veuf alors, avec cinq enfants, et absolument sans fortune, » Pierre Leroux « séduisit si bien par sa parole une jeune Belge et sa famille, qu'il ne tint qu'à lui de faire un très brillant mariage. Les parents n'y mettaient qu'une condition : Étant catholiques, ils désiraient que leur fille se mariât à l'église. — Pierre Leroux hésita quelque temps, fut très peiné, paraît-il, mais finalement refusa, déclarant que ses convictions philosophiques et religieuses ne lui permettaient pas de concession semblable, et il revint à Paris. »

Partout où ils passaient, les saint-simoniens créaient une église, c'est-à-dire un groupe constitué selon la doctrine sociale et religieuse, organisé hiérarchiquement et reconnaissant l'autorité de Bazard et Enfantin, proclamés à la fin de 1829 chefs suprêmes de la doctrine. Mentionnant l'activité de la propagande, dans le Nord, dans l'Est et dans le Midi, Enfantin écrivait à une correspondante en juin 1831 : « Vous voyez que nous n'y allons pas de main-morte. Comment pouvons-nous exécuter toutes ces choses ? Il y a de bonnes âmes qui disent déjà que c'est La Fayette qui nous paie, d'autres Napoléon II, d'autres Henri V ; qu'il est impossible que nous fassions tant de bruit avec nos bêtises si quelqu'un, la police peut-être, ne nous soudoie pas. »

Et, de fait, l'église avait de grands frais. Le Globe était distribué gratuitement. « Comment, poursuit Enfantin, de pauvres garçons comme nous ont-ils pu, en un an, depuis juillet, propager avec tant d'ardeur, et partout, des rêves ? Où trouvent-ils l'argent nécessaire pour vivre, voyager, publier des ouvrages, des journaux qu'on lit peu (disent-ils), qu'on achète moins encore ! »

Où ? Le rapport d'Eichtal sur la situation financière du 22 septembre 1830 au 31 juillet 1831 nous donnera une idée des ressources dont l'association saint-simonienne jouissait au début de sa propagande publique. L'acquisition du Globe, la location des salles de réunion, les frais de propagande et d'entretien des fonctionnaires, avaient coûté 221.109 francs, couverts par des souscriptions d'adhérents s'élevant, pour les membres du collège à 165.550 francs, pour les membres du deuxième degré à 38.431 francs, et pour ceux du troisième à 14.398 francs.

« Nul, disait le rapporteur, n'aura le droit de murmurer contre nous le mot d'exploitation. » Chacun des « fonctionnaires », en effet, « coûte à la famille environ dix-huit cents francs par an », d'après le rapport de Stéphane Flachat « sur les travaux de la famille saint-simonienne ».

À ce budget des recettes ordinaires s'ajoutaient « 600.000 francs environ » qui composaient « le surplus des dons faits jusqu'à ce jour à la doctrine ». Certains, comme d'Eichtal, souscrivaient pour une contribution annuelle de 3.000 francs, d'autres de mille francs, tels Fournel, Rességuier, Duveyrier, Carnot, etc. La « famille » installée au second étage de l'ancien hôtel de Gesvres, entre la rue Monsigny et le passage Choiseul, occupa bientôt la maison entière, et les chefs de la doctrine y eurent leur appartement.

Quel était le sentiment des maîtres de la pensée de l'époque sur un aussi étrange mouvement ? Sainte-Beuve, qui eut son heure d'enthousiasme pour la doctrine, dit qu'on admirera Lessing, mais qu' « on se jettera en larmes dans les bras de Saint-Simon ». Cette heure fut brève, et chez le critique la raison l'emporta sur le sentiment. Il lui en demeurera cependant d'être désormais attentif à l'action sociale, puisqu'il suivra de toute sa sympathie, mais sans y adhérer, la vigoureuse pensée de Proudhon.

Pour Victor Hugo, « avec beaucoup d'idées, beaucoup de vues, beaucoup de probité, les saint-simoniens se trompent. On ne fonde pas une religion avec la seule morale. Il faut le dogme, il faut le culte. Pour asseoir le culte, il faut les mystères. Pour faire croire aux mystères, il faut des miracles. — Soyez prophètes, soyez dieux d'abord, si vous pouvez, et puis après prêtres si vous pouvez. » Les nuages religieux dont la « famille » s'entoure ont caché au poète la haute pensée sociale qui l'anime.

Lamartine, dans un écrit sur la Politique rationnelle qui est de 1831, a mieux reconnu le caractère exact du saint-simonisme. Il n'admet ni ses théories sur l'héritage, ni sa formation religieuse, mais il s'écrie : « Hardi plagiat qui sort de l'Évangile et qui doit y revenir, il a déjà arraché quelques esprits enthousiastes aux viles doctrines du matérialisme industriel et politique pour leur ouvrir l'horizon indéfini du perfectionnement moral et du spiritualisme social. »

Pour Chateaubriand, qui venait de se retirer à demi de la politique et boudait quelque peu ses amis, décidément trop entêtés à faire revivre un passé à jamais disparu, il ne vit dans le saint-simonisme qu'un ramassis, une friperie de vieilles idées, plagiat des rêveries philosophiques de la Grèce, accommodées au goût du jour. Il devait revenir, sans l'avouer, sur cette opinion sommaire, trois ans plus tard, et on sent que la réponse très mesurée d'Enfantin avait fait impression sur lui lorsqu'on lit ces aperçus sur la « transformation sociale », publiés dans la Revue des Deux-Mondes :

Quand il « ne s'agit que de la seule propriété, n'y touchera-t-on point ? restera-t-elle distribuée comme elle l'est ? Une société où des individus ont deux millions de revenu, tandis que d'autres sont réduits à remplir leurs bouges de monceaux de pourriture pour y ramasser des vers, vers qui, vendus aux pêcheurs, sont le seul moyen d'existence de ces familles, elles-mêmes autochtones du fumier, une telle société peut-elle demeurer stationnaire sur de tels fondements au milieu du progrès des idées ? Mais si l'on touche à la propriété, il en résultera des bouleversements immenses, qui ne s'accompliront pas sans effusion de sang. »

Auguste Comte, qui a reçu directement l'enseignement de Saint-Simon et a utilisé avec un esprit de méthode véritablement génial les idées de son maître, est d'autant plus véhément dans son désaveu du saint-simonisme, qu'il entend dénier à son fondateur toute influence sur la formation de son positivisme. Accusé étourdiment par un rédacteur du Globe d'être resté « en arrière du saint-simonisme, faute d'en pouvoir suivre les progrès », Auguste Comte riposte le 5 janvier par une lettre où il affirme avoir rompu avec Saint-Simon parce que, dit-il, « je commençais à apercevoir chez ce philosophe une tendance religieuse profondément incompatible avec la direction philosophique qui m'était propre ».

En réalité, l'œuvre spéculative de Comte devait finir, comme celle de Saint-Simon, par l'élaboration d'une religion. Mais il n'en était pas encore là, et il construisait alors patiemment son œuvre philosophique. Aussi avait-il raison contre ses mystiques contradicteurs lorsqu'il leur disait :

« Au lieu des longues et difficiles études préliminaires sur toutes les branches fondamentales de la philosophie naturelle, qu'impose absolument ma manière de procéder en science sociale ; au lieu des méditations pénibles et des recherches profondes qu'elle exige continuellement sur les lois des phénomènes politiques (les plus compliqués), il est beaucoup plus simple et plus expéditif de se livrer à de vagues utopies dans lesquelles aucune condition scientifique ne vient arrêter l'essor d'une imagination enchaînée. »

Certes, mais c'était cependant faire trop bon marché des études économiques approfondies de Bazard, de Michel Chevalier et même d'Enfantin, avant qu'il ne versât tout à fait dans la divagation religieuse. Et Auguste Comte, qui fonde sa sociologie sur la hiérarchie des sciences rattachées les unes aux autres, a toujours traité sommairement la science économique, sur laquelle s'appuyaient les réformateurs socialistes de l'école de Saint-Simon.

Quant aux partis politiques, ils n'avaient sur le saint-simonisme que des opinions superficielles et mal informées. Nous avons vu, par un discours de Mauguin à la Chambre, ce qu'en pensaient les libéraux. Et il faut bien avouer qu'ils avaient une assez bonne prise sur le saint-simonisme quand ils le dénonçaient comme un gouvernement despotique, puisque le chef de la doctrine l'incarnait en sa personne et se proclamait lui-même « la loi vivante ».

Les cléricaux, eux, brochuraient et polémiquaient, quand ils ne trouvaient pas plus expéditif d'ameuter les fidèles contre les propagandistes. Les protestants, nous l'avons vu, se liguaient avec les catholiques contre cette nouvelle religion et la Société de la Morale chrétienne instituait un prix de cinq cents francs pour la meilleure réfutation du saint-simonisme.

Les républicains leur étaient-ils plus favorables ? Ils eussent passé sur la religion et ils approuvaient parfois les réformes sociales demandées dans le Globe, mais ils ne pouvaient acquiescer à la condamnation des principes de liberté, d'égalité et de souveraineté du peuple, formulée par les saint-simoniens.

Car, rapidement, sous l'impérieuse activité intellectuelle d'Enfantin, le caractère religieux du saint-simonisme dominait, jusqu'à l'effacer, le caractère social qui avait été le fond même de la pensée de Saint-Simon. Le pathos mystique noyait les affirmations sociales, et la critique véhémente du milieu économique s'achevait en effusions religieuses. D'ailleurs, nul souci de préciser les conditions économiques de l'association à laquelle on invitait les travailleurs, non sans leur avoir imposé un assez long noviciat où l'instruction morale et religieuse était plus développée que l'enseignement économique et social.

Cependant le Globe félicitait fréquemment les parlementaires libéraux en vue lorsqu'ils montraient quelque souci de la classe ouvrière. Mais ceux-ci lui en fournissaient assez rarement l'occasion. Citons, parmi ces rares fortunes, un éloge d'Arago pour son projet d'organisation de l'enseignement professionnel. Mais de programme économique et social un peu précis, point, sauf dans les lettres qu'un avocat, Decourdemanche, présenté par M. G. Weill comme « un saint-simonien de l'extérieur, qui ne paraît pas avoir adhéré à la religion elle-même », publia, vers la fin de 1831, dans le Globe.

Ce programme, exposé sous forme de lettres au rédacteur, réclamait l'abolition du privilège de la Banque de France, l'établissement de nombreuses banques libres, des lois plus favorables aux commerçants et moins dures pour les faillis, la suppression des emprunts hypothécaires, la mobilisation du sol, l'impôt progressif sur le revenu et l'abolition de l'hérédité en ligne collatérale.

C'est le programme économique, libéral et individualiste du radicalisme d'aujourd'hui. On n'y voit pas même la moindre loi protectrice du travail, bien que l'Angleterre eût ouvert la voie par les lois de 1802 sur le travail des enfants et de 1825 sur les associations professionnelles.

Michel Chevalier n'allait pas plus loin, mais voyait plus large. Dans un article très remarqué sur le Système méditerranéen, il traçait un vaste plan de travaux pour l'établissement de voies de communication reliant l'Europe à l'Orient, par chemins de fer et bateaux à vapeur, et assurant la domination de l'industrie sur la paresseuse féodalité du sol et l'inerte despotisme oriental.

« Quand Vienne et Berlin, disait-il, seront beaucoup plus voisins de Paris qu'aujourd'hui Bordeaux, et que, relativement à Paris, Constantinople sera tout au plus à la distance actuelle de Brest, de ce jour un immense changement sera survenu dans la constitution du monde ; de ce jour, ce qui maintenant est une vaste nation sera une province de moyenne taille. »

Ce sera la guerre rendue impossible. « Admettons pour un instant, dit-il, que cette création gigantesque soit entièrement réalisée demain et demandons-nous si, au milieu de tant de prospérité, il pourrait se trouver un cabinet qui, saisi d'une fièvre belliqueuse, songeât sérieusement à arracher les peuples à leur activité féconde, pour les lancer dans une carrière de sang et de destruction. » Et ne prévoyant pas que les maîtres du capital pourraient trouver une source de profit dans les conquêtes coloniales, susciter des guerres pour assurer leur domination économique, ou simplement avoir avantage à fabriquer des armes, des cuirasses et des explosifs, Michel Chevalier fait d'eux les artisans actifs de cette pacification universelle et de cette prospérité, grâce à laquelle il n'était plus possible qu'il existât « des capitalistes qui, effrayés d'un avenir incertain, resserrassent leurs capitaux, et des populations affamées qu'on pût décider à l'émeute ».

Cet article faisait appel aux « commerçants infatigables », aux « hommes d'art de tous les pays », aux ingénieurs qui, en Angleterre et sur le continent, ont « recueilli et fait fructifier l'héritage des Riquet et des Watt », aux « industriels aux mains desquels la nature verse ses produits », aux « savants dont les lumières ont à éclairer le plan ». Il les conviait à se mettre « à la tête des peuples, enrégimentés en travailleurs ».

Tout le plan saint-simonien est là, et toute la doctrine. Susciter par une prédication morale l'enthousiasme de l'aristocratie nouvelle, surgie après la chute du régime féodal, lui montrer les périls des révolutions de la faim et l'en effrayer, et la décider à organiser d'elle-même le monde nouveau fondé sur le travail. Rêve magnifique et vain !

Prêcher l'entente à ces conquérants nouveaux dont les entreprises augmentaient la force et l'audace, et qui trouvaient leur joie dans les luttes de la concurrence économique, c'était leur demander de renoncer à être ce qu'ils étaient, des chefs d'industrie et de négoce entreprenants, autonomes, ivres de leur souveraineté sans frein, avides de s'affronter et de se heurter, tels les héros barbares des premiers temps de la féodalité. Appeler leur attention sur le troupeau noir et suant dont ils exploitaient à outrance le labeur, les adjurer, au nom de la pitié, de la peur, de la justice, d'être les frères aînés des ouvriers, c'était leur demander plus encore : renoncer à être des maîtres pour devenir des chefs, transmettre le commandement, non à leurs fils, souvent incapables ou indignes, mais aux meilleurs qui surgissaient de la masse. Folie ! Seule l'exaltation religieuse pouvait faire de ce rêve une réalité.

Saint-Simon l'avait compris à la fin de sa vie. Philosophe du XVIIIe siècle, il était revenu à l'Évangile. Au lieu de faire de la religion un but, il la voulut pour moyen. Il lui apparut que, de toutes les forces de sentiment, celle-là était la plus grande. Il se refit chrétien, non pour l'amour de Dieu, mais pour l'amour de l'humanité.

Fatalement, dans une telle construction de l'esprit, si purs et si riches qu'en fussent les matériaux, les bulles de rêve et les nuées de chimère occupaient la plus grande et la meilleure place, étaient les pierres d'angle sur lesquelles toute la construction devait s'échafauder en rêve, puis s'écrouler au premier contact avec la réalité. Ce qui avait été politique chez Saint-Simon, c'est-à-dire moyen, devint chez Enfantin mysticité fondamentale, c'est-à-dire but.

Saint-Simon, alors, fut promu « révélateur ». Il avait été « la loi vivante », son successeur incarnerait à son tour la loi. Les chefs de la doctrine seraient des prêtres, au sens le plus absolu du mot. Le but social disparaissait si bien derrière l'objet religieux que certains saint-simoniens reprochaient aux économistes, aux critiques sociaux, tels que Michel Chevalier, d'avoir « un style de maçon » dont « les métaphores puaient le mortier et la vapeur ».

C'était l'envolée entre ciel et terre, hors de toute réalité. Seule une forte organisation théocratique, subordonnant hiérarchiquement les fidèles selon leur ferveur et leur degré d'initiation, pouvait être le cadre d'une telle société. Elle se fonda. Et à mesure que les volontés s'asservissaient aux pontifes de la nouvelle religion, l'un de ceux-ci. Enfantin, pour qui Dieu et la nature ne faisaient qu'un, développait en mysticisme le naturalisme de Diderot et provoquait un schisme par sa théorie de l'émancipation de la chair.

Selon lui, l'homme et la femme étaient égaux, mais l'être humain complet était le couple. Le couple-prêtre, choisi parmi les plus ardents et les plus aimants, ne devait pas s'enfermer dans son exclusif et égoïste amour à deux. « Moi, homme, écrivait-il à sa mère, je conçois certaines circonstances où je jugerais que ma femme seule serait capable de donner du bonheur, de la santé, de la vie à l'un de mes fils en Saint-Simon..., de le réchauffer dans ses bras caressants au moment où quelque profonde douleur exigerait une profonde diversion. »

Dans tout prêtre, il y a un politique ; les grands mystiques eux-mêmes ont été de grands politiques, témoins Ignace de Loyola et Thérèse d'Avila. Cette confession charnelle qui unissait le pénitent à la prêtresse et la pénitente au prêtre était un moyen de gouvernement. Gouverner par l'amour entendu jusqu'au sens le plus complètement physique du mot, tel était l'objet d'Enfantin. Il était beau, d'une beauté à la fois caressante et fascinatrice. Il avait donc tout ce qu'il fallait pour incarner « la loi vivante ».

Lorsqu'il exposa, en novembre 1831, ses théories sur la loi vivante et les prérogatives du couple-prêtre. Enfantin suscita de violents orages dans la famille saint-simonienne. Déjà l'institution de la confession publique avait trouvé des résistances. Jean Reynaud et Pierre Leroux partirent les premiers en accusant la doctrine d'Enfantin d'anéantir la personnalité et la conscience de l'individu, et « d'aggraver le sort des femmes au lieu de l'améliorer ».

Pierre Leroux était un esprit ardent et profond ; il n'avait rien d'un politique ; le mysticisme utilitaire d'Enfantin ne pouvait s'imposer au sien, organique et désintéressé. Il se rappela les défiances instinctives qu'Enfantin avait éveillées en lui, lors de leur premier entretien.

« Nous nous promenions, dit-il, sous les grands arbres des Tuileries. Enfantin voulait me tâter avant de me révéler son système. Il commença, en forme d'introduction, par discourir sur Mahomet et sur Jésus, qu'il appelait les Grands Farceurs. — De grands farceurs ! — Et moi qui, naguère, avais défendu, dans le Globe, l'extatique Mahomet contre le reproche de haute imposture, ce qui m'avait valu la grande colère de M. Cousin, d'accord en cela, disait-il, avec le citoyen Voltaire. Cette fausse appréciation d'Enfantin sur les religions et sur ceux qui, par leurs révélations, les ont causées, m'inspira une insurmontable défiance, et je vis du premier coup d'œil sa prodigieuse erreur du Prêtre-Comédien. »

Il la vit, mais tel était pour les esprits élevés le besoin d'une doctrine sociale moins négative que le libéralisme, qu'il demeura et, pendant un temps, fit grâce aux moyens en faveur du but. Mais à présent, il n'était plus possible de demeurer sans devenir un prêtre-comédien ou sombrer dans la folie mystique.

Pendant trois mois, des discussions passionnées ébranlèrent les nerfs et les cerveaux des membres du collège.

Dans une de ces réunions, Cazeaux, soulevé par un délire extatique, s'était mis à prophétiser. « D'autres membres, dit Laurent, sans pousser l'exaltation jusqu'à l'extase, éprouvèrent néanmoins des secousses nerveuses qui les rendirent malades. Quand le docteur Fuster survint, il trouva tout le monde en grand émoi et plus ou moins en état de fièvre. Il n'y avait guère qu'Enfantin qui eût gardé tout son calme. »

Des trois femmes qui faisaient partie du collège, l'une, Aglaé Saint-Hilaire, amie d'enfance de la famille Enfantin, accepta les théories nouvelles, bien que toute sa vie protestât contre un tel dérèglement moral ; la seconde, Cécile Fournel, sentit un instant fléchir sa foi, s'isola et revint se placer sous l'autorité du Père Enfantin. Quant à Claire Bazard. elle protesta de toutes ses forces contre l'institution religieuse du « sérail ». « Eloignée depuis quelque temps de son mari par une incompatibilité d'humeur, nous dit M. G. Weill, elle se trouva rapprochée de lui par une haine commune contre cette légitimation de l'adultère. »

La présence des femmes ne contribuait pas peu à enfiévrer les discussions. On eût dit qu'Enfantin voulait affirmer sa domination sur les âmes, plus encore que leur faire accepter le dogme nouveau, et ses affirmations étaient des sortes de défis à la raison comme aux sentiments les plus intimes. C'était véritablement un viol des pensées, une orgie intellectuelle où des femmes chastes et fières étaient sommées de se transformer en ménades ou de renoncer à la doctrine du progrès humain. Et l'homme qui soulevait cet abominable conflit dans la conscience pure de ces femmes vouées au salut du peuple demeurait calme et froid, tel un magnétiseur tentant de dominer son sujet et de supprimer en lui la volonté pour y installer la sienne, la loi vivante.

Tout le monde en délirait. D'aucuns tombaient épuisés de fatigue et d'émotion. « On enlevait les corps, dit Laurent, sans que pour cela la discussion s'arrêtât. » Olinde Rodrigues, le disciple immédiat de Saint-Simon, eut un soir une attaque, d'apoplexie parce que, ayant affirmé que le Saint-Esprit était en lui, Reybaud lui avait répondu par des paroles d'incrédulité. « La crise fut extrêmement violente et le docteur Fuster, pour sauver le malade, dut recourir à une rétractation formelle de M. Reybaud, que cet accident avait rempli d'affliction et d'inquiétude. »

Après celui-ci et Pierre Leroux, ce fut Lechevallier qui s'en alla, n'y pouvant plus tenir. Il acceptait encore l'héritage de Saint-Simon, mais sous bénéfice d'inventaire. Finalement il alla se placer sous la discipline de Charles Fourier et revint prêcher la théorie sociétaire aux saint-simoniens.

Le 21 novembre, la scission était consommée : Cazeaux, Dugied, Carnot, Fournel et sa femme, Guéroult, Bazard et Claire Bazard se retiraient ; d'autres encore. Enfantin, proclamé Père suprême et unique, vit dans cette scission une hérésie comparable à celle qui avait déchiré la chrétienté trois siècles auparavant. Il qualifiait Bazard et les autres de protestants.

Il était pape, désormais. Mais un pape incomplet, puisque la Femme-Messie, destinée à compléter le couple pontifical n'avait pas encore répondu à l'appel. Alors, montrant le fauteuil vide de Bazard, il dit aux fidèles demeurés auprès de lui : « Voilà le symbole de cet appel, l'appel de la femme aux yeux de tous, » et nomma Rodrigues « chef du culte ».

Mais toutes ces querelles avaient ébranlé la foi de Rodrigues dans les procédés de gouvernement du Père suprême. Deux mois après, il s'en allait à son tour, en publiant un manifeste où il lui disait : « Vous pûtes faire accepter l'autorité à des esprits indisciplinés, fatigués et malades de scepticisme ; vous en avez fait des dévots et des fanatiques ; mais des hommes religieux, jamais. En ce moment l'orientalisme et ses doctrines d'adoration stupide et de lâcheté sensuelle aveuglent tous les

Enfantinistes. » Il ne pouvait tolérer davantage le protestantisme de ceux qui, avec Bazard, étaient « retournés à des travaux individuels ».

« À moi, s'écriait-il, de commencer enfin l'œuvre pratique du Nouveau Christianisme. » La critique saint-simonienne a ruiné le libéralisme politique, la « conspiration morale » des enfantinistes « n'ira pas loin, malgré tout le talent et toute la dévotion qu'elle a corrompus à son service. La religion nouvelle aura bientôt triomphé des écueils qu'elle a dû rencontrer sur son chemin : la communauté des biens et la communauté des femmes ». C'est donc le moment de terminer, « dans la morale comme dans la politique, la lutte de l'oisif et du travailleur, du salon et de l'atelier, de l'amateur et du producteur, du mal et du bien ».

La « religion saint-simonienne » avait désormais deux chefs. Mais, en réalité, Rodrigues restait seul, et autour d'Enfantin le nombre des fidèles allait sans cesse diminuant. C'était la dissolution.

Les poursuites ordonnées contre la famille saint-simonienne, groupée autour d'Enfantin, retardèrent cette dissolution en ramenant autour de lui quelques dissidents, avides de partager les périls courus par leurs frères de la veille. Louvot-Demartinécourt, capitaine d'état-major en retraite, administrateur de mines, indigné de l'irruption de la police, quadrupla sa souscription à l'emprunt saint-simonien ouvert par les soins d'Isaac Pereire.

À l'annonce des poursuites, les journaux qui avaient crié « aux jésuites » crièrent à la captation des héritages, complétant ainsi l'assimilation des saint-simoniens à la célèbre milice romaine. Certains, comme le Figaro, disaient, annonçant des révélations qui ne vinrent pas : « Nous allons passer des dieux, qui sont ingrats, aux apôtres, qui seraient cupides, du simonisme à la simonie. » La publication, dans le Globe, des comptes de la communauté saint-simonienne fit taire ces calomnies.

D'autre part, la Tribune, qui était en polémique avec le Globe, cessait la discussion par une note fort digne. Puisque la police se chargeait de réfuter les saint-simoniens, le journal républicain déclarait qu'il y aurait lâcheté de sa part à se faire son auxiliaire. Le Figaro lui-même disait : « Aujourd'hui, nous ne sommes plus adversaires des saint-simoniens aux prises avec l'illégalité. » Quant aux Débats et à la Gazette de France, ils accueillaient toutes les calomnies et répétaient qu'Enfantin et Rodrigues étaient toujours sous le coup d'un mandat de dépôt.

Fourier, qui l'eût cru ! fit écho à cette clameur, et prit à son compte, les accusations des réactionnaires. Il faut lire ses félicitations au gouvernement pour avoir « réprimé » la doctrine saint-simonienne « par la force ». Il va jusqu'à soulever contre « la secte » la passion chauvine du moment. « La Sainte-Alliance ainsi que l'Angleterre, dit-il, ont agi très maladroitement dans leur intérêt, en ne soutenant pas cette secte qui, si elle eût duré trois ans de plus, aurait causé en France une bonne guerre civile. » Il raille la « secte de Saint-Simon » pour sa « prétention risible à s'emparer du gouvernement » et incrimine avec fureur « ses monstrueux dogmes de mainmorte généralisée et de théocratie absolue ». Il accuse les saint-simoniens de se mettre « en lutte ouverte avec le gouvernement », de se poser en « tribuns » et ajoute, faisant appel aux craintes des réactionnaires : « On n'a pas perdu le souvenir des Jacobins ».

Et quel est leur vrai but, leur « but secret », à ces « théocrates », à ces « Jacobins » ? Emplir leurs poches. « Ils voulaient, en association, exploiter le mot, s'en faire un marchepied pour fonder une religion, s'allouer des prélatures, s'emparer des donations, des héritages, des fortunes. » Car ils savaient que « l'argent est le nerf de la guerre ». Quelques-unes de ces attaques avaient paru en 1831 sous le titre de Pièges et charlataneries des sectes Saint-Simon et Owen. Fourier les réédita et les compléta, trois ans plus tard, dans son livre de la Fausse Industrie.

Dans leurs querelles meurtrières qui se poursuivront jusqu'au moment où j'écris, les socialistes ne devaient jamais dépasser l'injustice haineuse de Fourier. Puisse-t-elle leur servir d'exemple, leur montrer enfin l'inanité cruelle de telles polémiques, où l'on croit avoir démontré la fausseté d'une vue particulière quand on a tenté de déshonorer ceux qui la professent.

Sur quoi reposaient les accusations de la presse réactionnaire, que le parquet tenta un instant de retenir ? Sur un fait unique que nous trouvons ainsi relaté dans une note du maire du IVe arrondissement adressée au préfet de police : « Il paraît qu'une famille du VIIIe arrondissement... voit avec un vif mécontentement qu'un jeune homme, qui lui appartient par les liens du sang, s'est jeté avec enthousiasme dans la nouvelle secte et qu'il fait de grands sacrifices pour la soutenir. »

À cette allégation, les saint-simoniens répondirent en déclarant que le jeune Lasbordes leur avait, en effet, donné son héritage. Mais cet héritage, quelle que fût la nature des espérances de ce jeune homme, était « un fait éventuel », disaient-ils. C'est « un phénomène à grande distance, qui n'a pas de valeur, relativement à celle que peut avoir pour nous en ce moment sa conversion... Le fils de Rothschild converti et déshérité vaudrait mieux pour nous » pour enseignement du public « que le fils de Rothschild saint-simonien honteux, attendant pour se déclarer la mort de père et mère. » Et pour indiquer fortement qu'ils ne couraient pas les héritages, ils ajoutaient : « Les espérances ne sont pas notre fait, c'est du présent en hommes, en travaux, en richesses, qu'il nous faut. »

Mais le présent se dérobait. Le départ de Rodrigues et son manifeste avaient fait avorter l'emprunt, et le mouvement généreux de Louvot-Demartinécourt n'avait pas trouvé beaucoup d'imitateurs. Le 20 avril 1832, le Globe cessait de paraître. L'ère de la propagande était close, disaient les saint-simoniens. Celle de l'action allait commencer, affirmaient-ils. « Allons au peuple ! » s'écriait Barrault, dont l'ardente foi entretenait les illusions. En réalité, la doctrine contractait ses fidèles en une union plus étroite, comme un perfide instinct groupe les moutons, dans la tempête des montagnes, sous l'avalanche qui va les engloutir tous

Il fut décidé que les saint-simoniens mèneraient publiquement, en communauté, la vie religieuse et sociale qu'ils apportaient à l'humanité. Leur exemple aurait une bien plus grande force de propagande que la prédication. Le 6 juillet, tandis que le canon de Saint-Merri grondait, quarante d'entre eux s'installaient à Ménilmontant dans une maison à laquelle attenait un jardin. Pour fonder une société, ils ne trouvaient rien de mieux que de fonder un couvent, où la méditation alternait avec le travail manuel. La ressemblance était complétée par une prise d'habit, cérémonie qui fut accomplie en grande solennité. Ce vêtement symbolique se composait d'un habit bleu clair, d'un gilet blanc, sur lequel était tracé en lettres rouges le nom de celui qui le portait, et d'un pantalon blanc. Le gilet se boutonnait par derrière, en sorte que nul ne pouvait s'habiller sans le secours d'un autre et sans recevoir ainsi une leçon de solidarité.

Au moment où le Père achevait de s'habiller, un pavillon aux couleurs rouge, blanche et violette horizontalement disposées fut hissé au mât placé sur la terrasse. Enfantin reçut les vœux solennels que prononçait chacun de ses « enfants », et par des impositions et attouchements de mains leur donna les trois signes de la « paternité », du « patronage » et de la « fraternité ». Quelques-uns ne se sentaient pas prêts à prononcer les vœux et refusaient. Retouret accepta en ces termes : « Père, je vous ai dit un jour que je voyais en vous la majesté d'un empereur, et pas assez pour ma faiblesse la bonté d'un messie. Vous m'apparaissiez formidable. Aujourd'hui j'ai senti profondément tout ce qu'il y a de tendresse et de douceur en vous : Père, je suis prêt. »

Messie, le mot ne choquait pas Enfantin. Il n'attendait pas sa mort pour organiser des pèlerinages aux lieux où s'étaient passés les incidents capitaux de sa vie. Lorsque tous ses « enfants » eurent revêtu l'habit, il leur dit : « Le jour n'est pas éloigné où nous montrerons cet habit hors de notre maison. Dimanche, nous sortirons. »

Et il leur indiqua trois buts : la tombe de sa mère, le chemin de Vincennes où, en 1814, il défendit Paris sous l'uniforme de l'École Polytechnique, enfin le berceau de son enfant à Saint-Mandé.

Cette allocution terminée, une procession s'organisa dans le jardin au chant de : Peuple, si notre voix réclame, et les discours ou plutôt les sermons reprirent.

Le lendemain, la « famille » lançait un manifeste sur les journées sanglantes qui s'achevaient.

Ce manifeste répudiait la violence employée de part et d'autre.

« Nous aimons les républicains, y était-il dit, parce qu'ils aiment le peuple, parce qu'ils veulent le progrès... mais nous ne sommes pas républicains, parce que les républicains veulent un progrès désordonné... — Nous aimons les légitimistes, parce qu'ils aiment l'ordre, parce qu'ils sentent les droits du riche... mais nous ne sommes pas légitimistes, parce que les légitimistes n'aiment pas les droits du pauvre... — Nous aimons le juste milieu, parce qu'il aime par-dessus tout la paix, l'ordre, la tranquillité, la prospérité du commerce... mais nous ne sommes pas juste milieu, parce qu'il ne rend justice ni aux républicains ni aux carlistes. »

Le manifeste affirmait ensuite en ces termes le but saint-simonien, qui était « dans l'intérêt de tous les partis » et que « notre père Enfantin » avait trouvé. « C'est le développement de l'industrie, l'organisation en grand du travail, l'affranchissement pacifique et progressif des travailleurs. » Quant aux « moyens actuels de l'atteindre », ils consistaient à commencer immédiatement le chemin de fer de Paris à Marseille, à organiser dans Paris une distribution générale d'eau et un système général d'égouts, à percer une rue du Louvre à la Bastille, à envoyer dix mille hommes « défricher et mettre en valeur les landes de la Bretagne », enfin, à transformer graduellement l'organisation militaire de l'armée en une organisation industrielle, « en sorte que tout régiment serait une école d'arts et métiers et que tout soldat en sortirait bon ouvrier ».

De la sorte, le peuple aurait « du travail, de l'aisance, du bien-être » ; les entrepreneurs, les capitalistes, « de gros bénéfices » ; et les propriétaires auraient le choix entre « l'augmentation de valeur ou la défaite avantageuse de leurs propriétés ». Et « tout le monde s'enrichirait sans que personne fût appauvri ».

Le dimanche 1er juillet, les travaux de construction d'un temple furent solennellement ouverts dans le jardin de la communauté, par des chants dont Félicien David avait composé la musique. Dans ces chants, le « nouveau christianisme » et la mission du « Père » s'affirmaient en ces termes :

Salut, Père, salut !
Salut et gloire à Dieu !
Le Christ quittant les apôtres
Leur dit : veillez, ils ont dormi ;
Vous nous avez dit : travaillez ;
Vous voici ; l'œuvre commence.

Le peuple a faim !
Le peuple est misérable !
Nous avons pris ses douleurs sur nos têtes ;
Nous serons forts et patients.
Les femmes sont outragées,
Que leur messie vienne !
Il viendra ! il viendra !

Des ouvriers étaient venus se joindre aux membres de la famille pour travailler à la construction du temple. Et l'on chantait :

C'est par le bras
D'ouvriers sans salaire,
De travailleurs
Nous donnant le dimanche,
De journaliers
Voulant une corvée.
D'un peuple bon
Offrant à Dieu son œuvre
... Qu'en ce moment
Pour les fêtes du peuple
Nous bâtissons...

Et toujours en chantant on fit les déblais :

Allons, bourgeois et prolétaires.
Le travail nous a fait égaux.
Ensemble remuant la terre.
Montrons à tous l'homme nouveau !

Parmi les quarante qui s'étaient installés à Ménilmontant, il y avait les « apôtres » Barrault, Duveyrier, Michel Chevalier, d'Eichtal, Flachat, Fournel, Lambert et Edmond Talabot. Parmi les autres, il n'y a guère que Félicien David, dont le nom soit resté dans la mémoire du public. Aucune femme n'avait été admise dans la communauté, et d'aucuns, pour s'y agréger, avaient dû renoncer à des liens qui leur étaient chers, ce qui achevait la ressemblance avec le couvent.

La police s'émut, des visites domiciliaires répétées vinrent troubler les saint-simoniens dans leur retraite. On voulut leur interdire de donner accès au public le dimanche ; une ordonnance du juge d'instruction portait qu'il serait établi dans la maison de Ménilmontant « un gardien qui veillerait à ce qu'aucune réunion publique n'eût lieu et qui serait autorisé à requérir la force publique au cas où il y aurait réunion de plus de vingt personnes étrangères ».

Sur ces entrefaites, Edmond Talabot mourut. Tandis que la « famille » célébrait ses obsèques au Père-Lachaise, par des chœurs appropriés qui firent grande impression sur l'assistance, très nombreuse.

Lamé, Clapeyron, anciens amis d'Enfantin. Stéphane et Eugène Flachat, Emile Pereire enfin, préparaient le projet de chemin de fer de Paris à Saint-Germain. « Ce fut là, dit Laurent, devant le cercueil d'un rêveur qui s'appelait Talabot, qu'eut lieu la première rencontre des ingénieurs et des financiers destinés à tenter le premier essai de voies ferrées dont le Globe avait donné le plan général. » Les affaires sont les affaires. À quelques jours de là, Bazard mourait, et Cécile Bazard écartait la « famille » de ses obsèques.

Le procès fut une déception. Les saint-simoniens ayant déclaré vouloir présenter eux-mêmes leur défense, le public attendait de ces hommes éloquents les discours qui rendaient si passionnants les procès de républicains. Simon, Lambert, Holstein, Hoart, Bruneau, d'Eichtal et Rigaud, assis au banc des avocats, leur servaient de conseils. Les prévenus étaient Enfantin, Olinde Rodrigues, Michel Chevalier, Barrault, Duveyrier.

Bien que la captation d'héritage eût été écartée, l'acte d'accusation la mentionnait, manœuvre scélérate destinée à impressionner le jury. L'avocat général Delapalme, interpellé par Enfantin, répondit qu'il n'y avait là qu'une « erreur de copiste ». Étrange erreur qui se reproduisait dans toutes les pièces de l'instruction !

On lançait donc l'imputation et on leur refusait de s'en laver par la production de leurs témoins. Ils n'étaient plus accusés que d'avoir outragé la morale publique dans leurs prédications et formé une association s'occupant « d'objets religieux, politiques et autres ». « Et autres », c'étaient les théories d'association, la suppression de l'héritage, le programme social. Le président n'avait pas trouvé de mots pour qualifier ces « objets », qui demeurent la gloire du saint-simonisme et sont inscrits aujourd'hui dans la conscience de tous les socialistes de l'univers. « Et autres », ce n'était que cela. Rien, en somme, pour un magistrat de Louis-Philippe et de la bourgeoisie régnante. Rien ? Non, mais bien plutôt tout : la cause même, innommée et redoutable, des poursuites entreprises contre ces novateurs.

Enfantin était accusé d'avoir écrit, et Michel Chevalier d'avoir publié dans le Globe, un article intitulé : « Extrait du cinquième enseignement de Notre Père Suprême Enfantin sur les relations de l'homme et de la femme » ; Duveyrier, : d'avoir écrit et publié dans le même journal un article intitulé : « De la femme ». Appelés à la barre, les témoins cités à la requête des accusés demandèrent l'un après l'autre à Enfantin, qui refusait, l'autorisation de prêter serment. Le président les faisait se retirer à mesure, sans recevoir leur témoignage.

Les accusés protestèrent, déposèrent des conclusions ; elles furent rejetées par cet attendu capital et qui met à nu le vice organique de l'obéissance à la « loi vivante » qu'affirmait être Enfantin : « Que le serment est un acte libre et qui doit émaner de la seule volonté de celui qui le prête. » Seul Baud put témoigner : il affirma sa vénération pour le Père Enfantin et sa participation active à l'œuvre commune.

La parole fut ensuite donnée aux accusés et à leurs conseils. Rodrigues termina en rendant solennellement hommage à Saint-Simon, son maitre. On sait que depuis quelques mois il était séparé de l'association. Léon Simon, conseil de Michel Chevalier, s'attacha à faire ressortir ce qui distinguait le saint-simonisme du panthéisme.

Quant à Michel Chevalier, après avoir discuté pied à pied l'accusation, il releva le reproche adressé aux saint-simoniens d'avoir suspendu un néophyte de ses fonctions pour ne s'être pas mêlé au peuple pendant l'insurrection. En réalité, ce néophyte avait reçu la mission d'aller porter aux insurgés « une parole de conciliation et d'apaisement » ; il s'était dérobé à ce devoir et on l'avait écarté pour un temps de la communauté des fidèles.

Lambert s'empara très heureusement d'une phrase maladroite de l'avocat général, qui, parlant des prévenus, avait dit : « Ces hommes sont des hommes de troubles, de destruction, de bouleversement ! Et vous, messieurs les jurés, qui êtes ici les représentants de la société menacée, vous voulez la conservation de cet ordre social qu'ils attaquent si audacieusement ! Oui, que cet ordre soit bon ou mauvais, vous êtes appelés à le soutenir. »

C'était une invite aux jurés qui pouvaient être carlistes ou républicains à s'unir aux partisans du gouvernement pour la répression de ces hommes qui annonçaient un ordre nouveau qui n'était ni la légitimité, ni le juste milieu, ni la république. Lambert y vit, c'était son droit, un aveu des vices de l'ordre social et s'écria : « Un homme qui parle ainsi a déclaré son incompétence politique. »

Duveyrier et Barrault tracèrent ensuite un éloquent tableau de la société, de la famille, du mariage, flétrirent « le règne hideux de l'adultère et de la prostitution ».

Le lendemain, la parole fut donnée au Père Enfantin. Son discours, entrecoupé de longs silences prolongés pendant lesquels il regardait l'un après l'autre les membres de la cour et les jurés, puis contemplait longuement les membres de la famille, impatienta. On ne comprit pas qu'il voulait exercer la puissance magnétique de son regard. Il entreprit de démontrer qu'il réunissait en lui la beauté, la bonté et la sagesse. Et toujours son regard appuyé sur ses juges tentait de leur imposer cette conviction. Avant le prononcé de la sentence, il rappela à la cour que « tout jugement a pour but d'élever et de moraliser le coupable ». C'est ce qu'il avait tenté de faire dans son « jugement » sur l'avocat général.

Les auditeurs avaient attendu des réquisitoires, ils venaient d'entendre des sermons et des conférences. Le jury exprima leur sentiment, lui si bénin aux accusés politiques, et déclara coupables d'association illicite et d'outrage à la morale publique Enfantin et ses coaccusés. En conséquence, la cour condamna Enfantin, Duveyrier et Michel Chevalier à un an de prison, Rodrigues et Barrault à cinquante francs d'amende, et prononça la dissolution de la société

Ce fut le signal de la dispersion. Quelques-uns d'entre eux entreprirent d'aller en Orient chercher la Mère, celle qui devait compléter le couple-prêtre ; ils furent bien accueillis presque partout où ils s'arrêtèrent. À Lyon, où Félicien David donna un concert, « l'enthousiasme n'eut plus de bornes », dit Eugène de Mirecourt, peu tendre cependant aux saint-simoniens, mais Avignon, métropole du fanatisme politique et religieux, « les reçut avec des clameurs et des huées. Une population furieuse, celle qui dix-sept ans plus tôt avait égorgé le maréchal Brune, armée de couteaux, les entourait en proférant des menaces de mort... Leur fière attitude fit baisser les couteaux ; la foule passa de la rage à l'admiration. »

À Marseille, le jour de leur embarquement, « tout le peuple » était sur la rade. On avait, la veille, salué le départ de Félicien David et ses amis « par une magnifique et dernière ovation ».

Rendus à leurs destinées industrielles, les saint-simoniens appliquèrent à leur fortune les admirables qualités que l'exaltation religieuse les avait empêchés de concentrer sur la réforme sociale. On sait que la plupart d'entre eux occupèrent de hautes situations dans la banque, l'administration, l'industrie. Mais, de leur œuvre, que restera-t-il ? Et leur enthousiasme d'une heure pour une doctrine qui inspire pour une si grande part la pensée socialiste d'aujourd'hui, comment s'est-il traduit dans leurs actes ultérieurs ?

Force est bien de reconnaître que la création de la haute banque, des chemins de fer, le libre échange relatif et la conversion de la rente se fussent accomplis tout aussi bien par d'autres que par des saint-simoniens, puisque nul d'entre eux, sauf un de leurs disciples, Ferdinand de Lesseps, ne songea, dans les grandes entreprises d'ordre capitaliste qu'ils dirigèrent, à faire participer directement ses collaborateurs ouvriers aux progrès généraux qu'il réalisa et dont il tira profit et honneurs.

Il faut cependant le dire bien haut, à l'honneur de la doctrine, comme de toute doctrine qui élève les hommes au-dessus d'eux-mêmes et les voue à une œuvre qui dépasse l'intérêt individuel : Tant qu'il la professèrent, réunis autour de Bazard, Rodrigues et Enfantin, les saint-simoniens furent purs et désintéressés. Même lorsqu'ils poussèrent la divagation mystique jusqu'à « l'émancipation de la chair » la plus absolue, ils vécurent, hommes et femmes, dans une austérité de mœurs irréprochable, et la plus étroite critique bourgeoise ne put trouver à reprendre dans leur conduite. Leur association fut riche, un moment, des souscriptions et des dons qui affluaient de toutes parts ; or, tous donnèrent, aucun ne reçut. Et nul ne contredit Rodrigues quand, dans sa défense devant le jury, il s'écria : « L'accusation pourrait dire que nous nous sommes escroqués nous-mêmes, que nous nous sommes ruinés, que pas un de nous ne se trouve dans une position égale à celle qu'il aurait pu conserver dans le monde. » Ce témoignage, l'accusation le rendit à tous en renonçant à les poursuivre pour captation d'héritage et pour escroquerie, comme on l'avait tenté lorsque des poursuites furent ordonnées.

Pour la doctrine de Saint-Simon, elle-même, additionnée de la critique économique, sociale et morale de Bazard, de Barrault, de Michel Chevalier, et débarrassée des végétations cléricales et mystiques d'Enfantin, qui fut trop enclin à les greffer sur le « nouveau christianisme » du fondateur, qu'en reste-t-il ? Une vue nette de la transformation de la propriété terrienne et de la rente oisive en propriété capitaliste et en profit reproducteur de force et de richesse ; une vue non moins nette de la nécessité de fonder l'ordre social sur un système d'institutions économiques. Tout le socialisme organique sortira de là. Que nous reste-t-il encore ? La négation fondamentale du privilège héréditaire de la propriété, l'émancipation sociale de la femme reconnue l'égale de l'homme.

En présence de ces apports, et de ceux que nous réserve une étude de la hiérarchie industrielle substituée aux fonctions politiques et transformée en division du travail, on ne peut pas dire que les saint-simoniens aient inutilement retenu pendant trois ans une part de l'attention publique. Vivants et agissants, ils n'eurent qu'un succès de curiosité. Leur pensée, qui est le fond même de la pensée socialiste, transformée par des acquisitions incessantes, vit et agit chaque jour, et s'impose, à mesure que nous nous connaissons mieux, à toute notre reconnaissance.

Chapitre VI
La petite Vendée

Divisions du parti légitimiste. — Châteaubriand et Berryer. — L'équipée de la duchesse de Berri. — Propagande légitimiste par l'imagerie. — Défaite de l'insurrection vendéenne. — Fausses espérances : la mort du duc de Reichstadt et les impérialistes.

Le parti légitimiste était divisé en deux fractions. C'est la loi de tout parti, si homogène soit-il, et les plus rétrogrades sont les plus homogènes, le sens de la liberté y étant moins éveillé. Il y avait d'un côté les politiques, les parlementaires, les gens informés, d'ailleurs désireux de tranquillité pour eux-mêmes plus que pour le pays ; de l'autre les ardents ne rêvant que la revanche des trois journées et toujours prêts à se heurter au nouveau gouvernement pour tenter de le renverser par les moyens qui l'avaient édifié. Tout à coup, on apprit à Paris que la chouannerie venait d'éclater et que la Vendée renaissait. Le bruit courut et se confirma, que la duchesse de Berri, mère du comte de Chambord (alors nommé duc de Bordeaux), était à la tête des insurgés de l'Ouest.

Mais ce n'était pas le grand incendie qui avait dévoré trois provinces quarante ans auparavant. C'étaient des tisons mal éteints, qui avaient couvé sous la cendre, jetant des étincelles sous le Consulat et sous l'Empire et qui n'avaient rien du soulèvement d'un peuple attaché à sa foi, à ses coutumes, à ses maîtres, c'était la fuite dans les landes et dans les marais de jeunes gens qui se dérobaient à la conscription.

Cependant, cette fois, les étincelles avaient jailli sur des foyers, d'ailleurs épars, mais où tout semblait préparé pour une nouvelle flambée. Des gars se levaient non plus pour fuir le fusil de munition, mais pour décrocher de la cheminée la canardière familiale pour une autre chasse que celle des oiseaux de marais, et chantaient à tue-tête à travers les villages frémissants :

> Prends ton fusil, Grégoire,
> Et ta gourde pour boire.

Pour leur donner du cœur, on leur disait que le Midi, le Midi de Trestaillons et de Quatretaillons, allait bouger, de Bordeaux à Nîmes. Ils le croyaient, le désirant de toutes leurs forces, et se faisaient la main par des attaques contre des gendarmes isolés, et un peu aussi contre des diligences. Ils faisaient leur coup, par bandes minuscules, puis disparaissaient derrière la complicité muette et narquoise des villageois. Des exécutions de « bleus » avaient lieu, de-ci, de-là, pour la sécurité, pour la vengeance, pour le plaisir de ceux qui les assassinaient à l'improviste. Les villes s'irritaient contre les « brigands », faisaient faire des battues par leurs gardes nationaux, qui bientôt se trouvèrent en face de véritables forces et ne purent tenir.

Ceux qui avaient tenté de rallumer l'incendie s'étaient montrés plus zélés propagandistes qu'habiles organisateurs. Nous les avons vus s'essayer dans un de ces coups où ils excellèrent, toujours avec un égal insuccès, vers la fin du Directoire et sous le Consulat, et nous avons constaté l'échec de leur complot de la rue des Prouvaires, où tout avait été prévu par eux, sauf deux choses : la division des chefs et la trahison de quelques affidés. Ils n'avaient cependant rien omis pour préparer l'opinion publique, et ils avaient fait appel aux forces de sentiment, si puissantes chez ceux où le cœur l'emporte sur la raison. Il y avait toute une imagerie du petit comte de Chambord, le représentant dans les attitudes les plus propres à émouvoir les âmes sensibles. On le montrait agenouillé et priant pour la France, cette France qui avait eu la cruauté de jeter à l'exil un pauvre enfant de dix ans. Dans une autre gravure, car les revenants de Coblence avaient toutes les audaces, le jeune Henri V tentait de toucher le cœur des patriotes en pleurant avec sa jeune sœur. Au-dessus on lisait cette légende, qui l'appariait avec Marie Stuart, autre héroïne de légende :

> Oh ! que j'ai douce souvenance
> Du beau pays de mon enfance...

N'était-il pas, lui aussi, relégué dans la rude et poétique Écosse, mise à la mode par Walter Scott et ses imitateurs français ! Jusqu'à quel point cette imagerie, ces placards en vers et en prose, agissaient-ils sur le public ? Fort peu, nous dit Henri Heine, qui nous montre un ouvrier regardant une estampe où le petit roi « gravit les montagnes de l'Écosse, vêtu en montagnard et sans haut-de-chausses ».

— Mâtin ! fait l'ouvrier. On le représente sans culottes, mais nous savons bien qu'il est jésuite.

Oui, voilà ce qu'on savait, parce-qu'on le voyait. Et là était l'obstacle invincible, dont les partisans du drapeau blanc ne tenaient pas compte. Pour eux, qu'étaient les révolutions et les restaurations ? Des entreprises de Satan et des revanches du ciel. Dieu accordait aux méchants des victoires d'un moment, pour éprouver les bons. Mais ceux-ci pouvaient, devaient toujours espérer un miracle de son arbitraire souverain.

Les sentiments fondamentaux du peuple ne leur apparaissaient pas changés. Il était toujours pour eux la grande masse simple, ignorante et passive que de mauvais esprits avaient détournée de ses devoirs. Dieu avait accordé le succès à leurs entreprises, mais pour faire à ses fidèles l'obligation d'agir par les mêmes moyens qui avaient donné à ceux-là un triomphe passager. Ils partageaient tous l'illusion du vieux roi, en qui Victor Hugo résumait ainsi la leur propre : « Charles X croit que la révolution qui l'a renversé est une conspiration creusée, minée, chauffée de longue main. Erreur ! c'est tout simplement une ruade du peuple. » Le poète, qui venait d'entrer en communication avec son temps, voyait avec la lucidité du génie le mouvement que, murés dans le culte d'un passé mort, les royalistes étaient incapables de soupçonner : « Il y a de grandes choses qui ne sont pas l'œuvre d'un homme, disait-il, mais d'un peuple. Les pyramides d'Égypte sont anonymes ; les journées de juillet aussi. »

Persuadés qu'une conspiration les avait renversés du pouvoir, les légitimistes conspirèrent pour y remonter. Et puisqu'il fallait flatter la bête pour la dompter, eux aussi la flatteraient. Les barricades avaient élevé le trône de l'usurpateur, d'autres barricades faites par le même peuple serviraient de piédestal au vrai trône, au trône fleurdelysé. Ils allèrent donc au peuple, comme y étaient allés les émissaires de Philippe-Égalité, comme venaient d'y aller ceux de Philippe-roi. Et, comme ceux-ci, ils iraient à lui, poches garnies et mains libérales, la bouche pleine des paroles qu'aiment les foules, ces paroles qui sonnent la liberté et l'égalité, comme les pièces fausses sonnent l'or et l'argent. Nous avons revu cela il y a peu.

« C'est chose très plaisante, dit Henri Heine, de voir ces cafards déguisés faire maintenant les matamores en langage de sans-culotte, coqueter d'un air farouche sous le bonnet sanglant d'un jacobin, puis se laisser prendre parfois d'inquiétude à la pensée qu'ils auront pu mettre par distraction à sa place la rouge calotte du prélat : ils ôtent alors un instant de leur tête leur coiffure empruntée et laissent voir à tout venant leur tonsure. »

Plus clairvoyants et plus probes, les publicistes et les orateurs de la légitimité s'opposaient de toutes leurs forces à cette démagogie, à ces complots, à ces essais de soulèvement populaire, où s'acharnaient les hommes de main du parti. Chateaubriand et Berryer avaient d'autres armes à leur disposition que la carabine du braconnier et les outils du chauffeur. Ce Don Quichotte champion de la royauté, comme Heine appelait l'auteur du Génie du Christianisme, « ne tirait qu'avec des perles précieuses au lieu de bonnes balles de plomb bien vulgaires et bien incisives ».

Il combattait avec plus de conviction que d'espérance, et par point d'honneur plus que par conviction. Tout d'abord, il s'était flatté de jeter bas avec sa plume la monarchie nouvelle, selon l'expression de M. Thureau-Dangin. Et puis, la puérilité méchante de ses coreligionnaires politiques, leur stupidité et leur aveuglement l'avaient aigri plus encore que le peu de succès de ses attaques contre le régime nouveau. Il protestait contre l'éducation donnée à l'enfant-roi par les prêtres de la petite cour de Holy-Rood, qui ne lui apprenaient rien « du siècle où nous vivons ».

Le talent force l'admiration et dépasse les limites des camps politiques. Celui de Chateaubriand et de Berryer était assez grand pour leur valoir le suffrage de leurs adversaires. Chateaubriand n'était pas insensible à ces applaudissements. Quant à Berryer, il avait été bonapartiste aux heures de sa jeunesse et demeurait d'un patriotisme aigu qui le rapprochait plus souvent des libéraux que des légitimistes. Tous deux étaient donc plus appréciés de leurs adversaires que de leurs amis

Les mots de Chateaubriand contre la bêtise de son parti et sur le peu de chances qu'il avait de revenir au pouvoir faisaient sa popularité dans les milieux hostiles à la légitimité. Il se vengeait des déboires dont les ultras l'avaient abreuvé sous la Restauration, en se proclamant le « courtisan du malheur ». Il démoralisait leurs entreprises de revanche en disant croire « moins au retour de Henri V que le plus misérable juste-milieu ou que le plus violent républicain ». Bref il ne parlait pas en homme de parti.

Avec justice, Louis Blanc lui en fait un mérite. Il reconnaît bien que Chateaubriand dans ses ambassades accomplissait surtout de « pieux pèlerinages » aux lieux historiques où naquirent la force, la pensée et la beauté, qu'il montrait trop de « préoccupations littéraires dans l'exercice du pouvoir », qu'il promenait son « indolence un peu hautaine au milieu des intrigues de la cour » et qu'il « envisageait le commandement par son côté poétique ». Mais, ajoute-t-il, « ceux-là seuls agissent fortement sur les peuples, qui portent en eux de quoi s'élever au-dessus des pensées communes ». Et il invoque l'exemple de Napoléon qui lisait Ossian et le méditait. Seulement, Chateaubriand ne fut pas en politique un Napoléon. Il servit sa propre gloire littéraire, et non sa gloire politique ni la cause qu'il avait embrassée.

Bien qu'absolument inoffensif et qu'on ne pût ignorer jusqu'à quel point il réprouvait toute agression violente contre le pouvoir ; Chateaubriand fut cependant arrêté, dès que parvint à Paris la nouvelle du débarquement de la duchesse de Berri en Provence. Il fut retenu quinze jours prisonnier à la préfecture de police, dans l'appartement de Gisquet, puis relâché.

Le vieux roi, qui achevait d'expier dans une vieillesse maussade et bigote les frasques d'une jeunesse frivole et déréglée, approuvait-il l'équipée de sa bru ? Non, certes. Mais le séjour d'Holy-Rood était devenu insupportable à cette princesse avide de mouvement, d'intrigues follement conduites, d'héroïsme retentissant et surtout de liberté personnelle. Elle avait fui la compagnie de Charles X et de la duchesse d'Angoulême, bien plus pour échapper à l'ennui que pour donner une couronne à son fils. Elle colorait ainsi d'amour maternel son amour des aventures.

Une femme qui veut s'émanciper, agir en beauté, trouve toujours des suivants. Ils ne manquèrent pas à Marie-Caroline. À peine eut-elle besoin de stimuler les La Rochejaquelein et les Charette. Dès qu'elle crut s'être assuré des dévouements autour d'elle et sur les points où elle devait agir, elle s'enfuit sur le continent et tenta d'intéresser les cours à la cause de son fils.

Le tzar lui fut immédiatement acquis. Mais il ne pouvait rien à lui seul. Une tentative qu'elle fit à Vienne fut immédiatement découragée par Metternich, qui avait lié partie avec Louis-Philippe, et d'autre part connaissait assez la France pour ne se faire aucune illusion sur les chances d'une restauration.

Mis au courant de ses menées, Louis-Philippe la fait expulser du Piémont. Elle va de Modène à Naples, revient à Rome, dépiste les recherches et soudain débarque, le 29 avril, près de Marseille, avec le maréchal de Bourmont, Kergorlay, Saint-Priest et quelques autres. Le bruit de son arrivée se répand dans la ville, quelques pêcheurs des vieux quartiers l'acclament, sonnent le tocsin, essaient de proclamer le jeune roi. Mais quelques soldats dispersent l'attroupement, dans l'indifférence de la population. Les conjurés se dispersent.

La princesse parcourt le Midi sous un déguisement : on ne pourrait dire si elle fuit ou si elle prépare un soulèvement. Mais non, c'est une fuite qui la jette de Montpellier à Toulouse, de là à Bordeaux, puis en Vendée, où le 15 mai elle lance une proclamation. Ce que le comte d'Artois n'a pas osé il y a quarante ans, appuyé sur la flotte anglaise et appelé par une formidable insurrection, elle le tente sous le vêtement pittoresque de Petit Pierre, en héroïne de Walter Scott qu'elle est, avec toute la fougue baroque de son caractère de princesse et d'Italienne amoureuse.

Elle organise un gouvernement, dont feront partie ceux-là mêmes qui jugent sévèrement son équipée : Chateaubriand et Berryer. Celui-ci va la trouver au milieu de ses maigres troupes et la supplie de cesser une guerre inutile. Il lui porte une note de Chateaubriand l'adjurant de quitter la France au plus tôt.

« Les fidèles amis de la duchesse de Berri, disait cette note, non seulement pensent que la guerre civile est toujours une chose funeste et déplorable, mais que, de plus, elle est en ce moment impossible... Ils pensent que les personnes qui ont été conduites à conseiller des mouvements de cette nature ont été grossièrement trompées, ou par des traîtres, ou-par des intrigants, ou par des gentilshommes de courage qui se sont plus abandonnés à la chaleur de leurs sentiments qu'ils n'ont consulté la réalité des faits. »

L'orateur qui remuait des assemblées et qui, selon le mot de Cormenin, « était éloquent de toute sa personne », devait facilement avoir raison des arguments que lui opposait l'enthousiaste guerrière. Car lui aussi savait employer les moyens du sentiment ; c'était même sa force principale, et son arme la plus puissante à la tribune, où il emportait les cœurs plus qu'il n'édifiait les convictions.

De plus, les raisons de fait étaient là. Les chefs du parti légitimiste, les comités de Paris, avaient posé trois conditions à la guerre de Vendée. Elle ne devait éclater que dans le cas où la république serait proclamée à Paris, ou dans celui d'une invasion étrangère, ou encore si le Midi entrait, lui aussi, en insurrection. Or, l'enterrement du général Lamarque, où les royalistes avaient vu l'occasion de jeter les républicains sur le gouvernement, avait abouti à la défaite de Saint-Merri. En fait d'invasion étrangère, Marie-Caroline n'avait trouvé que le bon vouloir platonique du tzar et du roi de Hollande. Quant au Midi, il ne bougeait pas.

Bourmont, qui après la bagarre de Marseille avait gagné Nantes, où il attendait les événements, n'était pas pour la guerre. Il avait mesuré d'un œil exercé les forces dont l'insurrection disposait, et il était fixé. Les comités vendéens, travaillés par ceux de Paris, n'étaient pas unanimes. La duchesse céda. Elle promit à Berryer de faire déposer les armes et de regagner l'étranger, dès qu'elle le pourrait sans péril.

Mais Berryer était à peine parti qu'elle se ravisa. Ses partisans lui annoncent qu'enfin le Midi bouge, que l'insurrection est générale du côté de Nîmes et d'Avignon, que Bordeaux prendra feu dès que la Vendée se sera montrée dans toute sa force. D'autre part, des intrigues ont été nouées avec quelques bonapartistes influents. Ils appuieront le mouvement. Promesse fallacieuse. Mais tout ce qui servait la passion de la princesse était accueilli par elle avec avidité. Tandis qu'elle escomptait l'appui de ces bonapartistes, l'héritier du nom qui les ralliait achevait sa courte existence. Le 22 juillet, celui qu'ils appelaient Napoléon II, et dont la politique de Metternich s'était appliqué à faire un petit archiduc autrichien, mourait de consomption.

Cette nouvelle, vite connue, ne pouvait que fortifier la duchesse de Berri dans la conviction que les bonapartistes reporteraient sur son enfant les espérances placées sur l'enfant qui venait de disparaître. Il ne faut pas croire qu'une telle espérance fût absolument folle : si beaucoup de républicains se laissaient gagner par la légende napoléonienne et si d'aucuns pleurèrent la mort du duc de Reichstadt, il ne faut pas en conclure que le bonapartisme fût homogène dans son patriotisme d'allure plus protestataire que libérale. S'il avait généralement cette allure au point d'entraîner les républicains et les libéraux que Béranger et Victor Hugo égaraient dans les poétiques sentiers de la légende, nombreux étaient les impérialistes qui, dans le régime napoléonien, regrettaient bien moins la gloire que « le despotisme, l'aristocratie et la servitude » qui, selon l'expression de La Fayette dans une lettre à l'ex-roi Joseph, furent ses traits principaux.

Ce que ces bonapartistes voyaient surtout, c'était « le rétablissement d'un trône dont les Cent-Jours avaient montré la constante tendance vers d'anciens errements ». Mais ils étaient peu nombreux, ceux-là, et naturellement plus aptes à profiter de la victoire qu'à la procurer par leur effort propre. Faute de Napoléon II, ils acceptaient Henri V, sans se remuer plus pour celui-ci qu'ils ne l'avaient fait pour celui-là.

Mais le Midi n'avait pas bougé. Malgré une crise industrielle qui affamait les ouvriers de Bordeaux, de vingt autres villes, rien n'annonçait l'insurrection promise, attendue, nécessaire. La Vendée, livrée à ses propres ressources, sans chef militaire, car Bourmont ne bougeait pas, alla au combat avec ses chétives bandes. Contre elle, l'armée avait remplacé la garde nationale. On voit, de-ci, de-là, les actes d'héroïsme et aussi de sauvagerie qui ont rendu fameuse, au point d'en être légendaire, la guerre que fit la génération précédente. Battus au Chêne, battus à Riaillé, les insurgés se dispersent ; mais non pour se reformer comme au beau temps, désormais révolu. Leur gloire s'élève à la mesure de leur infortune dans l'héroïque défense du château de La Penissière. Ce sont les dernières étincelles de ce qui fut naguère un terrible incendie.

La princesse s'enfuit à Nantes, déguisée en paysanne, et y reste cachée jusqu'au 6 novembre chez les demoiselles de Guigny. C'est là que le traître Deutz devait la découvrir, et pour cent mille francs la livrer à Thiers.

Désormais, le parti légitimiste cessera d'être l'agent actif, le pivot de la conservation politique, religieuse et sociale. Il s'enfermera dans les salons du faubourg Saint-Germain et ses châteaux de province, et lorsqu'aux jours d'agitation il en sortira pour caresser de séniles espérances d'une main qui n'ose se montrer, ce sera pour se mettre à la suite des troupes doctrinaires, cléricales ou bonapartistes, au profit desquelles doit se faire l'œuvre de réaction. Et, sauf nobles exceptions, il ne boudera les nouveaux venus que pour donner à son concours un plus haut prix.

Chapitre VII
Le droit de visite.

Le ministère du 11 octobre (duc de Broglie-Guizot-Thiers). — Premier attentat sur Louis-Philippe. — Poursuites contre la presse et les sociétés populaires. — Siège d'Anvers et prise de la citadelle. — La répression de la traite des noirs. — Première ébauche de l'entente cordiale. — Les affaires d'Orient, de Portugal et d'Espagne. — Avènement d'Isabelle II. — L'insurrection carliste. — Mazzini : l'expédition de la « Jeune Italie » en Savoie.

Depuis quatre mois, Louis-Philippe était aux anges. Débarrassé de Casimir Perier, il était de fait président du conseil des ministres. Ce pouvoir personnel qu'il affectionnait tant, et qui devait le mener si loin, jusqu'à l'exil, lorsqu'il l'exercerait par la docilité morose et fière de Guizot, il en jouissait délicieusement. Mais l'automne venait, ramenant à Paris les députés, et ceux-ci, tout chauds encore du contact avec leurs électeurs, ne se gênaient pas pour dire que si, à la rentrée de la Chambre, le ministère se présentait sans chef, la Chambre le renverserait.

Louis-Philippe dut entendre, quel que fût son entêtement, et il était grand. Déjà, en juin, Dupin lui avait donné un avertissement en refusant le ministère de la justice dans un cabinet sans président responsable devant les Chambres. Louis-Philippe avait bien essayé de lui faire accroire qu'en réalité ce serait lui. Dupin, qui aurait la présidence de fait, puisque le garde des sceaux était premier dans l'ordre des ministres. Dupin eut beau jeu à masquer sous le respect du principe parlementaire sa répugnance à faire partie d'un ministère qui devait être renversé à son premier contact avec la Chambre. Il répondit donc qu'il ne s'agissait pas de lui, mais du principe.

« Le roi, dit-il dans ses Mémoires, répliqua vivement qu'il n'entendait pas se mettre de nouveau en tutelle en nommant un vice-roi ; et il continua avec tant de volubilité qu'il n'y eut plus moyen de rien objecter, en telle sorte que, ne me trouvant plus en liberté pour répondre, et craignant d'ailleurs de l'exciter davantage par mon insistance, je le priai de bien vouloir en référer à son conseil ; et profitant du moment où il rentrait dans le salon, je ne crus pouvoir mieux lui marquer mon respect que par ma retraite, dans la crainte de voir la discussion se rallumer. Au lieu, donc, de suivre Sa Majesté, je sortis par une autre issue, et regagnai ma voiture. »

Après avoir hésité entre Thiers, Guizot et Dupin, Louis-Philippe se décida pour le duc de Broglie. Mais celui-ci posa ses conditions. Il acceptait la présidence du conseil avec le portefeuille des affaires étrangères, mais il lui fallait Thiers à l'intérieur et Guizot à l'instruction publique, Barthe eut les sceaux et Human les finances, Soult garda son poste à la guerre, et, le 11 octobre, le ministère était constitué.

Le jour de l'ouverture de la session, un coup de pistolet fut tiré sur le roi, au moment où, à cheval selon le cérémonial d'alors, il traversait le pont Royal pour aller lire à la Chambre le discours de la couronne. Il n'avait pas été atteint. On trouva l'arme à terre et, un peu plus loin, un autre pistolet chargé.

La presse ministérielle poussa les hauts cris. Le parti républicain fut accusé d'armer le bras des assassins par ses doctrines. Tout attentat politique soulève les mêmes polémiques. Elles durent encore aujourd'hui. Autant que les attentats eux-mêmes, les accusations venimeuses où les idées sont incriminées prouvent la lenteur du progrès des mœurs publiques. Louis Blanc, recherchant les causes de l'assassinat politique, accuse la doctrine de l'individualisme politique, économique et moral.

« Le libéralisme, dit-il, avait produit pendant quinze ans cette fausse et pernicieuse théorie que les gouvernements ne doivent pas être chargés de la direction morale des esprits : les conséquences ne s'étaient pas fait attendre. Sous l'empire d'une loi athée et d'une morale abandonnée à tous les caprices de la controverse, chacun en était venu à n'accepter, de la légitimité de ses actes, d'autre juge que lui-même. »

Cette thèse ne tend rien moins qu'à condamner toute indépendance de pensée, toute audace de conception, toute novation et toute découverte. Elle justifiait Guizot et les doctrinaires qui devaient, au moment même où l'auteur de l'Histoire de Dix ans traçait ces lignes, tenter de constituer « l'unité morale » en se fondant sur l'enseignement religieux qui donnerait aux riches la mansuétude et aux pauvres la résignation.

Louis Blanc voulait l'unité morale dans l'égalité sociale, dans une communauté fondée sur le travail, soit. Mais il commençait par un impératif auquel l'esprit se soumettra de moins en moins. Le monde du travail se développera sur un statut d'association et d'égalité ; c'est là son irrésistible tendance, où les faits secondent sa volonté. Mais cette volonté collective sera un accord harmonique de volontés autonomes acquises à l'évidence, sans aucune influence mystique ou politique qui les contraigne à se fondre, à s'abolir, dans une unité qui deviendra de plus en plus impossible à mesure que chacun voudra penser par lui-même et se déterminer en connaissance de cause.

Pour en revenir à notre objet, disons que les attentats politiques sont en raison inverse de l'éducation civique des peuples et par conséquent de leur pratique de la liberté. La preuve, c'est que tout attentat contre les hommes qui incarnent l'autorité est suivi d'un attentat contre la liberté. Les juger ainsi, ce n'est pas condamner les actes de guerre que sont les attentats politiques. Dans certains pays, sous certains régimes, ils sont aussi nécessaires, c'est-à-dire rendus inévitables, que tout autre phénomène naturel. Mais, si jusqu'à présent ils ont pu modifier l'ordre de succession au trône ou y installer prématurément l'héritier légal, on ne voit pas qu'ils aient encore renversé un seul régime. L'attentat politique est un champignon qui croît dans la crypte des régimes d'ombre et de silence, une réplique à leur cruauté. Il dépérit et meurt au soleil de la liberté, qui mûrit des fruits de vie.

La réaction ne manqua pas au rendez-vous que lui avait donné le coup de pistolet d'un exalté. Celui-ci avait disparu. Deux agents de police qui s'étaient faufilés dans la société des Droits de l'Homme dénoncèrent comme l'auteur de l'attentat un jeune homme de vingt et un ans, nommé Bergeron, qui nia, produisit des témoins qui impressionnèrent peut-être moins le jury que les témoins suspects amenés par l'accusation. Bergeron fut acquitté.

Mais la société des Amis ne le fut pas, elle. Le ministère voulait en finir avec la liberté de fait dont les associations avaient bénéficié depuis les Journées de Juillet. Cavaignac, Trélat, Raspail et leurs amis comparurent donc de nouveau devant la cour d'assises, non plus pour répondre de délits personnels commis par la parole ou par la plume, mais pour avoir formé, en contravention de l'article 291, une association de plus de vingt personnes. Les associés furent acquittés par le jury, et l'association condamnée par la cour à se dissoudre.

En même temps, les journaux et les caricatures étaient poursuivis à outrance. La Tribune eut sa belle part dans ces poursuites et lorsque, le 12 mai suivant, elle dut cesser de paraître, après quatre années d'existence, c'est-à-dire de lutte, elle avait à son actif cent onze saisies et poursuites et vingt et une condamnations, donnant au total 157 630 francs d'amende et quarante-neuf ans de prison.

Comme quoi tout est relatif : Henri Heine, qui fréquente beaucoup les sociétés républicaines à cette époque, trouve qu'il est « comique de voir ces gens crier à l'oppression pendant qu'on leur permet de se fédérer ouvertement contre le gouvernement et de dire des choses dont la dixième partie suffirait, en Allemagne, pour faire condamner un homme à une enquête perpétuelle ». Ces paroles sont encore vraies aujourd'hui, plus vraies qu'il y a soixante-quinze ans, la distance entre les libertés relatives acquises par les deux pays n'ayant pas été rapprochée, et on pourrait les adresser à ceux d'entre les socialistes français qui, moins équitables pour leur pays que leurs camarades allemands, ne voient aucune différence entre le régime « d'un Loubet » et celui « d'un Guillaume ».

Mais avant d'en venir à l'examen des actes du nouveau ministère à l'intérieur, voyons quelle fut sa politique extérieure. Elle débuta par un succès, grâce à l'entente tacite conclue avec le ministère libéral d'Angleterre. Nous avons vu au chapitre II de cette partie que l'armée française avait forcé les troupes du roi de Hollande à se retirer de la Belgique, qu'elles avaient envahi. Mais le roi Guillaume ni s'était pas résigné pour cela à accepter le traité des 24 articles qui, libérant la Belgique et délimitant les deux royaumes, fixait leur part respective dans la liquidation nécessaire.

Le ministère du 11 octobre décida de contraindre le roi de Hollande à s'exécuter, et le 29 novembre le maréchal Gérard mettait le siège devant Anvers, dont la citadelle était occupée par les troupes hollandaises, placées sous les ordres du général Chassé. Malgré l'intervention de la flotte hollandaise, la citadelle dut capituler, le 23 décembre. Les mesures militaires prises par les Français dans cette entreprise purent éviter à la ville un bombardement. La Belgique était tout entière rendue à elle-même, et les violences nécessaires pour atteindre ce but réduites au minimum.

L'Angleterre profita des avantages moraux et matériels que valait à la France cette première rature aux traités de 1815 pour demander à notre pays de s'associer à elle par une convention réprimant effectivement la traite des esclaves. Cette convention du droit de visite se définit par son titre même. Les nations contractantes se donnaient mutuellement le droit d'arrêter en mer tout navire suspect de pratiquer la traite.

L'esclavage, aboli par la Révolution française, avait été rétabli par la réaction consulaire. Les gouvernements réunis au Congrès de Vienne, en 1815, avaient cru aller jusqu'au bout de leur devoir en interdisant la traite. Mais nulle sanction n'appuyait en réalité leur décret, non plus que celui des États-Unis, qui l'avait abolie dès 1808. Sous la pression de l'opinion publique, le ministère anglais venait, le 28 août 1833, d'abolir l'esclavage dans ses colonies. C'est alors qu'il proposa au gouvernement français de signer avec lui une convention sur le droit de visite. Celui-ci ne crut pas devoir se refuser à un acte d'humanité et de justice qui couronnait la glorieuse carrière du vieux Wilberforce, l'apôtre anglais de l'affranchissement des esclaves.

Cette convention qui devait être, plus tard, l'objet de tant de récriminations furieuses contre le gouvernement de Louis-Philippe et considérée comme une honteuse abdication de la France devant l'Angleterre, passa presque inaperçue au moment où elle fut conclue. Tout en gémissant sur la politique « de condescendance et de peur », qui décida le gouvernement à le signer, Louis Blanc reconnaît la justice du principe dont il s'inspirait.

Ses craintes, d'ailleurs, et ses griefs étaient vains, et ne tiennent pas devant les faits. Comme tous les patriotes anglophobes de son temps, il voit dans le droit de visite un moyen de tracasser le commerce maritime français et de mettre la flotte d'Angleterre au service des intérêts commerciaux de ce pays. Or, de 1831 à 1842, il n'y eut en fait que dix-sept protestations sur l'abus qui aurait été fait du droit de visite. « Cinq ou six avaient obtenu satisfaction, nous dit M. Thureau-Dangin ; les autres avaient été écartées comme sans fondement ou délaissées par les réclamants eux-mêmes. »

Avec justice, Louis Blanc lave les capitalistes anglais du reproche d'avoir voulu la suppression de l'esclavage et de la traite, ou plutôt il leur en ôte le mérite, si intéressé fût-il. Il ne croit pas que le gouvernement anglais ait « voulu, par l'émancipation des nègres, ruiner la culture du sucre des Antilles, pour assurer à son sucre indien la possession du marché de l'univers » … « Il faut reconnaître, ajoute-t-il, que c'est la nation anglaise et non le gouvernement anglais, qui l'a poussé enfin, ce cri d'émancipation, l'un des plus solennels et des plus puissants qui aient jamais retenti dans le monde. »

Ici, Louis Blanc proteste par anticipation contre la thèse du matérialisme historique dont, en ce point, Fourier avait tracé les premières lignes lorsqu'il disait en 1808 : « L'abolition de l'esclavage fut le fruit du régime féodal décroissant. L'introduction de ce régime fut l'effet du hasard (c'est-à-dire du progrès commercial et industriel) et non des calculs philosophiques. » Entre ce fatalisme abstrait et mécanique et l'idéalisme pur de Louis Blanc, entre cet asservissement de l'homme et de ses pensées aux progrès économiques et cette toute-puissance des idées, il y a place pour une vérité moins simple et que l'étude de l'histoire vérifie chaque jour.

Oui, certes, l'Angleterre, ayant supprimé chez elle l'esclavage, aura intérêt à ce que les autres nations à colonies ne lui fassent pas concurrence par la main-d'œuvre servile qu'elles continueraient d'employer. Mais si vraiment le mouvement d'humanité qui l'a portée à émanciper ses esclaves lui est dicté par l'intérêt, qu'a-t-elle à craindre de concurrents qui continueront d'employer une main-d'œuvre inférieure, et dont le rendement est moindre que celui du travail libre ? À présent, il est certain que l'émancipation des esclaves a été facilitée par le sucre de betterave, tant honni par Fourier, dont la sagacité fut ici en défaut. Le travail servile des colonies perdit, en effet, toute son importance dès que le travail salarié d'Europe put produire du sucre à meilleur marché. Mais, en fin de compte, l'ingéniosité humaine, mère des progrès industriels, est-elle d'une autre nature que cette ingéniosité s'appliquant à faire vivre les sociétés sous un statut politique et social d'où s'excluent à mesure l'arbitraire et l'inégalité ? Les Turcs brutaux et féroces du XVIe siècle auraient été aussi incapables d'inventer une machine à filer que de proclamer les droits de l'homme et du citoyen.

La convention du droit de visite fut suivie d'un projet, première ébauche de l'entente cordiale, qui devait consacrer officiellement les bons rapports de la France et de l'Angleterre.

Ce projet, qui ne fut pas réalisé sur-le-champ, devait, selon une dépêche confidentielle du duc de Broglie adressée le 16 décembre 1833 à Talleyrand, notre ambassadeur à Londres, contenir dans son préambule cette phrase dans son ambiguïté diplomatique significative :

« Voulant, dans un esprit de conciliation et de paix, renouer les liens étroits qui unissent déjà les deux peuples, et offrir à l'Europe, par cette alliance fondée sur la foi des traités, la justice et les principes conservateurs de l'indépendance des États et du repos des nations, un nouveau gage de sécurité et de confiance… »

La justice et les principes conservateurs des États, le repos des nations, cela s'entend de deux manières, selon que celui qui prononce ces mots est conservateur ou libéral. Or, libéraux, les ministres anglais et français l'étaient, au sens tout relatif et anglais du mot, c'est-à-dire par rapport à l'absolutisme de la Sainte-Alliance. Mais avant d'être un libéral, tout ministre anglais est Anglais. Et ce ministère libéral français était panaché de doctrinaires, c'est-à-dire de conservateurs, comme Guizot, et son véritable chef en matière de politique étrangère, Louis-Philippe, était un conservateur, en tout cas un partisan du « repos des nations » à la manière où l'entendait Metternich, lui-même.

Néanmoins, cette tendance de réaction contre l'absolutisme de l'Europe centrale, si elle n'aboutit pas à un traité formel entre la France et l'Angleterre, et à une action ouverte des deux gouvernements dans la lutte que les libéraux soutenaient contre l'absolutisme en Espagne et au Portugal, eut du moins pour résultat de tenir en respect les monarchies de l'Est, et de les contraindre d'abandonner l'absolutisme ibérique à son malheureux sort.

Mais ce fut d'abord en Orient que s'affirma le concert anglo-français, c'est-à-dire uniquement sur le terrain des intérêts respectifs des deux pays, opposés à ceux de la Russie et de l'Autriche. En Égypte régnait alors, sous la domination purement nominale du sultan, un homme de volonté puissante, Méhémet-Ali.

Superficiellement informée, comme toujours, la presse française voyait dans ce pacha libéré de la tutelle de la Porte un hardi réformateur, quelque chose comme un libéral d'Occident surgi par miracle dans un pays de servitude. Son énergie faisait dire de lui qu'il avait « épousé la pensée de Napoléon Ier » et on le louait d'avoir « francisé l'Égypte ». En réalité, ce despote asiatique n'était pas même, comme civilisateur, l'équivalent d'un Pierre le Grand taillant une administration à coups de sabre dans la chair tumultueuse de ses boyards.

Les « réformes » de Méhémet-Ali, dit fort judicieusement M. Driault dans la Question d'Orient, étaient tout en façade et « il y eut beaucoup de trompe-l'œil ». Il avait exterminé la milice toute-puissante des Mamelucks, mais il avait du coup confisqué leurs terres à son profit, soit la moitié du sol égyptien. Une supercherie fiscale, subie par un peuple, dont vingt invasions suivies de conquête attestent depuis trois mille ans la passivité, lui donna le reste. Son premier soin fut d'avoir une armée forte et exercée. En l'appelant à son secours contre la Grèce soulevée, le sultan Mahmoud combla ses vœux, qui étaient de s'affirmer aux yeux de l'Europe. Il arracha aux Grecs la Morée, que la France, à la paix, leur rendit ; il n'en demanda pas moins à Mahmoud le prix de ce service inutile, et exigea pour son fils Ibrahim le pachalick de Damas, c'est-à-dire la souveraineté de la Syrie.

Peu enclin à s'amoindrir au profit de celui qui l'avait secouru, surtout après avoir dû le faire au profit de ceux qui l'avaient vaincu, Mahmoud refusa net. Prenant prétexte d'un incident menu, Méhémet-Ali jette ses troupes en Syrie sous le commandement d'Ibrahim, tel un grand fauve lançant son petit sur la proie convoitée. Le 27 mai 1832, Ibrahim emportait Saint-Jean-d'Acre, moins bien défendu contre lui que trente ans auparavant contre Bonaparte, et le 14 juin entrait à Damas. De là, il marche à la rencontre de l'armée turque, la défait et passe en Asie-Mineure, menaçant directement Constantinople, où l'alarme est grande.

Prompt à profiter de l'occasion, le tzar Nicolas offre son concours au sultan. Celui-ci n'ose se mettre entre les mains d'un tel allié. Il préfère envoyer contre Ibrahim une seconde armée, qui est également battue (Konieh, le 22 décembre). Mahmoud, alors, se résigna à se mettre sous la protection du tzar. « Que voulez-vous ! dit-il à ceux qui lui remontrent les périls de l'intervention russe ; au risque d'être étouffé plus tard, un homme qui se noie s'accroche à un serpent. » Il espérait bien d'ailleurs que l'Europe ne permettrait pas à la Russie de le « sauver » à elle seule.

En effet, dès que la flotte russe apparut dans le Bosphore, l'amiral Roussin, envoyé par le duc de Broglie comme ambassadeur à Constantinople, jeta feu et flammes. Il menaça le sultan, le somma de renvoyer ses alliés et se fit fort de faire entendre raison à Méhémet-Ali et de le contraindre à réduire ses exigences. Le sultan parut intimidé. Au fond il était enchanté. Il renvoya la flotte russe avec la certitude qu'une fois de plus les rivalités des puissances allaient le tirer d'affaire.

Louis Blanc désapprouve la politique de Louis-Philippe dans ce conflit. « En présence de l'Empire ottoman condamné à une mort inévitable, dit-il, la politique de la France révolutionnaire, faisant suite à celle de Henri IV, de Richelieu et de Napoléon, consistait à contracter avec la Russie et la Prusse, contre l'Angleterre et l'Autriche. » La chose lui paraît toute simple : la France donne Constantinople à la Russie, agrandit la Prusse aux dépens de l'Autriche, à laquelle on arrache la Galicie pour reconstituer la Pologne, et s'adjuge la Syrie et l'Égypte ; plus la ligne du Rhin, naturellement.

On croit rêver en lisant de pareils enfantillages, qui montrent combien les républicains français de 1830 à 1840 étaient peu guéris de la fièvre que leur avait donnée le système napoléonien. Ce plan d'alliance russe — on sait ce que sa réalisation devait nous coûter depuis — est théoriquement parfait. Mais, voit-on la Russie détruire de ses propres mains les traités de 1815 ? L'aperçoit-on dépouillant sa complice de 1792 de la Galicie, pour le plaisir de reconstituer une Pologne dont elle vient de noyer la persistante nationalité dans le sang ? Conçoit-on une Prusse lâchant sa proie de l'Est et renonçant à celle de l'Ouest, abandonnant à la fois sa part de Pologne et la rive gauche du Rhin ? Voilà pourtant où l' anglophobie et la mégalomanie menaient nos aînés. C'est à se réjouir que leurs efforts n'aient pas alors réussi à renverser Louis-Philippe !

Mais revenons à Constantinople. L'amiral Roussin avait compté sans l'obstination de Méhémet-Ali, qui entendait garder tout ce que ses armes avaient conquis, c'est-à-dire la Syrie et le district d'Adana en Asie Mineure. Et pour affirmer sa prétention, il poussa les troupes d'Ibrahim sur Scutari, c'est-à-dire en face de Constantinople, sur la rive opposée du Bosphore. Les Russes, rappelés par le sultan, débarquent quinze mille hommes à Scutari, tandis qu'une autre armée russe, plus nombreuse, s'apprête à franchir le Danube. Alors, lord Ponsonsty, ambassadeur d'Angleterre, intervient à son tour et appuie les menaces de l'amiral Roussin. Une flotte anglo-française parait dans l'Archipel.

C'est le moment pour le sultan de laisser les puissances aux prises. Mais non. Ce qu'il avait refusé, il l'accorde soudain ; il accepte les dures conditions de son hautain vassal et, le 5 mai 1833, signe la convention de Kutayeh. D'où vient donc ce revirement subit ?

On ne tarda pas à en connaître la cause, et elle ne fut pas de nature à réjouir la France et l'Angleterre, jouées par le subtil Oriental. Par la convention d'Unkiar-Skelessi, du 8 juillet suivant, la Russie s'engageait à fournir dans l'occurrence des secours à la Porte, qui, de son côté, fermait les Dardanelles à tout navire étranger. La

Russie avait son salaire. L'émoi fut grand en France et en Angleterre, où l'on refusa de reconnaître ce traité. C'est à dater de ce moment que l'Angleterre se rapprochera de l'Autriche pour en conjurer les effets.

D'autres événements se déroulaient dans le même moment à l'autre extrémité de l'Europe méridionale, où l'appui des volontaires français et de l'argent anglais mettait un terme à la tyrannie de don Miguel, malgré l'appui apporté à celui-ci par le maréchal de Bourmont. Et tandis que l'absolutisme expirait au Portugal, le roi Ferdinand VII en faisait autant de son côté, le 29 septembre, laissant la régence à la reine Christine et le trône à une enfant de trois ans, celle qui devait être Isabelle II.

Enfoncé jusqu'au cou dans sa mégalomanie, Louis Blanc fait un grief au gouvernement de Louis-Philippe de s'être empressé à reconnaître la jeune reine. Il lui reproche de n'avoir pas invoqué la loi salique et de n'avoir pas ainsi soutenu les prétentions de don Carlos, frère du roi défunt. Tout cela dans la crainte de l'éventuel Charles-Quint qui pouvait épouser un jour la petite reine ! Au-dessus de la loi salique, n'y avait-il pas la constitution, les lois du pays ? Or, Ferdinand VII avait pris ses précautions en promulguant, en 1830, la pragmatique de Charles IV votée en 1789 par les Cortès et rendant les filles aptes à succéder.

Don Carlos fut abandonné à ses propres forces, l'Europe étant liée à la non-intervention par la proclamation qu'avaient faite de ce principe la France et l'Angleterre. Il put ensanglanter son pays par une guerre qui dura six ans ; mais l'Espagne put s'acheminer, néanmoins, à travers mille souffrances, dans les voies du régime constitutionnel. On sait qu'elle n'est pas encore délivrée du mal clérical et absolutiste qui furent les principales causes de décadence de ce qui fut une grande nation, et peut le redevenir.

L'année 1834 s'ouvre par l'expédition, manquée, de la Jeune Italie contre le roi Charles-Albert, ancien conspirateur qui avait dépouillé son libéralisme et son patriotisme italien en montant sur le trône de Piémont. Qu'était la Jeune Italie ? Une transformation de la vieille Charbonnerie, opérée en 1831 par un jeune homme de vingt-cinq ans, ardent et autoritaire, Mazzini, qui lui donna pour devise : Dio e popolo. Mazzini, dont toute la vie fut vouée à la démocratie et à la nationalité, était un mystique dans toute la force du terme, prophète plutôt qu'apôtre, démocrate plutôt que libéral. L'âme fanatique et puissante de Savonarole revivait en lui.

Lorsque l'association eut pris des forces, il fut décidé que l'œuvre de libération commencerait par le Piémont. Une expédition fut donc organisée à Genève et à Lyon, d'où partirent deux troupes, dont l'une n'arriva à la frontière de Savoie que pour se heurter aux troupes piémontaises. L'autre, conduite par Mazzini, s'égara dans les neiges de la haute Savoie et, la fatigue ayant vaincu son chef, fut ramenée en Suisse sans avoir combattu. Il est certain que la désapprobation de la Charbonnerie, alors dirigée par le vieux communiste Buonarotti, eut une part assez grande dans l'échec d'une entreprise qui, par ailleurs, n'avait pas beaucoup plus de chances de réussite que celle tentée quelques mois auparavant en Vendée par la duchesse de Berri.

Gênes, qui devait se soulever en même temps que la Savoie, ne bougea pas. Il y eut un peu partout, dans les États de Charles-Albert, des arrestations, des condamnations, des exécutions. C'est de Gênes, où il était alors, que Garibaldi s'échappa pour passer à Marseille, et de là dans l'Amérique du Sud, où commença son admirable carrière de champion armé des peuples opprimés.

Chapitre VIII
L'action ouvrière

Les ouvriers dans les sociétés républicaines. — Infériorité politique et juridique des ouvriers sous Louis-Philippe. — Les grèves de 1830 à 1833. — Le compagnonnage et ses mystères. — Combats entre gavots et dévorants. — Comment, dès 1830, le compagnonnage évolue en syndicat. — Le rôle syndical des sociétés ouvrières de secours mutuels. — L'émeute des quatre sous à Anzin. — La grève des tailleurs de Paris. — Les passementiers de Saint-Étienne.

Nous avons dit de notre mieux, et sans noircir le tableau, quelle était la situation de la classe ouvrière au moment de la révolution de 1830. Dans notre récit de l'insurrection de Lyon, nous avons pu observer que l'ébranlement politique reçu par toute la nation n'avait pas remué partout les couches profondes de la population ouvrière. De fait, il n'y a guère qu'à Paris, où les ouvriers ont construit les barricades de juillet et les ont défendues, que les plus avancés des prolétaires lient leur sort à celui de la démocratie : ce n'est encore que là, pour l'instant où nous sommes, où l'espoir d'émancipation sociale par la République groupe les travailleurs.

Martin Nadaud, dans ses Mémoires de Léonard, note que les ouvriers étaient assez nombreux dans les sociétés républicaines. « Nous étions quatre Creusois, dit-il, dans notre section de la rue des Boucheries-Saint-Germain, et lorsque nous dîmes, un soir, que nous savions où prendre pinces, marteaux et planches pour aider à la construction des barricades, nous fûmes chaleureusement applaudis. » Ceci se passait « après la défaite du parti dans ces glorieuses journées des 5 et 6 juin ».

En somme, sauf à Paris, la révolution de juillet n'a pas retenti directement sur la classe ouvrière. Est-ce à dire qu'indifférente dans sa masse à la poussée en avant qui venait de se produire sur le terrain politique, elle n'en avait point reçu le choc ? Comment expliquerait-on alors le mouvement de grèves qui a son point de départ dans l'année 1830 et atteint en 1833 un maximum qui ne sera dépassé que dix ans plus tard, en 1840 ?

En 1831 et 1832, les poursuites pour délit de coalition montent de 49 à 51, ce qui est insignifiant, et s'élèvent en 1833 à 90. Dans ces quatre-vingt-dix poursuites, 270 ouvriers sont condamnés à la prison, et sept d'entre eux pour un an et plus. En 1831, ce sont les canuts de Lyon, les tailleurs de pierre de Bordeaux qui se mettent en grève ; en 1832, les boulangers, les tailleurs et les charpentiers de Paris ; en 1833, de nouveau les charpentiers et les tailleurs, les mineurs d'Anzin, les tisseurs de Sainte-Marie-aux-Mines, les porcelainiers de Limoges. Dans cette même année 1833, il y a un essai de grève des typographes parisiens ; les tisseurs de Saint-Étienne s'agitent pour l'établissement d'un tarif.

Le lecteur sait qu'à cette époque l'ouvrier n'était pas seulement infériorisé politiquement, mais encore juridiquement. En cas de contestation avec le maître, celui-ci, devant les juges, était cru sur sa parole. Les tribunaux de prud'hommes aujourd'hui composés d'ouvriers et de patrons, étaient encore régis par la loi de 1806 et le décret de 1809 : en faisaient partie, d'un côté les patrons, de l'autre les chefs d'ateliers, les contremaîtres et les ouvriers patentés, ce qui excluait le prolétaire proprement dit, et les patrons fournissaient la moitié plus un des membres du conseil des prud'hommes. L'institution du livret avait été renforcée par un décret du 1er avril 1831. Le texte de la loi sur les coalitions frappait toujours les ouvriers et dans tous les cas, et les patrons seulement lorsque la coalition avait tendu « injustement » et « abusivement » à modifier le taux des salaires. La classe ouvrière avait là un bon billet.

Plus que jamais les associations d'ouvriers étaient proscrites par la loi : et les bureaux de placement, restaurés par Napoléon Ier, avaient monopole pour tous les métiers exercés dans les grandes villes. C'est le beau temps où l'on interdit aux domestiques sans place de séjourner plus d'un mois à Paris et dans les grandes villes ; où les maîtres charpentiers étaient obligés de déclarer dans les deux jours les compagnons qu'ils embauchaient ; où le livret des garçons boulangers et bouchers était déposé chez le commissaire de police, et non chez le patron comme pour les autres salariés. C'est le bon temps de la liberté pleine et absolue du travail, où nulle loi ne point encore à l'horizon parlementaire pour empêcher les employeurs de tenir des enfants de six ans enfermés douze et quatorze heures par jour dans la manufacture.

Quand il rêve à l'avenir, l'ouvrier ne hausse pas son rêve jusqu'à l'émancipation totale de toute servitude économique : une journée plus brève, un salaire moins chétif, un tarif fixe, voilà ses plus hautes aspirations. Il n'a pas entendu les saint-simoniens, d'ailleurs si prudents dans leurs appels aux salariés ; pas davantage Fourier, qui ne les appellera que s'il trouve le capitaliste décidé à faire les frais du premier phalanstère. En vain, en 1831, dans un article de l'Européen, Buchez trace-t-il le plan d'une association ouvrière ; ils ne lisent pas encore. Si peu d'entre eux savent lire. Et puis, les lois sont là. On peut, malgré leurs défenses, se grouper pour la défense du pain, dissimuler le syndicat naissant sous la société de secours mutuels. Faire plus est impossible.

Dans la Revue Encyclopédique, Jean Reynand, en 1832, appelle l'attention sur la nécessité d'une représentation spéciale à la Chambre pour les prolétaires. S'ils sont asservis, c'est parce que le pouvoir politique est aux mains d'une classe : « Il est évident, dit-il, qu'un gouvernement issu de la classe bourgeoise ne devait, au dedans et au dehors, représenter d'autre intérêt que celui de cette classe. C'est ce que, depuis juillet, malgré la clameur universelle, il a exécuté avec une sévère et imperturbable logique ; c'est ce qui a fait sacrifier la République à la quasi-Restauration... ; c'est ce qui a fait sacrifier toute amélioration du sort de la classe ouvrière à l'étroit égoïsme de la classe bourgeoise. » C'est ici le premier appel à l'organisation de classe des travailleurs ; Flora Tristan lancera le second en 1843, et, en 1847, Marx et Engels le troisième et décisif appel qui fera se lever dans l'Internationale les travailleurs conscients de tous les pays.

Quelles sont donc, en 1833, les armes défensives des ouvriers ? Comme aujourd'hui, le refus concerté de travail, la grève, est leur principal moyen. Mais quelle forme de groupement les réunit, leur permet de communiquer entre eux, de se concerter, de se donner le mot d'ordre nécessaire ? Tout d'abord il y a le compagnonnage, ce groupement né des confréries ouvrières du XVIe siècle et par lequel les ouvriers se défendaient contre la corporation où les maîtres étaient tout-puissants. Les compagnonnages sont en réalité des syndicats secrets. Ils n'ont pas de statuts écrits ; leur tradition orale leur donne pour fondateurs les constructeurs du temple de Salomon et se réclame du templier Jacques Molay. Ils sont groupés par devoirs, ces formes primitives de la fédération : les enfants du père Soubise sont opposés aux gavots, ou enfants de Salomon. Les compagnons du devoir, qui embrassent un grand nombre de corporations, s'intitulent devoirants, puis par corruption du mot : dévorants. Gavots et dévorants sont en guerre perpétuelle.

N'entre pas qui veut dans ces associations, qu'on persécute au XVIIe siècle, à raison du caractère religieux de l'initiation. Les corporations non admises forment des devoirs séparés, que les vrais compagnons ne reconnaissent pas. Pour les individus appartenant à la profession affiliée à un devoir, l'initiation comporte des épreuves pénibles jusqu'à la cruauté, humiliantes jusqu'à l'obscénité. Dans la hiérarchie compagnonnique, les maîtres briment et oppriment les compagnons, et ceux-ci les apprentis, qui acceptent d'être tyrannisés, pour pouvoir tyranniser à leur tour quand ils seront devenus maîtres.

Ces persécutés de l'Église, qui d'ailleurs voyait en eux bien moins des hérétiques révoltés contre la foi que des serfs en travail d'émancipation, font comme l'Église : « Les menuisiers enfants de maître Jacques, nous dit Agricol Perdiguier, et quelques autres corps d'état soumis aux règles du même fondateur, ne doivent recevoir compagnons, d'après leur code, que des catholiques. »

Qu'était le compagnonnage, où il était si difficile de pénétrer : un syndicat de défense professionnelle, une société de secours mutuels, un organe de placement pour les compagnons en chômage. Dans chaque ville, une auberge tenue par la mère des compagnons, abritait et abrite encore les compagnons en quête de travail, que le « rouleur » pilotait dans les ateliers où il y avait chance d'embauchage. Le travail manquait-il dans une localité pour le nouveau venu, il bouclait son sac et partait plus loin, muni d'un secours de route et reconduit hors de la ville par les compagnons.

Ces conduites avaient un rituel. Moreau, un ouvrier serrurier, le décrit en ces termes : « En 1833, dit-il, j'assistai malgré moi, car j'ai toujours cherché à éviter les occasions de querelles, à une grande conduite que nous fîmes avec les compagnons forgerons. Il partait un de ces derniers en compagnie d'un aspirant serrurier. Arrivés au bout du faubourg de Pont-Rousseau, route de la Rochelle, c'est-à-dire après avoir fait près d'une lieue en chantant des refrains plus ou moins belliqueux, les compagnons prirent les devants pour faire la Guillebrette. Les serruriers, ne faisant pas grand bruit d'habitude, restèrent sur la route ; mais les forgerons, auxquels il faut beaucoup d'appareil, se placèrent sur un gazon situé entre le fossé de la grande route et une haie vive.

« Ils y formèrent un cercle compact, en inclinant la tête vers le centre, qui était garni de cannes et de bouteilles. Là ils chuchotaient et, par instants, poussaient tous ensemble des espèces de cris plaintifs ressemblant à des hurlements, dont les novices aspirants étaient fortement impressionnés. Ensuite ils se détachaient tour à tour pour faire avec le compagnon partant ces gesticulations, ces démonstrations qui constituent la Guillebrette.

« Sur la fin de cette longue et monotone cérémonie, nous entendîmes tout à coup des cris, des menaces, des injures, des trépignements, un brouhaha épouvantable dans le champ voisin. Que se passait-il donc ?

Deux aspirants serruriers s'étaient secrètement introduits dans le champ et se tenaient cachés derrière la haie qui le séparait de la pièce de gazon. Le compagnon qui faisait sentinelle aperçut les deux curieux épiant avec avidité les mystérieux secrets de maître Jacques : sauter dans le champ et tomber à grands coups de canne sur les deux indiscrets fut l'affaire d'un instant. Les aspirants, pris à l'improviste, cherchèrent à fuir, mais pressés par les coups redoublés d'un adversaire en fureur, ils lui firent face, et, après une lutte très vive, parvinrent à lui enlever sa canne, qui ne tarda pas à être reprise par les compagnons accourus aux cris de leur sentinelle.

« Cette bataille improvisée finit par devenir sanglante, à cause du grand nombre des combattants, et de l'heure avancée du soir, qui vint augmenter la confusion. L'ordre ne se rétablit qu'avec beaucoup de peine, par les efforts empressés des compagnons serruriers. »

Les aspirants, chez les charpentiers du devoir, étaient des renards et les compagnons des loups. Ceux-ci se dénommaient les uns le Fléau des Renards, les autres la Terreur des Renards. Car, nous dit Perdiguier, « le compagnon est un maître, le renard est un serviteur. Le compagnon peut lui dire : Cire-moi mes bottes, brosse-moi mon habit, verse du vin dans mon verre, etc. Le renard obéit, et le compagnon se réjouit d'avoir fait aller le renard. En province, un renard travaille rarement dans les villes ; on le chasse, comme on dit, dans les broussailles. Dans Paris, on le rend moins farouche, et il travaille dans les mêmes chantiers que les compagnons. »

Tous les compagnons ne prennent pas des surnoms par où s'atteste leur souci de la hiérarchie. Mais tous en ont un, c'est la règle, et chacun le prend approprié à son caractère. Les passionnés pour le compagnonnage s'appelleront Bourguignon-la-Fidélité, Bayonnais-le-Cœur-fidèle, Comtois-le-Corinthien-initié ; d'autres dénonceront leur faible pour l'amour ou pour la bonne chère en s'intitulant Vendôme-la-Clé-des-Cœurs et Le-Ventre-de-Bordeaux ; le souci esthétique anime Parisien-l'Ami-des-Arts ; et Montais-Prêt-à-bien-faire et Lemonnier-Sans-répit s'attestent bons et courageux ouvriers.

Les ouvriers d'un devoir rencontraient-ils ceux du devoir rival, c'était la bataille, toujours sanglante, parfois meurtrière. Le jour d'une conduite en règle, nous dit M. C.-G. Simon, « les compagnons d'un devoir ennemi organisaient ce qu'on appelle une fausse conduite, et s'en allaient à la rencontrée de la colonne rentrante, bien armés pour l'agression. Dès qu'ils l'apercevaient, il la topaient et, les devoirs respectifs déclinés, les deux partis s'attaquaient avec fureur ».

Martin Nadaud a vu ces bagarres, Il y a pris part. « Parmi nous, Creusois, dit-il, n y avait de petits clans, de mesquines rivalités de cantons et même de communes. On avait baptisé du nom de Brûlas les ouvriers qui étaient originaires de La Souterraine, du Grand-Bourg et de Dun, et de Bigaros ceux qui venaient du voisinage de Vallière, Saint-Sulpice-des-Champs, Saint-Georges et Pontarion.

« Lorsque nous nous trouvions dans les mêmes chantiers, on commençait à se regarder en chiens de faïence. D'ailleurs, un maître compagnon ou un appareilleur bigaro se serait bien gardé d'embaucher des brûlas.

« Si, par hasard, on se trouvait dans le même chantier, c'était à qui mangerait l'autre et le déchafauderait. Alors commençait une de ces luttes où les patrons avaient tout le gain. Les deux adversaires travaillaient jusqu'à se tordre la chemise sur le dos, c'est-à-dire jusqu'à complet épuisement. La lutte terminée, si les deux rivaux avaient été aussi crânes l'un que l'autre, on allait boire un coup. »

Nous reverrons tout à l'heure ces luttes qui tournent au profit du patron. Si affligeant que soit le tableau des querelles ouvrières, achevons-le, pour que le passé soit la leçon vivante du présent.

En 1833, les tanneurs de Lyon entreprennent de chasser les cordonniers. Au nombre de trois cents, les combattants s'assaillent et se poursuivent dans les rues. À quelque temps de là, les tanneurs sont attaqués par les charpentiers armés de leurs terribles outils, parce que les tanneurs s'obstinent à porter à leur chapeau des rubans de diverses couleurs, ce qui est un privilège des charpentiers. À la même époque, à Marseille, un compagnon passant tue un compagnon de liberté.

La littérature des compagnons exprime leurs mœurs. Leurs chansons, dit Perdiguier « sont une des principales causes de désordre dans le compagnonnage ». Elles entretiennent, en tout cas, un esprit de corps poussé jusqu'à la férocité. Les choses iront au point qu'en 1836, à la suite d'un combat réglé entre charpentiers et cordonniers, renouvelé des Horaces et des Curiaces, un des charpentiers trempera le museau de son chien dans la mare sanglante où gît un cordonnier grièvement blessé d'un coup de sabre, en lui disant : « Tiens, tiens, bois le sang d'un sabourin. »

On boit beaucoup dans les multiples cérémonies du compagnonnage. Et c'est après boire qu'on prend des résolutions. C'est en buvant qu'on chante des chants de guerre comme celui-ci :

En mil huit cent vingt-cinq,
Un dimanche à Bordeaux,
Nous fîmes du boudin
Du sang de ces gavots...
Le bourreau en avant
Vous pendra comme des brigands,
Devant nos dévorants
Pleins d'esprit et de talent.

Et comme celui-ci :

... À coups de cannes et de compas
Nous détruirons ces scélérats ;
Nos compagnons sont tous là,

Fonçons sur eux le compas à la main.
Repoussons-les, car ils sont des mutins.

On croit lire les orgueilleuses et cruelles inscriptions que les rois assyriens faisaient graver sur les murs de leurs palais, et le passage de la Bible où David est célébré parce qu'il a tué dix mille ennemis, tandis que Saül n'en a tué que mille. Mais quels sont les ennemis de ces ouvriers ? Des ouvriers comme eux. Qu'ont fait ces ennemis ? Ils portent des rubans de couleur différente à leur canne et à leur chapeau de cérémonie.

Ces querelles que Nadaud nous montre se poursuivant sur le chantier, Perdiguier, le bon compagnon, nous dira jusqu'où elles vont, au grand bénéfice des maîtres. Il nous présente les compagnons menuisiers divisés en deux sociétés « jalouses l'une de l'autre » et se nuisant réciproquement. « On le sait, dit-il, les maîtres qui occupent des dévorants leur disent parfois : Si vous ne faites pas les travaux que je vous propose de telle sorte et à telle condition, je vais vous renvoyer de mon atelier et prendre de vos rivaux. Et ceux-là, effrayés des menaces des maîtres, se regardent en frissonnant et cèdent à leurs coupables exigences. Les maîtres qui occupent des gavots usent du même procédé et obtiennent les mêmes concessions. »

Parfois, cependant, cette manœuvre du maître réveille la solidarité ouvrière. Écoutons encore Perdiguier. « Si, dit-il, un maître est trop brutal et trop exigeant envers les ouvriers, la société qui le servait cesse de lui en donner ; il s'adresse alors à une autre société ; mais s'il ne corrige pas ses manières, il perd encore ses ouvriers. Quand un maître cherche à diminuer toujours le salaire des ouvriers, les sociétés s'en alarment, car le mal est contagieux. Alors elles s'entendent et mettent sa boutique en interdit pour un nombre d'années ou pour toujours. »

Ainsi divisés, rarement réunis contre les maîtres qui abusaient à l'excès de leur rivalité, les compagnons qui s'entêtaient dans la division hiérarchique créée jadis à l'imitation de la société du moyen âge devaient provoquer un sursaut de la dignité humaine chez les ouvriers imbus de l'esprit nouveau. Cette révolte, qui commença la rénovation des compagnonnages, ou plutôt leur transformation insensible en syndicats égalitaires, se produisit à la veille même de la révolution qui rappelait les droits de l'homme abolis par la gloire militaire du Consulat et de l'Empire et par le retour agressif de féodalité et de religion d'État qui marqua la Restauration.

M. G. Simon raconte ainsi cette révolte, significative par son caractère autant que par le moment où elle se produit :

« En 1830, au moment de l'expédition d'Alger, il y eut à Toulon une grande affluence d'ouvriers, si bien que la maison de la mère des gavots menuisiers et serruriers, se trouvant pleine, cette dame alla prier plusieurs compagnons, dont la chambre était en partie libre, de vouloir bien y recevoir quelques aspirants qu'elle ne savait où loger. Les compagnons prirent fort mal la chose, prétendant qu'une pareille proposition était humiliante pour eux et contraire à leurs prérogatives ; ils se montrèrent extrêmement blessés, s'arrangèrent pour quitter sur-le-champ la maison, ordonnant en même temps aux aspirants, qu'on avait voulu obliger aux dépens de leurs prétendus droits, de sortir avec eux et d'abandonner la mère.

« Les aspirants refusèrent péremptoirement de se soumettre à cet ordre arbitraire. Insistance des compagnons, refus réitéré des aspirants, exaspération des esprits et finalement rupture complète. La mesure était comble pour les aspirants : ralliés par une même passion, par de communs griefs, ils s'entendirent pour créer la Société de l'Union, dans laquelle ne tardèrent pas à se fondre toutes les petites sociétés dissidentes formées précédemment par d'autres aspirants.

« Les fondateurs de l'Union, enfants de leur siècle, et non du moyen âge, se tinrent à la hauteur de leur tâche, en accomplissant les mêmes devoirs, en remplissant les mêmes obligations, acquéraient des droits uniformes. Ils voulurent que... les pratiques barbares, le port des cannes et des couleurs, les cérémonies mystérieuses des chants agressifs fussent à jamais abolis parmi eux... Des groupes se formèrent sur le pied de l'égalité entre professions analogues... Des syndics remplacèrent les rouleurs sans conserver le droit de prélever à leur profit un tribut d'embauchage ; mais une gratification proportionnelle à la perte de leur temps leur fut allouée sur la caisse commune. »

C'est à ce moment que la société des serruriers de Lyon se forme comme un véritable syndicat. Mais quantité d'ouvriers n'avaient pas attendu, pour se grouper, que le compagnonnage s'élargît. De même, pour se mettre en grève ou pour manifester en troupe leur mécontentement, il n'était pas nécessaire qu'une association quelconque les réunît. La souffrance du moment les réunissait spontanément, et la répression, toujours implacable, (sauf à Lyon en 1831, et nous avons vu pour quelles raisons) les dispersait et les faisait rentrer dans l'ombre.

Nous avons dit le mouvement des ouvriers imprimeurs, en août et septembre 1830, contre les machines. Il y en aura encore, de-ci, de-là, dans d'autres professions et pour les mêmes motifs, mais ces convulsions n'auront jamais la gravité qu'elles ont eue en Angleterre quelques années plus tôt. En 1831, les ébénistes tentent, sans succès, de briser les machines à débiter le bois. L'année d'ensuite, les ouvriers en papiers peints de la maison Dauplain, qui vient d'adopter une machine importée d'Angleterre, s'ameutent, lancent des pierres en criant : À bas la machine ! Dispersés rudement par la police, ils se réunissent à la barrière de Ménilmontant et décident de mettre la maison Dauplain en interdit pour trois ans. Mais la machine est la plus forte.

Quant aux grèves proprement dites, les plus importantes pour l'année 1833 sont celles que nous avons énumérées plus haut. Suivons-les rapidement, dans leurs chances diverses, et dans leurs résultats ultérieurs.

La grève des mineurs d'Anzin fut une véritable émeute, une émeute de la faim. On ne peut trouver une autre expression lorsqu'on sait que de 1817 à 1833 les salaires avaient été réduits d'un cinquième. En vain, les ouvriers, en 1824 et en 1830, avaient tenté de s'opposer à ces réductions successives d'un salaire qui, finalement, devait tomber au-dessous de deux francs. Les grévistes de 1833 demandaient une augmentation de vingt centimes, ce qui fit surnommer leur mouvement « l'émeute des quatre sous ». La grève avait été violente, à la mesure de l'exaspération ouvrière. Le tribunal de Valenciennes frappa quelques-uns de ces malheureux, car la loi était formelle, mais le président Lécuyer ne put se tenir de dire aux accusés, au moment de prononcer son jugement :

« La plupart d'entre vous vont être rendus à la liberté ; tous cependant ne furent pas exempts de reproches ; mais les motifs d'indulgence pour les coupables furent pour vous, dans le doute, des moyens d'acquittement… Toutes les autorités forment des vœux sincères pour l'amélioration de votre sort ; la voix de l'humanité ne tardera pas à se faire comprendre ; les riches propriétaires de mines ne peuvent pas être vos tyrans, non, ils ne peuvent l'être ; un titre plus digne leur est réservé ; ils ne laisseront pas à d'autres le mérite de devenir vos bienfaiteurs. Les « riches propriétaires » laissèrent bel et bien à d'autres, aux ouvriers eux-mêmes, ce mérite, et l'augmentation des salaires accordée par la suite fut compensée par une augmentation de la tâche.

Les charpentiers de Paris s'étaient déjà mis en grève en 1831 pour obtenir 35 centimes de l'heure. En 1832, ceux du Pecq demandent la journée de dix heures et obtiennent 40 centimes. Cet avantage, consigné et enregistré dans le tarif, « ne faisait loi qu'en l'absence de conventions particulières ». Il fut facile aux employeurs d'exploiter l'insolidarité des ouvriers et de recourir au marchandage pour leur enlever ce qu'ils avaient dû céder.

Au procès des grévistes du Pecq, le président du tribunal disait aux inculpés, afin d'établir la matérialité du délit de grève :

— Ainsi, vous étiez tous d'accord ?

— Oui, pour raisonner notre intérêt, les ouvriers et tous les philanthropes.

— Eh bien, c'est là une coalition, c'est un concours qui à lui seul constituerait le délit.

Et il condamna. Treize d'entre eux, malgré tout le talent que mit Berryer dans sa plaidoirie, virent leur condamnation confirmée en appel.

Les sociétés de secours mutuels avaient presque toutes une caisse de chômage, organisée sur le type de celle des chapeliers fouleurs fondée en 1817 sous le nom de bourse auxiliaire. La grève de 1833 démontra aux ouvriers fondeurs en cuivre de Paris l'utilité de cette réserve de guerre. Mais ils ne firent pas de la caisse de chômage une annexe de leur société de secours mutuels ; ils voulurent avoir une véritable caisse de résistance. L'autorité les contraignit vite à modifier leurs statuts et la bourse auxiliaire des fondeurs ne fut pas l'instrument de défense professionnelle qu'ils avaient rêvé.

À ce trait, on voit que les sociétés ouvrières pouvaient vivre, mais à la condition de se renfermer exclusivement dans la fonction du secours mutuel en cas de maladie ou de chômage. Encore l'autorisation n'était-elle accordée qu'après les plus minutieuses précautions.

Avant de constituer le puissant syndicat qui groupe aujourd'hui les trois quarts des membres de leur corporation, les typographes ont été, eux aussi, disséminés en une quantité de minuscules sociétés de secours mutuels. À l'époque où se passent les événements que nous relatons, la moitié des typographes parisiens, soit près de trois mille ouvriers, étaient groupés avec les autres ouvriers de l'imprimerie dans une trentaine de sociétés de secours mutuels.

L'Imprimerie Nationale ayant établi dès 1818 un tarif uniforme pour son personnel, les typographes tentèrent en 1833 de le faire appliquer dans toutes les maisons. Ils se réunirent et adoptèrent un projet de tarif corporatif qui fut envoyé le 3 décembre aux quatre-vingts maîtres imprimeurs de Paris. Il n'en fallut pas davantage pour mettre en action la puissance publique, prompte à réprimer toute atteinte à la liberté du travail, c'est-à-dire pour les uns d'exploiter sans merci et pour les autres de mourir de faim en s'épuisant à se faire concurrence. Les membres du bureau de la réunion où le tarif avait été arrêté furent emprisonnés ; on ne les relâcha que lorsqu'ils eurent promis de dissoudre l'association formée et de rembourser les cotisations déjà versées par les adhérents.

Les tailleurs de Paris, eux aussi, avaient organisé des sociétés de secours mutuels qui étaient de véritables syndicats, ce qui leur avait permis en 1832, après une grève générale de quinze jours, d'obtenir une augmentation sur les prix de façon, qui n'avaient pas varié depuis 1825. Ils avaient déclaré leur grève en novembre, dans un moment de presse. Les patrons, surpris par la soudaineté du mouvement, manquant de temps pour se concerter, avaient dû céder.

Ayant éprouvé ainsi leur force, les ouvriers entreprirent de la consolider, tant pour assurer les résultats obtenus que pour en conquérir d'autres. Trois sociétés de secours mutuels qu'ils venaient de fonder, la Société philanthropique des ouvriers tailleurs, la Société de l'Aigle et la Société du Progrès formèrent une commission centrale. Quand ils se crurent suffisamment en force, ils se mirent en grève dans tous les ateliers à la fois dans les premiers jours d'octobre en demandant 2 francs de plus par pièce et une augmentation de 50 centimes pour les ouvriers à la journée.

Mais les patrons, cette fois, ne furent pas pris au dépourvu. Au lendemain de la grève de l'année précédente, ils s'étaient réunis et avaient conclu un accord stipulant une amende de 1 000 francs pour celui d'entre eux qui accorderait une augmentation à ses ouvriers. Leur moyen de résistance fut d'ailleurs aussi simple que cynique. Ils déposèrent une plainte contre la commission ouvrière, coupable du délit de coalition, et six d'entre les coalisés bourgeois se portèrent partie civile contre les coalisés ouvriers.

Louis Blanc, qui mentionne cette grève, donne le texte de la décision adoptée dans une réunion de la Rotonde, à la barrière du Maine, par plus de trois mille grévistes :

« Considérant, dit cet ordre du jour, que, par une circulaire du 28 octobre courant, les maîtres tailleurs ont été invités à se réunir entre eux pour s'entendre contre les ouvriers ; que, par suite de cette coalition autorisée par la police, plusieurs ateliers de maîtres tailleurs ont été fermés, l'assemblée arrête les mesures ci-après : 1° La Société philanthropique des ouvriers tailleurs vote à l'unanimité qu'elle met à la disposition de son conseil les fonds de la société, pour créer un établissement de travail ; 2° l'établissement ne vendra, strictement, que le prix courant de la marchandise, prise de première main ; 3° le conseil de la Société philanthropique réglera les intérêts de l'établissement, et des mesures seront prises pour en faire l'ouverture avant la fin de la semaine ; 4° les ouvriers sont organisés par compagnie de vingt pour la distribution des secours qui leur sont nécessaires : dans chaque compagnie, les ouvriers de cette corporation provisoire se nourriront à l'instar des militaires. Les ouvriers travaillant chez les maîtres dont l'ouvrage ne peut éprouver aucune augmentation s'engagent volontairement à apporter leurs dons, par versement fixe, pour les ouvriers sans travail. »

Cette décision fut exécutée. La société philanthropique vida sa réserve et un atelier pour les chômeurs fut installé et ouvert le 3 novembre rue Saint-Honoré, tandis qu'une cuisine était aménagée rue des Prêcheurs et distribuait tous les jours la nourriture à plus de six cents ouvriers munis de cachets qui leur étaient donnés à la permanence, rue de Grenelle-Saint-Honoré, aujourd'hui rue Jean-Jacques-Rousseau.

Mais la plainte des patrons avait eu son effet. La police fit des perquisitions au siège des trois sociétés ; la correspondance saisie établit que les tailleurs de Paris étaient en rapports suivis avec ceux de Tours, de Lyon, de Rouen, de Bayonne. On arrêta plus de deux cents ouvriers. La coalition patronale présidait à ces persécutions contre la coalition ouvrière. L'avocat de la partie civile put railler en ces termes, au nom des patrons, l'admirable effort accompli par les ouvriers :

« Dans leur délire, ils sont allés jusqu'à publier qu'il n'y aurait plus de maîtres, et que l'on allait confectionner des habits avec le seul mécanisme des associations, sans crédit, sans responsabilité et avec des hommes qui seraient égaux entre eux, ne recevraient d'ordre de personne et exécuteraient le travail comme bon leur semblerait. Et comme il faut que le ridicule s'attache à toute conception insensée, on a décoré celle-ci du beau nom d'Atelier national de la rue Honoré, 99. »

Nous apprenons avec plaisir, par cette diatribe enfiellée, que les ouvriers, en attendant qu'ils pussent se débarrasser des patrons, s'étaient déjà débarrassés des saints que l'indicateur des rues d'alors multipliait presque autant que le calendrier grégorien. L'auteur de ce morceau achevé ne perdit pas sa salive. Jugés en plusieurs fournées, les grévistes furent condamnés à des peines variant de cinq ans à un mois de prison. Sur soixante-six accusés, vingt-deux seulement furent acquittés.

Les trois sociétés ouvrières durent disparaître, et croyant échapper ainsi aux patrons, les ouvriers, qui jusque-là travaillaient en atelier, acceptèrent les offres des confectionneurs, et se mirent à travailler chez eux pour ceux-ci. Ainsi se reforma pour cette catégorie de travailleurs le travail à domicile. Ils y gagnèrent un instant d'illusion de liberté personnelle, qui ne put tenir devant la réalité de leur misère, et ils y perdirent le contact mutuel qui leur permettait de se réunir et de faire corps contre l'ennemi commun.

Partout, à cette époque, les sociétés de secours mutuels font office de syndicat, se réunissant dans les moments décisifs pour seconder les revendications corporatives. Ainsi font les cordonniers à Paris, à Lyon, à Marseille ; les gantiers à Grenoble ; les tanneurs à Lyon, Marseille et Paris ; les maroquiniers et les charrons, les mégissiers et les chapeliers, et les tisseurs. Les syndics des passementiers de Saint-Étienne, affiliés à la société secrète des Mutuellistes de Lyon, dont nous aurons bientôt à parler, demandent aux patrons l'établissement d'un tarif pour en finir avec les diminutions successives des prix de façon.

Dans leur appel, les syndics des passementiers montrent « la position malheureuse où se trouvent les ouvriers, position qui fait craindre de devenir de plus en plus mauvaise ». Bientôt ils ne pourront plus y tenir. « Si c'était une position personnelle, disent-ils, on pourrait répondre : Quittez-la. Se trouve-t-il parmi vous quelqu'un d'assez dur pour faire cette réponse à une masse d'individus composant la moitié au moins de la population de cette ville. »

Un seul patron répondit à cet appel émouvant. Les ouvriers refusèrent de travailler pour les autres fabricants, mais leur défaut d'entente fit avorter la grève. Naturellement, on arrêta quelques ouvriers, qui furent relâchés faute de preuves. L'agitation se continua jusqu'à la fin de l'année et ne se termina que sur une proclamation comminatoire du sous-préfet invitant les chefs d'atelier à dénoncer les agitateurs et menaçant ceux-ci de toute la rigueur des lois. Une bonne partie des fabricants, la moitié environ, n'en avaient pas moins dû accorder quelques augmentations à leurs ouvriers.

Dans cette année 1833 où la classe ouvrière s'agite un peu partout et développe ses formations syndicales, d'autres grèves surgissent à Lyon, où les charrons et les tisseurs d'or essaient d'obtenir de meilleures conditions d'existence ; au Mans, où les tailleurs sont à demi vaincus par l'appel que font les patrons aux ouvriers du dehors ; à Limoges, où, comme nous l'avons vu, les porcelainiers demandent l'établissement d'un tarif et où leur cohésion leur assure la victoire : à Caen, où les menuisiers demandent la réduction de la durée du travail ; à Paris, où les bijoutiers et les boulangers demandent, les premiers que la journée de travail soit moins longue, et les seconds un tarif nouveau.

Saluons ces aînés qui ont constitué à travers mille douleurs et mille persécutions la force ouvrière qui se développe aujourd'hui sans avoir à se débattre contre les entraves que la loi mettait alors à chacun des mouvements de la classe asservie et condamnée à l'être, ô ironie ! au nom de la liberté.

Chapitre IX
La loi sur l'instruction primaire

Accouchement de la duchesse de Berri à Blaye. — Optimisme du gouvernement et de la presse. — La « misère » de Jacques Laffitte : il vend son hôtel. — Réorganisation des conseils généraux et rétablissement du divorce. — L'esprit de la loi sur l'enseignement primaire. — Subordination du maître d'école au curé. — Mesures contre la propagande républicaine. — Le manifeste des « Droits de l'Homme. »

Pendant qu'à tâtons, et en se heurtant à elle-même autant qu'aux lois ennemies, la classe ouvrière cherchait sa force, la bourgeoisie organisait pièce à pièce son pouvoir, poussée en avant par les nécessités mêmes du progrès et tirée en arrière par la crainte de trop éveiller le peuple. Le nouveau ministère comptait Thiers parmi ses membres. Placé à l'Intérieur, il débuta par une scélératesse : il paya cent mille francs pour saisir dans sa cachette la duchesse de Berri désormais inoffensive.

Transportée à Blaye et placée sous la garde du général Bugeaud, la princesse y accouchait quelques mois plus tard d'un enfant déclaré fille légitime de Marie-Caroline et du comte Lucchesi-Palli, gentilhomme de la Chambre du roi des Deux-Siciles. Le procès-verbal de cet accouchement fut publié par le gouvernement de Louis-Philippe, au grand scandale de tous. Quoi ! cette princesse qui prenait les armes pour soutenir le droit divin de son fils se mésalliait elle-même ? Les royalistes étaient consternés, le vieux roi Charles X exaspéré. Dans cette répugnante affaire, Louis-Philippe se comporta odieusement envers sa parente, qui avait vainement supplié la reine Marie-Amélie de lui épargner la honte qu'on s'apprêtait à lui infliger par raison d'État. Il laissa faire son ministre, et ne la relâcha que déshonorée aux yeux de la légitimité, de la quasi légitimé et de toute la bourgeoisie du temps.

L'année 1833 commençait dans le calme. Guizot déclarait le 13 février à la tribune de la Chambre que tout allait bien. « Les émeutes sont mortes, disait-il, les clubs sont morts, la propagande révolutionnaire morte ; l'esprit révolutionnaire, cet esprit de guerre aveugle, qui semble s'être emparé un moment de toute la nation, est mort. » Le croyait-il réellement, ou voulait-il plutôt donner à la Chambre l'impression qu'elle se trouvait en face d'un pouvoir qui avait su dompter l'hydre de l'anarchie ?

Dans la presse, même optimisme. Les affaires vont bien, celles de la bourgeoisie, s'entend, et les Débats du 8 juin affirment que, « de l'aveu de tout le monde, jamais le commerce n'a été aussi florissant ». Le journal des satisfaits ajoute : « Le travail abonde ; la misère, entretenue pendant près de deux années par les entreprises désespérées des factions, a disparu. »

Il ne faut pas nier que la prospérité du commerce ait un lien étroit avec la situation du peuple, car il est le grand consommateur. Il est certain que cette année 1833 marque une reprise. Les grèves elles-mêmes, exceptionnellement nombreuses à ce moment, en sont une preuve. Les ouvriers, en effet, ne se mettent pas en grève dans les périodes de chômage. Mais l'optimisme des Débats, sans même parler de la prétendue disparition de la misère, est cependant un peu forcé.

Martin Nadaud va nous dire ce qu'il en est pour les ouvriers du bâtiment, et l'on sait que, suivant l'expression légendaire, lorsque le bâtiment va, tout va. « J'ai vu, dit-il, pendant les soixante ans que j'ai habité Paris ou Londres, les ouvriers du bâtiment supporter de bien douloureuses crises ; mais aucune, excepté celle de 1848, ne saurait être comparée à celle de 1833-1834. »

La misère disparue, au dire des Débats, voici que soudain elle reparaît, frappant un des hommes les plus riches du pays. L'émotion est grande lorsqu'on apprend la mise en vente de l'hôtel Laffitte, le financier étant descendu du pouvoir à peu près ruiné. Cette nouvelle dut faire sourire M. Thiers, bien résolu à ne pas se ruiner dans la politique.

L'opposition accusa le roi d'ingratitude envers celui qui lui avait donné le trône. Un journal ministériel, le Bonhomme Richard, évalua à vingt millions les sommes données à Laffitte pour l'aider à se tirer d'embarras, tant par la Banque de France que par le roi et le Trésor. « On voit par là, dit Dupin (Mémoires) que si M. Laffitte a rendu service à la révolution de Juillet, on n'a point été ingrat envers lui ».

Quoi ! Louis-Philippe aurait donné quelque chose ! de ses deniers ! Il aurait manifesté autrement que par des paroles, sa reconnaissance d'un service rendu ! Le fait est vrai pourtant. Il avait acheté au banquier embarrassé la magnifique forêt de Breteuil pour dix millions ; mais une clause du contrat de vente stipulait que ce chiffre pourrait être réduit par les experts. Odilon Barrot dit dans ses Mémoires que « les journaux du temps ont beaucoup retenti des plaintes de M. Laffitte contre ce marché, qu'il qualifiait d'onéreux ». Selon lui, « ces plaintes n'étaient pas fondées : car, dans la situation donnée, ce marché l'avait sauvé d'une faillite, et il ne devait que de la reconnaissance au roi ».

Soit. Mais lorsque le roi faisait de bonnes actions, c'étaient en même temps de bonnes affaires. Somme toute, Laffitte avait sacrifié ses intérêts à ceux de son parti et de sa classe. Dans sa ruine, il ne gardait que quelques millions. Nous aurons à constater au cours de ce récit des misères plus grandes et plus dignes d'intérêt.

Le calme dont se félicitait Guizot allait être troublé par une initiative du ministère, consistant à enfermer Paris dans une enceinte fortifiée et à construire des forts détachés de distance en distance. Ce seront des « casernes fortifiées » contre Paris, déclara la Tribune, qui menait le chœur de l'opposition. La population s'agitait, et, dit Lafayette dans ses Mémoires, « il paraît que les manifestations de la garde nationale parisienne contre les forts détachés auraient été plus générales si l'on n'avait pas répandu le bruit que les jeunes gens comptaient en profiter pour aller au delà. »

Pour expliquer la docilité de la Chambre aux désirs du ministère en cette affaire, la Tribune accusa les députés, et notamment Viennot, de recevoir de l'argent des fonds secrets. La Chambre décida de venger elle-même cette injure et cita à sa barre le gérant de la Tribune, son rédacteur en chef, Armand Marrast, et l'auteur de l'article, Cavaignac.

Armand Marrast, jeune élégant qu'on appelait le marquis de la révolution, était un polémiste alerte et incisif. Devant ses juges, il ne se défendit pas ; il attaqua. Après avoir constaté que depuis deux ans la Chambre avait voté plus de fonds secrets que la Restauration n'en avait demandé pendant les six dernières années, il porta ce coup droit au régime capitaliste géré par les capitalistes eux-mêmes :

« Vous êtes parfaitement indifférents à la prime des sucres ; cependant cette prime s'est accrue, depuis 1830 de 7 millions à 19 ; et, chose étrange, le tiers à peu près de cette somme est partagé entre six grandes maisons, au nombre desquelles marchent en première ligne celles de certains membres que vous honorez de toute votre considération, et notamment celle d'un ministre. Et, en effet, dans les ordonnances de primes pour 1832 on voit figurer : la maison Perier frères pour 900.000 fr. ; la maison Delessert, pour 600.000 fr. ; la maison Humann, pour 600.000 fr. ; la maison Fould, pour 600.000 fr. ; la maison Santerre pour 800.000 fr. ; la maison Durand, de Marseille, pour un million. »

Le journal républicain fut condamné à dix mille francs d'amende et son gérant à trois ans de prison. C'est à ce moment qu'il cessa de paraître, épuisé par les amendes qui vidaient sa caisse.

Dans la même session, la cérémonie expiatoire du 21 janvier fut supprimée. On ne voit pas bien, en effet, le fils de Philippe-Égalité présidant à cette amende honorable instituée par la Restauration. Dans la même session également, le divorce fut rétabli.

Le 10 juin était promulguée la loi sur les conseils généraux et d'arrondissement. Le progrès fut mince, et toutes les précautions furent prises pour que le conseil d'arrondissement n'eût rien à faire, et que le conseil général fût dans la dépendance du pouvoir central. Un cens élevé d'éligibilité fut fixé, mais on fut bien forcé d'admettre à l'électoral, faute de citoyens payant le cens dans les communes pauvres, les plus imposés de la commune. Cela, on s'en doute bien, ne révolutionna rien.

Une loi qui eût pu être révolutionnaire, si elle avait été faite par une autre assemblée et dans un autre esprit, c'est la loi du 20 juin sur l'expropriation pour cause d'utilité publique. On adopta naturellement le système qui fonctionne encore aujourd'hui avec les modifications apportées par la loi de 1841, « système pitoyable, dit justement Louis Blanc, qui conviait les propriétaires à exagérer, au gré de leur avidité commune, le prix des propriétés dont l'État avait besoin. »

Dans la discussion de cette loi, un député proposa que la plus-value donnée aux propriétés par les travaux publics résultant de l'expropriation serait défalquée de l'indemnité allouée au propriétaire en paiement de la partie de propriété dont on le dépossédait. Cette proposition fit pousser les hauts cris dans les deux Chambres par tous les théoriciens et les praticiens de la spéculation sur les terrains.

Quoi de plus légitime, cependant, qu'une telle proposition, dont le principe se trouve dans la loi de 1807. « Lorsque, dit l'article 30 de cette loi, par l'ouverture de nouvelles rues, par la formation de places nouvelles, par la construction de quais... des propriétés privées auront acquis une notable augmentation de valeur, ces propriétés pourront être chargées de payer une indemnité qui pourra s'élever jusqu'à la valeur de la moitié des avantages qu'elles auront acquis. »

C'est du principe que s'inspirait à la même époque Fourier, qui n'était pas juriste et ignorait profondément la loi de 1807, lorsqu'il s'indignait de voir « l'avarice, meurtrière » des « vandales » construire à Paris « des maisons malsaines et privées d'air, où ils entassent économiquement des fourmilières de populace. Protestant au nom de « l'utilité générale », au nom des « libertés collectives » qui gênent les libertés individuelles » et « les prétentions à l'égoïsme », il trouve odieux que « l'on décore du nom de liberté ces spéculations assassines ».

Sa conception réaliste de la liberté, qui est un fait social, lui dicte la bonne solution, proposée encore aujourd'hui, et qui attend en France les réalisations déjà accomplies en Angleterre et en Nouvelle-Zélande :

« Un indice de l'esprit faux et de l'impéritie qui règnent à cet égard, dit-il, c'est qu'aucune loi n'a stipulé des obligations relatives au fait de salubrité et d'embellissement. Par exemple : qu'une ville achète et abatte quelque îlot de masures qui masquaient quatre rues... Il est certain que les quatre maisons des côtés adjacents acquerront beaucoup de valeur... Elles devront, en bonne justice, partage de bénéfice à la commune... Cependant, aucune loi ne les astreint à l'indemnité de moitié du bénéfice obtenu. »

La Chambre, exceptionnellement laborieuse dans cette session, votait en juin la loi sur l'instruction primaire, dite du 28 juin 1833, présentée par Guizot. Le problème était difficile à résoudre : d'une part, il fallait céder aux exigences du parti libéral qui avait tant protesté contre l'obscurantisme de la Restauration ; d'autre part, il ne fallait pas mettre aux mains de la classe ouvrière un instrument d'émancipation aussi formidable, aussi puissamment irrésistible, que le savoir positif et réel. La difficulté, cependant, n'était pas pour embarrasser un doctrinaire. Quoique protestant, c'est-à-dire par définition partisan de l'instruction populaire, il n'avait aucune hostilité contre le catholicisme, dont il appréciait hautement la fonction de gendarmerie spirituelle. Il l'avait déclaré en 1832. Sa loi lui donna l'occasion de le prouver.

La loi qui organisait l'enseignement primaire, jusque-là laissé à l'arbitraire des communes et des particulière, imposait dorénavant aux communes l'obligation d'entretenir des écoles publiques ; les particuliers demeuraient libres d'ouvrir des écoles privées sans autres conditions que d'être âgés de dix-huit ans et d'être pourvus d'un certificat de moralité et de capacité délivré non par les autorités enseignantes, mais par le maire et par trois conseillers municipaux. L'enseignement devait comprendre d'abord le principes de la religion et de la morale, ensuite la lecture, l'écriture, le calcul, les éléments de la langue française et le système décimal.

Des écoles primaires supérieures étaient instituées en même temps. Quant aux filles, rien pour elles encore. De la gratuité, pas un mot, sauf pour les enfants indigents et sur un vote des conseils municipaux. De l'obligation, encore moins. « Forcer le père à mourir de faim pour instruire le fils, dit Louis Blanc, n'eût été qu'une dérision cruelle. » Et il part de là pour « faire sentir combien toute réforme partielle est absurde, et qu'il n'y a d'amélioration véritable que celle qui se lie à un ensemble de réformes constituant une rénovation sociale, profonde, hardie et complète ». Il devait vivre assez, cependant, pour donner lui-même un démenti à cette thèse, caressée aujourd'hui encore par certains socialistes qui se croient révolutionnaires parce qu'ils méprisent les « réformettes », et voter la loi de 1882 sur l'enseignement obligatoire. Dans leur intense désir d'opposer au mal qu'ils constatent le bien qu'ils proposent, les socialistes tombent dans le travers d'épouser les thèses, pessimistes jusqu'à la démagogie, des conservateurs, qui ne critiquent le présent que par regret d'un passé pire encore.

Les récriminations entendues par les inspecteurs généraux de l'enseignement au moment où se discute la loi de 1833 sont intéressantes à rapporter. « Quand tous les enfants du village sauront lire et écrire, où trouverons-nous des bras ? » disent les propriétaires agricoles, « franchement dévoués au gouvernement », qui déclarent parler « au nom des intérêts de l'agriculture ».

« Nous avons besoin de vignerons et non pas de lecteurs », dit un vigneron du Médoc, auquel fait écho un bourgeois de Gers, qui s'écrie : « Au lieu d'aller perdre leur temps à l'école, qu'ils aillent curer un fossé ! » Dans les Ardennes, « certaines personnes distinguées par leur fortune... prétendent qu'il est inutile de montrer à lire à des paysans qui doivent gagner leur pain à la sueur de leur front. » Leur pain, et la brioche des enfants de ces « personnes distinguées », pour qui seuls sont faites les écoles. Dans la Dordogne, on est « persuadé que le paysan qui dépasse un certain degré de connaissances devient un personnage inutile ». Dans la Drôme, les familles riches « craignent de voir l'instruction se répandre dans les classes pauvres » ; et dans le Cher, les propriétaires, « avant tout amis de l'ordre et de la paix, ne voient pas sans inquiétude propager l'instruction élémentaire, surtout dans des temps où les journaux pullulent ».

Guizot, on le voit, avait affaire à forte partie. Contre l'égoïsme inintelligent des bourgeois qui formaient en somme sa majorité, il fit appel à la politique de l'Église. Il installa le prêtre dans l'école. Cette loi satisfaisait d'ailleurs si complètement le parti clérical que Montalembert la vota sans une critique. Eusèbe Salverte avait proposé un amendement portant que des notions des droits et devoirs politiques seraient données aux enfants. Cet amendement fut repoussé par Guizot, qui railla cette prétention de parler de devoirs et de droits civiques à des bambins de six à dix ans. À ceux qui lui reprochaient d'avoir introduit dans l'école le prêtre, c'est-à-dire l'ennemi de l'enseignement, il répondait : Il vaut mieux avoir la lutte en dedans qu'en dehors.

Pour compléter les assurances données au clergé, le rapporteur de la loi, Renouard, indiquait que la place des curés était tout indiquée parmi les délégués inspecteurs des écoles. « Fréquemment, disait-il, les conseils municipaux auront le bonheur de pouvoir confier cette délégation à une classe d'hommes qui ont pour mission spéciale de consacrer leur vie à améliorer par la morale et les lumières le sort de l'humanité. Vous avez tous compris, messieurs, que je signale ici les curés et autres ministres des différents cultes. »

De son côté, Guizot donnait au clergé tous les gages possibles. Il plaçait, dans l'école, l'instituteur sous l'autorité du prêtre. Et ces instituteurs, qu'on redoute comme des « anti curés », l'expression est de Thiers, soyez tranquille ; le curé saura les tenir. Cependant M. Thureau-Dangin estime que « la loi de 1833 leur avait donné trop d'indépendance » et qu'elle « avait aussi trop étroitement limité l'influence du clergé. » C'est la bonne doctrine de l'Église, qui ne tient rien tant qu'elle ne tient pas tout. Les récriminations de M. Thureau-Dangin, plus exigeant que Montalembert lui-même, sont tout de même excessives et témoignent envers Guizot d'une injustice profonde, car le ministre fit tout ce qu'il put pour ligoter l'instituteur, dont il traçait en ces termes les occupations :

« Que fait, que doit faire le maître d'école ? disait-il à la Chambre le 2 mai. Est-ce qu'il donne à une certaine heure une leçon de morale, de religion ? Non. Il ouvre et ferme l'école sur la prière ; il fait dire la leçon dans le catéchisme ; il donne des leçons d'histoire par la lecture de l'Écriture sainte. L'instruction religieuse et morale s'associe à l'instruction tout entière, à tous les actes du maître d'école et des enfants. Et, par là seulement, vous atteignez le but que vous vous êtes proposé, qui est de donner à l'instruction un caractère moral et religieux. »

Il n'y manque que le calcul : Guizot n'a pas osé mettre le mystère de la Trinité et la multiplication des pains à la base de cet enseignement. Mais un calcul qui ne fait pas défaut, c'est celui-ci, hautement avoué, proclamé : Donner un enseignement qui trompât la faim de savoir et la soif de vérité, car de tels appétits contiennent « un principe d'orgueil, d'insubordination, d'égoïsme (ah ! l'égoïsme des pauvres qui veulent manger à leur faim !) et par conséquent de danger pour la société. »

Placer l'instituteur dans la dépendance du conseil municipal, c'était, dans trente mille communes au moins, l'asservir au curé. Fixer son traitement minimum à deux cents francs par an, c'était resserrer la chaîne plus étroitement encore, faire de lui un valet d'église, à la fois bedeau, sacristain, sonneur et fossoyeur. La plupart d'entre eux devaient mendier auprès des parents de leurs élèves les redevances fixées pour la scolarité.

Dans certains pays, disent les rapports officiels, « les instituteurs vivent de ce que les parents veulent bien leur donner lors de chaque récolte ». Aux portes de Paris, dans les environs d'Étampes, « les instituteurs se contentent d'une certaine quête qu'ils font chez l'un et chez l'autre. Supposez, dans la saison des vendanges, M. l'instituteur allant de porte en porte avec une brocotte, mendier quelques litres de vin, le plus souvent donnés de mauvaise grâce ». En Seine-et-Oise, également, « il y a dans plusieurs localités un mode de rétribution qui renferme quelque chose d'humiliant pour l'instituteur, en l'assimilant en quelque sorte à l'individu qui tend la main pour recevoir la récompense de ses peines… et quelle récompense !… des pois ! » On allait jusqu'à rabrouer l'instituteur réclamant dans un ménage quelques pommes de terre, « parce qu'il faisait tort aux pourceaux ». Quand les maires « voulaient donner à l'instituteur une marque d'amitié », dit un rapport d'inspecteur général, ils « le faisaient manger à la cuisine ».

Maîtres et élèves seront logés dans des taudis. L'école est fréquemment une grange abandonnée à regret. Des salles de douze pieds de côté entassent quatre-vingts enfants sur le sol humide, en terre battue. Les inspecteurs signalent dans « ces foyers d'infection la cause d'une foule de maladies graves, épidémiques et quelquefois annuelles, qui attaquent la jeunesse des écoles. Cette note est uniformément donnée pour la Meuse, pour la Haute-Marne, pour le Calvados, pour le Vaucluse, pour la Somme.

Comment ainsi ravalé, l'instituteur pouvait-il garder le sentiment de sa dignité ? Grâce à une constante révolte intérieure que, dans leur stupidité, ses maîtres ne pensaient pas allumer en lui par un tel traitement. Puissance du savoir, si modeste soit-il. Un être inculte peut subir passivement l'extrême humiliation jointe à l'extrême misère. Ses révoltes, si farouches soient-elles, seront brèves et rares.

L'instituteur, par le fait qu'il tenait au village le frêle et vacillant flambeau du savoir libérateur, était déjà libéré en esprit, et sa révolte intérieure allait travailler à la libération des autres.

Ayant mené à bien, c'est-à-dire fait voter la loi sur l'enseignement, le ministère poursuivit son œuvre de libéralisme en en proposant une qui ne permettrait de crier sur la voie publique que les imprimés revêtus d'une autorisation de la police. À quoi bon, puisque Guizot avait proclamé à la tribune que la propagande révolutionnaire était morte ! Elle l'était si peu, qu'au dire du policier de la Hodde, « plus de six millions d'imprimés démagogiques avaient été jetés au public dans un espace de près de trois mois. » C'est là un témoignage un peu suspect. Les agents de police exagèrent toujours la force et grossissent toujours l'action de ceux qu'ils font métier de surveiller. Cependant, la propagande républicaine était intense, et nous en donnerons la mesure dans un très prochain chapitre.

Elle était également un peu montée de ton. Nous l'avons déjà constaté. Nous pourrions récuser de la Hodde lorsqu'il dit qu'après la loi des crieurs publics, « chaque jour des pamphlets, dont le titre seul était une offense à l'autorité ou à la Constitution, étaient apportés effrontément au visa de la police ». Et parmi ces titres, il en cite un : « À la potence les sergents de ville ! » et un autre qui paraît lui inspirer une égale horreur : « La Déclaration des Droits de Robespierre. »

Très courageusement pour l'époque où il écrit, Louis Blanc reconnaît la vérité et blâme ces procédés de polémique. « Les crieurs, dit-il, lancés sur les places et dans les rues par les ennemis du pouvoir ne furent souvent que des colporteurs de scandale, que les hérauts d'armes de l'émeute ; dans les libelles qu'ils distribuaient, la mauvaise foi des attaques le disputa plus d'une fois à la grossièreté du langage, et à je ne sais quelles flagorneries démagogiques. »

Mais c'était bien moins la forme dans laquelle elles étaient émises que les idées elles-mêmes qui préoccupaient le gouvernement et le poussaient à reprendre une à une les libertés conquises sur les barricades des trois journées. La Société des Amis du Peuple avait dû se dissoudre, mais à sa place celle des Droits de l'Homme avait surgi. Les brochures que publiait la nouvelle association posaient la question sociale en même temps que la question politique, et c'est à cette nouvelle propagande que le pouvoir essayait de mettre un terme.

« Sur trente-deux millions d'habitants, disait une de ces brochures, la France renferme cinq cent mille sybarites, un million d'esclaves heureux et trente millions d'ilotes, de parias… Dites-leur que la Monarchie n'est capable que de déplacer le bonheur et la souffrance, mais que la République seule peut tarir la source de celle-ci et rendre à chaque individu sa part de souffrances et de félicités… » « Nous avons bien moins en vue un changement politique qu'une refonte sociale, disait-on ailleurs. L'extension des droits politiques, le suffrage universel, peuvent être d'excellentes choses, mais comme moyens seulement, non comme but. Ce qui est notre but à nous, c'est la répartition égale des charges et des bénéfices de la société. »

« C'est le peuple qui garde et cultive le sol », écrivait Vignerte à Carrel, qui souffrait avec impatience cette floraison socialiste sur le terrain républicain ; « c'est lui qui féconde le commerce et l'industrie ; c'est lui qui crée toutes les richesses : à lui donc appartient le droit d'organiser la propriété, de faire l'égale répartition des charges et des jouissances sociales ». Une autre brochure disait que « le gouvernement du peuple par le peuple, c'est la République » ; et « avec elle » on opérerait le « nivellement des fortunes », le « nivellement des conditions ». En conséquence, le peuple était invité « à extirper jusque dans ses fondements mêmes l'aristocratie qui s'est reformée sous la dénomination de bourgeoisie ».

Pour le premier anniversaire des journées sanglantes de Saint-Merri, la Société des Droits de l'Homme lança un manifeste brûlant qui débutait par ces mots : « Citoyens, l'anniversaire des 5 et 6 juin ne vous demande pas de vaines douleurs ; les cyprès de la liberté veulent être arrosés avec du sang et non pas avec des larmes. Pour un frère qu'on nous tue, il nous en vient dix, et le pavé de nos rues imbibé de carnage fume au soleil d'été l'insurrection et la mort… »

Ce manifeste, que des renseignements de police attribuaient à Cavaignac, se terminait ainsi : « Le gouvernement ne tend qu'à renfermer et resserrer les existences dans les limites que leur ont assignées les hasards ou les infamies de notre organisation sociale ; aux uns la richesse, aux autres la misère ; aux uns le bonheur oisif, aux autres la faim, le froid et la mort à l'hôpital. Les larmes ne sont pas pour nous, elles sont pour nos ennemis ; car après leur mort, il ne subsistera plus rien d'eux, qu'un souvenir de malédiction. Bientôt le bras du souverain s'appesantira terrible sur leur front ; alors qu'ils n'espèrent ni grâce ni pardon ! Quand le peuple frappe, il n'est ni timide ni généreux, parce qu'il frappe non pas dans son intérêt, mais dans celui de l'éternelle morale et qu'il sait bien que personne n'a le droit de faire grâce en son nom. — Salut et fraternité. »

Un aussi véhément appel, qui proclamait l'insurrection en permanence, reflétait-il la pensée de tous les républicains groupés dans la Société des Droits de l'Homme ? Non, puisque ceux qu'on appelait les Girondins et qui se groupaient autour de Raspail avaient la majorité dans le comité directeur. Mais il y avait une minorité remuante, impatiente de bataille, que Lebon représentait dans le comité. Le manifeste fut une transaction entre ceux-ci, qui voulaient organiser l'insurrection pour le 5 juin 1833, et les premiers, qui formaient l'ancien noyau des Amis du Peuple, et disaient avec Raspail : « Formulons nos doctrines de manière à ne repousser aucune conviction ; ne froissons pas les intérêts ; n'attaquons pas de front les préjugés, ménageons-les pour mieux les détruire. » Nous reviendrons sur ces querelles.

Le manifeste ne pouvait manquer d'attirer des poursuites sur la tête des républicains. Vingt-sept d'entre eux prirent place sur le banc des accusés dans le procès, qui dura du 11 au 22 décembre. Les plaidoiries furent si véhémentes, que trois des défenseurs, Dupont, Michel (de Bourges) et Pinard furent frappés de suspension par le tribunal. Dupont, plaidant pour Kersausie, commenta la déclaration de Robespierre sur la propriété et dit : « Le dix-neuvième siècle a une mission à remplir, c'est l'affranchissement moral et politique des prolétaires. »

Dans son plaidoyer, dont la forme était plus violente que le fond, Raspail déclara que les républicains travaillaient à convaincre la majorité. Alors, ils se lèveront « quand le peuple, mais le peuple entier, mais le peuple qui se compose des bourgeois et des prolétaires (ne les séparons pas, puisqu'ils sont tous Français), quand le peuple croira qu'il est temps de destituer un pouvoir qui usurpe et qui conspire contre sa liberté. »

Le jury acquitta les vingt-sept. Mais le pouvoir voulait en finir avec cette propagande républicaine, socialiste et révolutionnaire : de là la loi sur les crieurs publics, en attendant un remaniement de la loi sur les associations qui se préparait au ministère.

Lorsque fut mise en discussion cette loi qui allait frapper les crieurs de journaux, dont la plupart étaient en même temps d'ardents propagandistes, un journaliste républicain, Rodde, qui dirigeait le Bon Sens avec Cauchois-Lemaire, annonça hautement son intention de protester publiquement contre l'attentat qui se préparait contre la liberté de la presse. Il était d'autant mieux qualifié pour élever sa protestation que, dans son journal, il s'attachait plus à instruire les travailleurs qu'à les pousser aux barricades.

Un dimanche, ainsi qu'il l'avait publié, il s'installa sur la place de la Bourse et se mit à crier les titres de brochures saisies les jours précédents. La foule lui fit un succès énorme. On l'acclamait aux cris répétés de : Respect à la loi ! Vive la liberté ! La police n'osa pas l'inquiéter, mais l'affluence était si grande qu'il dut se réfugier dans une maison. La loi n'en fut votée qu'avec plus d'entrain par les Chambres.

Cette affaire eut un épilogue. Cabet, dont le journal le Populaire exerçait une influence énorme dans les milieux ouvriers, avait publié de véhéments articles contre la loi. Le Populaire tirait à 27.000 exemplaires et publiait chaque dimanche une brochure. Il fallait briser cette force d'autant plus dangereuse que les conseils de modération donnés par Cabet étaient très écoutés par les républicains. On prit prétexte d'outrages à la Chambre pour suspendre l'immunité parlementaire et le faire condamner à deux ans de prison, quatre mille francs d'amende et deux ans d'interdiction des droits civils et politiques. « Cela nous en débarrassa », dit cyniquement Dupin dans ses Mémoires.

Cabet eût préféré aller en prison. Ses amis réunis chez le général Thiard, insistèrent auprès de lui et, invoquant l'intérêt du parti républicain, le supplièrent de garder sa liberté. Il partit donc pour la Belgique. Mais il y était à peine, que la Gazette de Francfort, alors au service de la « haute police internationale », selon l'expression de Félix Bonnaud, le dénonçait en ces termes au cabinet belge : « La République se réfugie de Paris à Bruxelles ; mais on ne l'y laissera pas. » Cabet fut, en effet sommé de partir dans les vingt-quatre heures et dut se réfugier en Angleterre.

Chapitre X
La conquête de l'Algérie

Le programme du maréchal Clauzel. — Pourquoi l'expédition d'Alger est impopulaire en France. — Le général Berthezène maintient l'esclavage pour se concilier les Arabes — Le duc de Rovigo imite et dépasse la cruauté des Turcs. — Abd-el-Kader suscite le patriotisme arabe. — Il force le général Desmichels à traiter avec lui.

Le retentissement de la prise d'Alger par le général de Bourmont, le 5 juillet 1830, avait été vite amorti par la fusillade des trois journées. L'opinion libérale avait même critiqué l'élévation au maréchalat du vainqueur d'Alger, en qui elle continuait de voir le transfuge de 1815. Le nouveau gouvernement l'avait rappelé et, en septembre, le maréchal Clauzel avait pris la direction des opérations militaires en Afrique.

Il avait la bride sur le cou. Louis-Philippe et ses conseillers n'avaient pas de plan arrêté sur cette expédition, où le gouvernement de Charles X avait cru trouver le moyen le plus propre à dériver les sentiments belliqueux mal assoupis d'un pays déjà las d'une paix de quinze ans succédant à vingt ans de guerre suivis de désastres inouïs. Le maréchal Clauzel se mit en tête de conquérir tout le pays que les Turcs avaient possédé. Cela était logique, en somme ; puisque la France avait détruit leur puissance dans cette partie de l'Afrique, elle se devait de la remplacer. Mais quelle était l'étendue de cette puissance, et où étaient ses limites ? Voilà ce que l'on ignorait à Paris, et voilà ce que n'eût pu dire celui qui était chargé de cette mission.

Il lui sembla que le meilleur moyen d'en venir à bout était de continuer la politique suivie par les Turcs et qui consistait à occuper les villes seulement et à régner sur les chefs arabes en entretenant leurs divisions, en prenant parti dans leurs querelles, en leur imposant notre médiation et notre arbitrage, finalement notre autorité.

Mais si les Turcs étaient des étrangers pour les Arabes et les Kabyles, ils avaient sur les Français une supériorité, capitale pour ces peuples religieux jusqu'au fanatisme : ils étaient musulmans et leur sultan était le commandeur des croyants. Les Français étaient donc doublement des étrangers, des ennemis, puisqu'ils étaient les revenants des croisades, les antagonistes, depuis dix siècles, de l'expansion musulmane, ceux qui avaient fait reculer le flot Sarrazin jusqu'aux Pyrénées et commencé à réduire l'empire des héritiers du Prophète, ceux qui avaient dirigé les expéditions offensives au cœur de l'Islam, en Syrie et en Égypte, puis à Tunis.

Et puis, les 30.000 hommes de Bourmont s'étaient égrenés, repassant la mer pour faire face aux éventualités de guerre continentale que redoutait le gouvernement de Louis-Philippe aux premiers jours. Il en restait à peine une dizaine de mille aux mains du maréchal Clauzel. Ce n'était pas avec d'aussi faibles moyens qu'on pouvait réaliser le programme qu'il s'était tracé. Il ne pouvait espérer avant longtemps qu'on lui envoyât des troupes, car l'opinion, si elle s'y fût intéressée, aurait plutôt été hostile à la conquête commencée sous les plis du drapeau blanc.

M. Thureau-Dangin dit que cette expédition n'était pas populaire, les libéraux n'y ayant « guère vu qu'une manœuvre pour faire diversion aux agitations parlementaires et un préliminaire de coup d'État. » Comment y eussent-ils vu autre chose qu'une entreprise dirigée par « des considérations de politique intérieure et dynastique », lorsque M. de Clermont-Tonnerre, ministre de la Guerre du cabinet Villèle, avouait que le gouvernement de Charles X désirait « agir sur l'esprit turbulent et léger de la nation française » et « lui rappeler que la gloire militaire survivait à la révolution » ; ce qui était « une utile diversion à la fermentation politique de l'intérieur ! » À coup sûr, cette diversion était plus habile que l'expédition d'Espagne, où les troupes françaises étaient allées combattre pour le rétablissement du droit divin.

Louis Blanc s'attriste de « l'impiété des haines de parti » qui fit qu'à ce moment « les conquêtes de l'armée française attristèrent la moitié de la France ». Il s'indigne que la Bourse ait fléchi à la nouvelle des premiers succès. « L'honneur national venait de s'élever, dit-il, la rente baissa. Elle avait été en hausse le jour où l'on apprit à Paris le désastre de Waterloo ! » Phénomène tout naturel, dans l'un et l'autre cas. La bourgeoisie, le monde des affaires, du commerce et de l'industrie, vit de paix : elle lui est tout aussi nécessaire que la guerre l'était au monde féodal et nobiliaire. Quand la rente est au pair, tout est bien ; quand elle s'élève au-dessus, c'est mieux encore. Et pour que la rente, ce baromètre qui ne fait pas le beau temps, mais l'annonce, se maintienne, il ne faut pas que le gouvernement épuise son crédit en courant les aventures.

Qu'était l'Algérie, somme toute, pour le monde des affaires ? Un marché ? Il n'avait pas encore besoin de débouchés nouveaux, étant tout entier à la création de son outillage industriel. Et lorsque cet outillage produirait des marchandises en excédent, n'y avait-il pas l'Allemagne, l'Italie, l'Espagne, les deux Amériques à conquérir, et aussi notre marché intérieur à libérer de la conquête anglaise ? C'était là, pour un long temps, de quoi rendre la bourgeoisie indifférente et même hostile aux expéditions militaires.

L'Algérie était profondément inconnue en France. On ignorait tout de son sol et de ses produits, de ses habitants et de leurs mœurs. Lorsque la conquête s'était accomplie, il y avait longtemps que les pirates n'inquiétaient plus sérieusement le commerce de la Méditerranée. D'ailleurs, le nid des derniers pirates détruit, on pouvait s'en tenir là.

Le maréchal Clauzel n'en savait pas plus que les autres Français sur le pays où il venait de prendre pied, et dont il visait au jugé la conquête. Il y avait deux peuples dans cette région : les Arabes, nomades et pasteurs, militaires et théocrates, aisément fanatisés par d'innombrables confréries religieuses dont les affiliés se répandaient partout ; les Kabyles, sédentaires, agriculteurs, laborieux, démocrates, groupés en communes propriétaires du sol, c'est-à-dire presque communistes, peu enclins au fanatisme. Dans les villes, il y avait de tout un peu : surtout des Maures, des Turcs, des Juifs, gens de négoce et d'industrie, et par là même plus portés aux œuvres de la paix qu'aux destructions de la guerre.

Pour exécuter son plan, le maréchal commença par s'emparer de Médéa en prenant pour motif, légitime d'ailleurs, l'attitude du bey de Titerij, Bou-Mezrag, qui avait prêché la guerre sainte contre les roumis. Il le remplaça par un Maure, nommé Mustapha-ben-Omar. Puis profitant de ce que le bey d'Oran, Hassan, en querelle avec les tribus marocaines, était menacé par un fort parti, il lui offrit l'aide des troupes françaises, le secourut d'abord, le déposséda ensuite au profit d'un prince tunisien Kaïr-Eddin, qui ne sut pas d'ailleurs gagner le cœur de ses nouveaux sujets.

Sur ces entrefaites, il fut remplacé, en février 1831, par le général Berthezène. Autre chef, autre plan. Celui-ci veut qu'on s'enferme à Alger et qu'on se borne à la sécurité des environs immédiats de cette ville. Mais le fils de Bou-Mezrag veut reprendre Médéa à l'usurpateur Mustapha, et un fort parti le seconde dans cette entreprise. Force est bien au général Berthezène de sortir de son programme. Les Français ont installé Mustapha comme bey à Médéa ; s'ils le laissent déposséder, c'en est fait de leur prestige. Le général va donc au secours de Mustapha ; mais les partisans de l'ancien bey sont nombreux et ardents ; il est forcé de rentrer à Alger, ramenant son protégé.

Dans-le même temps, Kaïr-Eddin a dû quitter Oran et regagner la Tunisie. Une expédition est aussitôt dirigée sur cette ville révoltée contre un chef étranger, et les troupes françaises exercent une cruelle répression. Son prédécesseur ignorait trop les habitants du pays où il portait ses armes et sa politique. Le général Berthezène croyait trop bien les connaître, et tombait dans d'autres erreurs que celles dont il avait dû subir les conséquences à Médéa et à Oran.

En voici une que signale Lamoricière, alors capitaine de zouaves, dans une lettre datée du « 25 décembre 1831, devant Alger », et adressée au saint-simonien Gustave d'Eichtal. Lamoricière, nous le savons, était également un des plus dévoués partisans de la doctrine :

« Je ne crois, pas dit-il dans cette lettre, que ce qui se passe en Afrique réveille aujourd'hui beaucoup de sympathies en France, aussi je ne vous en parlerai point en détail ; mais il est un fait qui vient de se passer sous mes yeux et qui m'a vivement affecté ; le croyant de quelque importance, je ne veux pas le passer sous silence. Vous savez que je suis dans le 2e bataillon de zouaves ; notre effectif n'étant pas encore complet, nous recrutons parmi les indigènes. Dernièrement, un jeune nègre vint se présenter pour s'engager ; on le reconnut propre au service, et on l'inscrivit. Quinze jours après, un Arabe, qui habite la plaine de la Mitidja, vint se présenter chez le chef de bataillon pour réclamer un esclave nègre qui s'était échappé de chez lui, et qui s'était engagé dans les zouaves, d'après les renseignements qu'il avait pris. Le chef de bataillon répondit que « son nègre s'étant réfugié « auprès des Français, il était libre, parce que, en France, on ne pouvait acheter « un homme comme un mouton ou un cheval, et qu'il n'avait aucun droit à le réclamer ; qu'ils étaient bien heureux qu'on ne publiât pas qu'à Alger il n'y avait plus d'esclaves, mais que ceux qui ne voulaient plus rester chez leurs maîtres, on ne pouvait les y contraindre ».

« Ce furent là ses paroles. J'étais présent à la discussion ; l'Arabe répétait toujours qu'il l'avait acheté pour de l'argent, qu'il était à lui, etc.. Nous le renvoyâmes. Il alla se présenter chez le général en chef, qui, de suite, le fit conduire à notre cantonnement avec un interprète et des gendarmes, avec ordre de lui rendre immédiatement son esclave. Ce fut inutilement que le chef de bataillon fit toutes représentations imaginables ; il prit sur lui de suspendre l'exécution de l'ordre ; on lui envoya un aide de camp pour le faire exécuter.

« Le malheureux esclave, ayant aperçu son maître de loin et craignant le sort qui l'attendait s'il retombait entre ses mains, s'échappa, et il fut impossible de le retrouver ce jour-là.

« Le soir, il revint au cantonnement, quand il eut appris que ceux qui le cherchaient étaient partis. Il nous demanda si les Français ne voulaient pas le protéger, s'il n'était pas Français depuis que nous avions pris Alger. Il pleurait à chaudes larmes et, nous montrant la frégate la Victoire qui était en rade, il nous disait : « Si je savais qu'on me reçût à bord pour m'en aller en France, je me jetterais à la nage pour me sauver. » (Il sait, lui qui est né près de Tombouctou, que la France est une terre de liberté.) C'était une scène déchirante pour nous, car les militaires, hommes de sang et de carnage, ont souvent le cœur plus sensible que les industriels d'aujourd'hui, hommes de paix et d'argent. Nous ne pouvons éluder l'ordre que nous avons reçu ; on a trouvé moyen de gagner du temps en faisant observer que le maître du nègre devait rembourser l'État des frais faits pour l'équipement de son esclave, avant qu'on le lui rendit. On annonce que le général Rovigo est en mer ; s'il arrive demain, peut-être en lui soumettant la question, la jugera-t-il d'une manière plus juste ; mais les vents sont au sud-ouest, et s'il tarde, notre pauvre nègre restera en esclavage. »

Le duc de Rovigo arriva en effet à la fin de décembre. Mais il ne dut pas, et pour d'autres raisons, se montrer plus humain que son prédécesseur pour le malheureux noir qui avait cru trouver sa liberté dans les rangs des soldats français. En agissant ainsi, le général Berthezène appliquait son système, qui était de choquer le moins possible les Arabes dans leurs mœurs, et de ne les gêner en rien dans leurs coutumes, si contraires fussent-elles à notre droit commun, à l'humanité pure et simple. C'est en vertu de ce système que l'esclavage subsiste encore dans nos possessions du Soudan, et même du Sénégal.

Le général Berthezène était plutôt mou. Savary fut franchement dur. Il ne se soucia pas de conquérir les indigènes en respectant leurs habitudes et leurs préjugés. Il ne s'attacha pas davantage à leur faire apprécier les avantages d'un régime relativement supérieur au leur et auquel ils eussent pu être gagnés en reconnaissant ce qu'il contenait d'équité relative. En vrai sabreur, il ne crut qu'à la force. M. Thureau-Dangin dit qu'« il y avait chez lui parti-pris de répandre la terreur plus que souci de faire justice ».

Il ajoute, et le morceau est à citer :

« Les tribus coupables ou seulement suspectes étaient châtiées par le massacre et le pillage. « C'est ainsi qu'agissaient les Turcs, » disait-on pour justifier ces procédés. Était-ce pour imiter les Turcs que le duc de Rovigo faisait juger et exécuter deux chefs arabes, convaincus sans doute de trahison, mais qui ne s'étaient livrés entre ses mains que sur la foi d'un sauf-conduit ? Cette perfidie exaspéra les populations plus encore qu'elle ne les intimida. De là, autour même d'Alger, une succession d'alertes, de révoltes, de surprises, de représailles presque également sanglantes et féroces des deux parts : petite guerre continuelle où notre armée se débattait sans avancer. »

La sévérité de l'historien monarchiste pèse-t-elle ici plus que de raison sur l'homme qui en 1802 présida à l'exécution du duc d'Enghien et fut soupçonné de n'avoir pas été étranger à la mort étrange de Pichegru ? Cet ancien commandant de la gendarmerie du premier Consul et directeur d'un bureau de police secrète, un instant rival heureux de Fouché et de Talleyrand, avait persécuté les royalistes aussi durement que les républicains. C'est lui qui, par un subterfuge, attira en France Ferdinand VII, en 1808, et l'y retint prisonnier.

Mais non, M. Thureau-Dangin a pu légitimement, et sans assouvir une rancune de parti, tracer ce portrait peu flatteur. Savary avait la traîtrise dans le sang. Profondément immoral, il n'avait pour loi et pour règle que d'être le plus fort, par ruse sinon par violence, l'une aidant l'autre. Lui qui trahissait si allègrement sa parole, il était implacable pour les malheureux à qui sa violence et sa ruse ne laissaient de recours que dans la perfidie. Les El-Ouffias, une tribu des environs d'Alger, ayant manqué à la foi des traités, il les extermina. Ceci se passait en février 1832.

Un an encore, il terrorisa la région où s'étendaient ses armes, semant les haines qui pendant de longues années allaient faire surgir des vengeances et des révoltes, suscitant parmi ces peuplades dispersées et hostiles les unes aux autres la solidarité du malheur et de l'espérance. Dans le faible rayon soumis à son commandement, le seul bien qu'on lui doive est la construction de quelques routes. Ses prédécesseurs n'avaient eu ni le temps d'y penser, ni les moyens de le faire, d'ailleurs.

À ce bourreau succéda le général Desmichels en 1833. Voici quelle était alors la situation des Français en Algérie : ils tenaient Alger et ses environs immédiats, c'est-à-dire, une faible partie de la plaine ; ils occupaient Bône, Oran et un court rayon de quelques kilomètres autour de cette ville. Leurs alliés tenaient Mostaganem et Tlemcen. Et c'était tout.

C'est alors que surgit l'homme qui devait nous chasser de l'Algérie ou nous forcer à la conquérir tout entière. Abd-el-Kader était fils de Mouhi-el-Din, un homme qui jouissait d'une grande autorité, due à son savoir et à son intelligence. Le jeune homme avait été élevé dans la zaouia de Kechrou. Les zaouias sont les couvents ou plutôt les centres de méditation et d'action des confréries musulmanes. C'est dans ces congrégations, où l'initiation est précédée de pratiques minutieuses et accomplie par des serments d'obéissance absolue, qu'Ignace de Loyola était allé, trois siècles auparavant, chercher les règles et les pratiques qui devinrent celles de l'ordre des jésuites.

Grandi dans un tel milieu, où se conserve intacte la doctrine religieuse et où bat le cœur de la vie sociale musulmane, Abd-el-Kader développa en lui les dons d'éloquence et d'habileté qui devaient par la suite lui donner un puissant ascendant sur ses coreligionnaires. Son père avait pris une si grande autorité dans la région de Mascara, et lui-même exprimait avec tant de force l'âme même des Arabes, que les

Turcs tentèrent de les faire assassiner tous deux. Protégés par les confréries, ils purent s'enfuir et s'en allèrent en pèlerinage à la Mecque, ce qui à leur retour les fit sacrés aux yeux des musulmans et acheva leur renommée.

Pendant leur pèlerinage, la puissance turque avait été ruinée à Alger par les armes françaises. Soulevant le patriotisme local, Mouhi, suivi de son fils, se met à la tête des habitants de la plaine d'Eghris et chasse les Turcs de Mascara. On veut le nommer émir, c'est-à-dire chef suprême ; il repousse cette dignité, dont il investit son fils Abd-el-Kader. Ceci se passait en 1832.

Tout cela donnait un prestige immense au jeune khouan promu à la dignité suprême. Il a battu les Turcs, et les a chassés. Il faut qu'il en fasse autant des roumis, bien plus étrangers encore que les Turcs. Abd-el-Kader attaque la ville d'Oran. Desmichels accourt, le bat dans deux rencontres, prend Arzew et Mostaganem.

Abd-el-Kader est battu, mais non vaincu. Appelés à la guerre sainte par les marabouts, les Arabes s'enthousiasment pour celui qui tient le drapeau de l'Islam. De toutes parts, ils accourent vers lui, forment en peu de temps une véritable armée qui enlève au général Desmichels toute espérance de vaincre un ennemi aussi formidable. Estimant qu'il pourra faire au jeune lion sa part, espérant être un jour assez fort pour la lui arracher, le général français conclut avec Abd-el-Kader, le 26 février 1834, un traité qui consacre le prestige de celui-ci aux yeux du monde musulman.

Ce traité, où Abd-el-Kader traite sur le pied d'égalité avec le gouvernement français, est en effet un triomphe pour le peuple arabe. C'est une puissance qui s'affirme en face d'une autre puissance, et l'oblige à compter avec elle. Abd-el-Kader gardait ses possessions, le port de la Marsa, obtenait le protectorat d'Oran. Nul chrétien ne pouvait voyager par terre sans « une permission revêtue du cachet du consul d'Abd-el-Kader et de celui du général ».

Mais ce n'était pas un traité de paix. Les deux adversaires étaient au moins d'accord en ce point, de ne le considérer que comme une trêve, celui qui se sentirait en force le premier se réservant de la rompre au moment favorable.

Chapitre XI
Transnonain

Le duel Bugeaud-Dulong. — La loi contre les associations et les « Droits de l'homme ». Les hommes de la propagande et ceux de l'action. — La direction de l'association passe à ceux-ci. — Organisation de la « Société d'Action. » — Le parti républicain en province. — Républicains et ouvriers lyonnais. — Le « Devoir mutuel » : organisation des mutuellistes. — L'insurrection éclate à Lyon. — Le massacre de la rue Transnonain. — Répression furieuse : Thiers s'oppose à l'amnistie. — Remaniements ministériels.

L'opposition, qui faisait flèche de tout bois et prenait arme de toute main, eut, au commencement de 1834, un nouvel argument, sinon un nouveau grief, dans la guerre sans merci engagée contre Louis-Philippe et son gouvernement. Un député, à la Chambre, dénonçait un jour une lettre du maréchal Soult aux officiers d'une garnison, leur interdisant toute réclamation, fût-elle justifiée, fût-elle légale, contre les mesures disciplinaires qui seraient prises contre eux par leurs chefs. Le ministre de la guerre affirmait la théorie de l'obéissance passive, même à l'injustice, et qui se traduit encore ainsi dans l'armée, où elle a force de loi : L'homme puni injustement doit d'abord accomplir sa punition, et réclamer ensuite.

Appuyant cette théorie monstrueuse, le général Bugeaud s'était écrié de son banc :

— Il faut obéir d'abord !

Le député Dulong, fils naturel de Dupont (de l'Eure), riposta :

— Faut-il obéir jusqu'au point de se faire geôlier ? Bugeaud bondit sous un outrage qui s'ajoutait aux outrages quotidiens de la presse de droite et de gauche, acharnée à lui rappeler sa fonction au château de Blaye. Une explication eut lieu entre lui et

Dulong, et l'affaire parut arrangée.

Mais un compte rendu des Débats a transformé en une injure directe l'allusion faite en termes généraux. Le général envoie alors ses témoins à Dulong, qui refuse de rétracter la phrase qu'on lui attribue. Un duel au pistolet a lieu, et Dulong est tué. Un concours de peuple immense se presse à ses obsèques, et on accuse tout haut la cour de l'avoir fait assassiner.

La loi sur les crieurs publics ayant été votée, restait à l'appliquer. Ce fut l'occasion de violentes bagarres entre la foule et la police, notamment sur la place de la Bourse, où les crieurs continuaient d'annoncer leurs placards et leurs brochures, car, nous l'avons dit, la plupart étaient acquis aux idées républicaines et l'un d'eux, Delente, comptait parmi les membres les plus actifs de la société des Droits de l'Homme.

La propagande révolutionnaire n'était donc pas morte. Pour l'achever, le ministère prépara une loi aggravant l'article 291 du Code pénal interdisant les associations. Par cette nouvelle loi, les sections de moins de vingt personnes étaient interdites, les réunions également, même non périodiques, tous les membres d'une association étaient poursuivis indistinctement ; enfin les jugements pour le délit d'association étaient enlevés au jury, remplacé par le tribunal correctionnel.

Non, la propagande révolutionnaire n'est pas morte. C'est même le moment où elle déploie le plus d'activité et manifeste le plus d'audace. Aux Amis du Peuple ont succédé les Droits de l'Homme, qui formaient auparavant une section révolutionnaire de cette société. Contre un mouvement qui gagnait avec rapidité en force et en énergie, le pouvoir n'avait plus de recours que dans l'arbitraire. « Ceux qui en doutaient, dit Louis Blanc, comme MM. Bignon, Béranger, Odilon Barrot, ne savaient pas combien il y aurait eu, dans la démocratie organisée, de puissance et de vigueur. »

En succédant aux Amis du Peuple, société qui recrutait publiquement ses adhérents et qui se vouait surtout à la propagation des idées, les Droits de l'Homme s'orientèrent vers l'action sous toutes ses formes et par tous les moyens. Organisée en sections de moins de vingt et un membres, cette société échappait aux prises de l'article 291. D'où les modifications proposées par le gouvernement afin d'en finir avec ce dangereux ennemi.

Quelle était la force réelle de la société des Droits de l'Homme ? D'après de la Hodde, qui en faisait partie pour l'espionner, « Paris comptait 163 sections qui devaient fournir un effectif de 3.260 hommes, à 20 par section ; mais ce chiffre ne fut pas atteint, à beaucoup près. » Nous devons l'en croire.

L'organisation de la société était assez compliquée. Il y avait à la tête, dit l'agent secret, « un comité composé de onze membres appelés directeurs ; sous les ordres des directeurs, douze commissaires : un par arrondissement ; puis, quarante-huit commissaires de quartier, subordonnés aux commissaires d'arrondissement. Les commissaires de quartier étaient chargés de former des sections composées d'un chef, d'un sous-chef, de trois quinturions et de quinze hommes au plus. Ce chiffre de vingt membres était fixé pour éluder la loi ; dans le même but, chaque section devait porter un nom différent. À la rigueur, on pouvait admettre que c'était autant de sociétés différentes, se tenant par leur nombre dans les prescriptions du code ». Il y avait la section Robespierre, celle des Montagnards, Mort aux Tyrans, de la Gamelle, de Marat, des Gueux, de Babeuf, des Truands, de Louvel, du Tocsin, du Bonnet phrygien, de l'Abolition de la Propriété mal acquise, de Couthon, de Lebas, de Saint-Just, du Niveau, de Ça Ira, de l'Insurrection de Lyon, du Vingt et un Janvier, de la Guerre aux châteaux, etc. Mais par ailleurs l'unité de l'association s'affirmait sans détours : « La qualité de membre des Droits de l'Homme était avouée hautement ; des républicains qui écrivaient aux journaux plaçaient fort tranquillement ce titre sous leur signature. »

Tout d'abord, l'influence dans la société avait été aux modérés, aux partisans de la propagande pacifique. Raspail entendait convaincre et séduire, non contraindre et imposer, ainsi que nous l'avons vu. Son autorité état très grande dans une association où l'avaient suivi les membres de l'ancienne société des Amis du Peuple. Il se distinguait encore de la plupart des autres républicains par sa répudiation très nette de la politique belliqueuse et de la revendication des frontières naturelles, « comme si, disait-il, la nature avait tracé des limites à la nationalité et décrit des cercles à la sympathie ». Avec une haute raison, il adjurait ses amis de laisser aux despotes l'amour des conquêtes et déclarait que nous n'avons pas plus de droits sur la Belgique et la Savoie que sur l'Allemagne et l'Italie.

Cette thèse n'était pas du goût d'Armand Carrel et le National la combattit, comme il combattait les autres hardiesses du jeune savant, qui voyait surtout dans la politique républicaine un moyen de résoudre le problème social, qui préconisait les associations agricoles par commune, et qui, à la critique du budget faite par l'opposition, critique facile et superficielle où se laissent encore glisser un trop grand nombre de démocrates, partisans des économies, répliquait :

« Il serait fort indifférent que le chiffre de l'impôt fût d'un ou de deux milliards et même absorbât tout le numéraire de la patrie. » En effet, ainsi compris. l'impôt serait « le fonds social de la grande famille, la caisse d'épargne de tous les travailleurs, l'assurance mutuelle de toutes les industries, la banque de tous les genres honorables de commerce, et la caisse de vétérance de tous les retraités ». Aussi, « un gouvernement n'est pas coupable parce qu'il demande trop, mais parce qu'il absorbe trop ; non parce qu'il nous enlève trop, mais parce qu'il ne nous rend pas assez ». Lorsque Raspail disait au procès des vingt-sept : « Quant à moi, depuis 1830. je ne conspire plus », il exprimait sa pensée en toute sincérité et proposait ses actes en exemple à ses amis politiques.

Dans le Populaire comme dans la société des Droits de l'Homme, comme dans l'Association libre pour l'élévation du Peuple, Cabet s'attache plus à instruire les travailleurs qu'à les exaspérer. Les brochures que le Populaire publiait chaque semaine les suppliaient de se garder « de vouloir imposer aux maîtres la loi ». Il leur répétait que « la modération ne gâte pas une bonne cause. »

Cette propagande agissait efficacement dans les milieux ouvriers. « Tous les matins, dit Martin-Nadaud, on me demandait, dans la salle du marchand de vins, de lire le Populaire, de Cabet. » Un jeune étudiant en médecine qui assistait à ces lectures le complimenta. « C'était la première fois qu'un bourgeois me donnait la main, dit l'auteur des Mémoires de Léonard, et j'avoue que j'en fus très flatté. Il me demanda si je voulais entrer dans la Société des Droits de l'Homme à laquelle il appartenait. Il vit aussitôt à ma réponse que j'étais déjà républicain. »

Le Bon Sens ne se contentait pas de travailler à instruire les ouvriers, il les appelait à collaborer dans ses colonnes. « Beaucoup d'entre eux, dit Louis Blanc, parurent dans cette arène intellectuelle, et il se trouva que des tailleurs, des cordonniers, des ébénistes, cachaient des hommes d'État, des philosophes, des poètes. » Nous parlerons de la littérature ouvrière dans un prochain chapitre, et nous verrons que Louis Blanc n'a point exagéré l'éloge décerné à d'obscurs ouvriers.

À côté du Réformateur et du Bon Sens, la Revue républicaine, où dominait l'école de la Convention, dont Cavaignac était le personnage le plus représentatif, était d'esprit assez large pour accueillir des écrivains comme Dupont, qui proposait un système de socialisme d'État combiné avec les associations autonomes de production et d'où le salariat ne disparaissait pas. À son exemple, les rédacteurs de cette revue donnaient le pas aux questions sociales, d'éducation publique, d'art, de morale, sur les questions de politique pure.

Parmi ceux qui tentaient de détourner la société des Droits de l'Homme de la voie terroriste et de l'entraîner vers la propagande, il faut également compter certains républicains sans aucune préoccupation sociale, tels qu'Armand Carrel et Garnier-Pagès, l'auteur de cette fameuse formule de conciliation des riches et des pauvres dans la République : « Nous ne voulons pas raccourcir les habits, mais allonger les vestes. » Il nous faut même compter, qui le croirait ! Cavaignac lui-même.

Le ton et l'allure des républicains s'est en effet tellement accentué, la violence a si bien appelé la violence, elle se dépasse si bien elle-même dans un perpétuel paroxysme de soupçon et de fureur, qu'on en arrive à qualifier Cavaignac de modéré, qu'on le condamne à mort et qu'il est réduit à rester enfermé chez lui, à Saint-Maur, pendant un mois, jusqu'à ce que ses amis l'aient lavé du soupçon de modérantisme, c'est-à-dire de trahison.

Les conventionnels, les néo-jacobins, sont dans la tradition et entendent y demeurer. Ils prétendent continuer la Terreur ; seule elle peut vaincre à la fois l'hostilité des gens au pouvoir et l'inertie des foules. « Ils s'en tiennent, écrivait alors Béranger d'un discours de Cavaignac, à 93, qui les tuera. » Parmi eux il faut citer tout un groupe de médecins, notamment Recurt, tout dévoué aux pauvres ; Kersausie, un gentilhomme breton, ancien officier ; le crieur public Delente, que son activité rend très influent ; Voyer d'Argenson et Audry de Puyraveau, également député.

Ces derniers furent mis en cause à la Chambre le 6 janvier 1834, à propos du manifeste des Droits de l'Homme. Ils firent aussitôt face à l'agression. » Toute ma foi politique, morale, et je pourrais presque dire religieuse, dit Voyer d'Argenson, peut s'exprimer par ce seul mot, égalité. But prochain, égalité de droits politiques ; but final et permanent, égalité des conditions sociales. » De son côté, Audry de Puyraveau railla les réactionnaires qui représentaient la société des Droits de l'Homme comme voulant le pillage et la loi agraire, « ce croquemitaine des imbéciles ».

Puis il posa la théorie de la souveraineté absolue du peuple, d'où découlait le droit à la révolution contre tout régime non issu du suffrage universel, et montra le régime de la bourgeoisie incapable de s'occuper des ouvriers. « J'ai vu à Toulon, dit-il, des pêcheurs qui m'ont déclaré gagner douze sous par jour, et qui m'ont dit en même temps qu'ils ne se souvenaient pas qu'un seul jour de leur vie ils avaient pu manger assez de pain pour se rassasier. »

Le comte de Ludre apporta à la tribune son adhésion aux doctrines politiques et sociales de ses amis. Dans la fureur de la Chambre se distinguait celle de Charles Dupin, qui, par trois fois, répéta que la République « traînerait la patrie dans le sang », ce qui amena Garnier-Pagès à la tribune. Selon sa méthode et ses principes de conciliation sociale, il y vint affirmer que le suffrage universel ne profiterait pas moins aux patrons qu'aux ouvriers.

Les discussions étaient vives dans le comité des Droits de l'Homme, où les modérés étaient en majorité ; mais leurs adversaires gagnaient sensiblement la majorité dans les sections. Kersausie, membre du comité, avait formé une association dans l'association, avec Barbès, Sobrier et quelques autres amis. Ses collègues lui on firent des reproches très vifs ; mais sous la pression des sections et pour éviter une scission, ils le laissèrent maître d'organiser des sections distinctes réunies en un corps, appelé société d'action, divisé en centuries, décuries et quinturies. Ce corps, organisé secrètement, était discipliné sous la règle de l'obéissance absolue aux chefs et d'une ignorance non moins absolue de leurs projets.

Lorsque ses collègues du comité des onze, l'accusant de « rattacher l'association à sa dictature », lui avaient demandé des explications, il s'était, dit le policier de la Hodde, expliqué sans réticences : « la direction des Droits de l'Homme lui semblait trop molle, beaucoup de sections n'étaient pas sûres, la police voyait clair dans les réseaux de l'association ; il lui avait paru indispensable de remédier à ces trois vices. La société d'action ne voulait pas dissoudre, mais fortifier l'armée des Droits de l'Homme. »

Force fut d'accepter les explications et le fait lui-même, ou de laisser la société se couper en deux. Rompre avec Kersausie et ses amis, « c'était se priver des forces vives du parti ». On l'accepta donc comme chef d'un corps distinct, « mais à la condition de s'entendre avec ses collègues du comité, et de ne prendre les armes que sur une décision de tous les membres ».

Les groupes de Kersausie étaient en effet uniquement organisés en vue de l'action révolutionnaire ; aussi la discipline en était-elle militaire et des revues fréquentes étaient passées de ce contingent, toujours prêt à l'action. « A de certains jours, dit de la Hodde, les passants trouvaient le boulevard et d'autres lieux de grand passage occupés par des troupes de promeneurs silencieux, que rassemblait quelque but inconnu. »

Il ajoute que personne n'y comprenait rien, si ce n'est la police, dont le métier est de comprendre toute chose (sic). Et le policier prouve qu'en effet il remplit son métier en conscience, si ce mot peut trouver ici son application.

Qu'était-ce donc que ces groupes ainsi rassemblés ? « C'était une revue que passait le chef de la société d'action. Il arrivait, accompagné d'un ou deux aides de camp, allait au chef de l'un des groupes, qu'un signe lui faisait reconnaître, jetait avec lui un coup d'œil sur les sectionnaires, recevait les nouvelles, donnait ses ordres et suivait son chemin pour recommencer plus loin le même manège. Les agents mis à ses trousses le voyaient glisser à travers la foule et jouer son rôle de général inspecteur avec une prestesse surprenante.

Aussitôt la revue finie, il disparaissait dans une voiture tenue prête, s'esquivait par derrière et finissait par s'enfermer dans un logement d'où il ne sortait pas de quelques jours. Il possédait trois ou quatre domiciles et se faisait appeler de plusieurs noms ; ses lieutenants, les plus sûrs pénétraient seuls chez lui ; il n'avait pour serviteurs et agents que des hommes éprouvés dont il payait largement le zèle. »

Malgré les divisions des républicains, leur force grandissait. Certains les raillaient de se distinguer du public par un costume spécial ; on appelait « bousingots » ceux qui se coiffaient d'un chapeau mou conique à larges ailes, nattaient leurs cheveux en tresses, portaient un gilet à la Robespierre. La barbe entière était aussi un signe de républicanisme. Mais d'autres les craignaient. Un banquier, affirme Guizot dans ses Mémoires, leur donnait de l'argent pour être épargné au jour de la révolution.

La lutte entre ceux qui se traitaient réciproquement de Girondins et de Jacobins se terminait comme toute lutte de ce genre dans les partis do combat, où, en s'exposant davantage aux coups, les hommes de l'action, même imprudente et funeste à la cause commune, obligent les hommes de la propagande à se solidariser avec eux ou à sembler renier cette cause. A la fin de 1833, les élections donnaient la majorité à Kersausie et à ses amis dans le comité des onze. C'était le moment où le comte Molé, indigné et attristé de l'attitude de ses amis au pouvoir, écrivait : « Persuadez à l'Europe, à la France, que la République n'est pas le désordre, qu'elle est seulement une forme de la science politique, dont aucun intérêt légitime n'a rien à redouter, et vous verrez l'Europe et la France laisser ce qui existe pour faire place à la République. » Au même moment, Royer-Collard écrivait de la région agricole où il se trouvait : « Je crois apercevoir, comme spectateur, que c'est le National qui gagne du terrain. »

Tout ce terrain gagné par la propagande, l'action prématurée allait le perdre. Royer-Collard avait vu juste : les hommes de la propagande avaient pénétré dans tout le pays, non pas profondément, certes, mais les centres républicains étaient nombreux. Le parti avait cinquante-six journaux dans les départements. Certains groupes adhérents à la société des Droits de l'Homme ou correspondant avec elle, tel celui d'Arbois, dans le Jura, comptaient six cents membres. La société déléguait des commissaires auprès de ces groupes locaux, dans le Rhône, dans l'Yonne, en Saône-et-Loire, dans la Seine-Inférieure, dans le Puy-de-Dôme. Lyon étant un centre de propagande et d'action important, dont nous allons avoir à parler, constatons en passant que la propagande des républicains lyonnais s'exerçait à Saint-Étienne tout comme la propagande des mutuellistes lyonnais avait réveillé les rubaniers stéphanois, ainsi que nous l'avons vu dans un chapitre précédent.

À Grenoble, Strasbourg, Metz, Nancy, Rouen, Amiens, se trouvaient aussi des groupes assez importants. On en comptait peu dans le centre, presque pas dans l'Ouest, sauf à Poitiers et à Nantes, en dépit de l'affirmation de Lamennais qui écrivait à cette époque : « Dans cet Ouest qu'on connaît si peu, s'il y avait un penchant, ce serait pour la République. » Quant au Midi, on y comptait, sauf à Bordeaux, de nombreux groupes républicains. Mais la masse n'était pas entamée.

Le gouvernement surveillait avec attention ce mouvement, accentué dans le sens de l'action par le triomphe de Kersausie et de ses amis. Il savait que ceux-ci étaient impatients d'essayer la force qu'ils avaient organisée en vue de la bataille. La Tribune publiait des articles contre la loi sur les associations, qui sentaient la poudre. Elle disait, le 17 mars : « Les questions d'insurrection sont pour un peuple des questions d'opportunité ; pour un parti comme pour un homme, les questions d'honneur sont toujours opportunes. » De même, le 23 mars elle disait : « Nous sommes pas de ceux qui pensent que la liberté est bonne tout au plus à ce qu'on fasse pour elle des phrases et du sentiment platonique ; les traditions révolutionnaires ne se continuent pas à si bas prix. »

Mais les sociétés de province sentaient que la loi passerait. Bien résolues à résister, elles demandaient si Paris les soutiendrait ou, mieux, s'il donnerait le signal. Pour la plupart d'entre elles, il s'agissait bien plutôt de ruser avec le pouvoir, de s'exposer aux rigueurs de la nouvelle loi, que de s'insurger. Ces consultations jetèrent le Comité des Onze dans la perplexité, car les moins clairvoyants pouvaient mesurer les forces du parti dans les départements, et, sauf sur de rares points, elles n'étaient guère de taille à affronter la lutte ouverte.

Dans les réunions du comité, qui se tenaient parfois chez La Fayette, Carrel, Garnier-Pagès, Buonarotti, conspirateur exercé, démontraient l'impossibilité de la lutte armée. Cavaignac, tout en organisant les forces d'action, n'était pas pour qu'on les employât aussi prématurément. Ces opinions prévalurent dans le comité, et la Tribune ne prépara plus aussi ouvertement ses lecteurs à l'action violente ; elle invitait, le 28, les citoyens à se défendre si on les attaquait. Les choses en étaient là quand parvint à Paris la nouvelle de l'insurrection lyonnaise.

De nouveau, à Lyon, le peuple du travail se soulevait ; mais cette fois ne trouvait pas la démocratie incompréhensive et indifférente. La défaite de 1831 avait fait comprendre aux ouvriers lyonnais que le pouvoir auquel ils venaient de se heurter était un pouvoir de classe, tout dévoué aux fabricants. Ils prêtèrent donc l'oreille à la propagande républicaine, annonçant une démocratie où chaque homme serait un citoyen ayant droit de délibération et prenant part à la législation commune. De leur côté, les républicains lyonnais avaient été gagnés aux idées sociales par l'influence de Cabet, de Raspail surtout, le premier n'ayant pas encore formulé le système communiste qu'il devait rapporter de l'exil.

Parmi les groupes républicains lyonnais, il y en avait deux exclusivement composés d'ouvriers : celui des Hommes libres et un groupe de la Charbonnerie. Mais, comme à Paris, la division était dans les rangs du parti. Les hommes de la propagande, plutôt fédéralistes, attachés à l'action régionale et d'ailleurs pacifique, étaient groupés autour du journal le Précurseur, rédigé par Anselme Petetin. Les hommes du combat, centralistes déterminés, avaient pour organe la Glaneuse et recevaient le mot d'ordre de Paris. Cavaignac avait tenté en juillet 1833 de les réunir dans une action commune, mais le comité, qui se forma sous ses auspices et déclara la propagande préférable au combat, ne se réunit que pour se diviser et disparaître.

Les canuts étaient, depuis 1828, reliés par une association professionnelle, le Devoir mutuel, d'où l'appellation de mutuellistes qui leur demeura. Ce n'était pas une société de secours mutuels, comme son titre semblerait l'indiquer. Son objet était la défense des intérêts des chefs d'ateliers et de leurs compagnons contre le patronat, contre les fabricants. L'association avait mené la campagne des tarifs de 1831 qui avait échoué par la perfidie des fabricants reniant la signature de leurs délégués et par l'attitude hostile du pouvoir se prononçant en faveur des fabricants. Nous avons vu au chapitre III, que ces faits, inouïs dans la tradition lyonnaise, avaient poussé les ouvriers à la révolte.

Malgré la défaite, le mouvement ouvrier avait tout de même porté ses fruits. Le maréchal Soult avait bien rapporté, le 7 décembre 1831, le tarif signé le 25 octobre ; mais le même jour le conseil des prudhommes prenait la décision d'en fixer un après enquête, qui servirait de base dans les contestations entre les fabricants et les chefs d'atelier. De plus, en février 1832, le gouvernement augmentait le nombre des membres du conseil des prudhommes et, le 9 mai de la même année, il dotait la Caisse de prêts pour les chefs d'atelier tisseurs et accordait à cet établissement la reconnaissance d'utilité publique.

Malgré ces avances, les canuts n'oubliaient ni leur frères morts en combattant sur les barricades de novembre, ni les revendications qu'ils avaient à soutenir. Les journaux conservateurs, attentifs aux faits et gestes des mutuellistes, les dénonçaient comme républicains. Leur journal l'Écho de la Fabrique s'en défendait, disait que leur action était purement professionnelle. « Notre feuille est toute industrielle, disait l'Écho de la Fabrique ; le seul but, en la créant, a été de provoquer des améliorations pour une classe laborieuse qui a fait la gloire de notre cité et qui se meurt dans les angoisses de la misère… La feuille que nous publions n'est pas politique, et nous nous soucions fort peu d'entrer dans de pareils débats. »

Les accusait-on de violer la loi en constituant une coalition permanente, forts du secret de leur association, dont les statuts ne furent jamais écrits qu'à deux exemplaires, les mutuellistes répondaient dans l'Écho : « L'association réunit aujourd'hui la grande majorité des chefs d'atelier, c'est-à-dire de 1.000 à 1.200… Elle n'a rien de militaire ; c'est une classification établie pour surveiller l'exécution d'un contrat mutuel formé entre tous les associés… pour refuser le travail à telle ou telle condition. Il est évident qu'il n'y a rien dans cette convention qui sorte du droit naturel qu'a tout homme de ne livrer son travail qu'au prix qu'il lui plaît d'accepter. »

Oui, lorsque cet homme est patron, c'est un droit naturel ; non, lorsqu'il est ouvrier. On le fit bien voir aux mutuellistes en les poursuivant. Mais quelles preuves réunir contre une association dont tous les membres gardaient soigneusement le secret de son organisation. Quatorze chefs d'ateliers poursuivis en août furent acquittés pour la plupart, et quelques-uns se virent infliger une amende de vingt-cinq francs. Ils avaient été défendus par Jules Favre.

Quelle était donc l'organisation du Devoir Mutuel ? D'abord, indiquons son but, tel qu'il était indiqué aux articles 1 et 2 du règlement : « améliorer progressivement » la « position morale et physique » des « chefs d'atelier de la fabrique de soie de Lyon. » En conséquence, les associés s'engageaient : « 1° à pratiquer les principes d'équité, d'ordre et de fraternité ; 2° à unir leurs efforts pour obtenir de leur main-d'œuvre un salaire raisonnable ; 3° à détruire les abus qui existent en fabrique à leur préjudice ainsi que ceux qui existent dans les ateliers ; 4° à se prêter mutuellement tous les ustensiles de leur profession ; 5° à s'indiquer tout ce qui est relatif à leur industrie, et principalement les maisons de commerce qui auraient des commandes ; 6° à établir des cours de théorie pratique, où chaque membre pourra venir prendre des leçons pour améliorer et simplifier les montages de métier ; 7° en achetant collectivement les objets de première nécessité pour leur ménage. »

On le voit, toutes les fonctions du syndicat, organe de défense, de renseignements, d'aide et d'éducation professionnels, étaient réunies dans le Devoir mutuel. Ils n'y en ajoutaient qu'une qui leur était étrangère, et ce n'était pas le secours, de maladie, mais la coopérative de consommation. Il était bien accordé des secours à ceux des membres « qui se trouveraient dans un état complet de détresse », ou qui seraient victimes d'un « accident grave ou imprévu », mais il fallait que « cet état ne provienne de leur faute ni des chances commerciales ». En regard, le droit à une « indemnité, » était reconnu « à tous les membres qui, pour cause d'intérêt général, » seraient « obligés de se soumettre aux sacrifices qui leur seraient imposés par le Devoir. »

Les discussions religieuses et politiques étaient interdites, les membres étaient divisés en deux classes : les maîtres et les compagnons. Ceux-ci, après un stage d'au moins un an, passaient maîtres et avaient part aux fonctions de l'association, mais nulle délibération ne pouvait être prise sans la réunion des maîtres et des compagnons. L'association se divisait en indications, ateliers, petites fabriques et grandes fabriques ; une indication se composait de cinq membres ayant à sa tête un indicateur, qui transmettait à ses quatre camarades les ordres du chef d'atelier, dont le groupe, composé de vingt membres, était subordonné au président de la petite fabrique. Une petite fabrique se composait de cinq ateliers et cinq petites fabriques formaient une grande fabrique dont le président correspondait avec le conseil d'administration.

Un des fondateurs du Devoir mutuel, Pierre Charnier, figurait le « plan symbolique » de l'association dans sa forme primitive, qui était de dix-sept groupes de vingt associés chacun, par « une demi-circonférence au centre de laquelle se trouve un œil, accompagné de deux yeux plus petits ; ces trois signes représentent le directeur et les deux sous-directeurs ; l'administration se complète par clé et plume : le trésorier et le secrétaire. De l'œil central partent dix-sept rayons, représentant les dix-sept compagnies, rayons terminés chacun par un œil, — le syndic de la compagnie, — accompagné de deux autres plus petits, — les deux secrétaires ».

Mais ce plan symbolique n'était plus applicable, dans sa forme de 1828, à l'organisation de 1832, qui comptait à présent trois mille membres organisés, comme nous venons de le voir, par groupes superposés, tous liés par serment non seulement au secret sur l'association, mais à l'association elle-même qu'on ne pouvait quitter sans parjure. Le banc fraternel, ainsi se nommait la réunion de tous les sociétaires, était seul chargé de prendre les décisions, aux deux tiers des votants, et toute abstention était frappée d'une amende. Le grade de compagnon, constituant un stage d'initiation et donnant droit au vote, n'avait aucun des caractères d'infériorité que nous avons vus chez les renards et les lapins du compagnonnage. Le Devoir mutuel était donc bien un syndicat, autoritaire, certes, comme toute association tenue au secret par une législation hostile, mais profondément égalitaire et démocratique.

Mais de cette démocratie ne faisaient partie que les chefs d'atelier, c'est-à-dire ceux qui possédaient un ou plusieurs métiers. Ne pouvaient, il est vrai, entrer dans le Devoir mutuel les propriétaires de plus de six métiers. Les prolétaires proprement dits, ceux qui n'avaient que leurs bras et travaillaient sur ces métiers à côté du chef d'atelier et de sa famille, demeuraient hors de ce cercle de solidarité. Nous avons vu pour quelles raisons les uns et les autres avaient fait cause commune contre les fabricants en 1831.

Cependant, si liés qu'ils fussent contre le patriciat des fabricants, chefs d'atelier et simples ouvriers n'en avaient pas moins des intérêts distincts, que ces derniers tentèrent de défendre au moyen d'un journal, l'Écho des Travailleurs, bi hebdomadier, fondé à la fin de 1833. Si les ouvriers fondèrent un organe pour exprimer et soutenir leurs intérêts, c'est qu'évidemment le Devoir mutuel, exclusivement composé de maîtres d'atelier, bien que chargé des intérêts de la corporation tout entière, s'occupait surtout, cela était inévitable, des intérêts de la catégorie dans l&quelle il se recrutait exclusivement. L'Écho des Travailleurs entra parfois en polémique avec le journal des mutuellistes. La tourmente qui s'élevait à l'horizon allait les emporter tous deux.

L'année 1833 avait marqué une reprise des affaires dans la fabrique lyonnaise. Les ouvriers, tout naturellement, voulurent avoir part aux avantages de cette période d'activité autrement que par une augmentation de gain résultant d'un surcroît de travail. Le Devoir mutuel organisa un mouvement contre les fabricants qui refusaient le relèvement des tarifs et les mit en interdit. Il fut appuyé dans cette campagne par les ouvriers, qui s'étaient organisés en compagnonnage au lendemain des journées de 1831 et dont l'objet principal était la réduction des heures de travail et la limitation du nombre des apprentis. Les ferrandiniers, ainsi s'intitulaient les compagnons, du nom d'une étoffe qu'on avait fabriquée naguère à Lyon, s'associèrent pleinement aux mises en interdit successives prononcées contre les fabricants récalcitrants.

Pour briser cette coalition, les fabricants se réunirent en juillet et publièrent dans les journaux lyonnais un avis par lequel ils se solidarisaient étroitement dans la résistance aux mutuellistes et aux ferrandiniers unis. Cet avis était ainsi rédigé :

« Un grand nombre de fabricants ayant considéré que donner de l'ouvrage à un ouvrier qui refuse, par suite de coalition illégale, de travailler pour une maison de fabrique, serait se rendre complice de la coalition et responsable du dommage matériel causé à ladite maison, portent à la connaissance de ceux de leurs confrères qui pourraient l'ignorer, qu'ils ont pris entre eux l'engagement d'honneur de n'occuper aucun métier venant de travailler pour une fabrique mise en interdit. »

Au commencement de 1834, les ouvriers en peluche sont avisés d'une diminution de cinq sous par aune. Ils refusent et tous les ouvriers de la fabrique décident, par un vote du Devoir mutuel, de se solidariser avec eux et de cesser partout le travail. Les ferrandiniers font cause commune avec la grève, tout en protestant contre le caractère général de la cessation de travail, ; ils auraient voulu qu'il continuât chez les fabricants qui payaient le tarif. Mais les chefs d'atelier avaient sur le cœur la déclaration de juillet, et ils voulaient opposer à l'entière coalition patronale une non moins entière coalition ouvrière.

Alors, par la force des choses, les mutuellistes, qui se sont jusqu'ici interdit les questions politiques, sont contraints de voir que, s'ils refusent de peser sur la politique, la politique ne se désintéresse pas de leur existence et pèse sur eux. La grève ayant arrêté vingt mille métiers, l'autorité s'était mise en mouvement, et six chefs d'atelier avaient été arrêtés comme meneurs de coalition. Et pour tuer la grève, qui prit fin le 22 février aux anciennes conditions, les rues de Lyon avaient été inondées de soldats. Et voici qu'on préparait une loi sur les associations qui rendrait encore moins possible la défense des intérêts de la corporation. Malgré l'expérience de 1831, ils s'étaient adressés au préfet Gasparin et lui avaient demandé d'intervenir. Mais averti par ce qui était arrivé à son prédécesseur Bouvier-Dumolard, et d'ailleurs partisan des saines doctrines économiques du laisser-faire, il avait refusé toute autre intervention que celle des soldats pour mater les grévistes et des tribunaux pour les juger.

Refuser de toucher à la politique, alors qu'elle les heurtait si rudement, était impossible : les ouvriers le comprirent et plus de 2.500 chefs d'atelier signèrent une déclaration dont voici le passage le plus caractéristique ;

« Les mutuellistes protestent contre la loi liberticide des associations et déclarent qu'ils ne courberont jamais la tête sous un joug aussi abrutissant, que leurs réunions ne seront point suspendues et, s'appuyant sur le droit le plus inviolable, celui de vivre en travaillant, ils sauront résister, avec toute l'énergie qui caractérise des hommes libres, à toute tentative brutale, et ne reculeront devant aucun sacrifice pour la défense d'un droit qu'aucune puissance humaine ne saurait leur ravir. »

À ce moment, l'économiste Ch. Dupin leur adressait une de ces homélies où il se complaisait, et qui invoquaient à la fois les dures lois naturelles qui interdisent toute justice aux maîtres et les non moins dures lois morales et religieuses qui obligent les salariés à la résignation. Traités à mots couverts d'anarchistes et d'athées par le doucereux prédicant du capital, ils lui répondirent en fils de ces Vaudois de jadis qui opposaient l'Évangile à l'Église et la doctrine aux actes : « Si les églises et leur culte font l'horreur des anarchistes, comme vous dites, c'est que les prêtres ont chassé Dieu et brisé les tables de sa loi ; c'est qu'ils ont trafiqué de sa divine parole. »

L'effervescence de la population avait contraint l'autorité à renvoyer le procès des six mutuellistes du 5 au 9 avril. Avertie de la convergence forcée des mutuellistes et des sociétés républicaines, unis dans une commune protestation contre la loi des associations, l'autorité employait ce répit à augmenter les forces militaires mises à sa disposition. Mais si elle ne craignait pas la bataille, si même, la recherchant pour en finir à la fois avec l'action ouvrière et l'agitation républicaine, elle prenait ses mesures pour la livrer à son moment et avec toutes ses forces, les républicains et les ouvriers n'en étaient pas au même point.

Dans les sections, les plus clairvoyants apercevaient la provocation. D'autre part, ils savaient que Paris n'était pas prêt pour un mouvement, et ils avaient promis à Cavaignac de n'agir que sur le mot d'ordre de Paris. L'ouvrier Albert, qui venait de leur être délégué par la société des Droits de l'Homme, multipliait les efforts pour empêcher les sections lyonnaises de tomber dans le piège qui leur était tendu. Mais les impatients avaient beau jeu : les agents du pouvoir multipliaient les provocations, les appelaient à un combat qu'ils ne désiraient que trop déjà.

Sentant que son influence serait insuffisante, désespérant de les retenir, Albert était revenu à Paris à la fin de février et avait décidé Armand Carrel et Cavaignac, c'est-à-dire les chefs des deux grandes fractions républicaines, à se rendre immédiatement à Lyon. Mais, apprenant que les mutuellistes avaient décidé la reprise du travail, les deux chefs s'étaient bornés à recommander aux Lyonnais de ne pas attaquer et seulement de se défendre si on les attaquait, leur promettant dans ce cas l'appui des républicains de Paris.

La promulgation de la loi des associations votée le 28 mars coïncidait avec le procès des mutuellistes. Le Devoir mutuel, unanime pour défendre ses membres poursuivis, l'était moins sur le mode de défense. Quantité de mutuellistes faisaient partie des sections républicaines. Ceux-là entraînaient à l'action leurs camarades du Devoir mutuel et ceux des sections. Ils disaient à Martin et à Albert : « Si vos sections ne descendent pas dans la rue, nous y descendrons sans elles. »

À l'audience du 5 avril, une foule énorme se massait autour du tribunal, des bagarres éclataient, un ouvrier était tué d'un coup de feu. L'audience avait alors été renvoyée au 9. Aux obsèques de la victime des soldats, huit mille ouvriers avaient suivi le corps de leur camarade, en rangs serrés et ordonnés, toute une armée frémissante de fureur contenue. On sentit que la bataille était inévitable. Lagrange et Baune furent désignés pour l'organiser ; mais, au lieu d'un plan de combat, et quel plan eussent-ils pu faire qui eut été suivi ! ils rédigèrent un manifeste où les ouvriers étaient invités à défendre leurs droits, mais qui n'était pas un appel aux armes.

Le 9 avril, tandis que Jules Favre déployait les ressources de sa jeune éloquence devant un auditoire attentif surtout aux rumeurs et aux clameurs de la foule, un coup de fusil lui coupait net la parole. Un soldat venait de tirer sur un homme qui essayait de construire une barricade. En déshabillant le blessé, on trouva sur lui une carte d'agent de police.

Mais la foule, chargée à la baïonnette, se met d'elle-même à construire les barricades voulues par les chefs de la bourgeoisie. Sur six points de la ville, sans contact entre eux, la résistance s'organise, plus résolue que formidable. La troupe fait sauter deux maisons dans lesquelles les insurgés se sont réfugiés comme dans des citadelles. Le canon est amené contre les barricades.

La Croix-Rousse est une forteresse, et la Guillotière un camp. L'armée bombarde, fait sauter, brûle les maisons d'où les insurgés tirent sur elle pendant toute la journée du 10. Insurgés et soldats se poursuivent et se battent jusque sur les toits. L'église des Cordeliers, au centre de la ville, est un arsenal où se fabrique la poudre et se fondent les balles, tandis que la sacristie et une chapelle servent d'ambulance.

Où sont les comités pour diriger cette poignée d'hommes qui tient une armée en échec ? Ils sont dispersés parmi les combattants. Aucune direction. Les chefs ne commandent que le point où ils combattent eux-mêmes, et sont coupés de toute communication entre eux. De centre d'action, point.

La victoire, une facile victoire est donc assurée à l'ordre. Mais le préfet veut une grande bataille, une grande victoire, une répression totale. Le 11, il ordonne au général Aymar d'évacuer la ville, comme on fit en 1831. L'évidence des faits le contraint néanmoins à révoquer cet ordre. Le général Aymar, qui n'entend rien aux finesses scélérates de la grande politique et ne connaît que son métier de soldat, n'a pas de peine à prouver que la victoire n'est qu'une question d'heures et peut être obtenue sans lui coûter beaucoup de monde.

De fait, le lendemain, prenant une vigoureuse offensive, il emporte la Guillotière, éteint sans trop de peine le feu de deux canons pris au fort Sainte-Irénée et que les insurgés chargent avec de la ferraille et des clous, escalade la Croix-Rousse et y brise toute résistance, enfin prend d'assaut l'église des Cordeliers dont les défenseurs sont massacrés. Dans le faubourg de Vaise, où se joue le dernier acte de la tragédie, la résistance est à peu près nulle ; la répression y est féroce. Pour un coup de feu tiré d'une maison, les seize habitants de cette maison sont passés par les armes : un jeune homme au chevet de son frère mourant, un vieillard, un père arraché aux bras de son enfant de cinq ans, sont tués sans pitié. Lorsque des gens sans défense, des non-combattants, sont massacrés impitoyablement, on reconnaît à ce signe affreux que l'ordre est rétabli.

À l'insurrection de Lyon répondit aussitôt celle de Paris. Voici le piège que lui tendit Thiers pour la forcer à sortir, à se montrer, à lui donner prise. A la Chambre, dans la séance du 12, il venait annoncer que le général Aymar occupait à Lyon une position inexpugnable, ce qui était le représenter comme se tenant sur la défensive en face d'une insurrection générale et puissamment armée. Les républicains donnèrent dans le piège et, le 13, alors que toute résistance avait cessé à Lyon, ils coururent aux armes et s'enfermèrent dans le dédale des rues propres à ces mouvements du désespoir, forteresses vouées à la défaite comme leurs défenseurs au massacre.

Ils barricadèrent les rues Beaubourg, Transnonain, aux Ours et les rues adjacentes, et attendirent que Paris soulevé par les chefs de sections vint leur donner de l'air. Mais les chefs de sections étaient arrêtés depuis la veille. Quarante mille soldats tenaient Paris en respect, et d'ailleurs il ne songeait pas à se soulever. A ces quarante mille soldats s'étaient joints les gardes nationaux de la banlieue, enragés contre ces Parisiens en qui ils ne voyaient que les maraudeurs de leurs cerises et de leurs lilas, c'est-à-dire les pires ennemis de la propriété.

Le combat se terminait le 14 par le massacre des habitants du numéro 12 de la rue Transnonain, d'où un coup de fusil avait été tiré sur la troupe qui enlevait la dernière barricade. Ce fut un sauvage égorgement d'hommes et de femmes sans défense. On tuait à la baïonnette, on achevait à coups de crosse. Vaise était dépassé en horreur. La boucherie de Transnonain ne devait pas être dépassée par celle de mai 1871, qui s'exerça seulement plus en grand et pendant une semaine.

Le surlendemain éclatait, aussitôt réprimé, un mouvement militaire qui montra l'étendue de la propagande républicaine. Quelques sous-officiers de la garnison de Lunéville, membres des Droits de l'Homme, avaient formé le projet de soulever les trois régiments de cuirassiers dont ils faisaient partie, de marcher sur Metz et sur Nancy, d'y soulever l'année, grâce aux amis qu'ils avaient dans la garnison des deux villes, et de la diriger sur Paris pour se joindre à l'insurrection organisée par les sections. Le chef de cette conspiration, Thomas, était un patriote ardent, aussi remarquable par l'intelligence que par le courage.

Mais les conjurés étaient trop nombreux pour que leur secret fût gardé. Le 15 avril au soir, la veille même du jour où ils devaient se mettre en marche, ils étaient arrêtés et mis sous les verrous. De timides tentatives de mouvement, on ne peut même dire d'insurrection, se manifestèrent sur divers autres points : à Grenoble, à Clermont, à Marseille, à Saint-Étienne. Il n'en sortit rien, que des arrestations en masse.

Car la répression fut impitoyable. Partout les suspects furent traqués. Deux mille citoyens furent arrêtés en vue du procès monstre que le pouvoir s'apprêtait à intenter au parti républicain devant la Chambre des pairs transformée en Haute Cour. Les insurgés de Lyon, républicains et mutuellistes mêlés, ceux qui s'étaient battus et ceux qui étaient restés chez eux, emprisonnés en masse, furent amenés à Paris. Les prisons regorgeaient, et l'on arrêtait toujours et partout quiconque était suspect de républicanisme. Thiers n'était pas apaisé par son atroce victoire de Transnonain. Sa férocité s'acharnait sur les vaincus : il rêvait de les exterminer par l'échafaud et la déportation.

Dans les prisons encombrées, les prisonniers étaient maltraités avec une brutalité inouïe. Carrel, prisonnier lui-même, protesta contre les traitements indignes qu'on faisait subir à des accusés, que la loi présumait innocents tant qu'une condamnation ne les avait pas frappés. Il protesta, avec sa violence froide et pénétrante, contre la prétention même des vainqueurs à s'ériger en juges, contre le « ramassis d'hérésies constitutionnelles », contre les « âneries de Bridoison, conseiller de la cour étoilée », qui formaient le rapport de Portalis concluant au renvoi des accusés devant la Cour des pairs. Ces protestations firent condamner, par la Cour, juge et partie, le National à dix mille francs d'amende et son gérant, Rouen, à deux ans de prison.

La Fayette disparut précisément dans le désastre du parti républicain, le 20 mai. Ses obsèques, calmes ou plutôt mornes, semblèrent mener le deuil du parti dont il était le chef nominal, et qui, on le croyait bien en haut lieu, allait être enterré pour jamais. Comment la bourgeoisie censitaire ne se fût-elle pas promis un avenir désormais tranquille et les profits d'un pouvoir dégagé de toute appréhension ? Les élections du 21 juin furent, dans la victoire de l'ordre, un triomphe pour le gouvernement.

Il y avait bien des discussions dans le ministère ; mais cela ne touchait pas à l'ordre fondamental. Ces querelles avaient pour objet le régime de l'Algérie. Soult, qui, le 4 avril, avait remplacé le duc de Broglie, mis en minorité à la Chambre par une intrigue des députés familiers des Tuileries, voulait y continuer le système du gouvernement militaire. Le trouvant trop docile aux volontés du roi, Thiers se prononça contre sa thèse, envenima le conflit et contraignit le maréchal à se retirer du cabinet ; et le 18 juillet, le maréchal Gérard prenait sa place comme président du conseil et ministre de là guerre. L'Algérie était si bien un prétexte que ce fut encore un soldat, Drouet d'Erlon, qui y fut envoyé comme gouverneur général. Soult était débarqué, c'était l'essentiel.

Le maréchal Gérard croyait à l'irrémédiable défaite du parti républicain ; il était d'autre part désireux d'effacer la tache imprimée à l'armée par les massacres de Vaise et de Transnonain. Il proposa donc à ses collègues, dès son entrée dans le ministère, une amnistie pour tous les faits se rapportant aux insurrections de Lyon et de Paris. Thiers s'y opposa de toutes ses forces et n'eut pas de peine à gagner le roi à sa politique de répression implacable, condition nécessaire de sécurité pour le régime. Gérard, lassé, donna sa démission.

Ici se joue une comédie, dont Thiers et Guizot, alors d'accord, sont les metteurs en scène. Pour mieux mater le roi, qui s'entête dans son entreprise de gouvernement personnel, Thiers organise autour de lui une grève de ministrables, surtout de présidents du conseil éventuels offrant une certaine surface. Livré à ses propres conseils, Louis-Philippe, dont la suffisance était le moindre défaut, un défaut qui écrasait souvent ses très réelles qualités d'homme de gouvernement, chargea Maret, duc de Bassano, de former un cabinet. Il tenait à avoir pour président du Conseil un militaire : sa marotte était d'avoir des présidents du Conseil maniables, il ne pouvait mieux faire que de prendre des généraux et des maréchaux, parfois experts dans l'intrigue, mais nullement au fait de la politique. Maret était, entre tous, le plus maniable. M. Thureau-Dangin reconnaît qu'il était « connu surtout pour avoir été le plus docile instrument du système impérial ». Totalement étranger aux affaires, les siennes propres le préoccupaient surtout. « Elles étaient alors en si mauvais état, nous dit l'écrivain monarchiste, qu'à peine nommé, une multitude de petits créanciers vint faire saisie-arrêt sur son traitement. » Regrettons pour eux que le duc de Bassano n'ait fait que passer au ministère.

Il avait pris l'Intérieur. Il donna la Marine à Charles Dupin ; l'aine s'étant adroitement défilé, on se rabattait sur le cadet. Les autres ministres étaient également des doublures. Seul Persil restait de l'ancien ministère. Ce paradoxal cabinet, qui était l'œuvre personnelle du roi, souleva une telle risée que, le lendemain ayant compris enfin, il faisait appeler Thiers pour se livrer entre ses mains et lui demander de former un ministère. Deux jours après, le ministère démissionnait et entrait dans l'histoire anecdotique sous le nom de ministère des trois jours. Vainqueurs, Thiers et Guizot désignèrent le maréchal Mortier comme président du Conseil, et reprirent leur place dans le cabinet, qui fut constitué le 18 novembre.

Chapitre XII
Les procès d'avril

Reconstitution du ministère Broglie-Thiers-Guizot. — Les préparatifs du procès des républicains. — Les défenseurs s'organisent en comité, puis décident de s'abstenir. — Audiences tumultueuses. — La protestation des défenseurs. — Ils sont poursuivis devant la Haute Cour. — Les accusés de Lyon acceptent d'être jugés. — L'attentat Fieschi. — Les lois de septembre. — Chute du ministère.

Le nouveau président du conseil resta quatre mois à peine aux affaires. Malade, il dut se retirer. Le duc de Broglie devint alors la carte forcée pour le roi, et le ministère du 11 octobre se trouva reconstitué en entier. Sa première rencontre avec l'opposition fut chaude. Les États-Unis nous réclamaient une indemnité, en réparation de dommages subis par leur marine lors du blocus continental. M. de Broglie avait reconnu cette dette et ses négociations avaient réduit à vingt-cinq millions la réclamation du gouvernement de Washington. C'est sur le refus de ratification de ce traité par la Chambre que, l'année précédente, il avait quitté le pouvoir. Sitôt rentré en possession du portefeuille des affaires étrangères, il présenta de nouveau le malencontreux traité au vote des Chambres. Après neuf jours de débats au Palais-Bourbon, où trente-cinq orateurs se succédèrent à la tribune, le duc de Broglie l'emporta, et le traité fut ratifié.

La Chambre des pairs n'avait pas manifesté la même opposition au traité franco-américain. Elle était, d'ailleurs, toute aux préparatifs du grand procès politique en vue duquel elle venait d'être instituée en tribunal suprême. Sur 2000 citoyens impliqués dans les poursuites, l'accusation en avait retenu 164. On dut construire une salle spéciale pour les audiences, qui s'édifia tandis que Girod (de l'Ain), nommé rapporteur, puisait les matériaux de son travail dans l'énorme amas de dossiers constitués pair l'instruction de cette colossale affaire.

Les prévenus avaient été répartis dans diverses prisons : les Parisiens à Sainte-Pélagie et les provinciaux à l'Abbaye et au Luxembourg. L'administration s'était départie des rigueurs des premiers jours. Des permissions de sortie étaient accordées aux prisonniers, ce qui suscita les colères rageuses de certains « canards » réactionnaires qui ne comprenaient pas que ces indulgences étaient dues au désir des magistrats instructeurs de se concilier les bonnes grâces des accusés et d'obtenir les confidences des plus faibles et des plus confiants d'entre eux. Une de ces feuilles, le Canard raisonnable et bavard, chansonnait ainsi ces républicains qui criaient à la persécution tout en rendant visite à leurs amis et, les recevant à Sainte-Pélagie où les plus riches pouvaient faire bonne chère :

> Que Dieu bientôt exauce ma prière.
> Et je promets de n'être pas ingrat ;
> Le peuple alors bénira Robespierre,
> La République aura plus d'un Marat,
> Un peu de sang arrosera nos fêtes.
> Avec plaisir j'y tremperai les mains ;
> Il est si doux de voir tomber des têtes !
> Voilà pourquoi je suis républicain.

Pierre Leroux, qui visitait fréquemment les prisonniers, rapporte ainsi l'impression faite sur lui par l'attitude de certains républicains : « Pendant que ces prisonniers heureux et leurs avocats sablaient le Champagne, les ouvriers enfermés pour la même cause n'avaient que du pain dans leur chambre, et les plus humiliés nous servaient à table après avoir préparé le festin... J'étais triste, glacé, en voyant ces républicains qui ressemblaient à la jeunesse dorée, des propos qui circulaient autour de la table et que ne retenait même pas la présence de la sœur courageuse de Cavaignac ».

Mais les républicains ne passaient pas tout leur temps en plaisirs. Un comité avait été formé pour organiser la défense des accusés, et toutes les fractions républicaines avaient été appelées à y concourir. Il fut décidé de choisir comme défenseurs, non les avocats les plus habiles, mais les républicains les plus connus et les plus aptes à faire de ce procès un véritable congrès de la pensée républicaine. Pierre Leroux proposa Lamennais.

— Que voulez-vous que nous fassions d'un calotin ! lui dit rudement Cavaignac.

Pierre Leroux tint bon et soutenu par Armand Marrat, qui venait de lire les Paroles d'un croyant et de consacrer une brochure enthousiaste à ce livre, dont les ouvriers typographes chargés de le composer à l'imprimerie avaient été eux-mêmes transportés, fit admettre Lamennais. Le prêtre démocrate, par cet acte encore plus que par son admirable livre, marquait sa rupture irrémédiable avec Rome et avec tout le vieux monde. Tous les républicains connus de Paris et des départements qui n'étaient pas impliqués dans les poursuites furent inscrits sur la liste des défenseurs.

Voyant que, par un tel choix, les accusés s'apprêtent à se transformer en accusateurs, la Haute Cour leur fait savoir par son président Pasquier qu'elle n'admettra comme défenseurs que des avocats. Les accusés protestent. Le barreau de Paris et presque tous les barreaux de France s'associent à leur protestation, au nom de la liberté de la défense. La Cour dut donc renoncer à les pourvoir d'avocats d'office comme elle y avait d'abord songé.

Le comité des défenseurs s'organisa. Mais, dans ses séances, Michel (de Bourges) le fit se prononcer pour l'abstention, pour le silence dédaigneux devant des ennemis qui ne pouvaient être des juges. Jules Favre protesta en vain contre cette tactique déplorable qui faisait avorter le congrès républicain projeté, et qui, à ses yeux, avait le tort plus grave de compromettre la cause des accusés lyonnais qui lui avaient confié leur défense. Il voulait dire aux juges, au public, au monde entier, du haut du prétoire, la misère des ouvriers lyonnais et les provocations de leurs ennemis. Et voilà qu'on lui fermait la bouche. Il refusa, au nom des défenseurs des accusés de Lyon, d'accepter la consigne du silence.

Michel (de Bourges) avait ses raisons. La défense était pour la plupart absolument illusoire, puisqu'on ne laissait qu'une journée aux défenseurs pour s'accorder avec les accusés. Une nouvelle réunion des défenseurs eut lieu chez Blanqui. Michel (de Bourges), qui s'était rendu avec Jules Favre auprès des détenus lyonnais, y rendit compte d'une querelle qu'il avait eue avec le jeune avocat, à qui ses clients, très particularistes, et désireux d'être défendus comme ils le désiraient, donnaient raison. Jules Favre étant survenu, la querelle avait recommencé avec une violence inouïe et il quittait la réunion, résolu à ne pas se conformer à la décision prise par le comité des défenseurs.

Le procès commença le 5 mai 1835. Les accusés proposèrent à la cour une liste de treize défenseurs non avocats. La Cour refusa par un arrêt motivé, qui souleva un tumulte. Le lendemain, Cavaignac se lève pour protester contre l'arrêt de la veille. Nouveau tumulte. La séance est levée, et le 7 elle s'ouvre sur le réquisitoire de Martin (du Nord), procureur-général. Cette fois les accusés gardent le silence, sauf l'un d'eux, Baune, qui s'est levé et lit en même temps d'une voix forte le réquisitoire des républicains contre leurs juges prétendus.

Le réquisitoire de Martin (du Nord) contenait une iniquité juridique criante. Il proposait de juger par catégories séparées les accusés réunis dans le même acte d'accusation. On discuta vivement en chambre du conseil, et finalement les pairs reculèrent devant le procédé qui leur était proposé. Ils décidèrent cependant que si un accusé troublait l'audience, on pourrait le juger en son absence. Cette décision amena la retraite de deux pairs : MM. de Noailles et de Talhouet.

À l'audience du 9, nouvelles protestations des accusés informés de cette décision. A chaque audience on en ramène quelques-uns, et le 13 il ne reste plus que les vingt-trois Lyonnais qui acceptent les débats. Louis Blanc affirme que cette funeste manifestation d'insolidarité avait été obtenue d'eux par les bons traitements dont ils avaient été l'objet à la prison du Luxembourg, tandis que les Parisiens à Sainte-Pélagie et les soldats de Lunéville à l'Abbaye voyaient leurs geôliers changer en rigueurs extrêmes les menues faveurs des premiers jours. Il ajoute que les Lyonnais récalcitrants furent également maltraités. Cela est possible. Mais il est certain que ce ne furent pas les adoucissements apportés à leur sort qui décidèrent les Lyonnais à accepter le procès. Ils voulaient parler, crier la misère ouvrière et les provocations d'un gouvernement dévoué aux fabricants. Ce motif suffit à expliquer, sinon à justifier leur décision.

L'attitude des accusés avait mis les juges en mauvaise posture. Une faute des défenseurs vint les en tirer. Une lettre signée de tous les défenseurs parut dans le National : cette lettre injuriait violemment la Haute Cour et se terminait par ces mots : « L'infamie du juge fait la gloire de l'accusé. » Des poursuites sont aussitôt ordonnées contre les signataires. Michel (de Bourges), qui a rédigé la lettre, et Trélat déclarent en prendre à eux seuls la responsabilité, la signature des défenseurs ayant été mis au bas de ce document sans leur assentiment.

Mais ce nouveau procès permettait de poursuivre des députés républicains. La Cour retint donc tous les signataires, et demanda à la Chambre la levée de l'immunité parlementaire des députés inculpés, entre autres Cormenin et Audry de Puyraveau. En vain, devant la Chambre, Arago évoqua le souvenir de Ney frappé par la Chambre des pairs ; la levée de l'immunité fut accordée en ce qui concernait Andry de Puyraveau. Cormenin fut épargné.

Le 20, l'audience s'ouvrit sur ce procès, greffé sur l'autre. Aucun des défenseurs ne désavoua la lettre. Les uns refusaient de répondre, les autres déclaraient que si on la leur avait présentée ils l'auraient signée. Quand ce fut le tour de Trélat, il interpella directement les hommes qui s'érigeaient en juges. « Il y a ici, dit-il, tel juge qui a consacré dix ans de sa vie à développer les sentiments républicains dans l'âme des jeunes gens. Je l'ai vu, moi, brandir un couteau en faisant l'éloge de Brutus. »

Et il rappela « le serment de l'un d'eux, serment à la République ». Il regarda en face « d'anciens complices de la charbonnerie ». Il accusa ces révolutionnaires de la veille d'avoir mis la main sur Puyraveau, « le courageux député qui le premier avait ouvert sa porte à la révolution ». Après lui, Michel (de Bourges) condamna sa tactique d'abstention, sans s'en douter, par la magnifique plaidoirie qu'il fit et que le grand procès lui eût permis de faire à chaque heure. Une dizaine de défenseurs furent condamnés : Trélat à trois ans de prison, Michel (de Bourges) et les autres à un mois, sans préjudice des amendes dont Trélat, Michel (de Bourges) et les gérants du National et du Réformateur eurent la plus forte part : dix mille francs chacun, tandis que l'amende des autres condamnés s'abaissait à cinq cents francs et à deux cents francs.

La Cour se remit au grand procès. Les Lyonnais furent admirables d'énergie. Reverchon et Lagrange surtout ne ménagèrent pas leurs juges. « Frappez, leur disait le premier, si surtout vous en avez le courage et la force, car je ne vois en vous que des cadavres. » Vous êtes, leur disait le second, les représentants de l'aristocratie victorieuse jugeant la démocratie vaincue. Carrier prouva l'existence des agents provocateurs dans les rangs des républicains et des mutuellistes. Il cita des noms : Mercet, chef de section, Picot, qui poussait à la bataille, Faivre, tué par un gendarme devant le palais de justice et dans la ceinture duquel on trouva sa carte d'agent de police. Tous les accusés dénoncèrent les excitations d'avant la bataille et les cruautés d'après. Jules Favre, dans sa plaidoirie, réunit tous ces faits en synthèse et prouva qu'on avait voulu noyer dans le sang la double revendication démocratique et ouvrière.

C'était le tour des autres accusés. Ils refusèrent de comparaître. On les sépara en plusieurs catégories, on les parqua au gré de l'accusation. On les traîna de force à la barre, où ils arrivèrent, muets et farouches, et d'où il fallut les renvoyer sans avoir rien tiré d'eux qui pût figurer dans la comédie de justice que jouaient les Pairs. Sur ces entrefaites, un certain nombre d'entre eux purent s'évader de Sainte-Pélagie. Préparée par les soins de Barbès, l'opération réussit parfaitement et, le 12 juillet, Cavaignac, Marrast, Vignerte, Guinard et quelques autres se glissaient dans un caveau communiquant avec le dehors par un trou creusé dans le sol, et passaient à l'étranger.

Voyant qu'il était impossible de conserver les formes ordinaires de la justice avec des accusés aussi résolus à ne pas se laisser juger, la Cour rendit le 13 un arrêt de disjonction et condamna les accusés de Lyon. Ils furent tous frappés, au nombre de quarante-neuf, de peines allant de la déportation perpétuelle à une année de prison. Six d'entre eux seulement bénéficièrent de ce minimum. Baune, Antide Martin, Albert Hugon, Reverchon, Lafond, Desvoys étaient condamnés à la déportation, Lagrange à vingt ans de détention. Caussidière à dix ans, Carrier à cinq ans.

Chaque année l'anniversaire des journées de juillet rappelait au nouveau pouvoir, par une agitation populaire, qu'il était né d'une révolution. Mais cette année-là le parti républicain était disloqué, terrorisé, ses chefs emprisonnés ou en fuite. Le bruit courait que, cependant, la manifestation aurait lieu, mais sous la forme d'un attentat. Ce pressentiment ne fut pas trompé.

Le 30 juillet, au moment où le roi entouré de sa famille passait sur le boulevard du Temple pour se rendre à la cérémonie anniversaire qui se célébrait sur la place de la Bastille, une machine infernale éclatait à la hauteur du numéro 30, tuant ou blessant mortellement dix-neuf personnes, en blessant moins grièvement vingt-trois autres. Mais le roi était sauf. Bientôt l'auteur de l'attentat fut pris et connu. Grâce à ses révélations et à celles de sa maîtresse, ses complices furent arrêtés. Lui était un Corse qui vivait à Paris, sous le nom de Gérard. Son vrai nom était Fieschi. Il s'était engagé tout jeune dans l'armée napolitaine, avait été fait sergent et décoré pour sa bravoure. Il avait ensuite trahi le roi Murât pour le compte des Autrichiens, était passé à Marseille où, en 1819,il avait été condamné à dix ans de prison pour vol. En 1830 il est à Paris, muni de faux papiers au nom de Gérard ; il se fait passer pour condamné politique et obtient des secours en cette qualité.

Nommé agent secret, gardien du moulin de Croulebarbe. il perd son emploi, car des rapports faits sur lui l'ont rendu suspect. Même à un moment, on le cherche pour l'arrêter, car il est en rupture de ban. Il se réfugie chez Pépin, un épicier que ses protestations républicaines ont gagné. Tel est l'aventurier de petite envergure, aux trois quarts déséquilibré, profondément amoral, — il a pris la fille de sa maîtresse, une enfant de quinze ans, — qui entreprend de modifier, comme l'autre Corse, les destins de notre pays. Hégésippe Moreau dit alors que la différence fut petite, à l'origine, entre Fieschi et Napoléon. C'est injuste pour celui-ci : Fieschi ne s'éleva jamais au dessus de la trahison subalterne et il y eut de son compatriote à lui la différence d'un grand rapace à un pillard de basse-cour, renard ou putois. Lorsqu'il visa haut, il visa en assassin qui veut sauver sa peau, manqua son coup et fut pris tout de même.

Pépin, l'épicier, était au nombre des complices de Fieschi. Il avait combattu aux 5 et 6 juin ; mais terrorisé par le lendemain du ces journées il n'avait plus reparu aux Droits de l'Homme. C'était un trembleur, sans aucune volonté, incapable d'initiative. Tout autre était Morey, un vieux bourrelier, républicain fanatique, décoré de juillet, membre des Droits de l'Homme. En un temps où le souvenir de Brutus était fréquemment réveillé, l'idée de l'assassinat politique ne pouvait répugner aux plus ardents. Marc Dufraisse, qui regrettait que le parti républicain ne prêchât point ouvertement le régicide, disait de lui : « Le peuple a vu tomber cette tête blanche sans frémir ! Le peuple a peut-être applaudi ! C'est ainsi que les Juifs raillèrent le Christ sur la croix. »

Louis Blanc, qui est contre le régicide, s'incline néanmoins devant cet homme qui pousse le dévouement à son parti jusqu'au crime que ses ennemis maudiront et que ses amis renieront. « A l'austérité de sa physionomie, à son œil plein d'une flamme sombre, au calme implacable de sa face romaine, on devinait son cœur », dit-il. Gardons-nous de sévérité sur l'homme, quelle que soit notre pensée sur l'inutile cruauté de l'acte. Sachons même nous rappeler que si nous pouvons aujourd'hui condamner hautement ces moyens de guerre implacable, c'est parce que ceux qui les accomplirent furent de ceux qui travaillaient à rendre moins dure la route que nous avons à suivre.

Les autres accusés étaient un lampiste nommé Boireau et un relieur, Beseher. Fieschi, Morey et Pépin furent condamnés à mort et exécutés. Boireau fut condamné à vingt ans de détention et Bescher acquitté. Nina Lassave, la maîtresse de Fieschi, qui avait un instant été arrêtée comme complice, fut engagée comme dame de comptoir par un cafetier qui fit des affaires d'or : le tout Paris des badauds défila dans l'établissement de ce commerçant avisé.

Tout attentat politique est suivi d'une réaction. C'est la règle immuable des gouvernements, c'est le calcul constant des conservateurs, de retourner l'arme meurtrière contre un parti tout entier, contre des idées, des doctrines, des libertés acquises. Le ministère n'y manqua point et, le 4 août, le garde des sceaux Persil déposait sur le bureau de la Chambre trois projets de loi dont le premier abrogeait, en matière de rébellion, les formalités de la mise en jugement et donnait au pouvoir judiciaire le droit de former autant de cours d'assises qu'il lui semblerait bon.

Le second projet de loi instituait le secret du vote des membres du jury, réduisait à sept voix la majorité nécessaire pour prononcer une condamnation, et aggravait la peine de la déportation. Le troisième, dirigé spécialement contre la presse, réprimait les offenses contre le roi, créait le délit d'attaques contre les principes du gouvernement commises par la voie de la presse, rétablissait la censure préalable pour le théâtre et pour l'imagerie, interdisait de publier la liste des jurés et d'organiser des souscriptions pour les condamnés, enfin tuait un certain nombre de journaux en élevant le chiffre du cautionnement.

Royer-Collard essaie en vain d'arrêter ce flot débordant de réaction furieusement joyeuse de pouvoir se manifester sous le couvert du salut de la société. Le duc de Broglie oublie ses velléités libérales pour réclamer, au nom de la France, « des mesures qui seules nous semblent propres à la rassurer et à mettre hors de péril la personne du roi et la constitution de l'État ». L'histoire proteste à chacune de ses pages contre cette thèse monstrueuse qui consiste à chercher l'ordre dans la suppression des libertés publiques, et à lier à celles-ci la fatalité des attentats politiques. Il n'y a nulle liberté politique en Russie, et c'est précisément pour cela que les attentats politiques y sont plus fréquents qu'ailleurs. La politique de réaction de Louis-Philippe va s'accentuer : les complots et les attentats se multiplieront dans la même mesure, ainsi que nous le verrons dans la suite de ce récit.

La Chambre, toute à l'impulsion actuelle, incapable de résister à la volonté du gouvernement, vota d'enthousiasme les lois de septembre. Elles ont suggéré à Louis-Blanc des réflexions qui sont bien d'un disciple docile de Rousseau. Dans sa passion de démocrate unitaire rêvant d'une société qui épurera les mœurs et décrétera la morale privée et publique, il s'indigne contre le caractère unilatéral des lois de septembre. « On avait décrété en France l'anarchie des cultes, dit-il, et l'on y déclarait factieuse la lutte pacifique des systèmes. Il n'était plus permis de se dire républicain là où il l'était de se dire athée ! Discuter Dieu restait un droit ; discuter le roi devenait un crime. » Parlant de la censure, il déclare que « dans un pays où le gouvernement serait digne de ce nom, l'État ne saurait renoncer à la direction morale de la société par le théâtre, sans abdiquer. » Et il reproche aux ministres du 11 octobre de n'avoir pas eu « pour but la réalisation d'une aussi noble pensée » que la moralisation publique. Cette opinion, directement inspirée de Robespierre et surtout de Jean-Jacques, suscita des polémiques et brouilla le jeune républicain avec quelques-uns de ses amis. A l'ouverture de la session, de 1836, le 14 janvier, Humann déposait un projet de conversion du 5% joint au budget pour 1837. La mesure était excellente en soi, mais le ministre des finances, avait négligé de prendre l'avis de ses collègues du ministère, qui lui adressèrent le lendemain, en séance du conseil, les plus vifs reproches. Louis-Philippe fut accusé d'avoir poussé Humann pour se débarrasser du duc de Broglie. M. Thureau-Dangin défend très faiblement de ce reproche le monarque qui vit tomber son cabinet « sans faire effort, dit-il, ni pour le maintenir, ni pour le retenir. »

Entre temps, les accusés de Lunéville étaient frappés. Le 27 décembre, le sous-officier Thomas fut condamné à la déportation, les autres à cinq ans et trois ans de prison et à la surveillance. Le 28 décembre, c'était le tour des accusés de Saint-Étienne, Grenoble, Marseille, Arbois et Besançon. Marc Caussidière était condamné à vingt ans de détention. Le 23 janvier 1836, c'était le tour des Parisiens : Beaumont et Kersausie étaient déportés. Cavaignac, Berryer-Fontaine, Vignerte, Lebon, Guinard, Delente, de Ludre, Armand Marrast, contumaces, étaient également condamnés à la déportation. Nul acquittement ne fut naturellement prononcé, pas plus en faveur de ceux qui avaient accepté le procès qu'en faveur des autres. Thiers avait cru en finir avec le parti républicain. La propagande et l'action n'allaient pas tarder à lui prouver que nulle force ne pouvait réprimer l'inévitable développement de la démocratie et du socialisme.

Troisième partie

L'équilibre instable

du 22 février 1836 au 29 octobre 1840

Chapitre premier
La quadruple alliance.

Thiers président du Conseil, ses antécédents fâcheux. — Le duel d'Armand Carrel et d'Emile de Girardin. — La Société des Familles : condamnation de Blanqui, Barbès et Martin-Bernard. — La guerre carliste et ses atrocités. — Louis-Philippe refuse d'intervenir et remplace Thiers par le comte Molé. — La neutralité suisse et l'affaire Conseil. — Louis Bonaparte se fait la main à Strasbourg. — Mort de Charles X.

Voilà donc Thiers président du Conseil, c'est-à-dire aussi maître du pouvoir qu'il peut l'être avec un Exécutif aussi personnel que Louis-Philippe. Il va, en tout cas, jouir de la responsabilité constitutionnelle, opposer ses intrigues aux volontés du roi, jouer son jeu avec des cartes maitresses sur le tapis de la grande politique, satisfaire son immense besoin d'activité étendue à toutes les parties de l'administration, enseigner la stratégie aux compagnons de Napoléon et traiter de pair avec Metternich. Belle fortune pour le petit journaliste à qui Louis-Philippe n'avait d'abord donné qu'un sous-secrétariat d'État en échange du trône offert dans le premier embarras de la victoire.

Il est vrai que Thiers offrit alors ce qu'il n'avait pas : il n'en avait pas moins travaillé activement à faire de son offre une réalité. Mais il avait d'autres titres, sinon à une récompense que, dans leur ingratitude organique, les princes ne se croient pas tenus d'accorder à qui les a servis, du moins à porter le poids des affaires publiques et à en recueillir le profit. Sa valeur personnelle, une activité extraordinaire dont il a donné des preuves jusqu'à l'âge le plus avancé, suffisent à expliquer sa fortune.

Né du peuple, il se tourna contre le peuple, sitôt qu'il se fut frotté au pouvoir, et s'il eut une doctrine, ce fut celle-là : laisser le peuple en minorité politique et sociale. Son libéralisme ondoyant, qui reculera jusqu'à la rue de Poitiers et à la loi Falloux pour s'avancer finalement jusqu'à la République conservatrice, n'est autre chose pour lui qu'un instrument. Étroitement positif, il suit le progrès de son siècle en se donnant les apparences de le diriger : il est sur la machine, mais ce qu'il tient à la main, ce n'est pas la manette qui donne l'impulsion, c'est le frein. Et quand une bousculade parlementaire ou une intrigue de cour l'en ont fait descendre, s'il pousse la machine en avant, c'est pour la faire dérailler et non avancer.

Au moment où il prend le pouvoir, rien ne reste plus du rédacteur du National de 1830 et de l'auteur de l'Histoire de la Révolution : il ne reste plus qu'un conservateur effrayé de son péché de jeunesse. Car il a avoué, dans ce livre, son admiration pour la Convention, excusé et expliqué la Terreur. Il s'est même flatté d'avoir le premier parlé en détail, dans l'histoire, « des emprunts, dos contributions et du papier-monnaie » et donné le « prix du pain, du savon et de la chandelle ». Ces mérites, et ils ne sont pas minces, et il avait lieu d'en être fier, il va les désavouer dans sa deuxième édition.

Il vient d'entrer à l'Académie française. Partout le mot « peuple » figure dans son récit des incidents tumultueux de la Révolution, il le remplace par celui de « populace », beaucoup plus académique. Le pas est sauté : l'homme n'est plus, qui écrivait en 1830 du cabinet Polignac : « Il faut enfermer le ministère dans la Charte comme Ugolin dans sa tour ». C'est à présent l'homme de la poigne qui ne menace du « mouvement » que lorsque, renversé du pouvoir, il aspire à diriger la « résistance ».

Nous l'avons vu en 1832, alors que l'entourage de Louis-Philippe hésitait devant l'émeute, remonter les courages, haranguer la garde nationale, organiser la défense, présider à la distribution des cartouches. Les sinistres victoires de Saint-Merri et de Transnonain lui appartiennent : grâce à elles, le roi a fait fléchir les dernières résistances des conservateurs à sa quasi-légitimité. Ce qui lui appartient aussi, c'est le moyen de police et de corruption qui, le soulèvement de Vendée terminé, lui a livré la duchesse de Berri fugitive. Il se rend bien compte du peu d'estime qu'on a pour lui, mais il sait ce que vaut l'estime de tout ce monde qui a besoin de lui pour les besognes où l'absence de scrupules est de nécessité professionnelle.

Parvenu au premier rang, il tâcha de se laver des tares policières contractées dans ses fonctions de ministre de l'Intérieur. « Je ne veux pas, dit-il, être le Fouché de ce régime. » Mais il avait du sang de Fouché dans les veines. L'affaire Conseil, dont il laissa l'embarras à son successeur, devait montrer qu'il ne saurait résister au plaisir de transporter sur le terrain diplomatique ses louches moyens de police. « Parvenu de la veille, dit M. Thureau-Dangin avec un joli dédain aristocratique, cette besogne policière amusait sa curiosité, sans exciter chez lui les répugnances qu'eût ressenties un homme d'éducation plus achevée et plus délicate ».

L'historien de la monarchie de Juillet est peu tendre pour Thiers, tout en rendant justice à « l'art merveilleux par lequel il devait charmer tant de générations successives, sans jamais les fatiguer ni se fatiguer lui-même. » Tout en tenant compte de sa rancune contre celui qu'avec tout le monde il appelle encore « Monsieur Thiers », — car si Thiers fut avec les conservateurs de 1850 il fut contre ceux vraiment trop maladroits, du 24 mai 1873, — l'écrivain monarchiste ne paraît pas injuste dans sa sévérité.

Certes, pour la représenter au pouvoir, la bourgeoisie eût préféré la grande allure de Casimir Perler, malgré son autoritarisme brutal, mais il était mort. Certes, le comte Molé avait plus de tenue et le duc de Broglie plus de dignité, mais on ne pouvait se passer de ce diable de petit bonhomme qui dérangeait tout, dès qu'il était mis à l'écart, et renversait les gouvernements les plus décoratifs. Guizot, si souple sous sa raide façade d'austérité, pouvait seul lui tenir tête, et ce ne fut qu'au bout de dix ans qu'il y parvint avec succès, un succès dont mourut le régime, d'ailleurs. Il fallait donc subir ce bohème encombrant mais précieux, compromettant mais inévitable.

D'ailleurs tout bohème enrichi, même s'il ne se range, prend place dans la bourgeoisie, où l'argent est l'unique passe-port. Et Thiers n'avait pas négligé la précaution nécessaire et première. Le contact du pouvoir, dans les premières années, ne l'avait pas gêné, au contraire. On l'accusait ouvertement d'avoir, étant le sous-secrétaire d'État de Laffitte aux finances, joué à coup sûr à la Bourse en se servant des dépêches que sa fonction mettait entre ses mains. Le Constitutionnel, dont il avait été un des premiers collaborateurs, déclarait que ses antécédents ne lui avaient pas donné une réputation de désintéressement et de probité qui permît de lui confier les fonds secrets.

Lorsqu'on 1833, il avait été nommé ministre du Commerce et de l'Agriculture, la Caricature l'avait représenté en « Mercure, dieu du commerce, de l'éloquence et d'autre chose... » Même lorsqu'il était éloigné du pouvoir, il y tenait encore au moins par la caisse, si l'on en croit Loève-Veimars, qui prétend que Casimir Perier lui donnait deux mille francs par mois sur les fonds secrets. Ainsi s'expliquerait le peu d'estime que le grand bourgeois richissime avait de lui et dont, avec des précautions sur la véracité de leur éditeur. M. Thureau-Dangin cite des traits en ces termes :

« Le président du Conseil ne dissimulait pas son agacement quand, à la tribune, M. Thiers disait « nous » en parlant du ministère. Ce témoin (Loève-Veimars, Revue des Deux-Mondes du 15 décembre 1835), prétend même qu'un jour, M. Mauguin ayant appelé M. Thiers « l'organe du gouvernement », Perier, hors de lui, se serait écrié assez haut pour être entendu : « Ça, un organe du gouvernement ! M. Mauguin se moque de nous » ! C'était le temps où, « quand le ministre voulait faire passer un projet contesté, il croyait prudent de promettre que M. Thiers ne le défendrait pas en qualité de commissaire ».

Par surcroit, Thiers était affligé d'une déplorable famille. Son père et son frère le harcelaient de demandes d'argent. Le père Thiers venait à Paris, en 1834, « rappeler à son fils le ministre », qu'il avait d'autres enfants et des nièces. Les journaux grossissaient le scandale et, dans les démentis qu'il leur adressait, le vieillard ne faisait que confirmer leurs dires. Ces avanies n'étaient pas de nature à augmenter le prestige de l'ambitieux politicien.

N'importe. Il était président du Conseil, et sans trop de peine avait pu constituer un ministère. Mais il avait dû ne pas se montrer trop exigeant sur la qualité de ses collaborateurs. C'est ainsi qu'il donnait les sceaux à Sauzet, dont il avait dit quelques mois auparavant, lorsqu'il avait été question de lui confier le même poste dans un ministère Dupin : « M. Sauzet garde des sceaux, quelle délicieuse bouffonnerie ! » Mais Thiers en était-il à une pasquinade près !

Les procédés de compression et de police par lesquels Thiers gouvernait devaient-ils assurer au moins la sécurité personnelle du roi ? Il faut bien croire que non, puisque, le 25 juin, un nouvel attentat était commis sur Louis-Philippe. Au moment où il sortait des Tuileries, un jeune homme armé d'une canne-fusil avait tiré sur lui, et l'avait manqué. Ce jeune homme se nommait Alibaud, avait fait de bonnes études au collège de Narbonne, s'était engagé à dix-huit ans au 15e de ligne, avait été blessé dans le combat des journées de Juillet et réformé en 1834. On essaya de lui découvrir des complices, des inspirateurs. « Le chef de la conspiration, dit-il, c'est ma tête, les complices, ce sont mes bras. » Il monta bravement sur l'échafaud en s'écriant : « Je meurs pour la liberté, pour le bien de l'humanité, pour l'extinction de l'infâme monarchie ».

A quelques jours de là, Armand Carrel, le maître polémiste du parti républicain se battait en duel avec Émile de Girardin, qui le blessait mortellement, le 22 juillet. Comparer les deux adversaires, dire le motif de la querelle qui leur mit le pistolet à la main, c'est donner un exemple saisissant de l'absurdité scélérate d'une coutume que le ridicule lui-même n'a pas encore abolie chez nous.

Armand Carrel était le type de la droiture fière et cassante, mettant un souci de probité personnelle à conformer ses actes à sa doctrine. Ceux qui ne l'aimaient pas étaient forcés de l'estimer. En était-il de même de Girardin ? Expéditionnaire de la maison du roi en 1823, il devient commis d'agent de change et s'initie aux affaires. En même temps, il publie deux romans qui sont des autobiographies. C'est alors qu'il prend le nom de Girardin, qui était celui de son père naturel.

Nommé en 1828 inspecteur des Beaux-Arts par Martignac, il fonde le Voleur, un recueil où il reproduit des contes, des nouvelles, des articles pittoresques, puis la Mode, que patronne la duchesse de Berri. On le voit, il envisage le journalisme au point de vue commercial. C'est le moment où Carrel fonde le National, non pour gagner de l'argent, mais pour défendre les idées libérales.

La révolution de 1830 ne fit aucun tort au protégé de Martignac et de la duchesse de Berri. Puisque de nouvelles couches sociales naissaient à la vie publique, il fallait exploiter cette clientèle. Il proposa à Casimir Perier, qui eut tort de refuser, d'abaisser à un sou le prix du Moniteur. Il fonda alors, en 1831, le Journal des Connaissances utiles, qui en peu de temps compta cent trente mille abonnés à quatre francs par an. Vinrent ensuite, car cet homme d'affaires était d'une activité prodigieuse, le Journal des instituteurs primaires, à un franc cinquante par an, et le Musée des familles, fondé pour faire concurrence au Magasin pittoresque, où le saint-simonien Edouard Charton, qui préludait à sa mission d'éducateur populaire, essayait avec succès d'instruire en amusant.

Mais le rêve de Girardin était de donner au public un journal quotidien à bon marché. Fallait-il compter sur un gros tirage pour en tirer un gros revenu ? Oui, mais pas absolument. Le cautionnement élevé des quotidiens, le droit de timbre sur chaque exemplaire ne leur avait pas permis jusqu'à présent d'abaisser au-dessous de quatre-vingts francs le prix de l'abonnement. En 1836, Girardin fonda la Presse et en fixa l'abonnement à quarante francs. Le journal à deux sous était né, que devait suivre plus tard le Petit Journal à un sou, petit journal devenu grand aujourd'hui comme format et qui, au lieu de quatre pages, en offre six et parfois huit à ses lecteurs. Sur quoi donc comptait-il ? Sur un sous-produit jusque là exploité avec négligence, avec nonchalance, par les journaux. Il comptait sur les annonces, qui, dans ses mains d'homme d'affaires, devinrent le chapitre le plus important du budget des recettes de son journal.

Beautés du capitalisme ! Au moment où le peuple apparaît sur la scène et affirme son désir de savoir pour agir, un industriel surgit pour lui vendre ce service, car tout est marchandise, la pensée et ses manifestations tout comme une balle de coton ou un lot de ferraille. Le peuple aura le journal à bon marché, grâce aux annonces de la quatrième page, qui sont « réclames » à la troisième, articles d'allure scientifique ou doctrinale à la seconde et parfois à la première. Les marchands de remèdes inefficaces et onéreux, les escrocs et les usuriers, les lanceurs d'affaires industrielles et financières plus ou moins suspectes se serviront du journal pour ouvrir le maigre tiroir de l'ouvrier atteint d'une maladie incurable, et vider le bas de laine du paysan et du boutiquier désireux de voir leur argent faire des petits.

L'innovation de Girardin fit tapage dans les journaux. Leur accès de vertu en face de l'audacieux industriel de presse fut surtout une rage d'impuissance contre le concurrent plus habile, sauf cependant de la part du Bon sens, le journal de Kersausie et de Raspail. Chez Carrel également, ce fut indignation sincère. Il dénonça en Girardin, devenu député et doctrinaire de la suite de Guizot, un corrupteur de l'opinion publique. Girardin répondit en suspectant la loyauté de son adversaire, et le duel eut lieu.

La mort d'Armauid Carrel acheva la désorganisation du parti républicain de propagande, commencée par les procès d'avril. La société des Droits de l'Homme où les hommes d'action avaient fini, comme on l'a vu, par imposer leurs vues, était disloquée également, ses membres les plus en vue étant déportés, en prison ou en exil. C'est alors qu'apparurent au premier plan Blanqui et Barbès. Ils rassemblèrent, en une société secrète savamment subdivisée, les débris du parti d'action. Ces subdivisions, de six membres, se nommaient des familles. Plusieurs familles réunies formaient une section, et la réunion de plusieurs sections un quartier. Au-dessus des quartiers, le Comité, dont nul ne connaissait la composition, et qui était relié aux quartiers par un agent révolutionnaire.

La police qui les surveillait, car toute association secrète la fait nécessairement intervenir, essaya de leur imputer l'attentat de Fieschi. Mais on sait aujourd'hui que si les républicains révolutionnaires ne réprouvèrent pas le régicide, jamais ils ne le conseillèrent, encore moins le pratiquèrent. Mare Dufraisse, cependant, nous l'avons vu, blâmait ce scrupule. Un panégyrique d'Alibaud fut même publié, sous forme d'une ode au roi, et on y lisait ces vers :

> Demain le régicide ira prendre place
> Au Panthéon avec les Dieux !
> De vols, d'assassinats eût-il flétri sa vie,
> Il redevient sans tache et vierge d'infamie
> Dès qu'il se lave au sang des rois !

Il faut dire qu'Alibaud avait soulevé dans l'opinion plus de pitié que de haine. On ne pouvait en effet le mettre au même rang qu'un scélérat vulgaire comme Fieschi. Barbès l'admirait, nous dit M. G. Weill ; quant à Louis Blanc, il en parle comme d'un martyr de l'idée de justice poussée jusqu'à la cruauté. Lamennais, de son côté, indigné de l'attitude des pairs qui jugèrent Alibaud, déclarait qu'on le rendait presque sympathique au peuple.

Les deux hommes qui venaient, par la force des choses, d'être placés à la tête du parti républicain d'action se ressemblaient aussi peu que possible. Blanqui était froid et fermé, l'esprit toujours tendu, la pensée sans cesse en action. Nous l'avons vu apparaître aux premiers jours du régime et poser la question sociale devant les juges. Pour lui, la République est le moyen de réaliser le socialisme, et c'est aux prolétaires qu'il s'adressera de préférence. Il a reçu de Buonarotti la doctrine de Babeuf. Est-ce donc la communauté spartiate, étroite et dure, qui va demeurer son idéal ? Non. Bien qu'il ne doive jamais être un théoricien, ni devancer en esprit les temps futurs pour en exposer le plan détaillé, il fient à formuler son idéal social, à proposer un but à l'action révolutionnaire des républicains qui l'entourent.

Il a fondé vers 1834 un journal, le Libérateur, où. il se livre surtout à d'âpres critiques contre la monarchie, en des articles où, dit Geffroy, « la haine refoule la tendresse ». Mais il se proposait aussi, dans cette feuille qui n'eut que quelques numéros, d'exposer sommairement, mais avec la précision qui est sa marque distinctive, les motifs de sa critique sociale et le moyen d'en finir avec l'exploitation de l'homme par l'homme.

« La richesse, disait-il, dans un article qui ne parut pas et fut publié seulement en 1879 dans la Révolution Française, la richesse n'a que deux sources : l'intelligence et le travail, l'âme et la vie de l'humanité. Suspendez un seul instant ces deux forces, l'humanité meurt. Toutefois elles ne peuvent agir qu'à l'aide d'un élément positif : le sol, qu'elles mettent en œuvre par leurs efforts combinés. Il semble donc que cet instrument indispensable d'activité devrait appartenir à tous les hommes. Il n'en est rien.

« Des individus se sont emparés par ruse ou par violence de la terre commune et s'en déclarent les possesseurs. Ils ont établi pair des lois qu'elle serait à jamais leur propriété, et que leur droit de propriété deviendrait la base de la constitution sociale, c'est-à-dire qu'il primerait et au besoin qu'il pourrait absorber tous les droits humains, même celui de vivre, création de la nature, s'il avait le malheur de se trouver en conflit avec le privilège, propriété du petit nombre.

« Ce droit de propriété s'est étendu par déduction logique du sol à d'autres instruments, produits accumulés du travail et qu'on appelle capitaux. Or, comme les capitaux, stériles d'eux-mêmes, ne fructifient que par la main-d'œuvre et que, d'un autre côté, ils sont nécessairement la matière première mise en œuvre par les forces sociales, la majorité, exclue de leur possession, se trouve condamnée aux travaux forcés au profit de la minorité possédante ».

Le duel est donc entre les travailleurs et les parasites. Mais l'issue n'en peut être douteuse :

«… Le droit de propriété décline, dit Blanqui. Les esprits généreux prophétisent et appellent sa chute. Le principe essénien de l'égalité le mine lentement depuis des siècles par l'abolition successive des servitudes qui formaient les assises de sa puissance. Il disparaîtra un jour avec les derniers privilèges qui lui servent de refuge et de réduit. Le présent et le passé nous garantissent ce dénouement, car l'humanité n'est jamais stationnaire : elle avance ou recule. La marche progressive la conduit à l'égalité, sa marche rétrograde remonte par tous les degrés du privilège jusqu'à l'esclavage personnel, dernier mot du droit de propriété.

«… Disons tout de suite que l'égalité n'est pas le partage agraire. Le morcellement infini de sol ne changerait rien, dans le fond, au droit de propriété. La richesse provenant de la possession de l'instrument de travail plutôt que du travail lui-même, ce génie de l'exploitation resté debout saurait bientôt, par la reconstitution des grandes fortunes, restaurer l'inégalité sociale.

« L'association substituée à la propriété individuelle fondera seule le règne de la justice par l'égalité ».

Quelle différence avec Barbès, esprit tout en surface, héroïsme tout en dehors. Barbès aime la République, la Liberté et l'Égalité d'un amour tout mystique et imprécis. Ce qu'il aime surtout, c'est l'action et le péril. Il conspire comme on respire, par besoin de dépenser sans compter l'exubérance d'un naturel généreux et indiscipliné. Il est pour la discipline parce qu'il est un chef. Il ne peut-être qu'un chef, d'ailleurs. C'est un paladin égaré dans un monde d'industriels et de commerçants. Il venge les griefs des opprimés, mais il ne sent pas aussi profondément que Blanqui leur souffrance, et il croit que la République suffira pour guérir tous les maux.

Un matin de mars, guidée par une dénonciation, la police découvrait, rue de Lourcine, une fabrique clandestine de poudre. Trois ou quatre hommes y travaillaient assidûment sous la surveillance de Blanqui et de Martin-Bernard. Ce dernier était chargé de porter à mesure la poudre dans une maison de la rue Dauphine, où d'autres conspirateurs fondaient les balles et faisaient les cartouches. Blanqui, arrêté chez Barbès, reprend son portefeuille que le commissaire a saisi, en tire des papiers qu'il avale précipitamment, malgré les efforts des policiers, qui lui arrachent néanmoins un feuillet contenant une liste d'adhérents aux Familles. Une autre liste trouvée dans les papiers de Barbès complète la fournée qui va comparaître devant les juges de Louis-Philippe. Vingt-quatre condamnations sont prononcées contre Blanqui, Barbès, Martin-Bernard et le groupe d'étudiants et d'ouvriers qui les ont suivis.

Mais voyons quel usage Thiers fit du pouvoir dès qu'il y fut installé. Il commença par laisser effacer en fait de la carte de l'Europe le dernier lambeau de la Pologne. Les traités de 1815 avaient stipulé que la ville de Cracovie et ses environs immédiats constituerait un État indépendant. Cette solution avait été adoptée à cause de la rivalité du roi de Prusse et des empereurs d'Autriche et de Russie, qui prétendaient tous trois à la possession du territoire cracovien. Mais après l'insurrection polonaise de 1830, ce territoire était devenu le refuge des vaincus. Accuser les magistrats cracoviens de faire de leur ville un foyer d'agitation, c'était l'enfance de l'art. Metternich n'y manqua pas, et il délivra la Russie de ce péril en mettant la main sur Cracovie, occupée par les troupes autrichiennes. L'opinion libérale eut beau s'agiter, en France et en Angleterre. Thiers modela son attitude sur celle du ministère anglais, il ne bougea point. Il ne pouvait rien d'ailleurs. Les trois puissances du Nord étaient d'accord pour confier la garde de Cracovie à l'Autriche. Plus tard le roi de Prusse et surtout le tzar devaient donner définitivement Cracovie à l'Autriche plutôt que de la voir devenir le centre de la vie polonaise, encore frémissante et prête à se réveiller dans les provinces qu'ils s'étaient attribuées.

Le gouvernement français venait d'assister impuissant à la disparition du dernier vestige de la nationalité polonaise, il allait faire défaut au libéralisme à l'autre extrémité de l'Europe. Mais, ici, ce ne fut pas impuissance ; il y eut mauvaise volonté, et, il faut le dire, la faute principale ne fut pas à Thiers, car, répétons-le, jamais Louis-Philippe ne laissa à aucun de ses ministres la direction des affaires extérieures.

La défaite de l'absolutisme au Portugal et l'avènement de la jeune reine Isabelle en Espagne avaient décidé la France et l'Angleterre à conclure un traité avec ces deux pays pour y assurer l'existence du régime constitutionnel. Nous avons dit dans un précédent chapitre que don Carlos, frère du roi Ferdinand VII, avait soulevé quelques provinces au nom du droit divin et de la loi salique. Le chef du Foreign Office, Palmerston, demanda au gouvernement français, en vertu de la Quadruple Alliance, de s'opposer aux progrès du carlisme en fermant le passage de la frontière pyrénéenne aux armes, aux munitions et aux partisans du prétendant, et en empêchant les bandes insurgées de chercher un refuge sur le territoire français.

On voit que l'intervention réclamée de nous par Palmerston était peu de chose. Si peu que ce fût, c'était encore trop pour Louis-Philippe, qui refusa de mettre sur la frontière espagnole un cordon de troupes. Après une courte résistance, Thiers céda aux volontés du roi, car il faisait alors la cour à Metternich et entendait lui prouver qu'un parvenu du libéralisme savait, tout comme un diplomate de l'école de Vienne, laisser toutes ses chances à un prétendant dont la victoire pouvait sanctionner la légitimité. Cette politique de non-intervention, qui permettait à la fois aux libéraux et aux absolutistes espagnols de recevoir des secours par la frontière française, flattait d'ailleurs l'altière politique de Mendizabal, qui se faisait fort de réduire le carlisme avec ses seules ressources. Ce ministre donnait ainsi satisfaction à l'ombrageux patriotisme d'un peuple qui avait toujours souffert impatiemment l'immixtion des étrangers dans ses affaires.

L'Espagne des moines et de l'Inquisition était toute pour don Carlos. Mendizabal entreprit hardiment de faire payer aux moines les frais de la guerre qu'ils attisaient, et se mit à vendre les biens des couvents. Les opérations militaires vigoureusement poussées donnaient l'avantage aux troupes constitutionnelles. Les carlistes se vengeaient de leurs défaites en commettant mille atrocités, auxquels les christinos répondirent par des atrocités égales. Les deux partis massacraient leurs prisonniers par centaines, les femmes elles-mêmes n'étaient pas épargnées. Encore affaibli par la perte de Zumalacarreguy, son meilleur chef militaire, le carlisme combattit avec la fureur du désespoir ; le fanatisme aidant, l'horreur des massacres fut portée au comble. On eût dit que la malheureuse Espagne était résolue à vider ses veines de leur dernière goutte de sang.

Ce fut le moment que choisit une intrigue de cour pour renverser Mendizabal du pouvoir. Isturiz, qui le remplaça le 17 mai 1836, fil appel à l'intervention française, non pour l'aider à terminer une guerre au résultat incertain, mais pour réduire, au moyen d'une gendarmerie internationale, l'odieux brigandage des bandes carlistes. Il était devenu inadmissible, en effet, que les nations de l'Europe occidentale, libérées au moins formellement dos liens de la Sainte-Alliance, pussent supporter avec impassibilité la démence sanguinaire qui emportait les Espagnols dans son affreux vertige.

D'autre part, la cruauté carliste déconcertait, démoralisait, paralysait les partisans du régime établi. La couronne que le prétendant n'avait pu obtenir par les combats, les assassinats et les tortures allaient-ils la lui donner. La reine régente s'adressa alors directement à la reine Marie-Amélie, offrit la jeune reine Isabelle, qui avait six ans, au duc d'Aumale, qui en avait quatorze. En même temps que sa famille pressait le roi d'intervenir, Thiers, poussé par le ministre anglais, revenait à l'idée d'une intervention et joignait ses instance à celles de la reine.

Une légion étrangère de douze mille hommes était formée par le gouvernement espagnol. Louis-Philippe accepta que neuf mille soldats français en fissent partie et que le général Bugeaud les commandât. Comme ces soldats devaient être des volontaires pris dans les régiments, le roi pensait que jamais on ne pourrait atteindre ce chiffre. Les régiments des garnisons de la frontière répondirent en masse, contrairement à son espérance, et le contingent français s'organisa.

Louis-Philippe, alors, chercha le moyen de se dérober à l'exécution de ses promesses. Pour cela, il lui fallait se débarrasser de Thiers. L'occasion lui fut fournie par une révolte militaire, un pronunciamiento, qui, le 12 août, chassait Isturiz du pouvoir et imposait à la régente un ministère libéral présidé par Calatrava. Pas plus que le roi, Thiers n'entendait donner son appui à ce coup de force, et le prétexte à non-intervention était bon désormais. On ne pouvait en effet aller soutenir en Espagne ce que l'on combattait en France.

Mais les volontaires français s'étaient réunis à Pampelune, et de là le général Lebeau leur avait adressé un ordre du jour enthousiaste. Dès qu'il fut connu en France, le roi fit désavouer cet ordre du jour dans le Moniteur et voulut prononcer la dissolution du contingent français. Thiers voulait au contraire le maintenir en observation, et tenir ainsi on partie les engagements pris vis-à-vis de l'Angleterre en même temps que donner une satisfaction partielle à l'opinion. Mais l'entêté monarque avait senti passer le vent de la révolution dans l'enthousiasme des soldats français pour la cause du libéralisme espagnol. Il refusa de céder et Thiers dut s'en aller.

Le 6 septembre, Molé acceptait la présidence du Conseil et les Affaires étrangères, avec Guizot à l'Instruction publique. C'est dire que Louis-Philippe reprenait dans sa plénitude la direction de la politique extérieure, sans partage et même sans discussion.

Pour ses débuts, le nouveau ministère se trouva aux prises avec des embarras qui étaient un honteux reliquat de la politique extérieure de Thiers et de la manie policière qu'il avait portée dans cette matière délicate. Metternich, dans le courant de 1836, avait invité Thiers à demander au gouvernement helvétique l'expulsion des républicains et des patriotes des nationalités opprimées. La Suisse, terre d'asile pour les proscrits, serait mise en demeure de leur faire passer ses frontières. Thiers ne demandait pas mieux, mais il fallait un prétexte.

La Suisse était-elle un foyer de conspiration où les patriotes des pays opprimés par l'Autriche et la Russie préparaient des mouvements insurrectionnels ? L'échec de la Jeune Italie dit assez que les révolutionnaires qui essayèrent d'envahir la Savoie n'avaient trouvé nul secours en Suisse, bien qu'une de leurs colonnes fût partie de Genève. Mais une association s'était formée sous le nom de la Jeune Europe entre tous les partisans des nationalités opprimées. Pas plus que la Jeune Italie, la Jeune Europe n'acceptait la direction du carbonarisme, qu'elle accusait de rêver l'unité universelle sous la domination de la France.

La Jeune Europe était beaucoup plus une association de propagande qu'un groupe d'action. Son principe fondamental était la fédération des nationalités, s'entr'aidant mutuellement à conquérir l'indépendance vis-à-vis de l'étranger et à se donner la liberté intérieure. Elle tendait donc au but que poursuit encore aujourd'hui le socialisme international et que La Fayette affirmait, un an avant sa mort, en applaudissant à l' « idée d'un journal étranger qui formerait un lien de plus et un nouveau moyen d'information entre les peuples européens ? »

« Ce n'est donc, disait-il, qu'à la confraternité des peuples, à leurs sympathies mutuelles, à leur conviction que tout ce que gagne une nation est un profit pour les autres, que nous devrons une sorte de diplomatie populaire, exempte de préjugés, pleine de bons vouloirs et supérieure aux routines et aux intrigues des cabinets ».

Et, sentant tout le mal que faisait à cette cause l'orgueilleux chauvinisme des républicains français, La Fayette insistait sur la nécessité « de réaliser des idées saines et de franches explications « , surtout « entre l'opinion allemande et l'opinion française. » Il s'élevait avec une rare clairvoyance, alors partagée par bien peu de républicains, parmi lesquels il faut compter Raspail, contre les « erreurs patriotiques qui ne sont aujourd'hui que des anachronismes, retardent cette entière et affectueuse confiance dont nous avons mutuellement besoin. »

En demandant l'expulsion des membres de la Jeune Europe, Metternich prouvait qu'il craignait beaucoup moins les conspirateurs que les organisateurs et les propagandistes de l'internationalisme républicain. Mais cette association ne donnait aucune prise, et le gouvernement fédéral ne pouvait violer ses propres lois et mettre hors du droit commun des étrangers qui ne faisaient rien pour troubler ses bons rapports avec les puissances. Thiers, cependant, se chargea de l'opération, ayant pris au préalable des mesures occultes dont le résultat devait justifier son attitude.

Il invita le gouvernement fédéral à expulser de Suisse les membres de la Jeune Europe qui s'y étaient fixés. De Berne, on lui répondit en demandant si la France donnerait en ce cas l'hospitalité aux réfugiés. Le gouvernement français riposta par une note comminatoire qui souleva l'indignation publique dans toute la Suisse. La diète helvétique s'assembla, et pour se donner l'apparence d'avoir sauvegardé ses droits tout en donnant satisfaction aux réclamations de la France, elle vota que les réfugiés seraient expulsés s'ils avaient violé la neutralité suisse et compromis sa sécurité.

Ce vote fut accueilli par une explosion de colère surtout dans les cantons de Vaud et de Genève. Mais, il avait force de loi et aussitôt M. de Montebello, notre ministre à Berne, s'en empara pour demander l'expulsion d'un individu nommé Conseil et représenté comme un complice de Fieschi. Sur ces entrefaites, Thiers était tombé du pouvoir et c'est le comte Molé qui fit inconsciemment jouer la machine policière montée de toutes pièces par son astucieux prédécesseur. Conseil, en effet, n'était pas un complice de Fieschi, mais de Thiers, un agent provocateur chargé par celui-ci de recruter en Suisse, parmi les membres de la Jeune Europe, des adhérents pour la société des Familles. La police trouva chez Conseil des listes qui permirent au gouvernement helvétique de faire des expulsions nombreuses. Mazzini, notamment, fut au nombre des expulsés.

Mais les policiers bernois avaient trouvé aussi la preuve que Conseil était un confrère opérant pour le compte du ministère français. La diète informée s'indigna, et, à la demande d'expulsion de Conseil formée par Montebello, répondit en priant le gouvernement français de laisser la Suisse faire elle-même la police des réfugiés.

À cette note, le gouvernement répliqua le 27 septembre en rappelant son ambassadeur et en rompant tous rapports avec la Suisse. Le 29, il lui adressait un ultimatum précurseur des hostilités. Une diète extraordinaire fut assemblée et elle capitula jusqu'au bout en renvoyant au gouvernement français tout le dossier de l'affaire Conseil. Pour une fois, le gouvernement de Louis-Philippe, venait de manquer à son principe de la non-intervention, et ç'avait été pour violenter un petit peuple et donner satisfaction à la Cour de Vienne.

Une autre affaire vint bientôt détourner l'attention des esprits, et qui sembla inspirée par le succès de la révolte militaire qui avait éclaté à Madrid. Qu'était donc ce Louis Bonaparte, fils du roi Louis de Hollande, qui, le 30 octobre, tentait de soulever la garnison de Strasbourg avec le plan arrêté de se diriger sur Paris en débauchant les garnisons sur son chemin ? Qu'était ce Napoléon qui essayait son retour de l'île d'Elbe sans avoir passé par Austerlitz et Wagram ? N'était-ce point une folie, pis une bêtise, que cette aventure risquée par un jeune étranger complètement inconnu des Français ?

Non, puisqu'il avait son nom pour lui, et que pour lui son oncle avait inscrit Wagram et Austerlitz sur son drapeau. Non, puisque la légende vivait grandie à mesure que le temps l'éloignait de la réalité ; puisque les mères, ayant enfanté d'autres fils, ne pleuraient plus ceux que leur avait pris Napoléon ; puisque le grief des opposants contre Louis-Philippe était sa politique de paix à tout prix ; puisque les républicains, oubliant la servitude de l'époque impériale, voyaient dans le nouveau roi un Bourbon épris de sa quasi-légitimité, ami des rois qui avaient envahi et amoindri la France, défendue à Montmirail et à Waterloo par Napoléon.

On n'était plus, certes, au moment où Salvandy pouvait dire, parlant des républicains : « Ce parti qu'on appelle tantôt bonapartiste et tantôt républicain ». Les mouvements de 1832 et de 1834 avaient bien été l'œuvre exclusive d'une démocratie révolutionnaire délivrée de tout contact avec les éléments bonapartistes. Mais le peuple et la petite bourgeoisie n'étaient pas républicains. Pour eux, être libéral signifiait être patriote. Et comment séparer la patrie du nom de celui qui avait, le dernier, porté les armes pour elle, et contre qui s'était formée la Sainte-Alliance absolutiste, ménagée à présent par Louis-Philippe ? « Mille canons dorment dans ce nom aussi bien que dans la colonne Vendôme » dit Henri Heine frappé d'avoir vu un mendiant lui demander un sou non pas « au nom de Dieu », mais « au nom de Napoléon ». Il a vu, au théâtre, le peuple crier, pleurer et s'enflammer aux mots : « aigle français, soleil d'Austerlitz, Iéna, les Pyramides, la grande armée, l'honneur, la vieille garde. Napoléon ».

Il sait qu' « il n'est pas de grisette à Paris qui ne chante et ne comprenne les chansons de Béranger », ces chansons où les nobles, ennemis du peuple, sont en même temps les amis de l'étranger, et où patrie est synonyme de liberté. Il constate que « le peuple sait le mieux du monde cette poésie bonapartiste » et note que « c'est là-dessus que spéculent les poètes, les petits et les grands, qui exploitent la foule au profit de leur popularité ». Il voit « Victor Hugo, dont la lyre résonne encore du chant du sacre de Charles X », se mettre « à présent à célébrer l'empereur avec cette hardiesse romantique qui caractérise son génie ».

Louis Blanc avoue que les républicains étaient forcés de « transiger avec des préjugés qu'on déplorait » et de « se laisser porter trop loin par les passions de la masse, pour ne pas les avoir contre soi ». Mais si les républicains ne résistaient pas assez aux courants populaires et si les bonapartistes, au dire de M. Thureau-Dangin, purent « gagner l'appui plus ou moins ouvert d'une feuille de gauche, alors dirigée par M. Mauguin », jamais il n'y eut entente, action concertée entre les deux partis, et c'est en vain que les agents bonapartistes cherchèrent dos alliés dans les sociétés secrètes.

Comment le jeune étranger qu'était Louis-Napoléon, fort attentif à ce qui se passait en France, surtout depuis la mort du duc de Reichstadt, aurait-il ignoré ce que voyait avec tant de netteté Heine, autre jeune étranger ? Il n'était pas nécessaire d'être poète, d'avoir du génie et d'avoir vécu quelques mois à Paris pour connaître la puissance qui était contenue dans le nom de Napoléon. À défaut de génie, le neveu du grand homme avait de la perspicacité et de la suite dans les idées. Comme tout cadet princier, et il n'était que cela puisqu'il y avait entre lui et l'héritage éventuel de Napoléon plusieurs ayant-droit directs, il se fit libéral, bien mieux : républicain, s'affilia à la charbonnerie, se fixa en Suisse, pays républicain, et y prit du service dans l'armée en qualité de capitaine d'artillerie.

Prince et démocrate, il n'avait qu'à se montrer pour voir accourir à lui tous les survivants de l'épopée et tous les dévots de la légende. Son entreprise n'était donc ni si stupide ni si aventureuse.

Dans l'armée, qui s'ennuyait de la longue inaction de la caserne, la légende était plus vivace encore que dans la nation. Persigny, le compagnon et l'ami du prétendant, n'eut pas de peine à y recruter les éléments d'une conspiration, qui fut d'autant plus ignorée que le milieu militaire formait, et forme encore, une société fermée dans la société. À la tête du 4e régiment d'artillerie, à Strasbourg, se trouvait le colonel Vaudrey, fervent bonapartiste. Il fut la cheville ouvrière de la conspiration, s'occupa activement de recruter des adhérents et de préparer les esprits. Et le matin du 30 octobre, à cinq heures, le prétendant se présentait à la caserne d'Austerlitz en uniforme de général, et les artilleurs se mettaient en marche, suivis des pontonniers, au son de la musique militaire et aux cris de : vive l'empereur ! vers les autres casernes pour entraîner les troupes.

Mais la foule que l'on voulait soulever était absente à cette heure matinale. Il n'y avait guère d'éveillés que les soldats. Le général Voirol, sollicité d'adhérer au mouvement, refuse. On le fait prisonnier. Louis Bonaparte trouve la troupe divisée. Le bruit s'est répandu qu'il n'est pas un Napoléon, mais le neveu de Vaudrey. Un grand nombre d'officiers ne veulent pas jouer leur carrière et leur vie sur un coup aussi hasardeux et rappellent leurs hommes au devoir. On se querelle, on se prend au collet. Persigny, voyant l'affaire manquée, s'enfuit. Délivré, le général Voirol fait arrêter le prince et ses complices.

Tandis qu'on apprêtait le jugement de ceux-ci, celui-là, par décision royale du 21 novembre, était banni du territoire français. Le 6 janvier 1837, ils comparaissaient devant les juges et l'un d'eux, le lieutenant Laity, expliquait ainsi sa participation au coup de main : « Je suis républicain et n'ai suivi le prince Louis Bonaparte que parce que je lui ai trouvé des opinions démocratiques. » Comment les juges eussent-ils frappé les comparses alors que le pouvoir épargnait leur chef. Ils acquittèrent au milieu d'applaudissements si éclatants qu'on en oublia qu'au même moment un sous-officier, Bruyant, venait de tenter un soulèvement militaire en faveur de la République.

À la fin de cette année 1836, Charles X acheva de mourir, tandis que le gouvernement ouvrait les portes de la prison de Ham aux ministres qui l'avaient, par leur folie, rendu à l'exil. Les deux événements passèrent presque inaperçus et Lamennais pouvait sans exagération écrire à un ami ; « La mort du pauvre Charles X a fait beaucoup moins de bruit, et beaucoup moins occupé le public de Paris que celle de Mme Malibran. » Et la session parlementaire de l'année nouvelle s'ouvrit, le 27 décembre, par le coup de pistolet qu'un détraqué. Meunier, tira sur Louis-Philippe, sans l'atteindre.

Chapitre II
Dotations et apanages.

Louis-Philippe songe à ses enfants. — Échec de la loi de disjonction. — Guizot se retire du ministère. — L'amnistie du 12 mai 1837. — À quoi Blanqui emploie la demi-liberté qui lui est octroyée. — La discussion sur la taxe des sucres. — La prise de Constantine et les élections.

Le parti républicain n'avait pas plus trempé dans l'attentat de Meunier que dans celui de Louis Bonaparte. Sauf le lieutenant Laity, encore mal réveillé du cauchemar de la Restauration, nul de ses membres n'avait suivi le prétendant, nul non plus n'avait aidé ou même conseillé le fantaisiste du régicide, maniaque plutôt que fanatique, que fut Meunier. Son attentat fut même désapprouvé par quelques-uns des placards sortis des imprimeries clandestines du parti, qui recommandaient l'organisation des « phalanges démocratiques », et déclaraient inutiles les attentats, si louables fussent-ils. Car, disait l'un de ces placards, « ce n'est pas tout de tuer le tyran, il faut encore anéantir la tyrannie ». Et il fallait pour cela compter uniquement sur l'insurrection, par conséquent ne distraire aucun effort, aucune pensée de ce but.

Le roi, en ce moment, était beaucoup plus à ses soucis de père de famille qu'aux alarmes et aux inquiétudes des attentats et des conspirations. Avec un courage tranquille et paterne qui ne manque pas de relief, il avait pris son parti de la situation, et, dans les périls qu'elle offrait, il semblait ne voir que l'occasion de réclamer un surcroît d'avantages matériels pour lui et les siens. Afin de marier convenablement sa fille au roi des Belges, il demanda, dès l'ouverture de la session, une dotation d'un million, et, de plus, le château de Rambouillet pour son deuxième fils, le duc de Nemours. Tandis que ce quémandeur inlassable envoyait ainsi Molé s'exposer aux rebuffades de l'opposition et se livrait lui-même aux quolibets de Cormenin, l'hiver aggravait une crise industrielle assez intense, et les prolétaires errants en quête de travail et de pain entendaient les boutiquiers en mévente parler hargneusement de ce château et de ce million que le roi voulait arracher à la nation, aux contribuables, pour les donner à ses enfants.

À ces tracas que Louis-Philippe imposait à son cabinet s'en ajoutèrent d'autres qui amenèrent une crise ministérielle. L'acquittement des accusés de Strasbourg — sauf Persigny que sa contumace fit condamner à la déportation, — avait suggéré au pouvoir l'idée de présenter aux Chambres un projet de loi portant que, dans le cas où une commune accusation réunirait des civils et des militaires, on les séparerait pour les soumettre à leur juridiction respective, les premiers aux tribunaux ordinaires et les seconds aux conseils de guerre.

Cette loi de disjonction fut proposée à la Chambre le 24 janvier 1837, en même temps que celle qui dotait la reine des Belges et apanageait le duc de Nemours, et y reçut le plus désastreux accueil. Dupin lui-même eut honte de cet attentat juridique qui enlevait les accusés à leurs juges naturels. Bugeaud avoua le vrai caractère des répressions politiques en demandant le conseil de guerre pour tous les accusés, mais cette exagération ne sauva pas le projet de loi, qu'avec sa haute éloquence Berryer combattit, tandis qu'on vit Lamartine le soutenir. Aux applaudissements des tribunes, le projet fut repoussé le 7 mars par 211 voix contre 209.

Cette défaite eût dû entraîner la retraite du cabinet. Soutenu par Louis. Philippe, le comte Mole ne broncha pas. Mais quelques-uns do ses collègues, Guizot notamment, plus respectueux du mécanisme parlementaire, se retirèrent. Le ministère fut remanié le 15 avril, et l'homme-lige du roi, le comte de Montalivet prit l'Intérieur, qu'il avait déjà occupé dans le ministère Laffitte. Guizot retourna sur les bancs de la Chambre prendre la direction du centre droit, tandis que Thiers présidait aux manœuvres du centre gauche.

Sitôt remis en selle par la réorganisation du ministère, le comte Molé revint devant la Chambre avec une nouvelle demande d'argent pour la famille royale. Cette fois, il s'agissait d'obtenir en faveur du duc d'Orléans un supplément de dotation, à l'occasion de son mariage avec la princesse Hélène de Mecklembourg. Pour faire passer l'affaire, on retirait la demande faite en faveur du duc de Nemours. Ce fut là tout le programme du ministère reconstitué. « Nous ne sommes point des hommes nouveaux, avait dit Molé dans sa déclaration ministérielle, tous nous avons participé à la lutte. Vous savez qui nous sommes, et notre passé vous est un gage de notre avenir. Nous ne vous présenterons pas d'autre programme ; nos actes vous témoigneront assez de nos intentions. » Il avait parlé pour ne rien dire, comme il arrive si souvent. Qu'eût-il pu dire aux Chambres, d'ailleurs, sinon qu'il s'inspirerait de la politique personnelle du roi et s'attacherait à exécuter ponctuellement ses volontés autant que le permettrait l'ardente compétition de Thiers et de Guizot ?

Le mariage du duc d'Orléans qui devait perpétuer la dynastie nouvelle, une dynastie de monarques in partibus, fut l'occasion d'une amnistie générale, votée le 8 mai par les Chambres. Elle ouvrit à Blanqui les portes de la maison centrale de Fontevrault, où sa jeune femme s'était fixée avec l'enfant qui leur restait. Mais dans leur générosité qui tente de s'égaler au don de joyeux avènement des temps jadis, les vainqueurs ont le geste étriqué et font les choses à demi : Blanqui ne sera plus prisonnier à Fontevrault, il sera interné à Pontoise avec surveillance.

C'est le moment où respire un instant, avant de reprendre la lutte, le chef de la révolution armée, celui qui donne à la république sa signification sociale. La vie et l'amour l'ont repris, va-t-il comme les autres hommes accepter sa part de bonheur ? Gustave Geffroy nous le montre à Jancy, au bord de l'Oise, « cette mise en pénitence politique » étant devenue « la période de lune de miel du jeune ménage ».

Cet amour « installé dans la verdure sous l'injonction de la loi » s'abrite dans une « maison de campagne, entourée d'un jardin qui descend en pente douce vers la rivière ». Blanqui va-t-il endormir sa haine des puissants dans l'amour de sa femme et de son fils, oublier la misère du prolétariat dans le bonheur de « la maison à perron et à volets verts des villégiatures parisiennes », se laisser prendre tout entier par « la pelouse et l'arbrisseau, les plantes grimpantes et les fleurs de parterre » de ce modeste refuge bourgeois ? Va-t-il jouir du printemps et promener sa quiétude « au long de l'eau jusqu'au confluent de la Seine et jusqu'à la forêt de l'Ile-Adam, par les champs jusqu'aux bois de Beauchamp et leurs désertes clairières de pierres plates et de bruyères roses, jusqu'au profond de la forêt de Montmorency ? » Le printemps, certes, il en jouira de tous ses pores d'amoureux et de poète ; oui, de poète ; car tout révolutionnaire de pensée ou d'action, et Blanqui fut l'un et l'autre, est un poète qui exprime sur le plan social son besoin d'harmonie.

Mais le printemps ne sera pas seulement un objet de délectation personnelle pour lui. L'intrusion policière a dissous les Familles : c'est aux états changeants de la nature que le conspirateur demandera le cadre nouveau où doivent se grouper les fervents de l'avenir meilleur, et les Saisons succéderont aux Familles. Les Saisons seront divisées en trois Mois commandés par un Juillet, les Mois en quatre Semaines, et la Semaine formée de six membres que commandera un Dimanche. Ces promenades de Blanqui sont des exercices stratégiques, où les carrefours ombreux représentent les points propices aux barricades. Et quand sa prison de verdure et de parfums s'élargira, le plan de campagne sera prêt pour les futurs assauts.

Mais laissons Blanqui à ses rêves et à ses projets, et revenons à la réalité, au gouvernement. Si peu qu'il ose gouverner, le comte Molé est bien forcé de faire quelque chose. Il présente d'abord aux Chambres des projets de loi sur la concession à des Compagnies des lignes de chemin de fer de Rouen au Havre, de Paris en

Belgique, de Paris à Tours et de Lyon à Marseille. Ici se pose pour la première fois la question de l'exploitation par l'État. On considère généralement les chemins de fer comme de si mince importance qu'il s'en faut de peu que cette conception prévale.

Quelle importance leur accorderait une société tout entière au profit et aux jouissances de l'instant présent ? Certes, elle croit au progrès. Comment pourrait-elle le nier lorsqu'elle en est la bénéficiaire la plus directe ? Mais elle n'accepte l'innovation que quand elle s'est imposée. Un progrès, c'est une amélioration, un développement, un prolongement de ce qui existe, et cela n'effraye pas. Surtout, cela rend immédiatement. Une innovation révolutionne tout, dérange des habitudes, froisse des intérêts : aussi la bourgeoisie, dans sa prudence réaliste, la considère-t-elle toujours d'un mauvais œil.

Comment augurerait-on, dans le monde des affaires, de l'avenir immense des chemins de fer, lorsqu'on peut lire, dans le Nouveau conducteur de l'étranger à Paris en 1835, des éloges de la diligence dans le goût de celui-ci !

« Il n'est plus le temps où se transporter d'un lieu à l'autre dans la France n'était que fatigues, périls, dépenses exorbitantes ;... où même, il y a cinquante ans, on arrivait de Lyon à Paris, non pas comme maintenant en soixante-six heures, par le Bourbonnais, mais en dix jours bien comptés... Il n'y venait aussi que deux cent soixante-dix voyageurs, quantité moyenne, en 1766, par jour : maintenant près de mille voitures légères, commodes, marchant avec une célérité souvent égale à celle des malle-poste, amènent chaque jour à Paris, ou bien font sortir de ses murs près de dix mille voyageurs ».

Parler à un Français moyen de 1837, et les membres de la Chambre étaient tous des Français moyens, d'un moyen de locomotion qui l'amènerait de Lyon à Paris en huit heures et donnerait à Paris un mouvement quotidien de voyageurs qui est évalué aujourd'hui à plusieurs centaines de mille, c'eût été s'exposer à se faire traiter de rêveur, de fou, de saint-simonien, pour tout dire. La question des chemins de fer fut donc ajournée. Nous allons la retrouver bientôt.

Une autre affaire, d'ordre économique et fiscal, préoccupe en ce moment le monde du Parlement et des affaires, qui n'est qu'un seul et même monde, et elle n'est pas née de l'initiative du ministère, résolu à n'en avoir aucune, dans son unique préoccupation de durer. Le ministre des finances, Lacave-Laplagne, l'a trouvée dans l'héritage du cabinet précédent ; d'Argout lui a légué un projet de loi destiné à soulager le sucre de canne produit par les colonies, en frappant le sucre de betterave d'un droit de licence de cinquante francs par fabrique et de quinze francs par cent kilogrammes de sucre brut.

Car si l'on ne croit pas encore aux chemins de fer, il faut bien croire au sucre de betterave, qui est là sur le marché, chez tous les marchands, demandé ou accepté par tous les consommateurs. Les cent fabriques de 1825 qui produisaient cinq millions de kilogrammes sont à présent au nombre de 585, et la production est montée à quarante-cinq millions de kilogrammes. Ces fabriques, au plus fort de leur développement, ont reçu, en 1828, l'avertissement précurseur des mesures fiscales. Les colonies ont poussé leur cri de détresse, et les ministres des finances, toujours en quête de matière imposable, ne peuvent laisser s'ouvrir une telle source de revenus, sans en drainer la part due au budget.

On ne croit pas aux chemins de fer, qui n'ont pas encore fait leurs preuves. Car dans une société fondée sur le régime capitaliste, l'unique preuve qui vaille, c'est le profit, c'est le dividende. Mais le sucre de betterave a fait les siennes : il affirme sa valeur ; sa concurrence victorieuse alarme tous les intérêts coloniaux. Personne ne le nie plus. Personne, sauf Fourier, dont la clairvoyance est mise en défaut ici par l'esprit de système. Écoutons-le parler du sucre de betterave :

« Mettons en scène le sucre de betterave, dit-il, illustre dans le monde mercantile à qui elle a fait cadeau du faux sucre qui fait couler et gâter les confitures au bout de six mois. » Qu'est-ce que la betterave, d'après son système des analogies ? « Un fruit de sang, d'où on voit ruisseler le sang ; (Fourier ne connaît sans doute que la betterave rouge qui se mange en salade ;) il est l'image de ces esclaves forcés à l'unité simple d'action, par les tortures. La dite racine doit contenir la liqueur d'unité simple et fausse, le contre-sucre, fade, sans mordant, et qui, à dose double, sucre moins que celui de canne… La feuille crispée de la betterave dépeint le travail violenté des esclaves et ouvriers »…

Voilà ce qu'écrivait en 1829 l'auteur du Nouveau Monde Industriel, au moment où le sucre de betterave faisait les rapides progrès que nous avons vus. Quand nous parlerons des chemins de fer, nous trouverons encore Fourier en défaut, et croyant aussi peu que Thiers lui-même à leur avenir.

En 1836, le comte Duchâtel avait proposé de dégrever les sucres coloniaux Ce fut à la Chambre une de ces grandes batailles d'intérêts où les partis se confondent et où de nouveaux groupements se forment, les députés des régions industrielles luttant contre ceux des régions agricoles, ceux qui ont besoin de la libre circulation s'opposant à ceux qui veulent produire et vendre à l'abri des tarifs de protection ou même de prohibition.

Il fallait, dit Vivien, « empêcher que la fabrication indigène ne rendit celle de nos colonies désastreuse ou impossible. » C'est le problème qui se pose encore aujourd'hui, et que le régime capitaliste ne peut résoudre, par des mesures d'ailleurs temporaires, qu'en établissant de savantes bascules où s'équilibrent tant bien que mal l'intérêt des colonies, celui de l'agriculture et celui des consommateurs. Quant à celui des spéculateurs, il trouve toujours moyen de se satisfaire, quelles que soient les mesures d'équilibre, et même fiscales, que l'on adopte.

Le résultat de la loi de 1837 fut désastreux pour la production du sucre de betterave. Cent soixante-trois fabriques durent disparaître, et la production tomba de quarante à vingt-trois millions de kilogrammes. Le sucre renchérit, et ce furent les consommateurs qui payèrent les frais de la lutte entre les producteurs de la métropole et ceux des colonies. On n'en devait pas moins dans l'avenir poursuivre et développer le système de la taxation du sucre, considéré encore comme denrée de luxe et non comme aliment de première nécessité. Mais, à l'époque dont nous parlons, la France n'étant pas arrivée à l'énorme développement de production sucrière qu'elle a pris depuis, les capitalistes ne s'étaient pas encore concertés pour constituer le monopole de la raffinerie et se faire octroyer des primes d'exportation. Le consommateur n'en payait pas moins une lourde dîme aux fabricants.

Après la discussion de la loi des sucres, le ministère ne se sentit pas la force de durer avec la Chambre telle qu'elle était composée. Un grand débat, lors du budget, s'était élevé sur l'emploi des fonds secrets, et l'infériorité manifeste du cabinet s'était étalée en pleine lumière. Dédaignant de le combattre, c'était par dessus sa tête que Thiers, Guizot, Odilon Barrot et Lamartine s'étaient heurtés, les trois premiers pour poser leur candidature au gouvernement devant la Chambre, l'opinion et le roi, le quatrième pour exprimer un libéralisme croissant qui allait bientôt aller jusqu'à l'affirmation républicaine.

La session parlementaire finit le 15 juillet. Le 3 octobre, le comte Molé obtenait de Louis-Philippe un décret de dissolution. Le 24 du même mois, en pleine bataille électorale, on apprit la prise de Constantine. Le ministère tenta d'utiliser cette victoire, mais elle n'eut aucun résultat sur les élections, et le comte Molé vit revenir au Palais-Bourbon le même contingent législatif qui lui avait interdit toute initiative, tout mouvement, sous peine de chute, depuis son arrivée au pouvoir.

La France, nous le savons, n'était alors que trop sensible à la gloire militaire. Comment donc se fait-il que la prise de Constantine, objet de plusieurs tentatives, dont une avait été désastreuse, l'ait laissée aussi froide ? Tout simplement parce que la conquête de l'Algérie apparaissait comme un dérivatif, comme un moyen politique de tromper la faim belliqueuse d'une nation qui ne pensait qu'aux traités de 1815 et à ce qu'ils lui avaient fait perdre. C'était sur le Rhin, et non dans les ravins escarpés du Rummel, qu'on eût voulu la victoire des trois couleurs.

La froideur publique s'était attestée dans l'attitude de la Chambre au mois de février précédent, lors de la discussion du budget. Baude avait violemment attaqué les actes de Clauzel, redevenu gouverneur de l'Algérie en 1835, sans pouvoir passionner ni ses collègues ni l'opinion. Pourtant, il dénonçait ce qui devait être si souvent depuis porté à la tribune : il accusait l'ancien gouverneur, présent à la discussion, d'avoir rançonné les Kouloughlis, nos alliés, d'une forte contribution. Clauzel s'était facilement débarrassé de son accusateur en déclarant qu'il n'avait fait que se conformer aux usages de l'Orient.

La prise de Constantine avait été l'idée fixe de Clauzel. Mais s'il avait conservé intacte sa façade de hâblerie, il n'en était pas de même des qualités militaires qui naguère l'avaient distingué ; l'entrain, qui est la première de toutes, était parti avec la vigueur des jeunes années. L'expédition de Constantine, préparée par lui, avait tourné à sa confusion. Il en avait accusé les intempéries exceptionnelles d'un climat inégal, et de fait elles avaient été pour beaucoup dans le grave échec subi par nos troupes. Mais s'il avait vaincu, ne les eût-il pas comptées pour grandir son succès de toutes les difficultés surmontées ? Et c'est surtout à la guerre que la réussite est tout. Tant pis pour le général qui n'a pas su prévoir le mauvais temps.

Les attaques de Baude firent planer une soupçon sur la probité du gouverneur militaire de l'Algérie. Ce soupçon n'était pas justifié, et c'était aux besoins de son armée qu'il employa les sommes prélevées sur nos alliés en échange du secours qu'il leur apportait. Le montant n'en avait pas été débattu, et les Français s'étaient payés de leurs mains. Mais ne sont-ce point là mœurs de conquérants, et faisons-nous autre chose, en ce moment encore, en Indochine et à Madagascar ?

D'ailleurs, l'échec devant Constantine, qui avait fait rappeler Clauzel, remplacé par le général Damrémont, ne doit pas faire oublier que celui-là avait fait de son mieux, avec les faibles moyens dont il disposait. Bugeaud était alors, ou peu s'en fallait, l'unique champion à la Chambre de la conquête algérienne. Or les deux années pendant lesquelles le général Clauzel avait été replacé à la tête des troupes d'Algérie avaient vu s'élargir un peu le cercle étroit où elles étaient enfermées jusque là. Les combats de Mostaganem, une expédition dans la plaine de la Mitidja, l'occupation de Rachgoun, une expédition sur Mascara, la capitale d'Abd-el-Kader, avaient marqué l'année 1835.

Car la paix avait été de courte durée avec celui en qui s'incarnaient les espoirs de revanche du monde musulman. Les traités de paix, et nous savons que celui qui fut conclu avec Abd-el-Kader était plutôt une trêve tacite, contiennent toujours des articles prêtant à double interprétation que les parties s'accordent à y inscrire dans l'espoir d'en tirer prétexte à un recours aux armes.

En 1836 avaient eu lieu la première occupation de Tlemcen, une expédition dans la province de Titery, le combat de la Sikkah, l'occupation de la Calle, enfin la malencontreuse expédition de Constantine, à la suite de laquelle Clauzel avait été remplacé par Damrémont, que Bugeaud accompagna. Celui-ci fut fort utile au nouveau gouverneur, qui, sur ses conseils, négocia la paix avec Abd-el-Kader afin de pouvoir porter tout son effort sur Constantine et réduire le pays kabyle. Car tels étaient l'ascendant et l'activité du jeune chef arabe, pourtant chassé de sa capitale et vaincu en plusieurs rencontres, que l'on avait encore avantage à traiter avec lui, dans l'impossibilité où l'on était de le réduire absolument ou de le chasser de l'Algérie.

Le général Damrémont avait chargé le général Bugeaud d'obtenir, pour quelque temps et au meilleur compte, la liberté de ses mouvements au sud-est. Bugeaud s'acquitta au mieux de sa mission, et le traité de la Tafna fut conclu avec Abd-el-Kader. Se conformant royalement aux usages diplomatiques, l'émir avait offert à Bugeaud un cadeau en espèces : cent quatre-vingt mille francs. Cela fit scandale en France, mais Bugeaud présenta adroitement sa défense en se couvrant du comte Molé. Consulté par le général, celui-ci l'avait en effet autorisé à accepter ce « cadeau de chancellerie. » Mais les ministres furent moins coulants que leur chef, et en conseil ils refusèrent de ratifier la clause secrète du traité de la Tafna relative au « cadeau de chancellerie ». Forcé d'en faire son deuil, Bugeaud déclara qu'il l'eût réparti entre les officiers de son entourage et employé à la construction de routes en Algérie.

Libre désormais d'agir, le général Damrémont préparait tout pour réduire enfin Constantine et, le 12 octobre 1837, il l'emportait d'assaut, échangeant sa vie contre cette victoire si longtemps convoitée. Le général Valée, son lieutenant, fut fait maréchal de France et lui succéda en qualité de gouverneur général.

Chapitre III
Charles FOURIER et l'école sociétaire.

Fourier enfant prononce contre le commerce le serment d'Annibal. — Ses essais de jeunesse. — L'attraction passionnée est le fondement de sa doctrine. — Sa critique de la morale et de la famille. — Il méprise la politique et se prononce contre l'égalité. Le premier des droits de l'homme, pour Fourier, c'est le droit au minimum. — Ses appels aux hommes célèbres et aux capitalistes. — Apologue de l'accaparement. — Organisation de la propagande par Victor Considérant, Just Muiron, Lechevallier, Transon, etc. — L'essai manqué de Condé-sur-Vesgre. — Considérant, sa conception de la démocratie.

Le 10 octobre 1837, Charles Fourier mourait, comme Saint-Simon douze ans auparavant, dans un état d'absolue pauvreté, devant son pain quotidien dû à la piété de ses disciples et le recevant avec une dignité simple de philosophe qui, en échange des trésors qu'il offre au monde, n'accepte de lui que le strict nécessaire. Fourier fut cependant tout le contraire d'un philosophe de l'ascétisme et du renoncement. Mais de quoi donc auraient besoin ceux qui habitent les palais d'Harmonie édifiés par leur génie, sinon du morceau de pain qui soutient leur rêve et y ajoute avec le temps de nouvelles magnificences !

Quel était donc cet homme extraordinaire dont la doctrine, comme celle de Saint-Simon, allait se propager surtout après sa mort et comme elle survivre, transformée, dans la pensée socialiste du vingtième siècle ? L'existence de Charles Fourier pourrait se raconter plus brièvement que celle de Saint-Simon, car elle a été médiocre. Mais si l'on tient compte que cette existence s'est tout entière enfermée dans un objet unique, la raconter c'est raconter l'œuvre de Fourier elle-même, et un chapitre d'histoire sociale, dans le cadre qui nous est imposé, n'en peut donner qu'un imparfait résumé. L'essentiel, en effet, n'est pas de savoir qu'il naquit, le 7 avril 1772, à Besançon, d'une famille de négociants, qu'il fut mis au collège de cette ville et qu'on tenta vainement de faire de lui un bon commerçant apte à augmenter la fortune paternelle.

Ce qui importe, c'est l'unité remarquable de sa vie. Il ne hait pas le commerce parce qu'il a une vocation littéraire ou même philosophique, mais parce que, dès l'âge de raison, et il y est parvenu très tôt, le besoin de sincérité et d'harmonie qui est en lui répugne aux mensonges du négoce et aux désordres qu'il engendre. Dans ses manuscrits, dont Hubert Bourgin a mis au jour la partie essentielle en une précieuse Contribution à l'étude du socialisme français, il note en ces termes la contradiction choquante qui existe entre la morale enseignée et la vie pratique, contradiction que la plupart n'aperçoivent point et qui lui fut intolérable dès qu'il l'eut constatée.

« On m'enseignait, dit-il, au catéchisme et à l'école qu'il ne fallait jamais mentir ; puis on rue conduisait au magasin pour m'y façonner de bonne heure au noble métier du mensonge, ou art de la vente. Choqué des tricheries et impostures que je voyais, j'allais tirer à part les marchands et les leur répéter. L'un d'eux, dans sa plainte, eut la maladresse de me déceler, ce qui me valut une ample fessée. Mes parents, voyant que j'avais du goût pour la vérité, s'écrièrent d'un ton de réprobation : « Cet enfant ne vaudra jamais rien pour le commerce ». En effet, je conçus pour lui une aversion secrète, et je fis à sept ans le serment que fit Annibal à neuf ans contre Rome : je jurai une haine éternelle au commerce. »

Fourier arrange ici un peu son histoire. La fessée est certainement authentique, mais il transpose sûrement de quelques années les réflexions et les serments qu'elle lui fit faire, et se fait un mérite d'une de ces intempérances de langage dont les enfants les plus ordinaires sont coutumiers. Il n'en demeure pas moins qu'un tel accident, qui se fût enregistré dans l'esprit d'un autre enfant au même plan que les ordinaires corrections paternelles, devait faire une profonde impression sur celui de Fourier, ardent et méditatif, et y éveiller trop tôt la réflexion. L'enfant annonce toujours l'homme par quelque trait. Un autre eût tiré son profit de la fessée pour apprendre désormais à mentir congrûment, commercialement. Chez Fourier, elle devait amener un résultat opposé : elle choqua d'abord sa logique ; et elle est simple et impérieuse chez tout enfant, si vacillante que soit encore sa pensée. Elle suscita ensuite le sentiment d'équité, ou si l'on veut d'harmonie, qui devait le porter à refaire le monde selon ce sentiment.

Son premier essai date du 11 Frimaire an XII. Dans un article assez court publié par le Bulletin de Lyon, il donne, sous le titre : Harmonie universelle, la substance de sa doctrine. Il y interpelle les « grands hommes de tous les siècles », les « aveugles savants » : « Voyez vos villes peuplées de mendiants, leur crie-t-il, vos citoyens luttant contre la faim, vos champs de bataille, et toutes vos infamies sociales. » D'où vient le mal ? De ce que l'homme, créé par Dieu pour le bonheur, s'est sans cesse ingénié à contrarier ce décret providentiel. C'est pour cela qu'il est tombé de sauvagerie en barbarie, et de là en civilisation.

« Les savants n'ont pas jugé digne d'attention l'attraction passionnée, qui mène à la découverte des lois sociales. Au lieu de réprimer les passions que Dieu a mises en nous, et il ne pouvait vouloir notre mal, utilisons-les à en tirer notre bien. Que les hommes se réunissent selon leurs goûts, leurs sentiments, leurs idées, pour s'aider mutuellement à satisfaire leurs passions, et l'harmonie naîtra de l'infinie variété des groupements, chacun d'eux s'étant occupé à satisfaire un besoin. Voilà ce qui « va conduire le genre humain à l'opulence, aux voluptés, à l'unité du globe. » Chacun obéissant avec joie aux impulsions de la nature, « le globe entier ne composera qu'une seule nation, n'aura qu'une seule administration. »

Les hommes se sont pas égaux en besoins et en passions ; il ne s'agit donc pas de leur proposer l'égalité pour but, mais la liberté. Tous les êtres humains des deux sexes jouiront en fait de l'égalité sociale, puisqu'ils seront également libres de rechercher et de se procurer toutes les satisfactions. Fourier fait appel au « Chef de la France » pour préparer le régime de « l'harmonie simple », qui doit préparer celui de l'Harmonie universelle. Il offre de « ménager » à Bonaparte, qui vient de faire Brumaire, « l'honneur de tirer le genre humain du chaos social, d'être fondateur de l'harmonie et libérateur du globe, honneur dont les avantages ne seront pas médiocres, et seront transmis à perpétuité aux descendants du fondateur. »

Dans un autre article que publie peu après le même journal, il annonce en ces termes dépourvus de modestie sa découverte capitale : « Je suis inventeur du calcul mathématique des destinées, calcul sur lequel Newton avait la main et qu'il n'a pas même entrevu ; il a déterminé les lois de l'attraction matérielle, et moi celles de l'attraction passionnée, dont nul homme avant moi n'avait abordé la théorie. » Ces articles passèrent au milieu de l'inattention à peu près générale. Seul le Journal de Lyon, où Fourier avait publié des satires et des pastorales deux ou trois ans auparavant, les salua de quelques railleries qu'il releva en alléguant l'incompétence de ses contradicteurs et leur ignorance d'une doctrine que ses articles, d'ailleurs touffus et désordonnés, n'étaient pas faits pour dissiper.

En 1808, Fourier publiait la Théorie des quatre mouvements. Dans ce premier grand ouvrage, il développait les idées exposées dans ses articles du Bulletin de Lyon. Pour préparer les esprits à la grande découverte qu'il croyait avoir faite en appliquant au mouvement social la loi newtonienne de l'attraction, il s'écriait, dans l'introduction :

« L'invention annoncée étant plus importante à elle seule que tous les travaux scientifiques faits depuis l'existence du genre humain, un seul débat doit occuper dès à présent les civilisés ; c'est de s'assurer si j'ai véritablement découvert la théorie des quatre mouvements : car, dans le cas d'affirmative, il faut jeter au feu toutes les théories politiques, morales et économiques, et se préparer à l'événement le plus étonnant, le plus fortuné qui puisse avoir lieu sur ce globe et dans tous les globes, au passage subit du chaos social à l'Harmonie universelle. »

Voilà son premier instrument forgé. Fourier se fait une règle du « doute absolu », de « l'écart absolu ». Tout ce que les sciences morales et la philosophie ont produit est nul et non avenu pour lui. Il fait table rase de la pensée antérieure et manifeste à chaque page de ses livres son mépris « des divins Platon, Caton et Raton ». La fausse science des philosophes et des écrivains politiques a détourné l'humanité de ses véritables voies. Fourier, par sa découverte, l'y ramène. « Moi seul, dit-il, j'aurai confondu vingt siècles d'imbécillité politique, et c'est à moi seul que les générations présentes et futures devront l'initiative de leur immense bonheur ».

Fourier ignorait le Code de la nature, de Morelly, qu'on attribuait alors encore à Diderot ; car tous ceux qu'il considérait comme ses précurseurs, il se fit un devoir de les nommer. Aussi pouvait-il écrire en toute sincérité. « Avant moi, l'Humanité a perdu plusieurs mille ans à lutter follement contre la nature ; moi, le premier, j'ai fléchi devant elle en étudiant l'attraction, organe de ses décrets. » C'est pourtant la pensée des philosophes français du XVIIIe siècle qu'il exprimait.

Morelly n'avait-il pas dit, parlant des moralistes et des législateurs : « Ces guides, aussi aveugles que ceux qu'ils prétendaient conduire, ont éteint tous les motifs d'affection qui devaient nécessairement faire le lien des forces de l'humanité ! » Et, dans son naturalisme violent, Diderot n'avait-il pas écrit que, pour être le tyran de l'homme, il fallait le civiliser ? « Empoisonnez-le de votre mieux, disait-il, d'une morale contraire à la nature... éternisez la guerre dans la caverne et que l'homme naturel y soit toujours enchaîné sous les pieds de l'homme moral. »

Chose curieuse ! Les anarchistes se réclament volontiers de Diderot, le citent fréquemment, connaissent par cœur son Supplément au voyage de Bougainville. Et bien que Fourier soit beaucoup plus proche d'eux par le temps, et aussi par la précision de ses théories morales et sociales, ils n'en font guère cas. Est-ce parce que Fourier, pour justifier les passions, déclare que « Dieu fit bien tout ce qu'il fit » ? Cet axiome, il l'emprunte à Jean-Jacques Rousseau ; mais le déisme de celui-ci est nettement politique, puisqu'il est à la base même de l'État, tandis que, pour Fourier, Dieu n'est qu'un synonyme de la nature. Agir selon sa nature, c'est plaire à Dieu. Puisque Dieu, ou la nature, a mis en nous des passions, c'est pour qu'elles soient satisfaites, et non comprimées. N'est-ce pas là le fondement même de la doctrine anarchiste ?

Mais ce n'est pas seulement en morale que Fourier est un précurseur de l'anarchisme. Son indifférence vis-à-vis des régimes politiques, ses critiques violentes contre la Révolution qui a proclamé les droits de l'homme et lui a concédé « des droits dérisoires de souveraineté en lui déniant son droit réel, celui du minimum, » ses sarcasmes répétés contre le peuple qui croit avoir gagné quelque chose à faire une révolution politique, ce qui le fait s'écrier avec fureur : « Le plaisant souverain qu'un souverain qui meurt de faim ! — tout cela, c'est le fonds où puisera la critique anarchiste et où s'alimentera également la critique socialiste.

L'attraction passionnelle déterminant les hommes à se grouper par affinités pour exécuter, sans autre impératif que leur désir, les tâches propres à leur procurer les satisfactions qu'ils recherchent, sans aucune intervention d'autorité personnelle ou écrite, qu'est-ce, sinon la formule sociale même de l'anarchisme ? Dans son Traité de l'Association domestique et agricole, qu'il publiera en 1822, et dans les livres qui suivront, le Nouveau monde industriel en 1829, la Fausse industrie en 1835, Fourier demeurera fidèle à cette règle de liberté absolue.

Il est d'un individualisme si complet, que non seulement il émancipe la femme, jusque-là vouée malgré elle aux tâches ménagères, mais encore l'enfant, sur lequel le père, ni personne, ne garde autorité ; le fils d'un monarque lui-même, dès l'âge de quatre ans, pouvant assurer sa subsistance par son travail dans le groupe des enfants de son âge. Fourier a remarqué que les enfants n'ont pas les répugnances de l'adulte pour les immondices dans lesquelles ils aiment à se rouler par jeu. En bon utilitaire rationaliste qui n'a lu aucun philosophe, — mais leurs idées sont dans l'air depuis une génération au moins, et chacun les respire, en est imprégné, — il fera du jeu un travail et du travail un jeu.

Voilà donc la famille disloquée. Cela n'embarrasse pas Fourier, qui constate le néant affectif du groupe familial en civilisation. Dans la vie journalière, nous dit-il, les membres de la famille ne cherchent qu'à se fuir. « L'enfant veut aller jouer avec les petits gamins du quartier ; le jeune homme veut aller au spectacle, au café, contre l'intention du père économe. La jeune fille voudrait aller au bal, de préférence au sermon. La tendre mère voudrait négliger le pot et l'écumoire pour s'entremettre dans les cancans du quartier, et faire des connaissances dangereuses pour l'honneur conjugal ; enfin, le tendre père veut sauver le peuple dans les clubs, les cafés et réunions cabalistiques pour lesquelles il néglige son triste ménage. »

Tous ces désirs contrariés ne se satisfont qu'aux dépens du bon ordre et de la sincérité. Ne vaudrait-il pas mieux les satisfaire, les utiliser au bien de tous ? D'une part, l'individu y gagnerait sa liberté, et d'autre part chacune de ses satisfactions serait un profit pour l'ensemble social. L'individu ne jouit pas seul des biens qu'il se donne tant de peine à rechercher. S'il n'avait pas des témoins, fût-ce des envieux, de son luxe ou de sa puissance, il dédaignerait la richesse qui lui procure tout cela. Les plaisirs des spectacles, de la musique, de la danse, du repas, sont des plaisirs qu'on ne peut prendre seul. Le plus égoïste de tous, l'amour, exige qu'on soit deux.

De même que l'individu ne peut jouir seul des biens qui sont à sa portée, ils ne peuvent être créés par son effort isolé. Tout lui impose donc l'association, c'est la loi même de la nature, le décret de la Providence jusqu'ici méconnu et contrarié. Or, même lorsqu'elle réalise toutes les vertus idylliques sur lesquelles s'attendrit Rousseau, la famille est un obstacle, car tous ses membres sont alors ligués contre le bien public : « Le laboureur qui déplace les bornes du voisin, nous dit Fourier, le marchand qui vend de fausses qualités, le procureur qui dupe ses clients, sont en plein repos de conscience quand ils ont dit : « Il faut que je nourrisse ma femme et mes enfants ».

Fourier veut-il donc détruire la famille ? Non, mais libérer chacun de ses membres des obligations de ce qu'il appelle « l'état morcelé « et ne laisser subsister entre eux que les liens les plus essentiels et les plus naturels, les liens de l'affection. Aussi s'oppose-t-il aux préceptes de la « philosophie », qui « veut que le père soit instituteur de son enfant » ; il demande « que le père ne soit pas instituteur de son enfant » et puisse se livrer « au plaisir de gâter son enfant ».

D'où alors viendra l'éducation ? Des aines immédiats, que l'enfant imitera avec joie, afin de s'égaler à eux. Chaque groupe de la série, où sont réunis les individus de même âge, pratique l'éducation mutuelle tout en ayant les yeux fixés sur son modèle, le groupe de la série immédiatement plus élevée en âge. Et lorsque l'enfant a vagabondé productivement seize heures par jour du groupe des jardiniers à celui des horticulteurs, de la petite horde chargée de la vidange publique à une réunion de musique ou de danse, il revient dans sa famille pour jouir des caresses de ses parents. Il a reçu tout le jour, en travaillant, en se jouant, en prenant ses repas, dans les groupes où l'attirent ses goûts naturels, une éducation morale et industrielle, une culture générale qui se continuera à chacun des instants de sa vie.

Pour réaliser ce rêve d'émancipation complète de l'individu, librement associé à ses semblables, que faut-il ? Réunir environ quinze ou dix-huit cents individus des deux sexes et de tout âge dans un domaine agricole et les inviter à se grouper par séries affectives, pour organiser la production et la consommation. Fourier a calculé que parmi ces quinze à dix-huit cents personnes se trouve la gamme complète des accords et des désaccords passionnels. Car les oppositions elles-mêmes ont leur utilité, dans l'association domestique et agricole ; elles se traduisent en émulation productive, au lieu de s'exprimer en concurrence destructive comme dans l'ordre civilisé.

Un phalanstère domestique, agricole et industriel, plus agricole qu'industriel, voilà le noyau social que veut créer Fourier. Sur cent femmes, combien sont aptes à faire le ménage, cuire les aliments, « ressarcir » les vestes et les culottes ? « Toute fille à marier, fait-il, vous dira qu'elle n'aime que le papa et la maman, le bon Dieu et la Sainte Vierge, le pot et l'écumoire. » Elle ment, parce qu'on l'a dressée « à manifester un penchant de ménagère » qu'elle ne ressent pas. « De là vient que les deux tiers des maris sont attrapés en mariage. »

À ces « ménages morcelés », qui sont contre la vocation naturelle, le phalanstère substitue le « ménage combiné « Sont ménagères, nettoient, cuisinent, raccommodent, celles qui se sentent du goût pour cela. El, comme elles font ces tâches ensemble, stimulées les unes par les autres, aiguillonnées par l'amour-propre et par les récompenses, dix ménagères suffisent aux besoins domestiques de trois ou quatre cents personnes, au lieu de soixante ou quatre-vingt comme aujourd'hui dans les ménages morcelés.

Voilà donc, rendu au loisir, ou plutôt au travail productif exercé en groupe et devenu un plaisir, un fort contingent féminin. Pour les fonctions de travail qui, par l'association, quadrupleront le produit, nulle autre règle que la vocation individuelle. Et comme l'individu s'enferme rarement dans une aptitude unique et que, d'autre part, le travail monotone est un objet de dégoût et de découragement, les séances de travail seront de deux heures, chaque individu passant d'une séance de jardinage à une séance de travail industriel ou de grande culture. Il se passionnera dans ces séances de travail, devenues des réunions de plaisir avec ceux qui ont les mêmes goûts que lui et sont ses rivaux en même temps que ses associés.

L'homme est avide de biens matériels, de distinctions ? Faut-il refouler ces sentiments et le plier avec ses semblables sous le niveau d'égalité. Qu'on s'en garde bien ! Plus ces sentiments et ces désirs seront intenses, selon Fourier, et plus ils porteront les hommes à produire pour le plus grand bien de l'ensemble. Aussi, bien loin de supprimer l'héritage, proclame-t-il la liberté de tester, et même pour le père de famille de déshériter ses enfants.

Puisqu'il y a des gens qui aiment les honneurs, qu'on leur en prodigue, qu'on récompense ainsi leurs services, quelle que soit leur nature. Une « bayadère » qui a plu aux hommes y a autant de droits qu'un savant qui les a enrichis d'une découverte : à ceux qu'elle a réjouis de se réunir et de lui voter la récompense de ses services amoureux. Un ambitieux aspire au rang suprême : qu'il le conquière dans l'ordre des travaux où il est le plus porté à exceller. Si ceux qui ont profité de ses travaux veulent lui payer ses services en lui donnant un titre de césar, de calife ou d'empereur, c'est leur droit.

Car la phalange n'est pas un univers qui se suffit à lui-même, sans communication avec le reste du monde. Toutes les phalanges sont associées sur le globe, pour son exploitation rationnelle. Elles lèvent des armées qui entrent en lutte les unes contre les autres, non pour s'exterminer, mais pour défricher des landes, assainir des marécages, conquérir des déserts à la culture, reboiser des montagnes. C'est l'harmonie universelle dans l'infinie variété des efforts, dans la multiple combinaison des associations pour chacun des gestes de l'homme, pour exprimer chacun de ses désirs et satisfaire chacun de ses besoins.

Comment amener les hommes à se réunir ainsi selon les lois de l'attraction passionnée ? En leur disant les beautés du monde d'harmonie. C'est à quoi Fourier ne manque pas, entrant dans les plus minutieux détails et poussant jusqu'au délire logique les conséquences de ses prémisses. C'est ainsi qu'il partira de cette idée très juste que les travaux publics ont une influence sur la climature, un sol reboisé et irrigué pouvant nourrir des milliers d'hommes au lieu d'être pour eux un désert qu'ils traversent à la hâte ; puis, emporté jusqu'aux extrêmes divagations, il imaginera la salure marine transformée en une limonade agréable au goût. Los hommes peuvent créer des variétés de plantes et d'animaux, même des races nouvelles. En harmonie, surgiront, de l'univers transformé, des anti-lions et des anti-baleines que l'homme utilisera pour se transporter rapidement par terre et par mer.

Fourier, ici, montre bien peu de confiance dans les chemins de fer et les bateaux à vapeur. Cependant, il revendique l'invention des chemins de fer, mais il ne le fait qu'en 1835. « À l'âge de vingt ans, dit-il (donc en 1792), j'avais inventé le chemin de fer avec câbles remorqueurs et détenteurs sur les points culminants... J'en parlai à de beaux esprits qui se disaient capables, et qui me prouvèrent... que cette innovation ne serait d'aucune valeur, que les frais excéderaient de beaucoup les économies. On n'est pas aujourd'hui de cet avis ; car on ne rêve plus que chemins de fer, folie qui succède à d'autres ». Et lorsqu'en 1833 on lui en montre « un petit échantillon aux Champs-Élysées, » il s'écrie : « Ce n'est que ça. Il y a quarante-trois ans que je l'ai inventé ».

Il en est de même pour Paris port de mer. « S'il s'agit de quelque folie, dit-il on trouve des capitaux par cent millions. N'a-t-on pas proposé récemment aux Français la folle entreprise d'amener des vaisseaux à Paris ? » Voilà ce que Fourier écrit en 1829. Or, en 1822, il regrette que Louis XIV ait bâti « le triste Versailles » au lieu de construire « à Poissy une ville d'architecture composée, avec un port à vaisseaux, les sinuosités (de la Seine) finissant à Poissy. » Mais, en somme, il rapproche Paris de la mer et ne s'arrête qu'aux boucles de la Seine.

Parfois, il est tellement désireux de prouver l'excellence de l'association composée, qu'il la fait servir à des tâches inutiles. Partant de cette affirmation qu'en

Harmonie « le pauvre peut avoir cinquante domestiques en service actif », Fourier ajoute que ce pauvre « a jusqu'à des vigies de nuit pour l'éveiller à l'heure qu'il a fixée le soir. » C'est parfait, mais un modeste réveil-matin ferait tout aussi bien l'affaire à moins de frais.

D'ailleurs, il ne serait pas loyal de prendre au pied de la lettre les romans que Fourier construisait afin de donner une idée de ce que l'homme peut par l'association. Et de ce que, dans ces romans, il ne prévoit pas l'immense essor du machinisme et les forces contenues dans la vapeur, s'ensuit-il que la faculté d'invention lui manqua ? Lui qui a méconnu la betterave, il est, cependant, conduit par sa théorie du travail alterné à protester contre le système des jachères. « Des terres qui se reposent une année ! s'écrie-t-il. Le soleil se repose-t-il ? Manque-t-il à venir tous les ans mûrir les moissons ? » Mais il n'aperçoit pas que c'est précisément à la betterave qu'on doit de ne plus être contraint de laisser le sol en jachères, et l'auteur du travail alterné méconnaît la plante de la culture alternée.

En revanche, il voit très bien qu'une civilisation mieux organisée diminuera l'importance alimentaire du pain, qui « sera peu en crédit chez les Harmoniens » et n'est déjà plus guère qu'un condiment dans les classes aisées qui peuvent se procurer une alimentation délicate et variée. « Les Harmoniens, dit-il, préféreront la viande, qui sera très abondante ; le fruit à un quart de sucre et les légumes à un quart de sucre ou au jus. » Ils « négligeront le pain, substance bonne pour les misérables civilisés. »

Sur le chapitre de la bouche, Fourier est intarissable. Pour lui, savoir manger, c'est-à-dire faire d'une fonction naturelle un plaisir sans cesse renouvelé, est une chose des plus importantes. Il annonce une science nouvelle, qu'il appelle la gastrosophie ; mais elle ne pourra fleurir que dans une société harmonienne, fondée sur le travail agricole et sur la fédération universelle des phalanges. Il a remarqué que la France, avec son climat tempéré, est plus propre à la culture des légumes et des fruits qu'à celle des céréales. Par l'association, les prairies mises en valeur fournissent le bétail en abondance et moyennant un travail modéré, et les autres parties du sol, vouées à la culture maraîchère, donnent « quadruple produit ».

Retenons ceci : le problème de la production agricole est encore aujourd'hui la pierre d'achoppement du socialisme. Pressé de conquérir des adhérents, il a jusqu'à ces dernières années, limité sa propagande aux centres industriels, ou peu s'en faut. Or, si la concentration capitaliste, aidée par je machinisme, multiplie les objets de consommation, il n'en est pas de même, tout au moins à un degré égal, de la production agricole. Et c'est pourtant l'essentiel, puisque sur elle repose l'alimentation. On pourrait, à l'extrême rigueur, se passer de vêtement et de logement ; on ne peut se passer de nourriture. Mais si la machine peut bien multiplier par dix et par cent la production industrielle, elle ne peut multiplier dans la même proportion la production agricole.

C'est ce qui explique l'énorme différence de salaire entre l'ouvrier d'industrie et l'ouvrier agricole. La rente du sol, bien inférieure, comme rendement, au profit capitaliste, ne pourrait en effet causer cette différence. Avec la machine appliquée à l'industrie, l'heure de production peut être contractée en une minute. La même machine, employée à la culture du sol, ne peut faire qu'il n'y ait dans l'année que quatre saisons seulement. On commence, dans la culture maraîchère, grâce aux engrais, aux couches et aux serres, à contracter le temps nécessaire à la productivité du sol, à supprimer les saisons climatériques. Déjà, les serres de Belgique produisent en hiver du raisin de table ; mais cette forme de production, libératrice future du travail agricole comme le machinisme aura été le libérateur du travail industriel, est encore dans l'enfance.

Quiconque a vécu aux champs n'a pu s'empêcher d'être frappé de l'indigence alimentaire, non comme quantité, mais comme variété, des populations agricoles au regard des populations urbaines. Le paysan est enfermé dans la production des céréales, et celle des fruits et légumes les plus essentiels n'est pas encore spécialisée, sortie du domaine domestique pour entrer dans celui de l'échange, sauf sur certains points et pour l'alimentation des cités seulement. Seule l'organisation du travail agricole par l'association des producteurs pourra mettre le villageois sur le plan alimentaire du citadin, en même temps que réduire le coût de la nourriture par l'abondance et la variété des denrées. Remercions Fourier d'avoir donné toute son importance au problème et pressons les socialistes d'en rechercher la solution. Son génie, ici, n'a pas été en défaut.

Pour fonder le premier phalanstère qui suscitera l'étonnement et l'admiration de tous et sera rapidement imité sur toute la surface du globe, Fourier s'adresse à tous indistinctement, rassure et allèche tous les intérêts. La propriété est « plus menacée que jamais » par « les sectes Saint-Simon et Owen », car « la philosophie ne garde plus de mesure ». Fourier lui indique le salut : « Elle trouve dans ma découverte, dit-il, toutes les garanties dont elle est privée. « Les émigrés demandent un milliard d'indemnité : qu'ils appuient son système et ils auront vite acquis des richesses incalculables. Les libéraux veulent réaliser leur programme politique : qu'ils adoptent ses plans, et tout leur sera facile. « On voit les Anglais dépenser en frais d'élection 600 000 francs. » Avec cette avance, l'un d'eux « obtiendrait le sceptre omniarchique et héréditaire du globe. »

Fourier indique aux chefs des partis vaincus, le moyen de « se relever par un coup d'éclat ». El quant aux « vrais libéraux », il leur promet le « triomphe » s'ils oublient leurs « intrigues électorales », et la « honte » s'ils se laissent « distancer par les vaincus. » Les nouveaux États-Unis d'Amérique pourraient « policer subitement leurs sauvages » et la Russie émanciper les serfs « avec assurance de grand bénéfice » pour les seigneurs.

Comment les proscrits italiens et espagnols ne voient-ils pas dans le système sociétaire un « moyen sûr de changer la face politique de leur pays ». Comment les philosophes n'aperçoivent-ils pas qu'il y a pour eux, dans ce système, la fortune et, s'ils la dédaignent, « de nouveaux sujets à traiter ! »

Au lieu de tant se remuer et de tant dépenser, les abolitionnistes pourraient indemniser tous les propriétaires d'esclaves si seulement ils consacraient un peu d'argent à l'application du système sociétaire. Que l'Angleterre se borne à l'appliquer pour la production des œufs, et elle sera en mesure de payer sa dette publique.

Fourier multiplie les appels et les objurgations à la Société de morale chrétienne, à la Société d'encouragement à l'industrie, à la Société de géographie. Il stimule toutes les convoitises, allume toutes les ambitions, guette toutes les bonnes volontés éventuelles. « Parmi les monarques, l'opinion désigne le roi de Bavière », comme susceptible de s'intéresser à une innovation qui transformera le monde.

Il prie un « négociateur » encore à venir de « chercher les candidats » à la gloire et à la domination universelles, moyennant la réalisation de ses projets. Byron eût pu être cet « orateur », car « il méprisait la civilisation ». Lord Bedford et le duc de La Rochefoucauld eussent été des « fondateurs » tout désignés. Mais ils sont morts. Mort également le général Foy, que son éloquence désignait pour le rôle de courtier d'harmonie. Mais Chateaubriand est là, bien vivant, et Fourier voit dans l'auteur du Génie du Christianisme« l'apôtre naturel de la théorie sociétaire qui foudroie l'athéisme et qui, en mécanique sociale, établit la suprématie de Dieu et l'incompétence de la raison humaine ». Mais si Chateaubriand se dérobe à ! a défense de cette thèse, on peut s'adresser à Victor Cousin et à ses émules, « car elle conviendrait de même à ceux qui se disent philosophes éclectiques ».

Thiers lui-même est sollicité. Il « aime la promptitude ». Qu'à cela ne tienne. Il peut en trois mois devenir « le premier homme de son siècle et obtenir un poste héréditaire plus éminent, plus stable et plus lucratif que celui de ministre. » M. de Broglie incline également « à faire l'essai de l'industrie attrayante ». Ce ministre « convoite une palme » mais il lui manque « l'inventeur du moyen » de la conquérir. Fourier le lui offre.

A défaut de ces illustrations littéraires et politiques, Fourier accepterait le concours d'un grand financier, et il fait une invite directe à Rothschild, dont « on a dit dans le temps qu'il avait l'intention d'émanciper, de reconstituer la nation Israélite. » Il offre à ce précurseur du sionisme les moyens de réaliser le rêve « de rétablir à Jérusalem un monarque juif, ayant son pavillon, ses consuls, son rang diplomatique ». Être « roi de Judée », même obtenir « l'empire de Chaldée » et donner « sa royauté de Liban ou de Judée à un de ses frères » voilà pour Rothschild « des spéculations plus brillantes que le jeu des fonds publics, et surtout plus sûres ».

Le créateur du nouveau monde industriel est tellement persuadé que sa découverte ne peut manquer de frapper un capitaliste intelligent, qu'il rentre de sa promenade quotidienne à midi sonnant, heure à laquelle il a donné rendez-vous, par ses prospectus, à celui qui doit apporter le levier matériel de la transformation sociale. Comment douterait-il, lui qui s'écrie : « Avant que l'expérience ait prononcé, avant même que ma Théorie soit publiée, j'aurais peut-être plus de prosélytes à modérer que de sceptiques à convaincre ! »

Il « apporte plus de sciences nouvelles qu'on ne trouva de mines d'or on découvrant l'Amérique », et il aime à se comparer à Christophe Colomb : « Il annonçait le nouveau monde matériel, dit-il, et moi le nouveau monde moral ». Lamartine l'a accusé de se poser en Messie, il répond avec une orgueilleuse modestie : « Jean-Baptiste a été le prophète précurseur de Jésus, j'en suis le prophète postcurseur, annoncé par lui ». Car la religion est mise aussi dans son jeu, ou plutôt le sentiment religieux. 11 essaie de prouver que « l'Écriture, dans certains passages mystérieux, avait besoin d'un interprète guidé par des connaissances nouvelles ». Le miracle de Cana et celui de la multiplication des pains et des poissons ne sont rien moins que l'annonce des découvertes de Fourier.

Considérant nous dit que « Fourier, comme la plupart des gens de sa génération, avait fort peu lu les Évangiles. » Il est certain qu'il les a lus rapidement et avec le désir d'y trouver de quoi attirer à lui les croyants. Son chapitre du Nouveau monde industriel, intitulé « Confirmations tirées des Saintes Écritures », a été écrit dans le seul but « de se conformer aux usages de la Restauration qui exigeaient, disait-il, un petit tribut au christianisme, comme ceux de 1808 (date de son premier ouvrage) requéraient dans toute publication un grain d'encens pour l'Empereur. »

Fourier ne se grandit donc que pour grandir sa théorie. Il n'y a pas en lui enflure maladive de la personnalité, mais bien plutôt possession de la personnalité tout entière par l'idée maîtresse, à laquelle tout est ramené, subordonné. Et aussi désir passionné de convaincre, d'entraîner. « Livrez-vous à l'allégresse, crie-t-il à ses lecteurs, puisqu'une invention fortunée vous apporte enfin la boussole sociale. Comment ne serait-on pas ébloui de ce qui le met lui-même dans une aussi forte extase ! Il n'ose révéler d'un seul coup à ses lecteurs les merveilles du monde futur ; non qu'il craigne l'incrédulité, mais il les ménage et ne veut pas leur donner une joie trop vive : ils ne seraient pas capables de la supporter.

A ce trait, on discerne que Fourier est un prophète encore plus avisé qu'orgueilleux. Son extase même devant les trésors qu'il découvre est un moyen d'appeler fortement l'attention. Qu'est-il en face d'eux ? Moins que rien, un homme presque illettré. » (sic). Dieu a voulu confondre l'orgueil des savants de profession on révélant son secret « au plus obscur des hommes », à un a sergent de boutique ». « La nature dans cette faveur, dit-il, se montre judicieuse et fidèle à son système de partager ses dons. Si ma découverte fût échue à quelque grand personnage de la hiérarchie savante, à un Leibnitz. Un Voltaire, qui aurait su la parer du charme oratoire, c'eût été pour lui trop de lustre : il aurait tout éclipsé. »

Admirons comme ici Fourier encadre sa propre personne dans le plan de la nature tel qu'il le conçoit. Nul être inutile ou inférieur n'a été créé par elle. Chaque individu a sa valeur propre ! bien mieux, sa supériorité indiscutable dans un ordre quelconque. Que la société, au lieu de contraindre chacun, libère toutes ces valeurs et toutes ces activités latentes, et leur libre jeu permettra le plus complet l'épanouissement de la faculté maîtresse qui est en chacun. Il y a ici le schéma de la division sociale du travail et des fonctions, des hiérarchies spéciales nécessaires ramenées à leur catégorie et n'empiétant plus sur les catégories voisines.

Du même coup, il trouve moyen de se justifier des erreurs que lui reprochent ses adversaires. « Je ne suis pas écrivain, mais inventeur, » leur dit-il. Incrimine-t-on sa méthode ? Il répond que cela importe peu : « Si l'on me reproche dix fautes, fait-il, j'en accorderai cent… Un diamant enduit de boue n'en est pas moins un diamant qu'il est aisé de laver. » Ailleurs il réplique à ses détracteurs, qui l'attaquent « sur des sciences nouvelles, cosmogonie, psychogonie, analogie », que ces sciences « sont en dehors de la théorie d'industrie combinée. » Et il ajoute : « Quand il serait vrai que ces nouvelles sciences fussent erronées, romanesques, il ne resterait pas moins certain que je suis le premier et le seul qui ait donné un procédé pour associer les inégalités, et quadrupler le produit, en employant les passions, caractères et instincts tels que la nature les donne. C'est le point sur lequel doit se fixer l'attention, et non pas sur des sciences qui ne sont qu'annoncées. »

Si, cependant, Fourier avait eu simplement quelques notions de physiologie, il n'aurait pas affirmé que l'individu est capable de travailler de seize à dix-huit heures par jour, pourvu qu'il s'occupe à un travail attrayant et qu'il change d'occupation toutes les deux heures. Pour montrer ce que peut la passion mise au service du travail, il dit : « On en vit un bel effet à Liège, il y a quelques années lorsque les quatre-vingts ouvriers de la mine de Beaujonc furent enfermés par les eaux. Leurs compagnons, électrisés par l'amitié, travaillaient avec une ardeur surnaturelle et s'offensaient de l'offre de récompense pécuniaire. Ils firent, pour dégager leurs camarades ensevelis, des prodiges d'industrie dont les relations disaient : Ce qu'on a fait en quatre jours est incroyable. Des gens de l'art assuraient que, par salaire, on n'aurait pas obtenu ce travail en vingt jours. » Soit, mais ils n'eussent pas travaillé du même train pendant vingt jours, fût-ce par « courtes séances » alternées.

Que reste-t-il donc de sa « découverte » et quelle part de sa pensée demeure dans la nôtre ? Il était contre la démocratie politique et l'égalité des conditions, il était pour la participation du capital aux produits du travail et maintenait non seulement l'héritage, mais la liberté de tester. Voilà bien des traits par lesquels il semble très loin de nous. Il n'a pas prévu la concentration capitaliste qui devait être l'argument capital de la critique socialiste et le moyen indiqué de la socialisation des instruments de production. Mais il a fait mieux que la prévoir : ne la voyant pas se produire assez rapidement, il a regretté que « cette secte », ainsi appelle-t-il les capitalistes, n'ait point l'esprit inventif » et lui a reproché de n'avoir « pas su découvrir le moyen d'envahir le fonds, le territoire, de réduire la masse des nations en vassalité de quelques chefs mercantiles, et créer le monopole féodal qui constituerait l'entrée en quatrième phase de civilisation. »

Pourquoi ce regret ? On le comprend : le « privilège universel » étant ainsi extrait de « l'anarchie commerciale », car « la concentration actionnaire associe les chefs et non les coopérateurs », les hommes auraient renoncé « aux rêveries renouvelées des Grecs, ces droits de l'homme si ridicules », et auraient constitué, par l'association, « le premier et le seul utile de ces droits : le droit au travail ». Désormais nous tenons la clé d'or avec laquelle les théoriciens socialistes nous ouvriront les portes de l'avenir.

Combinez ce regret avec la substance dé l'apologue que voici, et vous avez, presque achevées, les grandes lignes du socialisme révolutionnaire. Fourier nous conduit « à une foire de village, aux approches des vendanges. » Les paysans sont venus nombreux pour acheter des seaux à vendange, dont le prix est de cinq sous.

« Un quidam qui avait flâné dans le canton, dit-il, s'étant aperçu qu'on y avait fabriqué cette année fort peu de seaux ; il prévit que la foire en manquerait et qu'au lieu de cinq à six voitures, il en arriverait tout au plus deux, et peut-être une seule. Il résolut d'accaparer : dès le matin, une voiture parait, il achète les deux cents seaux à cinq sous ; total 50 francs : Il en aurait acheté une seconde voiture pour maîtriser l'article et gagner 100 francs en un coup de filet.

« Jusqu'à huit et dix heures, on attendit en vain une deuxième, une troisième voiture ; il n'en vint point ; le quidam avait bien jugé ; enfin midi s'approchant, divers paysans voulaient partir, et n'avaient pas pu acheter des seaux ; on vit qu'il fallait passer par les mains de cet ami du commerce qui avait accaparé l'unique voiture à cinq sous pièce. On négocia, et il voulut dix sous !!! Grande rumeur parmi les paysans ;

on opina à donner un sou de bénéfice au spéculateur ; on offrit six sous, mais il tint fièrement à dix sous, prétendant gagner 50 francs sur son accaparement ; 100 pour 100 : bref, la marchandise était en bonnes mains (style d'agioteur qui veut juguler son public).

« Pour Dieu ! De quelles fadaises nous entretenez-vous ? De paysans qui font une emplette à cinq sous ! »

« Eh ! c'est la plus instructive des leçons sur la loi du contact des extrêmes : la loi dont l'ignorance vous égare de toute étude sur le mouvement social. Il faut vous montrer le commerce dépouillant et écrasant les menus acheteurs par le même procédé qui dépouille et écrase les empires : Achevons.

« Les forains indignés résolurent en comité de laisser les seaux et de donner une bonne raclée à l'ami du commerce, s'il ne voulait pas entendre raison ; sur son refus, on commençait déjà à le peloter rudement, quand les gendarmes s'en mêlèrent et le sauvèrent ; force lui fut de traiter, car les paysans auraient brisé son bagage, malgré les gendarmes.

« Qui avait raison dans ce débat ? Les villageois : le bon sens leur disait que cet intermédiaire était un oiseau de proie, un larron à châtier ; ainsi le commerce dans les petites choses comme dans les plus grandes, est toujours un parasite qui sous prétexte de faire circuler, engorge, s'entremet entre le producteur et le consommateur, pour les rançonner, les dévorer. »

Pour Fourier, ce n'est pas le propriétaire ni le chef d'industrie qui est un parasite social, mais le commerçant. « L'échange est l'âme du mécanisme social » soit, mais il ne faut pas que ceux qui achètent les produits pour les revendre se subordonnent le reste de la société. Il a vu, dans sa jeunesse, des spéculateurs jeter dans le port de Marseille vingt mille quintaux de riz avarié au moment où le peuple mourait de faim. Il sait comment on organise artificiellement la rareté, et par conséquent la cherté des denrées et des produits manufacturés. Il ne voit pas que le capitaliste industriel est lui-même un marchand, et ne s'en prend qu'aux intermédiaires, à leurs coalitions, à leurs agiotages. Mais il définit le caractère mercantile de la société et il en signale les périls en traits saisissants.

Il montre le commerce s'enrichissant par le vol et par la tromperie, s'enrichissant même de ses propres catastrophes. Il est antisémite, parce que le juif fut commerçant, « organisateur de la banqueroute en feu de file », et qu'on lui doit l'invention de trente-six espèces de banqueroute. Fourier les énumère à la manière de Rabelais. Voici, selon lui, comme peut être la banqueroute :

Sentimentale, enfantine, cossue, cosmopolite ;

Galante, béate, sans principes, à l'amiable ;
De bon ton, de faveur, au grand filet, en miniature ;
En casse-cou, en tapinois, en Attila, en invalide ;
En filou, en pendard, en oison, en visionnaire ;
En posthume, en famille, en repiqué, en poussette.

C'est au commerce que sont dues les crises. C'est lui qui surexcite la production, acharné qu'il est à la conquête d'un marché dont il ignore la capacité d'achat. Car les crises sont des crises de pléthore. Écoutez-le déclarer que « les années d'abondance deviennent un fléau pour l'agriculture » et nous montrer que « le mécanisme qui distrait tous les capitaux pour les concentrer dans le commerce réduit par contre-coup l'agriculture à gémir de l'abondance des denrées dont elle n'a ni vente ni consommation, parce que la consommation étant inverse, la classe qui produit ne participe pas à cette consommation. »

Qu'est-ce que cela, sinon le schéma de la théorie de la concentration capitaliste. Mettons capitalisme où Fourier a écrit commerce, — et le capitaliste est par définition un commerçant, sa fonction repose uniquement sur des rapports d'échange et il ne vit que de profit, — vous avez, toute constituée, la critique socialiste. Fourier a montré la contradiction interne du mécanisme économique et donné à Karl Marx le fil conducteur qui lui permettra d'aller plus avant. Mais où Fourier ne voyait que des conspirations de commerçants créant artificiellement le malaise social, Marx dégagera, grâce à l'analyse des saint-simoniens, sa théorie de la contradiction interne d'un régime économique basé sur le profit capitaliste, qui réduit le producteur à l'incapacité de racheter son produit et accule la société à la catastrophe.

Fourier, surtout, a montré que, dans une société organisée sur des rapports d'échange et non plus sur des rapports féodaux, les problèmes politiques sont subordonnés aux problèmes économiques. Qu'est-ce que la liberté pour un homme qui n'a pas de pain ? Ne dépend-il pas étroitement de celui qui lui donnera du travail ? Si vous voulez le faire libre commencez par le libérer de sa servitude économique. Les révolutions et les chartes ne sont que des trompe-la-faim. Seule l'association, donnant à tous part aux produits du sol et du travail, pourra faire ce que promettent les « charlatans » de la philosophie et de la politique. Ce réalisme économique et social deviendra le matérialisme historique sous la plume de Marx et Engels. On voit à présent tout ce que le socialisme moderne doit à Fourier.

Il nous a bien parlé de la bonne raclée qu'il faut administrer à l'accapareur. Mais il ne croit pas nécessaire d'en venir à ce moyen extrême. Il suffit aux producteurs de s'entendre, de s'associer, de se passer des intermédiaires. Trois éléments concourent à la production : le capital, le talent et le travail. Fourier les fait participer au profit. Puisque, par l'association, le pauvre peut devenir riche et le riche s'enrichir davantage, pourquoi celui-ci bouderait-il au système ? L'inventeur attend donc avec confiance le capitaliste intelligent qui lui permettra de réaliser un premier essai, dont l'exemple sera si concluant que bientôt le globe entier se couvrira de phalanstères.

En attendant qu'apparaisse le capitaliste espéré, des disciples sont venus à Fourier. Il n'en a d'abord que deux : Just Muiron, son compatriote, et Rubal, son neveu. Puis viennent d'autres adhérents, tous petits bourgeois de Franche-Comté, séduits par ses livres : Victor Considérant, alors âgé de dix-sept ans, Clarisse Vigoureux, Gabet, Gréa, Godin, un juge de paix. En 1829, Muiron fonde à Besançon l'Impartial, dont il offre à Proudhon, alors correcteur d'imprimerie, le poste de rédacteur en chef. Proudhon refuse. Un peu plus tard, la crise saint-simonienne lui amène quelques-uns dos dissidents : Jules Lechevallier, Transon, puis Pecqueur.

Un groupe de propagande est désormais formé autour de Fourier. On commence à parler de ses livres. Le Traité d'Association domestique agricole avait eu peu de lecteurs, mais la critique s'en était occupée, et le Nouveau Monde industriel, publié en 1829, suscita des polémiques assez nombreuses, dont toutes ne furent pas hostiles ou railleuses. Les disciples organisèrent des conférences, mais elles eurent peu de succès. Toute l'attention était portée alors sur les saint-simoniens. Il faut le dire : sauf Considérant, alors tout jeune et qui ne devait prendre son envergure que quelques années plus tard, l'entourage de Fourier était plutôt médiocre. Nul de ses disciples n'avait embrassé sa théorie dans toute son étendue. Les uns en retenaient surtout les extravagances, les autres la théorie de l'attraction, les autres n'y voyaient qu'une formule d'association agricole et industrielle.

En 1832, Fourier et ses disciples fondent un journal hebdomadaire, le Phalanstère, qui s'intitule quelques mois après la Réforme industrielle ou le Phalanstère, auquel collaborent entre autres Victor Considérant, Lechevallier, Transon, Pecqueur, Just Muiron, Pellarin, Mme Vigoureux. Mais on y fait surtout de la doctrine, et on ne se préoccupe nullement de l'actualité. Aussi le journal va-t-il cahin-caha, sans aucune action sur le public. Néanmoins il aide à la propagande. Ses lecteurs éloignés appellent à eux les rédacteurs. Des conférences sont organisées méthodiquement. Considérant en fait avec succès à Orléans, Montargis, Houdan, Besançon, Metz ; Lechevallier à Paris, Bordeaux, Caen, Rouen, Nantes, mais avec moins de profit pour la cause ; Berbrugger pousse jusqu'en Angleterre. On vise non la foule, mais la bourgeoisie. À Lyon, les journaux ouvriers accueillent la doctrine dans leurs colonnes ; l'Écho de la Fabrique y adhère même, mais l'Écho des Travailleurs entend conserver son indépendance.

Le Phalanstère ne cesse de préconiser l'application pratique des plans de Fourier.

Transon et Considérant, notamment, s'y attachent de toutes leurs forces. Ils sentent qu'il faut que la doctrine se prouve. « Je vais, écrit Considérant à Fourier, entreprendre la conquête d'un homme riche qui est déjà bien préparé et pourra donner le branle à une compagnie d'actionnaires. » Des offres de concours commencent à se produire, mais aucun de ceux qui les font ne veut subordonner sa pensée et ses projets à ceux de Fourier. D'autres n'offrent que leur personne, entourée d'une nombreuse famille. Un autre a vingt mille hectares au Mexique ; un pharmacien propose son « matériel d'instruments et de drogues ».

Un des rédacteurs du Phalanstère, Baudet-Dulary, avait une propriété à Condé-sur-Vesgre, près de Houdan, à une quinzaine de lieues de Paris. Il consentit à la consacrer à l'essai projeté, mais il entendait ne pas adopter tous les plans du maître. Aussi ne fut-ce pas sous le nom de phalanstère que fut tentée l'entreprise de réalisation, mais sous celui de « colonie sociétaire ». Le fonds social devait être de 1 200 000 francs. On n'en trouva que 318 000. On commença néanmoins les travaux.

L'établissement devait se composer d'environ six cents personnes, hommes, femmes et enfants associés, dit l'acte de société, pour « l'exploitation agricole et manufacturière d'un terrain. » Mais ce terrain de 412 hectares, dit Villermé qui l'a visité, était « très peu productif et en partie inculte. » Conformément à l'article 3 de l'acte de société, les travaux devaient être organisés « par groupes de travailleurs et par séries de groupes libres, opérant en séances courtes et variées ». L'article 6 stipulait que tous les employés et ouvriers de la colonie devaient être actionnaires, mais l'article 27 ajoutait que des ouvriers pouvaient être admis comme simples salariés jusqu'à ce qu'ils eussent gagné la somme nécessaire à l'achat d'un coupon d'action. Villermé constate qu'il « ne s'en présenta point pour être admis d'une autre manière ».

Le travail était plus offert que le capital. « Les personnes qui se présentèrent pour travailler dans la colonie étaient des ouvriers désœuvrés et paresseux, ou des jeunes gens sortis des collèges et des écoles savantes ; les uns tout à fait étrangers aux travaux manuels, les autres ne connaissant point ou connaissant mal ceux qu'on leur demandait : presque tous des enthousiastes se flattant de trouver le bonheur sans fatigue.

D'ailleurs, que faire avec un aussi faible capital, gâché par des entrepreneur sans scrupule que nul parmi les associés ne savait contrôler et réfréner ! Le directeur choisi était un très brave homme et d'un désintéressement exemplaire, mais il ignorait tout d'une exploitation agricole et manufacturière. Ce fut un effondrement.

Fourier se justifia. Ce n'était pas la doctrine qui était en faute, mais les hommes qui avaient refusé de l'appliquer. « Je n'ai rien fait à Condé, s'écriait-il : un architecte qui y dominait ne voulait rien admettre de mon plan... Il commença par bâtir une grande rapsodie provisoire, sur un terrain fangeux au-dessous du niveau des eaux. Je ne pouvais adhérer à ce galimatias de bâtisse, qui n'aurait servi à rien en industrie combinée, et qui n'était bon qu'à dégoûter les visiteurs, les empêcher de prendre des actions, faire manquer les moments de vogue : j'abandonnai la partie, ne voulant pas me compromettre en paraissant coopérer à ces dispositions qui n'étaient d'aucun emploi pour le mécanisme sociétaire ».

La Phalange miniature qu'on projeta d'édifier sur les ruines de la Colonie sociétaire, et qui devait ne comprendre que des enfants, occupa ensuite l'activité des disciples de Fourier ; mais elle resta à l'état de projet, malgré les instances de Considérant, réalisateur acharne, qui devait poursuivre son rêve jusqu'en Amérique et le voir de nouveau s'évanouir dans l'entreprise du Texas.

Mais les titres socialistes de Considérant ne sont pas tout entiers dans ces vaines tentatives, auxquelles il consacra le meilleur d'une activité généreuse jusqu'à l'exubérance. Dès 1834, il publiait la Destinée sociale, où, débarrassée de toutes les théories cosmogoniques, l'idée fouriériste de l'association prenait un solide fondement de critique et d'analyse sociale et économique.

Avec plus de force encore que Fourier, et serrant de plus près le problème économique, Considérant montre que ce problème est capital. Parlant du peuple, il déclare que c'est à son bien-être que peut se « mesurer le degré de liberté qui peut lui être laissé, ou, ajoute-t-il très expressivement, qu'il est capable de se donner ». Les progrès économiques ne dépendent donc pas des propres politiques, mais bien ceux-ci de ceux-là. « Si nous sommes affranchis du joug féodal, dit-il, ce n'est pas aux constitutions politiques que nous le devons, car les constitutions n'ont rien fait autre chose que de constater l'émancipation opérée du Tiers-État et des Communes, émancipation due à cela seul que le Tiers-État, les Communes, les hommes taillables et corvéables, avaient conquis peu à peu, par les sciences et l'industrie, une puissance sociale supérieure à l'ancienne puissance féodale de leurs seigneurs. »

Démocrate, le Considérant de 1834, ne l'est pas, à la manière simpliste tout au moins. Ses sarcasmes contre la démocratie égalent, s'ils ne les dépassent, ceux de Fourier. « L'élection républicaine », où « tout le monde est appelé », le met en fureur. « Portefaix, s'écrie-t-il, charbonniers, forts de la halle, rustres, ivrognes... Tout malotru français enfin va donner sa voix et choisir législateurs, hommes d'État, chefs de gouvernement !!!... Ici, il ne faut plus parler de réfutation. Nous sommes dans les eaux du docteur Esquirol. «

Est-ce qu'il est contre le principe de l'élection ? Non, puisque, dans le système sociétaire, tout repose sur l'élection. « Je vous fais bon marché, dit-il, de tous les pouvoirs par la grâce de Dieu, de toutes les impostures monarchiques ou religieuses sous lesquelles l'humanité a courbé et courbe encore les reins. Il n'y a de pouvoir légitime, en système absolu, que celui qui vient de l'élection ou du consentement. »

Mais « aucun principe juste n'est applicable dans une société organisée à contresens de la justice. » Une société fondée sur l'exploitation du travailleur ne peut donner à celui-ci part au pouvoir sans amener le gâchis, à moins que ce pouvoir ne soit une dérision, son maître tenant son vote comme il tient son pain. De plus, dans le système fouriériste, le vote est compétent, chaque pouvoir émanant des intéressés que réunit l'attraction passionnelle et s'élevant progressivement du groupe à la série, de la série à la phalange et de celle-ci à la réunion des phalanges d'une région.

Considérant était donc contre les procédés politiques de la démocratie, et non contre la démocratie elle-même. Il ne devait pas tarder à apercevoir, avec sa belle et lucide intelligence, que la démocratie peut être et doit être un moyen de réaliser la transformation sociale. Mais ce n'en est pas moins de lui que viennent, et très directement, les idées qui ont si longtemps dominé chez les socialistes révolutionnaires, et subsistent encore chez les anarchistes, sur l'inutilité des moyens politiques. C'est encore de lui que s'inspirent les socialistes qui ne croient pas à la vertu des réformes législatives, avec cette différence qu'ils substituent à ses moyens pacifiques des moyens révolutionnaires.

Pour lui, en effet, « longtemps avant que le Phalanstère, la Banque du Peuple, les Ateliers sociaux, le communisme icarien ou toute autre formule aient acquis assez de partisans, pour songer à faire une entrée quelconque dans la voie législative, ils en auraient cent fois, mille fois plus qu'il n'en faudrait à chacun respectivement pour se réaliser avec ses propres partisans, spontanément, sans loi aucune, au sein de la nation et de la liberté ».

J'ai insisté sur Considérant, car c'est lui qui va devenir le chef de la doctrine à la mort de Fourier. Il donnera à l'école sociétaire une impulsion que son fondateur n'eût pu lui donner. Fourier est l'inventeur. Considérant perfectionne et met en œuvre l'invention.

Inventeur, ai-je dit parlant de Fourier. C'est bien ainsi qu'il faut l'appeler. Il a de l'inventeur le génie à la fois vaste et minutieux, en même temps que l'absence totale de sens pratique. Si l'on veut appliquer son système, il faut le prendre tout entier. L'essai de Condé-sur-Vesgre a manqué parce qu'on n'a pas suivi ses plans et que, de sa doctrine, on a voulu en prendre et en laisser. Avec lui, il faut tout prendre.

Et, je l'ai dit, rien n'était moins homogène que le groupe des disciples de la première heure. À côté de ceux qui ne comprenaient et n'acceptaient qu'une partie du système, il y avait ceux, comme Considérant, qui n'en retenaient que la contexture générale, la formule d'association domestique et agricole, et tentaient de l'appliquer au milieu social par la création de phalanstères. Aussi, lorsqu'il mourut, Fourier commençait à peser à tous. Il donnait au journal le Phalanstère des articles qui étaient en réalité des chapitres de son œuvre. Les pensées lui venaient tumultueuses et en désordre, et il n'avait nul souci des redites.

Sur les objurgations de ses disciples, de Considérant entre autres, il avait publié en 1835 son dernier livre, la Fausse Industrie, qu'Hubert Bourgin a bien raison de considérer comme « le plus désordonné de ses ouvrages ». Fourier en convenait d'ailleurs lui-même et s'excusait en disant l'avoir écrit « sous l'influence de circonstances variables, contradictoires. » C'est surtout sa puissante imagination qu'il eût dû accuser. Son cerveau était en production incessante, et il jetait sur le papier ses idées à mesure qu'elles surgissaient ; remaniant sans cesse et tentant de mettre de l'ordre et de la précision, sans pouvoir parvenir à mettre de l'ordre, il arrivait ainsi à trop de précision, au point de descendre aux minuties les plus puériles.

Comment ce petit homme maigre, au front de Socrate, aux yeux sans cesse fixés sur sa méditation intérieure, eût-il pu être affecté par les circonstances variables, ou influencé par les objurgations de ses disciples ? Il observait le mécanisme social, le démontait par une analyse incessante, en même temps qu'il le reconstruisait dans son cerveau, profondément étranger à tout ce qui n'était pas l'objet de son intense méditation. Il n'apercevait le monde extérieur que comme le chantier où travaillait sa pensée, la mine où il puisait les matériaux qu'elle déplaçait, transformait, réinstallait sans trêve ni repos. Jamais on ne l'avait vu rire. Il n'avait aucun souci de ses intérêts et ignorait jusqu'au quantième du mois. Lui soumettait-on un projet de réalisation, il s'attachait bien moins à le réfuter ou à l'adopter qu'à en tirer ce qui lui permettrait de jeter sur le papier les idées nouvelles que ce projet éveillait dans son esprit.

On comprend qu'avec un tel rêveur, plus occupé à élaborer qu'à propagander, à achever jusqu'à la perfection sa doctrine qu'à en essayer l'application sur le terrain, les disciples étaient plutôt gênés, eux qui voulaient prouver l'excellence du système sociétaire en se mettant à l'œuvre. Lui aussi était pour l'œuvre pratique, ses appels répétés en font foi ; son attente obstinée du capitaliste inconnu auquel il avait donné rendez-vous était sincère. Mais le rêve l'emportait toujours plus haut à la conquête du temps et de l'espace, ou l'enfonçait toujours plus avant dans la recherche de l'infini détail.

Aussi collabora-t-il peu à la Phalange, que Considérant et ses amis fondèrent en 1836, car ils voulaient surtout exposer la doctrine d'une manière claire et méthodique et se servir pour cela des incidents de l'actualité. Puisqu'il n'était qu'un laboratoire vivant, un impedimentum pour l'action, ils le laisseraient à sa fonction et rempliraient la leur. Quelques mois après, il mourait, laissant quantité de manuscrits dont ses disciples entreprirent la publication.

Désormais, ils vont entrer sans contrainte dans l'action. Leur propagande rayonnera sur tous les pays. La Belgique et l'Amérique seront témoins de leurs essais de réalisation. À mesure que le temps passera, la pensée de Fourier grandira dans l'esprit des hommes. Nous qui en recueillons aujourd'hui le fruit, tout en méconnaissant trop souvent le tronc vigoureux qui le porta, de quel droit aurions-nous des dédains ou des ironies pour les fumées capricieuses du cratère sans cesse en éruption, sans cesse en production ? Sublime maniaque, il a jeté les idées avec la prodigalité du génie. Les scories et les bavures ont été mises en poussière par le temps, qui se charge de détruire tout ce qui nous est inutile. Mais il nous reste de lui : la série, cette notion supérieure de la division du travail fondée sur la liberté : l'émancipation de la femme, fondée sur sa libération familiale et économique ; la coopération, où le socialisme français commence à apercevoir l'école pratique d'administration qui lui manquait, et où il verra demain un des plus puissants moyens d'émancipation des prolétaires par leur effort autonome.

Il a cru à l'individu, grandi par la force de l'association, au point de tout accepter de lui, le bien et le mal, les passions constructives et les passions destructives. Il a cru à l'accord Je l'instinct et de la raison, se fiant à la raison pour utiliser la passion, à l'expérience en liberté pour former la raison. Ce robuste optimisme est en somme moins faux que la notion catholique de la déchéance humaine et le dogme de l'imperfectibilité. Moins faux, donc plus fertile, sinon en résultats immédiats, du moins en recherches et en audaces libératrices.

Chapitre IV
La coalition

Les élections de 1837 et les deux coalitions. — La discussion sur les chemins de fer. — Rejet du projet de conversion de la rente. — Le complot Huber ; condamnations. — Évacuation d'Ancône. — Refus des sacrements au comte de Montlosier. — Progrès de la propagande cléricale. — Le ministère est battu, c'est la Chambre qui s'en va. — « La corruption coule à pleins bords ». — Victoire électorale de la coalition Thiers-Guizot et crise ministérielle de deux mois.

La campagne électorale de 1837 fut tout particulièrement animée, l'opposition de gauche ayant réussi à unifier ses efforts. Sur l'initiative de Dupont (de l'Eure), d'Arago et de Laffitte, en effet, il s'était formé un comité démocratique qui était entré en pourparlers avec l'opposition dynastique, représentée par Mauguin, le maréchal Clauzel et Salverte. Les libéraux montraient une certaine répugnance à s'allier publiquement aux démocrates, dont la politique était alors synonyme d'émeute et de guillotine. L'intérêt cependant fit taire les scrupules dynastiques. Pris entre le gouvernement personnel du roi et l'éventualité d'un triomphe lointain de la démocratie, ils coururent au plus pressé.

Dans le comité électoral issu de cette coalition, et on les démocrates étaient en majorité, figuraient, outre les noms cités plus haut, ceux de Garnier-Pagès, de Ledru-Rollin et de David d'Angers. Odilon Barrot se tint à l'écart et protesta contre ce qui se faisait.

À Paris, la coalition de gauche eut presque le tiers des voix. Martin (de Strasbourg) et Michel (de Bourges) furent élus. Voyer d'Argenson et Laffitte furent battus par les candidats ministériels ; ce dernier fut élu cependant, quelques jours plus tard, par un collège parisien.

En province, nous l'avons dit, les positions n'étaient modifiées en rien. La même Chambre revenait, malgré les efforts du comte Molé pour s'assurer une majorité. La pression la plus directe et la plus violente avait été exercée sur les électeurs et sur les candidats. L'un de ceux-ci, Billaudel, était fonctionnaire. Le pouvoir, qui acceptait que des fonctionnaires fussent députés, ne le souffrait qu'à la condition qu'ils fussent ministériels. Or, Billaudel était dans l'opposition : il fut mis en demeure d'opter entre son emploi et sa candidature. Il resta candidat et fut élu.

Dès les premières séances de la nouvelle Chambre, les manœuvres du ministère en faveur de ses candidats furent dénoncées à la tribune. On montra le préfet du Morbihan pesant sur le parquet pour tourner le sort des procès de certains électeurs selon le vote qu'ils émettaient. Le ministre de la justice défendit assez adroitement son subordonné.

Bien que peu sûr de la majorité, puisque c'était la même qui jusqu'à présent ne lui avait permis aucune initiative, le comte Molé ne se gêna pas, après les élections, pour frapper les opposants qui étaient à la fois députés et fonctionnaires. C'est ainsi que Dubois, inspecteur général de l'Université, et Baude, conseiller d'État, le même qui, dans la précédente Chambre, avait lancé de graves accusations contre le maréchal Clauzel, furent destitués pour s'être prononcés contre un projet de loi déposé par le ministère.

D'autre part, sous la pression de l'opinion éclairée, le gouvernement faisait de la vertu et, armé d'une loi votée dans les Chambres au cours de l'année, il fermait toutes les maisons de jeu, le 31 décembre, à minuit précis. La foule, dit M. Thureau-Dangin, « assista gouailleuse et méprisante, à la dispersion des joueurs et surtout des joueuses ». Il restait d'ailleurs un vaste tapis vert à la bourgeoisie. La Bourse restait, et grandissait, travaillée par la fièvre d'affaires que suscitaient le renouvellement du matériel industriel, les inventions nouvelles, les chemins de fer, et aussi les « Bitumes du Maroc » et autres fantaisies financières lancées parle monde de l'agio.

À la coalition électorale des gauches, purement temporaire, succéda, dès les premiers moments de la nouvelle Chambre, une coalition parlementaire, permanente, celle-ci, et autrement redoutable au ministère que l'autre. Duvergier de Hauranne en était l'artisan. Son objectif était de réunir toutes les forces vives du parlementarisme pour contraindre Louis-Philippe à respecter la fiction constitutionnelle, qui veut que le roi règne et ne gouverne pas. Il travailla donc à rapprocher Guizot de Thiers, et y réussit sans trop de peine. Il fut décidé que la discussion des fonds secrets serait le terrain de la bataille contre le ministère. Mais, gêné par ses souvenirs et par ses espérances, Guizot mena mollement le combat. Cet ancien et futur ministre connaissait trop l'emploi des fonds secrets pour critiquer à fond l'institution. Il déclarait d'ailleurs qu'il les voterait, quelques reproches qu'il eût à faire au gouvernement sur leur emploi. Les coalisés étaient perdus d'avance.

Cette bataille gagnée, le gouvernement en perdit une autre, plus importante, non pour l'existence même du cabinet Molé, mais pour les conséquences que cette défaite devait entraîner au cours de notre histoire économique et sociale. Très promptement, il faut le dire, le ministère se résigna à une défaite, qui n'était que celle d'un principe et le triomphe des capitalistes à l'affût des bonnes entreprises. C'est du programme d'exécution des grandes lignes de chemins de fer que je veux parler.

En 1837, l'accord était à peu près unanime pour ne concéder à des compagnies que les petites lignes de chemin de fer et pour réserver à l'État la construction et l'exploitation des grandes lignes, tant à cause de leur caractère stratégique que de leurs rapports avec le développement du commerce et de l'industrie. Et, si l'on avait demandé que l'État donnât une subvention de vingt millions au chemin de fer conduisant de Paris en Belgique, c'était précisément parce qu'on entendait, selon le vœu exprimé par Mallet, de la Seine-Inférieure, que l'État se réservât la haute main sur cette entreprise

Le 26 février 1838, croyant certaine l'approbation des Chambres, Martin (du Nord), déposait, en sa qualité de ministre des Travaux publics, un double projet de loi sur la navigation intérieure et les chemins de fer. Jaubert, un des plus fervents partisans de l'exploitation des chemins de fer par l'État, s'était fait, lors de la discussion de la concession du chemin de fer de Strasbourg à Bâle, le héraut du projet gouvernemental.

Il constatait que l'idée d'exploitation par l'État qui, l'année précédente, « s'était produite assez isolément » avait fait depuis « des progrès dans le public », et il s'en félicitait, car elle reposait « sur une idée éminemment gouvernementale ». Cependant une crainte perçait dans le discours de Jaubert, inspirée sans doute par les manœuvres auxquelles se livrait le monde des affaires, enfin averti de l'importance des chemins de fer et désireux de ne pas se laisser évincer d'un aussi excellent terrain d'exploitation. « La Chambre, disait-il, a reculé devant l'idée de livrer aux compagnies tous les chemins de fer ; elle pourra bien reculer devant l'idée de les monopoliser au profit du gouvernement ». Ce n'était pas la crainte de donner un monopole de plus au gouvernement qui allait faire reculer une Chambre dont plus du tiers de ses membres étaient des fonctionnaires, mais la désir, beaucoup plus réaliste, de donner au capitalisme le champ d'activité impérieusement réclamé au nom des saines doctrines de l'économie politique.

Les canaux projetés par le ministère devaient relier la Marne au Rhin, la Marne à l'Aisne, suivre le cours de la Garonne latéralement et rattacher le bassin de la Garonne à celui de l'Adour. Croyant faire accepter plus facilement un vaste programme d'ensemble qui assurait la vie économique dans toutes les parties du pays et donnait satisfaction à tous les intérêts régionaux, le système dos canaux et des voies fluviales complétant le réseau des chemins de fer. Martin (du Nord) avait refusé de présenter deux projets séparés.

Pour les chemins de fer, le ministre proposait tout un plan de grandes lignes reliant Paris à la mer et aux frontières du Nord, de l'Est et du Midi. Il demandait aux Chambres 350 millions pour l'exécution des lignes les plus urgentes qui étaient, à son estime, celle de Paris à la Belgique, celle de Paris à Bordeaux par Orléans et Tours, celle de Paris à Rouen, avec prolongement éventuel sur le Havre et Dieppe, enfin celle de Lyon à Marseille. En tout un tracé de 1 400 kilomètres.

Quelques jours auparavant, lors de la discussion relative au chemin de fer de Strasbourg à Bâle, on avait eu une idée des sentiments qui, dans certains milieux, accueillaient la construction des chemins de fer. « À Colmar, dit le ministre, une réclamation collective a été présentée par des cultivateurs des quatre communes de Rouffach, Gundolsheim, Maxheim et Badersheim. qui exposent les dommages que le chemin de fer doit apporter, selon eux, à l'agriculture, en morcelant les champs cultivés et les plus belles prairies de la contrée. Ce chemin aura aussi pour effet, disent-ils, de rendre les grandes routes désertes et de ruiner les industries qui font vivre les transports opérés sur ces routes ; enfin il est du devoir du gouvernement de ne pas favoriser les transactions commerciales aux dépens de l'agriculture, et par ce motif il doit refuser son assentiment au chemin projeté. »

De son côté, le rapporteur Golbéry observait qu'on avait « généralement inspiré à l'agriculture quelque défiance contre les chemins de fer » et qu'on avait travaillé les populations rurales en leur persuadant qu'ils ne profiteraient qu'à l'industrie. Par les chemins de fer, disaient les féodaux qui entretenaient ces sentiments éminemment conservateurs dans le cœur des propriétaires ruraux, on verrait diminuer le nombre des chevaux et par conséquent « baisser le prix des fourrages et celui des prairies. »

Ne rions pas. Il s'est trouvé, il y a quelques années, un conseil général, celui du Calvados, qui a manifesté de la même manière son hostilité au développement de l'automobilisme, et, afin de sauver l'élevage national, proposé de taxer fortement ces voitures mécaniques qui osent se passer de chevaux.

Le rapporteur du projet du gouvernement était Arago. Le nommer, c est dire qu'il ne pouvait être ému par de tels arguments. Comment donc, lui savant, lui républicain, et en cette double qualité partisan du progrès et ennemi du parasitisme social et économique, comment put-il conclure au rejet du projet gouvernemental ? Son rapport fut cependant une charge à fond contre l'exploitation des chemins de fer par l'État. Sa situation d'opposant irréductible lui joua ce mauvais tour. Son intransigeance politique ne lui permettait pas de confier à un gouvernement détesté, et dont les moyens corrupteurs n'étaient que trop connus, une aussi formidable puissance, un aussi vaste moyen d'influence.

Michel Chevalier a prononcé le mot juste en cette affaire, lorsqu'il dit que la science fut « sophistiquée par la passion » ; il blâme le savant, enfoncé dans « l'opposition systématique », d'avoir eu « la faiblesse de prêter l'autorité de son nom à ce complot ourdi contre les chemins de fer ».

Arago ne réfuta aucun des arguments capitaux de Martin (du Nord), qui subsistent aujourd'hui avec autant de force, sinon plus qu'au moment où il les exposa devant la Chambre de 1838. Oui, il avait raison de dire que, « dans un grand territoire comme la France, il faut que les grandes distances puissent être parcourais à bon marché sous peine de rester infranchissables, sous peine d'isoler les unes des autres les diverses régions dont le royaume se compose, sous peine d'arrêter les échanges et les relations qui doivent élever notre pays à un si haut degré de prospérité ».

Au moment où le ministre prononçait ces paroles, le nombre annuel des voyageurs, en France, ne s'élevait guère au-dessus de deux millions (statistique de 1830). En 1865, on en devait compter, grâce aux chemins de fer, près de quatre vingt-cinq millions. Aujourd'hui, le chiffre de trois cent quatre-vingt-dix millions de voyageurs est dépassé.

Il fallait que les tarifs fussent, non seulement faibles, mais encore modifiables, car c'était à ces conditions que les chemins de fer rendraient au commerce et à l'industrie les services qu'ils en attendaient. Or, disait fort justement le ministre, « comment cette double condition serait-elle remplie si les grandes lignes d'eau et de fer ne restaient pas une propriété publique, si l'État en aliénait la disposition pour un temps plus ou moins long ? »

En outre, Martin (du Nord) invoquait l'impossibilité pour les gens d'affaires de réaliser les énormes capitaux nécessaires à des entreprises aussi étendues. Il laissait, d'ailleurs, à l'industrie privée les lignes secondaires et les lignes d'embranchement, qui étaient des opérations à la mesure de ses forces réelles. Mais le capital voulait tout. Les députés à sa dévotion furent donc insensibles à la voix du ministre qui leur disait :

« Sans doute, on engage l'affaire ; on l'élève sur des bases qui doivent un jour s'écrouler. On crée, on émet, on jette dans le public des actions qui, même dans les commencements, se négocient avec succès, mais qui ne tardent pas à tomber dans un discrédit complet. »

Insensibles, les députés à qui s'adressait cet avertissement, ou plutôt cette prophétie à brève échéance ? Non pas. Les chemins de fer étaient une matière à spéculation, et voilà qu'on voulait arracher ce magnifique enjeu aux spéculateurs, contraindre la Bourse à limiter ses opérations à la rente et à la maigre centaine de valeurs alors admises à la cote. Invoquer un tel argument sur les représentants du capital, c'était s'assurer un résultat contraire à celui qu'on espérait.

Prophétiques, certes, elles l'étaient, les paroles de Martin (du Nord). Deux ans après, il fallait, nous le verrons plus loin, sauver les compagnies en leur accordant des garanties d'intérêt et des prorogations de concession à quatre-vingt-dix ans. Les députés qui écoutaient le ministre produire son argument et annoncer les débâcles savaient bien que, le moment venu, l'État interviendrait, non pour reprendre les chemins de fer que les compagnies étaient incapables de mener à bien, mais pour leur apporter le secours du crédit et de la puissance publique.

Aussi fut-ce en vain que le ministre affirma que « l'intérêt bien entendu de la France ne lui permettait pas de déléguer l'entreprise. » Il eut beau invoquer, ce qui était la vérité même, « l'intérêt et l'avenir du pays » et montrer qu'il y avait une question de sécurité nationale à laisser aux mains de l'État « les grandes lignes de chemins de fer, surtout celles qui peuvent avoir un intérêt politique et militaire », le siège de la Chambre était fait.

En admettant que les petites lignes pourraient être concédées à des compagnies, le ministre avait donné au rapporteur prise sur lui. Arago, en effet, fit valoir que le gouvernement serait en vain maître de ses tarifs, s'il ne l'était pas des tarifs des lignes d'embranchements et de raccordement. « La seule conséquence à en tirer, dit excellemment Louis Blanc, c'est que l'État aurait dû réclamer l'exécution de toutes les lignes. » Arago chargea ensuite à fond le gouvernement, objet de son animadversion et de ses défiances, lui dénia les qualités nécessaires à l'exécution d'un aussi vaste projet, allégua l'insuffisance du budget et conclut en déclarant, au nom de la commission, « qu'il fallait se hâter de recourir aux compagnies. »

Berryer et Duvergier de Hauranne se jetèrent à fond dans le débat, et soutinrent le rapporteur. Le ministre fléchit sous ces attaques, ne défendit guère son projet. Jaubert fut à peu près seul à tenir tête. Et les lignes de Paris au Havre et de Paris à Orléans furent concédées à des compagnies pour soixante-dix ans.

C'est à ce moment que Lacave-Laplagne, ministre des finances, se présenta devant la Chambre avec un projet de conversion de la rente cinq pour cent en quatre pour cent. Cette mesure était d'un intérêt budgétaire primordial et de plus conforme à la saine raison, le taux de l'intérêt s'étant abaissé depuis l'époque où la rente avait été émise. Lors de la discussion de l'adresse, en janvier, Salverte avait, par un amendement, pressé la Chambre de donner un avis favorable. Au nom des rentiers,

Lamartine s'était élevé contre la conversion.

« Je sais, avait-il dit, que je me pose comme un paradoxe à la tribune. Mais la Chambre est juste, elle ne voudra pas juger sans entendre la propriété de deux cent mille de ses concitoyens. «

Lamartine ne contestait pas le droit de remboursement en thèse générale. Mais il prétendait donner à la dette ancienne, aux rentes inscrites au grand livre de la dette perpétuelle consolidée, un caractère absolu d'irréductibilité. Cela, en effet, était paradoxal. Cela, pourtant, avait suffi à faire rejeter l'amendement Salverte.

L'affaire, cependant, vint devant la Chambre en avril et y donna lieu à des débats passionnés qui retentissaient dans le monde de la propriété et de la rente. Finalement, le ministère obtint un vote de la Chambre qui l'autorisait à laisser libres les propriétaires de rente d'opter entre le remboursement au pair et la conversion de leur titre en rente quatre pour cent. Le 26 juin, la pairie rejetait celle solution, et la conversion était ajournée encore une fois. Ce ne devait pas être la dernière.

Si la coalition donnait du tracas au ministère, le parti républicain révolutionnaire en revanche, épuisé par les mouvements de 1834 et leur répression, lui assurait des nuits plus tranquilles qu'à ses prédécesseurs. Il y eut cependant une alerte on mai. Mais le gouvernement put sévir sans avoir couru le moindre péril.

Lu douanier avait trouvé un portefeuille contenant le plan d'un complot républicain. Aidée par un nommé Vallantin, qui était du complot, la police put mettre la main sur dix des conjurés, à la tête desquels se trouvait Aloysius Huber, récemment amnistié, qui prit courageusement sur lui toutes les charges de l'accusation. À côté de lui apparaissait une douce figure de femme, une héroïne de la République et de l'abnégation. De la même main qui avait porté des fleurs sur la tombe d'Alibaud, elle avait secouru les cholériques avec un dévouement, une soif du péril, un don absolu do sa personne qui éveillent invinciblement dans l'esprit un autre exemplaire d'humanité, aussi noblement exalté, qui surgit trente ans plus tard pour conformer sa vie à son rêve sublime de fraternité. Laure Grouvelle en 1838, Louise Michel en 1870 et pendant trente ans, doivent être réunies dans la pensée des socialistes pour avoir vécu leur idéal à travers la persécution, et n'avoir pas dédaigné de soulager les misères du présent, tout en travaillant à l'avenir qui les fera disparaître.

Bien qu'il n'y eût qu'un commencement d'exécution du complot, et combien peu dangereux ! le jury do la Seine fut impitoyable et condamna Huber à la déportation. Laure Grouvollo. Stauble, un Suisse d'autant plus dangereux qu'il ne savait pas dix mots de français, Annat à cinq ans de prison, et Vincent Giraud à trois ans. Naturellement le délateur no fut pas condamné. Steuble se coupa la gorge dans sa prison, et Laure Grouvelle y perdit la raison.

Tandis que se déroulait ce drame, on couronnait à Londres la jeune reine Victoria, et le maréchal Soult, envoyé aux fêtes du couronnement comme ambassadeur extraordinaire, était choyé par la haute société anglaise. L'accord existait encore entre les deux gouvernements : aussi, quelques mois plus tard, Louis-Philippe put-il sans inquiéter l'Angleterre envoyer son jeune fils, le prince de Joinville, récolter une gloire sans péril dans le bombardement de Saint-Jean-d'Ulloa, le gouvernement du Mexique ayant refusé de faire droit aux réclamations de créanciers français.

Cet accord des cabinets de Saint-James et de Paris portait d'ailleurs d'autres fruits, et qu'il ne faut pas dédaigner. Grâce à lui, le roi de Hollande, n'espérant plus aucune complication qui permit aux cours du Nord de l'aider à replacer la Belgique sous son autorité, adhérait enfin au traité des vingt-quatre articles. La Belgique y perdait le Luxembourg et le Limbourg sur la rive droite de la Meuse, mais elle y gagnait de voir son indépendance définitivement reconnue, et son état de fait passer à l'étal de droit.

Mais la politique de Louis-Philippe n'avait pas pour objet de défaire l'œuvre de la Sainte-Alliance, tout au moins en ce qui ne touchait pas directement et immédiatement aux intérêts et à l'intégrité du pays. Aussi entendait-il contenter l'Angleterre sans mécontenter l'Autriche et les puissances du Nord. L'occasion lui parut bonne pour faire cesser l'occupation d'Ancône et, à la grande joie de Metternich, il rappela les troupes françaises. Déjà il avait tenté de le faire quelques mois plus tôt, mais Thiers, alors président du Conseil, s'y était opposé en alléguant fort justement que l'évacuation d'Ancône était subordonnée aux réformes que le pape avait promises.

M. Thureau-Dangin prétend que c'était rapetisser l'expédition d'Ancône que de la présenter comme une mesure de police internationale vis-à-vis d'un souverain incapable de bien administrer ses États et de maîtriser les mouvements suscités par sa mauvaise administration. Mais n'était-ce pas là le motif qui avait poussé l'Autriche, en 1831, à envahir les Légations et la France à occuper Ancône ? Évacuer Ancône à la suite de l'Autriche évacuant les Légations, c'était affirmer la solidarité de la France et de l'Autriche dans la répression des mouvements libéraux d'Italie contre l'absolutisme politique du pape et de la cour romaine.

En même temps que, sous la direction du roi, le comte Molé donnait cette marque de déférence à celui que M. Thureau-Dangin appelle « le plus faible et le plus respectable des États », il ne se gênait pas pour imposer ses volontés à un État qui n'était guère plus fort, s'il était infiniment plus respectable. Le prince Louis Bonaparte, revenu d'Amérique, s'était fixé en Suisse, au château d'Arenenberg. Le ministère français exigea son expulsion : elle lui fut accordée par la gouvernement fédéral.

Cette mesure avait été prise par le comte Molé à raison de l'agitation bonapartiste renaissante, et dont une manifestation venait de conduire son auteur devant la Cour des pairs. Le lieutenant Laity, dans une brochure sur l'échauffourée de Strasbourg, avait fait l'apologie de cette tentative d'insurrection. Il comparut au Luxembourg, assisté de Michel (de Bourges), et fut condamné à cinq ans de prison.

Celui-ci était-il donc, comme son client, un bonapartiste républicain ? Point. Mais il n'était pas plus rare dans ce temps que dans le nôtre de voir des accusés de l'opposition confier leur défense à un avocat appartenant à une fraction très différente, mais également opposante. C'est ainsi que nous avons vu le royaliste Berryer défendre des grévistes, et que nous voyons le républicain socialiste Michel (de Bourges) se présenter à la barre à côté du bonapartiste républicain Laity.

Socialiste, révolutionnaire même, Michel l'a été tout au moins dans la première partie de sa brillante carrière. Ce petit homme grêle, chauve et voûté, d'aspect maladif, semblait ne vivre que par la passion emportée qu'il mettait dans toute chose. Sous l'apparence d'un vieillard, il avait toute la fougue de la jeunesse. George Sand, dans l'Histoire de ma vie, raconte en ces termes la conclusion d'une discussion sur le socialisme, une nuit de fête aux Tuileries. Les deux interlocuteurs sont sur le pont des Saints-Pères, lui pressant et véhément, elle plutôt réfractaire à la doctrine de l'égalité sociale et de la révolution.

« Il était monté sur ce dada, dit-elle, qui était véritablement le cheval pâle de la vision. Il était hors de lui : il descendait sur le quai en déclamant, il brisa sa canne sur les murs du vieux Louvre, il poussa des exclamations tellement séditieuses, que je ne comprends pas comment il ne fut ni remarqué, ni entendu, ni ramassé par la police. Il n'y avait que lui au monde qui pût faire de pareilles excentricités sans paraître fou et sans être ridicule. »

Le client de Michel (de Bourges), malgré la véhémente défense de celui-ci, fut condamné à cinq ans de prison. Les bonapartistes, tant aidés par les républicains dans la confection de la légende napoléonienne, n'avaient pas besoin de cette condamnation pour manifester leurs sentiments hostiles au régime de juillet. Et ces manifestations trouvaient fréquemment un écho dans les masses.

C'est ainsi qu'à Reims, un prédicateur de passage, ayant mal parlé de Napoléon en chaire, souleva une véritable émeute populaire et fut poursuivi jusqu'à son logis, dont la police eut beaucoup de peine à empêcher l'envahissement par la foule.

D'ailleurs, l'impopularité du clergé allait croissante à mesure que s'opérait un rapprochement plus étroit entre lui et le pouvoir et, que d'autre part, on voyait, au mépris de la loi de 1834, se reformer les anciennes congrégations religieuses.

C'est à ce moment, le 11 décembre, que mourut, à Clermont-Ferrand, le comte de Montlosier, l'implacable adversaire des jésuites, contre lesquels il avait rédigé en 1826 un célèbre Mémoire à consulter. Bien qu'il les eût demandés, car il était fervent catholique, le clergé, sur l'ordre de l'évêque, lui refusa les derniers sacrements, à moins qu'il ne rétractât ses écrits contre la fameuse compagnie. Car désormais le jésuitisme et l'Église ne font qu'un, ouvertement. Le temps n'est plus où le clergé français se défendait pied à pied contre cette milice qui ne relève que du pape. Les évêques donnent presque tous l'exemple de la soumission. Celui de Clermont était absolument dans les mains des jésuites.

Montlosier ayant refusé de désavouer ses opinions sur des hommes et sur des actes qui n'avaient rien de commun avec les dogmes essentiels de sa croyance, fut donc rejeté vivant de la communion des fidèles, et mort on lui refusa les obsèques religieuses. Ce fait souleva une grosse émotion, et le gouvernement fut forcé de déférer l'évêque de Clermont au Conseil d'État pour abus. La platonique condamnation qui le frappa lui valut les félicitations de la plupart des membres de l'épiscopat français.

Louis Blanc se scandalise fort de ce refus des sacrements et de la sépulture religieuse opposé à un bon catholique. La thèse cléricale, cependant, est juste en principe. L'église ne considère pas comme fidèles ceux qui acceptent ses dogmes et repoussent sa discipline. Elle forme une association qui lie tous ses membres pour tout ce qu'elle prescrit ou défend, aussi bien que tout pour ce qu'elle enseigne. Il faut accepter tout ou s'en aller. Le temps n'était plus ou l'on pouvait obliger les prêtres à porter entre deux exempts les sacrements aux fidèles.

A propos d'un cas à peu près semblable, où quelques années auparavant un sous-préfet avait d'autorité fait conduire à l'église, malgré le curé, le corps d'un fidèle auquel les secours de la religion avaient été refusés, ce qui fut le cas de l'évêque Grégoire, Lacordaire écrivait dans l'Avenir :

« Or, l'homme qui a bravé tant de Français dans leur religion, qui a traité un lieu où les hommes plient le genou avec plus d'irrévérence qu'il n'en serait permis à l'égard d'une étable, cet homme, il est au coin de son feu, tranquille et content de lui. Vous l'auriez fait pâlir si, prenant votre Dieu déshonoré, le bâton à la main et le chapeau sur la tête, vous l'eussiez porté, dans quelque hutte faite avec des branches de sapin, jurant de ne pas l'exposer une seconde fois aux insultes des temples de l'État. »

Mais ce n'était pas dans des huttes faites de branchages que le clergé entendait loger son Dieu. Aussi Montalembert, le politique du parti ultramontain, s'élève-t-il contre cette « conséquence extrême, injuste et dangereuse », qui ne va rien moins en effet, qu'à séparer complètement l'Église de l'État, et en attendant à montrer l'extrême inconvénient de leur association, puisque l'Église, ainsi, n'est pas libre de régler sa discipline à son gré.

Mais le public ne raisonnait pas si avant. La religion est une institution d'État, ses prêtres sont des fonctionnaires, les églises sont des édifices publics : donc, tout citoyen catholique qui les réclame a droit aux services de la religion et de ses ministres. Ce raisonnement, en somme, n'était pas si faux, et il avait guidé jusque-là l'attitude des divers pouvoirs vis-à-vis de l'Église et devait, avec des différences de forme, la régler jusqu'au moment, enfin venu aujourd'hui, de la séparation définitive.

Ce qui surtout agitait la partie éclairée de l'opinion, c'était de voir l'entente ouverte, avouée, du gouvernement et de la puissance cléricale. Tandis qu'armé de la loi de 1834 le pouvoir traquait impitoyablement les associations, non seulement politiques, mais celles qui voulaient se former pour répandre l'enseignement et l'hygiène parmi les travailleurs, des associations religieuses, objet de toutes les tolérances, sinon de toutes les faveurs administratives, s'organisaient dans la France entière.

Il faut citer en premier lieu la célèbre Société de Saint-Vincent-de-Paul, essentiellement laïque, mais absolument subordonnée à l'Église, fondée par Ozanam en 1833. Écoutons-le entonner le chant de triomphe, vingt ans après, dans un discours où il affirme la force de l'association pour l'augmenter encore :

« Je me rappelle que, dans le principe, un de mes bons amis, abusé un moment par les théories saint-simoniennes, me disait avec un sentiment de compassion : « Mais qu'espérez-vous donc faire ? Vous êtes huit jeunes gens et vous avez la prétention de secourir les misères qui pullulent dans une ville comme Paris ! Et quand vous seriez encore tant et tant, vous ne feriez pas grand chose, Nous, au contraire, nous élaborons des idées et un système qui réformeront le monde et en arracheront la misère pour toujours ». Vous savez, messieurs ; à quoi ont abouti les théories qui causaient cette illusion à mon pauvre ami. Et nous, qu'il prenait en pitié, au lieu de huit, à Paris seulement nous sommes deux mille, et nous visitons cinq mille familles, c'est-à-dire environ vingt mille individus, c'est-à-dire le quart des pauvres que renferment les murs de celle immense cité ».

Cette société de Saint-Vincent-de-Paul rayonnait sur toute la province et avait des sections à l'étranger ; en 1836 elle était déjà une puissance, grâce « au concours discret de l'Église », nous dit M. Debidour, Son objet apparent, d'après ses statuts, était « de porter des consolations aux malades et aux prisonniers, de l'instruction aux enfants pauvres, abandonnés ou détenus, des secours religieux à ceux qui en manquent au moment de la mort. »

Soyons équitable. Cet objet, elle le remplit largement, et même le dépassa. Ses « conférences » de Paris, Nîmes, Dijon, Toulouse, Lyon, Nantes, Rennes, s'occupèrent activement à suppléer à l'insouciance des pouvoirs publics. Les membres de la société se multipliaient pour arracher les enfants à la faim et au vice, leur procurer un apprentissage sérieux en les plaçant chez des patrons soucieux de leurs devoirs. Ils fondèrent des crèches qui arrachèrent à la mort des milliers de petits êtres, des écoles pour les adultes, des patronages pour soustraire les jeunes gens à la contagion du vice, des hospices pour les vieillards.

Mais ces services rendus ainsi aux déshérités en l'absence presque absolue, et souvent à la fois dérisoire et injurieuse, d'institutions sociales de secours aux faibles et aux abandonnés, n'atteignaient qu'une portion infime de cette population misérable. Et d'autre part, quels que fussent le dévouement et les charitables intentions des membres de la Société de Saint-Vincent-de-Paul, leur œuvre était avant tout une œuvre de prosélytisme catholique. Ils arrachaient un enfant à la mort ou au vice, mais c'était pour donner un homme à l'Église, arracher un combattant à la cause de la libération sociale et le tourner contre elle, tenter de restaurer dans les foules ouvrières les antiques sentiments de soumission et de résignation.

Ils achetaient des consciences pour un morceau de pain, spéculaient sur la détresse des veuves qui voyaient dépérir leurs enfants, sur le chômage des ouvriers chargés de famille. Ils ne supprimaient pas la misère, mais bien plutôt essayaient d'y acclimater ses victimes en les détournant de toute espérance terrestre. On a vu, par les scandales récents des ouvroirs et orphelinats du Bon Pasteur et par ceux du placement des orphelins par des courtiers ecclésiastiques affublés d'un faux petit manteau bleu, à quelle cruelle et rapace exploitation du travail enfantin peuvent conduire des œuvres semblables à celle dont, en 1833, Frédéric Ozanam jeta les fondements.

À côté de la Société de Saint-Vincent-de-Paul, qui déclare dans ses statuts ne pas se mêler de politique, déclaration de style qui ne trompe personne, se fonde le Cercle catholique, où se groupent les chefs du parti légitimiste, l'Association pour la propagation de la foi, qui ralliera bientôt sept à huit cent mille affiliés et verra s'enfler sa caisse chaque année de plusieurs millions, la Société des Amis de l'Enfance, dont le titre dit l'objet, et celle de Saint-François-Xavier, qui n'a pas pour but de rendre hommage au célèbre jésuite miraculé mais, dit M. Debidour, « d'endoctriner et d'embrigader la classe ouvrière. »

Et, tandis qu'elle travaillait ainsi le peuple, l'Église s'occupait à reconquérir la bourgeoisie, d'ailleurs fort disposée à se laisser faire et à chercher dans la religion et ses disciplines le moyen de préserver ses richesses de toute agression. La bourgeoisie ne pouvait aider les congrégations à reconquérir le peuple, à lui donner un enseignement de servitude, et demeurer elle-même incroyante. Tout au moins devait-elle faire semblant de croire. Elle livra ses enfants aux congrégations enseignantes, jésuites en tête, qui reparaissaient un peu partout, tandis qu'elle livrait les enfants de ses ouvriers aux frères des écoles chrétiennes. Pour les filles de la classe ouvrière, c'était bien simple : s'étant presque absolument désintéressé de leur instruction, l'État les livra aux écoles des deux cent vingt congrégations de femmes qu'il autorisa en l'espace de moins de douze ans.

Les jésuites, rentrés dans leur maison de Saint-Acheul fermée sous Charles X, poussaient leurs élèves à l'École Normale et à l'École Polytechnique, installant ainsi leur puissance dans l'Université même, dans l'armée, la haute administration et les fonctions supérieures de l'industrie. Un Institut catholique essayait d'entamer les éléments intellectuels de la classe dirigeante par des cours et des conférences littéraires et scientifiques pour lesquels certaines églises de Paris fournissaient parfois le local.

Lacordaire, après avoir montré l'habit de dominicain dans la chaire de la cathédrale de Bordeaux, allait l'arborer dans la chaire de Notre-Dame, dans ces célèbres conférences pour les hommes auxquelles devait se ruer la bourgeoisie. Le père Ravignan l'y précédait en 1837, le souple jésuite frayant la voie à l'audacieux dominicain. L'éloquence sobre et ferme du premier préparait les esprits aux audaces et aux véhémences du second. La Compagnie gardait d'ailleurs la haute main sur toute les congrégations, étant toute puissante à Rome. Ses établissements s'étaient accrus au point qu'en 1836, elle dut dédoubler sa province de France, avoir un provincial à Paris et un à Lyon.

L'argent affluait pour toutes ces œuvres, tous moyens étant bons pour l'attirer. Les jésuites préludaient à la résurrection du grossier fétichisme matériel que Lourdes, le Sacré-Cœur et Saint-Antoine de Padoue ont tant développé depuis. Les indulgences se vendaient couramment au prix fait de quinze francs, et pour 21 fr. 50 on avait le droit de lire Voltaire sans pécher. Il y avait des tarifs pour les reliques, et l'on pouvait s'en procurer moyennant 3 fr. 50, mais à ce prix, elles étaient moins efficaces et ne conduisaient pas tout droit au Ciel leur possesseur. On vendait aux illettrés des lettres autographes de Jésus-Christ et de la Sainte-Vierge, des relations de miracles accomplies par des médailles de l'Immaculée-Conception, des imageries grossières qui bouleversaient les lois de la nature et mettaient à l'envers les têtes faibles.

Partout les processions, les pèlerinages, réunissaient les confréries et les congrégations, activant leur propagande, éblouissant les simples, les entraînant par les exercices dévots dont la répétition mécanique produisait des effets d'hypnotisme collectif. Rien que par des donations autorisées, et la loi empêchait les congrégations prétendument dissoutes d'y prendre part, quatre-vingt mille francs de rente s'ajoutaient chaque année au trésor de l'Église. C'est dire à quel chiffre devait s'élever le revenu, acquis de cette manière et grâce à des prête-noms, par les congrégations non autorisées, de beaucoup les plus actives et les plus puissantes.

Le roi et sa famille avaient donné le ton. Le temps était loin où Louis-Philippe s'abstenait de prononcer le nom de Dieu dans ses propos publics. En 1837, on avait replacé les crucifix dans les tribunaux. On voyait à présent des évêques aux Tuileries et, leur rendant cette politesse, la reine et ses filles allaient parfois à la messe dans les églises paroissiales, bien qu'il y eût une chapelle aux Tuileries. Le budget des cultes, ou plutôt du culte, était augmenté d'année en année. En 1830, au moment de la révolution, il approchait de trente-six millions ; on l'avait ramené à trente-deux millions et demi en 1832, il devait avant 1840 se rapprocher du chiffre fixé par les ministres et les Chambres de Charles X.

Aussi le pape disait-il, en 1837, à Montalembert : « Je suis très content de Louis-Philippe, je voudrais que tous les rois de l'Europe lui ressemblassent ». À cette époque dans un mémoire confidentiel, le provincial de Paris, le père Guidée, essayait de prouver au roi, qui ne demandait qu'à être convaincu, que l'ordre des jésuites servait de son mieux la monarchie de Juillet, et qu'il la servirait encore plus efficacement si on lui rendait le pouvoir d'agir au grand jour comme aux beaux temps de la Restauration.

Ce refleurissement des vertus chrétiennes, ou plutôt de leurs pratiques, n'empêchait point une société fondée sur le profit de donner ses fruits naturels, la corruption et la concussion, et un journal, le Messager, pouvait accuser Gisquet, l'ancien commis de Casimir Périer, d'avoir trafiqué de sa situation alors qu'il était préfet de police. On se rappelle que le personnage n'avait pas attendu d'être pourvu d'une situation officielle par son patron pour faire sa main dans les affaires publiques, et l'on n'a pas oublié sa fructueuse opération sur l'achat des fusils anglais pour le compte du gouvernement. Celte fois, il était formellement accusé de concussion et de prévarication.

Fort de sa situation et des appuis qu'elle devait lui valoir, Gisquet poursuivit le Messager devant la cour d'assises. Là, des témoins prouvèrent que la maîtresse de l'ancien préfet de police et la mère de cette aimable personne avaient trafiqué de leur influence auprès de lui sur une large échelle, et le ministère public lui-même dut conclure à l'acquittement du journal accusateur, qui s'en tira avec cent francs d'amende. Le jury, niant l'évidence, avait opté pour la culpabilité, en haine de la presse indépendante.

Ayant mal réussi, elle, à jouer de la vertu pour abattre le ministère sur la question des fonds secrets, la coalition ne démonta pas ses batteries pour un si mince échec.

Elle allait bon train, rendant au comte Molé le gouvernement impossible, lui recrutant chaque jour un nouvel adversaire. Celui-ci se défendait de son mieux, parfois avec énergie et selon ses moyens. C'est ainsi que le procureur-général Persil, étant entré dans la coalition, fut destitué tout net.

Lamartine, sollicité, refusa de se prononcer pour elle, alléguant, ce qui était vrai, qu'elle ne représentait aucun progrès politique ou social et n'était qu'une ligue d'intérêts formée pour la conquête du pouvoir. Pour les mêmes raisons, Royer-Collard, doctrinaire implacable, refusait de se laisser séduire par la formule de Duvergier de Hauraniie et condamnait hautement la coalition. En revanche, Dupin ainé, flairant le succès prochain, intervenait pour elle et rompait la neutralité présidentielle dans une des séances de la commission chargée de rédiger l'adresse.

La discussion de l'adresse eut lieu, et au vote le gouvernement ne remporta que de treize voix, parmi lesquelles il faut compter celles des ministres. C'était au ministère de s'en aller : ce fut la Chambre qui partit. Elle fut dissoute le 2 lévrier 1839, et pour la seconde fois le comte Molé présida aux élections.

Il opéra avec la désinvolture d'un grand seigneur, aidé par Montalivet, ministre de l'Intérieur, dont M. Thureau-Dangin lui-même dit que « son zèle ne redoutait pas les compromissions ». L'écrivain monarchiste avoue qu'il se peut que, dans cette élection où jouèrent la violence, l'intrigue, la pression et la corruption, « la juste mesure ait été parfois dépassée et qu'il y ait eu, en plus d'une circonstance, ce qu on a appelé « l'abus des influences », car « M. Molé n'était pas scrupuleux en pareille matière ». Tout en déclarant que le National exagérait en s'écriant : « La corruption coule à plein bord », et en protestant contre les « hyperboles d'opposition » dont « il faut toujours beaucoup rabattre », M. Thureau-Dangin n'en est pas moins forcé de convenir de certains faits qui justifient la protestation du National.

Le ministère Molé usa « de tous les moyens d'influence administrative » en faveur de ses candidats, nous dit M. Thureau-Dangin. « Les faveurs de l'administration, ajoute-t-il, les places, tendaient, de plus en plus, à devenir la monnaie courante avec laquelle on payait les votes. Sur 459 députés, on ne comptait pas moins de 191 fonctionnaires. » Quant aux électeurs, on les travaillait, non seulement au moyen de toutes les forces de promesse et d'intimidation que le pouvoir avait à sa disposition, mais encore par les journaux, « grâce aux subventions libéralement distribuées par M. Molé ».

« Le ministère, nous dit l'historien de la Monarchie de Juillet, à qui je continue d'emprunter ces citations, avait alors à son service le Journal des Débats, la Presse, la Charte de 1830, le Temps. Depuis peu, il avait en outre enlevé aux doctrinaires l'un de leurs organes, le Journal de Paris. En outre, M. Molé s'était assuré le concours personnel de certains rédacteurs des feuilles de gauche. »

Si ce n'est pas là de la corruption, que faut-il à M. Thureau-Dangin ? Il nous dit que Thiers et Guizot en avaient fait autant, et que, « depuis on a fait mieux » Soit, mais le comte Molé avait beau corriger, ou du moins voiler « par son excellente tenue et la parfaite dignité de ses manières, ce que la besogne avait parfois d'un peu suspect », ce n'en était pas moins la falsification organisée des volontés de ce qu'on appelait alors le pays légal.

À bon chat bon rat, d'ailleurs. Thiers et Guizot, qui savaient de quelle pâte sont pétris les fonctionnaires et comme la crainte du ministre d'hier et de demain paralyse leur zèle pour le ministre d'aujourd'hui, lancèrent un « appel aux fonctionnaires dévoués », qui ne contribua pas pour peu à la victoire de la coalition. « Triste spectacle, dit M. Thureau-Dangin, aussi sévère pour la manœuvre légitime de la coalition qu'indulgent pour les procédés électoraux du ministère, triste spectacle que celui d'hommes de gouvernement qui, pour satisfaire la passion d'un moment, ne craignent pas de démoraliser l'administration dont ils pourront avoir eux-mêmes à se servir bientôt. »

Selon lui, Thiers et Guizot étaient sortis des règles du jeu. « Si ce n'est pas de l'anarchie, s'écrie-t-il, il faut rayer ce mot du dictionnaire. » Si le scandale de M. Thureau-Dangin n'est pas du pharisaïsme, il faut rayer ce mot du dictionnaire.

Le 2 mars, les élections eurent lieu. La coalition l'emportait. Rien qu'à Paris, elle obtenait huit sièges sur douze. Le 8, Molé donnait sa démission, et une crise ministérielle s'ouvrait qui devait durer deux mois, tant par les difficultés que trouvaient les coalisés à se partager le pouvoir que par les résistances de Louis-Philippe à se laisser imposer la formule : « le roi règne et ne gouverne pas », résistances encouragées et fortifiées par les compétitions et les intrigues des meneurs. Il essaya d'écarter Thiers en lui offrant une ambassade. Celui-ci, qui voulait mieux et plus, refusa. « Voici ce qu'on raconte, dit Proudhon dans une lettre du 24 mars 1839 : « Le petit Foutriquet (c'est ainsi que Soult appelle Thiers) a une envie démesurée de devenir ministre, mais pas au point de consentir à redevenir ce qu'il a été jadis ; il lui faut aujourd'hui du pouvoir ; il veut être maître. Quand il avait sa fortune à faire, il ne disait rien et passait sous les jambes du maréchal Soult ; mais à présent qu'il est grand seigneur, qu'il ne peut plus souhaiter, il change ses conditions. »

Dans une autre lettre, du 12 avril, le jeune pensionnaire de l'Académie de Besançon, qui va lancer bientôt son premier Mémoire sur la propriété, rapporte ainsi les bruits qui couraient dans le public, au cours de cette crise prolongée, où les combinaisons ministérielles s'échafaudaient chaque matin pour s'écrouler le soir :

« Ces jours derniers, on disait, de par le monde, que, M. Decazes s'étant avisé, au plus fort de la crise ministérielle, d'insinuer une abdication en faveur de Coco-Poulot, Louis-Philippe était entré dans une colère extraordinaire ; qu'il avait mis son fils aîné aux arrêts, et qu'on avait eu toutes les peines du monde à l'empêcher de faire faire le procès au comte Decazes. Cette dernière particularité me rend un peu suspecte la vérité de l'anecdote que je vous donne d'ailleurs telle que je l'ai entendue. »

Avec la lucidité d'un esprit mûr pour l'immense effort auquel il va se vouer, Proudhon fait justice de la fiction sur laquelle les partis se sont livré bataille, en cette mêlée confuse. « Chose étrange, dit-il, on ne veut pas que le roi gouverne, mais on veut gouverner soi-même, comme si l'on était plus infaillible que le roi ! Car je suppose que vous n'en êtes pas à prendre au sérieux la responsabilité ministérielle. J'avoue que si j'étais tiers-parti ou dynastique, je serais pour le gouvernement personnel du roi, avec la responsabilité des ministres ; quitte à ceux-ci de laisser là leurs portefeuilles quand ils ne voudraient plus répondre ! »

C'était la thèse même de Louis-Philippe. Elle avait pour elle le sens commun et la réalité des choses. Elle montrait le vice fondamental de la monarchie constitutionnelle, mais ce n'est pas la faute de Proudhon si la révolution de 1789 avait rendu à jamais impossible en France l'application de ce système, qui est ailleurs le résultat d'un compromis organique entre la monarchie qui recule et le peuple qui avance.

Cette crise prolongée, qui pouvait donner aux Français plus d'un enseignement utile, fut dénouée brusquement par un mouvement révolutionnaire avorté, qui eut pour premier résultat d'arrêter toutes les réflexions et de permettre à Louis-Philippe de choisir des ministres à son gré.

Chapitre V
L'émeute résoud la crise.

Nouvelle tentative insurrectionnelle. — État des forces révolutionnaires parisiennes. — Mésintelligence entre les chefs, indiscipline chez les soldats. — Barbès attaque la Préfecture de police. — L'Hôtel de Ville occupé par les insurgés. — L'appel aux armes laisse la population indifférente. — Acculée aux barricades, l'émeute est vaincue. — Après la défaite.

On est au 12 mai. Les Parisiens endimanchés rient au printemps réparateur d'une dure année de crise et de chômage. Précédés des enfants raidis dans leurs vêtements neufs, les couples légitimes se dirigent vers les boulevards, d'où ils pousseront jusqu'aux Champs-Élysées, les plus endurants jusqu'au bois de Boulogne. Quant aux autres, ceux qui n'ont pour loi que l'amour ou la fantaisie, clercs et grisettes, calicots et demoiselles de magasin, ils se sont envolés dès le matin vers leur banlieue préférée.

Soudain un chant retentit, qui range les familles sur les trottoirs. Et devant leurs yeux étonnés défile sur la chaussée un groupe d'hommes armés qui appellent le peuple à la révolution et s'y jettent résolument. Les boutiquiers qui n'ont pas fermé leurs devantures se précipitent sur leurs volets, mais avant qu'ils les aient posés, la troupe chantante est déjà passée ; nul dans la foule surprise ne lui a fait écho, ne l'a suivie dans sa course à la mort. Et ce passage rapide de la révolution en armes alimente les causeries du pas de porte, où les gens établis démontrent aux concierges respectueux que le temps des révolutions est passé, et qu'un bataillon de municipaux suffira pour disperser cette poignée de braillards.

Qu'est-ce donc que ces hommes dont la fureur emportée vient de traverser l'indifférence des flâneurs en y laissant à peine un frémissement, tel un navire fugitif dont le mouvement des flots a vite effacé le sillage ?

Ce sont les inlassables soldats de la République, patiemment enrégimentés par Blanqui, les survivants de Saint-Merri et de Transnonain, qui tentent un dernier et suprême assaut, confiant à la force le soin de détruire ce que la ruse édifia et, mesurant l'impatience du peuple à ses souffrances, croient qu'il suffira de l'appeler aux armes, de lui montrer qu'on en a, pour qu'il se lève et installe sur les pavés bouleversés sa souveraineté reconquise.

Cette journée est à Blanqui. C'est lui qui l'a voulue, longuement méditée dans la solitude de Jancy, en a réglé les détails et surveillé les préparatifs. Douze cents hommes ont été un à un affiliés aux Saisons. Des journaux clandestins, le Moniteur Républicain d'abord, l'Homme libre ensuite, leur ont enseigné que la République n'est pas un but, mais un moyen, et qu'elle ne sera en réalité que lorsque la terre appartiendra à tout le monde.

Comment douteraient-ils du succès d'un coup de main hardi ? Est-ce que le peuple serait assez contre son intérêt pour ne pas suivre ses libérateurs ? « Nous sommes vingt-quatre millions de pauvres, disait l'Homme Libre dans son quatrième numéro, et nos ennemis sont en petit nombre. » Et quand même le peuple, abruti par sa servitude, ne prêterait pas les mains à sa libération, son inertie doit-elle arrêter ceux qui veulent agir ? Ils sont en petit nombre, eux aussi, mais la victoire ne se vend pas au poids, elle se donne à la valeur.

Ils étaient douze cents, groupés par semaines, mois et saisons. Bien que chacun dût se pourvoir d'un fusil en entrant dans l'association, beaucoup d'entre les trois cents qui furent exacts au rendez-vous donné par Blanqui, Barbes et Martin-Bernard, se présentèrent les mains vides. Double déficit. De ces hommes si sûrs, liés par des serments, si impatients eux-mêmes d'aller au combat, un sur quatre seulement ! Du moins, sur le second point, la stratégie des chefs ne fut-elle point en défaut. Ils n'avaient pas d'armes à donner aux soldats qui en manquaient, mais ils les avaient réunis à proximité d'un armurier, à quelques centaines de mètres de leur dépôt de cartouches de la rue Quincampoix.

Il y avait eu désaccord entre les chefs sur le moment de l'action. Barbès, qui était allé dans l'Aude prendre part à la campagne électorale, eût voulu le retarder. Il avait, en tout cas, promis de revenir à Paris au premier signal. Blanqui et Martin-Bernard jugeant les circonstances favorables, croyant qu'une crise ministérielle, où toutes les fibres fortes du pouvoir sont relâchées et tous les esprits préoccupés des affaires publiques, leur offrait toutes les chances de succès, avaient fixé la prise d'armes au 5 mai.

Blanqui fit reculer la date de huit jours, afin que l'insurrection put mettre à profit le changement de la garnison de Paris et ne trouvât devant elle que des soldats inhabiles à retrouver leur chemin dans le lacis de vieilles rues propice aux mouvements révolutionnaires. Barbès, rappelé à Paris par Blanqui, refusa d'abord de venir, puis, sur une seconde lettre qui, selon une version d'un ancien compagnon de captivité des deux chefs révolutionnaires, piqua son courage en le mettant en doute, vint prendre son poste de combat.

Dans le bref billet qui rappelait à Barbès l'engagement pris, Blanqui a-t-il vraiment dit à Barbès, dont il connaissait et appréciait la qualité maîtresse : « Tu es un lâche » ? Nous n'avons là-dessus que l'affirmation de Langlois, et elle peut être une interprétation. Sans doute Blanqui a-t-il dit : « Si tu ne reviens pas, nos amis diront que tu es un lâche ». Qu'on songe à la différence profonde qui existait entre eux : Blanqui, froid, précis, méthodique, calculateur ; Barbès, emporté, capricieux, déréglé, tout de premier mouvement. Le premier établit une discipline et s'y soumet ; le second veut bien imposer la sienne, mais n'en accepte aucune de bon gré.

.Martin-Bernard était surtout l'ami de Barbès, mais par la pensée le jeune imprimeur était plus près de Blanqui. Il avait donné son cœur au premier, mais sa tête était tout entière au second, dont il subissait l'invincible ascendant. Il s'associa donc aux instances de Blanqui et, rongeant le frein, Barbès accepta le rendez-vous et y fut exact.

Dans quel esprit il y venait, les douloureuses querelles de l'avenir, aigries par l'isolement individuel, puis collectif, des prisons du Mont-Saint-Michel et de Belle-Isle, le diront assez, et ce sera la tâche de Georges Renard d'avoir à réconcilier devant la postérité ceux qui furent à ce moment la tête et le bras de la révolution et ne déméritèrent point l'un de l'autre au moment du péril.

Midi était l'heure fixée pour le rassemblement, au coin de la rue Mandar et de la rue Montorgueil, rue Bourg-l'Abbé et rue Saint-Martin, en face du numéro 10. Un va-et-vient entre les trois groupes s'établit, on s'étonne d'être aussi peu nombreux. Les chefs rassurent leurs hommes : les retardataires ne peuvent manquer d'arriver d'un moment à l'autre. Tandis que Blanqui, après avoir attaché un guidon rouge à son pistolet, emmène sa troupe rue Bourg-l'Abbé, Barbès court au dépôt de la rue Quincampoix. Tout cela dans un va-et-vient hâtif, fiévreux, inquiet, où bourdonnent des murmures contre Barbès, jusqu'à ce qu'il soit revenu avec les cartouches. Blanqui alors élève en l'air son guidon rouge, des groupes d'hommes se précipitent des rues avoisinantes et se massent autour de lui.

La boutique de l'armurier Lepage est envahie. Barbès et Blanqui distribuent des armes et des cartouches dans le désordre et le brouhaha. Malgré les disciplines verbales de comité, chacun sur le terrain de l'action propose son idée, l'oppose à celle de son voisin ou s'accorde avec lui pour accuser les chefs d'impéritie, même de trahison.

Mais à présent que tous sont armés, que nulle main ne se tend plus vers les caisses de fusils et de cartouches, il faut bien, malgré le petit nombre, se décider à exécuter le plan décidé par les chefs. Parmi ceux-ci, Blanqui se tient pâle et tremblant, domptant de son mieux un mouvement de nature que, ne l'éprouvant pas pour son compte, Barbès ne peut comprendre et dont il lui fera grief plus tard. Barbès ignore la colique d'Henri IV au moment du combat, et comment il s'apostrophait : « Tu trembles, carcasse ! mais tu tremblerais bien plus si tu savais où je vais te conduire tout à l'heure. »

Blanqui, lui aussi, dompte la carcasse, et d'un pas ferme il dirige sa troupe sur le Châtelet, où il doit attendre celle de Barbès pour attaquer l'Hôtel de Ville. Barbès a entraîné déjà la sienne vers la préfecture de police, qu'il se propose d'enlever rapidement, laissant au peuple soulevé le soin d'occuper la place, une fois conquise. La troupe de Martin-Bernard retrouvera les deux autres au Châtelet après avoir promené l'appel aux armes dans les rues.

A la préfecture de police. Barbès et ses hommes sont arrêtés par le poste accouru sous les armes. Tandis que Barbès somme le lieutenant Drouineau, commandant du poste, de le laisser passer, des coups de feu sont tirés par des insurgés. Le lieutenant tombe, les municipaux ripostent, la fusillade s'engage, le poste est enlevé. Mais la préfecture a eu le temps de se mettre en. défense, des fenêtres de la rue de Jérusalem on tire sur les révolutionnaires qui rétrogradent sur la place du Châtelet, d'où, joints aux hommes de Blanqui et de Martin-Bernard, ils se dirigent vers l'Hôtel de Ville.

Tout cela, dans le vide d'une foule effarée, que la curiosité n'entraîne même point sur leurs pas, que l'incompréhension encore plus que la crainte tient muette et distante, étrangère au drame qui se joue. De quel regard Blanqui les voit-il, ces familles dont sa course haletante gêne la joie dominicale ? Le font-elles songer à l'enfant qui babille, à la femme qui tremble dans le petit jardin des bords de l'Oise ? Non, sans doute. Il se dit que rien n'est perdu encore pour la révolution. Tout à l'heure on lancera des fenêtres de l'Hôtel de Ville les décrets qui annoncent au peuple un nouveau gouvernement. Ce gouvernement, le peuple l'acceptera, comme tous ceux qui lui ont été lancés de ces fenêtres historiques, avec d'autant plus de joie que, cette fois, c'est le sien qu'on va lui donner, c'est sa propre souveraineté qui va être proclamée.

L'Hôtel de Ville est envahi par les insurgés, à peine assez nombreux pour paraître l'occuper, dans ce vaste désert des salles, des bureaux et des couloirs que fait le dimanche. Les chefs, cependant, se retrouvent, s'apprêtent à rédiger les décrets essentiels par quoi le pouvoir s'affirme, en attendant qu'il soit. Et dans le roulement des tambours qui rassemble les gardes nationaux et les soldats autour de l'Hôtel de Ville et les fait bientôt plus nombreux que la foule. Barbès s'empare de la proclamation rédigée par Blanqui et la lit, non au peuple absent, mais aux insurgés qui se bousculent et déjà sont inquiets de savoir comment ils sortiront de cette grande maison vide résonnante de tout le bruit qui retentit autour d'elle et domine celui qu'ils y font eux-mêmes.

Voici cette proclamation qui appelait le peuple aux armes et qui le laissa indifférent plus encore par surprise que par hostilité :

> « Aux armes, citoyens !
>
> « L'heure fatale a sonné pour les oppresseurs.
>
> « Le lâche tyran des Tuileries se rit de la faim qui déchire les entrailles du peuple, mais la mesure de ses crimes est comblée, ils vont enfin recevoir leur châtiment.
>
> « La France trahie, le sang de nos frères égorgés crient vers vous et demandent vengeance ; qu'elle soit terrible, car elle a trop tardé ; périsse enfin l'exploitation et que l'égalité s'asseye triomphante sur les débris confondus de la royauté et de l'aristocratie ! Le gouvernement provisoire a choisi des chefs militaires pour diriger le combat, ces chefs sortent de vos rangs ; suivez-les, ils vous mèneront à la victoire.
>
> « Sont nommés :
>
> « Auguste Blanqui, commandant en chef ; Barbès, Martin-Bernard, Guignot, Meilland, Nettré, commandants des divisions de l'armée républicaine.
>
> « Peuple, lève-toi, et tes ennemis disparaîtront comme la poussière devant l'ouragan. Frappe, extermine sans pitié les vils satellites, complices volontaires do la tyrannie ; mais tends la main à ces soldats sortis de ton sein, qui ne tourneront point contre toi des armes parricides.
>
> « En avant ! Vive la République !
>
> « Barbès, Voyer d'Argenson, Auguste Blanqui, Lamennais, Martin-Bernard, Dubosc, Laponneraye. «

Les noms de Voyer d'Argenson et de Lamennais avaient été mis à leur insu au bas de la proclamation, non pour les compromettre, car, en cas d'échec, nulle charge n'eût pu être relevée contre eux, mais pour utiliser l'immense popularité de l'auteur des Paroles d'un Croyant et rendre hommage à celui qui, à la Chambre, s'était fait le champion de la démocratie et du socialisme. Cependant, au cas d'une de ces furieuses tourmentes de réaction où la bourgeoisie venge sa frayeur par sa férocité et, toujours calculatrice, profite de sa vindicte pour frapper à la tête et liquider ses plus puissants adversaires, le procédé pouvait vouer au massacre le prêtre rebelle à l'Église et le grand seigneur communiste. On ne peut donc approuver les hommes du 12 mai d'avoir ainsi, délibérément, à la fois abusé le peuple et jeté dans leur combat des hommes qui n'y consentaient pas.

La proclamation lue, il fallait faire quelque chose, mais quelle chose et par où commencer ? Déjà les troupes pourchassaient les insurgés à travers les couloirs. Encore quelques minutes, et ils seraient pris dans l'Hôtel de Ville comme dans une souricière. Se ralliant tant bien que mal, ils se jettent sur le poste Saint-Jean tout proche, et l'enlèvent aux gardes nationaux, puis courent à la mairie du septième arrondissement, rue des Francs-Bourgeois, qu'ils occupent sans coup férir. Il semble que les forces militaires elles-mêmes fassent le vide autour de ce mouvement, comme pour mieux en montrer la chétivité.

De là, on se porte vers la mairie du sixième, à l'abbaye de la rue Saint-Martin, revenant ainsi au fort naturel des précédentes insurrections, un fort toujours condamné à tomber aux mains de l'ennemi, mais où le désespoir décuple l'héroïsme de ses défenseurs. Blanqui, dont la stratégie a tout prévu, l'emplacement des barricades et jusqu'à leur épaisseur, exécute son plan et met la rue Greneta en défense.

Mais les troupes, alors, donnent avec ensemble, agissent avec autant de vigueur qu'elles ont jusqu'alors montré de circonspection. Guignot, Maillard, Barbès, sont blessés, celui-ci à la tête. On les arrête. Blanqui disparaît. La bataille est finie.

Louis Blanc juge avec sévérité la « funeste impatience » de ceux qui, « ayant plus de foi aux victoires de la force qu'aux pacifiques et inévitables conquêtes de l'intelligence, font du progrès de l'humanité une affaire de coup de main, une aventure. » En principe général, cette sévérité n'est que justice. Mais il est des moments historiques où la force seule permet à l'humanité les progrès que la force unie à la ruse s'attache à retarder.

D'ailleurs, quand la force mise au service d'une idée de progrès réussit-elle ? Lorsqu'elle a pour elle le sentiment public. Il faut bien le dire, Blanqui était un organisateur admirable, mais qui vivait trop loin de la foule, trop enfermé dans le cercle des impatients de justice sociale, pour en connaître les véritables sentiments. Se dire que, des barricades ayant fait la monarchie, des barricades pourront la défaire, c'est négliger, tout au moins pour l'affaire du 12 mai, qui est bien sienne, ce coefficient capital : le consentement exprès, du moins tacite, de la foule.

Or, nous avons vu le sentiment de la foule parisienne, si prompte, quand il y a motif, à entrer en ébullition. Ici elle se glace, elle s'écarte, n'ayant pas compris, n'ayant été avertie par rien. Même ceux qui sont les plus prompts à se jeter dans toute agitation populaire, même ceux-là qui ne peuvent voir remuer un pavé sans apporter aussitôt le leur, sont restés immobiles, attentifs certes, mais incertains. « Le mystère dont s'était entourée la conjuration, dit M. Thureau-Dangin, avait eu pour effet que le peuple, même dans sa fraction républicaine révolutionnaire, n'était ni moins surpris, ni moins préparé que le gouvernement. »

Mais pour le gouvernement, la surprise dura peu et ses préparatifs de défense furent d'autant plus faciles à faire que l'attaque était moins dangereuse. La fraction républicaine et révolutionnaire du peuple parisien n'était pas encore revenue de sa surprise ni sortie de son incertitude, que déjà l'insurrection n'était plus.

Insurrection ? Non. Émeute tout au plus. Échauffourée, dit même Michelet, écrivant le 22 à Quinet et lui exprimant sa joie de voir qu'elle « n'ait pas eu son contre-coup à Lyon ». Rien n'était préparé qu'à Paris, et l'ignorance en province était telle que, même parmi les républicains, on croyait les tentatives comme celle du 12 mai organisées par la police.

Dans une lettre du 12 avril, Proudhon semble assez au fait de ce qui se prépare. « Le gouvernement, écrit-il à un de ses amis de province, désirait et provoquait une collision, parce qu'il avait pris ses mesures pour écraser les perturbateurs et que, dit-on, il en avait besoin dans ce moment ; mais il n'en est pas moins certain que les sociétés secrètes ont délibéré sur l'opportunité d'une tentative. » Les « indiscrétions de quelques affiliés » qui ont cherché à l'embaucher, l'ont convaincu de la force des sociétés secrètes, qui « comptent aujourd'hui plus de quinze mille membres ». On voit, par ce chiffre, combien ceux qui cherchaient à « embaucher » le jeune philosophe déjà révolutionnaire, s'abusaient sur leur force réelle, ou l'avaient été par leurs chefs.

Car ces chefs, Proudhon ne les a pas vus. Eux ne recrutent pas. Mais, il sait que tous « les plus fameux, dont quelques-uns sont encore sous le poids d'une contumace, sont réunis à Paris », il a « vu quelques-uns de leurs ordres du jour » et n'ignore pas qu'ils attendent le « moment favorable pour tomber sur ce gouvernement de Juillet comme le chat sur la souris ». On sait ce qu'il advint de ces projets. En voici les conséquences :

Le soir même du 12 mai, un nouveau ministère était constitué.

L'émeute avait permis à la « pensée immuable » du roi de réaliser une fois encore son rêve de gouvernement personnel et d'avoir un premier commis en guise de président du Conseil. « L'émeute avait fait en quelques heures, dit M. Thureau-Dangin, ce que n'avaient pu faire, depuis deux mois, ni l'habileté patiente du roi, ni l'agitation des meneurs parlementaires. » Le premier commis élu par le roi fut le maréchal Soult, encore tout reluisant de son ambassade auprès de la jeune reine

Victoria.

Le procès des insurgés ne traîna pas. Pour faire plus court, la Chambre des pairs divisa les accusés en deux fournées, institua deux procès distincts, au mépris des règles les plus élémentaires du droit. Dix-neuf insurgés furent de la première fournée, Barbès et Martin-Bernard en tête. Arago, Dupont, Jules Favre, Madier-Montjau étaient parmi les défenseurs.

Mérilhou, le rapporteur, s'était attaché tout d'abord à montrer le caractère nouveau de cette tentative insurrectionnelle, non dans les moyens employés, mais dans la pensée qui l'inspirait. « En 1834, disait-il, les juges avaient en face d'eux le parti républicain représenté par toutes ses nuances, fort différentes, et par la plupart de ses chefs, divisés par la tactique autant que par la conception doctrinale. »

« Aujourd'hui les idées ont marché », ajoutait-il. C'est un tout autre parti que la société a devant elle. Pour ce parti, « il faut que le pouvoir soit confié aux classes qui ne possèdent rien ». L'indignation où le met une telle prétention n'aveugle pas le représentant des classes qui possèdent tout. Il montre l'émeute du 12 mai, comme un acte de la lutte de classe poursuivie par ce parti nouveau.

« Ce n'est plus seulement la classe des propriétaires fonciers qu'on désigne comme des oppresseurs féodaux, dit-il, ce sont aussi les propriétaires de capitaux, les chefs de commerce et d'industrie, qu'on associe à la même proscription, sous le nom d'exploiteurs, et qu'on ne saurait trop désigner à la haine des exploités, c'est-à-dire de ceux qu'ils font vivre. » Mérilhou traça ce dernier trait sans rire.

« Vous le voyez, ajoutait-il, ce n'est pas seulement une révolution politique qu'on a eue en vue, c'est une révolution sociale. » Rien de pareil en effet en 1834. Rien non plus à Lyon, en 1831, où l'insurrection a bien le caractère d'un mouvement de classe, mais est plutôt une grève exaspérée jusqu'à la bataille, par le désespoir de n'avoir pu faire l'entente avec les patrons sur un tarif plus équitable. « Ici, dit Mérilhou, c'est la propriété qu'il faut reviser, modifier, transférer ; c'est la conspiration de Babeuf passée de l'état de projet insensé à une sanglante exécution. »

Le rapporteur avait soigneusement compulsé les journaux révolutionnaires. Il s'attacha à donner des extraits du Moniteur républicain et de l'Homme libre, établissant le double caractère communiste et révolutionnaire de ces hommes nouveaux. Nulle société secrète qui ne compte quelque agent de police. Mérilhou put donc lire les formules d'affiliation aux Saisons et impressionner le public par le récit terrifiant des serments exigés des néophytes pour les lier par l'obéissance la plus absolue à leurs chefs.

On procédait, dans ces initiations, par questions graduées. Lorsque le néophyte n'avait pas la parole facile, on lui soufflait la réponse à faire, rédigée en formule.

Réunissons quelques [extraits des deux formules, celle des demandes et celle des réponses :

« ... 2. D. Comment la royauté, que tu déclares si mauvaise, se maintient-elle ? « — R. Parce qu'elle a associé quelques classes du peuple à l'exploitation de toutes les autres.

« ... 8. D. Quels sont ses droits [au citoyen] ? — R. Le droit à l'existence : À la condition du travail, chaque homme doit avoir son existence assurée. Le droit à l'éducation : L'homme n'est pas seulement un composé de matière, il a une intelligence. Le droit électoral.

« ... 11. D. Comment le peuple manifeste-t-il sa volonté ? — R. Par la loi qui n'est autre chose que l'expression de la volonté générale. »

Affirmer que la loi doit être l'expression de la volonté générale, voilà ce que Mérilhou appelait une « propagande anarchiste ». Il est vrai que la formule déclarait nécessaire d'employer un pouvoir révolutionnaire qui mette le peuple à même d'exercer ses droits. Mais la bourgeoisie avait-elle fuit autre chose neuf ans auparavant ? De ce chef, elle n'avait rien à reprocher aux hommes qui étaient devant elle. Elle pouvait les frapper, puisqu'ils étaient des vaincus, mais non les juger.

Forts de cette conviction conforme à la stricte réalité, Barbès, Martin-Bernard et leurs coaccusés refusèrent de répondre à l'interrogatoire et de se défendre. Barbès ne voulut se justifier que sur un point. On lui imputait le meurtre du lieutenant Drouineau. Tout en prenant pour le fait de l'émeute toutes les responsabilités, il rejeta celle-là avec horreur.

Les pairs ne l'en condamnèrent pas moins à mort, tandis que Martin-Bernard était condamné à la déportation, Mialon aux travaux forcés à perpétuité, Delsade et Austen à quinze ans de détention. Los autres condamnations s'échelonnaient de six années do détention à deux ans do prison. Quatre accusés étaient acquittés.

La condamnation de Barbès consterna et indigna l'opinion. Le lendemain même, les étudiants se rendaient en masse au ministère de la Justice et y déposèrent une pétition contre la peine de mort en matière politique en même temps qu'une demande de commutation de peine pour Barbès. Des ouvriers voulurent s'associer à cette manifestation de la jeunesse des écoles ; ils furent brutalement dispersés.

Victor Hugo intervint. Il adressa ce quatrain au roi, qui venait de perdre sa fille et à qui la jeune duchesse d'Orléans venait de donner un petit-fils, espoir de la dynastie :

> Par votre ange envolée ainsi qu'une colombe !

Par le royal enfant, doux et frêle roseau !
Grâce encore une fois ! Grâce au nom de la tombe !
Grâce au nom du berceau !

Stoïque, Barbès attendait son sort en prison. À la lecture de l'arrêt qui le frappait, il s'était écrié avec angoisse : — Martin-Bernard est-il condamné à mort ? et la joie avait paru sur ses traits d'apprendre que son ami avait la vie sauve. Son sacrifice était fait du jour où il était entré dans la lutte, et dans cette suprême épreuve, il remerciait Dieu de l'avoir fait « Français, républicain, aimé des bons, proscrit par les méchants ». Un bruit dans la prison lui ayant fait croire que le moment était venu, il s'écriait : « Saint-Just, Robespierre, Couthon, Babeuf, et vous aussi, mon père, ma mère, qui m'avez porté dans vos entrailles, priez pour moi, voici mon jour de gloire qui vient ! »

C'était la grâce qui allait venir. Suivant son penchant naturel, Louis-Philippe résista aux conseillers de vengeance et de sang. Il commua la peine de Barbès en travaux forcés, puis en déportation. Les condamnés furent transportés au Mont-Saint-Michel, où Blanqui ne tarda pas à les rejoindre, ayant été arrêté le 14 octobre au moment où il montait en diligence pour gagner la Suisse. Condamné à mort en tête de la fournée de trente qui comparut devant les Pairs le 14 janvier 1840, Blanqui vit également sa peine commuée en celle de la déportation tandis que ses co-accusés étaient frappés de peines variant de quinze à deux années de prison.

Louis-Philippe bénit en son cœur ce mouvement insurrectionnel si peu dangereux pour son trône et qui lui permettait de réaliser une fois de plus sa « pensée immuable », le gouvernement personnel. Mais si le maréchal Soult est bien le premier commis qu'il lui faut, il y a dans le cabinet un ministre, Villemain, fort bon catholique, mais que son attachement à l'Université portera à la défendre pied à pied contre l'enseignement congréganiste.

Ce n'était pas ce ministre-là qui reprendrait le projet déposé par son prédécesseur Guizot, en 1836, à la grande joie du roi, sur l'enseignement secondaire. Ce projet autorisait les particuliers à fonder des établissements sans autres garanties que certaines conditions de grades et de moralité. La Chambre, heureusement y avait ajouté que tout directeur d'établissement libre d'enseignement devrait déclarer par écrit qu'il n'appartenait pas à une congrégation non autorisée en France. Le roi, alors, avait fait retirer le projet. 11 ne pouvait pas compter sur Villemain pour en présenter un semblable.

La coalition n'avait aucune raison pour désarmer devant le nouveau cabinet, au contraire. Dès les premiers jours de janvier 1840, elle était partie en campagne et Thiers avait fait une brillante critique de la politique extérieure, notamment dans les affaires d'Orient. Il crut original de renouveler un peu le magasin d'idées mégalomanes du libéralisme en donnant à l'alliance franco-anglaise le caractère d'un partage d'influence universelle : à la France, l'Europe continentale ; à l'Angleterre, nation maritime, le reste du globe.

Mais la véritable attaque se produisit sur le projet de dotation au jeune duc de Nemours, présenté cette fois encore, sur les instances de Louis-Philippe, que ne rebutait aucun échec, et peut-être désireux, en l'envoyant se faire battre par la Chambre, de se débarrasser d'un ministère où se manifestaient des velléités d'indépendance : Passy était trop fier pour être un commis en sous-ordre ; Dufaure avait de la raideur et de la brusquerie et Teste des tendances libérales, Villemain défendait l'Université contre les jésuites. Le roi les envoya à la bataille sans regret, tout prêt à prendre Sébastiani si la Chambre battait le maréchal Soult.

La dotation Nemours raviva toutes les polémiques sur l'avidité du roi à pourvoir ses enfants. Cormenin se distingua naturellement dans le flot de brochures et d'articles que les cinq cent mille francs de rente à donner au fils du roi firent surgir, en même temps que de partout les pétitions affluaient à la Chambre, la suppliant de ne rien voter, puisqu'en montant sur le trône Louis-Philippe avait fait donation de ses immenses biens à ses enfants.

Ces bourgeois, dit ironiquement Henri Heine, « avaient complètement perdu le sens monarchique. De là l'aveuglement avec lequel ils se plaisaient à humilier, à ébranler, à entraver une royauté qu'au fond, cependant, ils eussent été épouvantés de voir disparaître. » De son côté, Proudhon relève avec sa verdeur accoutumée l'inconséquence de gens qui veulent un roi et liardent sur ce qu'il coûte : « Qui veut le roi, fait-il, veut une famille royale, veut une cour, veut des princes du sang, veut tout ce qui s'ensuit. Le Journal des Débats dit vrai : les bourgeois conservateurs et dynastiques démembrent et démolissent la royauté, dont ils sont envieux comme des crapauds. »

Les « crapauds » l'emportèrent. Le 20 février, par 26 voix de majorité, la Chambre rejeta la dotation. Il ne restait plus aux ministres qu'à se retirer. Le roi avait voulu Sébastiani, il dut accepter Thiers, qui inaugura son ministère le 1er mars 1840.

Chapitre VI
Les grèves de 1840

Discussion de la loi sur le travail des enfants. — Le massacre des innocents. — Arago demande à la Chambre l'organisation du travail. — Misère et solidarité des ouvriers parisiens. — La grève des tailleurs : on veut leur imposer le livret. — Les cordonniers se mettent également en grève. — Interdiction des réunions, bagarres dans les rues. — La grève s'étend aux industries du bâtiment. — Arrestations en masse ; nombreuses et dures condamnations. — Les grévistes se retirent sur les buttes Chaumont. — Les communistes essaient de diriger l'action ouvrière. — La presse ouvrière ; le journal l'Atelier et la théorie de l'association.

Parmi les projets de lois que lui léguèrent ses prédécesseurs, le ministère du 1er mars en appuya un tout d'abord, déposé en 1838, et, bien plus par les hasards de l'ordre du jour de la Chambre des pairs que par la volonté de Thiers, la loi sur le travail des enfants dans les manufactures fut votée. C'est le premier pas de la législation protectrice du travail en France. Cette loi qui fixe à huit ans l'âge d'admission des enfants dans les manufactures vient près de quarante ans après la loi anglaise sur les enfants loués aux fabricants par les paroisses.

Jusque-là, dans nos lois si nombreuses, rien pour les plus faibles, les plus désarmés d'entre les ouvriers, rien que le décret du 3 janvier 1813 qui limite à dix ans l'âge du travail des enfants dans les mines. Ce même décret nous en dit long sur la manière dont les exploitants miniers se débarrassaient de leur responsabilité quand un éboulement ou une inondation, ou toute autre catastrophe causée par leur incurie produisait une de ces hécatombes ouvrières qui aggravent de misère noire le deuil des survivants : Il « prescrit aux maires de se faire représenter les cadavres des victimes d'accidents ».

Pourquoi donc, en France, avait-on tant tardé à protéger la tendre chair à travail des enfants ? L'Angleterre avait, en 1833, amélioré sa loi de 1802. L'Autriche et la Prusse limitaient, elles aussi, le travail enfantin. Le travail était-il moins pénible ici que là, ou les cœurs plus durs et plus fermés ? Nous avons dit la misère des petits ouvriers anglais aux environs de 1830, et montré que celle de leurs camarades français ne leur cédait guère.

Le mouvement de pitié des industriels alsaciens n'avait pas eu d'écho. C'était cependant le temps où, dans le Parlement anglais, lord Ashley proposait de réduire à dix heures la durée du travail des femmes et des enfants. Robert Peel combattit cette motion en invoquant la concurrence étrangère. Un membre des Communes, alors, engagea le ministre à entamer des négociations avec les gouvernements européens pour établir une limitation uniforme du travail dans tous les pays. Il fut répondu à ce novateur en avance de trois quarts de siècle que « la diplomatie n'avait pas coutume de traiter de pareilles questions, qu'une semblable négociation ne produirait aucun résultat ».

La bourgeoisie française n'avait pas de telles audaces. Néanmoins, les enquêtes de Villermé, de Blanqui aîné, d'Eugène Buret avaient secoué l'opinion, dénoncé le massacre d'innocents auquel se livrait le patronat. Ils avaient dit le surmenage effroyable, la « torture » qu'on infligeait à des enfants de six à huit ans, forcés de rester « seize à dix-sept heures debout chaque jour, dont treize au moins sans changer de place ni d'attitude ».

Ils avaient crié, et il avait bien fallu les entendre, et avoir honte, qu'à Reims « les coups et les mauvais traitements » étaient « chose habituelle et permanente ». J'ai dit, dans la première partie, n'avoir rien trouvé dans les enquêtes françaises qui approche le martyre des petits ouvriers anglais. Il faut me rétracter, car voici qui fait identique le martyrologe enfantin des deux pays.

L'Industriel de la Champagne du 2 octobre 1835, cité par Villermé, dénonce des établissements de la Normandie « où le nerf de bœuf figure sur le métier au nombre des instruments de travail ». Dans les moments de presse, on travaille la nuit et quand les enfants. « succombant au sommeil, cessent d'agir, on les réveille par tous les moyens possibles, le nerf de bœuf compris ». Mais Villermé déclare que ce fait est « une rare exception ». Il ajoute : « Quand bien même les enfants ne seraient pas employés dans les manufactures, ils subiraient les mêmes mauvais traitements. C'est là le malheur de leur naissance. »

Car ce n'est pas parce qu'ils sont ouvriers qu'on les bat cruellement, mais parce qu'ils sont des enfants, des faibles, et ceux qui les battent sont des ouvriers eux-mêmes, acharnés à la tâche et croyant défendre leur salaire en travaillant jusqu'à l'épuisement de leurs forces et de celles des enfants. « À Rouen, dit Villermé, les tribunaux ont eu souvent à sévir contre « l'odieux abus... en vertu duquel bon nombre d'ouvriers se croient autorisés à frapper les apprentis rattacheurs. » Blanqui porta devant l'Académie des sciences morales les faits d'exploitation à outrance du travail des enfants. Il cita ce dire effroyable du Dr Gasset, qui ne nous paraît pas exagéré, à présent que nous avons suivi les enquêteurs dans leurs lugubres tournées à travers la France du travail :

« A Lille, il meurt avant la cinquième année, dit le Dr Gasset, un enfant sur trois naissances dans la rue Royale (le beau quartier), sept sur dix dans les rues réunies, et dans la rue des Étaques, considérée seule, c'est, sur quarante-huit naissances, quarante-six décès que nous trouvons. Au fléau, il faut une barrière ; il faut qu'en France on ne puisse pas dire un jour comme à Manchester que, sur vingt et un mille enfants, il en est mort vingt mille sept cents avant l'âge de cinq ans ! En attendant, nous ne cesserons de répéter : là, à deux pas de vous, dans la demeure de l'ouvrier, sur vingt-cinq enfants, un seul peut atteindre la cinquième année. Qu'on vienne, après cela, nous parler de l'égalité devant la mort ! »

On éprouve un soulagement, en face de ces faits, de voir quelques patrons de Sedan, « qui en avaient besoin, refuser des enfants de dix à douze ans, qu'on aurait certainement admis partout. Donnez encore à cet enfant, disaient-ils, une ou deux années pour qu'il se développe ; pendant ce temps, envoyez-le à l'école, afin qu'il puisse un jour devenir contremaître, et après je vous le prendrai. »

La loi projetée limitait à huit ans l'âge d'admission des enfants dans les manufactures. De huit à douze ans la journée était de huit heures ; de douze à seize ans, elle s'élevait à douze heures. L'application de la loi serait contrôlée par les préfets, les sous-préfets, les maires et les commissaires de police ; de plus, le gouvernement nommerait des inspecteurs.

La discussion à la Chambre des pairs se poursuivit dans les derniers jours de mars sans éveiller l'attention du public. Il semblait qu'elle discutât une loi d'intérêt local. L'économiste Rossi vint affirmer la nécessité d'une réglementation du travail, mais critiqua les inégalités que le projet créait entre les petits travailleurs. Pourquoi les enfants d'une manufacture où les métiers étaient mus à la vapeur recevaient-ils protection, et non ceux qui étaient occupés dans un chantier, un atelier ou une manufacture où il n'y avait que des machines à bras ou des outils ?

L'objection était juste. Les jeunes enfants voués au travail prématuré étaient égaux devant la souffrance et le surmenage. Mais la loi ne pouvait passer qu'avec l'appui des grands seigneurs de la propriété terrienne, ennemis du machinisme industriel. D'autre part, c'était surtout dans l'industrie textile que l'on employait les tout petits :

c'était là vraiment le massacre des innocents. Protéger ceux-là était donc la tâche urgente.

Le comte Rossi eût voulu que la loi se bornât à affirmer sa protection des jeunes enfants employés au travail salarié et que pour les catégories de travail un règlement d'administration vînt fixer l'âge d'admission, la durée de la journée et les autres conditions protectrices. Il alléguait la différence qui existe entre les professions et l'impossibilité de réglementer d'une manière uniforme. C'était montrer une bien grande confiance dans la sollicitude des pouvoirs publics.

Le baron de Morogues, qui, nous le savons, avait étudié les conditions misérables de la classe ouvrière, n'intervint dans la discussion que pour marquer les différences qui existaient entre le projet du gouvernement et celui de la commission. Mais il n'y avait plus en réalité de projet du gouvernement, le nouveau ministre du commerce, Gouin, se bornant à soutenir le principe commun aux deux projets.

Montalembert vint dire la pensée de la droite, la rancune de la propriété ancienne, paresseuse et rentière, contre la propriété nouvelle, ardente au labeur et au gain. Il attaqua « l'industrie casernée », il montra « l'industrie des filatures et autres usines de ce genre, qui arrache le pauvre, sa femme, ses enfants, aux habitudes de la famille, aux bienfaits de la vie des champs, pour les parquer dans des casernes malsaines, dans de véritables prisons, où tous les âges, tous les sexes sont condamnés à une dégradation systématique et progressive. »

À ce lamentable tableau qui n'était pas trop chargé, il opposait l'antique industrie de famille « exercée sous le chaume, au coin du foyer paternel ». Celle-là, s'écria-t-il, est un bienfait. « Il ne lui restait qu'à expliquer par quel sortilège les ouvriers qui étaient si heureux dans cet atelier patriarcal le fuyaient pour se « parquer » dans les « prisons » et les « casernes » de la nouvelle industrie.

Il eût pu montrer qu'ils étaient bien forcés de suivre le travail dans les transformations que lui faisaient subir les industriels. Mais il n'eût pu le faire qu'en avouant que les propriétaires ruraux, acharnés à recueillir leur rente du sol, payaient moins cher le travail que les manufacturiers, et il les eût contredits dans leurs doléances, puisque déjà, à cette époque, ils se plaignaient de manquer de « bras ». Il préféra se rejeter sur l'impiété du siècle, qui sapait les institutions les plus vénérables.

Le duc de Praslin s'attacha surtout à démontrer que la loi n'était pas une innovation. Il allégua l'exemple de l'Angleterre, de la Prusse, de l'Autriche. À quoi un de ses collègues répliqua ironiquement que ces deux derniers pays ne jouissaient pas du régime parlementaire. Il invoqua comme précédent en France la loi de 1813 sur le travail des enfants dans les mines et travailla ainsi très opportunément à rassurer ceux qui n'osent rien entreprendre sans s'appuyer sur un précédent.

Gay-Lussac critiqua le projet, l'attaqua dans son principe même. Ce savant était, en économie politique, de la plus stricte observance libérale. Il affirma hautement la théorie du patron « maître chez lui ». Mais s'il laissait l'enfant en proie à l'exploitation intensive de ses forces, du moins voulait-il que le travail ne fût pas meurtrièrement insalubre. Et il accusa les auteurs du projet d'avoir négligé ce point, qu'on ne devait apercevoir que cinquante ans plus tard. Selon lui, ce n'était pas le travail qui était nuisible, même prolongé, mais les conditions dans lesquelles il était accompli. Un physiologiste eût aisément contredit l'illustre physicien. Mais il n'y en avait pas dans la haute assemblée.

« On a cité les filatures, dit-il, eh bien, les filatures sont réellement insalubres ; elles le sont, parce qu'on vit dans une atmosphère toujours remplie de poussières, continuellement remplie de petits filaments, qui, aspirés par les ouvriers, sont, je crois, la véritable cause ou tout au moins une des principales causes de l'état dans lequel se trouvent les enfants et généralement les ouvriers de la plupart des manufactures. La véritable cause du mal, c'est donc l'insalubrité... Je crois que la commission a méconnu les principaux inconvénients auxquels il faudrait porter remède. »

Et, parlant des industries que le projet de loi laissait libres d'exploiter le travail enfantin, il ajoutait : « Que ferez-vous des manufactures dans lesquelles on travaille le plomb ? Savez-vous qu'il y a telles fabriques de plomb dans lesquelles on pourrait dire que la vie moyenne des ouvriers n'est peut-être pas de plus de deux ans. »

Le rapporteur de la loi était l'économiste Charles Dupin. Il eut peu à intervenir dans le débat. Personne ne se passionnait. Il dut cependant rappeler à Gay-Lussac l'urgence d'une loi qui vînt arrêter la dégénérescence de la race dans les régions industrielles. Il reproduisit les constatations de son rapport, replaça sous les yeux des pairs le tableau suivant :

« Pour obtenir cent hommes assez robustes pour porter les armes, il faut rejeter comme débiles, infirmes ou difformes :

« À Rouen... 170 jeunes gens de vingt et un ans ; à Elbeuf... 200 ; à Bolbec... 500 ».

Et comme une certain nombre de pairs s'étaient alarmés de l'abaissement moral signalé dans certains milieux de misère, il invoqua la réponse du bureau des manufactures à la circulaire du ministre du Commerce, citée dans son rapport : « L'immoralité des enfants semble être plus grande précisément là où ils sont reçus très jeunes dans les fabriques. »

Malgré cela, il y eut quelques opposants. Ils n'osèrent pas attaquer le principe, mais son application ; les uns, comme Humblot-Conté, demandaient que la journée de travail fût fixée à douze heures, « pour empêcher la réduction du salaire des enfants », et pour ne pas gêner le travail et réduire le salaire des ouvriers avec lesquels ils travaillaient. Les autres, comme Bourdeau, proposèrent que la loi ne fût appliquée qu'à partir de 1846, cinq ans leur paraissant un délai à peine suffisant pour que l'industrie pût se préparer au coup qui allait la frapper.

La loi, votée, s'en alla à la Chambre, où elle vint à l'ordre du jour en décembre.

La discussion, s'il est possible, y fut encore plus incolore et plus placide qu'au Luxembourg. Les orateurs de la gauche, les radicaux qui s'enflammaient si volontiers sur les questions politiques, ne voyaient point là matière à embarrasser le ministère, à passionner l'opinion publique. La presse elle-même ne fut guère plus attentive. Le journal l'Atelier, qui le croirait ! ne consacra pas même un article à la question.

La loi contenait un article 10 portant que le gouvernement établirait des inspections. Telle quelle, et si cet article avait été appliqué, elle eût pu donner des résultats. Mais, pendant longtemps, personne ne devait se préoccuper d'un détail aussi peu important.

La question ouvrière n'était pas dans les préoccupations de la Chambre. Arago, cependant, eut l'occasion de l'y ramener. Dans la discussion sur le régime des sucres, qui eut lieu en mai et sur laquelle nous reviendrons, un orateur, M. Gauguier, avait invoqué l'intérêt des ouvriers de l'agriculture et des fabriques de sucre. Cet argument, si fréquemment invoqué aujourd'hui, avait provoqué des clameurs, auxquelles Gauguier avait répondu ; « Vous ne voulez pas qu'on vous parle des ouvriers ; eh bien, chargez-vous de leur trouver de l'ouvrage. »

— Nous sommes chargés de l'aire des lois, et non pas de donner de l'ouvrage aux ouvriers.

Cette cruelle apostrophe que Sauzet laissait tomber du haut de son siège présidentiel sur le malencontreux orateur, était d'autant plus cynique, qu'à ce moment la classe ouvrière souffrait profondément d'un chômage long et douloureux, qui atteignait toutes les professions.

Quelques jours plus tard, Arago relevait à la tribune le cri du cœur échappé à Sauzet, et, dans un discours sur la réforme électorale, posait en ces termes la question sociale : « Il y a dans le pays, disait-il, une partie de la population qui est en proie à des souffrances cruelles ; cette partie de la population est plus particulièrement la population manufacturière. »

Or, ajoutait-il, le mal ne ferait qu'empirer à mesure que se développerait le nouveau régime de production. « Les petits capitaux, dans l'industrie, ne pourront pas lutter contre les gros capitaux ; l'industrie qui s'exerce avec des machines l'emportera sur l'industrie qui n'emploie que les forces naturelles de l'homme ; l'industrie qui met en œuvre des machines puissantes primera toujours celle qui s'exercera avec de petites machines. »

Quel « remède » indiquait Arago à ce « mal cruel » ? Lui qui, dans la discussion des chemins de fer, n'avait pas osé les enlever aux capitalistes, quelle solution pouvait-il proposer ? Lançant une formule qui allait être répétée sur tous les modes pendant huit ans, il affirmait la « nécessité d'organiser le travail ». Et comment ? « En modifiant en quelques points les règlements actuels de l'industrie ». » Pour rassurer les timides, il leur dit : « Vous êtes déjà entrés dans cette voie. Quand la Chambre des députés a été saisie d'une loi qui a pour objet de régler le travail des enfants dans les manufactures. »

En somme, c'était la réglementation, mais non l'organisation du travail que proposait le savant. Quant à l'organisation du travail, ou plutôt de la production et de la répartition, c'était un autre problème, et il n'avait que dédain pour « les sectes qui prétendaient l'avoir trouvé ». Il ne niait pas le problème, d'ailleurs ; son esprit était pour cela de trop haute envergure. « L'invention des machines, disait-il expressivement, amènera dans l'industrie quelque chose d'analogue à ce que la poudre a produit dans l'organisation des sociétés modernes. » Mais ce quelque chose, ni les fouriéristes, ni les saint-simoniens, ni les babouvistes, en dépit de leurs prétentions, ne l'avaient trouvé. L'évocation des babouvistes suscita des « exclamations diverses » sur les bancs de la Chambre.

« Moi, disait l'orateur, j'ai aperçu, dans ces solutions si vantées, au milieu de quelques bonnes idées qui doivent être propagées par la parole et par l'action, des choses qui sont contraires à toute idée sociale, à tous les bons sentiments que la nature à déposés dans le cœur humain... Je voudrais que la Chambre des députés, par sa composition, par sa marche, par ses actions, se substituât à des empiriques audacieux qui emporteront le malade avec le mal. » Il oubliait que toute science a sa source dans l'empirisme et que les alchimistes ont préparé les voies de la chimie.

Émus par les paroles d'Arago, les travailleurs parisiens organisèrent une délégation de presque tous les corps de métiers, qui se rendirent le 24 mai à l'Observatoire pour porter au savant les remerciements de la classe ouvrière.

« Qu'ils le sachent bien, nos prétendus hommes d'État, lui dit leur porte-parole, le peuple n'en est pas aujourd'hui à douter de l'insuffisance de nos institutions... qu'ils le sachent bien, le peuple a vu dans un tel déni de justice la preuve de leur impuissance radicale, en face d'un mal trop grand, d'une situation trop effrayante. » Arago remercia la délégation. « J'ai été heureux de vous entendre placer l'étude au nombre de vos moyens de succès, » dit-il Il promit de persévérer à « défendre avec ardeur et persévérance les intérêts des classes ouvrières ».

Mentionnant cet incident, M. Thureau-Dangin constate « l'effet que devait produire sur des esprits ainsi excités la parole d'un député considérable, d'un bourgeois illustre, tel que M. Arago ». Ces esprits excités ont cependant manifesté d'une manière bien calme contre l'injurieuse insouciance de la Chambre bourgeoise vis-à-vis de leur détresse.

Mais y a-t-il excitation dans la classe ouvrière, au moment où nous sommes ? Elle a laissé Blanqui et Barbès, il y a un an à peine, l'appeler aux barricades et ne s'est pas émue. L'hiver qui, pour les pauvres, ajoute le chômage à ses rigueurs, vient de faire ses ravages. Proudhon écrit en décembre 1839 qu'il y a à Paris « trente mille tailleurs qui ne font rien : autant, à proportion, des autres états : on porte à cent cinquante mille le nombre des ouvriers sans ouvrage ».

Proudhon se demande comment ils vivent. « Voici, dit-il, l'explication de ce phénomène : ce ne sont pas toujours les mêmes qui chôment ; mais ils travaillent tour à tour, un jour, deux jours par semaine, sans que cette succession ait d'ailleurs rien de fixe. » On voit que les choses n'ont pas changé depuis soixante-cinq ans sous ce rapport.

Quand, faute de commandes, l'employeur veut congédier une partie de son personnel en ne conservant que les plus anciens, il arrive que ceux-ci lui offrent de partager entre tous les ouvriers le travail et le salaire qu'il se proposait de leur réserver. C'est ainsi qu'en octobre-novembre 1839 agirent les ouvriers de la maison Pauwels, constructeur de machines, qui ne faisaient qu'une demi-heure par jour, mais restèrent tous à l'usine.

Le chômage donnait du loisir aux ouvriers. Ce qu'ils faisaient, Proudhon va nous le dire : « Lorsqu'ils ont gagné trois francs, quatre francs, six francs, le besoin de se restaurer les conduit aux barrières : là, ils ne font pas bamboche, ce serait inexact ; ils mangent du veau et du pain, et boivent un litre à dix sous. Comme ils se réunissent pour faire cette ripaille, ils y passent la journée, n'ayant d'ailleurs rien à faire, chantant des chansons républicaines, et le lendemain se remettent au jeûne. Cinq sous, quatre sous, un sou même de pain leur suffit par jour. L'estomac bientôt délabré par ce régime, ils gagnent une affection de poitrine et vont mourir à l'hôpital. »

Dans la même lettre, Proudhon observe, que « leur exaltation révolutionnaire est aujourd'hui voisine du désespoir ». Mais le pouvoir est fort : « ils savent qu'ils ne peuvent se soulever aujourd'hui sans être massacrés par milliers ». D'autre part, « la promesse qu'on leur fait de les employer bientôt les retient ». Proudhon parle encore de leur « violence enragée, entretenue par la misère où ils se voient, l'incurie des gouvernants et les interminables déclamations des hommes qui se disent républicains ».

A ce trait, comme à celui où il les montre n'aimant « ni Laffitte, ni Arago, ni tous les réformateurs de journaux ou de tribune », on aperçoit que les ouvriers vus par Proudhon appartenaient à la minorité des révolutionnaires qui avaient fourni leur contingent aux journées de 1832, de 1834 et du 12 mai précédent. Lorsqu'il aperçoit, « parmi eux, des mouchards, des traîtres », dont ils se débarrassent en leur tordant le cou et les jetant à la Seine, nous sommes avertis suffisamment : nous savons qu'il parle de l'élément révolutionnaire, et non de la classe ouvrière moyenne, prise en masse. Les faits d'ailleurs ne vont pas tarder à nous en donner la preuve.

Ces ouvriers si endurants, et solidaires dans leur détresse au point de se partager, au lieu de se le disputer, le morceau de pain qui leur est laissé, qui pense à eux, à défaut des représentants du pouvoir ? L'Église ? Oui. Villermé nous la montre leur envoyant des « précepteurs religieux » qui se sont emparés de la classe ouvrière « par l'intérêt véritable et affectueux » qu'ils lui ont montré. Et après nous avoir dit cela du plus grand sérieux, l'enquêteur, qui sait à quoi s'en tenir, nous avertit qu'« ils peuvent, comme le dit M. Guizot, s'appliquer à détacher de la terre sa pensée, et à porter en haut ses désirs et ses espérances pour les contenir et les calmer ici-bas ». C'est Villermé qui souligne.

Mais cela ne suffit pas à calmer l'angoisse de ceux qui ont de yeux. Lamartine, qui est de ceux-là, voit la classe des prolétaires « aujourd'hui livrée à elle-même », prête à remuer « la société jusqu'à ce que le socialisme ait succédé à l'odieux individualisme ». Ce n'est pas une conviction socialiste que le poète exprime, mais une crainte de conservateur avisé. Il constate que« c'est de la situation des prolétaires qu'est née la question de propriété qui se traite partout aujourd'hui, question qui se résoudrait par le combat et le pillage, si elle n'était résolue bientôt par la raison ».

Nous allons voir, par la grève presque générale qui éclata en juin, que les ouvriers n'en étaient pas encore à ce moment d'exaltation et d'impatience. Le mouvement commença par les tailleurs. Ceux-ci s'étaient mis en grève pour obtenir le relèvement des prix de façon. Que fit le syndicat patronal ? Au lieu de discuter avec les ouvriers, il s'avisa que, jusqu'à ce jour ils avaient échappé à l'odieuse servitude du livret et obtint facilement de l'autorité que tout ouvrier tailleur devrait être dorénavant soumis à cette inscription de police politique et patronale. Exaspérés, les ouvriers tinrent des réunions auxquelles vinrent se joindre successivement les menuisiers, les maçons et tailleurs de pierre, les charpentiers, les serruriers, les ébénistes, d'autres encore.

Ce qu'était le livret et comment il servait à ôter aux ouvriers un reste de liberté personnelle, les deux faits que voici le diront suffisamment. Un fabricant de papiers peints du faubourg Saint-Antoine, s'apercevant que ses ouvriers murmurent et tentent un essai de coalition, les menace de les renvoyer. Les ouvriers le prennent au mot et lui demandent leurs livrets. « Allez les demander au commissaire de police, » répondit-il. Et de fait il les y porte, déposant une plainte en coalition aux mains de ce magistrat. Et pendant les deux mois qui s'écoulèrent en attendant le jugement, qui d'ailleurs les acquitta, ces ouvriers ne purent accepter de travail ailleurs, leurs livrets étant au commissariat, où l'on refusait de les leur rendre. Dans le même moment, un autre patron, nommé Hébert, rendait bien les livrets à ses ouvriers, mais il inscrivait sur chacun d'eux cette mention destinée à fermer tous les ateliers à ceux qui les détenaient : « Sorti de chez moi avec une plainte contre lui au procureur du roi. »

Les tailleurs demandaient la journée de dix heures et la suppression du marchandage. Les menuisiers voulaient également abolir le marchandage. L'un d'eux exposa la situation dans une lettre au National. « Le prix de la journée d'un ouvrier de marchandeur, y disait-il, était de 2 francs a 2 fr. 50 ; il y en avait, mais c'était une très rare exception, à 3 francs ; et beaucoup de jeunes gens de seize à dix-sept ans ne gagnaient que de 1 franc à 1 fr. 50... La suppression du marchandage empêcherait MM. les entrepreneurs de se jeter, tête baissée, dans ces folles entreprises, et calmerait un peu cette fièvre d'adjudications qui les ruine par trop souvent et cause la misère des ouvriers. »

Un moment, on put croire que, tout au moins pour les tailleurs, la grève allait finir par un arbitrage, selon la proposition faite par le National aux deux parties, qui ne se montraient pas éloignées d'un arrangement, la réprobation publique ayant fait sentir aux maîtres tailleurs l'indignité de leur conduite.

Pour faciliter cet accord, les ouvriers tailleurs demandèrent au préfet de police l'autorisation de tenir une réunion à la barrière du Roule. Le préfet de police autorisa, et trois mille ouvriers se réunirent pour nommer leurs délégués.

Mais à cette réunion se joignirent les cordonniers, également en grève, et partisans eux aussi d'un arbitrage. Or, d'une part, les maîtres cordonniers n'étaient pas disposés à accéder aux désirs de leurs ouvriers, d'autre part, le préfet de police n'avait pas autorisé ceux-ci à se réunir. De plus, la constitution d'un tribunal arbitral traînait en longueur, les patrons montrant pour cette procédure une répugnance dont ils ne se sont pas encore défaits aujourd'hui

L'affaire des ouvriers en papiers peints avait soulevé d'indignation la classe ouvrière tout entière. Les typographes ne se mirent pas en grève, mais ils prélevèrent sur leur salaire un cotisation permanente pour soutenir les tailleurs jusqu'à la décision des arbitres. C'est ainsi que des coalitions partielles devenaient par la force des choses une coalition générale des ouvriers et que leur solidarité leur était révélée par la solidarité des patrons et l'appui que ceux-ci recevaient de la loi et de ses agents.

Mais ceux-ci observaient-ils la loi qu'ils étaient chargés d'appliquer ? Nous venons de voir le préfet de police autoriser les réunions des tailleurs et la nomination de leurs délégués. Les faits étaient-ils donc plus forts que les textes ? Oui. Nous savons par les Mémoires du policier de La Hodde que le pouvoir craignait les mouvements populaires suscités par les grèves, tant à cause des sympathies qui pouvaient, dans le public, s'attacher à la cause des ouvriers, qu'à cause de l'agitation révolutionnaire qui pouvait s'ensuivre. « Des hommes audacieux, dit La Hodde, avaient là une occasion pour provoquer de grands malheurs. »

Les révolutionnaires, en effet, étaient très attentifs aux grèves. Ces milliers d'hommes inoccupés pouvaient, dans un moment d'exaspération amenée par la faim, par l'excitation résultant de leur contact, par la constatation de leur nombre, devenir une force de révolution. Les survivants du 12 mai, ceux qui avaient échappé aux balles des municipaux et à la répression, suivaient de près les phases de la lutte ouvrière, et nous allons voir qu'à un moment aigu ils tentèrent de lui donner un caractère révolutionnaire.

Cependant, les réunions que le préfet de police avait permises aux tailleurs, ne le furent pas aux menuisiers. Et celle qu'ils tinrent en juin à la barrière du Maine, quoique très calme, fut brutalement dispersée par la garde municipale. Que s'était-il donc passé ? Faut-il voir dans ce changement d'attitude du préfet de police l'influence de Thiers ? Un fonctionnaire, si haut placé soit-il, est toujours dans la main de son chef, surtout lorsque tous deux résident dans la même ville.

Après avoir cédé à un courant d'opinion, le pouvoir avait aperçu que l'exemple des tailleurs encourageait les ouvriers, étendait la grève à toutes les corporations, et en même temps les solidarisait dans un mouvement commun. Il n'y avait plus qu'un moyen de sauvegarder les intérêts du patronat tout entier, c'était d'appliquer la loi dans toute sa rigueur et de ne plus tolérer aucun rassemblement d'ouvriers. Les menuisiers tombèrent les premiers sous les coups de cette nouvelle procédure.

L'affaire de la barrière du Maine, loin de les décourager, les excita encore davantage. Ils se réunirent rue Saint-Lazare, rue Cadet, dans d'autres salles encore. La police envahissait leurs réunions, les dispersait, faisait des arrestations en masse. Une délégation de huit membres alla trouver le préfet de police pour lui demander que les menuisiers fussent traités comme l'avaient été les tailleurs. On la retint prisonnière à la préfecture, puis, provisoirement, ses membres furent relâchés. N'était-on pas sûr de les reprendre ? Tout ouvrier élu délégué on syndic par ses camarades était de ce fait voué à la prison.

On dispersait les réunions des menuisiers. Ils les transformèrent en manifestations dans la rue. Les charpentiers se joignirent à eux et tous ensemble envoyèrent une pétition au ministre des Travaux publics exposant leurs revendications : journée de douze heures, paiement des heures supplémentaires et suppression du marchandage.

C'est à ce moment que les tailleurs de pierre entrèrent eux aussi en mouvement. Deux mille cinq cents d'entre eux se réunirent le 25 août, autorisés par le préfet de police, et nommèrent trente délégués, ou syndics, chargés de s'entendre avec les entrepreneurs. Pourquoi cette autorisation, après les interdictions précédentes ? Parce que les patrons consentent à discuter avec leurs ouvriers. C'est du moins le motif qu'on avoue. Nous allons voir tout à l'heure que les ouvriers n'y gagneront rien.

Dans cette réunion, une délibération fut prise, longuement et fortement motivée, contre le marchandage. Par cette délibération, l'engagement présenté à l'acceptation des patrons est qualifié « un engagement d'honneur, jusqu'à ce que l'autorité, suffisamment éclairée par les soussignés comme aussi par les entrepreneurs et les hommes de l'art à ce connaissant, rende obligatoire pour tous une mesure dictée par un sentiment de justice et d'humanité ».

Mais les employeurs refusèrent d'accepter le compromis, rédigé en six articles, qui devait substituer le travail à la journée (douze heures l'été et dix l'hiver) au travail à la tâche et supprimer le marchandage des tâcherons. Un des trente syndics, Vigny, refusa de signer ce document avant de s'être assuré que l'autorité n'y voyait rien d'illicite. Sa préoccupation de légalité ne le sauva pas du sort commun. Du moment que les entrepreneurs refusaient toute entente, le règlement proposé par les ouvriers devenait un acte de coalition, un délit. L'autorisation de se réunir, accordée aux maçons et tailleurs de pierre pour nommer leurs délégués, fut le piège où l'on prit ceux-ci, afin de décapiter la résistance. Lorsque les syndics furent poursuivis, Vigny, compris dans les poursuites malgré sa précaution, fut condamné à deux années de prison, réduites à une sur appel.

Mais de ce que le préfet de police interdisait ce qu'il avait autorisé quelques jours auparavant, il ne s'ensuivait pas nécessairement que les ouvriers dussent s'arrêter dans la voie où on les avait laissés s'engager. Les syndics ignoraient d'ailleurs le changement d'attitude de l'autorité, signifié à Vigny lorsqu'il était allé s'enquérir à la préfecture. Ils réunirent donc les grévistes à la barrière d'Italie, dans la plaine de Gentilly, et, avec le plus grand calme, le compromis fut voté.

Mais lorsqu'ils apprirent ce qui s'était passé et comment l'autorité réglait son attitude sur celle des entrepreneurs, les grévistes changèrent la leur. Rapidement, les chantiers se vidèrent, la plupart de bon gré et sous le coup de l'indignation légitime qu'éprouvaient les ouvriers ainsi arrêtés au moment où ils essayaient de discuter avec modération, quelques-uns sous la pression énergique des grévistes. Sur l'heure, tous les tailleurs de pierre chômèrent volontairement et mirent en interdit les chantiers où les entrepreneurs avaient fait venir des ouvriers de province. Les maçons, après une réunion tenue au Champ de Mars, se joignirent à eux, mais reprirent assez vite le travail.

Il n'en fut pas de même des autres corporations de compagnonnage, et bientôt, sur un mot d'ordre de l'Union des travailleurs du tour de France, la grève fut générale dans toutes les industries du bâtiment. C'étaient chaque jour des collisions dans la rue entre les grévistes et la police. Les prisons étaient pleines d'ouvriers. Sitôt qu'une corporation nommait des délégués ou des syndics, ils étaient incarcérés ; immédiatement on les remplaçait par d'autres camarades aussi dévoués, aussi ardents à la lutte.

Les quartiers de la porte Saint-Denis, de la porte Saint-Martin, du faubourg Saint-Antoine, de la place Maubert, du faubourg Saint-Marceau, entraient en effervescence. La garde nationale était sous les armes. Thiers appelait à Paris les garnisons environnantes, et les régiments prenaient position sur les points où l'agitation semblait la plus intense. Les Buttes-Chaumont étaient devenues le centre de l'action ouvrière, et on put croire un moment qu'elles allaient devenir le Mont-Aventin du travail.

Les membres dispersés des Saisons s'étaient réunis en société des Communistes, les uns sous l'inspiration pacifique de Cabet, qui commençait sa propagande par des conférences, les autres, en plus grand nombre, s'en séparant bientôt pour former les Égalitaires et se proclamer disciples de Babeuf et Silvain Maréchal. D'autres encore, désireux d'agir, avaient formé des Bastilles, groupes militairement organisés où un caporal commandait quatre hommes, un sergent dix, un sous-lieutenant vingt, et un lieutenant ; quarante.

Il y avait des communistes parmi les délégués des ouvriers réunis en permanence aux Buttes-Chaumont. La Hodde nous dit qu'ils « s'étaient entendus et formaient une sorte de congrès pour maintenir la résolution des ouvriers ». Dourille, un des chefs des Saisons, essaya d'entraîner cette masse exaspérée par des conflits journaliers avec une police agressive et brutale. Mais les ouvriers n'avaient pas d'autre but que d'obtenir les améliorations inscrites dans leur programme. Dourille « se sentit étouffé, dit notre policier, au milieu de la sérieuse préoccupation de ces hommes qui croyaient plaider justement pour le pain de leur famille ».

Découragé, il « ne se trouva pas de taille à donner à cette foule le signal de l'irruption », et dut, lui qui était « le seul représentant de la force populaire organisée » se borner, nous dit La Hodde, « à des pourparlers avec les meneurs, essayant de prêcher des vieilleries démocratiques qui ne furent pas écoutées ». Il n'avait trouvé « rien de bon à dire dans le malentendu ».

Le policier déplace ici le malentendu. Ce n'est pas entre les ouvriers et les patrons qu'il existait, mais entre les révolutionnaires qui parlaient de république et de communisme, et les ouvriers qui répondaient travail à la journée et suppression des marchandeurs. C'était la première rencontre du socialisme et du syndicalisme, celui-ci encore impénétrable, point encore dégagé même du particularisme étroit où le compagnonnage l'avait enfermé.

Les ouvriers, dans leur masse, considérèrent les communistes du même œil qu'ils considéraient les démocrates qui leur montraient, dans le National, que la question du travail était subordonnée à la réforme électorale, aux droits politiques donnés au salarié. Pour celui-ci, ces politiciens étaient aussi peu dans la question que les politiciens révolutionnaires. Il ne voulait pas faire de politique, mais gagner un meilleur salaire, être moins exploité.

Le mouvement ouvrier demeura donc abandonné à ses propres moyens, à ses propres forces, qui, rapidement, s'épuisèrent. Les condamnations pleuvaient comme grêle, les grévistes se démoralisèrent, se disloquèrent, et bientôt le travail fut repris sur toute la ligne. Les délégués, les syndics, les présidents des corporations furent frappés de dures peines : ceux des tailleurs, l'un à cinq ans de prison et dix ans de surveillance, un autre à trois ans de prison et cinq ans de surveillance ; parmi ceux des menuisiers, il y en eut un qui fut frappé de deux ans de prison et deux ans de surveillance. Pour les tailleurs de pierre, les serruriers, les cordonniers, les ébénistes, pour tous enfin, la sévérité envers les « meneurs » fut implacable. Les autres s'en tiraient avec des peines variant de trois mois à quinze jours. Il y eut peu d'acquittements pour les accusés qui défilèrent, par douzaines et par vingtaines, devant la sixième chambre correctionnelle.

Cette dure répression put mettre fin à la grève, mais elle créa des liens de solidarité entre les persécutés, dont les groupes sortirent à ce moment du particularisme borné qui leur ôtait presque tous les avantages de l'association. Ils comprirent la vanité de l'esprit corporatif et, tout eu défendant entre eux leurs, intérêts respectifs de tailleurs, de serruriers ou de charpentiers, ils apprirent à défendre en même temps ceux de la classe ouvrière tout entière.

À l'imitation de ce qui s'était fait à Lyon dix ans auparavant, quelques ouvriers fondèrent, à la fin de septembre 1840, un journal qu'ils nommèrent expressivement l'Atelier. et qui fut rédigé exclusivement par des ouvriers. Buchez, qui avait quitté le saint-simonisme dès les premières divagations d'Enfantin, était leur inspirateur, et il travaillait de toute son ardeur à les porter à réaliser son idéal, formulé par lui dans l'Européen, en 1831. Cet idéal, c'était la coopération de production, qui devait se développer au fur et à mesure les facultés administratives et techniques des ouvriers qui la pratiqueraient.

Dans les premiers numéros de L'Atelier. les rédacteurs associés indiquèrent, en manchette, le fonctionnement de leur journal. Nous croyons intéressant de le reproduire ici textuellement :

« *Organisation du travail.* — L'Atelier est fondé par des ouvriers, en nombre illimité, qui en font les frais. Pour être reçu fondateur, il faut vivre de son travail personnel, être présenté par deux des premiers fondateurs, qui se portent garants de la moralité de l'ouvrier convié à notre œuvre. (Les hommes de lettres ne sont admis que comme correspondants.) Les fondateurs choisissent chaque trimestre ceux qui doivent faire partie du comité de rédaction. Ont été nommés pour le premier trimestre : MM. André Martin, charpentier ; Anthime Corbon, typographe ; Lambert, commis négociant ; Devaux, typographe ; Lambert, cordonnier ; Garnier, copiste ; Petit-Gérard, dessinateur en industrie ; Delorme, tailleur ; Garnot, bijoutier ; Véry, menuisier ; Lehéricher, teneur de livres ; Gaillard, fondeur ; Chavent, typographe ; Belin, tailleur ; Varin, ouvrier en produits chimiques, membres du comité de rédaction. »

L'article-programme confirme qu'il s'agit là d'un journal « adressé à des ouvriers par des ouvriers ». Aussi, disent les rédacteurs, « en prenant la plume, nous ne quitterons point l'atelier ». Sortant du syndicalisme étroit où nous venons de voir s'enfermer les grèves qui prennent fin à ce moment même, les membres du comité tiennent à prouver qu'ils sont « l'avant-garde des travailleurs » et « que la réorganisation du travail est plus qu'une question industrielle, mais un problème politique ». Comment n'en serait-on pas convaincu lorsqu'ils auront montré « toutes les misères qui tourmentent la plus grande partie du peuple » !

Après une charge à fond contre « les odieux calculs des écrivains corrupteurs » qui dépravent les ouvriers en prétendant les instruire, « ces spéculateurs ignobles » qui sèment parmi eux « les mauvais livres écrits pour les marquis débauchés des cours du Régent et de Louis XV », l'Atelier conclut ainsi :

« Nous avons prouvé que les ouvriers ne sont pas capables seulement de pratiquer la fraternité et le dévouement, mais qu'ils sont dignes aussi de la liberté et de l'égalité, dignes des droits politiques, dignes d'être affranchis de la servitude industrielle où ils vivent. Et si alors nous faisons voir que l'affranchissement est possible, si nous en montrons le moyen, qui pourra nous en refuser l'usage ? »

Dans un article adressé « aux ouvriers menuisiers, maçons et tailleurs de pierre », l'association est indiquée comme un moyen de mettre fin au marchandage. « Quoi de plus facile pour vous, en effet ? Vous pouvez former de petites sociétés de six, huit ou dix membres, selon le cas : chacune des sociétés choisira celui de ses membres en qui elle aura le plus de confiance : elle en fera son gérant, son intermédiaire auprès de l'entrepreneur. Il prendra la place de l'ancien marchandeur ou tâcheron ; mais alors ce sera au profit de tous les associés. On partagera ensuite le gain entre tous, selon la part de travail de chacun, en réservant toutefois une certaine somme pour former un fonds qui permette à la société d'agrandir plus tard le cercle de ses opérations. »

On le voit : il ne s'agit pas de coopératives de production proprement dites, où les ouvriers sont propriétaires du matériel et vendent pour leur compte et à leurs risques les produits de leur travail, mais de l'organisation du travail en commandite, par contrat collectif passé avec l'employeur. Mais cela, pour les travailleurs de l'Atelier, c'était la première étape, la seule qui permît au travailleur associé à ses camarades de songer à acquérir la propriété des instruments de production.

Substituer au prétendu contrat individuel le contrat collectif de travail, même dans sa forme primaire de la commandite, que dès 1843 les typographes devaient adopter, et par l'intermédiaire du syndicat transformer en contrat collectif achevé, c'était tout au moins donner aux travailleurs le moyen de défendre leur salaire et les conditions de leur travail.

L'association de production n'était guère accessible qu'aux ouvriers des industries où la valeur de leur travail dépassait la valeur du matériel de production. Il n'en était pas de même du contrat collectif de travail, qui pouvait être pratiqué dans toutes les industries. Aussi, sans cesser de préconiser la pratique de l'association de production et de donner en exemple la seule qui ait réussi à se fonder, celle des bijoutiers, l'Atelier revient-il fréquemment sur la nécessité de remplacer les contrats individuels de travail par les contrats collectifs.

L'Atelier, dès ce premier numéro, indique assez clairement ses préférences politiques. Dans un article sur les coalitions où il déplore « l'appel fait à la force par les ouvriers et par le gouvernement, les premiers pour servir leurs intérêts, et le second dans l'intérêt de sa conservation », il indique en ces termes la route à suivre : « Réclamer le droit d'association » et « nous rallier tous sous un même drapeau... celui de la Révolution française ».

Il ne peut en dire plus long sur ce sujet, le pauvre petit journal ouvrier, sans tomber sous le coup des lois de septembre ; mais on sent bien ses préférences républicaines. Buchez, son inspirateur, n'est-il pas l'auteur de l'Histoire parlementaire de la Révolution française, ce livre où revivent les séances de la Convention et du club des Jacobins ? Ah ! si l'Atelier pouvait payer le cautionnement qui donne aux journaux le droit de s'occuper de politique ! Mais il ne peut faire paraître que douze numéros par an, et c'est une privation pour l'ouvrier que de débourser les trois francs de l'abonnement.

Mais il en fait, de la politique, il inaugure la politique syndicale, il dénonce les lacunes et les inégalités voulues d'une législation de classe. On discute en ce moment la loi des prud'hommes. Il déclare se désintéresser de la discussion d'une loi où nul ne demande que les ouvriers soient admis à siéger, d'une loi qui, avec ses patrons d'un côté et ses chefs d'atelier de l'autre, n'est qu'une annexe du tribunal de commerce.

Parfois, cependant, il se risque à une critique des actes du ministère et de la soumission des Chambres à ses volontés. C'est ainsi que dans la crise de 1840, il dit qu'on « les a invités à prêter leur concours au maintien de la paix. Et (nous n'en avions pas douté un seul instant) elles ont accepté ce rôle humiliant ». Le rédacteur de l'Atelier parle ici comme un rédacteur du National ; on sent qu'il partage tous les préjugés belliqueux du-moment.

Mais en voici un autre un peu moins épris de gloire. Thiers a proposé aux Chambres de redemander aux Anglais les cendres de Napoléon. L'Atelier y consent volontiers, tout en disant que cet hommage ne va pas au « restaurateur de la noblesse », au « conquérant ambitieux », mais « surtout » à « la France révolutionnaire ». Pourquoi lui faut-il ajouter : « Napoléon, pour l'étranger et pour nous, c'est la révolution incarnée, » et suivre ainsi le courant qui entraînera, dix ans plus tard, le consentement des masses ouvrières à la restauration napoléonienne ?

Le ton de l'Atelier était mesuré et courtois, même quand il protestait contre l'arrestation d'ouvriers pour délit de grève, et il félicitait Lamennais « des conseils au calme et à la modération » qu'il avait donnés aux ouvriers serruriers et mécaniciens. Proudhon a critiqué « ces rédacteurs en gants jaunes » ; leur protestation est digne et sans colère. Ils veulent prouver que la classe ouvrière mérite les libertés qu'ils demandent pour elle, avec une ferme égalité d'esprit et de paroles.

Dès les premiers temps de sa publication, le journal ouvrier entreprit de fort intéressantes enquêtes professionnelles, qui sont les premières ébauches des monographies sur lesquelles Le Play fondera plus tard l'étude de l'économie sociale. On y trouve aussi une intéressante campagne sur le livret, dont les abus viennent d'être mis en lumière par les grèves récentes. Parmi les opinions patronales recueillies par l'Atelier sur l'institution abhorrée des ouvriers, en voici une qui a le mérite de la franchise.

Pour M. Delahaye-Martin, président des prud'hommes d'Amiens, « les ouvriers sont presque tous insolvables ; ils n'ont que leur travail pour répondre de leurs actes.

Cette ressource serait insaisissable s'ils pouvaient en disposer quand et envers qui bon leur semble. Les livrets sont une mesure de haute prudence, au moyen de laquelle les ouvriers ne peuvent dissimuler leur position. Les livrets ne peuvent donc leur plaire, mais ils sont précieux pour les maîtres ».

Bien que l'objet principal des collaborateurs de l'Atelier soit l'organisation du travail par l'association, ils n'en traitent pas moins avec soin et ponctualité les poignantes questions que la misère et la servitude de l'ouvrier mettent en permanence à l'ordre du jour. Ils savent qu'avec la législation hostile qui leur interdit tout mouvement, les travailleurs tenteraient en vain de réaliser ce programme. Aussi, eu même temps que des modèles de statuts pour sociétés ouvrières, publient-ils des articles sur la réforme du compagnonnage, sur la liberté de coalition et d'association, sur la fixation d'un minimum de salaire.

Ils n'étaient pas pressés, nous dit Corbon, dans le Secret du peuple de Paris, d'appliquer leur programme intégral. Leur groupe « semblait avoir conscience de réaliser un système qui exigeait tant d'abnégation et d'efforts soutenus. La preuve, c'est qu'il ne fit pas de grands efforts pour prêcher l'exemple. J'en sais quelque chose ». On montrait, en somme, l'idéal aux ouvriers pour les tenir en haleine ; mais on s'occupait surtout de les habituer à se défendre eux-mêmes, à acquérir la notion de leur valeur économique et à développer leur valeur sociale.

La recrutement militaire, avec l'ignoble système d'exonération par remplacement, fait peser sur le prolétariat une servitude et une humiliation, dénoncées par l'Atelier. Deux forces président à l'enrôlement des prolétaires dans l'armée : la force de la loi pour ceux qui sont tombés au sort ; la force de l'argent, libératrice du riche, pour ceux qui manquent de travail et de pain et sont contraints de vendre leur sang.

La réforme électorale, qui substituera la nation tout entière aux deux cent mille électeurs censitaires qui nomment les députés, est avec l'association, le sujet sur lequel l'Atelier revient le plus fréquemment. Fort justement ses rédacteurs aperçoivent que nulle réforme sociale ou économique ne pourra être obtenue de ce « pays légal » dont l'intérêt est diamétralement opposé à celui des salariés. Que la démocratie soit, d'abord, avant tout : elle saura bien ensuite libérer le travail des lois qui l'entravent, lui en donner qui le soutiennent et, pour le reste, l'initiation des travailleurs, aidée par l'éducation morale, civique et économique que leur donne le journal, fera le reste, c'est-à-dire l'émancipation par l'association.

Ce programme suscitait de quotidiennes polémiques avec les phalanstériens et les communistes, les premiers comptant sur l'association sans le secours des lois ni du pouvoir, les seconds ne comptant que sur le pouvoir, conquis par douceur ou violence, pour établir la communauté des biens. Non seulement les rédacteurs de l'Atelier se défendaient, justifiaient leur méthode et leur système, mais encore ils reprochaient austèrement aux disciples de Fourier leur glorification des passions. Quant au communisme, ils lui objectaient qu'en tuant la concurrence, il brisait tout ressort humain et paralysait la marche du progrès continu.

Ces opinions étaient défendues par des prolétaires d'un véritable talent, mais qui avaient réfugié tout leur idéalisme dans le domaine du sentiment et de la morale. Ils faisaient des articles sur le salon des beaux-arts et sur le livre d'Agricol Perdiguier contre l'exclusivisme ignorant et brutal du compagnonnage. Mais leur réalisme économique et social ne les portait pas à dépasser le cercle des questions strictement ouvrières et à entrevoir la complexité du problème social, ni par synthèse et encore moins par analyse. Cependant il y avait là, en somme, une bonne école d'éducation et de solidarité ouvrières.

Ces prolétaires, c'étaient le typographe Leneveu, le serrurier Gilland, dont Martin-Nadaud nous dit qu'il passait parfois la nuit entière à rédiger son article et que George Sand et « plusieurs autres grands maîtres de notre langue » appréciaient « comme écrivain », Pascal, le sculpteur Corbon, « dédaigneux et très raide pour les vantards et les faiseurs d'embarras », Agricol Perdiguier, le réformateur du compagnonnage. « A part ses articles dans le journal l'Atelier, dit Martin-Nadaud, cet homme réellement laborieux faisait chaque soir un cours de dessin et de coupe de pierre aux ouvriers désireux de s'instruire. » Tous, y compris Martin-Nadaud, polémiquaient avec mesure, mais sans lâcher pied, avec les quatre journaux communistes : le Populaire, que Cabet fait reparaître aussitôt la publication de son Voyage en Icarie ; la Fraternité, que rédigent les révolutionnaires amis de Blanqui ; l'Humanitaire, qui est fondé par des ouvriers, mais accepte des articles de quelque part que ce soit, à condition qu'ils soient communistes, athées et matérialistes, affirme la nécessité d'abolir le mariage et la famille, les villes, les arts, bref le programme de Babeuf : « la suffisance, rien que la suffisance » exaspéré par la misère et l'ignorance de ceux qui le formulent ; enfin le Travail, de Lyon, qui est rédigé exclusivement par des ouvriers.

En 1840, l'Intelligence, publiée depuis 1837 par le communiste Laponneraye, cessait de paraître. « Nous voulons, disait-elle, au milieu d'une société gangrenée d'égoïsme et de corruption, relever le saint drapeau de l'intelligence et du droit commun ; nous voulons substituer à la prédominance des intérêts matériels celle des intérêts moraux. » Son but : le communisme fraternel ; mais comme moyen de transition, on acceptait l'association des ouvriers et des capitalistes ; sa doctrine : la perfectibilité indéfinie de l'homme, le progrès incessant de l'humanité. C'était, en somme, avec beaucoup de religiosité, un compromis entre le babouvisme, le saint-simonisme et le fouriérisme. Les ouvriers parisiens lisaient avec faveur l'Intelligence, que Dézamy remplaça par l'Égalitaire, avec la collaboration de Richard de Lahautière.

L'Égalitaire portait sa critique sur l'empirisme des démocrates, qui croyaient que le but de toute agitation humaine était la réforme électorale ; il les accusait de n'avoir pas de « système organique » et de vouloir cette contradiction : l'égalité politique dans l'inégalité économique. Il rejoignait ainsi la critique de Considérant sur la démocratie politique. Dans le même temps, Vinçard aîné publiait la Ruche populaire, journal des ouvriers, où son neveu Pierre Vinçard écrivait ses premiers articles qui, nous dit Colins, n'ont eu qu'un unique but, comme tous ceux qu'il écrivit depuis : « indiquer les souffrances, généralement peu connues, des travailleurs manuels et appeler sur elles l'attention des hommes intelligents ».

Voilà, pour les journaux, les lectures des ouvriers de 1840, sans compter les brochures de propagande démocratique et révolutionnaire dont nous avons parlé. Quant aux ouvrages des théoriciens socialistes, saut celui de Cabet, qui eut un succès énorme, ils ne les lisaient point, étant inabordables par leur texte autant que par leur prix. Louis Blanc, avec sa Revue du Progrès, n'a pas encore pénétré jusqu'au peuple. Il prépare son livre l'Organisation du travail, qui lui vaudra de nombreux et fidèles partisans dans la classe ouvrière. Mais, devant consacrer un chapitre aux systèmes socialistes de cette époque et à leur propagande, bornons-nous aux publications qui, d'une manière permanente ou occasionnellement, s'occupent des travailleurs.

Parmi les journaux quotidiens, on ne peut citer que le National, qui, à ce moment, examine la question ouvrière avec quelque attention et quelque bienveillance. Armand Marrast, à son retour d'exil, en avait pris la direction. Il n'avait pas vis-à-vis de la question sociale le parti-pris hostile d'Armand Carrel, auquel il succédait ; mais il ne l'abordait qu'avec crainte et embarras. Ce « petit marquis de la révolution » ne passait pas ses nuits sur de si redoutables problèmes.

On n'en ignorait pas absolument les données, cependant, au National, et il arrivait qu'on pût lire des articles où se trouvaient ces constatations, qui contiennent toute la critique socialiste : « Émancipé légalement, le travailleur est en réalité plus esclave que jamais. C'est la faim qui l'oblige à défaut de la loi ; car quelle sorte d'égalité se rencontre entre le travailleur qui est forcé d'accepter pour avoir du pain le travail qu'on lui offre, aux conditions qu'on y met, et le capitaliste qui peut attendre que la faim lui livre sa victime ?... Tandis que la propriété territoriale se démocratise chaque jour en se divisant, la propriété industrielle et manufacturière se concentre, se monopolise et tend à constituer une véritable et puissante féodalité. »

Le National estime qu'en donnant la liberté aux ouvriers, la démocratie aura rempli envers eux toutes ses obligations. Aussi, n'a-t-il que critiques contre les socialistes, dont les uns ne songent qu'à la satisfaction des intérêts matériels et les autres appellent sans cesse l'État à leur secours. La liberté suffira aux ouvriers. Ce sera à eux de savoir s'en servir. L'Atelier est fréquemment complimenté de savoir employer la bonne méthode et subordonner les réformes sociales à la réforme électorale. Aussi, les communistes, révolutionnaires ou non, ainsi que les phalanstériens, montraient ouvertement leur antipathie envers un journal qui se disait l'organe de la démocratie et dont le programme tournait court dès qu'il avait demandé le droit de coalition pour les salariés comme pour les patrons et la nomination de prud'hommes ouvriers.

Un autre journal républicain, hebdomadaire celui-là, le Journal du Peuple, tentait de grouper la jeune, démocratie, à qui non plus le National ne pouvait suffire. Dupoty, qui le dirigeait, était aussi mondain que Marrast. Son journal fui cependant plus hospitalier à la question sociale et aux questions ouvrières, et il eut parmi ses collaborateurs des travailleurs manuels, des communistes tels que Savary et Noiret, bien qu'il ne cachât point son aversion pour les sectaires m de je ne sais quelle mystique théorie de fausse égalité ».

Tel est, pour cette année 1840, le bilan de la classe ouvrière parisienne. Les grèves de juin à septembre n'ont point passé en vain. Des idées sont entrées dans les cerveaux, qui n'en sortiront plus. Les travailleurs commencent à sentir la nécessité de groupements permanents. Puisqu'en 1839 les patrons imprimeurs ont pu fonder ouvertement une Chambre syndicale, pourquoi donc leurs ouvriers n'en feraient-ils pas autant ? Réunissant la trentaine de sociétés de secours mutuels de la corporation, ils fondent la Société typographique, qui comptera bientôt douze cents membres, la moitié des membres de la corporation.

Les cordonniers, tant éprouvés par la grève, sentent le besoin d'une organisation permanente et fondent la Laborieuse, qui fait le placement des camarades sans travail et leur donne un secours de chômage. Mais sous le couvert de cette caisse de chômage, un fonds de grève peut se créer : l'administration n'autorise la Laborieuse à vivre qu'à la condition d'inscrire dans ses statuts que « le secours quotidien ne sera pas accordé dans le cas de cessation volontaire et concertée du travail, ou bien d'un chômage résultant d'une coalition quelconque des ouvriers sociétaires ».

Nous avons dit qu'il n'existait à l'époque qu'une société ouvrière de production, sans cesse donnée en exemple par les rédacteurs de l'Atelier. Cette association des ouvriers bijoutiers en doré n'était d'ailleurs connue du public que sous la raison sociale Leroy-Thibaut et Compagnie. Buchez en avait été l'inspirateur. Elle comptait dix-huit membres, tous catholiques pratiquants, car c'était une condition essentielle d'admission. Chaque associé devait communier au moins une fois l'an, on commençait les assemblées par la lecture d'un chapitre de l'Évangile et, le dimanche, les apprentis étaient conduits à la messe.

En cela, ils se comportaient en fidèles disciples de Buchez. « Comme c'était une grande œuvre de transformation sociale qu'on se proposait, dit Corbon, et qu'il s'agissait moins pour les fondateurs de s'affranchir personnellement que de se dévouer à l'affranchissement du peuple entier, c'était à un véritable apostolat qu'on les appelait. Aussi regardions-nous comme condition essentielle de succès la parfaite concordance des opinions politiques et morales entre les associés... C'était quelque chose comme un ordre religieux et socialiste institué au sein de la société civile, et pour la régénérer. »

Si peu nombreux qu'ils fussent, et si homogènes par leur foi religieuse commune, les associés n'en étaient pas plus d'accord pour cela. Ils durent même plaider contre deux d'entre eux qui avaient tenté de s'emparer des fonds qui leur avaient été confiés et qui étaient placés sous leur nom. La société n'ayant pas d'existence légale, le procès tourna à son détriment. Elle dura, ou plutôt vivota, sans cesse en diminuant, jusqu'en 1873.

On le voit : comme faits, peu de chose. Autant dire rien. Mais partout une semence qui germe, moins que cela : un rêve. Mais ce rêve, si exalté qu'il soit chez les uns et si mystique chez les autres, n'est pas le consolateur platonique des courtes heures de repos. Il est le désir, il est l'espérance, il est la volonté, qui peu à peu grandiront, se préciseront, s'affirmeront et un jour de révolution prendront leur vol, pour retomber brisés, mais non lassés, et se reformer sur un plan plus conforme à la réalité de l'univers et au pouvoir de ses chétifs habitants.

Chapitre VII
La politique des affaires

La loi des incompatibilités parlementaires. — Thiers rejette la Chambre sur les lois d'affaires. — Tout pour les rentiers et les banquiers, rien pour la boutique et l'atelier. — La conversion, les chemins de fer, les mines, la Banque de Francs. — Thiers propose de ramener en Francs les cendres de Napoléon. — La Chambre rejette la réforme électorale. — Les banquets pour la réforme : les communistes organisent le leur. — L'échauffourée de Boulogne : Louis Bonaparte interné à Ham.

Revenu au pouvoir, Thiers allait avoir à lutter à la fois contre le monarque qui l'avait appelé à contre-cœur et contre une Chambre dont les éléments de droite ne le soutiendraient pas dans ses actes gouvernementaux et dont les éléments de gauche le serviraient mal dans ces actes, en même temps qu'ils lui susciteraient toute sorte d'embarras en suivant les doctrinaires, qui se découvraient subitement une austère tendresse pour les principes. Les républicains s'indignaient de voir la gauche monarchique prendre pour chef de file un homme dont l'opposition au pouvoir n'avait jamais été qu'un immense appétit de pouvoir.

« Il faut, disait le National (6 mars 1846), que notre opposition constitutionnelle de dix ans soit tombée bien bas dans sa propre estime et désespère bien de sa fortune, pour placer ainsi à fonds perdus son honneur et son avenir sur la tête d'un aventurier politique. » Le National en parlait bien à son aise, lui qui n'avait rien à attendre du pouvoir, que des rigueurs, ou des tentatives de détournement, par corruption, de ses rédacteurs. Odilon Barrotavait trouvé le mot de la situation, lui qui voyait avec regret se former le nouveau courant : « Je ne puis les tenir, disait-il ; ces pauvres hères ont faim depuis dix ans. »

Or, au moment où ils s'attablent, il leur faut avaler un premier plat de reptiles, voter les fonds secrets. Ils ferment les yeux et avalent. Ministérielle, mais gardant son privilège aristocratique d'ironie, la Revue des Deux Mondes constate à ce propos que la gauche « a abdiqué ses préventions, ses préjugés et ses utopies ». Désormais, la gauche est gouvernementale, les ponts sont coupés derrière elle. « On ne revient pas d'un tel vote, car on en reviendrait brisé, déconsidéré, presque annihilé. »

Les conservateurs vont lui servir le second plat, ou plutôt tenter de lui enlever les plats de dessous le nez au moment où elle s'attable. Selon la tactique des droites lorsqu'elles sont dans l'opposition, Romilly, député de Versailles, a repris une proposition de Gauguier sur les incompatibilités parlementaires. Comment la gauche repousserait-elle une proposition qu'elle a naguère soutenue ? Quant à la droite, que risque-t-elle en la votant ? De se jeter « en pleine réforme électorale », comme l'en avertit le Journal des Débats ? Non, elle sait que les votes de principe ne sont faits que pour renverser les ministères. Que de fois, depuis, nous verrons se renouveler cette comédie !

La proposition Romilly était sèche et nette : « Les membres de la Chambre des députés, disait-elle, ne peuvent être promus à des fonctions, charges ou emplois publics salariés ni obtenir d'avancement pendant le cours de leur législature et de l'année qui suit. » Dans une Chambre qui comptait près de cent quatre-vingt fonctionnaires, c'était ôter à Thiers les moyens de gouverner par les moyens que ses prédécesseurs, et lui-même lors de son passage aux affaires, avaient toujours employés. Dans une partie de grecs, obliger un des joueurs à être honnête, c'est le dépouiller : il a perdu avant d'avoir joué.

La discussion vint le 24 avril, non sur le fond, mais sur la prise en considération. Les conservateurs qui avaient lié partie avec le ministère, notamment Dupin, prirent la défense des députés-fonctionnaires. Mais au lieu de se défendre, comme ce niais de Liadières, qui déclarait n'être pas de ceux qui sont disposés « à tendre servilement leur gorge au couteau de certains sacrificateurs », Dupin opposa principe à principe. Être pour les incompatibilités, dit-il en substance et reprenant l'argumentation des Débats, c'est être pour la réforme électorale. Et, carrément, il accusa ses adversaires de manquer de franchise.

Ce courtisan du Danube touchait au bon endroit. Odilon Barrot voulait bien entamer de coin le problème, par les incompatibilités, mais n'osait à ce moment l'aborder de front. Il se défendit donc d'avoir voulu la réforme électorale et allégua que la loi des incompatibilités la rendait moins nécessaire. Dupin poursuivit ses avantages et déclara voir dans la proposition Homilly « une grave atteinte portée à l'honneur des députés-fonctionnaires ». Ceux-ci, on le pense bien, firent à cet argument présenté avec une adroite rudesse l'accueil qui convenait, et leur sincérité fit écho à la sienne. Thiers, qui connaissait l'homme, appréciait le naturel que Dupin mettait dans les pires fourberies : « J'aime tant le naturel, lui fait dire Sainte-Beuve, qu'il n'est pas jusqu'à ce plat de Dupin à qui je ne pardonne toujours, parce qu'il est naturel. »

Cette fois, pourtant, il apprécia moins le perfide zèle ministériel de son allié. Thiers, en effet, n'entendait pas mettre la gauche entre son intérêt et son devoir. D'autre part, il ne voulait pas s'aliéner les voix qu'il avait à droite. Pour celles-ci, il proclama que, s'il ne s'opposait pas à la prise en considération c'était parce que le projet n'avait en rien le caractère d'une réforme électorale. Du même coup, il permettait à la gauche de voter le principe des incompatibilités. Elle pouvait s'en rapporter à lui pour ne pas laisser aller les choses plus loin.

Et, de fait, il manœuvra en conséquence et fit mettre eu tête de l'ordre du jour une série de lois d'affaires. Aidé de Joubert, ministre des Travaux publics, il montra de grands intérêts matériels en souffrance, et sollicita pour eux l'attention de la Chambre. C'était tendre l'hameçon au bon endroit. Les chemins de fer, les salines, les compagnies de navigation, les sucres, la conversion elle-même, attendaient des solutions conformes aux intérêts capitalistes. Allait-on, pour une misérable question de principe, négliger les seuls objets dignes de la sollicitude parlementaire !

D'ailleurs, depuis le 7 avril, le projet Joubert sur les chemins de fer était déposé, et le rapporteur, Gustave de Beaumont, avait fait diligence, car les concessions de 1838, sauf celle de Strasbourg à Bâle, étaient en détresse. C'était le moment, semble-t-il, pour le ministre de reprendre son projet de 1838. Le système des concessions à des compagnies ayant donné des résultats désastreux, il n'y avait plus qu'à appliquer celui de l'exploitation par l'État. Mais Joubert était revenu de son idée première. Puisque la Chambre n'avait pas voulu de son système, il n'en reparlait plus, alors qu'il élit fallu en parler plus que jamais.

Thiers, d'ailleurs, avouait en ces termes, lui qui avait été partisan de l'exploitation par l'État, le plat réalisme qui guidait sa politique : « Nous proposons le système des compagnies parce que le système de l'exploitation par l'État ne réussirait pas auprès de la Chambre. » L'ancien projet donnait à l'État les grandes lignes, et laissait aux compagnies les lignes de raccordement et les embranchements. Le nouveau procéda tout à l'opposé. Les capitalistes voulaient faire grand. Mais comme ils ne se sentaient pas de taille ni de nature à se cautionner eux-mêmes devant l'épargne, ils appelaient l'État à leur secours. L'État répondit docilement à l'appel.

La Chambre vota donc une prise d'actions des deux cinquièmes et une garantie d'intérêts pour la compagnie d'Orléans, consentit un prêt hypothécaire aux chemins de fer de Strasbourg à Bâle, d'Andrézieux à Roanne et de Paris à Rouen, et décida de consacrer vingt-quatre millions à l'exécution par l'État des chemins de Montpellier à

Nîmes, de Lille et de Valenciennes respectivement à la frontière belge.

Seul, Garnier-Pagès fit opposition sans faiblesse ni répit. Mais que dire à une Chambre assez imprégnée de l'esprit capitaliste pour que le comte Duchâtel pût y émettre des aphorismes tel que celui-ci : « L'État doit se réserver toutes les chances de ruine pour en préserver les compagnies ! »

Désormais, les capitalistes pouvaient opérer sans péril sur la matière. L'État était là avec sa puissance, son crédit, son budget. On lui infligeait à la fois cet affront de suspecter sa capacité et sa probité pour la construction et l'exploitation, et de mendier hautainement son appui. Le tout, au nom en même temps qu'au mépris des doctrines du libéralisme économique, de l'abstention absolue de l'État dans les entreprises privées.

Satisfaits du côté des chemins de fer, les capitalistes demandèrent satisfaction pour les lignes de navigation. Partout, pour les transports rapides, la navigation à vapeur se substituait à la navigation à voiles. C'était pour la France une nécessité urgente, et dont l'évidence apparaissait de ne pas se laisser distancer par l'Angleterre et par les États-Unis, de n'être pas à leur merci pour le service postal. Il était d'autre part évident que, livrées à leurs ressources propres, les compagnies de navigation auraient été incapables d'établir les lignes postales reconnues nécessaires.

Mais, en réalité, le service postal était un prétexte, assurément fort valable, pour subventionner les compagnies qui établiraient des lignes de navigation et relieraient les principaux ports de l'Amérique du Nord et du Sud à nos ports de Nantes, du Havre, de Bordeaux et de Marseille. Ici encore, l'industrie privée ne pouvait prendre son essor, et se mettre en état en même temps de prendre charge d'un service public, que par le secours du budget. En bons utilitaires qu'ils étaient, les doctrinaires de l'économie politique orthodoxe laissaient sommeiller leur théorie de l'abstention de l'État toutes les fois que l'initiative privée se sentait incapable d'entreprendre sans son secours les œuvres d'une certaine envergure.

Il fut donc créé trois grandes lignes : du Havre à New-York, de Nantes au Brésil, et de Bordeaux et de Marseille au Mexique. Vingt-cinq millions furent répartis sur les budgets de 1841, 1842 et 1843, à l'effet de subventionner la première de ces lignes, le gouvernement devant desservir la seconde et la troisième. Cette fois-ci, les capitalistes n'eurent pas du premier coup tout le gâteau. Mais les aider à créer la ligne du Havre, c'était s'engager à les aider pour la construction du chemin de fer de Rouen à cette ville. La part des capitalistes, ainsi accrue, était encore très belle. Aussi s'en contentèrent-ils d'autant mieux qu'ils n'eussent pour l'instant pu digérer un plus gros morceau. En même temps qu'il faisait quelque chose pour eux, le ministère essayait de faire quelque chose pour l'État, et travaillait à diminuer le poids de la dette publique. Il présenta donc, lui aussi, un projet de conversion du cinq pour cent, espérant avoir plus de chance que ses prédécesseurs. Ici, ce ne furent pas les capitalistes qui protestèrent, mais la classe oisive qui vit sans labeur du produit de la rente. La cour et tous les parasites à particule cachèrent leurs intérêts derrière l'humble foule de la petite épargne et se remirent à crier à la spoliation, à dénoncer la violation des engagements pris par l'État sur lequel ils prétendaient avoir non une créance rachetable, mais un droit perpétuel de participation à son budget.

La loi, votée à la Chambre, s'en alla de nouveau échouer devant les pairs, sous les coups de Roy, rapporteur, de Persil et de Mérilhou.

Ce qu'on venait de donner aux rentiers, on allait le refuser aux boutiquiers. Certes, la monarchie de juillet savait ce qu'elle devait à la boutique. Mais le roi de France, mis par elle sur le trône, ne payait les dettes du duc d'Orléans que lorsqu'il lui était impossible de faire autrement. Les émigrés inscrits au grand-livre avaient leurs défenseurs au Luxembourg, et grâce à ceux-ci, l'État continua de payer sa dette à un taux devenu usuraire. Louis-Philippe, qui était un des plus gros rentiers de France, ne pouvait que s'en réjouir.

Mais si le monde qui vit paresseusement de la rente, et la veut inamovible, avait ses défenseurs dans la Chambre des pairs, le monde qui vit des affaires, organise les grandes entreprises, groupe et brasse les millions de l'épargne, avait les siens à la Chambre des députés. La classe dirigeante de la veille, les propriétaires terriens, pour qui la rente était une transformation des redevances féodales, avait cédé une partie du pouvoir ; mais la classe dirigeante qui montait, celle des banquiers, des organisateurs de la propriété industrielle mobilière, n'était pas encore assez, forte pour conquérir l'hégémonie.

Quant à la boutique, ce petit monde de commerce et d'industrie devait payer rançon aux anciens maîtres, puisque toute matière première d'industrie vient du sol, et aux nouveaux, puisqu'il ne pouvait vivre sans recourir au mécanisme du crédit. Or, si la rente était représentée au Luxembourg et la finance au Palais-Bourbon, la boutique et l'atelier ne l'étaient nulle part. On le leur fît bien voir lorsque fut mis en discussion le renouvellement du privilège de la Banque de France.

Le gouvernement proposait une prorogation de vingt-cinq ans, sans aucune modification au système établi en 1803. Garnier-Pagès employa en vain les ressources de sa dialectique pour obtenir que l'obligation de présenter trois signatures ne fût pas maintenue et que le délai maximum de l'escompte fût portée de trois mois à cent dix jours, voire à six mois. Les banquiers tenaient trop à cette troisième signature, qui les interposait entre la Banque et ses emprunteurs et augmentait, pour ceux-ci, de cinquante pour cent le taux de l'escompte. Quant au prolongement du délai, comment l'eussent-ils consenti sans permettre aux négociants et aux industriels les entreprises de longue haleine et de vaste envergure qu'ils méditaient d'entreprendre pour leur propre compte, avec, bien entendu, et tous risques ainsi limités, avec l'argent anonyme de l'épargne publique ? La Banque, toute puissante dans les conseils du gouvernement, remporta donc facilement la victoire dans les deux Chambres.

Thiers, ainsi, parvenait à gouverner dans une paix relative en ne laissant porter les débats parlementaires que sur des questions d'affaires. Il faisait une politique d'affaires, et cela allait à merveille à son tempérament, non seulement parce que de tout son instinct il tendait vers les puissances d'argent, mais encore parce qu'il pouvait, en pleine sécurité, y déployer toute son activité sans avoir autre chose à faire que conserver ce qui était, ou donner aux plus forts ce qu'ils convoitaient.

Il avait, en ces matières, des phrases toutes faites qui impressionnaient d'autant plus qu'elles répondaient bien plus à la pensée intime des intéressés qu'à la réalité mouvante des choses. Lui parlait-on de progrès, en matière de banque, il répondait avec une assurance comique : « Je dis à ceux qui parlent toujours de progrès : le progrès que vous demandez est futur ; celui que je réclame est passé et présent. »

Tandis que celle politique se déroulait dans les assemblées parlementaires, un jeune écrivain, Alphonse Karr, écrivait dans ses premières Guêpes : « Dans le quartier du quai aux Fleurs, une pauvre vieille femme est morte de faim. Dans un pays civilisé, on ne doit pas mourir de faim. Qui donc, parmi nos députés, trop retenus dans les intérêts occultes qu'ils ont dans l'exploitation des grosses affaires, montera à la tribune crier : « Une femme est morte de faim en plein Paris ! »

Cet appel poignant peut encore être lancé aujourd'hui ; mais du moins commence-t-il à trouver un écho à la tribune. Ne soyons pas trop fiers, cependant : La loi d'assistance aux vieillards et aux infirmes est d'hier à peine, et nous n'avons encore ni les retraites ouvrières, ni la protection du travail de la femme et de l'enfant à domicile, ni l'assurance contre le chômage.

Thiers allait-il donc être écarté de la grande politique, passerait-il donc au pouvoir sans frapper l'opinion de ces grands coups qui l'impressionnent, et la conquièrent et l'enchaînent ? Allait-il, à la veille des vacances parlementaires, au moment où le public juge un passé encore chaud d'actualité, laisser un vernis suspect sur sa réputation déjà fort entamée et consacrer le renom qu'il avait d'être apte surtout à faire ses propres affaires ? Son patriotisme prudemment agressif, sa façade de libéralisme napoléonien, le faux semblant de dignité nationale qui l'avait fait se mêler avec tant de joie, et par les moyens policiers qu'on sait, aux besognes de la diplomatie internationale, allait-il faire une piteuse faillite !

L'occasion de contenter à la fois Louis-Philippe et l'opinion moyenne, en cimentant l'alliance anglaise et en donnant satisfaction aux rêves et aux souvenirs de gloire qu'il allait lui-même bercer dans son Histoire du Consulat et l'Empire, celle occasion lui fut-elle imposée, comme semble le croire Elias Regnault par une démarche d'O'Connell, le grand agitateur irlandais, auprès de Palmerston, ou bien, comme l'affirme M. Thureau-Dangin, eut-il le mérite de demander de lui-même à l'Angleterre la restitution à la France des cendres de Napoléon ? Pour M. Thureau-Dangin, la version d'Elias Regnault a été « évidemment inventée par les républicains pour diminuer aux yeux des patriotes l'initiative du gouvernement de Juillet ». Il n'a d'ailleurs rien trouvé dans les documents français et anglais qui confirme cette version ; tout, au contraire, la contredit.

En rapportant que Thiers s'était décidé à réclamer les cendres de Napoléon seulement parce que le premier ministre anglais l'avait avisé du projet formé par O'Connell d'inviter au Parlement le gouvernement britannique à rendre à la France les restes de Napoléon, Elias Regnault, en tout cas, n'a été nullement mû par le désir de diminuer l'initiative du gouvernement, car, tout en ménageant le sentiment public, il ne se gêne pas, dans son Histoire de Huit Ans, pour faire écho au National, et déclarer que le tombeau de Napoléon serait mieux placé à Saint-Hélène qu'aux Invalides.

Quoiqu'il en soit, le 12 mai, interrompant la discussion des sucres. Rémusat, ministre de l'Intérieur, demandait inopinément un crédit d'un million pour permettre au gouvernement de transporter aux Invalides les restes de Napoléon. Très adroitement, le gouvernement mettait cette cérémonie patriotique à l'actif de l'entente anglo-française. Bien loin d'y voir une manifestation en faveur du prisonnier de l'Angleterre et un moyen de raviver les animosités nationales « qui, pendant la vie de l'empereur, armèrent l'une contre l'autre la France et l'Angleterre », on n'y voyait, de la part des deux gouvernements, que le moyen de les apaiser. « Le gouvernement de Sa Majesté britannique, disait l'exposé des motifs, aime à croire que si de tels sentiments existent encore quelque part, ils seront ensevelis dans la tombe où les restes de Napoléon vont être déposés. »

L'opposition eut beau faire. Thiers avait touché l'opinion moyenne à l'endroit sensible. Et l'opposition le sentait si bien que, tout de suite, elle tenta de tourner contre le gouvernement la manifestation qu'il organisait. « Ces souvenirs, dit le National du 13 mai, ne vont-ils pas se réveiller demain, dans toute la France, comme une sanglante accusation contre toutes les lâchetés qui souillent depuis dix ans nos plus brillantes traditions ! » Elias Regnault le constate : Ce fut « une joie inexprimable » dans tout le pays, car « c'était dans le peuple des villes et des campagnes que Napoléon avait laissé d'impérissables souvenirs ».

La popularité de ce nom était telle, que ses reflets devaient nécessairement illuminer quiconque s'en servirait. Le pays sut donc gré à Thiers de lui ramener son idole. D'autre part, on greffait une légende sur la légende, et on se prenait d'estime pour le ministre qui avait su amener l'Angleterre à délivrer l'encombrant prisonnier de Sainte-Hélène. Elle le rendait mort, mais enfin elle le rendait.

Thiers fut donc à ce moment au comble de la popularité. Peut-être la griserie qu'il en éprouva l'empêcha-t-elle d'apercevoir que, tout en semblant par cette restitution d'un cercueil faire amende honorable de son acte de perfidie de 1815 à l'égard du vaincu, l'Angleterre s'apprêtait à éliminer la France d'un important accord international et, de ce fait, l'écarter du concert européen. Napoléon vivant avait trouvé contre lui la coalition européenne ; ses cendres allaient encore là retrouver dans l'apothéose qu'on leur préparait.

Le crédit pour la translation voté, la Chambre revint à la discussion des sucres. Ce fut comme toujours la lutte des députés des régions maritimes, qui défendaient le sucre colonial, contre ceux des régions agricoles, qui défendaient le sucre indigène. Entre les deux camps, le ministère représentait le Trésor, désireux de prélever sa part sur les profits réalisés et de la prélever non selon l'équité, mais au gré des intérêts en présence, les plus puissants devant l'emporter sur les autres. Pour les uns, il fallait frapper de taxes prohibitives le sucre de canne ; pour les autres, c'était le sucre de betterave qui devait laisser la place. Quant aux consommateurs, personne ne s'en souciait.

Thiers fit de l'équilibre entre ces intérêts hostiles, et profita de leur hostilité pour maintenir à 49 fr. 50 la taxe sur les sucres coloniaux et élever de 15 à 27 francs la taxe sur les sucres indigènes. Profit pour le Trésor, dira-t-on ? Non, puisqu'en somme on renchérissait une denrée et qu'on en ralentissait ainsi l'accroissement de consommation. À cette époque déjà, les Anglais consommaient annuellement trois fois plus de sucre que les Français. Cette proportion n'a pas été modifiée depuis, les gouvernements qui se sont succédé jusqu'à ce jour ayant toujours suivi la pratique d'alors : équilibrer les intérêts des producteurs tout en cédant aux plus gros, tirer pour le budget des recettes le meilleur parti de la situation, considérer la masse des consommateurs comme rançonnable à merci.

La loi votée, force fut de revenir à la politique. La loi des incompatibilités avait bien été enterrée le 16 mai par un discours de Jaubert, battant le rappel parlementaire autour des lois d'affaires, mais elle avait déchaîné dans le pays un mouvement considérable. L'opposition avait fait une campagne directe, non pas seulement pour la loi des incompatibilités, mais pour la réforme électorale tout entière. Des pétitions avaient été déposées sur le bureau de la Chambre par Arago.

Par une sorte de bravade, le rapporteur désigné fut un ancien membre de l'opposition, Golbéry, que Thiers venait de nommer procureur général à Besançon. On voulait la réforme électorale, eh bien ! on n'aurait pas même la loi des incompatibilités, et c'est un des députés visés par celle-ci qui allait faire le geste qui rejetterait celle-là. Golbéry avait d'ailleurs beau jeu, non seulement de par l'immense majorité résolue à s'opposer à toute réforme, mais encore du fait que les partisans de la réforme étaient profondément divisés.

Trois systèmes étaient en présence : celui du suffrage universel et direct, celui de l'extension du droit de suffrage et celui du suffrage à deux degrés. Pour le premier, le rapporteur demandait que la Chambre passât à l'ordre du jour. Pour le second, il distinguait : tout en écartant par l'ordre du jour les propositions tendant à rendre électeurs tous les gardes nationaux, comme trop proches du suffrage universel, il renvoyait à l'examen du président du Conseil et du ministre de l'Intérieur celles qui fixaient un minimum de six cents membres par collège électoral, et celles qui conféraient l'électorat à la seconde liste du jury.

C'était aimablement dire au pouvoir : vous choisirez vous-même les nouveaux électeurs parmi les citoyens qui ne paient pas le cens exigé. Le pouvoir, résolu à n'accepter aucune réforme qui entamât le régime censitaire, fit la sourde oreille, ou plutôt se déclara nettement opposé à toute modification du statut électoral. Thiers refusa de même l'examen des propositions secondaires que lui renvoyait le rapporteur : l'abolition du serment et le vote au chef-lieu du département. La loi électorale devait être intangible.

De toute la gauche, seuls les radicaux appuyèrent la réforme électorale.

C'est au cours de la discussion qu'ils soutinrent contre leurs alliés d'hier devenus ministériels, qu'Arago prononça son discours sur l'organisation du travail, dont nous avons parlé plus haut, et qui avait été au cœur des ouvriers parisiens.

Au droit du peuple souverain, Thiers opposa la loi. Il vint affirmer à la tribune que tout droit vient de la loi. Comme la loi elle-même est faite pour les plus forts, c'était remettre aux mains de la force la création du droit, c'était inviter le peuple à user de sa force pour créer son droit et le substituer à celui, des deux cent mille citoyens qui formaient le pays légal. Or, que faisaient les exclus, ils pétitionnaient. C'était leur droit. Mais armés de la loi, les deux cent mille censitaires usaient du leur en ne faisant aucun cas de leurs pétitions.

Thiers put railler ensuite les partisans du suffrage universel qui, sur trente millions d'êtres humains, n'en admettaient que le quart au vote. Quoi les hommes seulement ! Pourquoi pas les femmes ? Pourquoi pas les enfants ? « Vous excluez, leur disait-il, au nom de la raison ; nous excluons, nous, au nom de la loi. » La raison pouvait avouer ses origines, la loi ne le pouvait pas, sans démasquer la force.

Garnier-Pagès, au lieu de remonter à l'origine, pourtant si récente, de la loi invoquée par le ministère, préféra défendre « le droit sacré » de ceux qui n'en ont pas d'autre que de se plaindre. « Vous ne seriez, lui dit-il, si vous oubliiez cela, que le gouvernement de cent quatre vingt mille personnes, et non pas le gouvernement du pays. » Aller au fond des choses, montrer l'origine révolutionnaire de la loi dont se réclamait son adversaire, Garnier-Pagès ne le pouvait qu'en appelant les exclus à faire une révolution, et c'est ce qu'il ne voulait pas.

Il se rabattit sur les pratiques du gouvernement, le montra en flagrant délit de corruption sur la presse, enlevant à l'opposition des journalistes connus et les envoyant en misions grassement rétribuées. On se chuchotait les noms de Capo de Feuillide et de Granier de Cassagnac. Thiers répondit en rejetant sur son collègue de l'Instruction publique, des mesures qui, disait-il, n'avaient aucun rapport avec la politique. La Chambre savait à quoi s'en tenir sur ces « voyages d'études ». Aussi devait-elle, au budget suivant, rejeter le crédit qui leur avait été affecté. Elle n'en vota pas moins pour le moment, par des motifs absolument étrangers à la moralité du ministère et même au désir qu'elle avait de le conserver, le rejet de toute réforme électorale.

L'opposition reçut une nouvelle force de ce refus. Elle se tourna immédiatement vers le pays. La presse libérale des départements fit écho à celle de Paris. La garde nationale s'émut. À la revue que le roi passa le 14 juin, de nombreux cris de : « Vive la Réforme ! » furent poussés par les gardes, et même par les officiers. Des banquets furent organisés, où prirent la parole Laffitte, Arago, Dupont (de l'Eure), les rédacteurs du National et du Journal du Peuple.

Les communistes, dont l'action grandissait sur la classe ouvrière à Paris, voulurent participer aux banquets réformistes et y affirmer leur foi politique et sociale. L'opposition prétendit ne les admettre qu'en soumettant leurs toasts à la censure préalable. Ils organisèrent alors, le 1er juillet, un banquet qui réunit douze cents convives, pour qui la réforme électorale voulait dire suffrage universel, et suffrage universel émancipation des travailleurs. Des discours enthousiastes y furent prononcés contre la peine de mort et pour l'établissement de l'égalité par la communauté.

Le 28, on transportait, en cérémonie officielle, sous la colonne de Juillet, les cendres des héros des trois journées. Drapeau rouge en tête, une colonne d'étudiants et d'ouvriers côtoyèrent le cortège en chantant la Marseillaise et en acclamant la réforme. La police se jeta sur eux, et un escadron de municipaux les dispersa avec la dernière violence.

Tandis que le prince de Joinville voguait vers Sainte-Hélène pour en ramener le corps de Napoléon, celui qui se disait le successeur du héros tentait de nouveau la fortune à Boulogne, le 3 août, et, avec quelques amis, essayait de soulever la garnison de cette ville. Arrêté sur-le-champ, il était traduit le 28 septembre avec ses complices devant la Cour des pairs et condamné à la détention perpétuelle.

Cet événement s'était produit dans un moment d'exaltation patriotique dont nous allons parler dans le chapitre suivant. Le césarion espérait bénéficier de cette exaltation. Son entreprise fut jugée ridicule. Il n'en ajoutait pas moins à la légende de son oncle la sienne propre, celle du pauvre prisonnier de Ham, et elles allaient toutes deux n'en faire bientôt qu'une.

[illegible]

[illegible]

Chapitre VIII
La question d'orient

Le traité du 15 juillet isole la France. — La situation en Orient : Mahmoud et Méhémet-Ali. — Thiers et Guizot joués par Palmerston. — L'exaspération patriotique en France. — Louis-Philippe crie plus fort que tout le monde. — Préparatifs belliqueux de Thiers. — Réveil du patriotisme allemand. — Becker et la Chanson du Rhin. — Lamartine répond par la Marseillaise de la paix. — Chute du ministère Thiers.

Dans les derniers jours de juillet 1840. on apprit, à Paris, que la Sainte-Alliance venait de se reformer et de s'affermir par un traité signé le 15, à Londres, entre la Russie, la Prusse, l'Autriche et l'Angleterre, comme conclusion d'une conférence à laquelle la France avait pris part. Qu'était-ce donc que ce traité, conclu sans nous, et qui mettait fin brusquement à des négociations entamées depuis plusieurs mois avec notre participation ? Un ultimatum adressé à Méhémet-Ali, pacha d'Égypte, le sommant d'avoir à rendre au sultan les villes saintes d'Arabie, l'île de Crète, Adoua et le nord de la Syrie. S'il acceptait de s'exécuter dans les dix jours, les puissances lui garantissaient la domination héréditaire de l'Égypte, viagère de la Syrie. Sinon, elles agiraient contre lui par la force.

On sait que le pacha d'Égypte était le protégé, le client, l'ami du gouvernement français. Nous avons dit, dans un chapitre précédent, les espérances, d'ailleurs illusoires, que l'on fondait sur lui, en France, pour faire des Égyptiens une nation civilisée. La France et l'Angleterre avaient coopéré à lui assurer ses conquêtes sur l'empire ottoman, sanctionnées par la convention de Kulayeh. A ce moment, l'entente avait été complète entre le gouvernement britannique et le nôtre, encore resserrée par le traité d'Unkiar-Skelessi, qui plaçait la Turquie sous le protectorat effectif de la Russie.

Mais si l'Angleterre avait autant que la France intérêt à ce que le sultan ne tombât pas sous le vasselage du tzar, et à empêcher Constantinople de tomber finalement aux mains des Russes, elle avait un intérêt non moindre à entraver les efforts de Méhémet-Ali, en vue de la création d'un empire arabe, assis sur le Nil et sur l'Euphrate, et fermant la route commerciale de l'Inde. Elle n'était que trop bien servie à Constantinople par son ambassadeur, lord Ponsonby, qui avait gagné la confiance et la sympathie du sultan Mahmoud et le pressait de reconstituer ses forces militaires pour abattre la puissance du pacha d'Égypte, ce rebelle à son prince légitime et à son chef religieux.

Ponsonby haïssait la France avec une patriotique ardeur. Notre ambassadeur à Constantinople, l'amiral Roussin, la servait avec une inintelligence rare. Dupé par les sentiments réformistes de Mahmoud, qui tentait maladroitement et brutalement d'européaniser les Turcs, et croyait avoir fait une révolution lorsqu'il avait remplacé le turban par le fez sur la tête de ses sujets, l'amiral Roussin excitait lui aussi le sultan contre Méhémet-Ali.

Le commandeur des croyants n'avait pas besoin de ces excitations. Il n'était que trop exaspéré contre le sujet rebelle qui avait battu ses meilleures armées et menacé Constantinople. Tous ses efforts étaient tournés vers la réorganisation de ses troupes, et toutes ses pensées vers la revanche. La convention de Kutayeh ne le liait pas. Était-il tenu de respecter un traité que la force lui avait arraché ? Et ce traité, ne pourrait-il prétendre que le pacha d'Égypte l'avait violé dans une de ses parties ?

Méhémet, cependant, travaillait à consolider sa conquête, qu'il sentait précaire tant que les puissances ne l'auraient pas consacrée par leur consentement exprès. Il voulait faire reconnaître sa souveraineté héréditaire sur l'Égypte et la Syrie. La France ne demandait pas mieux que de le seconder. Mais l'Angleterre et la Russie faisaient la sourde oreille, celle-ci parce qu'elle avait tout avantage à protéger le sultan, à lui garantir ses possessions d'Asie, à mesure qu'elle mettait elle-même la main sur les parties qui se détachaient en Europe : la Serbie, et les provinces de Moldavie et Valachie.

De son côté, l'Angleterre venait d'acquérir Aden et de passer avec le sultan une convention par laquelle il s'interdisait l'exercice de tout monopole commercial dans toutes les parties de son empire, c'est-à-dire même en Syrie et en Égypte. Le système de la porte ouverte était avantageux pour le commerce européen, et par conséquent pour la France, mais seulement en théorie. En fait, il ne l'était que pour l'Angleterre, qui interdisait ainsi à Méhémet-Ali de passer avec la France des traités commerciaux qui eussent assuré à notre pays des avantages à l'exclusion de l'Angleterre. Le gouvernement français dut adhérer à ce traité, qui était de plus une reconnaissance des droits souverains du sultan.

Ces droits, d'ailleurs, le vieux Méhémet-Ali se gardait bien de les contester. Pourvu qu'il eût la puissance de fait, l'indépendance absolue dans les territoires qu'il avait conquis, la suzeraineté nominale du sultan ne le gênait point. Il tentait même de persuader celui-ci que la Porte avait tout intérêt à lui laisser la paisible possession de ses conquêtes. et il lui offrait un concours plus fidèle et moins intéressé que celui de la Russie. Son envoyé à Constantinople, qui avait été reçu avec de grands honneurs, avait pour mission de pousser à cette réconciliation de l'Islam, seule capable de le libérer de ses dangereux protecteurs européens.

Tandis que l'envoyé de Méhémet-Ali essayait ainsi d'obtenir du sultan ce que les puissances s'obstinaient à refuser à son maître, les troupes turques se mettaient en marche et envahissaient la Syrie. Le fils de Méhémet-Ali marcha aussitôt à leur rencontre. Les deux armées étaient égales en nombre, mais non en valeur. Ibrahim avait pour lui le prestige de ses victoires récentes, qui donnait à ses soldats une confiance illimitée. Il battit l'armée turque à Nezib, le 24 juin, et se mit aussitôt en marche vers les défilés du Taurus.

Là, il fut arrêté par les représentations du gouvernement français. L'empêcher de poursuivre plus avant, c'était promettre à Méhémet-Ali la possession paisible de ce qu'il avait déjà. La France pouvait-elle faire cette promesse, et surtout la tenir ? Oui, si elle eût été pleinement d'accord avec l'Angleterre. Or, le moment de l'accord était passé.

En 1833, sous l'impression du traité d'Unkiar-Skelessy, l'Angleterre avait proposé à la France de briser ce traité à coups de canon, d'en libérer la Turquie en poussant les flottes alliées jusque dans la mer Noire. La France, alors, n'avait pas voulu s'engager dans une guerre avec la Russie. L'Angleterre, à présent, allait-elle aider la France à consolider la puissance de Méhémet-Ali, se fermer ainsi la route des Indes ?

Metternich eût été un enfant s'il n'avait pas profité de la situation pour accroître les embarras de la France et attiser la mésintelligence des deux grandes nations libérales. Il proposa donc la réunion d'une conférence à laquelle prendraient part les cinq grandes puissances. Le sultan venait de mourir, victime de ses excès, et avait été remplacé sur le trône par un enfant de seize ans. Méhémet-Ali pouvait s'entendre avec les conseillers du nouveau souverain et les amener à traiter directement, à faire vite. Il est certain que si nous avions eu alors à Constantinople un autre ambassadeur, les choses se fussent terminées ainsi.

D'autant plus qu'un nouveau coup venait de frapper la Porte et la réduire à toute extrémité. Quelques semaines après la bataille de Nezib, la flotte turque, sur laquelle étaient montés un grand nombre d'officiers anglais, se dirigeait vers l'Égypte, guidée plutôt qu'accompagnée par un navire de guerre anglais, le Vanguard. L'escadre française se porta au-devant de l'expédition, décidée à lui barrer la route.

L'amiral français dirigea son vaisseau droit sur celui du capitan-pacha et somma celui-ci de s'arrêter. On le reçut à bord avec de grandes démonstrations de politesse et, après une courte conférence avec le capitan-pacha, il regagna son navire et laissa passage aux navires turcs, sous les regards moqueurs des Anglais. Ceux-ci eurent moins sujet de rire, lorsque, arrivée à Alexandrie, la flotte turque vint se ranger fraternellement dans le port, à côté des vaisseaux de Méhémet-Ali. L'amiral ottoman allait au plus fort. Le pacha d'Égypte y avait sans doute mis le prix.

La France avait-elle bien servi sa chance ? Était-elle en mesure de profiter de ces incidents heureux pour elle ? Non, car sa politique à l'égard de la Porte et de l'Égypte avait été incertaine et flottante. Dans la discussion du 24 juin 1839, le gouvernement avait affirmé en ces termes sa doctrine par la voix de Guizot :

« Maintenir l'empire ottoman pour le maintien de l'équilibre européen ; et quand, par la force des choses, par la marche naturelle des faits, quelque démembrement s'opère, quelque province se détache du vieil empire, favoriser la conversion de cette province en État indépendant, en souveraineté nouvelle, qui prenne place dans la coalition des États et qui serve un jour, dans sa nouvelle situation, à la fondation d'un nouvel équilibre européen, voilà la politique qui convient à la France, à laquelle elle a été naturellement conduite. »

C'était parfait, c'était parler d'une manière et, avec des réticences, agir d'une autre, puisque la France encourageait Méhémet-Ali, quitte à le contenir lorsque l'Europe montrait les dents, et à lui faire des promesses que, par des reculades devant les cabinets de Londres et de Vienne, on se rendait de plus en plus incapable de tenir.

Fallait-il prendre le taureau par les cornes, comme le conseillait Lamartine, et inviter les puissances à se partager l'empire ottoman, à se répartir les sphères d'influence, et à assurer la tranquillité de ces provinces troublées ? Étant données la rivalité directe de l'Autriche et de la Russie, l'opposition des intérêts français et anglais en Syrie et en Égypte, une telle politique était impossible. Il devait déclarer depuis que « rien n'était plus coupable et plus immoral que ce prétendu droit d'expropriation des Ottomans ». Ce droit était surtout impossible à pratiquer en l'état de division de l'Europe.

Dans la discussion de janvier 1840, Thiers avait, nous le savons, proposé un partage d'influence entre la France et l'Angleterre. Berryer, alors, s'était écrié : « Quoi ! la France ne sera qu'une puissance continentale, en dépit de ces vastes mers qui viennent rouler leurs flots sur ses rivages et solliciter en quelque sorte son génie ! » L'alliance anglaise, pourtant, était à ce prix : lui laisser l'empire des mers. Quant à ce qui était d'obtenir d'elle un appui pour permettre à la France de s'étendre sur le continent, c'était pure folie d'y songer.

D'ailleurs, la France était engagée. Sa situation méditerranéenne la mettait forcément en antagonisme avec l'Angleterre. Elle possédait Alger, malgré le mauvais vouloir de celle-ci en 1830. La Grèce était sa protégée, les régions catholiques du Liban également. L'Égypte devait sa prospérité économique aux capitaux français. Autant d'obstacles à la puissance maritime de l'Angleterre.

D'autre part, Berryer était dans le vrai lorsqu'il montrait en ces termes la nécessité pour la France de ne rien abandonner de ce domaine territorial et d'influence : « Que deviendront, disait-il, toutes les productions que vous excitez dans la France ? Cette immense machine à vapeur, ainsi mise en mouvement, ainsi chauffée par le génie, par l'activité, par l'intérêt de tous, ne fera-t-elle pas une terrible explosion, si les débouchés ne sont pas conquis ? »

Voilà le mot prononcé : les débouchés. C'était pour assurer le libre commerce de l'opium, pour avoir monopole d'empoisonner quatre cents millions d'hommes, que l'Angleterre, dans le même moment, bombardait les ports chinois. Pour assurer une clientèle à ses producteurs, la France devait garder la haute main sur l'Égypte et sur la Syrie. Pour les mêmes raisons, sa concurrente agitait l'Europe et allait la coaliser contre nous.

Mais ce n'était pas par la force que la France pouvait espérer conserver et accroître ses avantages en Orient. Le langage belliqueux qui retentissait fréquemment à la tribune, et qui était en si profond désaccord avec la politique de Louis-Philippe, ne pouvait qu'exciter l'Angleterre et lui fournir des prétextes contre nous. Un ambassadeur à Constantinople un peu plus habile, et surtout plus fidèle aux indications que lui donnaient les événements eux-mêmes, eût bien mieux valu que les récriminations parlementaires dont Metternich s'emparait pour détacher de notre alliance incertaine la diplomatie anglaise.

Nous avions à Londres, en la personne du premier ministre, Palmerston, un ennemi irréductible. Autoritaire et peu scrupuleux, il avait toutes les qualités qui firent, il y a quelques années, la fortune de M. Chamberlain. Tenace et audacieux, sans cesse entretenu en belle humeur par une absolue confiance en lui-même, dédaigneux de tous les obstacles, et ses propres déclarations de la veille n'en étaient pas pour lui, habitué à malmener un Parlement docile, sourd aux conseils timorés de ses collègues, cachant une réelle adresse sous une apparente imprudence de casse-cou, doué d'une incroyable puissance de travail, il devait battre Louis-Philippe doublé de Talleyrand, puis de Guizot.

Le roi, en effet, n'avait osé ni suivre l'Angleterre en 1833, ni se servir des puissances du Nord pour la contenir en 1839. Et lorsque Metternich avait proposé la réunion d'une conférence, et brusquement présenté à la signature des puissances une note en ce sens, il avait consenti à régler avec l'Europe une question qui eût pu se régler sans elle, s'il eût eu un peu plus de décision, et surtout de suite dans les desseins.

Le 27 juillet 1839, les ambassadeurs des grandes puissances avaient donc remis au gouvernement turc la note suivante : « Les soussignés, conformément aux instructions de leurs gouvernements respectifs, ont l'honneur d'informer la Sublime-Porte que l'accord entre les cinq grandes puissances sur la question d'Orient est assuré, et qu'ils sont chargés de l'engager à s'abstenir de toute délibération définitive sans leur concours et à attendre l'effet de l'intérêt qu'ils lui portent. »

C'était interdire au sultan de traiter avec Méhémet-Ali. C'était du coup fermer toute espérance à la France, obliger celle-ci à ne plus compter que sur le bon vouloir de la Russie, de l'Autriche et de la Prusse, pour amener l'Angleterre à reconnaître le pouvoir de Méhémet-Ali. La Russie accepta la réunion d'une conférence parce que, comme l'Autriche et la Prusse, elle y voyait le moyen de désunir la France et l'Angleterre. Les trois puissances absolutistes devenaient ainsi les arbitres du conflit caché qui 'opposait la France et l'Angleterre.

Et précisément, à l'instigation de l'Angleterre, la France venait de diminuer ses chances en arrêtant l'armée victorieuse d'Ibrahim. Il est certain qu'une marche de celui-ci sur l'Asie-Mineure eût fait avorter toute réorganisation du concert européen, puisqu'alors la Russie, en vertu du traité d'Unkiar-Skelessy, se fût portée au secours de la Turquie. Et, en même temps, la France mettait le comble à l'irritation anglaise, en plaçant en quelque sorte sous sa protection la trahison du capitan-pacha, qui livrait à Ibrahim la flotte turque. Une telle incohérence devait fatalement être funeste à notre pays.

Arrivé au pouvoir le 1er mars 1840, Thiers fut informé des sentiments de l'Angleterre par Cuizot qui, en sa qualité d'ambassadeur de France à Londres, prenait part aux conférences entre les représentants des cinq puissances. Thiers joua son unique carte, qui était d'obtenir une entente directe entre le jeune sultan et son vassal. Il emporta un premier avantage par la destitution du grand-vizir, Kosrew-Pacha. Il était sur le point de gagner la partie, et le sultan allait reconnaître par un firman la souveraineté héréditaire de Méhémet-Ali sur l'Égypte et la Syrie, lorsque le gouvernement anglais, averti par lord Ponsonby, mit tout son œuvre pour faire avorter l'affaire.

Il suscita dans le Liban, à prix d'argent, des émeutes contre le gouvernement de Méhémet-Ali et fit représenter au sultan par lord Ponsonby, qui grossit ces incidents dans le récit qu'il en fit, l'imprudence qu'il y aurait à reconnaître un pouvoir dont les peuples de Syrie allaient se débarrasser d'eux-mêmes pour se replacer sous l'autorité de leur souverain légitime. En même temps qu'il agissait ainsi en Orient, Palmerston pressait à Londres les ambassadeurs d'en finir, s'ils ne voulaient pas se trouver en face d'un fait accompli, c'est-à-dire d'un traité directement conclu entre l'Égypte et la Turquie, à l'instigation et au profit de la France.

Le tzar et le nouveau roi de Prusse, Frédéric-Guillaume IV, dans leur passion absolutiste, étaient heureux de jouer un mauvais tour à la France, de l'isoler de l'Angleterre, de prouver au monde que le concert européen pouvait se passer de la nation d'où venaient toutes les révolutions. Le 15 juillet, les quatre puissances signaient un traité par lequel elles s'entendaient pour maintenir l'indépendance et l'intégrité de l'empire ottoman, et adressaient à Méhémet-Ali l'ultimatum, auquel il devait se soumettre dans les dix jours.

La nouvelle parvint en France avec l'éclat d'un coup de tonnerre. Non seulement cet arrangement avait été conclu sans la participation de la France, mais encore on ne le fit connaître à Guizot que lorsqu'il fut signé entre les puissances. Le coup avait donc été imprévu. Aussi, l'irritation fut-elle au comble dans tous les milieux, dans tous les partis. Lamartine s'écria : « C'est le Waterloo de la diplomatie. » De fait, Guizot avait été à la fois battu et berné. « C'est un nouveau traité de Chaumont ! » s'était écrié le maréchal Soult. De fait, la Sainte-Alliance était d'un côté et la France de l'autre.

La presse prit feu et propagea l'incendie. Le National cria au ministère : « Vous êtes traînés comme des poltrons à la queue de l'Europe, vous aviez espéré qu'en lui donnant pour gage toutes les réactions contre-révolutionnaires, elle vous accepterait avec reconnaissance. Aujourd'hui, elle vous rejette, vous méprise et vous insulte. » Mais connaissant bien Louis-Philippe et son désir de paix à tout prix, le rédacteur du journal républicain, après avoir proposé de porter la révolution sur le Rhin, en Italie, en Pologne, ajoutait : « Vous vous contenterez de faire un peu de bruit pour satisfaire l'opinion, sauf à l'endormir ou à la réprimer plus tard. »

La presse ministérielle exprimait bien haut la fureur générale. « Le traité est une insolence que la France ne supportera pas, disait le Journal des Débats. Son honneur le lui défend. » Non moins belliqueux, le Temps écrivait : « L'Europe est bien faible contre nous. Elle peut essayer de jouer avec nous le terrible jeu de la guerre ; nous jouerons avec elle le formidable jeu des révolutions. » Puis, les Débats reprenaient : « La France, s'il le faut, défendra seule l'indépendance de l'Europe ; pour cette cause, qui est celle de la civilisation contre la barbarie, de la liberté contre le despotisme, nous épuiserons jusqu'à la dernière goutte de notre sang.. » La Revue des Deux Mondes, dans un article non signé et attribué à Thiers, disait : « Si certaines limites sont franchies, c'est la guerre, la guerre à outrance, quel que soit le ministère. »

Ce n'était plus la question d'Orient que la France avait devant elle, c'était la Sainte-Alliance de 1815. Edgar Quinet, dans une brochure très remarquée,1815-1840, disait que les difficultés présentes avaient pour origine les traités de 1815, « qui pèsent sur nous comme une fatalité. » Et il indiquait le devoir dont la France ne devait pas s'écarter : « La France, disait-il, ne doit pas faire un mouvement qui ne la mène à la délivrance du droit public des invasions. »

Et s'adressant aux Allemands, qu'il connaissait, au milieu desquels il venait de vivre : « Il n'est personne de ce côté du Rhin qui désire plus sincèrement votre amitié, leur disait-il ; mais si, pour l'obtenir, il s'agit de laisser éternellement à vos princes, à vos rois absolus, le pied sur notre gorge, et de leur abandonner pour jamais dans Landau, dans Luxembourg, dans Mayence, les clefs de Paris, je suis d'avis d'une part que ce n'est pas là l'intérêt de votre peuple, de l'autre que notre devoir est de nous y opposer jusqu'au dernier souffle. »

Tandis que le patriotisme outragé, se donnait ainsi carrière, réveillait le nationalisme conquérant mal assoupi, jetait des regards enflammés sur le Rhin, que des manifestations de la garde nationale demandaient la Marseillaise aux Tuileries, et que le roi venait les saluer aux sons de l'hymne révolutionnaire ; tandis que l'agitation était partout, dans les théâtres où, dit M. Thureau-Dangin, on intercalait dans les pièces « des phrases belliqueuses aussitôt saisies et applaudies », que faisait Thiers ?

Thiers se réjouissait de voir se détourner sur l'Angleterre, sur les puissances continentales, un orage qui eût pu fondre sur sa diplomatie, sur sa politique. Aussi, laissait-il toute latitude aux manifestations et faisait-il ostensiblement des préparatifs de guerre. Les Chambres étaient en vacances depuis le 14 juillet. Il ordonnança les dépenses nécessaires pour augmenter l'effectif de la marine de dix mille hommes, cinq vaisseaux de ligne, treize frégates, neuf bâtiments à vapeur. Il fit appeler à l'activité les jeunes gens disponibles des classes 1836 à 1839, créa douze nouveaux régiments de ligne et cinq de cavalerie, engagea pour cent millions de dépenses pour le matériel et l'effectif, ordonnança un autre crédit de cent millions pour commencer aussitôt la construction des fortifications de Paris.

En agissant ainsi, il était pleinement dans le sentiment public. Henri Heine écrivait à la fin de juillet : « La coalition entre l'Angleterre, la Russie, l'Autriche et la Prusse contre le pacha d'Égypte produit ici un joyeux enthousiasme guerrier plutôt que de la consternation. Tous les Français se rassemblent autour du drapeau tricolore, et leur mot d'ordre commun est : Guerre à la « perfide Albion ! »

Thiers ne se bornait pas à son rôle de chef du gouvernement. Il ambitionnait la gloire de faire de la haute stratégie ; il rêvait de conduire les troupes à la victoire du fond de son cabinet, où on pouvait le voir couché à plat ventre sur le parquet, piquant des épingles de diverses couleurs sur des cartes étalées, jalonnant les routes qui menaient aux lieux des grandes victoires du Consulat et de l'Empire.

Quant au roi, il sentait que le souffle révolutionnaire aurait emporté son trône s'il eût fait mine de retenir son ministre dans ce moment d'effervescence. La rente baissait à la Bourse : le 3 % tombait en quelques jours de 86 fr. 50 à 70 fr. 70 ; les actions de la Banque elle-même, confortée de la veille cependant par le renouvellement du privilège, descendaient de 3 770 à 3 000 francs en moins de quinze jours. Malgré cela, Louis-Philippe prenait le ton du jour et mettait son chapeau en bataille.

Recevant les ambassadeurs d'Autriche et de Prusse, il leur criait : « Depuis dix ans, je ferme la digue contre la révolution, aux dépens de ma popularité, de mon repos, même au danger de ma vie. Ils me doivent la paix de l'Europe, la sécurité de leurs trônes, et voilà leur reconnaissance ! Veulent-ils donc que je mette le bonnet rouge ? » Son fils clamait à l'unisson, se faisait une popularité en disant bien haut qu'il aimait mieux « mourir sur le Rhin que dans un ruisseau de la rue Saint-Denis ».

Et ce que Louis-Philippe porterait sur le Rhin, c'était la révolution. « Vous êtes des ingrats, criait-il à ceux qui venaient de le mettre en si fâcheuse posture. Vous voulez la guerre, vous l'aurez ; et s'il le faut, je démusellerai le tigre. Il me connaît et je sais jouer avec lui. Nous verrons s'il vous respectera comme moi. »

Quelle sincérité y avait-il dans ces cris et dans ces menaces ? Le roi était certainement très ulcéré. Ceux qu'il avait tant ménagés lui portaient un coup cruel. Ses sentiments étaient ici d'accord avec son intérêt. Mais le rusé bonhomme n'en était pas à courir les chances d'une guerre pour une affaire manquée, dont il lui était possible de jeter la responsabilité sur son ministre, quitte à se débarrasser de lui au bon moment. « Si je m'étais prononcé pour la paix, a-t-il dit depuis, M. Thiers eût quitté le ministère et je serais aujourd'hui le plus impopulaire des hommes. Au lieu de cela, j'ai crié plus haut que lui et je l'ai mis aux prises avec les difficultés. »

Au plus fort de ses récriminations, il avouait en elles plus de colère que de menace, lorsqu'il disait confidentiellement au comte de Saint-Aulaire, son ambassadeur à Vienne : « Pour votre gouverne particulière, il faut que vous sachiez que je ne me laisserai pas emporter trop loin par mon petit ministre. Au fond, il veut la guerre, et moi, je ne la veux pas ; et quand il ne me laissera plus d'autres ressources, je le briserai plutôt que de rompre avec l'Europe. » Ici, nous avons le véritable Louis-Philippe, et le National l'avait bien jugé.

Le « petit ministre », d'ailleurs, commençait à être singulièrement embarrassé. Il savait que les peuples, surtout en Allemagne, étaient loin d'attendre les Français comme des libérateurs. À l'explosion de fureur française avait répondu, de l'autre côté du Rhin, un long cri de défi. Tous les vieux griefs de 1813 surgirent, réveillant le patriotisme germanique. L'armée prussienne désirait la guerre et le prince héritier, qui devait être l'empereur Guillaume, faisait acclamer ses sentiments guerriers.

Les écrivains rappelaient la reine Louise insultée par Napoléon et, remontant dans l'histoire, parlaient de venger Conradin de Hohenstauffen, décapité par Charles d'Anjou. Les poètes évoquaient Hermann anéantissant les légions de Varus ; les militaires parlaient d'Iéna et de Valmy, point encore effacés par deux invasions en France ; les journalistes et les professeurs demandaient l'Alsace et la Lorraine, proposaient de revenir au traité de Verdun entre les fils de Louis le Débonnaire ; les pasteurs et les curés ameutaient leurs ouailles contre la nation incroyante et représentaient Paris comme la Babylone moderne, la grande prostituée, l'asile de tous les vices.

Selon Varnhagen von Else, le général Scharnhorst affirmait que la guerre était certaine, et qu'elle aboutirait au partage de la France. « La France, disait le général, représente le principe de l'immoralité. Il faut qu'elle soit anéantie ; sans cela il n'y aurait plus de Dieu au ciel. » Un autre militaire, le major Helmulh von Moltke, espérait que cette fois « l'Allemagne ne remettrait pas l'épée au fourreau avant que la France n'eût acquitté en entier sa dette envers elle. » Cette année-là, l'anniversaire de Liepzig fut fêté avec une ardeur inconnue jusque-là.

Ce fut vraiment, au dire d'un historien allemand, « le jour de la conception de l'Allemagne ». L'unité, rêve du libéralisme germanique, se faisait contre l'ennemi de l'Ouest : la patrie allemande naissait de son péril et non de la liberté. Aussi les libéraux, amis de la France, étaient-ils consternés. Mais qu'eussent-ils fait contre un tel courant ? Ne leur eût-on pas crié : Regardez les libéraux français, entendez-les demander à grands cris le démembrement de la patrie allemande.

Néanmoins, le libéralisme tenait bon dans certains centres, et s'efforçait d'éteindre le furor teutonicus. Mais il faut avouer qu'ils étaient bien mal secondés par les libéraux de notre pays, qui faisaient trop bon marché des sentiments patriotiques du libéralisme d'Outre-Rhin. Ils affirmèrent cependant leurs sympathies à Carlsruhe, à Mannheim, à Heidelberg, où les souscriptions furent ouvertes en faveur des victimes des inondations du Rhône.

L'effervescence, des deux côtés du Rhin, s'était exprimée en vers et en prose. La querelle prit bientôt le tour d'un concours littéraire. Dans une poésie sur le retour des cendres, insérée par le Moniteur, le poète Baour-Lormian s'était écrié :

Aux Français qu'on outrage, il n'est rien d'impossible.

Un poète inconnu, Nicolas Becker, avait exprimé de son côté la protestation allemande, dans la Chanson du Rhin, que la Gazette de Trêves publiait dans son numéro du 18 septembre. Le lendemain, l'Allemagne tout entière répétait ce chant de défi, clamait : « Ils ne l'auront pas, le libre Rhin allemand, jusqu'à ce que ses flots aient enseveli les ossements du dernier homme. »

Il n'en avait pas fallu davantage à Rouget de Lisle pour être célèbre. L'auteur de la Marseillaise allemande le fut. Plus de deux cents compositeurs mirent son chant en musique, chaque canton, chaque ville le chantait sur un air différent ; en cela, l'âme allemande ne fut pas aussi à l'unisson que l'âme française. Ses compatriotes de Cologne organisèrent en son honneur une retraite aux flambeaux jusqu'à sa demeure, où ils lui remirent une couronne de lierre. Le patriotisme local proposa d'appeler son chant : la Colognaise, afin de mieux l'opposer à la Marseillaise.

Le roi de Prusse lui offrit le choix entre un présent de mille thalers et une pension de trois cents thalers pendant cinq ans. La pension lui eût permis de terminer ses études, à la fin desquelles une place dans la magistrature lui était offerte. Il préféra les mille thalers et une modeste place de greffier. Le roi de Bavière lui envoya également un présent. Les villes de Mayence et de Carlsruhe en firent autant. Le vieux poète de 1S13, Arndt, lui dédia une poésie.

L'engouement dura ce que dura la crise. Cinq ans après, Becker, qui était peu robuste et aimait trop le vin clair de sa patrie rhénane, mourait obscur comme il était né. Les journaux lui donnèrent à ce moment un regain de gloire auquel Jules Janin eut le mauvais goût, dans son chauvinisme, dé mêler son coup de sifflet. Le critique des Débats gardait rancune à son jeune confrère d'avoir si bien gardé cette rive gauche du Rhin qu'il avait offert de reprendre à la tête d'un corps d'armée.

« Personne, dit M. Thureau-Dangin, ne lisait en France les brochures de combat qui circulaient en Allemagne. » Ce n'est que trop vrai et l'on croyait en France que les peuples des deux bords du Rhin nous attendaient comme des libérateurs, les uns impatients de redevenir français, les autres de se débarrasser de leurs rois et de leurs ducs. Le Chant du Rhin ne fut connu en France que par une traduction parue en Belgique, alors que déjà un autre chant, la Garde au Rhein (die Wacht am Rhein). naissait et se propageait. Son auteur, Max Schneckenburger, eut une gloire moins bruyante et plus tardive que Becker. Son lied devint chant national, et c'est à ses accents qu'en 1870 l'Allemagne se mit en marche contre nous.

Avant même qu'on ne répondit en France au cri belliqueux de Becker, les libéraux de son pays, nous dit M. Gaston Raphaël dans un fascicule des Cahiers de la Quinzaine merveilleusement documenté sur la littérature guerrière de ce moment historique, avaient essayé de réagir contre le courant. Robert Prulz proclama, dans une poésie intitulée le Rhin, que la liberté ferait des Allemands des hommes dignes et capables de conserver le fleuve national. « Rougissez, dit-il à ses compatriotes, de parler aujourd'hui du libre Rhin allemand. Soyez d'abord vous-mêmes libres et Allemands. » Un autre poète, Wilhelm Cornélius, disait également dans la Réponse du Rhin : « Ne me nommez ni « Allemand » ni « libre ! » Rudolph Gottschall n'affirma pas seulement la patrie et la liberté. Il attaqua courageusement les « Franzozenfresser » (les mangeurs de Français) et chanta :

> Ne sois pas un mur qui sépare, sois le pont,
> Ô Rhin qui conduis les peuples les uns vers les autres.

M. G. Raphaël croit que celte poésie, où l'auteur crie : « Point d'Allemands ! point de Français ! Oubliez les noms ! Soyons hommes seulement ! » fut inspirée par la Marseillaise de la paix, par laquelle Lamartine répondit au chant de Becker. Il se peut. L'obscur poète allemand n'en montra pas moins du courage à annoncer les temps de fraternité internationale en un moment où ils paraissaient plus lointains que jamais.

Sous le titre de Réponse à M. Becker, Lamartine publia son chant dans la Revue des Deux Mondes.

> Roule, libre et superbe entre tes larges rives,
> Rhin, Nil de l'Occident ! coupe des nations !
> Et des peuples assis qui boivent tes eaux vives
> Emporte les défis et les ambitions !
>
> Et pourquoi nous haïr et mettre entre les races
> Ces bornes ou ces eaux qu'abhorre l'œil de Dieu !
> Des frontières au ciel voyons-nous quelques traces
> Sa voûte a-t-elle un mur, une borne, un milieu ?
> Nations ! Nom pompeux pour dire barbarie ! L'amour s'arrête-t-il où s'arrêtent vos pas ?
> L'égoïsme et la haine ont seuls une patrie,
> La Fraternité n'en a pas !
>
> Ce ne sont plus des mers, des degrés, des rivières.
> Qui bornent l'héritage entre l'humanité ;
> Les bornes des esprits sont leurs seules frontières.
> Le monde en s'éclairant s'élève à l'unité.
> Ma patrie est partout où rayonne la France,
> Où sa langue répand ses décrets obéis !
> Je suis citoyen de toute âme qui pense :
> La vérité, c'est mon pays.

Roule libre et grossis tes ondes printanières
Pour écumer d'ivresse autour de tes roseaux.
Et que les sept couleurs qui teignent tes bannières Arc-en-ciel de la paix, serpentent dans tes eaux.

Ce cri de fraternité internationale, qui ne niait pas les patries, mais les réconciliait autour du fleuve arrosé de trop de sang, fut accueilli avec fureur sur les deux rives. Cependant, en Allemagne, il fut traduit par le poète Freiligrath, par Gubilz et par Spieker. Chez nous, il fut propagé en brochure distribuée gratuitement par un groupe d'ouvriers qui appelaient de leurs vœux et de leurs efforts le règne de la paix et du travail ». Mais ce furent l'incompréhension et l'hostilité qui dominèrent. Edgar Quinet écrivait à sa mère : « Les journaux allemands ont abominablement, indignement traité la Marseillaise de la Paix. »

Les journaux français ne furent pas plus équitables. Laissons le Charivari, républicain pourtant alors, et fort courageux dans sa lutte contre le régime de Juillet, qui appelle le poète M. de la Tartine et publie une plate parodie de ce poème admirable. Mais le National, l'organe de la démocratie, comment pouvait-il oser écrire les lignes que voici ?

« Traitant de la vie politique en poète, et la poésie en politique, il (Lamartine) ne sera jamais sérieux et il cessera d'être un homme éminent en poésie. Cette décadence, depuis longtemps commencée, se poursuit sous nos yeux par des outrages au bon sens et des insultes à la grammaire. Cela devait être : Quand on méconnait ce que vaut le ressort de la nationalité, on mérite de perdre le sentiment de la langue. »

Quinet répondit à Lamartine, dans la Revue des Deux Mondes également :

Ne livrons pas sitôt la France en sacrifice
Au nouveau Baal qu'on appelle unité.
Sur ce vague bûcher où tout vent est propice.
Ne brûlons pas nos dieux devant l'humanité.

L'humanité n'est pas la feuille vagabonde,
Sans pays, sans racine, enfant de l'aquilon.
C'est le fleuve enfermé dans le lit qu'il féconde.
Parent, époux des cieux mêlés à son limon.

Pour désarmer nos cœurs, apprivoise le monde.
D'avance, à l'avenir, as-tu versé la paix ?
Et du Nord hérissé le sanglier qui gronde.
De ta muse de miel a-t-il léché les traits ?

Le Rhin sous ta nacelle endort-il son murmure ?
Que la France puisse y boire en face du Germain.
L'haleine du glacier rouillant leur double armure.
Deux races aussitôt se donneront la main.

Ainsi, même pour Quinet, qui était démocrate et qui, connaissant l'Allemagne, savait que nul Allemand de la rive gauche du Rhin ne voulait être Français, la réconciliation était à ce prix : annexer des Allemands à la France, violer en leur personne le principe des nationalités, les sacrifier à la géographie et à l'histoire !

Musset admira le poème de Lamartine. Dans une réunion « d'ouvriers en poésie » chez Mme de Girardin, il en récita une strophe qu'il savait par cœur. Puis, excité par l'hôtesse du lieu, par Balzac, par Théophile Gautier, il y fit une réplique en un quart d'heure. « On lui avait donné, dit Mme de Girardin, tout ce qu'il fallait pour travailler. — du papier, des plumes et de l'encre, donc ! on lui avait donné deux cigares. » Au bout d'un quart d'heure. « les cigares étaient consumés, les vers rimés ».

Nous l'avons eu, votre Rhin allemand,
Il a tenu dans notre verre.
Un couplet qu'on s'en va chantant
Efface-t-il la trace altière
Du pied de nos chevaux marqué dans votre sang ?

En publiant ce chant de provocation et de haine, la Revue des Deux Mondes estima que « le spirituel poële donnait une expression plus énergique et plus vraie d'un sentiment national » que l'auteur des Méditations. Celui-ci a jugé sévèrement les « strophes railleuses et prosaïques » que le public porta aux nues « engouement, dit-il, qui ne prouve qu'une chose : c'est que le patriotisme n'était pas plus poétique qu'il n'était politique en ce temps-là ».

Un Allemand répondit, en français, à la chanson de Musset :

Nous l'avons eu — mot de misère.
Nous l'aurions — grand mot des sots !
Nous l'aurons — ne console guère !
Nous l'avons — c'est le mot des mots.

L'effervescence, cependant, tomba, ou plutôt s'évapora en chansons. D'ailleurs, la crise avait été dénouée par l'intervention active de l'Angleterre en Syrie, où ses agents axaient débauché à prix d'or les chefs montagnards du Liban. Il suffit de l'apparition d'une flotte anglaise devant Beyrouth pour les soulever contre Ibrahim. Le 3 octobre, les Anglais occupaient Beyrouth, tandis qu'un firman de la Porte proclamait la déchéance de Méhémet-Ali.

Thiers, alors, adressa, le 8 octobre, une note aux puissances, déclarant que la France n'accepterait pas que Méhémet fût dépossédé de l'Égypte. C'était, en somme, adhérer au traité du 15 juillet. Mais le gouvernement français n'était pas en état de faire autrement. D'une part, à mesure que l'effervescence tombait, le désir de paix à tout prix du roi se manifestait plus énergiquement dans le conseil. D'autre part, comment réclamer la possession de la Syrie pour Méhémet-Ali, alors que celui-ci était en train de la perdre, sinon du fait de l'intervention militaire de l'Angleterre, mais par le soulèvement de cette province contre lui.

Saint-Jean-d'Acre fut enlevé à Ibrahim, et son père le rappela en Égypte. La Syrie n'était plus en question désormais. Ce fut pour Louis-Philippe le moment de reprendre l'avantage sur son « petit ministre » et de sauver la face du même coup. Les Chambres allaient rentrer le 28 octobre. Le 20, Thiers présentait au roi un projet de discours de la couronne encore tout vibrant de l'émotion patriotique qui avait soulevé la France pendant trois mois. Louis-Philippe en jugea les termes inacceptables.

Enchanté de sortir d'un mauvais pas, car il savait que nul à présent ne désirait sincèrement la guerre, mais qu'on voudrait mal de mort au cabinet qui céderait à la pression de l'Europe, Thiers offrit sa démission. Le roi l'accepta sans barguigner, un nouveau ministère lui rendant plus facile une réconciliation avec les puissances que celui qui venait de parler si haut et de faire si ouvertement des préparatifs militaires.

Le 29 octobre, le maréchal Soult prenait la présidence du Conseil, avec Guizot comme ministre des Affaires étrangères. Il réussit, grâce à la rivalité des quatre puissances, malgré la vive opposition de lord Ponsonby. à conserver à Méhémet-Ali la possession héréditaire de l'Égypte et à la faire ratifier par le sultan.

Le 15, un nouvel attentat avait mis la vie du roi en péril. Un frotteur, nommé Darmès, avait tiré sur lui, d'un coin du jardin des Tuileries. Le ministère de réaction, qui allait durer sept ans et conduire Louis-Philippe à l'exil, profita de l'attentat pour s'affirmer. Thiers, avant de partir, lui indiqua d'ailleurs la voie.

Lamennais venait de publier une brochure intitulée : le Pays et le Gouvernement. Elle fut saisie par la police. Des perquisitions furent faites chez des éditeurs et dans les bureaux des journaux. On saisit l'Almanach démocratique, qui était en circulation depuis trois semaines. On saisit l'Organisation du travail, de Louis Blanc, qui cependant avait déjà paru dans la Revue du Progrès.

Proudhon venait de publier son Mémoire sur la propriété. Le rapport de Girod (de l'Ain) sur l'attentat de Darmès lui imputa une part de responsabilité. « Comment, dit-il, s'étonner qu'il y ait des régicides, quand il se trouve des écrivains qui prennent pour thèse : La Propriété, c'est le vol ! » De même que Lamennais, Proudhon fut poursuivi.

Chaque attentat a été marqué par une débauche de réaction et d'arbitraire. Du poignard de Louvel à la bombe de Vaillant, on peut suivre à la trace, tout le long du siècle, les reculs de civilisation et de liberté provoqués par ceux qui voulurent forcer par violence meurtrière les portes de l'avenir.

Quatrième partie

La réaction

du 29 octobre 1840 au 24 février 1848

Chapitre premier
Les fortifications de Paris

Le ministère Soult-Guizot. — Le traité du 15 juillet devant la Chambre. — Thiers et Guizot vident le sac aux secrets d'État. — Le retour des cendres de Napoléon. — Lamennais condamné. — Lacordaire arbore le froc de dominicain dans la chaire de Notre-Dame. — Le scandale des lettres de Louis-Philippe. — Les fortifications de Paris et l'attitude du parti républicain. — Le communiste Cabet proteste contre les Bastille. — Les cent soixante députés fonctionnaires repoussent la loi de incompatibilités. — Règlement des affaires d'Orient. — Les troubles du recensement : émeute à Toulouse.

Voilà donc Guizot au pouvoir. Car il ne faut pas se laisser prendre aux étiquettes : le maréchal Soult a bien le titre de président du Conseil, mais c'est Guizot qui portera les responsabilités, répondra devant les Chambres, devant le pays, devant l'histoire, de la politique de réaction et de corruption voulue par Louis-Philippe. C'est pour entrer dans les vues de ce vieil entêté, et les servir, que Guizot mettra en avant sa doctrine et sa face, également austères d'apparence, et provoquera finalement la révolution du mépris.

Guizot, qui naturellement a pris le portefeuille des Affaires étrangères, donne l'Intérieur à Duchâtel, l'Instruction publique à Villemain, les Finances à Humann, la

Justice à Martin (du Nord), le Commerce à Cunin-Gridaine, les Travaux publics à Teste, la Marine à Duperré et la Guerre à Soult. Celui-ci n'aimait pas Guizot. Ses préférences étaient d'abord allées à Thiers. Mais une brouille survint, et Thiers ne fut plus pour lui que le petit « foutriquet » ; ce surnom de caserne devait rester attaché, dans le vocabulaire des faubourgs parisiens, au plus constant adversaire de la « populace », et le plus féroce.

La brusquerie brouillonne de Soult le rendait aussi inapte aux débats parlementaires qu'aux discussions du Conseil. Non qu'il n'eût des éclairs de bon sens ; et il devait même souvent, par ses boutades, embarrasser Guizot dans ses manœuvres tortueuses. Quand il était à la tribune, ses collègues tremblaient pour le sort du ministère, et il leur fallait souvent y monter pour y réparer ses sottises, qui étaient parfois des accès de franchise, des crises de scrupule. On le supportait à cause de la grande popularité que lui valait son passé militaire.

Il était la cocarde guerrière d'un cabinet de paix à outrance et d'effacement national, comme Guizot, avec son air rogue de protestant doublé de janséniste, en était l'enseigne de probité et de sincérité.

La situation de Guizot était excellente. Thiers avait crié, tempêté, remué de la terre, des armes, des millions, mais en somme n'avait accompli aucun acte diplomatique qui engageât la France à la guerre. Il avait quitté le pouvoir bien plus pour esquiver les responsabilités de la situation devant les Chambres, que faute de les pouvoir porter jusqu'au bout dans la voie belliqueuse où, au fond, il n'avait, pas plus que Louis-Philippe, le désir de s'engager. Il rentrait dans l'opposition avec le prestige usurpé d'un homme qui avait mieux aimé quitté le pouvoir que de s'incliner devant l'étranger.

Et, prenant avantage sur son successeur, non seulement de cette situation, mais encore du rôle joué par celui-ci dans son ambassade à Londres, il pouvait ainsi l'accuser de ne l'avoir pas fidèlement servi dans une mission délicate entre toutes, à un moment tout particulièrement critique. Mais qui cet ambassadeur devait-il servir ? Son ministre des Affaires étrangères, ou le roi, qui prétendit être toujours son propre ministre et correspondit toujours directement non seulement avec ses ambassadeurs, mais encore, par-dessus leur tête, avec les gouvernements européens ?

Quel avait été le rôle de Guizot à Londres ? Sentant l'hostilité irréductible de Palmerston envers la France, il s'était mis du côté des adversaires politiques de ce ministre, avait intrigué avec eux pour le renverser, lui avait de ce chef causé bien des embarras. Or, les conservateurs anglais pouvaient utiliser le concours d'un allié aussi important, mais ils ne se croyaient pas tenus pour cela de le payer autrement qu'en paroles. Ils voulaient bien renverser Palmerston du pouvoir, mais non renoncer pour leur pays aux bénéfices de sa politique en Orient.

À se mêler de la politique intérieure de l'Angleterre et à servir les tories, Guizot ne pouvait donc qu'accroître l'animosité de Palmerston, qui n'ignorait rien de ses démarches. Fit-il cette politique à l'insu de Thiers ? Évidemment non. Tout comme Louis-Philippe, Thiers escomptait la chute du ministère libéral pour resserrer les liens fort relâchés de l'entente cordiale et faciliter le règlement des affaires d'Orient. Mais il comptait aussi sur sa propre habileté, sur son action en Orient, sur la situation prépondérante que Méhémet-Ali s'était faite par sa victoire. Encore eût-il fallu que l'habileté de Thiers ne fût pas en défaut. Or, en Orient, il avançait, puis reculait. Il gardait à Constantinople un ambassadeur qui desservait sa politique, il arrêtait l'armée d'Ibrahim, puis, au nez des Anglais, favorisait la désertion de la flotte turque. Il faut avouer que cette politique incohérente n'avait pas facilité la tâche de Guizot à Londres.

À présent, celui-ci tenait-il, dans les conférences, le langage qui eût convenu ? Montrait-il la France résolue, coûte que coûte, à laisser au pacha d'Égypte ses conquêtes ? Stylé par le roi, ne laissait-il pas entendre aux représentants des puissances que la France ne ferait pas la guerre, quoi qu'elles décidassent à l'égard de Méhémet-Ali ?

Il y a grande apparence que son attitude dut exprimer la pensée intime de Louis-Philippe, la sienne propre, et que les puissances, tenues en échec par les moyens purement dilatoires qui lui étaient indiqués de Paris ou suggérés par son esprit fertile en ressources, aperçurent bientôt qu'elles pourraient agir sans se gêner, et au besoin se passer du concours de la France.

Dans les Chambres françaises, on attendait Guizot au discours du trône, avec beaucoup plus d'impatience et d'anxiété que dans les cours et dans les cabinets étrangers, où l'on savait désormais à quoi s'en tenir. Ce n'est pas qu'en France on l'ignorât, mais on était curieux de savoir comment Guizot se tirerait d'affaire, et si ses déclarations seraient acceptées par la majorité qui avait suivi Thiers docilement, et l'eût suivi de même s'il était resté au pouvoir. Il faut cependant noter qu'à Londres et à Vienne on ne fut pas absolument indifférent : la Chambre pouvait avoir un sursaut de patriotisme, le peuple lui-même pouvait s'agiter et la pousser à des résolutions extrêmes, forcer Louis-Philippe à opter entre la guerre et le trône. Et on savait qu'il était fort capable de lâcher le tigre plutôt que de rester enfermé avec lui.

Si le ministère est renversé, écrivait dans ce moment Louis-Philippe à son gendre, le roi des Belges, « point d'illusions sur ce qui le remplace ; c'est la guerre à tout prix suivie d'un 93 perfectionné ». Et il lui donnait cet avis, destiné aux signataires du traité du 15 juillet : « Dépêchons-nous donc de conclure un arrangement que les cinq puissances puissent signer. » On voit par cette lettre que le roi tâchait, sans compromettre la paix, de faire rendre à la France les avantages que lui avait fait perdre le traité des quatre puissances. Il serait donc injuste de lui ôter le bénéfice moral de cette démarche en la passant sous silence, ou de n'y voir qu'une tentative de rentrée en grâce auprès des puissances, moyennant quelques concessions de forme à l'amour-propre national.

Le discours fut d'abord lu aux Pairs, selon la coutume. Il affirmait la paix à tout prix, dans un développement de phrases où étaient proclamés les droits de la France et le souci de sa dignité et de sa sécurité. Quant au traité du 15 juillet, c'était un événement de peu d'importance, destiné à régler un conflit lointain, et qui ne touchait pas aux intérêts directs et essentiels du pays. L'adresse en réponse aux discours de la couronne fut votée par les Pairs sans discussion.

Restait la Chambre où Thiers avait fait blanc d'une épée qu'il n'avait pas tirée du fourreau, mais seulement agitée en un vain bruit de ferraille. Mais l'opposition était fort réduite, et tous ceux qu'il avait enchaînés à son ministère ne l'y suivirent pas, il s'en faut. Quant aux autres, ils avaient eu peur de la guerre, s'en étaient crus délivrés lorsqu'il avait quitté le pouvoir. Leur cœur avait trop violemment battu à la baisse de la Bourse, pour ne pas lui en garder rancune. « On a souvent remarqué, dit à ce propos M. Thureau-Dangin, que, quand elles ont peur, les parties d'ordinaire les plus calmes et les plus inoffensives de la nation deviennent presque féroces. Il y avait un peu de cela dans l'exaspération dont le ministre du 1er mars était alors l'objet. »

Le débat eut le caractère d'une querelle entre le ministre du jour et celui de la veille. Guizot accusa Thiers d'avoir arrêté Ibrahim après la victoire de Nézib. Thiers accusa Guizot d'être le ministre de la paix certaine. Thiers ne méritait pas ce reproche, Guizot le savait mieux que personne, mais il n'hésita pas, afin de grouper autour de lui les intérêts alarmés, de donner à son adversaire le rôle belliqueux que celui-ci avait pris pour la galerie.

— Si vous aviez fait de meilleure politique, lui jeta Guizot, j'aurais pu faire de meilleure diplomatie.

— Vous deviez me le dire ! répliqua Thiers.

— Je n'y ai pas manqué. Relisez mes dépêches.

— Vous n'avez pas tenu compte de mes instructions.

— Il fallait m'en donner qui ne fussent pas contradictoires.

— Vous vous êtes laissé berner à Londres.

— Parce que vous me forciez à faire des mensonges trop grossiers.

— Vous ne m'avez pas dit qu'on allait traiter sans nous.

— Je vous ai averti qu'il se tramait quelque chose.

— Si vous aviez fait de meilleure politique, ajouta Guizot, j'aurais pu faire de meilleure diplomatie.

— On s'est joué de moi, avoua piteusement Guizot.

Tel fut, dépouillé de la rhétorique parlementaire, le dialogue de l'ancien ministre et de l'ancien ambassadeur. « On vit, dit M. Thureau-Dangin scandalisé, on vit les deux adversaires ne pas hésiter, pour les besoins de leur cause particulière, à vider les cartons du ministère, venant lire à la tribune les dépêches officielles, et même les lettres privées, livrant les secrets d'État, sans même s'apercevoir, dans leur étrange acharnement, de la surprise pénible qu'ils provoquaient ainsi en France et hors de France : le tout pour arriver à bien établir devant l'étranger, qui écoutait et auquel une telle démonstration ne pouvait déplaire, que si la France se trouvait dans une situation fâcheuse, elle le devait à l'incapacité, si ce n'était même à la déloyauté de tous ceux qui, à des titres différents, avaient mis la main à ses affaires. »

L'historien de la monarchie de Juillet mentionne le journal de Ch. Greville, qui déclare que « les révélations de secrets officiels et confidentiels ont été scandaleuses », et il invoque la chronique politique de Rossi dans la Revue des Deux Mondes, du 1er décembre 1840. « Nous ne croyons pas nous tromper, dit celui-ci, en affirmant que le comité diplomatique de la Convention mettait plus de réserve dans ses communications au public sur les affaires pendantes. « Il est vrai. Mais il y a, des conventionnels aux ministres de Louis-Philippe, cette distance que les premiers faisaient à la patrie et à la liberté le sacrifice de leur vie et de leur réputation, et que les seconds ne songeaient qu'à s'arracher mutuellement les profits de ce noble héritage.

La querelle des ministres de la veille et du jour atteignit forcément ceux de la surveille. Thiers avait hérité de Molé, Guizot héritait de Thiers. Les fautes initiales commandaient les fautes dernières. Garnier-Pagès fit ressortir cette solidarité et reprocha surtout à Thiers d'avoir eu des attitudes guerrières, tout en faisant des efforts pour conserver la paix.

En un discours qui fit vibrer la fibre patriotique de l'opposition de gauche, tout en donnant satisfaction aux rancunes des légitimistes, que parfois ses audaces faisaient trembler, Berryer fît le procès de la politique étrangère de Louis-Philippe, épousée servilement par ses ministres successifs. « Quatre fois en dix ans, s'écria-t-il, on a su que la France, pour ses intérêts, voulait sauver la Pologne, préserver la Belgique attaquée, assurer son ascendant en Espagne, protéger Méhémet-Ali. Oui, quatre fois vous avez fait connaître au monde la volonté de la France, et quatre fois vous avez fait accuser la France ou d'impuissance ou d'inertie : Quatre fois en dix ans, messieurs, c'est trop, beaucoup trop ! »

Que pouvait répondre Guizot ? Deux au moins de ces allégations étaient exactes. Il ne lui était pourtant pas possible de montrer à la Chambre que les audaces et les reculades de notre politique étrangère étaient dues aux conflits des ministres, cédant à l'opinion, et du roi, résolu à rassurer les puissances et à se faire accepter par elles. Il s'en tira en montrant que, déchaîner la guerre, c'était déchaîner du même coup la révolution. En cela, il fut sincère, mais il donna barre sur lui à Thiers, qui proclama que le vrai pouvoir fort est celui qui assure l'ordre à l'intérieur, tout en se faisant craindre au dehors.

Odilon Barrot revint à la question, il protesta contre l'acceptation du traité du 5 juillet par le nouveau ministère, et prétendit avec une logique un peu simpliste que Guizot ne pouvait succéder à Thiers, puisqu'il avait été son ambassadeur et le confident intime de sa politique.

L'adresse élaborée par la commission fut légèrement modifiée par la Chambre. Elle déclara que la France, « vivement émue par les événements d'Orient », veillait au maintien de l'équilibre européen et ne souffrirait pas qu'il y fût porté atteinte. Guizot accepta ce texte qui, en somme, lui laissait les mains libres, tout en permettant de le voter aux députés qui s'étaient le plus engagés dans la politique du précédent ministère, et il eut sa majorité.

Thiers, au lendemain de l'attentat de Darmès, avait ordonné des poursuites contre la presse démocratique. Il avait dit : Tue ! Son successeur assomma. Martin (du Nord) adressa aux procureurs généraux une circulaire leur recommandant de tenir plus que jamais la main à l'exécution des lois de septembre concernant la presse. À Paris, le National fut saisi deux fois, puis des poursuites furent ordonnées contre la Revue Démocratique. Le banquet annuel des réfugiés polonais fut interdit. Lamennais, poursuivi pour sa brochure, le Pays et le Gouvernement, se vit frapper durement : un an de prison.

L'ancien prêtre, qui, sous la Restauration, avait été un fanatique de théocratie renchérissant sur Joseph de Maistre lui-même, était un logicien épris d'absolu. Il avait rêvé pour l'Église, la domination universelle : elle ne pouvait la reconquérir qu'en séparant sa cause de celle des rois, en se libérant des liens qui l'attachaient aux divers pouvoirs temporels, en allant au peuple. Rome, nous le savons, s'était effrayée de ces audaces, et Grégoire XVI, qui en était à prêcher aux Polonais la soumission au tzar, l'avait désavoué dans la célèbre encyclique de 1832, qui était une véritable déclaration de guerre aux principes de 1789.

Lamennais s'était incliné, tout en faisant des réserves en ces termes, après avoir affirmé sa soumission au pape, pour toutes les choses de la foi : « Ma conscience me fait un devoir de déclarer en même temps que, selon ma ferme persuasion, si, dans l'ordre religieux, le chrétien ne sait écouter et obéir, il demeure, à l'égard de la puissance spirituelle, entièrement libre de ses opinions, de ses paroles et de ses actes dans l'ordre purement temporel. »

On voulut de lui une soumission plus entière et même qu'il cessât d'écrire. L'archevêque de Paris lui avait exprimé ses craintes à propos de l'ouvrage qu'il préparait. Il lui répondit :

« J'attaque avec force le système des rois, leur odieux despotisme, parce que le despotisme qui renverse tout droit est mauvais en soi... Je me fais donc peuple, je m'identifie à ses souffrances et à ses misères, afin de lui faire comprendre que, s'il n'en peut sortir que par l'établissement d'une véritable liberté, jamais il n'obtiendra cette liberté qu'en se séparant des doctrines anarchiques, qu'en respectant la propriété, le droit d'autrui, et tout ce qui est juste... Deux choses néanmoins, à mon grand regret, choqueront : l'indignation avec laquelle je parle des rois ; la seconde est l'intention que j'attribue aux souverains, tout en se jouant du christianisme, d'employer l'influence de ses ministres pour la faire servir à leurs fins personnelles... je ne dis pas qu'ils aient réussi dans cet abominable dessein. »

Les Paroles d'un Croyant parurent, cet ouvrage enflammé qui faisait pleurer d'enthousiasme les typographes chargés de le composer. La démocratie salua de ses acclamations ce prêtre qui arrachait le Christ à l'Église et le ramenait au milieu du peuple. La classe ouvrière lui fut reconnaissante d'avoir demandé pour elle la liberté d'association et le droit au bien-être par le travail. Le socialisme, alors, se cherchait encore, en dehors des minuscules groupes de communistes et de phalanstériens réunis autour de Buonarotti et de Tourier. La légende du Christ, enfant du peuple et démocrate, convenait à la religiosité vague des foules, leur labeur s'en trouvait divinisé, leurs aspirations imprécises vers l'émancipation totale en recevaient un reflet paradisiaque : enfin, la démocratie s'appuyait sur une tradition antique et vénérable, en même temps qu'elle semblait décrétée par le ciel lui-même, par un Dieu fait homme. Proudhon, qui venait de publier son premier Mémoire sur la propriété au moment où le ministre traquait les journaux et traînait Lamennais devant les juges, montra beaucoup d'amertume pour la stupidité, le mot est de lui, des républicains pendant toute l'agitation belliqueuse de 1840. « Nous sommes, dit-il dans une lettre à Ackermann, dans un pétrin politique dont tout le monde s'effraye, et que le National exploite merveilleusement. »

Et s'en prenant à Lamennais, il ajoute : « Il faut au parti un philosophe tel quel, et vous pouvez croire que les abstractions robespierristes de Lamennais seront prônées. Trois ou quatre hommes sont à mes yeux les fléaux de la France ; et je souscrirais volontiers une couronne civique à celui qui, par le fer, le feu ou le poison, nous en délivrerait ; ce sont Lamennais, Cormenin et A. Marrast. »

« Je n'aime pas les apostats, » dira-t-il quelques mois plus tard. Dans son procès, Lamennais a répété ses critiques des Paroles d'un croyant contre les socialistes, qu'il accuse de sacrifier la liberté de l'homme à son bien-être matériel. « Il n'y a pas jusqu'à ce cagot repenti de Lamennais, s'écrie furieusement Proudhon en janvier, qui, pour se défendre, ne m'ait dénoncé d'une manière indirecte. Je me propose de lui en témoigner incessamment ma reconnaissance d'une façon qui fera un peu baisser sa gloire. »

Lamennais allait à gauche, plus empêtré encore dans sa robe de prêtre, depuis qu'il l'avait quittée. Ce petit homme maigre, ardent et concentré, vivait dans le monde des idées et des abstractions, tout à son rêve mystique d'un mariage du christianisme et de la démocratie. Le ton prophétique de ses écrits, son style fulgurant, sa sincérité communicative, son absolutisme, eussent fait de lui un Savonarole dans un siècle de foi. Il réimprimait le Discours sur la servitude volontaire, ce Contr'un que la prudente générosité de Montaigne avait attribué à Étienne de la Boétie, tentait un moment de diriger le journal le Monde, publiait dans la Revue des Deux Mondes ses idées sur les réformes pratiques, où, imprégné de saint-simonisme, il préconisait la multiplication des établissements de crédit et l'assujettissement de tous à la loi du travail.

Mais il était mal à l'aise dans ces occupations terre à terre. L'Église avait déçu son rêve, et la démocratie poursuivait son destin loin des voies qu'il lui traçait en traits apocalyptiques. Il était dépaysé dans le parti auquel il était allé, tout autant que dans l'Église au moment où il l'avait quittée. Il ne rejoignait la démocratie que dans son idéal supérieur et dans ses critiques au jour le jour du régime de corruption ; avec elle, il accusait le gouvernement de Louis-Philippe de lâcheté à l'extérieur et d'impuissance à l'intérieur. Dans son austérité colérique, il rendait les saisons elles-mêmes complices de l'abaissement universel, et les brouillards de novembre lui faisaient écrire : « La boue, c'est Paris, et Paris, c'est la boue. Il semble, au surplus, qu'on ait fermement résolu de transformer la France à son image. »

Sa condamnation n'était pour rien dans cet aigrissement. Elle n'abattait pas son espoir, et il voyait, dans l'excès du mal, le signe du relèvement prochain : « Qu'au lieu de s'abandonner à la tristesse et au découragement, écrivait-il à ce moment, l'homme se réjouisse de sa destinée, et qu'il bénisse la suprême puissance qui la lui a faite ! Qu'il comprenne que la création n'offre d'autre mal que la limitation sans laquelle son existence serait impossible. »

Au moment où les juges frappaient Lamennais, les restes de Napoléon, ramenés de Sainte-Hélène par le prince de Joinville, étaient portés triomphalement aux Invalides, dans l'acclamation universelle d'un peuple qui comparait les gloires du passé aux humiliations du présent, sans vouloir comprendre que ce présent était la rançon du passé. Et qui le lui eût fait comprendre ? Béranger, Thiers, Victor-Hugo, Lamennais, les rédacteurs du National, ceux même de l'Atelier, n'avaient-ils pas à l'envi entretenu la légende ?

Dans son Histoire de huit ans, écrite pourtant avec le recul nécessaire, Elias Regnault n'ose toucher à la légende, de peur de frapper les républicains d'un désaveu. Racontant la translation des cendres, il parle de la « sainte mission » des envoyés de la France chargés de recueillir le « précieux dépôt » ; il respecte la « religion des souvenirs » qui a érigé un culte à « l'auguste exilé », et note avec émotion l'enthousiasme des populations dans le trajet que fit le corps sur la Seine, du Havre a Courbevoie.

Mais il déclare que « ce sentiment d'admiration si vif, si sincère, si unanime, s'adressait moins au fondateur d'une dynastie nouvelle qu'au héros qui avait si bien compris et si bien défendu la dignité nationale ». Le peuple, vraiment, faisait bien de ces distinctions ! Il est vrai que dans ce moment, « parmi les milliers de spectateurs qui saluaient la grande ombre de l'empereur, nul ne donna un souvenir au prince, son neveu, qui, à quelques lieues plus loin, languissait dans une prison ».

Il est non moins vrai qu'en juin de cette année-là, avant de tenter son coup de Boulogne, le prétendant avait essayé en vain d'intéresser les républicains à sa cause, et que Frédéric Degeorge, chargé par le National d'aller à Londres entendre ses ouvertures, avait répondu à son affirmation de l'impossibilité de la république et de la nécessité de l'empire : « Puisqu'il en est ainsi, nous vous recevrons à coups de fusil. »

De son côté, dans la Revue du Progrès, Louis Blanc avait, au même moment, répudié, en ces termes, le bonapartisme dynastique, en réponse à la brochure du prince, les Idées napoléoniennes : « Vous nous proposez ce gui fut l'œuvre de votre oncle, moins la guerre ? Ah ! monsieur, mais c'est le despotisme moins la gloire, c'est le servilisme des cours moins les exaltations de la victoire, ce sont les grands seigneurs tout couverts de broderies moins les soldats tout couverts de cicatrices, ce sont les courtisans sur nos têtes moins l'Europe à nos pieds… »

L'Europe à nos pieds, la gloire, la victoire, voilà ce que rêvait le peuple. Dans cette journée du 15 décembre, en regardant passer, sous l'Arc de Triomphe où tout cela était inscrit, l'impérial cortège où Louis-Philippe jouait le rôle du maître des cérémonies bien plus que de l'héritier.

Après avoir donné cette satisfaction aux rêves de gloire, le roi s'appliqua à en donner de plus grandes à une puissance plus immédiate, et dont le concours lui était nécessaire pour tenir les foules dans la soumission à l'ordre établi. Et aux félicitations que, le ler janvier 1841, l'archevêque de Paris, Affre, lui apportait au nom de son clergé, Louis-Philippe répondait, en parlant des devoirs de son gouvernement :

« Je mets au premier rang de ces devoirs celui de faire chérir la religion, de combattre l'immoralité et de montrer au monde, quoi qu'en aient dit les détracteurs de la France, que le respect de la religion, de la morale et de la vertu est encore parmi nous le sentiment de l'immense majorité. » M. Thureau-Dangin, en se reportant à ce discours, constate avec joie le « chemin fait depuis ce lendemain de 1830 où le souverain n'osait même plus prononcer le mot de Providence ».

Qu'en était-il des sentiments réels du roi ? Ici encore, s'il faut en croire Proudhon, qui tient ce renseignement du père de M. de Schonen, un « ami intime de Louis-Philippe », celui-ci aurait fait à Schonen, cette confidence : « Je suis athée et matérialiste. » Proudhon, là dessus, s'écrie : « Eh bien ! qui est-ce qui flagorne le clergé ? » et il ajoute : « Tout le monde, à Paris, méprise Louis-Philippe, oui, tout le monde. Tout le monde a un fait de lésinerie, d'hypocrisie, de bassesse dégoûtante, de noirceur à raconter. Tout le monde. »

Louis-Philippe croyait non aux dogmes de la religion, mais à sa puissance disciplinaire, et résolu à gouverner en réaction, il employait cette puissance, tout en l'augmentant des concessions que lui faisait son gouvernement. Au mépris des lois, Lacordaire arborait, ce carême-là, l'habit du dominicain dans la chaire de Notre-Dame et réorganisait publiquement un ordre qui n'avait aucune existence légale.

Comme Montalembert, Lacordaire n'avait gardé de son contact avec Lamennais que ce que l'Église en avait reconnu utile à sa cause : la liberté d'association et d'enseignement, c'est-à-dire liberté pour les congrégations religieuses et pour les écoles congréganistes, la liberté de l'erreur n'ayant jamais été admise par le catholicisme que comme une concession temporaire imposée par la force des choses. Il ne s'était pas séparé sans une profonde douleur de celui qui l'avait dominé de toute la hauteur et de toute la force d'un esprit supérieur.

Il avait été, au moment de quitter Lamennais, déchiré « par les tourments de la conscience qui lutte contre le génie ». En se séparant de lui. il lui écrivait ces lignes qui tracent, dans certains esprits, la démarcation du sentiment et de la raison : « Peut-être vos opinions sont plus justes et plus profondes, et, en considérant votre supériorité naturelle sur moi, je dois en être convaincu ; mais la raison n'est pas tout l'homme. »

Mais ce n'était pas en vain que le puissant cerveau de Lamennais avait opprimé quelque temps celui de Lacordaire. Celui-ci s'était fermé à la raison, mais il en avait reçu les formes extérieures. En sorte que Lamennais ne l'avait rapproché du siècle que pour l'y opposer plus directement. Cultivant le don oratoire qu'il avait, il rajeunit l'éloquence de la chaire, la rendit plus actuelle, montra, selon l'expression de Montalembert, « une heureuse facilité à maîtriser l'imagination de ses contemporains comme à utiliser leurs préjugés. » Aussi y avait-il foule à ses conférences de Notre-Dame. Pour un peu, on y eût applaudi comme au théâtre. Épousant la légende napoléonienne, il fit, nous dit son apologiste, « du météore impérial un des lieux communs les plus répugnants et les plus malavisés de la chaire chrétienne ».

De même qu'il réclamait pour l'Église la liberté d'en finir avec la liberté, il employait le vocabulaire moderne pour ramener au passé les âmes de son temps. Il trouvait des accents pittoresques et pressants pour maudire le progrès en des apostrophes telles que celle-ci, où l'amour de la nature et de la liberté est opposé à la science qui organise et aménage le monde :

« Oui, montagnes inaccessibles, neiges éternelles, sables brûlants, marais empestés, climats destructeurs, nous vous rendons grâce pour le passé et nous espérons en vous pour l'avenir ! Oui, vous nous conserverez de libres oasis, des thébaïdes solitaires, des sentiers perdus ; vous ne cesserez de nous protéger contre les forts de ce monde ; vous ne permettrez pas à la chimère de prévaloir contre la nature et de faire du globe, si bien pétri par la main de Dieu, une espèce d'horrible et étroit cachot où l'on ne respirera plus librement que la vapeur, et où le fer et le feu seront les premiers officiers d'une impitoyable autocratie. »

Son talent et la popularité qu'il lui valait, il les employa à faire accepter son habit, sa doctrine, sa congrégation reconstituée. Il opposa l'opinion publique à la loi. « On a dit que les communautés religieuses étaient interdites en France par les lois, écrivait-il dans son Mémoire pour le rétablissement des frères prêcheurs ; plusieurs l'ont nié ; d'autres ont soutenu que ces lois, supposé qu'elles existent, avaient été abrogées par la Charte. Je n'examinerai aucune de ces questions. Car je ne me présente, en ce moment, ni à la tribune ni à la barre d'une cour de justice. Je m'adresse à une autorité qui est la reine du monde, qui, de temps immémorial, a proscrit des lois, en a fait d'autres, de qui les chartes elles-mêmes dépendent... C'est à l'opinion publique que je demande protection. »

Et pour s'en concilier les parties les plus agissantes, et lier sa cause au mouvement qui se dessinait en faveur de l'association, il déclarait que « les associations religieuses, agricoles, industrielles, sont les seules ressources de l'avenir contre la perpétuité des révolutions.. Jamais, ajoutait-il, le genre humain ne reculera vers le passé ; jamais il ne demandera secours aux vieilles constitutions aristocratiques, quelle que soit la pesanteur de ses maux ; mais il cherchera dans les associations volontaires, fondées sur le travail et la religion, le remède à la plaie de l'individualisme. J'en appelle aux tendances qui se manifestent déjà de toutes parts ».

Nous trouvons ici les premières lignes de ce qu'on a appelé improprement le socialisme chrétien, et qu'il est plus juste et plus exact d'appeler le christianisme social. Ce n'est plus la protestation des conservateurs féodaux contre l'industrialisme et le machinisme, protestation utilisée par les socialistes dans leur critique du régime capitaliste. C'est un mouvement qui va côtoyer la démocratie et le socialisme, sous le regard inquiet et complice à la fois des puissances ecclésiastiques promptes à le refréner lorsqu'il ira trop loin et risquera de mettre l'Église au service du peuple, au lieu de se borner à être un moyen, imposé par le malheur des temps, pour ramener le peuple au service de l'Église.

Mais si l'Église se rapprochait d'un pouvoir qui n'avait que des grâces pour elle, le parti qui jusque-là s'était lié à l'Église, et pour lui complaire avait soulevé contre lui une révolution, le parti légitimiste ne désarmait pas. Lui aussi, dans certains de ses éléments, faisait des avances à la puissance nouvelle, à l'opinion, au sentiment démocratique naissant. Nous avons maintes fois remarqué que Berryer mettait une sorte de coquetterie à recueillir les applaudissements des démocrates. Il en était de même de Chateaubriand, qui enterrait pompeusement la monarchie défunte et faisait de ses cruelles protestations de fidélité à une dynastie sans espoir un hommage aux destins futurs de la démocratie.

La Gazette de France avait pour directeur Genou, un prêtre qui avait modifié son nom patronymique, et l'avait anobli en l'entourant de deux particules, ce qui le faisait « de Genoude ». Son idée fixe était l'alliance avec la gauche. « Aucune rebuffade, dit M. Thureau-Dangin, ne décourageait ses avances. » Il fonda même, à ses frais, une feuille démocratique, la Nation, qui vécut peu. Le premier, dans la presse, au lendemain de 1830. il avait demandé, lui, légitimiste intransigeant, le suffrage universel. Il était de cette école de conservateurs, florissante encore aujourd'hui, qui attendent toujours la réaction d'une poussée de révolution, et travaillent consciencieusement à faire, comme ils disent, sortir le bien de l'excès du mal.

Le 11 janvier 1841, il publiait dans la Gazette de France les lettres de Louis-Philippe émigré, écrites en 1807 et en 1808, dont nous avons donné des extraits dans notre première partie. Dans ces lettres, on se le rappelle, le fils de Philippe-Égalité se déclarait Anglais, demandait aux Espagnols un commandement contre les armées de Napoléon, aux puissances la souveraineté des îles Ioniennes, alors occupées par la France. Venant au lendemain du jour où Louis-Philippe avait rendu un solennel hommage aux cendres de Napoléon, cette révélation fit scandale.

Quinze jours après, un autre journal légitimiste, la France, publiait trois autres lettres, postérieures à 1830, sous le titre sensationnel de : la Politique de Louis-Philippe expliquée par lui-même. Dans la première le roi mandait à un ambassadeur, que, fidèle aux engagements pris par Charles X avec l'Angleterre, il évacuerait Alger dès que l'état des esprits en France le lui permettrait. Dans la seconde, il se faisait un mérite d'avoir sauvé la Russie, l'Autriche et la Prusse en appliquant le principe de la non-intervention. Dans la troisième, il expliquait les efforts qu'il avait faits pour endormir le civisme en éveil, se plaignait qu'on ne lui sût pas gré de ses efforts, et se promettait de « maîtriser la presse, notre plus dangereuse ennemie ».

Ces lettres furent reproduites par tous les journaux de l'opposition. Les partisans du régime étaient affolés, seuls quelques-uns niaient énergiquement leur authenticité. Le gouvernement, après une assez longue hésitation, se décida à poursuivre les journaux qui les avaient publiées, mais sans déclarer qu'elles étaient fausses. Cependant le gérant et le rédacteur de la France étaient arrêtés sous l'inculpation de faux. Quant à la Gazette de France, on se contentait d'y faire une perquisition, sans la poursuivre, ce qui était avouer que les lettres de 1807-1808 avaient bien été écrites par Louis-Philippe.

Les trois lettres publiées par la France avaient été communiquées à ce journal par une aventurière, Ida de Saint-Elme, qui signait la Contemporaine. Lorsque Guizot était ambassadeur à Londres, elle avait voulu lui vendre ces lettres, ainsi qu'un grand nombre d'autres, qu'elle disait tenir de Talleyrand. Elle en voulait soixante-quinze mille francs. Guizot marchanda : ce haut prix, maintenu par la dame, fit rompre les négociations.

Étaient-elles authentiques ? Il faut bien que le jury l'ait cru, puisqu'il acquitta ceux qui les avaient publiées, après que le ministère public eut abandonné l'accusation de faux. Une obscurité demeure, cependant. La première de ces lettres a été forgée en prenant une note verbale de Louis-Philippe à l'ambassadeur d'Angleterre et en y ajoutant un paragraphe qui ne trouve pas dans cette note. Cela ressort d'une publication qu'avait faite Larrans, un journaliste républicain, en 1834, et qu'on n'eut l'idée de rechercher qu'après le procès.

On sait qu'en langage diplomatique ce qu'on appelle une note verbale est une communication écrite. La Saint-Elme avait donc pu se la procurer si elle avait vécu dans l'intimité de Talleyrand. D'ailleurs, si tout avait été faux dans son dossier, pourquoi Guizot eût-il entamé des pourparlers pour l'acquérir ? Ce qui ne l'était pas, en tout cas, c'est l'exposé de la tactique politique, l'expression des sentiments réels de Louis-Philippe. Il s'en était, sous une autre forme, mais toujours dans le même sens, expliqué vingt fois dans ses lettres à ses ambassadeurs, au roi Léopoid et à Metternich lui-même. Il est certain que si Guizot ambassadeur axait pu prévoir les ennuis que ces lettres causeraient à Guizot ministre, il n'eût pas hésité à en donner le prix demandé.

Pour les gens que n'intéressaient pas les drames et les comédies politiques, une autre affaire, assurément plus tragique, vint à ce moment satisfaire leur curiosité. Le principal personnage en était également une femme. La condamnation qui la frappa constitue encore pour beaucoup une de ces erreurs judiciaires qui sont inhérentes à l'organisation même de la justice. C'est de l'affaire Lafarge que nous voulons parler.

Marie Capelle, héroïne de ce drame, était la fille d'un colonel d'artillerie. En 1839, alors âgée de vingt-cinq ans, elle avait épousé un maître de forges nommé Pouch-Lafarge. Celui-ci ne maintenait sa situation commerciale, fort difficile, qu'au moyen d'expédients tels que billets de complaisance souscrits par un homme à ses gages et renouvelés à l'échéance, et autres moyens peu délicats. Il avait naturellement trompé la famille Capelle sur son véritable état de fortune, et il avait enthousiasmé la jeune fille, dont il convoitait les cent mille francs de dot, en lui décrivant le château où elle serait dame et maîtresse, dans un des sites les plus pittoresques de la Corrèze.

Or, le château du Glandier était une bicoque dans un pays perdu. On se fait une idée du dépaysement de cette jeune Parisienne, habituée à un confortable presque luxueux et aux relations agréables que procure l'existence mondaine. Sa désillusion fut trop vive pour qu'elle pût cacher aux trop rares personnes qu'on voyait, son ennui, et celui qu'y ajoutaient leurs menus bavardages faits de médisance et d'envie. Aussi, mit-elle vite contre elle tout ce qui constituait la bonne société des environs.

Son mari eut bientôt recours à elle pour sortir des embarras où il était, chaque jour, plongé plus avant. Elle lui donna sa procuration afin qu'il pût réaliser, sur sa dut, les fonds nécessaires à un fort paiement. Il allait se mettre en route lorsqu'il mourut subitement. Sans hésitation, sa famille accusa la jeune femme de l'avoir empoisonné. Sans plus d'hésitation, la justice se saisit d'elle.

Devant le jury de la Corrèze, qui reflétait naturellement les passions locales, les experts furent partagés, ce qui est l'ordinaire des expertises judiciaires. Orfila concluait à l'empoisonnement par l'arsenic, Dupuytren niait la présence de l'arsenic dans les viscères du mort. Lachaud, qui défendait madame Lafarge, et dont c'était le début dans une carrière qui devait être si retentissante, demanda une nouvelle expertise à Raspail, qui la fit, mais arriva trop tard. Le jury avait prononcé une condamnation aux travaux forcés à perpétuité, qui prouvait bien, étant données la peine de mort inscrite dans le code et la grandeur du crime imputé à l'accusée, qu'il n'était pas du tout certain de sa culpabilité.

Ce drame passionna la France entière. En prison, Mme Lafarge publia ses mémoires, écrits avec esprit et d'un style aisé et vif ; le public se les arracha. La majorité était pour elle. La pression de l'opinion sur le pouvoir devait, douze ans après, lui rendre la liberté.

Tandis que les préoccupations se tournaient du côté de Mme Lafarge, la Chambre ouvrait un grand débat sur les fortifications de Paris. Le gouvernement présentait un projet comportant une enceinte continue et des forts détachés, Soult qui connaissait au moins les choses de son métier, ne croyait pas à l'utilité de l'enceinte. L'histoire a tragiquement prouvé, trente ans plus tard, qu'il avait raison. Il vint donc à la tribune combattre le projet déposé par lui-même, à la grande fureur de ses collègues et du roi. Mais, tancé vertement le soir même par le roi, le vieux militaire se tint coi désormais, et Guizot déclara à la Chambre que le ministère était unanime à demander l'enceinte continue.

L'opinion, même républicaine, n'était pas moins divisée que le ministère. Emballé par son chauvinisme organique, le National ne voyait de sécurité pour Paris que dans le mur fortifié. D'autres républicains, Cabet en tête, soutenaient avec raison que les forts étaient destinés à défendre Paris, et l'enceinte à le contenir, à l'embastiller au besoin. Cabet publia de courageuses brochures ; les Bastilles, qui exaspérèrent las gens du National. Un de ses rédacteurs le provoqua en duel. Approuvé par les ouvriers, qui lui défendirent de jouer sa vie eu un stupide combat singulier, Cabet déclina le cartel et poursuivit sa campagne.

Le National ayant refusé d'insérer une lettre qu'il lui avait adressée, Cabet le poursuivit devant le tribunal, où il vint affirmer hautement sa doctrine communiste, puisée, disait-il, dans les enseignements de Socrate, dans Platon et de Jésus-Christ. Louis Blanc prit parti pour Cabet, et écrivit dons la Revue du Progrès : « Nous devons à M. Cabet, au nom de la majorité du parti démocratique, de solennels remerciements pour le zèle, le courage, l'inébranlable constance qu'il a mis à repousser les Bastilles. »

Fait digne de remarque, et qui passa alors inaperçu, ne souleva pas les susceptibilités patriotiques des républicains, pourtant si prompts à s'échauffer, c'est que les fortifications de Paris furent en partie construites par des Allemands. Cela inspira au Charivari une variante des innombrables parodies de la Chanson du Rhin qui couraient alors, et où il fait chanter à ces braves travailleurs, pressés d'envahir la France pour y gagner leur pain :

« Non, ils ne t'auront pas, Rhin ! Rhin ! Rhin ! vin ! vin ! vin ! Les fortifications nous appellent, ma truelle frémit d'impatience ; en route et répétons toujours : Heug ! Heug ! Heug ! le cri des braves ! »

A la Chambre, malgré les efforts des anciens ministres pour embarrasser le cabinet et le faire tomber, car sous cette discussion patriotique se cachaient à peine d'ardentes compétitions, mises en espoir par l'attitude boudeuse du maréchal Soult, qui rongeait visiblement son frein et qu'on ne désespérait pas de voir s'emballer, le projet de loi sur les fortifications fut voté à une assez grande majorité. Aux Pairs, Molé, aidé de Pasquier, tenta de réussir l'opération manquée à la Chambre, mais la loi fut également volée après un très vif débat.

Et il fallut bien, à la Chambre, revenir à la réforme parlementaire, à la proposition Remilly sur les incompatibilités, ajournée seulement, mais non enterrée, dans la précédente session. Le scandale des députés exerçant des fonctions publiques était au comble. Leur nombre était allé croissant. On en comptait 130 en 1828, 139 en 1832, 150 en 1839. En 1842, ils allaient être 167, puis 185 en 1846 et dépasser le chiffre de 200 en 1847. On pouvait donc, déjà en 1841, dire que les lois étaient votées par une majorité composée en majorité de fonctionnaires, puisque les fortifications de Paris le furent par 237 voix.

La Charte de 1830 et la loi du 14 septembre de la même année avaient bien soumis à la réélection les députés pourvus d'une fonction publique au cours de leur mandat, la loi de 1831 avait bien établi quelques incompatibilités entre certaines fonctions et le mandat législatif, mais c'était là, on le voit par les chiffres que nous donnons, une bien faible barrière. Si ces restrictions n'avaient pas existé, il n'y eût pas eu un député-fonctionnaire de moins.

Il semble que la situation sociale des éligibles, pour lesquels le cens était relativement élevé, dût préserver les députés de la corruption. Mais ce serait bien mal connaître la nature humaine que de le croire, et ignorer que tout pouvoir fondé sur la richesse est par là même exclusif de tout élévation morale. « Élevez le cens, disait fort justement l'orléaniste Duvergier de Hauranne, et à la séduction des bouteilles succédera celle des places. Il ne faut pas croire qu'au dessus de mille francs de revenu on soit moins disposé à se vendre qu'au dessous : seulement, en se vend pour autre chose. »

Guizot fut moins que Thiers gêné aux entournures, ayant avec lui une majorité qui ne s'était pas, comme celle de son prédécesseur, prononcée contre ce honteux système. Il put donc combattre la reprise du projet de Remilly et le faire repousser, malgré les efforts de Garnier-Pagès et de Mauguin, qui avaient présenté ce projet sous une autre forme et en avaient demandé la prise en considération. L'opposition était battue une fois de plus, sur ce terrain. Mais ses coups avaient porté dans l'opinion. La servilité des Chambres, dont l'une était nommée par le roi et dont l'autre s'emplissait de fonctionnaires, détacha d'elles peu à peu le pays, leur attira son mépris profond, attesté par la facilité avec laquelle il devait accueillir une révolution qui les fit disparaître l'une et l'autre.

D'un autre côté, la tranquillité du ministère fut assurée. La Porte avait fini par céder aux désirs des puissances et, Méhémet-Ali étant désormais enfermé dans l'Égypte, à lui en assurer la possession héréditaire moyennant l'engagement de réduire l'armée égyptienne à dix-huit mille hommes, de ne construire aucun vaisseau sans la permission du sultan et de payer à la Turquie un tribut annuel de dix millions de francs. La France ayant, par la note du 8 octobre précédent, déclaré simplement qu'elle ne permettrait pas que le pacha fût dépossédé de l'Égypte, il n'y avait aucun motif de désaccord entre elle et les quatre puissances.

Elle put donc rentrer dans le concert européen sans amoindrissement moral, et Guizot eut tout le bénéfice de l'opération, la note du 8 octobre qui limitait les prétentions de la France au profit de Méhémet-Ali ayant été l'œuvre de son prédécesseur. Sa rentrée fut facilitée par l'antagonisme irréductible de l'Angleterre et de la Russie en Orient, qui faisait de la France l'alliée naturelle de l'Angleterre sur ce terrain. Ensemble, la France et l'Angleterre firent annuler l'entente russo-turque, et les puissances signaient, le 13 juillet 1841, la convention dite des détroits, par laquelle le Bosphore et les Dardanelles étaient fermés à toutes les flottes militaires de l'Europe. Dans le même moment, les cabinets de Londres et de Paris s'accordaient pour régler les différends qu'ils avaient en Grèce et préludaient ainsi à la reprise de l'entente cordiale.

Or si, au dehors, les affaires du ministère s'arrangeaient pour ainsi dire toutes seules, et par la force des choses, il n'en devait pas être de même à l'intérieur, et sa tranquillité, assurée dans les Chambres, fut troublée par une agitation assez vive, soulevée par la maladresse du ministre des finances, qui, à propos du recensement décennal destiné au remaniement de la répartition des contributions directes, lança une circulaire où tout le monde crut voir à la fois une menace d'augmentation des impôts et une atteinte au droit des municipalités.

La loi de 1832 donnait au gouvernement la tâche du recensement des propriétés et de la population des communes, mais il attribuait aux conseils généraux et d'arrondissement la répartition des contributions entre les imposables. La presse radicale, plus désireuse de créer des embarras au ministère que de se conformer aux règles établies, prétendit que le gouvernement n'avait pas le droit de procéder au recensement. Et elle appuyait sa protestation, insoutenable en droit, sur des critiques fort justifiées sur la manière dont, en certaines localités, les agents de l'État avaient procédé à cette opération, incorporant la population flottante, détenus, soldats, etc., à la population sédentaire, afin d'augmenter arbitrairement la quote-part de ces localités.

Le fisc a toujours été impopulaire en France. Aussi la querelle ne tarda-t-elle pas à s'envenimer, et des troubles éclatèrent sur de nombreux points du territoire, à Lille, à Clermont, où des barricades furent élevées. A Toulouse, ce fut une véritable émeute : il y eut des morts et des blessés, par la brutalité maladroite du nouveau préfet, envoyé par Guizot pour faire de l'autorité à tout prix. L'émeute prit bientôt des proportions telles que le préfet dut s'enfuir.

Un commissaire extraordinaire fut envoyé de Paris, on emplit la ville de troupes et la terreur ramena le calme. La municipalité et la garde nationale de Toulouse furent dissoutes.

Il resta de cette agitation une violente animosité de la bourgeoisie des villes contre le régime ; et partout où le recensement avait été fait avec la partialité que nous avons dite, les propriétaires, frappés dans leurs intérêts, passèrent à l'opposition.

Chapitre II
Les conservateurs-bornes

L'élection de Ledru-Rollin ; son programme « socialiste » — L'attentat Quénisset : un procès de complicité morale. — La convention du droit de visite et la réforme électorale. — Les chemins de fer devant la Chambre. — Un discours de Thiers sur les chemins de fer. — La loi d'expropriation et les intérêts capitalistes. — Les élections générales du 9 juillet 1842. — Mort du duc d'Orléans.

Le 23 juin 1841, Garnier-Pagès était mort, à peine âgé de quarante ans. Les démocrates ressentirent vivement cette perle, qui les privait d'un orateur parlementaire d'une activité et d'une éloquence redoutables pour le pouvoir. Son frère fut jugé trop jeune pour être présenté aux électeurs du Mans. Les uns songeaient à présenter Michel (de Bourges), d'autres plus modérés soutenaient dans les conseils du parti la candidature de Ledru-Rollin. Celui-ci l'emporta, malgré la résistance des rédacteurs du National, et tous eurent le profond étonnement, lorsqu'il fit sa profession de foi aux électeurs, de trouver en lui un radical nettement accentué.

Dans la Grèce de Samarez, Pierre Leroux ne nous donne pas tout le secret de l'évolution qui s'accomplit alors en Ledru-Rollin, mais nous raconte comment il fut amené lui-même à rédiger le programme du candidat des démocrates. « Je me rappelle, dit-il, le jour où Démosthène Ollivier vint aux Batignolles me demander de faire un programme — un programme socialiste, entendez-vous ! — pour Ledru-Rollin qui allait se présenter au Mans, où Ici socialistes avaient des partisans... Je fis bien quelques difficultés ; j'avais je ne sais quels pressentiments. Enfin, je cède, j'écris un programme. Ledru l'emporte, brode dessus un discours, et il est nommé. »

Ce discours prononcé par un orateur qui avait un tempérament de tribun et en possédait tous les moyens extérieurs : taille avantageuse, physionomie belle, voix puissante, entraîna les électeurs, qui lui donnèrent l'unanimité moins quatre voix, tant est grande l'action de la parole sur les foules. Les bourgeois du Mans acceptèrent le programme en faveur de l'homme. Ils avaient entendu l'homme, qu'avaient-ils besoin de lire le programme !

Qu'y avait-il dans ce programme, que le Courrier de la Sarthe publia, ainsi que le discours, le jour de l'élection ? Il débutait ainsi : « En répondant à votre appel, eh venant à vous, je vous dois compte de ma foi politique. Cette foi vive, inébranlable, je la puise à la fois dans mon cœur et dans ma raison. Dans mon cœur qui me dit, à la vue de tant de misères dont sont assaillies les classes pauvres, que Dieu n'a pas voulu les condamner à des douleurs éternelles, à un ilotisme sans fin. Dans ma raison qui répugne à l'idée qu'une société puisse imposer à un citoyen des obligations, des devoirs, sans lui départir en revanche une portion quelconque de souveraineté. » Le suffrage universel ainsi affirmé, Ledru-Rollin ajoutait : « La régénération politique ne peut être qu'un acheminement et un moyen d'arriver à de justes améliorations sociales. »

Si vague qu'il fût, si pâle qu'il nous paraisse, ce programme souleva une grande émotion dans la classe ouvrière. Elle crut qu'elle allait avoir à la Chambre un défenseur véhément et infatigable. Martin-Nadaud, se remémorant l'impression de ses camarades et les siennes propres, dit, dans ses Mémoires de Léonard, que « ceux qui furent témoins de l'effet produit sur les masses par sa profession de foi affirmèrent que Louis-Philippe reçut ce jour-là un coup tellement violent et formidable qu'il le ressentit jusqu'au moment de la perte de son trône en 1848 ». Ce fut sur cette impression que le ministère, prenant le texte de quelques véhémences oratoires, traduisit le nouveau député devant le jury, pour délit de presse et de parole. Voilà où en étaient à cette époque la liberté de parler et la liberté électorale. Le jury de Maine-et-Loire condamna Ledru-Rollin et Hauréau, le gérant du Courrier de la Sarthe. Mais un vice de forme amena l'affaire devant la Cour de cassation. Ledru-Rollin y apostropha le ministère public en ces termes :

« Et vous, procureur général, qui vous donne l'investiture ? Le ministère " ? Moi, électeur, je chasse les ministres. Au nom de qui parlez-vous ? au nom du roi. Moi, électeur, l'histoire est là pour le dire, je fais et je défais les rois. Procureur général, à genoux, à genoux, devant ma souveraineté ! »

Mais cette souveraineté qu'il reconnaissait à l'immense peuple des salariés, était soigneusement limitée aux réformes politiques et à de bonnes lois sociales destinées à sauver la propriété des attaques du communisme. La Cour de cassation admit le vice de forme et renvoya Ledru-Rollin devant le jury de la Mayenne, qui l'acquitta. Hauréau n'ayant pu juridiquement présenter un moyen de cassation, demeura condamné ; — et ainsi apparut une fois de plus le vice d'un mécanisme judiciaire, où la forme emporte le fond. Ledru-Rollin alla siéger à la Chambre, où, contre toute attente, son éloquence ne trouva guère l'occasion de se déployer. Plus exercé à remuer des sentiments qu'à discuter des faits et à manier des chiffres, il était dépaysé dans cette assemblée de propriétaires et de gens d'affaires. Leur critique avisée d'hommes voués au culte des intérêts positifs, eut vite percé l'ignorance où il était de leur métier. Socialiste, il en eût tout de même vu assez pour les harceler d'une critique incessante. Mais il n'avait de socialiste que son programme, et l'on a vu que le socialisme en était bien vague et bien incertain, à la mesure du socialisme de Pierre Leroux, qui lui-même ne se formula jamais.

Il fut donc, lui si admirablement doué pour les luttes oratoires, à peu près condamné au silence, au grand chagrin de Cormenin, qui lui reprochait « de ne point se laisser aller au grand courant de la Chambre ». Il prononça cependant quelques bons discours, revint fréquemment sur la question du paupérisme, mais en termes généraux, et sans apporter une solution au mal qu'il dénonçait.

Garnier-Pagès n'avait pas été, certes, plus socialiste que lui. Mais du moins, ne s'était-il pas fait élire sur un programme déclaré socialiste. Et on pouvait doublement regretter sa perte, lorsqu'en face de la quasi-inertie de son successeur, on se rappelait son apostrophe à Guizot qui en 1837, présentait le travail comme un « frein nécessaire » pour la classe ouvrière, et sans lequel les classes moyennes ne seraient plus en sécurité.

« Comment ! lui avait répliqué Garnier-Pagès, vous seriez conduits à cette extrémité que vous n'aurez peut-être pas comprise, car elle est effrayante ; à cette extrémité, dis-je, que ces hommes si dangereux, s'ils avaient des loisirs devant eux, s'ils avaient une assez grande somme de temps, par suite de bien matériel, pour s'occuper des affaires du pays, menaceraient la tranquillité publique ! Comment ! nous ne serons tranquilles qu'alors qu'il y aura assez de misère pour qu'ils soient forcés de travailler ! »

Le procès de Ledru-Rollin n'avait pas découragé le ministère, qui poursuivait son système de répression de la presse à outrance. Dociles à la voix de leur chef, les procureurs généraux s'étaient emparés de la circulaire de Martin (du Nord), dont nous avons parlé dans le chapitre précédent, et les tribunaux ne chômaient point. En quelques semaines, le National était saisi trois fois, poursuivi deux fois, puis une troisième ; trois fois le jury l'acquitta. Dans les départements, le jury acquittait également les journaux poursuivis. Le ministère allait avoir sa revanche sur les journalistes détestés.

Le 13 septembre, au moment où, revenant de l'armée d'Afrique, le duc d'Aumale passait dans le faubourg Saint-Antoine avec son état-major, un malheureux ouvrier, aigri jusqu'à l'exaspération par les souffrances endurées dans les pénitenciers militaires dont il avait réussi à s'évader, tira sur le prince, sans l'atteindre. Il se nommait Quénisset et était scieur de long. L'instruction établit qu'il appartenait à la société des Égalitaires, sous le nom de Papart, et se mit en mesure d'établir la complicité des membres de son groupe, qui furent arrêtés et impliqués dans l'accusation.

Un de ceux-ci, Lannois, écrivit de sa prison à Dupoty, le rédacteur en chef du Journal du Peuple, pour lui demander de prendre sa défense et celle de ses camarades, dénoncés par « le traître Papart ». Lannois lui demandait également d'inviter le National à défendre les accusés devant l'opinion. Les Égalitaires étaient de fervents lecteurs du Journal du Peuple. Leur appel à Dupoty était donc on ne peut plus naturel. Le procureur général Hébert voulut y voir une complicité effective du journal dans la préparation d'un coup de main, dont l'attentat de Quénisset devait être le signal. Cette doctrine devait être reprise quarante ans plus tard, en République, et envoyer le journaliste anarchiste Cyvoct au bagne. Il en est sorti, mais attend encore aujourd'hui la révision d'une infâme procédure.

Cette injure à tous les principes du droit, qui établissait le délit de complicité morale, embarrassa les journalistes ministériels eux-mêmes, qui n'osèrent soutenir une aussi monstrueuse doctrine. Quénisset disparaissait dans ce procès intenté aux idées républicaines et socialistes ; c'était au journaliste qui défendait ces idées d'avoir à répondre du complot et de l'attentat. Le ministère en avait fait une question de principe, si une telle expression ne jure pas d'être employée à propos d'une semblable pratique, et l'on vit Guizot et Martin (du Nord) suivre les débats de la Chambre des Pairs avec une attention passionnée.

Quelques Pairs protestèrent contre cette doctrine. Cousin, un philosophe, montra plus d'esprit juridique que Portalis et les autres jurisconsultes qui soutenaient l'accusation, lorsqu'il dit : « Donnez-moi des preuves et je serai sévère ; mais je ne saurais condamner un homme pour ses opinions, quelque détestables qu'elles puissent être. Montrez-moi des faits ; c'est sur des faits seulement qu'un juge doit prononcer. » Et l'économiste Rossi et le duc de Broglie ayant soutenu la thèse de la complicité morale, il la réfuta en termes saisissants : « le suis donc coupable de complicité morale, s'écria-t-il, puisque je défends Dupoty contre vous. »

Dupoty ne fut pas condamné comme chef du complot, mais comme complice. La Presse, de Girardin, résolument ministérielle pourtant, ne put s'empêcher de protester en ces termes : « S'il est une vérité immuable, sacrée, tutélaire, c'est que la politique ne doit jamais intervenir dans les décisions de la justice. La société a d'autres moyens de se défendre ; quand elle croit n'avoir plus que celui-là pour se sauver, elle est perdue. »

Les journalistes de Paris se réunirent aux délégués de la presse des départements et rédigèrent une protestation en suite de laquelle la plupart d'entre eux s'abstinrent désormais de rendre compte des débats de la Chambre des Pairs. Les démocrates firent paraître quotidiennement le Journal du Peuple, et en donnèrent la direction à Cavaignac et à Dubosc. Cavaignac revenait d'Algérie, d'où il avait envoyé une série d'articles intéressants sur la nouvelle colonie, si peu connue en France, notamment au Journal du Peuple, à la Revue du Progrès, de Louis Blanc, et à la Revue Indépendante.

Il n'était plus le démocrate figé dans le culte de la Convention qu'on avait connu en 1834. Sa fréquentation en Algérie avec les officiers saint-simoniens lui avait ouvert des horizons nouveaux. On le vit bien au programme que publia le Journal du Peuple en annonçant sa transformation à ses lecteurs. « Le travailleur est abandonné à la commandite du capital privé, y était-il dit ; il faut que l'État arrive ici avec son crédit supérieur, et le place comme un recours entre le capital privé et le travailleur. En 89, on nationalisa le sol accaparé par les riches et les privilégiés ; nous disons qu'il faut en présence du capital industriel, nationaliser le crédit accaparé par les privilégiés et les riches. »

Les rédacteurs se déclarèrent tellement partisans de la propriété, de la famille et du mariage, qu'ils entendaient mettre ces biens à la portée des travailleurs. Mais ceux-ci devaient se rendre dignes de leur émancipation sociale, être aptes à en jouir pleinement et avec conscience. Le programme leur rappelait qu'à côté de leurs droits, ils avaient des devoirs. Nous relevons parmi les signataires, outre le nom de Cavaignac, ceux de Louis Blanc, David (d'Angers), Esquiros, Félix Pyat et Schœlcher. Faute d'argent, le Journal du Peuple quotidien ne parut que quatre mois, mais la cruelle revanche prise par Guizot contre la presse de gauche ne devait pas mettre fin à ses embarras de ce côté.

En attendant, il subissait un grave échec à la Chambre ; voici à quel propos et dans quelles conditions : D'autant plus fidèle à sa politique d'entente avec l'Angleterre que le ministère Palmerston avait succombé aux assauts répétés des tories, Guizot avait entamé des négociations avec le nouveau ministère dirigé par Robert Peel, relatives au droit de visite.

Ce qui rendait intolérable aux Français le droit de visite pour la répression de la traite des esclaves, c'est qu'il pouvait être pour l'Angleterre un moyen de domination sur les mers. Sa marine, en effet, couvrait l'Atlantique. Donner aux marines des États d'Europe et d'Amérique le droit d'arrêter les navires de commerce de n'importe quelle nation et de s'assurer qu'ils ne se livraient pas à la traite, c'était, pensait-on, mettre en fait aux mains de la marine anglaise un pouvoir dont celle-ci pourrait abuser pour gêner le commerce des nations rivales par mille tracasseries.

Guizot avait signé, le 20 décembre, une convention avec l'Angleterre et les autres puissances, sous réserve de l'approbation des Chambres françaises. Cette approbation, la Chambre des Députés la refusa après une vive discussion. Mais un député ministériel, Jacques Lefèvre, sauva les apparences ; tout en combattant la convention, il déposa et fit adopter un amendement à l'adresse, ainsi conçu ;

« Nous avons aussi la confiance qu'en accordant son concours à la répression d'un trafic criminel, notre gouvernement saura préserver de toute atteinte les intérêts de notre commerce et l'indépendance de notre pavillon. » Le ministère était battu, mais il ne s'en alla pas, d'abord parce que, connaissant le sentiment de la Chambre, il avait déclaré ne pas poser la question de confiance ; d'autre part l'amendement Jacques Lefèvre lui laissait en réalité les mains libres pour le moment où l'attention de la Chambre se serait rendormie sur ce point. On le sentit si bien à Londres, que le protocole de la convention laissa en blanc la place où la France devait mettre sa signature et que les puissances attendirent patiemment le moment où Guizot pourrait l'y déposer sans ameuter l'opinion publique.

Cet écueil à peine franchi, le ministère se heurta contre un autre, qui fit une assez large brèche à l'honorabilité apparente de ses agents les plus élevés. Au cours d'une discussion sur la politique intérieure, Billault produisit une lettre du procureur général de Riom à Martin (du Nord), dans laquelle ce magistrat répondait à peu près en ces termes au ministre qui lui demandait instamment de hâter le procès des citoyens de Clermont impliqués dans les troubles relatifs au recensement :

« D'après la composition actuelle du jury, un acquittement est infaillible ; mais M. le préfet m'assure que les dispositions pour le jury de 1842 sont faites de telle façon que la condamnation sera à peu près certaine. » Un député, Isambert, avait vu également la lettre et vint le dire à la tribune. Devant la majorité confuse et démoralisée, Martin (du Nord) paya d'audace, proclama l'intégrité des magistrats et des fonctionnaires, et déclara que la lettre du procureur général avait été falsifiée et qu'elle disait : « La liste du jury pour 1842 donnera des jurés probes et libres, comme la loi le veut. »

C'était, en même temps qu'un aveu, l'insulte jetée à la face des jurés de la liste de 1841. Ceux de la liste de 1842, les « jurés probes et libres » la vengèrent en acquittant tous les accusés. Et pourtant, que de précautions prises par le préfet du Puy-de-Dôme pour satisfaire les désirs du ministère ! Pour nous en donner une idée, Elias Regnault nous montre, d'après Billault, ce qui se fit à Paris dans le même moment.

« Les listes du département de la Seine, dit-il, avaient été arrêtées ainsi que le veut la loi. 1.500 noms choisis par le préfet sur les 22.000 électeurs y avaient été inscrits. Les épurations du préfet furent cependant jugées insuffisantes. 1.100 noms furent rayés par les agents du ministère et remplacés par autant de noms dévoués à la politique ministérielle. Parmi eux se trouvaient environ 400 fonctionnaires publics. »

De tels incidents, et la manière dont une Chambre asservie passait condamnation sur eux, ne pouvaient que favoriser le mouvement en faveur de la réforme. Il fit sur le ministère, averti par ses amis, notamment par Lamartine et Émile de Girardin, assez d'impression pour le forcer à en délibérer en conseil avec le roi, d'autant que des propositions très modérées allaient être soumises à la discussion de la Chambre et qu'il semblait bien difficile de les écarter. Mais, soutenu énergiquement par le duc d'Orléans, Louis-Philippe ne voulut rien entendre et donna ordre à ses ministres de s'opposer à toute modification électorale et de laisser à l'argent toute sa puissance politique.

Les propositions de réforme vinrent en discussion dans les premiers jours de février. L'une, déposée par Ganneron, ramenait la question des incompatibilités, proposait que nul député ne fût nommé fonctionnaire au cours de son mandat, ni pendant l'année qui suivrait sa rentrée dans la vie privée. L'autre, de Ducos, proposait l'adjonction des capacités à la liste des électeurs censitaires et mettait le savoir sur le même pied que la richesse.

Le ministère les combattit toutes deux. Dans une éloquente réplique, Lamartine qualifia le conservatisme de Guizot et son implacable immobilisme : « Si c'était là, s'écria-t-il, tout le génie de l'homme d'État chargé de diriger un gouvernement, il n'y aurait pas besoin d'homme d'État : une borne y suffirait. » Le mot fit fortune, et désormais Guizot et sa majorité ne furent plus connus que sous le nom de conservateurs-bornes.

Mais la Chambre était impatiente de revenir aux affaires. Par leurs organes, notamment le Journal des Débats, les capitalistes la pressaient de s'occuper des chemins de fer, de leur donner les douze cents millions dont ils avaient besoin pour construire le réseau projeté et l'exploiter à leur profit. Le ministère présenta donc un vaste projet d'ensemble, reliant Paris à la Belgique par Lille et Valenciennes, à l'Angleterre par Rouen, le Havre et Dieppe, à l'Allemagne par Nancy et Strasbourg, à la Méditerranée par Lyon, Marseille et Cette, à l'Espagne par Tours et Bordeaux, à l'océan par Nantes, au centre par Bourges ; de plus, une ligne devait relier la Méditerranée au Rhin par Lyon et Dijon.

Thiers combattit le système d'ensemble. Il invoqua d'abord les arguments budgétaires. « Je crois, dit-il, et je déclare tout de suite que les finances de la France sont, sinon les plus puissantes (car il y a à côté les finances anglaises), mais sont, avec les finances anglaises, les plus puissantes de l'Europe. » Mais, ajoutait-il, « nos finances sont engagées pour plusieurs années, sérieusement et gravement engagées ». Et il montrait le budget de 1841 qui, avec ses 1,282 millions de dépenses et ses 1,166 millions de recettes seulement, s'était soldé par un déficit de 116 millions. Or, en face de ce déficit, il n'en fallait pas moins payer les 800 millions de dépenses supplémentaires engagées par le ministère du 1er mars.

« C'est un état de choses auquel vous avez contribué, riposta un député.

— Oui, déclara Thiers, nous avons contribué à imposer cette charge, en avertissant le pays qu'il y avait des travaux de haute nationalité qu'il était urgent d'achever, et qui étaient indispensables pour la sécurité du pays. »

Et, aux applaudissements de son ancienne majorité, il couvrit ses actes du drapeau de la France et s'écria : « Je m'honore d'avoir eu ce courage-là ! »

Puisque lui, Thiers, avait dépensé ce milliard à la défense du pays, ou plutôt à fanfaronner tout en prévoyant la reculade finale dont il avait imposé le désagrément à son successeur, il était clair que celui-ci n'avait plus les ressources suffisantes pour entreprendre une œuvre aussi considérable que l'établissement d'un réseau complet de chemins de fer. D'ailleurs, ajouta-t-il, on s'est beaucoup trop engoué des chemins de fer.

Non qu'il les estimât inutiles, comme on l'a prétendu. Dans cette séance du 10 mai, il déclarait croire « à l'immense avenir des moyens de viabilité qui ont consisté à substituer à la faiblesse des animaux le moteur tout puissant, quoique dangereux, qu'est la vapeur ». Mais il trouvait que le ministère voulait faire trop grand, il lui reprochait d'éparpiller ses moyens en entreprenant tout le réseau à la fois. Et il présentait en ces termes, lui qui ne voyait grand qu'en matière militaire, la conception du ministère :

« Vous ressemblez à ces habitants d'une ville, comme Paris par exemple, qui avaient plusieurs ponts à construire sur la Seine. Qu'auriez-vous dit si ces habitants de Paris au lieu de faire d'abord un pont, puis un autre, et de s'assurer le moyen de passer la rivière une fois, avant de chercher à la passer sur plusieurs points, avaient commencé à faire une arche de tous les ponts de la Seine. »

Voilà les arguments, voilà le style qui ont fait à Thiers, dans les chambres de la monarchie de Juillet, la réputation d'un orateur. Lui qui n'avait pas trouvé assez de millions pour les opposer à la puissance militaire de nos voisins, il rabaissait leurs moyens économiques pour les besoins de sa thèse. Il raillait ceux qui nous menaçaient de leur concurrence commerciale pour passer à l'exécution du réseau, et déclarait que l'Allemagne n'avait pas vingt kilomètres de chemins de fer de plus que nous.

Quel que fût son désir de vaincre le ministère, celui de la Chambre, qui était de donner aux capitalistes, sous le couvert de l'intérêt public, un immense terrain d'exploitation, l'emporta. Le fouriériste Toussenel résuma fort exactement à cette époque l'attitude respective des capitalistes et du gouvernement dans ces débats qui vont de 1837 à 1844 :

« Un capitaliste se présente : « Voici, dit-il, une ligne de chemin de fer qui me va, qu'on me l'a donne ! « Et le gouvernement la lui donne. Si la spéculation s'annonce bien, le spéculateur la garde ; mais si la chose ne se place pas avantageusement, si le spéculateur est forcé d'opérer avec son capital, il en est quitte pour renoncer à la concession et pour la rendre au gouvernement, en disant qu'il a changé d'avis sur l'affaire de l'autre jour. De l'intérêt du peuple et du Trésor, pas un mot dans tout ceci. On appellera le peuple quand il y aura quelque chose à garantir, le moment ne tardera pas ».

La Chambre vota le projet du gouvernement qui mettait à la charge de l'État l'achat et le nivellement des terrains, les travaux d'art, viaducs, tunnels, etc., et à celle de la compagnie la pose des rails, le matériel et les frais d'exploitation. Les départements traversés par les chemins de fer devaient fournir à l'État une part contributive, répartie entre les communes par les conseils généraux.

Toussenel donne très pittoresquement, quant au Nord (qui fut d'ailleurs réservé), le schéma de l'opération : « L'État, dit-il, fera les frais du chemin (cent cinquante millions environ), et cédera gratuitement cette voie à M. de Rothschild ; M. de Rothschild fera l'avance du matériel (soixante millions) dont la valeur lui sera remboursée au bout de quarante ans, à dire d'estimation ; et, pour l'intérêt de cette avance, M. de Rothschild touchera quinze ou vingt millions par an. »

Un an auparavant, une loi avait été votée, qui était la préface obligée de la loi sur les chemins de fer. La loi du 3 mai 1841 sur l'expropriation pour cause d'utilité publique portait une atteinte grave au principe de la propriété individuelle. Tout comme la loi de 1833, reconnue insuffisante, elle payait bien au propriétaire le sol qu'elle lui enlevait, mais, comme le dit Elias Regnault avec une touchante naïveté, elle accoutumait « l'individu à se sacrifier à la société dans ce qu'il avait de plus personnel et de plus intime, sans résistance, sans trouble, sans murmure ».

En réalité, l'intérêt capitaliste l'emportait ici sur les vieux sentiments patriarcaux de la propriété, du berceau des ancêtres. On donnait à l'État un droit d'expropriation plus étendu et plus expéditif, afin qu'il pût en faire profiter les compagnies de chemins de fer. On sacrifiait la propriété immobilière du passé à la propriété mobilière du présent et de l'avenir, la terre à l'argent, la rente au profit capitaliste.

Les propriétaires s'aperçurent bien vite d'ailleurs qu'ils pouvaient y gagner. Ils devinrent capitalistes eux-mêmes, spéculèrent sur les terrains et coururent après les expropriations. Nous les verrons opérer, dans un prochain chapitre où nous examinerons la transformation du vieux Paris entreprise par le préfet Rambuteau.

Ainsi se coupent un à un les liens qui attachent la propriété à l'homme et l'homme à la propriété. Ainsi disparaît le matérialisme primitif de la possession des choses pour elles-mêmes, et s'élève la notion de la jouissance que les choses produisent avec plus d'abondance et de sécurité lorsqu'elles sont, par la mobilisation de la propriété, entrées dans un premier cercle de sociabilité, stade préliminaire obligé de leur socialisation finale.

Cent mille francs en titres sur vingt exploitations industrielles et commerciales font l'homme plus libre, plus réellement maître de sa propriété, qu'une terre de cent mille francs, dont le revenu est soumis à tant de variations, à tant d'aléas. Les possédants le comprirent assez vite : les non-possédants ne devaient pas tarder à l'apprendre à leur tour et à demander leur part dans les produits d'une propriété transformée, produits qui étaient l'œuvre de leurs mains et de leur cerveau.

La loi des chemins de fer fut la dernière de cette législature, et le 9 juillet, les élections générales eurent lieu. Le ministère garda sa majorité, mais les républicains revinrent renforcés. Sur dix élus de l'opposition à Paris, qui nommait douze députés, deux étaient républicains : Hippolyte Carnot et Marie ; Ledru-Rollin était réélu dans la Sarthe et Garnier-Pagès jeune était élu dans l'Eure.

Quelques jours après, le 13 juillet, à Neuilly, un accident privait la monarchie de son plus ferme espoir : le duc d'Orléans était tué net, en sautant de sa voiture dont les chevaux s'étaient emballés. Il laissait, pour succéder à un vieillard de soixante-dix ans, un frêle enfant de quatre ans, le comte de Paris, qui devait attendre vainement dans l'exil un retour de fortune et léguer à son fils une espérance plus vague encore, un titre de prétendant plus facilement transmissible que celui de roi des Français.

Chapitre III
La corruption

La loi de régence : Lamartine se sépare définitivement du ministère. — L'union douanière franco-belge. — La coalition des grands industriels du Nord la fait échouer. — Les grands travaux de Paris et les tripotages de l'Hôtel de Ville. — Les concessions aux Compagnies de chemins de fer. — La corruption électorale jugée par la Chambre. — Visite de la reine Victoria au roi Louis-Philippe.

À mesure que naissaient les forces de l'avenir et qu'elles se heurtaient dans un chaos d'affirmations, de négations, de rêves mystiques, de fureurs bouillonnantes, unies quand même par un immense désir de vie et d'action, les forces du passé réparaient en hâte la brèche faite à la monarchie par un banal accident de voiture. Le ministère avait convoqué aussitôt les Chambres et leur avait proposé la régence du duc de Nemours.

Grave conflit entre le droit constitutionnel et le droit monarchique ! Pourquoi le duc de Nemours, alors que la duchesse d'Orléans, mère de l'héritier du trône, était là, bien vivante, en pleine santé d'esprit ? Désigner l'aîné des mâles de la famille royale, c'était subordonner la nation à la dynastie, disait Lamartine. En désignant la mère du futur roi, les Chambres n'empiétaient pas sur les prérogatives royales, puisqu'elles observaient l'ordre de la nature.

Ce futile débat, où Guizot remporta grâce à sa majorité de fonctionnaires, détacha pour toujours du camp ministériel le poète qui avait été un ornement pour la monarchie et devint une force pour l'opposition. Par un chassé-croisé assez curieux, cette démission rapprocha Thiers du gouvernement. Guizot fit la grimace, mais dut subir ce dangereux compagnonnage.

Lamartine passant à gauche, était-ce là un événement imprévu ? Certes, non. La discussion de la régence ne fut que la cause occasionnelle d'un changement dont la Marseillaise de la paix avait été le plus visible symptôme. Louis-Philippe était bien le roi de la paix à outrance, mais il ne l'eût pas chantée, génie poétique mis à part, sur le même ton que Lamartine. Quand celui-ci disait au banquet des antiesclavagistes : « Les vrais plénipotentiaires des peuples, ce sont leurs grands hommes, les vraies alliances, ce sont leurs idées, » il s'opposait de tout son idéalisme, de toute son aspiration vers un état nouveau, à la servilité de Louis-Philippe vis-à-vis des monarchies absolues et à son culte étroitement réaliste des intérêts les plus immédiats.

Il avait combattu, deux ans auparavant, le projet des fortifications de Paris, et mis l'opinion en garde, vainement, contre l'apothéose de Napoléon : « Je ne suis pas, s'était-il écrié, de cette religion napoléonienne, de ce culte de la force que l'on veut depuis longtemps substituer dans l'esprit de la nation à la religion sérieuse de la liberté. Je ne crois pas qu'il soit bon de déifier ainsi sans cesse la guerre, de surexciter ces bouillonnements déjà trop impétueux du sang français qu'on nous représente comme impatient de couler après une trêve de vingt-cinq ans, comme si la paix, qui est le bonheur et la gloire de notre monde, pouvait être la honte des nations. »

Pourquoi il était passé à gauche ? Il le dit à ceux qui ne s'étaient pas encore étonnés de la contradiction qui éclatait entre de telles paroles et la situation politique de celui qui les prononçait. Lors de la discussion de l'adresse, il dressa, dans un magnifique discours, l'inventaire du régime de Juillet et constata la faillite. Il montra les satisfaits s'engourdissant dans la digestion du pouvoir, tandis que s'éveillait une France nouvelle :

« Derrière cette France qui semble s'assoupir un moment, disait-il, derrière cet esprit public qui semble se perdre, et qui, s'il ne vous suit pas, du moins vous laisser passer en silence, sans vous résister, mais sans confiance ; derrière cet esprit public qui s'amortit un instant, il y a une autre France et un autre esprit public ; il y a une autre génération d'idées qui ne s'endort pas, qui ne vieillit pas avec ceux qui vieillissent, qui ne se repent pas avec ceux qui se repentent, qui ne se trahit pas avec ceux qui se trahissent eux-mêmes, et qui, un jour, sera tout entière avec nous. »

Était-ce une adhésion à la république ? Non. Lamartine n'alla pas jusque-là. Il voulait ramener la monarchie au pacte de 1830, entourer le trône d'institutions républicaines. Mais dans cette sphère réduite où il s'emprisonnait volontairement, il allait montrer une liberté singulièrement plus grande que les démocrates de son temps : notamment lorsqu'il se prononcerait pour la séparation de l'Église et de l'État.

Les intérêts, vraiment, avaient bien autre affaire que de s'occuper des idées. Un projet du gouvernement les faisait alors entrer en effervescence. Guizot et Louis-Philippe avaient conçu un projet d'union douanière avec la Belgique, sur le modèle du Zollverein allemand de 1833 qui venait d'être renouvelé en 1841. Ce pacte douanier, qui supprimait tous les inconvénients économiques du morcellement de l'Allemagne en une quantité de souverainetés politiques, avait valu à ce pays de sérieux avantages par la conclusion et le renouvellement de traités avec la Turquie, l'Angleterre et les Pays-Bas, notamment. L'Allemagne devenait ainsi un marché unifié en même temps qu'une grande puissance économique, et menaçait singulièrement les intérêts de la Belgique.

Le roi Léopold s'était donc facilement entendu avec le roi Louis-Philippe pour l'établissement d'un Zollverein franco-belge. Il était venu à Paris en arrêter les termes avec son beau-père et les ministres de celui-ci. Mais l'Angleterre veillait. Robert Peel vit que tout ce que la Belgique industrieuse gagnerait au libre accès du marché français serait perdu pour le commerce anglais. Il appela donc l'attention des cours du Nord sur les projets de Louis-Philippe et de son gendre.

Et l'on vit cette chose étrange ; la Russie et l'Autriche, la première engagée tout entière dans le Zollverein, et la seconde pour ses provinces allemandes, s'unir à l'Angleterre et à la Russie pour empêcher la France et la Belgique d'en faire autant. Les puissances affectèrent de voir dans cette union économique une violation des traités de 1815, absolument comme elles affectaient d'ignorer que la Belgique devait son existence comme nation à la violation de ces traités.

Les capitalistes français vinrent épargner au gouvernement de Louis-Philippe la honte d'une capitulation devant ces exigences, et ce fut devant les leurs qu'il s'inclina. Dès que le bruit avait couru d'une union douanière avec la Belgique, les industriels du Nord, les propriétaires de mines, les métallurgistes, les manufacturiers s'étaient mis en mouvement pour faire échouer ce projet qui ouvrait le marché français à leurs concurrents belges.

Fulchiron menait le chœur des intérêts alarmés, qui voulaient conserver ! e monopole du marché. Une réunion tenue chez lui vota des résolutions portant que « chacun de ses membres porterait ou chercherait l'occasion de porter ses doléances auprès du trône et lui ferait connaître les perturbations que causerait la réalisation des projets ministériels ». Et ils avaient accès auprès du trône, ces barons de la houille, ces ducs du fer, ces marquis du coton, ces seigneurs du sucre. Ils étaient la vraie féodalité nouvelle dictant à son élu ses volontés. La France, l'immense peuple des consommateurs, leur devait une rançon. Le roi allait-il permettre qu'elle pût s'y soustraire ?

La réunion Fulchiron décidait en outre que « chaque député devrait se mettre en rapport avec les représentants légaux de l'industrie et du commerce dans sa localité, afin de leur offrir à Paris un intermédiaire et un organe pour toutes les représentations qu'ils croiraient utile d'adresser au gouvernement ». Cet ordre du jour fut obéi ponctuellement et l'agitation menée bon train par les Chambres de commerce et les Chambres consultatives, qui se réunirent en congrès à Paris, au restaurant Lemardeley. Les représentants du « pays légal » n'étaient pas les représentants du peuple qui travaille, du peuple qui ne peut racheter qu'une faible part des produits de son labeur, mais ceux de la minorité qui possédait les instruments de travail ; et, après avoir prélevé la part du lion comme capitalistes, ils entendaient être, sans concurrence, seuls à revendre aux travailleurs les objets nécessaires à leur subsistance.

« Qu'est-ce qu'un député aujourd'hui ? » demandait alors Pierre Leroux. El il répondait : « C'est un homme qui fait ses affaires et celles de ses électeurs. Chaque canton électoral est une maison de commerce, dont le député est le commis-voyageur. L'un travaille dans les fers, l'autre dans les vins, l'autre dans les soies ; il en est qui travaillent pour les intérêts maritimes, comme d'autres travaillent contre. Pas un député d'Alsace qui ne veuille l'introduction des bestiaux, un député de Normandie qui ne la refuse, un député des pays vignobles qui ne demande des traités de commerce, un député des pays boisés qui ne les repousse. »

Toussenel, au même moment, observait qu'il y avait, pour les biens de la féodalité capitaliste la même immunité que jadis pour les terres nobles. « Les gentilshommes d'aujourd'hui paient l'impôt foncier, dit-il ; mais la plupart des propriétés de ces gentilshommes, les mines, les houillères, les pâturages, reçoivent de l'État une prime de protection pour leurs produits qui équivaut à l'immunité du sol. Le Trésor leur rend d'une main ce qu'il leur prend de l'autre. »

Et il énumère les fiefs des « hauts barons modernes » : Les forges et les mines d'Anzin, de Fourchambault, de Saint-Amand, du Saut-du-Sabot, d'Alais, de la Grand 'Combe, de Decauville... les forêts de M. le comte Roy et de M. le marquis d'Aligre, les raffineries de MM. Perier, Delessert, les pâturages à élèves de M. le maréchal Bugeaud, les fabriques de drap de MM. Grandin et Cunin-Gridaine, tous des députés, quelques-uns hauts fonctionnaires par surcroît.

C'est leur protectionnisme, dit l'écrivain fouriériste, qui « a empêché que la réunion de la Belgique à la France n'ait eu lieu depuis seize ans, que la France n'ait accédé au Zollverein et réalisé par un traité commercial l'alliance de l'Europe centrale, garantie de la paix universelle ». Ce sont ces hauts barons qui « font payer le fer à la France le double de ce qu'il vaudrait sans cette protection. Même résultat pour les houilles ».

Et Toussenel s'écrie avec une fureur ironique : « Jamais la noblesse d'autrefois n'a revendiqué pour elle seule le droit de se nourrir de viande de bœuf. M. le maréchal Bugeaud m'a tenu une fois trois heures, sur le trottoir de la rue de l'Université, pour me prouver que le peuple français était intéressé à ce qu'il ne se consommât en France que de la viande nationale, c'est-à-dire de la viande provenant de ses pâturages à lui, grand propriétaire de la Dordogne. Il n'a pas réussi à me faire renoncer à cette sotte opinion : que la première condition d'une viande nationale était d'être abordable aux estomacs nationaux. »

Le patriotisme, bien plus impérieusement, bien plus sûrement qu'à l'occasion des événements d'Orient, eût dû faire au gouvernement une loi de ne pas céder aux réclamations des quatre puissances et de conclure le Zollverein franco-belge. Mais le nationalisme des gros intérêts des maîtres de la production opposés à ceux du peuple, des capitalistes qui considèrent le pays comme leur domaine et ses habitants comme leur clientèle au sens le plus étroit du mot, ce nationalisme-là parlait plus haut que le patriotisme aux oreilles du roi et de ses conseillers. Le projet d'union douanière fut donc abandonné, et Guizot put se donner le facile mérite d'avoir cédé aux prières des intérêts nationaux alarmés, et non à la menace de l'étranger.

Un scandale éclata sur ces entrefaites, qui prouva que les gouvernements ne se vouent jamais impunément au culte des intérêts matériels des plus forts et des plus riches, et qu'un tel abandon de la puissance publique donne fatalement le signal de la débâcle morale dans les rangs des fonctionnaires. On était au plus fort des travaux entrepris sous la direction de Rambuteau, préfet de la Seine depuis 1833, pour améliorer la viabilité parisienne et assainir en même temps l'immense cité. Circonstance on ne peut plus favorable aux spéculations sur les terrains. On pense bien que les capitalistes ne l'avaient pas laissé échapper.

Mais il y en eut qui ne se contentèrent pas d'acheter à bon prix un lot de maisons qu'on supposait devoir être un jour expropriées, et d'escompter le bénéfice de cette opération, que le code de la bourgeoisie et sa morale déclarent également licite. Ils voulaient jouer à coup sûr, et pour cela ils achetèrent, en l'intéressant à leurs gains, le chef du bureau de la grande voirie et des plans de l'Hôtel de Ville. Celui-ci, nommé Hourdequin, s'associa ses subordonnés, et, avec leur complicité, organisa une véritable entreprise commerciale de concussion et de chantage. Les spéculateurs et les entrepreneurs se procuraient les plans d'alignement arrêtés par le préfet moyennant quinze ou vingt mille francs.

Les propriétaires expropriés qui ne s'étaient pas mis en règle avec cette association de malfaiteurs officiels étaient placés dans l'alternative d'intenter un procès lent et coûteux à la Ville pour toucher l'indemnité qui leur avait été allouée par le jury d'expropriation ou de payer rançon aux bureaux.

Le montant des indemnités était élevé ou abaissé par l'association, qui avait gagné quelques conseillers municipaux, selon qu'elle avait affaire ou non à des propriétaires récalcitrants.

La gabegie fut dénoncée par un spéculateur en terrains, qu'une querelle avec ses complices avait fait écarter des opérations de la bande. Il cria, précisa. On fut bien contraint de faire agir la justice, qui, d'ailleurs, laissa échapper la plupart des coupables. Force cependant fut de frapper Hourdequin, qui fut condamné, ainsi que deux de ses subordonnés. L'affaire eut son écho à la Chambre, où Mauguin reprocha au gouvernement de n'avoir pas surveillé ses agents. « La justice, dit-il, s'est trouvée saisie par hasard. »

Ce procès fut l'occasion d'attaques passionnées contre l'administration de Rambuteau. Il les mérita certainement par l'insouciance qu'il avait montrée des tripotages qui se pratiquaient dans ses bureaux. Mais si, emporté par son désir de bouleverser le vieux Paris, d'éventrer les ruelles obscures et infectes et de percer des voies larges et régulières, il laissa voler autour de lui, il ne vola point. On peut même dire qu'il accomplit d'immenses transformations sans augmenter déraisonnablement les charges de la Ville.

Sous son administration, les alentours de l'Hôtel de Ville et des Halles, la Cité, furent déblayés du lacis tortueux des rues où le soleil ne pénétrait jamais, les boulevards nivelés et les boulevards extérieurs construits ; la sécurité des passants nocturnes fut accrue par l'installation du gaz dans les rues, et l'hygiène améliorée par la construction de cent vingt kilomètres d'égouts.

Certainement, le souci du bien public n'était pas l'unique mobile du pouvoir, lorsqu'il laissait ainsi à Rambuteau la bride sur le cou. Le dédale inextricable des carrefours, des cul-de-sac, des rues à angles capricieux formait la forteresse naturelle des insurrections populaires. La stratégie de la contre-révolution, qui avait projeté d'enclore de murs la ville révolutionnaire, voulait aussi la sillonner de routes militaires. Rambuteau avait donc trouvé en Thiers un auxiliaire empressé. Thiers avait eu ses voies stratégiques, Rambuteau ses grands travaux, la population un peu plus d'air (que d'ailleurs seules les classes aisées pouvaient payer, car elles refoulaient à mesure la population pauvre hors du centre de la ville), et les spéculateurs avaient fait leurs affaires.

Ils les faisaient partout, d'ailleurs, et les bureaux de l'Hôtel-de-Ville n'étaient pas l'unique endroit où s'exerçait leur pouvoir de corruption. Les Chambres avaient, cette année-là, adopté définitivement le tracé des grandes lignes de chemins de fer. Les demandeurs de concessions se pressaient autour du ministre des Travaux publics, qui était Teste, l'ancien libéral, frère du vieux républicain communiste ami de Voyer d'Argenson et de Buonarotti. Les complaisances du ministre pour certaines compagnies, sans être suspectes encore, avaient paru excessives, même à la Chambre, qui n'avait pas ratifié la concession demandée par la Compagnie du Nord et qui assurait à cette compagnie quatorze à quinze millions de revenu net annuel pendant quarante ans pour une avance de soixante millions. Ce qui, avec les débours faits pour la construction de la voie, les indemnités d'expropriation, l'intérêt du capital engagé, le remboursement du matériel à la compagnie à la fin de l'exploitation, représentait pour l'État une dépense totale de neuf cents millions.

Tandis que le National et la Phalange protestaient contre un marché aussi onéreux pour le public, les Débats s'écriaient : « Il est évident pour tous les gens sensés que M. de Rothschild sollicite le privilège de se ruiner. » Les Chambres eurent plus de pudeur, et dans le traité définitif, la Compagnie du Nord dut accepter de rembourser à l'État les frais de construction de la voie et de renoncer à la clause du remboursement du matériel. Malgré ces concessions, M. de Rothschild ne se ruina point, cependant ; deux ans après, les actions s'élevaient de cinq cents à huit cents francs.

Pour le chemin de fer d'Avignon à Marseille, Talabot, le concessionnaire choisi par le ministre, fut agréé, bien qu'une compagnie rivale eût présenté sa soumission et demandé qu'elle fût examinée contradictoirement avec celle de la compagnie Talabot par une commission de la Chambre. Teste ne présenta à la Chambre que le projet Talabot, et la Chambre ratifia.

Les choses n'allèrent point aussi facilement pour la ligne d'Orléans à Tours. Un capitaliste anglais, nommé Barty, fortement appuyé par lord Aberdeen auprès de Guizol et par lord Cowley auprès du ministre des Travaux publics, avait demandé la concession de cette ligne. Il chargea de ses intérêts, à Paris, Edmond Blanc, qui était au mieux avec les ministres et dînait fréquemment avec eux, et s'en alla à Londres réunir les capitaux nécessaires à une entreprise qu'il était d'autant plus sûr d'obtenir que, le 30 septembre 1842, Teste lui avait écrit : « Vous pouvez hâter la conclusion en rapportant dans le plus court délai la ratification des honorables capitalistes anglais. »

Muni de cette lettre, il trouva facilement à Londres les capitaux nécessaires, d'autant que son mandataire, Edmond Blanc, lui adressait de Paris une lettre où se lisaient ces lignes : « Ce matin, le ministre m'a fait dire qu'il était impatient de vous voir, qu'il vous attendait pour signer le bail, et qu'il voulait présenter le projet avant quinze jours, qu'il tenait à ce que votre concession fût approuvée et autorisée la première ; qu'enfin il avait, jusqu'à ce jour, repoussé toutes les propositions rivales qui lui avaient été faites. »

La société constituée, Barty revient à Paris et apprend que le ministre qui refuse de le recevoir, vient de traiter avec la compagnie Bulot. On pense bien que le capitaliste anglais refusa de se laisser jouer. Fort de ses relations, il fit du tapage, et le projet Bulot échoua devant la Chambre des Pairs, le 9 juillet 1843, grâce à un mémoire où la correspondance du ministre avec le demandeur évincé était publiée tout au long. On ne devait pas tarder à connaître le secret des complaisances de Teste pour certains entrepreneurs.

Nous sommes au moment où l'argent affirme sa toute-puissance, transforme tout en marchandise, trouble toutes les consciences qui sont en contact avec lui. C'est lui qui donne le pouvoir politique à ceux qui le désirent par vanité ou pour mieux servir leurs intérêts. Les élections de 1842 en avaient, sous ce rapport, donné des exemples si frappants, si publics, si effrontément flagrants, que la Chambre avait dû, ne fût-ce que pour empêcher le public de rechercher si une telle pratique n'était pas générale, nommer une commission d'enquête sur les élections d'Embrun, de Carpentras et de Langres.

La commission, dont la majorité était ministérielle, s'attacha surtout à dégager la responsabilité du gouvernement des faits de corruption et de pression qu'elle fut bien forcée de constater. Et pourtant, que de précautions elle avait prises pour que son enquête n'aboutît qu'à des résultats insignifiants. Tout d'abord, elle n'avait réclamé, que contrainte et forcée par sa minorité, les pouvoirs nécessaires. Le ministre de l'Intérieur Duchâtel, avait interdit à ses fonctionnaires de venir déposer devant elle. Cependant, le ministre de la Justice le permit aux siens. La commission fut donc à peu près réduite aux dépositions des particuliers, sans aucun moyen d'ailleurs pour les contraindre à dire ce qu'ils savaient, et à ne dire que la vérité.

D'ailleurs, le rapporteur Portalis acceptait l'ingérence officielle dans les élections. « Si le gouvernement, disait-il dans la séance du 5 mai, ne se défendait pas dans les élections, s'il ne s'y faisait pas représenter par des agents qui ne doivent exécuter que des instructions honorables, je n'en suppose pas d'autres...

« À gauche. — Allons donc ! allons donc !

« M. Portalis. — Je ne dis rien là qui n'ait été dit maintes fois. Je dis que l'action des partis serait un dissolvant devant lequel aucun ministère ne résisterait, devant lequel le gouvernement lui-même croulerait. »

On remarqua que la gauche ne protestait pas, n'en était pas encore à protester contre l'action du gouvernement dans les élections. Elle doutait seulement que cette action se fut tenue dans des limites raisonnables, et qu'il n'eût été donné aux fonctionnaires que des « instructions honorables ». On s'en étonnerait si l'on ne savait que des paroles telles que celles-ci, prononcées par le comte de Gasparin, furent interrompues, dans cette séance, par les applaudissements du centre :

« Annuler l'action légitime, l'action régulière, l'action honorable des fonctionnaires publics dans les élections, c'est vicier dans son essence l'égalité de la lutte que nous devons vouloir tous. »

Quel aveu de l'incapacité politique de la classe qui n'exerçait le pouvoir que parce qu'elle était pourvue de la richesse ! Et quelle condamnation prononçaient contre eux-mêmes, contre leurs électeurs, ceux qui avaient refusé le droit de suffrage aux classes éclairées de la population, lorsque leurs membres ne seraient pas assez riches pour payer deux cents francs de contributions directes ! Et comme le député républicain Marie eut beau jeu en flétrissant en ces termes leur bassesse et en qualifiant d'industrie ce qu'ils appelaient leur politique :

« Aujourd'hui, dit-il, les électeurs, les candidats aussi bien que le gouvernement, sont descendus, de la sphère élevée dans laquelle ils étaient placés, dans l'arène des intérêts matériels. C'est en quelque sorte une société d'assurance mutuelle entre le député et l'électeur, société dans laquelle l'électeur confère le pouvoir et le crédit à la condition qu'à son tour le député nommé, faisant usage du pouvoir et du crédit, rendra à l'électeur les faveurs et les places que l'électeur lui a donné le pouvoir d'acquérir pour lui. C'est donc là une lutte qui n'est pas politique, c'est une lutte industrielle. »

« Pour combattre l'élection de M. Floret, vous avez carte blanche. » Voilà les « instructions honorables » qu'on accusait le ministre de l'Intérieur d'avoir envoyées au sous-préfet de Carpentras, dont le frère, M. de Gérente, était le candidat officiel. Naturellement, le ministre nia. Mais il demeura acquis que le sous-préfet avait obligé un percepteur et un maire à marquer leur bulletin afin qu'on pût s'assurer au dépouillement qu'ils avaient bien voté. On établit aussi que le sous-préfet avait donné de l'argent à certains électeurs de la part de son frère. Le comte Duchâtel répliqua que c'était Floret, le candidat antiministériel élu, qui avait distribué de l'argent. Plusieurs députés demandaient qu'on poussât plus loin l'enquête, le comte de Gasparin s'y opposa vertueusement, « au nom de la tranquillité publique et de la paix des familles ».

À Embrun, sept individus avaient été inscrits frauduleusement sur la liste électorale. Pour justifier ce moyen employé au profit du candidat que Gustave de Beaumont déclarait « flétri par l'opinion et soutenu par tous les hauts fonctionnaires le procureur du roi de Briançon avait « déclaré licites les manœuvres de toute sorte », ajoutant le scandale de ses propos au scandale des actes de l'administration. L'élection de Langres s'était faite à l'avenant. La Chambre invalida Floret. Pauwels, député de Langres, ayant donné sa démission, elle la refusa, et l'invalida également.

Cet effort de vertu accompli, elle valida l'élection d'Embrun, et se remit aux affaires jusqu'à la fin de la session.

Quelques semaines après la clôture de cette session, la nouvelle reine d'Angleterre, Victoria, venait en France passer quelques jours auprès de Louis-Philippe et de sa famille, au château d'Eu. Lord Aberdeen l'accompagnait, et il eut pendant son séjour de fréquentes entrevues avec Guizot, mais il ne sortit de ces entretiens que de bonnes paroles. Au commencement de l'année, lors de la discussion de l'adresse, la Chambre avait une fois de plus manifesté sa répugnance pour le droit de visite en y inscrivant cette phrase : « Nous appelons de tous nos vœux le moment où notre commerce sera replacé sous la surveillance exclusive de notre pavillon. » Lord Aberdeen quitta le château d'Eu sans avoir pu décider le roi ni le ministre à lui donner autre chose que de vagues promesses. Il en était d'autant plus contrarié qu'il avait compté sur un succès diplomatique de ce côté pour ramener l'opinion anglaise, qui lui tenait rigueur des difficultés de toute nature auxquelles il avait à faire face dans le moment.

L'agitation libre-échangiste pour l'abolition des droits protecteurs sur les grains, l'agitation chartiste pour la conquête du suffrage universel et la représentation proportionnelle, l'agitation irlandaise pour la suppression de la dîme au clergé anglican et la fixité du taux des fermages, de graves échecs militaires en Afghanistan auxquels les menées russes n'avaient pas peu contribué, tout cela l'avait mis en mauvaise posture. Une entente avec la France, qui alors prenait possession de Nossi-Bé et de Mayotte, créait sur la côte opposée de l'Afrique les établissements du Gabon, d'Assinie, du Grand-Bassam, faisait accepter par la reine Pomaré son protectorat sur Taïti et s'emparait des îles Marquises, un accord avec la nation qui étendait ainsi sa puissance coloniale eût flatté en même temps que rassuré l'Angleterre, bien résolue à limiter notre part dans l'empire du monde d'outre-mer.

Lord Aberdeen devait pourtant rendre cette justice à Guizot et au roi qu'ils avaient agi de leur mieux pour vaincre les répugnances de la Chambre et de l'opinion dans l'affaire du traité du droit de visite. Il n'en fit rien, s'en alla de mauvaise humeur et, l'occasion aidant, il ne se gêna pas pour la manifester. Le discours du trône lu au commencement de l'année 1844 n'en mentionna pas moins l'entente cordiale qui existait entre les gouvernements de la France et de l'Angleterre. Mais, dans la discussion de l'adresse, Billault s'écria que l'entente cordiale n'existait nulle part. Nous verrons dans un chapitre prochain que Billault n'exagérait rien et que tous les points de contact de la France et de l'Angleterre étaient des points de conflit.

Chapitre IV
Considérant, Cabet et Proudhon

Considérant fonde la Démocratie pacifique. — Activité de la propagande fouriériste. — La polémique des dissidents. — Fondation de phalanstères aux États-Unis. — Communistes pacifiques et communistes révolutionnaires. — Cabet et son influence sur les travailleurs. — Le Voyage en Icarie trace le tableau de la société communiste. — Proudhon et son projet d'unifier les forces du prolétariat socialiste. — L'attitude des républicains devant le socialisme. — Las polémiques entre socialistes. — La jeunesse de Proudhon : son caractère indépendant. — Il publie son premier Mémoire sur la propriété. — L'Avertissement aux propriétaires an cour d'assises.

Le 30 juillet 1843, le journal des fouriéristes, la Phalange, annonçait sa transformation en organe quotidien, et le 1er août paraissait, sous la direction de Victor Considérant, le premier numéro de la Démocratie pacifique. L'école sociétaire s'affirmait ainsi un parti, le « parti de l'association, de l'organisation du travail et de la paix ». L'article-programme, intitulé Manifeste politique et social de la démocratie pacifique, était rédigé par Considérant.

Nous devons accorder un instant d'attention à ce document d'histoire socialiste, dont un écrivain anarchiste, Tcherkesoff, a tiré argument il y a quelque temps pour dénier toute originalité au Manifeste communiste que Karl Marx et Frédéric Engels lancèrent en 1847.

Il est certain que Considérant a, comme Marx et Engels, affirmé que les luttes de classes déterminent seules les mouvements de l'histoire. « L'ordre nouveau, a-t-il dit, s'est dégagé de l'ordre féodal par le développement de l'industrie, des sciences, du travail. » La Révolution a bien proclamé que les classes étaient abolies, mais en fait la classe possédante s'est substituée à la classe nobiliaire. « Une féodalité nouvelle se constitue, et l'asservissement des masses se perpétue. »

En disant cela, quatre ans avant Marx et Engels, l'auteur du Manifeste de la démocratie disait-il quelque chose de nouveau ? Mais non. Son maître Fourier, nous l'avons vu dans un chapitre précédent, s'était affirmé comme un précurseur du matérialisme historique, en disant, dès 1808, que « le mécanisme industriel est le pivot des sociétés » et en déclarant que la suppression de l'esclavage ne fut pas un résultat du progrès des idées de liberté, mais « le fait du régime féodal décroissant ».

Considérant ne faisait même, en 1843, que se répéter. N'avait-il pas, dès 1834, dans sa Destinée sociale, déclaré que les révolutions et les constitutions n'ont rien fait que consacrer la puissance acquise par les chefs de l'industrie ? Et ce qu'il disait là, Owen l'avait dit en 1828 ; et, en 1829, Bazard l'avait répété après Saint-Simon. Et Louis Blanc, en 1840, publiant l'Organisation du travail au moment où Palmerson travaillait à ruiner l'influence française en Orient, écrivait ces lignes :

« L'Angleterre a des articles de laine et de coton qui appellent des débouchés ? Vite, que l'Orient soit conquis, afin que l'Angleterre soit chargée d'habiller l'Orient. Humilier la France ? Il s'agit pour l'Angleterre de bien autre chose, vraiment ! Il s'agit pour elle de vivre, et elle ne le peut, ainsi le veut sa constitution économique, qu'à la condition d'asservir le monde par ses marchands. »

Il en est de même des autres thèses fondamentales du marxisme : Tous les novateurs socialistes, bien avant 1847, de Saint-Simon à Proudhon, ont affirmé que le prolétariat était condamné à une misère croissante par le développement du système capitaliste ; que la concentration capitaliste, produite par le machinisme, mettrait en présence la classe ouvrière et la classe capitaliste, les classes intermédiaires ayant disparu dans le prolétariat ; que le régime capitaliste amènerait fatalement des crises de surproduction qui se traduiraient en chômage pour la classe ouvrière et finiraient par amener une catastrophe sociale, une transformation de la société.

Seulement tous les précurseurs socialistes voulaient éviter la catastrophe, appelaient les capitalistes à s'unir aux prolétaires, où bien sommaient l'État de s'interposer, d'intervenir en faveur de ceux-ci contre ceux-là. Exception faite des communistes révolutionnaires, qui d'ailleurs n'étaient pas disposés à attendre la catastrophe économique pour s'emparer du pouvoir politique et imposer l'égalité sociale. Ce qui différencie donc Marx de ses devanciers, c'est qu'il a compté sur la catastrophe pour opérer le passage du régime capitaliste au régime socialiste, et qu'il a appelé les prolétaires à s'organiser en parti de classe pour annoncer l'événement, le préparer dans la mesure de leur pouvoir, c'est-à-dire mettre « la force, accoucheuse des sociétés », au service de cet inévitable mouvement historique.

Au moment où parut la Démocratie pacifique, les disciples de Fourier, grâce à l'incessante propagande de Considérant et de ses amis, étaient nombreux non seulement à Paris et en France, mais encore dans tous les pays de l'Europe occidentale et même de l'Amérique. Considérant, pour se vouer plus complètement à la doctrine, avait quitté l'armée depuis plusieurs années. Officier du génie, en garnison à Metz, où il faisait des conférences publiques sur les théories fouriéristes, il avait envoyé sa démission au maréchal Soult, alors ministre de la Guerre, qui, au dire d'Eugène de Mirecourt, la refusa en ces termes flatteurs :

« Monsieur, le corps d'Etat-major a besoin de bons officiers comme vous. Je n'accepte pas votre démission ; mais je vous accorde un congé illimité. Si vous ne réussissez pas dans vos plans de réforme, vous viendrez reprendre dans l'armée le rang qui vous appartient. »

La brochure, plus que la parole, était le moyen de propagande des phalanstériens, car ils s'adressaient plutôt aux classes aisées qu'aux prolétaires, et d'autre part la liberté de réunion avait été de fait abolie dès les premières années de la monarchie de Juillet. La librairie sociétaire était plus encore que le journal, tout au moins avant 1843, l'organe vital de l'école, son centre d'activité. Il serait impossible d'établir ici la bibliographie fouriériste. Rien que de 1840 à 1843, il sortit de cette librairie trente-quatre livres ou brochures.

Tandis que Considérant y publiait une Exposition abrégée du système phalanstérien, une Défense du fouriérisme en réponse à Proudhon, Lamennais, Reybaud, Louis Blanc, etc., une brochure sur la politique générale et le rôle de la France en Europe, une autre contre Arago, une autre sur la question de la régence, une autre sur l'Immortalité de la doctrine de Ch. Fourier, ses collaborateurs ne chômaient pas.

C'étaient Edouard de Pompéry avec un volume, l'Exposé de la science sociale constituée par Ch. Fourier, et des mémoires lus dans un congrès scientifique ; Hippolyte Renaud avec une brochure de polémique sur le « monde phalanstérien » critiqué par un anonyme ; Cantagrel avec un roman de propagande intitulé le Fou du Palais-Royal et une étude sur les colonies agricoles de Mettray et Ostwald. Jean Leclaire, qui devait, vingt ans avant Godin à Guise, faire participer ses ouvriers aux bénéfices de son exploitation et finalement les associer dans l'entière propriété de celte exploitation, publiait en 1842, à la librairie sociétaire, des Dialogues sur la concurrence sans limites.

Citons encore, parmi les plus connus d'entre les fouriéristes qui écrivaient à cette époque : Albert Brisbane, qui fui l'apôtre du fouriérisme aux États-Unis, et essaya, comme il dit, « d'adapter la théorie à l'esprit du peuple de ce pays-ci » ; Mme Gatti de Gamond avec sa Réalisation d'une commune sociétaire ; Cabet avec les deux volumes de son Traité élémentaire de la science de l'homme ; Pellarin, avec son étude sur le Droit de propriété. La plupart de ces ouvrages avaient paru d'abord, au moins par fragments importants, dans la Phalange.

Classons à part Toussenel, qui écrit à ce moment son ouvrage sur les Juifs, rois de l'époque, que M. Edouard Drumont, dans sa passion antisémitique, appelle « un chef-d'œuvre impérissable ». Toussenel â hérité de l'animosité de Fourier contre les Juifs, qui voyait en eux à la fois les conservateurs de l'esprit familial et les plus actifs agents du commerce détesté. Il a vu se constituer la féodalité financière, où les saint-simoniens repentis surent se tailler une si belle part ; il a assisté à la formation des grandes compagnies de chemins de fer, des grands établissements de crédit, constaté le cosmopolitisme de la puissance nouvelle, et il a attribué tout ce mouvement historique à l'influence des Juifs.

La vérité est que, écartés pendant des siècles des fonctions publiques et de la propriété du sol, les Juifs avaient dû se réfugier dans le commerce, mobiliser leur propriété sous un petit volume, afin de la soustraire à l'avidité de leurs persécuteurs. Ils se trouvèrent ainsi, à l'aurore de la formation capitaliste, au moment où la propriété mobilière prenait le pas sur la propriété immobilière, tout à point pour profiter de cette évolution. Mais ils n'acquirent point la situation prépondérante que leur attribue Toussenel dans les pays entrés plus tôt que la France dans le système économique nouveau, notamment en Angleterre. Si Toussenel avait vu cela, il aurait gagné le titre de philosophe que lui décerne si généreusement M. Drumont. Il fut du moins un pamphlétaire plein de verve et d'esprit, et les coups qu'il porta aux financiers juifs atteignirent leurs nombreux associés catholiques et protestants.

Parmi les phalanstériens notoires de celle époque, citons encore Jean Journet qui, nous apprend Bourgin, d'après un document inédit, « avait quitté sa pharmacie de Besançon pour évangéliser, les pieds nus et le sac au dos, vendant ses brochures et faisant des prêches sur les pierres-bornes ». Victor Schœlcher eut de la sympathie pour la doctrine, et il écrivait à Considérant :

« Dans quelque coin du monde que l'on aille, si l'on ne trouve pas la Phalange aux mains de tous les hommes occupés d'idées sérieuses, du moins la connaissent-ils et vous demandent-ils ce qu'il advient de l'école phalanstérienne. A de tels signes on peut reconnaître qu'une idée a une valeur et prend racine. Cette compensation du rude labeur de la propagande, elle vous était due. » La Phalange, naturellement, publia ce témoignage du jeune démocrate, déjà célèbre par la campagne qu'il avait entreprise pour la suppression de l'esclavage.

L'Union harmonienne, formée par les dissidents, faisait aussi une grande et fructueuse propagande et avait des correspondants dans presque toutes les grandes villes, bien qu'une partie de leurs coups fussent destinés aux amis de Considérant et surtout à lui : devenu chef de la doctrine, il devait recevoir la meilleure part des horions. Just Muiron s'était d'abord mis à la tête des dissidents, en haine du « monopole parisien », puis était revenu auprès de ses amis de la première heure. Parmi les aménités que les dissidents décrochaient aux orthodoxes, notons l'accusation de « servilisme systématisé ».

Dans leur Almanach social et dans leur journal Le Nouveau Monde, les dissidents accusaient en outre Considérant et ses amis de prendre » une marche trop exclusive », de s'adresser « particulièrement aux privilégiés du jour » et de proclamer que la science sociale n'a rien à attendre des « pauvres et des ignorants ». Ils pensaient « que, tout en tâchant d'attirer à la science les riches et les savants, il ne fallait pas oublier les travailleurs, qui constituent l'immense majorité de la nation ». Aussi Le Nouveau Monde avait-il « pris pour tâche de pénétrer dans les ateliers, afin de faire apprécier aux travailleurs les bienfaits de la science sociale ». Mais, en réalité, les dissidents n'atteignirent pas plus que les orthodoxes les couches profondes du prolétariat, ni son élite active partagée en communistes révolutionnaires avec le Égalitaires, en communistes pacifiques avec Cabet et en coopérateurs syndicalistes avec Buchez, Corbon et les rédacteurs de l'Atelier.

Ceux qui désiraient la conciliation, reprenaient amicalement Considérant sur ses allures autoritaires. « Vous avez raison de vouloir un pouvoir dictatorial, lui écrivait Le Moyne, mais il faut une dictature amicale et paternelle ; le despotisme est mauvais. » Gagneur, qui organisait à cette époque le parti républicain dans le Jura, adressait les mêmes observations à Considérant.

Quant aux dissidents, c'était sur un autre ton qu'ils parlaient du groupe des orthodoxes : « La constitution de ce groupe, écrivait Daurio, dans ses Observations critiques, est très curieuse, en ce que ce ne sont pas des membres d'un même corps, mais des meubles et vêtements à l'usage du luxe spirituel du chef... C'est ainsi qu'Amédée Paget sert de bonnet de coton, Cantagrel de fou à Sa Majesté, Madame... de marmite. (Le même livre accusait Considérant, à propos de son mariage avec la fille de madame Vigoureux, d'avoir braqué le nez sur le pot-au-feu familial, et d'être arrivé au « maximum proportionnel » en plaçant le casque à mèche de l'hyménée sur le front que couvrait le casque de Mars) ; et quant à B..., il servait de vide-poche, Daly de dessinateur d'ombres chinoises, M. Dulary de porte-bannière, Pellarin de clyson ; vous, Muiron, d'eunuque gardien du sérail de l'orthodoxie ; celui-ci de pantoufle, celui-là de porte-coton. » Les haines de secte engendrent dans tous les milieux les mêmes stupidités et les mêmes ignominies. Le milieu socialiste ne devait pas échapper à cette loi. Il n'y échappera que lorsqu'il se sera libéré de l'esprit sectaire qui anime encore un trop grand nombre de ses adhérents.

Malgré ces querelles, le fouriérisme grandissait. Les orthodoxes, beaucoup plus nombreux que les dissidents, pouvaient dédaigner leurs attaques et porter tout leur effort sur la propagande. À côté de la Phalange, ils avaient huit journaux en province. Considérant était élu, en 1843, membre du Conseil général de la Seine, et cette élection donnait un lustre de plus à son parti. À vrai dire, le mot de parti était impropre, quoique les phalanstériens l'employassent eux-mêmes, comme on l'a vu, pour désigner leur groupement, C'était toujours, et malgré le journal quotidien, malgré l'entrée de Considérant dans un corps élu, une école sociale, un milieu de propagande et d'essais de réalisation, puisqu'il n'abordait la politique que pour tirer des incidents du jour des confirmations et des arguments en faveur du système fouriériste, et non pour y pénétrer et la modifier.

La doctrine, avons-nous dit, se propageait à l'étranger : en Belgique, en Allemagne, en Suisse, en Autriche, en Espagne, en Portugal. Les phalanstériens du Brésil avaient un journal à Rio-de-Janeiro, le Socialista. Aux États-Unis, la propagande de Brisbane se mêlait à celle des sectes protestantes qui tendaient un retour à la vie chrétienne primitive, et fondaient dans ce but des communautés agricoles imprégnées de l'esprit fouriériste. En moins de dix ans, une quarantaine de phalanstères furent organisés ; en 1843, on en comptait déjà treize. Ils devaient peu durer.

Ceux qui résistèrent le plus aux causes de dissolution extérieures et intérieures furent les groupes religieux, les swedenborgiens, notamment, qui faisaient de l'association économique le moyen de réaliser leur idéal mystique. Encore aujourd'hui, la pratique coopérative qui fait du mormonisme une organisation relativement collectiviste n'a pas d'autre objet que d'assurer à cette secte les moyens de vivre et de poursuivre son but exclusivement religieux.

En même temps que les phalanstériens développaient ainsi leur activité, au point d'être considérés en France et à l'étranger comme l'unique parti socialiste, les communistes continuaient à recruter des adhérents dans la classe ouvrière, séduite par la simplicité de la doctrine autant que par la magnificence des perspectives qu'elle leur ouvrait. Dézamy publiait pour eux son Code de la Communauté. où l'égalité sociale absolue était indiquée comme le souverain bien. Richard de la Hautière affirmait le même idéal dans le journal l'Intelligence, fondé par Laponneraye, et dans son Petit catéchisme de la réforme sociale.

Pillot, qui devait faire partie de la Commune de 1871, était un ancien prêtre de l'Église de l'abbé Châtel, où, trente ans avant M. Hyacinthe Loyson, on tentait de rénover le culte catholique en disant la messe en français. Il publiait en 1840 une brochure : Ni châteaux ni chaumières, où il affirmait le communisme non seulement comme un idéal humanitaire, mais comme une doctrine économique et sociale scientifiquement démontrée. « Qui fait ce qu'il peut, disait-il, fait ce qu'il doit. Chacun a droit à la satisfaction de ses véritables besoins, lorsque tous possèdent le nécessaire. »

Comme les communistes de celte époque, Pillot subordonnait la liberté à l'égalité, n'admettant pas qu'un individu raisonnable pût se refuser à profiter des avantages de la communauté des biens. « L'empire de la sottise est à son terme, disait-il un peu prématurément ; celui de la science commence. « Et, fort de son infaillibilité scientifique, il rétorquait ainsi les objections contre le communisme : « Mais, nous dira-t-on, l'humanité n'en veut pas ? — Mais, répondrai-je, si les pensionnaires de Bicêtre ne voulaient pas de douches ? »

À l'Égalitaire, Richard de la Hautière avait fait succéder un nouveau journal, la Fraternité, avec un groupe de communistes révolutionnaires, en opposition aux communistes pacifiques groupés par Cabet autour du journal le Populaire. La Fraternité ne dura également que quelques mois. « Nous nous garderons bien, disaient ses rédacteurs, de fixer un terme à la réalisation de nos idées. Ce que nous désirons, c'est que le peuple ait une foi qui lui rende son activité et lui maintienne le don de la persévérance aux jours d'épreuve. une doctrine qui remplace enfin à son avantage les théories insuffisantes de la politique pure, c'est que cette doctrine soit pour lui, pendant les années de la transition, une pierre de touche à l'aide de laquelle il appréciera infailliblement les institutions anciennes et nouvelles. Quelle que soit ensuite l'époque du triomphe du bien sur le mal, peu importe ; le bien étant connu, c'est un devoir de travailler à l'atteindre, dût-on perdre l'espérance de le toucher soi-même. »

Nous entendons là, en même temps qu'une très noble affirmation de l'idéalisme social, le thème initial des paroles si fortement expressives dans leur concision dont, soixante ans plus tard, Bernstein devait fouetter la pensée socialiste : « Le but n'est rien, le mouvement est tout. » La notion du but, en effet, peut et doit être une pierre de touche, un cordial, un viatique, tout, excepté un terme promis à l'activité humaine. Rêver d'atteindre le but final, c'est aspirer à l'éternelle paresse des paradis religieux.

Mais les communistes révolutionnaires voulaient des affirmations plus catégoriques, l'indication d'un but précis. L'un d'eux, Joseph May, publia l'Humanitaire, dont le programme, contrairement à la religiosité et au vague christianisme de tous les manifestes socialistes du temps, fut nettement matérialiste et athée. « Nous demandons, y était-il dit, l'abolition de la famille : nous demandons l'abolition du mariage ; nous adoptons les arts, non comme délassement, mais comme fonction ; nous proscrivons le luxe ; nous voulons l'abolition des capitales ou centres de direction ; nous voulons la distribution des corps d'état dans les communautés d'après les localités et les besoins. »

On remarque ici un curieux mélange de communisme autoritaire et d'anarchie. Ce programme d'extrême-gauche révolutionnaire fut exploité par le rapporteur de la Cour des Pairs dans le procès Quénisset. Les partisans de Cabet ne furent pas éloignés de croire que l'Humanitaire était inspiré par la police ou par les jésuites pour donner un texte aux calomnies des adversaires du communisme. Éternel malentendu entre ceux qui mesurent les obstacles qui séparent la réalité de l'idéal et ceux qui poussent avec sincérité leur logique jusqu'à l'absurde dans les idées, jusqu'à l'impossible dans les faits.

La propagande de l'Humanitaire exaspérait d'autant plus les partisans de Cabet, qu'à ce moment même il faisait d'activés démarches auprès des démocrates connus pour la réapparition du Populaire. Il avait créé une société en commandite par action de cent francs, avec des coupons de dix francs ; et ses amis se multipliaient pour constituer le modeste capital qui permît au journal de paraître toutes les semaines. En même temps, Cabet s'adressait à Louis Blanc, à Proudhon, à Pierre Leroux, d'autres encore, et tentait de les intéresser à la transformation du Populaire en journal quotidien.

Proudhon répondait mal à ses avances et il écrivait de Lyon à un de ses amis : « Cabet est ici en ce moment. Ce brave homme me désigne déjà comme son successeur à l'apostolat ; je cède la succession à qui m'en donnera une tasse de café. » Il se moque des prêcheurs d'évangiles nouveaux : « Évangile selon Buchez, évangile selon Pierre Leroux, évangile selon Lamennais, Considérant, Mme George Sand, Mme Flora Tristan, évangile selon Pesquer (sic), et encore bien d'autres. » Et il déclare qu'il n'a « pas envie d'augmenter le nombre de ces fous ».

Cependant, quelques jours auparavant, il avait reconnu à la propagande communiste de Cabet une utilité particulière, qui était de détourner la classe ouvrière des voies de la violence, si périlleuses pour elle, plus encore que pour l'ordre social. « Depuis surtout, disait-il, que le peuple est dirigé par des dogmatiques à qui il est venu, un peu trop tard, il est vrai, de faire la révolution par les idées, toute possibilité d'émeute, toute chance d'insurrection disparaît. Il y a un grand nombre de socialistes de cette espèce, qui tous prêchent et disputent : eh bien ! qu'ils disputent, pourvu qu'ils restent tranquilles ! Cabet peut se vanter d'avoir empêché plusieurs émeutes. »

C'était sans doute également l'avis du rapporteur du procès Quénisset, car, tandis qu'il accablait de ses foudres le communisme de l'Humanitaire, il déclarait « séduisant » le communisme icarien prêché par Cabet. Cela n'empêchait pas les démocrates, et surtout les radicaux du National de lui montrer la plus vive hostilité. « Je ne suis pas communiste », déclarait Ledru-Rollin. Et il ajoutait charitablement : «

Je hais les communistes. » Proudhon, sous peu, allait leur en dire bien d'autres.

Bien que d'ordinaire il ne sépare pas les hommes de leurs doctrines, et qu'il reproche à Cabet de « manquer de lumières, de ne pas savoir écrire et de se donner de l'importance » ; il montre néanmoins de la sympathie pour « un homme honnête au fond, utile au peuple ». Cabet, dit-il, « a beaucoup souffert ; il a beaucoup travaillé ; il a fait quelque bien, notamment en Corse, où il a été procureur général et où il a organisé le jury ; il est pauvre, il vit, je crois, de ses publications avec sa femme et sa fille ».

Ces publications étaient nombreuses. Il donnait dans ce temps-là la deuxième édition de son Histoire populaire de la Révolution française. Son Voyage en Icarie obtenait un vif succès, et il y ajoutait sans relâche des brochures ; Douze lettres d'un Communiste à un Réformiste, la Propagande communiste, le Démocrate devenu Communiste, Toute la Vérité au Peuple, le Cataclysme social. Salut ou ruine, les Masques arrachés.

Afin de décider les ouvriers à abandonner les sociétés secrètes et la tactique insurrectionnelle, il publiait coup sur coup la Ligne droite, le Guide du citoyen, le Procès Quénisset et le Procès du Communisme à Toulouse. Pour identifier le communisme au christianisme, ce qui fut, on le sait, la préoccupation des réformateurs sociaux de l'époque, il écrivit un livre qu'il estimait capital, sous le titre de Le Vrai Christianisme. Mais, en réalité, son ouvrage capital est le Voyage en Icarie.

Dans ce livre, Cabet trace le tableau de la société idéale, sous forme de roman. L'Icarie est une région de l'Amérique dans laquelle des Européens ont fondé une colonie selon le principe de la communauté absolue du sol et de tous les instruments de travail. Lorsque le voyageur qui va nous le décrire y aborde, le système communiste a donné tous ses fruits bienfaisants, et on marche d'étonnements en émerveillements. Dans ce cadre très simple, imité du Voyage de Bougainville et de tant d'autres, imité par tant d'autres depuis, Cabet décrit tous les avantages du communisme, réfute toutes les objections de ses adversaires présentées par le voyageur.

Icarie repose sur l'agriculture, car le premier besoin de l'homme est de se nourrir. Mais l'industrie y est aussi très développée et la division du travail et les machines simplifient les tâches. L'argent est inconnu en Icarie. Chacun travaille selon ses forces et va prendre au magasin ce qui lui est nécessaire ; le contrôle de l'opinion publique suffit à l'empêcher de ne pas travailler, comme de prendre plus qu'il n'est raisonnable des produits communs.

Cabet ne touche pas à l'organisation de la famille. Certes, la femme est libre en Icarie, puisqu'elle participe comme l'homme à la production, mais l'organisation familiale n'a reçu aucune atteinte de cette émancipation de la femme. Le mariage, cependant, n'est pas indissoluble, mais les époux qui n'y ont pas trouvé le bonheur forment le petit nombre. À ceux-là, la République icarienne « offre le divorce quand leur famille le juge indispensable ». On le voit, Cabel maintient si fort l'organisation familiale qu'il ne laisse pas, même aux époux en désaccord, mais à leurs parents, le soin de dénouer l'union mal assortie.

Si le divorce présente de telles difficultés, il semble que les époux mal mariés doivent se rattraper sur l'adultère. N'en croyez rien. En Icarie, l'opinion est toute-puissante et « la République a tout disposé pour que le concubinage et l'adultère fussent matériellement impossibles ; car, avec la vie de famille et la composition des villes, où l'adultère pourrait-il trouver asile ? » L'optimisme de Cabet vient de la puissance qu'il attribue à l'opinion publique dans une société fraternelle. Nous pouvons en sourire, mais il faut cependant reconnaître qu'il voit juste, en principe, en accordant une telle importance à l'opinion. Seulement, on a observé que le propre du progrès social est précisément de libérer l'individu des servitudes d'opinion et de le mettre à même d'agir pour se conformer non à l'usage, mais à sa raison.

Dans le rigide cadre familial d'Icarie l'homme et la femme sont d'ailleurs égaux devant la morale, devant l'opinion, devant le travail. Le père, n'étant plus le nourricier de la famille, puisque la femme travaille et que les enfants sont entretenus aux frais de la communauté, n'a plus aucune raison pour être un maître. Mais, dans la démocratie icarienne, la femme ne possède pas la personnalité civique, que Cabet, dans un dialogue, raille en ces termes :

« Vous voulez peut-être, monsieur le galant, que ce soit le mari qui obéisse à la femme ?

— Non, monsieur le plaisant, je vous trouverais ridicule alors, et je suis sûr que votre femme est trop raisonnable et connaît trop bien son intérêt pour désirer que son mari se ridiculise ; mais je voudrais que la loi proclamât, comme en Icarie, l'égalité entre les époux, en rendant seulement la voix du mari prépondérante, et en faisant d'ailleurs tout ce que la loi fait ici pour que les époux soient toujours d'accord et heureux. »

Donc, en fait, c'est la famille, représentée par l'homme, qui constitue le citoyen, l'unité civique, dans la communauté icarienne. Mais ce n'est pas elle qui se charge de l'éducation des enfants, qui d'ailleurs, bien qu'élevés dans les écoles de la République, ne sont pas soustraits à l'affection de leurs parents. Mais connue, pour Cabet, « l'éducation est considérée comme la base et le fondement de la société », les enfants reçoivent l'éducation dans les écoles, et non pas seulement l'instruction et l'enseignement professionnel.

L'égalité sociale a pour corollaire l'égalité devant les tâches. Il n'y a pas des professions nobles et des professions ignobles, mais des fonctions publiques équivalentes devant l'opinion. Dans les opérations du travail, il n'y a pas des chefs et des manœuvres, mais des fonctions de la division du travail. Nul, pour une tâche mieux faite ou pour un produit plus abondant, n'a droit à une rémunération supérieure. D'ailleurs, le droit individuel n'existe pas. La fraternité, bien supérieure à cette conception du tien et du mien, l'a remplacé. Cabet croit si fort à la puissance de ce sentiment fraternel, qu'il s'écrie :

« Si l'on nous demande :
« Quelle est votre science ? La Fraternité, répondrons-nous.
« Quel est votre principe ? La Fraternité.
« Quelle est votre doctrine ? La Fraternité.
« Quelle est votre théorie ? La Fraternité.
« Quel est votre système ? La Fraternité. »

Dans la République icarienne, sous l'inspiration de la fraternité, les lois font tout. Elles font même les mœurs. Les mœurs viennent de la nature ; les lois viennent de la raison, puisque le peuple les a délibérées. Donc c'est à la raison, par les lois, à faire les mœurs. « La Raison, s'écrie-t-il, ne suffit-elle pas pour organiser la société ?... La Raison est une providence secondaire qui peut créer l'égalité en tout. »

D'ailleurs, la raison ne fait que se conformer à la nature qui, selon Cabet, « a fait les hommes égaux en force ». Il ajoute qu' « elle les a faits même égaux en intelligence. » La société, dans sa déraison, a défait l'œuvre de la nature en créant artificiellement les inégalités ; elle doit, devenue raisonnable, rétablir l'égalité primitive voulue par la nature. On reconnaît ici l'influence directe de Jean-Jacques Rousseau.

Et la liberté, que devient-elle en régime d'égalité absolue ? Il y a bien en Icarie « la loi du couvre-feu », mais cette loi qui interdit aux gens de veiller passé une certaine heure ne pourrait paraître tyrannique qu'aux bonnes gens de l'ancien régime. Le peuple icarien n'eût pas supporté une « intolérable vexation » qui autrefois était « imposée par le tyran ». S'il consent à se coucher en masse au son du couvre-feu, c'est parce qu'il a considéré cette loi adoptée par lui comme « la plus raisonnable, la plus utile » ; il l'a faite « dans l'intérêt de sa santé et du bon ordre dans le travail ». Aussi, cette loi est-elle « la mieux exécutée ».

En matière religieuse, les Icariens sont libres relativement. Il y a cependant un culte public. « Nous avons, dit l'Icarien qui pilote le voyageur, des prêtresses pour les femmes comme des prêtres pour les hommes. » Et lorsqu'il y a un différend dans le ménage icarien, « le prêtre ou la prêtresse vient quelquefois joindre l'autorité de sa parole aux tendres exhortations de la famille pour encourager les époux à chercher leur bonheur ou du moins la paix dans la vertu ».

Puisque, pour Cabet, c'est l'organisation vicieuse de la société qui produit les criminels, il va de soi qu'en Icarie le crime est une exception monstrueuse. La science moderne confirme de plus en plus cette notion, reçue par Cabet de la philosophie rationaliste du dix-huitième siècle, qui crut justement au double pouvoir de l'éducation et du milieu social sur la formation des caractères. Mais il pourrait se trouver, même en Icarie, « quelque brutal dont la violence menaçât la sécurité publique ». S'il existait « une bête de cette espèce », dit Cabet, on la « traiterait » dans un hospice, et si la « jalousie d'amour » poussait quelque malheureux au crime, « on traiterait le meurtrier comme un fou ».

Il y a des tribunaux, cependant, en Icarie, pour juger les infractions à l'ordre établi. La fonction de juge n'est pas spécialisée dans un corps professionnel, mais exercée par tous les citoyens. Les pénalités sont ordinairement morales : « la déclaration du délit par le tribunal, la censure, la publicité du jugement plus ou moins étendue. » Pour les délits plus graves, le tribunal prononce « la privation de certains droits dans l'école ou dans l'atelier, ou dans la commune, l'exclusion plus ou moins longue de certains lieux publics, même de la maison, des citoyens ».

L'Icarie, si heureuse sous ce régime d'égalité et de vertu, entend-elle jouir égoïstement des bienfaits qu'il lui procure ? Que non pas ! Cabet, dans son roman, nous raconte les séances du Congrès universel, réuni sur l'initiative de la République icarienne, « où furent proclamés la paix, le désarmement général, la fraternité des peuples, la liberté du commerce d'importation et d'exportation, l'abolition des douanes, même la suppression sur les monuments publics de tous les emblèmes qui, dans chaque nation, rappelaient aux autres nations l'humiliant souvenir de leurs défaites ». Il ajoute que « ce premier congrès organisa même une confédération et un congrès fédéral annuel ».

Comment établir ce régime d'égalité et de paix fraternelle entre les individus et les peuples ? Nous savons déjà que Cabet est contre l'emploi de la force. À ceux qui lui demandent son avis sur l'utilité des révolutions, il répond nettement : « Ni violence, ni révolution, par conséquent ni conspiration, ni attentat. » On mettra trente ans, cinquante ans, cent ans s'il le faut, mais on n'emploiera pas la violence dans une œuvre de raison pure. « Créez, dit-il, des assurances contre les faillites, contre le chômage, contre la misère, etc. ; supposez que gouvernement ou la société soit l'assureur, et vous arriverez à la communauté. »

On conçoit la séduction qu'un si beau rêve dut exercer sur les travailleurs. Pierre Leroux nous dit qu'ils crurent dans l'avènement du communisme icarien comme les croyants aux promesses de leur religion. Il reconnaît à Cabet le grand mérite d'avoir donné un idéal aux « tailleurs, aux cordonniers, aux pauvres non lettrés, aux déshérités, comme on s'est habitué à les appeler ». Et il s'écrie : « Est-ce que la Révolution de 1848 a ressemblé à celle de 1793, ou même de 1789 ? »

A qui le doit-on ? demanda-t-il. Qui a empêché les violences ? « C'est nous, répond-il, et, au début, c'est Cabet principalement, parce qu'il était dans un rapport intime avec la classe ouvrière. C'est Cabet qui, ayant fait luire aux yeux des masses l'idée constante et pacificatrice d'une société fraternelle, leur rendit odieuse la seule idée d'une révolution où l'on emploierait la guillotine et la lanterne. »

Il est certain que si les socialistes avaient, en 1848, employé les moyens terroristes, la révolution ne leur eût pas moins échappé puisqu'ils avaient contre eux l'absolu de leurs doctrines opposées en même temps que l'ignorance profonde du prolétariat de cette époque. Mais revenons à 1843.

En somme, à cette époque, la masse du parti communiste était groupée autour du Populaire. Henri Heine constate, dans ses promenades du quartier Saint-Marceau, que la plupart des ouvriers qu'il voit, avec lesquels il entre en conversation, sont communistes, lisent les ouvrages de Buonarotti et de Cabet. Au banquet réformiste organisé par Dézamy et Pillot, nous savons qu'ils se sont trouvés réunis au nombre de douze cents. Cabet travaillait à gagner également la province. Un procès ayant été intenté aux communistes de Toulouse, il y allait, sur l'invitation des actionnaires du Populaire, et les défendait devant la Cour d'assises. Nous venons de voir que Proudhon a signalé sa présence à Lyon. Il y alla en effet deux fois pour faciliter l'union entre les adhérents et faire de la propagande parmi les autres travailleurs.

Proudhon, à cette époque, déclare « connaître personnellement à Lyon et dans la banlieue plus de deux cents de ces apôtres (membres des sociétés secrètes devenus les commis-voyageurs d'une réforme qui aspire à embrasser le monde) qui tous font la mission en travaillant ». Il exagère un peu lorsqu'il ajoute qu' « en 1838 il n'y avait pas à Lyon un seul socialiste », et il accepte une exagération égale lorsqu'il se laisse affirmer « qu'ils sont aujourd'hui (1844) plus de dix mille ». Mais il est certain qu'à cette époque, l'activité des communistes lyonnais est très grande. « Des bibliothèques se forment au moyen de collectes, dit Proudhon ; il-y a même des réunions pour les femmes ! » On comprend ce point d'exclamation sous la plume du célèbre adversaire de l'émancipation féminine.

Il voit fort juste, lorsqu'il aperçoit « la propagande sourde qui se fait spontanément dans le peuple, sans chef, sans catéchisme, sans système encore bien arrêté », et ajoute : « C'est là la véritable indication politique. » Il y aperçoit une force qui se cherche, comme il se cherche lui-même, et il voudrait bien être son guide et son interprète. Il comprend que le peuple est inquiet des divergences de doctrines entre ceux qui s'offrent à l'aider dans son travail d'émancipation. Il se prépare à lui donner satisfaction, et, en attendant, dit-il, « je travaille de toutes mes forces à faire cesser les dissidences parmi nous, en même temps que je porte la discorde dans le camp ennemi ».

Et il ajoute : « Tour à tour négociateur, spéculateur, diplomate, économiste, écrivain, je provoque une centralisation de forces qui, si elle ne s'évapore en verbiage, devra tôt ou tard se manifester d'une manière formidable. » On voit mal le rude solitaire négocier et faire de la diplomatie. Mais il espère en son génie : lorsque, par son effort, « les contradictions de la communauté et de la démocratie, une fois dévoilées, seront allées rejoindre les utopies de Saint-Simon et Fourier, le socialisme, élevé à la hauteur d'une science, le socialisme, qui n'est autre que l'économie politique, s'emparera de la société et la lancera vers ses destinées ultérieures avec une force irrésistible ».

Et ce socialisme qui « n'a pas encore conscience de lui-même » et aujourd'hui encore « s'appelle communisme », qui groupe plus de cent mille parti sans, « peut-être de deux cents », c'est Proudhon qui se flatte de le formuler. On sait qu'il ne devait ajouter qu'une dissidence à celles qu'il déplorait ; il n'allait pas tarder à sortir de son rôle de négociateur, de diplomate, pour prendre celui qui convenait à son tempérament et se faire l'impitoyable et brutal analyste des doctrines communistes et phalanstériennes qui constituaient alors tout le socialisme en action et en pensée.

Les républicains combattaient les communistes dans leur doctrine, mais ils ne les mettaient pas pour cela hors de la communion démocratique. Lors du banquet communiste de 1840, les journaux ministériels s'étant réjouis de la division des démocrates, le National, tout en critiquant les systèmes édifiés les uns par « la bonne foi et le désintéressement », les autres par « le charlatanisme et l'exploitation », voyait dans ce débordement des imaginations la marque d'« une fermentation universelle qui atteste le besoin qu'a la société actuelle de sa transformation et de son progrès ».

Et, refusant de « tout condamner et flétrir sans discernement », le journal républicain affirmait en ces termes l'unité de l'action démocratique : « Si, parmi les esprits qui rêvent, il y a des cœurs qui palpitent à toutes les émotions de la patrie, si elle peut trouver là de l'abnégation pour la servir, du courage pour la défendre, pourquoi les envelopper dans un ostracisme injuste ? Le parti démocratique ne rompt pas son unité pour si peu. »

Il n'eût pu la rompre d'ailleurs qu'en se résignant à être un état-major sans soldats, puisque c'était dans la classe ouvrière que se trouvait l'armée de la démocratie. Le

National, agissait donc sagement en refusant de se séparer de la fraction la plus nombreuse et la plus active de la démocratie. C'est elle, au contraire, qui allait bientôt se séparer de lui et porter ses sympathies à un journal qui mettrait les questions sociales au premier plan et appellerait toutes les fractions du parti démocratique à exposer leurs idées dans ses colonnes.

Ce journal, qui devait être l'organe des six millions d'hommes « qui vivent en ilotes dans leur propre patrie », parut en 1843 sous le titre de la Réforme. Ses directeurs étaient Grandménil, qui mettait toute sa fortune dans l'entreprise, Baune, l'ancien chef du parti républicain à Lyon, et Flocon, un ancien sténographe de la Chambre. Dans le comité de direction qui leur était adjoint figuraient Etienne Arago, qui ne donna que son nom, Ledru-Rollin, Dupoty, Louis Blanc, Lamennais, Schoelcher, Pascal Duprat et quelques autres. Cavaignac fut le rédacteur en chef, secondé par Ribeyrolles.

Tandis que le National se vouait surtout à l'opposition, la Réforme tendait surtout à être un organe de propagande démocratique et sociale. Dans le nouveau journal, dont plusieurs rédacteurs se déclaraient ouvertement socialistes, Flocon publiait des articles sur le droit au travail : « La société, disait-il, qui veut qu'on travaille, qui l'exige sous peine de prison, ne devrait-elle pas être forcée de donner de l'ouvrage à ceux qui en manquent, sous peine d'inconséquence et d'absurdité. »

Louis Blanc et Pecqueur publiaient fréquemment dans la Réforme, des critiques contre l'individualisme économique, les prétendus bienfaits sociaux de la concurrence, l'immoralité de l'économie politique et de ses doctrines d'abstention de l'État. Mais les doctrinaires du communisme absolu, révolutionnaire ou modéré, se tenaient à l'écart, ainsi que les phalanstériens, qui d'ailleurs avaient, eux, leur journal quotidien.

Il y avait, en somme, du National à la Réforme, la différence qui exista, il y a quelques années, entre les opportunistes et les radicaux. Le National voulait bien appeler les ouvriers à la démocratie, mais sans effrayer les bourgeois républicains. La Réforme portait au contraire tout son effort de propagande sur la classe ouvrière et tâchait de la détacher des systèmes communistes et d'entraver la propagande phalanstérienne. Mais, tout comme le National, elle subordonnait les réformes sociales à la réforme politique essentielle, au suffrage universel. En 1843, une polémique s'éleva, où la Réforme réagit vigoureusement, à propos de l'achèvement des fortifications de Paris, contre le chauvinisme agressif du National ; elle ne prit fin que sur les démarches conciliatrices de Louis Blanc.

Les socialistes et les ouvriers coopérateurs n'étaient pas plus d'accord entre eux que les républicains. L'a formule du droit au travail lancée par Considérant était très vivement critiquée par les rédacteurs de l'Atelier qui lui reprochaient « de ne conclure à aucun changement de la condition des travailleurs ». Elle n'eût pas été vague si les socialistes, au lieu de s'attacher presque exclusivement à construire en esprit et à réaliser en fait un univers nouveau, avaient porté davantage leurs soins à exiger une législation protectrice du travail, de la santé, du salaire des travailleurs et, d'autre part, avaient pu les organiser corporativement pour leur éducation sociale mutuelle. Mais le cens politique pesait de tout son poids sur les prolétaires, les maintenait dans l'état de dispersion favorable à l'exploitation de leur travail.

Proudhon, à son dire, était regardé par les communistes « comme une espèce particulière d'aristocratie » et ils le jugeaient « déjà trop savant pour eux ». Puisque sa diplomatie n'a pas réussi à grouper les socialistes en faisceau unique, il va s'attacher à ruiner leurs doctrines diverses, et il s'y emploiera avec toute sa violence, avisée et éloquente à la fois, de solitaire bourru qui ne doit de ménagements à rien ni à personne. Il fut cependant un temps où, parlant des « diatribes de Lamennais et compagnie », il écrivait avec tristesse à son ami Bergmann : « On ne comprend plus en France que l'invective, la personnalité, l'injure ; on s'abreuve de calomnies, de fiel et de salive : ce sont les formes de la pensée ».

Puisque c'est ainsi qu'il faut parler pour se faire comprendre, Proudhon se mettra au diapason, et l'élèvera même de quelques tons. Tout en créant, comme il dit, « une méthode d'investigation pour les problèmes sociaux et psychologiques comme les géomètres en créent pour les problèmes de mathématiques », il frappera de rudes coups à droite et à gauche, ne respectant pas plus les préjugés révolutionnaires que les préjugés conservateurs.

A un ami qui lui reproche ses violences, il avoue qu'elles sont un procédé. En bon Franc-Comtois avisé, il utilise son tempérament combatif, au lieu de s'y livrer aveuglément. « Je sais, dit-il à cet ami, qu'on me reproche de faire trop le bourreau des crânes dans ma polémique ; mais, avec un peu de réflexion, on verrait que ce n'est là qu'une tactique, une manière comme une autre de faire valoir mes raisons. »

Oubliant qu'il a dit le contraire un an auparavant, il ajoute : « Et puis, il y a tant de mollesse, de lâcheté, de papillotage dans les critiques d'à présent, qu'il est nécessaire d'avoir un cuisinier qui mette un peu de vinaigre et de citron dans ses sauces. » Nous allons voir qu'il y en a mis beaucoup.

D'ailleurs, fort de sa conviction et de son talent, il s'écrie : « Qu'on me fasse comme je fais aux autres, je ne demande pas mieux ; pour tous mes coups de lance, je n'ai pas encore reçu une égratignure. Cela me contrarie. » En attendant que la massue de Marx vienne répondre à ses coups de lance et le jeter pour quarante ans dans un injuste oubli, voyons-le s'escrimer contre les phalanstériens.

Visant à la tête, il propose une polémique à Considérant. « Serait-il disposé, fait Proudhon, à mettre le système de Fourier pour enjeu de son argumentation, comme je suis prêt à risquer, sur la réfutation que je vais faire, toute la doctrine de l'Égalité. Ce duel serait tout à fait dans les mœurs guerrières et chevaleresques de M. Considérant, et le public y gagnerait : car, l'un des deux adversaires succombant, on n'en parlerait plus, et il y aurait dans le monde un aboyeur de moins. »

Considérant, qui ne boudait pas à la polémique, défendit de son mieux la doctrine de son maître. Mais Proudhon, en outre de son style incomparable, avait l'avantage de la critique. En jouant sa doctrine de l'égalité, encore à formuler et qu'il retoucha toute sa vie sans l'achever, contre la doctrine fouriériste, il jouait sur le velours. Les deux adversaires d'ailleurs s'attribuèrent d'autant plus facilement la victoire qu'ils avaient des méthodes de raisonnement absolument différentes. Il n'y eut donc pas dans le monde un aboyeur de moins, mais un bruyant choc d'idées de plus.

Apercevant très bien l'inanité des expériences faites en dehors du milieu organique de la société, Proudhon raillait en ces termes les fouriéristes qui songeaient « à quitter la France pour aller au Nouveau Monde fonder des phalanstères », loin de tout centre de civilisation :

« Quand une maison menace ruine, les rats en délogent ; c'est que les rats sont des rats ; les hommes font mieux, ils la rebâtissent… Restez en France, fouriéristes, si le progrès de l'humanité est la seule chose qui vous touche ; il y a plus à faire ici qu'au nouveau monde ; sinon, partez, vous n'êtes que des menteurs et des hypocrites. »

Fourier n'avait épargné ni Saint-Simon, ni Robert Owen. Proudhon ne le ménagea pas davantage. Il l'avait connu à Besançon, où, jeune correcteur d'imprimerie, il travaillait à la confection des livres de son aîné. Fourier, dit-il, « avait la tête moyenne, les épaules et la poitrine larges, l'habitude du corps nerveuse, les tempes serrées, le cerveau médiocre… Rien en lui n'annonçait l'homme de génie, pas plus que le charlatan ».

Il lui rend cependant cette justice d'avoir révélé la loi sérielle, qui assure à l'individu la plus complète indépendance possible dans l'association en le faisant participer à autant de séries que son activité, ses besoins ou ses sentiments ont des modes différents de se manifester, et limiter ainsi à son objet propre le pouvoir de l'association sur l'individu. Mais « dans cette intelligence mystique et contemplative, faible et ardente, dit Proudhon, l'aperception de la loi sérielle » fut « suivie de la plus déplorable hallucination ». Il reconnaît cependant « un sens moral profond » à ce « génie exclusif, solitaire ».

Cela ne l'empêche pas de parler avec dédain de « cette marionnette qu'on appelle Fourier », et de conseiller aux phalanstériens de changer « presque de nom », attendu que la science sociale de leur patron « n'existe pas », et qu'il est temps pour eux de se montrer « moins crédules aux mysticités » ainsi qu'aux « pauvretés » qui ne sont « que les jeux d'une imagination en délire », des « combinaisons puériles », qu'on ne réfute pas plus que Peau d'Ane et Barbe-Bleue.

Ce n'est déjà pas mal. Plus tard, il fera mieux — c'est-à-dire pis — encore. « Le fouriérisme, écrira-t-il en 1846, poursuit de tous ses vœux la prostitution intégrale. » Englobant dans le même anathème toutes les doctrines socialistes qui ont voulu l'émancipation de la femme, il s'écriera : « La communauté des femmes est l'organisation de la peste. Loin de moi, communistes ! votre présence m'est une puanteur, et votre vue me dégoûte. Passons vite les constitutions des saint-simoniens, fouriéristes et autres prostitués se faisant forts d'accorder l'amour libre avec la pudeur, la délicatesse, la spiritualité la plus pure. Triste illusion d'un socialisme abject, dernier rêve de la crapule en délire. »

Ces violences n'en attachaient que plus fort à leurs idées ceux qui en étaient l'objet. Elles n'eurent donc, dans le moment où elles se produisirent, aucun effet dissolvant sur les doctrines socialistes alors en faveur. Mais il est temps de parler de toutes celles qui, à côté du communisme et du fouriérisme, vinrent s'ajouter à la critique de Proudhon, et s'y heurter, se mêler confusément dans les esprits, et représenter, chacune selon sa méthode et ses moyens propres, la commune aspiration des travailleurs à une organisation sociale où disparaîtrait l'exploitation du travail humain et toutes les servitudes morales et sociales qu'elle entraîne.

Qu'était-ce donc que Proudhon, ce contempteur bourru du réalisme béat des conservateurs et de l'idéalisme non moins béat des utopistes sociaux de son temps ? Quelle était sa méthode ? Quelle était sa doctrine ? Qui était-il lui-même, celui qui, selon l'expression de mon cher et regretté maître, Benoit Malon, « entra dans la cité de l'idée en Barbare de génie » ?

Qui était-il ? d'où venait-il ? Comme Fourier, il était né à Besançon. Cette Franche-Comté de Bourgogne, qui touche à la Suisse, forme aussi naturellement des caractères républicains que l'arbre porte les fruits de son espèce. Et les pâturages de ses plateaux indiquent aux hommes la seule forme de travail entre hommes égaux et libres. Ce fut le pays des derniers serfs, possédés par des moines ; mais ç'a été le pays des premières coopératives, formées par des paysans propriétaires de leur bétail et fabriquant et vendant en commun leurs fromages.

Fourier ni Proudhon ne pouvaient, sans mentir au terroir originel, être communistes. Fourier, passionnément individualiste, impliqua l'homme, par la série, dans les multiples associations qui devaient lui assurer son autonomie. Mais il réunit les séries dans le phalanstère, et c'était subordonner forcément à l'homme économique, l'homme politique et moral, l'homme tout simplement. Proudhon acceptait ou plutôt subissait l'association ; mais seulement dans l'ordre industriel et lorsqu'il n'y avait pas moyen de faire autrement. Il voulait faire de l'instrument de travail, de la propriété, le solide terrain sur lequel l'homme édifierait sa liberté. Le droit, expression suprême de l'individualisme, fut toujours son guide. Par le droit, il se flattait de donner à chacun le sien.

Trouva-t-il dans son hérédité, comme le croit Hippolyte Castille, cette passion du droit qui règle le tien et le mien ? Est-ce parce que « les Proudhon sont des paysans paperassiers et liseurs de codes » ? Certes, il tirait fierté de son origine. « J'ai quatorze quartiers de paysannerie, disait-il à un légitimiste ; comptez-vous le même nombre de quartiers de noblesse ? » Mais il était surtout fortement convaincu que la justice sociale consistait à réaliser le contrat entre individus égaux et libres, un contrat de réciprocité qui, par la force des choses, mesurerait la rémunération sur le service rendu.

Fils d'un tonnelier et d'une servante, Proudhon est peuple jusqu'aux moelles. Au collège, où l'a fait entrer le patron de son père, il ne peut acheter les livres qu'il lui faut. Un jour de distribution de prix, il rentre à la maison ployant sous les récompenses et n'y trouve pas de quoi dîner. Forcé par la misère d'interrompre ses études, il entre comme correcteur dans une grande imprimerie de Besançon. Il apprend en même temps la typographie et fait ensuite son tour de France. Puis il revient chez son patron, qui le reprend avec plaisir.

C'est le temps où il étudie l'hébreu, se jette à corps perdu dans des études de linguistique et de théologie, tout en corrigeant les épreuves du Nouveau Monde industriel, que Fourier fait imprimer à Besançon. « À propos d'une observation quelconque, dit à Sainte-Beuve l'ancien prote de cette imprimerie, Proudhon sabrait déjà toute la doctrine et nous plaisait par ses boutades. » Il avait alors vingt ans.

Ce combatif était-il aigri et durci par les misères et les humiliations de son enfance ? Que non pas ! On le croirait, à lire cette lettre qu'il adresse à un de ses amis, et où il dit : « Quand un homme, à près de trente-deux ans, est dans un état voisin de l'indigence, sans qu'il y ait de sa faute ; quand il vient à découvrir fout à coup, par ses méditations, que la cause de tant de crimes et de tant de misères est tout entière dans une erreur de compte, dans une mauvaise comptabilité ; quand, en même temps, il croit remarquer chez les avocats du privilège plus d'impudence et de mauvaise foi que d'incapacité et de bêtise, il est bien difficile que sa bile ne s'allume et que son style ne se ressente des fureurs de son âme. »

Mais non, cet homme à l'expression « forcenée, exterminante », comme dit Sainte-Beuve et qui avoue lui-même, « tremper ses flèches dans le vinaigre », n'avait ni fiel ni rancune. Il était d'une gaieté saine et robuste, aimait à gouillander (flâner), comme il dit dans son patois bisontin, et sa cuirasse de combattant cachait un cœur d'homme compatissant à la souffrance d'autrui. Il ne faisait pas que compatir. Non seulement il travaillait de tout son génie à trouver le moyen d'y mettre un terme, mais encore il savait pratiquer la fraternité humaine.

« En 1832, dit l'écrivain conservateur Eugène de Mirecourt, un jeune ouvrier compositeur arrive dans la ville, dépourvu de ressources et comptant sur un travail immédiat. Mais les imprimeries n'ont point de casse disponible ; aucun atelier ne s'ouvre pour le malheureux jeune homme, qui, sans gîte et sans pain depuis quarante-huit heures, va recourir au suicide. Proudhon le rencontre, l'emmène dans sa chambre, le nourrit, lui donne des vêtements, le loge pendant deux mois et finit par lui procurer du travail. Nous avons sous les yeux une lettre de ce jeune homme, dans laquelle se trouve la phrase suivante : « Vous me demandez si je connais Proudhon ? « Mais je lui dois la vie. C'est moi qu'il a préservé du grand saut dans la rivière. »

Fait digne de remarque, Proudhon, qui eut peu de disciples, eut des amis, des amis fidèles et auxquels il le fut, et dont la vie entière côtoya la sienne, tous participant de cœur à leurs mutuelles fortunes et infortunes au cours de longues années. Un cœur aigri et durci les eût vite éloignés ; un égoïste ne les eût point attirés à lui.

Je tiens du neveu d'un de ses camarades d'atelier l'anecdote suivante, qui montre à la fois sa compassion active pour toute souffrance vraie ou supposée et le parti philosophique qu'il tirait de tous ses actes.

Il y avait dans l'imprimerie un oiseau en cage, dont la vue attristait et irritait le jeune Proudhon. Pour certaines natures en qui la bonté s'allie au sens de l'harmonie, les oiseaux ne sont pas plus faits pour être captifs que les fleurs pour être détachées de leur tige. Un jour de printemps les oiseaux chantaient si passionnément la liberté dans les bosquets, que Proudhon n'y tint plus et ouvrit la cage. Le prisonnier s'élance, ivre d'espace. Mais ses ailes atrophiées par une longue immobilité, peut-être héréditaire, ne sont pas à la mesure de son désir, et il tombe dans la rivière, où il se noie, au grand chagrin de Proudhon.

— C'est encore notre faute ! s'écrie-t-il avec fureur. En le privant de sa liberté, nous la lui avons désapprise. Il en est de même pour les hommes.

Il était lui-même un oiseau de plein air, et nulle cage ne le retint derrière ses barreaux. Son amour de l'indépendance était fait non de sauvagerie, mais de dignité. Un imprimeur d'Arbois, Auguste Javel, dont le Proudhon intime a été publié l'an dernier dans la Revue Socialiste, l'avait fait venir de Besançon en 1832, pour l'exécution d'un travail assez difficile et qui exigeait un latiniste exercé. Ce travail devait durer quelques mois.

« À l'heure convenue, Proudhon entrait chez moi, son petit paquet sous le bras, le chapeau sur la nuque... C'était l'heure du déjeuner. Il parut fâché de voir son couvert sur la table, et déclara qu'il acceptait pour cette fois. Quand je voulus l'installer dans la chambre disposée pour lui, il s'y refusa d'une manière péremptoire. Comme je lui exprimais ma pénible surprise, il me dit en déjeunant :

— Vous avez une femme, un enfant, des parents qui viennent vous visiter, s'asseoir à votre table, vous convier à la leur. Je ne veux pas être en tiers dans vos relations de famille : ce serait gênant pour vous et peut-être plus encore pour moi. Si jamais, moi aussi, j'ai un intérieur, je saurai le faire respecter, en éloigner les profanes. Jusque là, je ne veux attenter en rien à la liberté d'autrui, ne fût-ce que pour ne pas me mettre en contradiction avec mes principes. »

Et il alla loger en ville. « Le lendemain, dès les huit heures, Proudhon était à l'ouvrage... Nous étions, dit Auguste Javel, convenus d'un prix particulier qui lui permettait de gagner régulièrement sa pièce de cinq francs en huit heures. Il se montra satisfait de cet arrangement. Je l'ai souvent vu, après avoir compté ses lignes vers les deux ou trois heures, pour s'assurer que sa tâche était remplie, garnir sa casse pour le lendemain et quitter l'atelier en disant : « Ma journée est faite. »

J'ai retenu tous ces traits, car ils ne peignent pas seulement l'homme, mais expliquent ses théories. Il tenait le travail pour un devoir, la rémunération exacte pour un droit, la conscience professionnelle pour une vertu, le contrat entre égaux pour l'unique loi et la liberté pour le bien suprême.

Dans sa lettre à l'académie de Besançon, où il pose sa candidature à la pension Suard qui lui permettra d'étudier à son gré pendant trois ans, il affirme nettement sa pensée à ces littérateurs classiques, à ces archéologues épris du passé, à ces archivistes enfouis sous les feuilles mortes, au risque de les exaspérer et de se faire refuser. Et c'est à grand'peine que son ami Perennès obtint quelques atténuations à cette phrase qui était le programme de sa vie, et qui demeura ainsi :

« Né et élevé dans la classe ouvrière, lui appartenant encore aujourd'hui, et à toujours, par le cœur, le génie, les habitudes, et surtout par la communauté des intérêts et des vœux, la plus grande joie du candidat, s'il réunissait vos suffrages, serait, n'en doutez pas, messieurs, d'avoir attiré dans sa personne votre juste sollicitude sur cette intéressante portion de la société, si bien décorée du nom d'ouvrière, d'avoir été jugé digne d'en être le premier représentant auprès de vous, et de pouvoir désormais travailler sans relâche, par la philosophie et la science, avec toute l'énergie de sa volonté et toutes les puissances de son esprit, à l'affranchissement complet de ses frères et compagnons. »

Passant outre à cette profession de foi, où ils n'ont vu qu'un beau feu de jeunesse, les académiciens de Besançon nomment Proudhon. On l'entoure, on le félicite. Il constate avec amertume que personne, parmi ces complimenteurs, n'est venu lui dire ce qu'il se dit à lui-même, en ce moment :

« Proudhon, tu te dois avant tout à la cause des pauvres ; à l'affranchissement des petits, à l'instruction du peuple ; tu seras peut-être en abomination aux riches et aux puissants ; ceux qui tiennent les clés de la science et de Plutus te maudiront : poursuis ta route de réformateur à travers les persécutions, la calomnie, la douleur, et la mort même. Crois aux destinées qui te sont promises : mais ne va pas préférer au martyre glorieux d'un apôtre les jouissances et les chaînes dorées des esclaves. »

Déjà quelques années auparavant, à l'époque où il alla travailler à Arbois, une autre tentation l'avait assailli. Il faut dire que ce qui eût séduit tout jeune homme de vingt-trois ans, au cerveau plein de pensées, l'avait d'abord laissé assez froid. Just Muiron, le disciple de Fourier, lui avait offert le poste de rédacteur en chef de l'Impartial, de Besançon. Après d'assez longues hésitations, Proudhon avait accepté, quoi qu'il ait dit le contraire dans le fragment inédit des Mémoires sur ma vie, publié il y a deux ans par la Revue socialiste. Voici, d'ailleurs, à quoi se borna ce premier essai dans la carrière du journalisme :

« Installé dans le cabinet du rédacteur en chef, nous dit Auguste Javel, le nouveau titulaire écrit en quelques heures son premier article de fond. Comment saluait-il les abonnés de l'Impartial ? Comment leur expliquait-il son avènement au timon de l'entreprise ? Quel bagage politique et social exposait-il aux regards curieux de ses concitoyens ?

« Voilà, à mon grand regret, ce qu'on n'a jamais pu savoir, ce qu'on ne saura jamais. Car, ayant appelé le garçon de bureau, Proudhon lui remit l'article en lui disant :

« — André, portez cela à l'imprimerie, puis revenez promptement chercher les faits-divers et les annonces, tout cela sera prêt dans un quart d'heure.

« — Mais, monsieur, vous savez bien que je ne puis pas être de retour ici dans un quart d'heure, ni même dans une heure.

« — Comment cela, André ?

« — L'hôtel de la préfecture est passablement éloigné d'ici. Il faut attendre que M. le préfet ait lu l'article, qu'il y ait mis son vu ; après quoi je pourrai le porter à l'imprimerie, puis... »

« La moitié de cette explication n'était pas encore prononcée, que déjà la prose du rédacteur en chef flambait dans la cheminée.

« Proudhon décrocha son chapeau et sortit en disant à André :

« — Quand ces messieurs viendront, dites-leur ce que vous voyez, et ajoutez que je vais me promener. »

De même que sa pensée maîtresse animait tous ses actes, elle inspirait les premiers essais littéraires de Proudhon. Ses Recherches sur les catégories grammaticales, publiées d'abord sous le titre d'Essais de grammaire générale, prouvent, comme dit Sainte-Beuve, « qu'un Prométhée intellectuel grondait déjà dans la poitrine du disciple de l'abbé Bergier ». Il aperçut le rôle révolutionnaire de l'étude des langues, et l'on sait si l'œuvre de Renan a prouvé chez nous qu'il voyait juste, et eut ce beau mouvement de révolte morale et intellectuelle :

« Quand nous ne devrions jamais assister à une seconde aurore de l'indéfectible vérité, quand le Hasard et la Nécessité seraient les seuls dieux que pût reconnaitre notre intelligence, il serait beau de témoigner que nous avons connaissance de notre nuit, et par le cri de notre pensée de protester contre le destin. »

Dans son mémoire sur la Célébration du dimanche, qui obtint une médaille de l'Académie de Besançon, l'orthodoxie littéraire et sociale semblait observée, mais, comme le dit expressivement Sainte-Beuve, « les armes y sont à chaque pas sous les fleurs », et Proudhon y parle de la propriété comme du « dernier des faux dieux ».

« L'expression, dit Proudhon dans ce mémoire, est générique comme l'idée même : elle proscrit non seulement le vol commis avec violence et par la ruse, l'escroquerie et le brigandage, mais encore toute espèce de gain obtenu sur les autres sans leur plein acquiescement. Elle implique, en un mot, que toute infraction à l'égalité de partage, toute prime arbitrairement demandée et tyranniquement perçue, soit dans l'échange, soit sur le travail d'autrui, est une violation de la justice commutative, est une concussion. »

La justice entre individus, égaux et libres, voilà ce que Proudhon veut, même au moment où il ignore sa voie. Cet instinct profond se précisera en pensées, en recherches, en actes, dans toute son œuvre, dans toute sa vie. Il l'exprimera par des méthodes diverses, passant de Kant à Hegel, après avoir renoncé à l'emploi de la série de Fourier, et par des solutions contradictoires, invoquant, écartant puis réinstallant l'État régulateur de l'organisme social et gardien des contrats ; mais c'est toujours la justice dans l'égalité et par la liberté qui sera l'objet de sa poursuite acharnée.

Au mémoire sur la Célébration du dimanche, ou Proudhon se pressent, s'ajoute, en juin 1840, sa première œuvre nettement sociale : Qu'est-ce que la propriété ? où il s'affirme. La boutade de Brissot : « La propriété, c'est le vol, » devient sous la plume de Proudhon un aphorisme fondamental. « Le droit de propriété, dit-il dans ce mémoire qui fonde sa réputation et le jette dans la voie révolutionnaire, le droit de propriété a été le commencement du mal sur la terre, le premier anneau de cette longue chaîne de crimes et de misères que le genre humain traîne après lui depuis sa naissance. » Voyons comment cette pensée de Jean-Jacques Rousseau se développe dans l'esprit de Proudhon.

La propriété est un fait, non un droit. Elle ne peut être un droit que par le consentement social, le contrat. Autrement elle constitue un privilège et, « sous prétexte de produit net, l'homme oisif, prenant pour lui une part de la production, enlève au travailleur l'épargne et le capital, et comme sans capital il est impossible de travailler à nouveau et de reproduire des valeurs, il s'ensuit que le producteur n'est plus qu'un instrument dans les mains du capitaliste qui lui vend ainsi son travail avant d'écouler son produit ».

Fidèle à sa devise : Destruam et aedificatio, Proudhon, en bon disciple de Kant qu'il est encore, après avoir détruit la propriété comme privilège, la reconstitue sur la base du droit égal de tous : il ne s'agit plus que de trouver le moyen de donner à chacun pari à la possession, le communisme étant écarté comme un système de servitude pour l'individu. C'est ce moyen que Proudhon cherchera toute sa vie, qu'il croira avoir trouvé au moment historique dont Georges Renard fera le récit. Mais ce que Proudhon a trouvé déjà, c'est un incomparable instrument de critique économique et sociale, que sa dialectique aiguisera sans cesse, et à laquelle ne résisteront pas plus les utopies du socialisme primitif que les dogmes de la société bourgeoise.

L'académie de Besançon a repoussé avec indignation l'hommage du mémoire sur la propriété. Tandis que le docte corps qui a réchauffé un tel serpent dans son sein se demande si on ne doit pas lui couper les vivres, Proudhon lance un second mémoire et le dédie à l'économiste Adolphe Blanqui, dont un rapport classant l'auteur de Qu'est-ce que la propriété ? parmi les économistes évite à son auteur les poursuites du parquet.

Au second mémoire sur la propriété, Proudhon en ajoute, en 1842, un troisième, intitulé : Avertissement aux propriétaires, lettre à M. Considérant. Cette fois, le parquet n'y tient plus et le défère au jury du Doubs. « Que vont-ils faire de moi ? » écrit-il à son ancien patron Auguste Javel, demeuré son ami. Il entend déjà « un monsieur bien grave à la toge brodée d'hermine » dérouler en « périodes compassées » l'énumération des crimes « de l'athée, du moderne Érostrate ».

« Imbéciles ! s'écrie-t-il. Car savez-vous ce qui arrivera, grâce au courant révolutionnaire qui acquiert de jour en jour une force irrésistible ? Le voici, prenez-en note. Ces mêmes hommes, magistrats et officiers de l'Académie, viendront dans quatre ans, je dis dans quatre ans, au nom du gouvernement, me montrer une chaire nouvelle, érigée à grands frais pour un titulaire richement rétribué, et, à genoux devant moi, me supplieront d'y monter pour répandre dans le peuple les idées qu'aujourd'hui ils traînent aux gémonies... »

Acquitté, Proudhon termine ainsi la lettre interrompue : « Buvez une vieille bouteille à la santé de mes douze juges, dont quelques-uns me causaient de l'inquiétude. Beaucoup de nez se sont allongés quand le chef du jury prononça le sacramentel non ; par compensation, tous nos amis, en plus grand nombre que je ne le croyais dans cette cité métropolitaine, académique, militaire et épicière, sont venus me serrer la main. »

Mais la bourgeoisie gouvernante ne vint pas lui offrir, ni à ce moment, ni quatre ans plus tard, ni jamais, cette chaire nouvelle du haut de laquelle il eût détourné le peuple ouvrier des utopies et des violences pour, d'ailleurs, le lancer plus sûrement, du moins il le croyait, sur le véritable chemin de son émancipation. L'en eût-elle cru capable, ne l'eût-elle pas classé lui-même parmi ces utopistes et ces révolutionnaires, qu'elle aurait encore repoussé avec plus d'horreur la mort douce que, dans sa naïveté, il pensait qu'elle en viendrait à préférer au triomphe de l'utopie par la violence.

L'année suivante, il publiait la Création de l'Ordre, qui, dans son esprit, devait être un livre décisif. Il y mit, comme on dit, tout ce qu'il savait, et ne réussit de cette manière qu'à en faire une « Somme » désordonnée, obscure, qui n'avança point d'un pas la question. Mais il étudiait l'économie politique. Un jeune Allemand, Karl Grün, qui venait d'écrire un ouvrage remarquable sur le mouvement social en France et en Belgique, se lia avec lui sur ces entrefaites, Karl Marx également. Tous deux entreprirent de lui enseigner la dialectique de Hegel. On verra plus loin que le terrible professeur, c'est Marx que nous voulons dire, ne fut pas content de son élève en philosophie allemande, et le lui montra un peu rudement.

Mais si les critiques et les théories de Proudhon faisaient leur trouée dans les milieux où l'on s'intéressait aux études sociales, rien n'en parvenait encore aux masses populaires, ni même aux ouvriers qui vouaient leur activité à l'amélioration du sort de leur classe. Plus heureux, Louis Blanc, dès 1840, était parvenu jusqu'à ceux-ci avec son petit livre sur l'Organisation du travail, bourré d'éloquence, de faits et de chiffres, et qui fondait la transformation sociale à opérer, sur l'achèvement de la Révolution française et les principes de Jean-Jacques Rousseau, sur la souveraineté absolue du peuple représenté par l'État tout-puissant dans le double domaine de la pensée et de l'action.

Chapitre V
La floraison socialiste

Louis Blanc et l'Organisation du travail. — La critique sociale de Louis Blanc et les solutions qu'il propose. — Pecqueur, socialiste économiste. — Haute valeur de son déterminisme économique. — François Vidal et ses conclusions collectivistes. — Colins et la socialisation du sol — Pierre Leroux, philosophe et moraliste. — Il inspire les romans socialistes de George Sand. — Flora Tristan tente un premier essai d'organisation internationale des travailleurs. — Robert Owen et le socialisme anglais. — Les trades unions et le chartisme. — Guillaume Weitling propage le communisme en Allemagne.

Lorsqu'il publia l'Organisation du travail, Louis Blanc était déjà connu dans le parti démocratique. Nous savons qu'il avait formé sa pensée à l'école de Buonarotti, pour lequel il professait un véritable culte. Nous l'avons vu collaborer au Bon Sens, puis à la Revue républicaine, travailler efficacement à l'union des républicains et de la gauche dynastique contre le ministère Molé dans les élections de 1837, fonder en 1839 la Revue du Progrès, prendre part à la réorganisation du Journal du Peuple, se mêler enfin à l'activité démocratique et y gagner insensiblement le premier rang.

Louis Blanc avait été formé à la rude école de la misère et du travail, ayant préféré le devoir à la hautaine pitié de parents riches. Sa petite taille, son aspect chétif, ne témoignaient pas on sa faveur. Mais, en dépit de l'apparence, il était doué d'une incomparable puissance de travail. Tout en donnant des leçons pour vivre, il achevait de s'instruire. Dès qu'il s'était cru suffisamment armé, il avait voulu entrer dans le combat. Armand Carrel avait fait un accueil décourageant à ce minuscule bonhomme, pâle et imberbe, qui avait plutôt l'air d'un collégien échappé que d'un militant de la cause républicaine. Sa volonté tenace, unie à un savoir réel, à une éloquence prenante et communicative, avait vaincu tous les obstacles.

Disciple de Jean-Jacques Rousseau, admirateur de Robespierre, il croyait à la toute-puissance de la loi. « Non, s'écriait-il dans la Revue du Progrès, le progrès ne s'accomplit pas peu à peu dans les institutions du peuple. S'il chemine lentement dans les intelligences, il peut faire des bonds prodigieux dans le domaine des faits, en une année, en un mois, en une nuit, « changeant les lois d'une manière complète, remplaçant, non pas une vieille conséquence par une conséquence nouvelle, mais un vieux principe par un principe nouveau, apportant dans la vie d'un peuple non pas telle ou telle réforme partielle, mais un vaste ensemble de réformes coordonnées entre elles, en un mot substituant à tout un système de législation tout un système de législation contraire ».

C'est sous l'inspiration de cette pensée maîtresse qu'il fonda son socialisme sur la toute-puissance de la loi et de l'État. En quoi se différenciait ce socialisme de celui que Buonarotti, son premier maître, avait hérité de Babeuf, et dans lequel l'État était également l'instrument nécessaire de réalisation ? En ceci, d'abord, qui apparaît dès les premières pages de l'Organisation du travail :

« Nous voulons, dit Louis Blanc, un gouvernement qui intervienne dans l'industrie, parce que là où l'on ne prête qu'aux riches, il faut un banquier social qui prête aux pauvres. » Car le régime d'inégalité des richesses a été aggravé par l'industrialisme moderne, qui tend à concentrer les capitaux dans un petit nombre de mains. La liberté de la concurrence n'est autre que le moyen pour les plus forts, les plus riches, de devenir encore plus forts, encore plus riches, en ruinant leurs concurrents moins bien outillés.

Ce régime de prétendue liberté a arraché la femme et l'enfant an foyer familial, les a jetés dans la manufacture pour y faire concurrence à l'ouvrier. Cette concurrence néfaste, que les malheureux se font pour le pain quotidien, aggrave leur misère, les livre sans merci à leurs maîtres. Celle que les maîtres se font accroît la production au-delà des besoins de la consommation, ou plutôt de la faculté d'achat des consommateurs, et des crises s'ensuivent, qui ruinent les petits industriels et intensifient le paupérisme dans la classe dépourvue de tout et qui meurt de faim lorsque le chômage sévit.

Seul un État démocratique pourra faire cesser cette contradiction cruelle et organiser le travail. De même que la critique économique de Louis Blanc a été plus sérieuse et plus approfondie que celle des communistes de l'école révolutionnaire, sa conception de l'État sera moins simple aussi. C'est bien la société qui, finalement, doit être l'unique propriétaire, mais l'État, qui est l'organe de la société, n'a pas chez Louis Blanc cette autorité absolue sur la production que lui donnent Babeuf, Buonarotti et Cabet.

En faisant de l'État le « banquier des pauvres », le commanditaire du travail, Louis Blanc nous montre le plan incliné par lequel il veut faire évoluer la société de l'individualisme au communisme, où chacun donnant selon ses forces recevra selon ses besoins. Il appelle donc les travailleurs à organiser des coopératives de production, il leur rappelle que ces groupes de producteurs ne doivent point s'opposer les uns aux autres, mais se solidariser pour organiser l'équilibre entre les besoins et leurs moyens de satisfaction, la commandite de l'État procurant au monde du travail les capitaux destinés à faire disparaître le parasitisme économique.

En même temps, se fondant sur ce que « l'abus des successions collatérales est universellement reconnu », Louis Blanc demande leur abolition et que « les valeurs dont elles se trouveraient composées » soient « déclarées propriété communale ». De la sorte, ajoute-t-il, chaque commune « arriverait à se former un domaine qu'on rendrait inaliénable, et qui, ne pouvant que s'étendre, amènerait, sans déchirements ni usurpations, une révolution agricole immense ».

Car c'est pacifiquement que doit s'accomplir la transformation sociale. Donner le suffrage universel au peuple, enseigner à celui-ci l'exercice de sa souveraineté, faire servir cette souveraineté à remettre aux mains de l'État la banque, les mines, les chemins de fer, les assurances, voilà les moyens sur lesquels Louis Blanc compte pour en finir avec le vieux monde d'inégalité et d'iniquité.

Mais cet État, Louis Blanc en fait-il l'instrument permanent, éternel, de la puissance collective ? Non. Et voici encore ce qui le distingue des communistes qui l'ont précédé. « Nous faisons intervenir l'État, dit-il, du moins au point de vue de l'initiative dans la réforme économique de la société. » « Qu'on ne s'y trompe pas, » ajoute-t-il. « Cette nécessité de l'intervention du gouvernement est relative. » Et il annonce des temps « où il ne sera plus besoin d'un gouvernement fort et actif, parce qu'il n'y aura plus dans la société de classe inférieure et mineure ».

En attendant que cesse cet état d'infériorité et de minorité, « l'établissement de Louis-Philippe de s'être désintéressé de la direction des esprits, ne saurait être fécondé que par le souffle de la politique ». Jusqu'où doit aller cette « autorité tutélaire », nous en avons déjà eu le sentiment, lorsque nous avons vu Louis Blanc, dans son Histoire, de Dix Ans, reprocher au gouvernement de Louis-Philippe de s'être désintéressé de la direction des esprits. Ici, il rejoint l'autoritarisme de Babeuf et de Cabet.

Poussés par leur logique communiste, ceux-ci avaient repris l'imprimerie aux mains de l'État. Louis Blanc ne fait pas autre chose lorsque, dans l'Organisation du travail, il propose la création d'une « librairie sociale ». Il nous dit bien qu'elle « se gouvernerait elle-même ». Mais, du fait qu'il y aurait au budget de l'État « un fonds spécialement destiné à rétribuer, sous forme de récompense nationale, ceux des auteurs… qui, dans toutes les sphères de la pensée, auraient le mieux mérité de la Patrie », on aperçoit quelle liberté serait laissée à la pensée avec un tel système.

Dans ce petit livre, qui date un moment important de l'histoire du socialisme, nous trouvons exprimée à plusieurs reprises une pensée qui n'a pas encore été éliminée de quantité de cerveaux socialistes : c'est qu'en régime capitaliste, par la force de la loi des salaires, par les répercussions économiques, nulle réforme sociale ne peut réellement améliorer le sort des travailleurs. Conséquence : faire la révolution qui, d'un coup, transformera la société et fera passer le prolétariat de l'enfer capitaliste au paradis socialiste.

A quoi bon, en régime capitaliste, ouvrir des écoles ? dit Louis Blanc. Elles ne peuvent que « rendre l'homme du peuple mécontent de sa situation, éveiller dans son âme des mouvements jaloux, lui inspirer une ambition qui, ne pouvant se satisfaire, se change en fureur et ouvre à son esprit une carrière qu'il ne pourrait parcourir sans s'égarer ». Car tels sont « les résultats que doit naturellement produire dans l'ordre social actuel toute instruction à peine ébauchée, ou dirigée selon les principes sur lesquels cet ordre social est fondé ».

Louis Blanc tenait cette argumentation de Considérant, qui l'avait reçue de Fourier. Il la fournit à Proudhon, et, sur cette autorité traditionnelle trois et quatre fois consacrée, certains socialistes l'emploient encore sans examen critique, sans s'apercevoir que les faits de chaque jour, les plus modestes réformes, lui donnent un éclatant démenti. C'est, pour des révolutionnaires qui se réclament de la science et veulent faire du socialisme scientifique, se montrer singulièrement conservateurs et faire preuve d'une absence totale d'esprit scientifique.

Ce n'est, en tous cas, point à cette argumentation que songeait Proudhon lorsqu'il demandait ce qu'il pouvait « y avoir de commun entre le socialisme, cette protestation universelle, et le pêle-mêle de vieux préjugés qui compose la république de M. Blanc ». Proudhon, pour qui tout ce qu'on donnait à l'État était enlevé à l'individu, à sa liberté, ne s'était pas laissé séduire par la promesse de Louis Blanc, de faire disparaître l'État dès qu'il n'y aurait plus de classe inférieure et mineure dans la société. Cependant, pour se distinguer des partisans de l'État souverain, Louis Blanc protestait contre la formule des saint-simoniens, repoussait l'État propriétaire, parce que c'était « l'absorption de l'individu ». Il disait, lui, la société propriétaire. « Différence énorme, affirmait-il, et sur laquelle nous ne saurions trop insister. » En effet. insister eût été excellent. Mais Louis Blanc ne le fit pas, et demeura dans le vague de cette affirmation trop générale pour signifier quelque chose.

Quelques années avant l'apparition de l'Organisation du travail, Pecqueur, un saint-simonien que les extravagances religieuses du Père Enfantin avaient écarté et rejeté quelque temps du côté des disciples de Fourier, avait publié un ouvrage en deux volumes, l'Économie sociale des Intérêts du commerce, de l'agriculture, de l'industrie et de la civilisation en général, sous l'influence des applications de la vapeur. On eût pu croire en 1836 que, sous ce titre de mémoire académique se présentait la première œuvre socialiste fondée sur la science économique ! Et par quelle distraction l'Académie des sciences morales et politiques lui attribua-t-elle un de ses prix !

Distraction ? Non, pas tant que cela. Il y avait alors, dans ce corps savant, et autour de lui faisant autorité, des économistes tels que les Sismondi, les Adolphe Blanqui, les Rossi, les Michel Chevalier, les Villeneuve de Bargemont et les Droz, que n'effrayait aucune audace de pensée et qui, pour la plupart, cherchaient anxieusement une issue à l'état social que leur critique n'avait pas épargné. Qu'y avait-il donc dans ces deux volumes au titre interminable, peu fait pour donner envie de les ouvrir, sinon aux gens de loisir et de cabinet ? Rien de moins que l'exposé du collectivisme. Jugez-en plutôt :

« La cause la plus générale et la plus persévérants de l'inégalité de richesse, de savoir et de moralité parmi les hommes, est l'intérêt, la vertu reproductive attribuée au capital et la particularisation en propriété absolue, entre les mains des individus, des instruments de travail, des sources et conditions matérielles de la richesse. Otez cet intérêt, faites que, par les mœurs ou par la loi, il soit aboli ; substituez à la particularisation la socialisation, aux raisons individuelles les raisons collectives avec capital inaliénable et indivis. À la propriété des instruments de travail, substituez la propriété absolue pour chacun de sa part des produits consommables, et la misère et l'ignorance seront extirpées. »

Comment s'opérera cette transformation ? Quelles en seront les conditions nécessaires ? C'est ici où l'on voit bien que, dans sa douce rêverie, Pecqueur ne pouvait effrayer les corps savants qui lui faisaient accueil ni menacer l'ordre social dont ils étaient les répondants devant les consciences timorées, comme Guizot était la façade vertueuse du régime de corruption censitaire. La propriété collective sera une réalité, disait-il, si « celui qui veut prêter l'usage de ses instruments de travail gratuitement », et se faire ainsi « un mérite devant la société et devant Dieu, et si l'éducation toute persuasive, la foi religieuse et les progrès de l'opinion concourent à généraliser ce sentiment et cet acte de générosité mutuelle ».

C'est l'ancien saint-simonien qui parle ici. Comme Enfantin et Bazard, il appelle les riches à travailler à l'émancipation des pauvres. La société qu'il veut fonder reposera sur un fond de moralité et d'altruisme, ou ne sera pas. Il faut inspirer « le sacrifice volontaire », détacher l'homme « des comparaisons envieuses », placer plus haut son ambition en l'habituant à « mettre sa vie a, service de Dieu ». Et comme pour faire reconnaître « l'impossibilité de la réalisation sociale subordonnée ainsi à une si profonde transformation morale », il ajoute : « Tant qu'on ne substituera pas le devoir au droit, les autres à soi ; tant enfin que chacun ne mettra pas sa volonté à maîtriser ses passions égoïstes, et son principal bonheur à faire le bien de ses semblables ; nous tenons que l'héritage, la propriété individuelle et libre, seront une nécessité sociale dans le sens absolu d'une loi naturelle. »

Mais attendons, avant de déclarer que Pecqueur, en plaçant au seuil de sa cité d'égalité la vertu d'abnégation, vient d'en interdire l'accès aussi sûrement que s'il l'avait entourée des plus imprenables fortifications. Les vertus qu'il exige ne sont point d'une acquisition et d'une pratique si difficiles que cela. C'est l'évolution économique elle-même qui les suscite, ce sont les progrès matériels qui déterminent les progrès moraux, ce sont les locomotives qui, en rapprochant les hommes et les mettant à même d'échanger des idées et des produits, vont imposer la fraternité entre des individus qui se haïssaient parce qu'ils s'ignoraient.

Armé du seul instrument économique, mais éclairé par la philosophie de Saint-Simon, Pecqueur, ici devance non seulement Karl Marx, qui affirmera que les institutions sociales sont déterminées par la forme de la production, mais les conclusions de la science moderne, qui établit que l'homme est déterminé dans ses sentiments et dans ses actes par le milieu, et celles de la philosophie, qui, avec M. Th. Ribot, dans l'Hérédité psychologique, subordonne le progrès de la moralité au progrès de la sociabilité. C'est par là que Pecqueur est véritablement grand, et qu'il se place au premier rang des novateurs socialistes, d'où l'injuste et cruel oubli d'un demi-siècle l'a écarté.

Les preuves abondent, dans les Intérêts du commerce, et dans les Améliorations matérielles, ouvrage publié en 1838, de la priorité de Pecqueur, priorité aussi incontestable que celle de Lamark vis-à-vis de Darwin pour la théorie de l'évolution naturelle, avec cette différence à l'avantage de Pecqueur sur ceux qui le firent oublier si longtemps, que celui-ci, sans employer comme instrument la dialectique du grand métaphysicien allemand Hegel, a observé en savant les phénomènes économiques et sociaux dans leurs mouvements et dans leurs rapports entre eux.

C'est ainsi que nous le voyons relever la betterave de l'anathème dont Fourier l'avait chargée. Il a observé que « partout où elle a été introduite avec succès et naturalisée, les moyens de travail se sont multipliés pour les ouvriers agricoles », et que, « dans les communes à proximité des fabriques, tous les bras ont été occupés, les salaires augmentés et la mendicité anéantie ». Pecqueur parle ici avec tout l'optimisme d'un professeur d'économie politique. Tout comme lui, il démontre « que les améliorations matérielles tendent d'ailleurs finalement à la satisfaction des besoins d'un nombre d'individus de plus en plus grand ; qu'elles seules rendent possible l'accroissement successif et indéfini du nombre d'hommes sur la terre ».

Mais ce que les docteurs économiques n'osent pas affirmer, sauf quelques impudents qui ferment les yeux à l'effroyable misère ouvrière ambiante, c'est que les améliorations matérielles « contribuent singulièrement à une distribution plus équitable des richesses et des autres avantages sociaux ». Comment donc Pecqueur peut-il lancer cette affirmation sans être lui-même un impudent docteur de l'optimisme économique, sans avoir au préalable fermé ses oreilles aux cris de détresse et de douleur du prolétariat ? Comment ne les aurait-il pas entendus, ces cris, lui qui nous montre les ouvriers sans travail de Sedan dépeçant les chevaux malades qu'on vient d'abattre, et s'en repaître ?

Tout aussi bien que les autres critiques sociaux, et d'un œil aussi clairvoyant, Pecqueur a constaté les premiers effets de tout progrès industriel dans le régime de la concurrence, concurrence qui, dit-il, « tend de plus en plus à l'avilissement du salaire ». Il sait « que l'introduction des machines tend de plus en plus à la dépréciation ou à l'annulation du travail ou de la coopération des ouvriers dans la production totale d'une nation ». Il n'ignore pas « que la misère, le paupérisme des populations salariées serait l'état général vers lequel s'avanceraient irrésistiblement les nations, et principalement celles qui s'adonnent davantage à l'industrie manufacturière et au commerce extérieur, si d'autres causes puissantes n'intervenaient prochainement pour faire contrepoids aux influences dissolvantes de la concurrence égoïste et facultative ».

Quelles sont ces causes ? Elles tiennent toutes dans les conséquences naturelles de la concurrence en même temps que des progrès industriels : la concentration capitaliste par élimination des petits fabricants. Loin de s'opposer a cette concentration, on doit la favoriser, y appeler les masses ouvrières, « les faire sortir des impasses économiques de la petite industrie », transformer par des entreprises et des améliorations incessantes « l'atelier privé, solitaire, malsain et triste en un ensemble grandiose où surgisse pour chacun l'émulation, la gaieté, la sécurité, l'épargne et la vie légère ».

« Pas de milieu, s'écrie-t-il : ou nous aurons l'association des classes moyennes, avec une faible proportion de salariés, ou une féodalité industrielle et commerciale plus ou moins absorbante, avec son cortège obligé, le prolétariat en grand. Ne sont-ce pas là les signes précurseurs, irrésistibles, d'une évolution profonde, universelle, séculaire, immense, dans le temps et dans l'espace, tout à la fois industrielle, politique et morale. »

Et dans l'hypothèse qu'il préfère, qu'il sent plus réalisable, de la concentration capitaliste, que se passera-t-il selon Pecqueur ? Aperçoit-il les crises de surproduction, que Fourier attribuait à la spéculation commerciale et que Marx attribuera plus justement à la constitution interne du capitalisme ? Oui, certes.

Dix ans avant le grand socialiste allemand, il constate que « la substitution périodique et indéfinie des machines aux bras des ouvriers augmente prodigieusement la production, alors même qu'elle diminue le nombre des consommateurs ».

De cette constatation, Karl Marx conclura à la catastrophe finale, le capitalisme contenant ainsi dans son développement les causes de sa destruction. Pour Pecqueur, la catastrophe n'est pas une inéluctable nécessité. Elle ne le sera que si l'humanité s'abandonne inerte au mouvement des choses. Et pour qu'elle ne s'y abandonne pas, il l'avertit qu'elle a à choisir entre une « féodalité nouvelle », amenant un « servage nouveau » du fait de « l'écrasante concentration » capitaliste, et « une conflagration courte, mais profondément radicale et transformatrice ».

Car la concentration capitaliste n'intensifiera pas et ne multipliera pas les crises, selon Pecqueur. Le capitalisme triomphant peut très bien organiser son monopole et régler la production, dès qu'il aura substitué l'association d'un petit nombre de maîtres à la concurrence d'un nombre infini de grands, moyens et petits industriels et commerçants. Ici, il faut reconnaître que Pecqueur a vu plus juste que ne verra Marx plus tard. L'écrasante féodalité par association des capitalistes supprimant la concurrence, réglementant la production, prévenant les crises, est née déjà en Amérique, car les trusts ne sont pas autre chose, et menace de se développer en Europe.

Quant à la « conflagration courte » qui doit radicalement transformer le monde économique et social, elle naîtra précisément du désir révolutionnaire d'un prolétariat qui ne se résigne pas au servage nouveau. Il aperçoit « le renouvellement de la lutte du prolétariat contre les plébéiens parvenus au bien-être et à la puissance politique », mais redoute « l'avènement turbulent d'une démocratie mineure et prématurée ». Qu'est-ce donc qui mûrira le prolétariat, en même temps que la classe capitaliste sera « pénétrée du sentiment de la validité ou de la légitimité » des prétentions des travailleurs ?

C'est ici que Pecqueur affirme avec force le déterminisme économique. « Les chemins de fer et les forces motrices modernes créent bien la féodalité capitaliste, » mais ils sont du même coup « d'énergiques et de directs promoteurs de la forme gouvernementale représentative dans toutes les nations, sous toutes les latitudes, à tous les étages de la civilisation où seront propagés ces leviers ». Et annonçant la démocratie comme la forme politique de l'avenir, il affirme que « toute nation qui propagera chez elle les forces motrices et les moyens de transport sera conduite à se transformer en ce sens ».

Donc, dans l'ordre économique, concentration des capitaux et féodalité ; dans l'ordre politique, moral et social, marche continue vers la liberté et l'égalité. Il n'y a plus désormais qu'à faire servir le pouvoir politique à éviter la catastrophe par des réformes successives qui substituent graduellement les travailleurs associés aux capitalistes associés. Il ne s'interdit pas pour cela le recours à la force, mais selon lui « la bonne méthode ne peut jamais être la violence qu'autant que l'enseignement, la remontrance et la persuasion l'ont vainement précédée ». C'est « alors seulement qu'il est bon, qu'il est moral et religieux de dire que l'insurrection désintéressée est le plus saint des devoirs ».

On remarque dans la critique sociale de Pecqueur une sérénité, un optimisme qui contrastent singulièrement avec le tableau que poussent passionnément au noir tous les autres novateurs. À quoi tient cette différence frappante ? Fourier, Considérant, Cabet, Louis Blanc, Proudhon, pour faire valoir l'avenir qu'ils annoncent, assombrissent d'autant le tableau du présent. Ils font ainsi, en même temps, ressortir avec plus de force la nécessité d'une transformation. Pecqueur, lui, a une notion plus scientifique des phénomènes ; il ne polémique pas contre le présent au profit de l'avenir : son analyse démontre que le présent contient l'avenir, et il indique les moyens que la société doit employer pour seconder le mouvement naturel des inévitables transformations économiques. Aussi, loin de dire, comme tous les autres socialistes, que le régime capitaliste est plus douloureux au prolétariat que l'ancienne féodalité, affirme-t-il et prouve-t-il que le salariat réalise un progrès sur le servage en même temps qu'il prépare le producteur à son émancipation intégrale.

Qu'est-ce donc qui a manqué à Pecqueur pour s'imposer au moment où il annonçait d'une manière aussi précise le devenir social fondé sur l'évolution économique ? Il lui a manqué de ramasser sa doctrine en une formule saisissante qui frappe les esprits et les décide à s'orienter. Il lui a encore et surtout manqué une méthode d'action. Il s'est égaré dans les objurgations morales aux possédants et aux gouvernants. Il a aperçu l'immense force révolutionnaire latente du prolétariat, mais il n'a pas osé la déchaîner. Il a constaté la lutte des classes et il a tenté de l'amortir par des réformes, au lieu d'armer le prolétariat de ces réformes pour en conquérir d'autres.

Il a ainsi laissé cette grande tâche à Karl Marx, mais celui-ci n'eût pu l'entreprendre si le large et philosophique déterminisme de Pecqueur n'avait préparé les esprits de l'époque et ne l'avait amené lui-même à en extraire le matérialisme historique, forme réduite et aiguë du déterminisme économique par conséquent meilleur instrument de pénétration, meilleure arme de combat.

François Vidal, qui conclut comme Pecqueur au collectivisme, c'est-à-dire à la socialisation des instruments de production et à l'attribution à chaque individu du produit de son travail, paraîtrait beaucoup plus original si Pecqueur n'avait pas existé. Dans son livre sur les Caisses d'épargne, publié en 1835, il demande que les fonds déposés dans ces caisses servent à l'État pour se constituer le banquier des associations ouvrières de production. Quelques années plus tard, en 1816, dans son ouvrage sur la Répartition des richesses, il constate avec tous les socialistes la concentration capitaliste, affirme avec eux tous le développement du paupérisme à mesure que la richesse capitaliste augmente. Aussi « pour améliorer le sort des travailleurs, dit-il aux économistes figés dans leur optimisme, il ne suffit pas de surexciter l'industrie ». C'est cependant dans ce développement du capitalisme que, comme Pecqueur, il aperçoit le salut. Mais, tandis qu'on pousse à ce progrès, « il faut en même temps appeler l'ouvrier à participer à la richesse créée ». C'est le rôle de la démocratie, par l'État, d'organiser cette participation.

Aussi est-ce « au nom de la liberté » que Vidal demande l'organisation d'un pouvoir fort, agissant dans le domaine économique en faveur des déshérités. Il affirme le devoir pour « les véritables amis de la démocratie » de « réhabiliter l'idée de pouvoir, dans l'intérêt du peuple, dans l'intérêt de l'ordre et de la liberté ». « En désarmant le pouvoir, dit-il, en le réduisant à l'impuissance, on croyait arriver à la liberté la plus complète, et l'on a abouti à l'excès de l'imprévoyance et de l'égoïsme, au triomphe de la force sur la raison et sur le droit, à la domination de quelques intérêts particuliers, des intérêts de la minorité, enfin à l'anarchie universelle. »

Que vient-on parler de charte, d'équilibre des trois pouvoirs, et autres fadaises ! « Il est temps, dit Vidal, de laisser un peu de côté les questions de personnes, pour aborder franchement les véritables questions, les questions économiques et sociales. » Car « il n'y a ni dignité, ni moralité, ni indépendance possibles pour l'homme qui n'a point l'existence garantie, qui n'est pas assuré de pouvoir toujours gagner par son travail de quoi suffire aux besoins de la vie ».

Mais à côté de l'État qui les aide, il faut que les travailleurs s'aident eux-mêmes. Vidal préconise donc, en disciple de Fourier, la coopération commanditée par l'État et même par les capitalistes, car il a très bien aperçu que ces derniers cherchaient avant tout le profit, et qu'ils n'ont pas, dans leur fonction, le sentiment de classe. Et de fait, les grandes coopératives ouvrières de consommation trouvent aujourd'hui auprès de leurs fournisseurs un crédit que ne trouvent pas les petits boutiquiers à la clientèle incertaine, menacés à chaque instant par la faillite. En voulant réduire le capitaliste à la fonction de rentier, en transformant ses capitaux en instrument de crédit et non plus en moyen d'exploitation du travail, en supprimant le profit capitaliste réduit au loyer de l'argent, dont le taux s'abaisserait nécessairement à mesure que grandirait la puissance économique des associations de producteurs, Vidal traçait un plan de socialisation progressive de l'industrie, toutes les associations se garantissant l'existence par une assurance mutuelle, et les coopératives de consommation assurant un débouché aux associations de production, que Proudhon a traité beaucoup trop légèrement lorsqu'il s'est écrié méchamment :

« Vidal est le dernier mot de L. Blanc ; je le connais de vieille date ; c'est un compilateur sans invention et qui va jusqu'au plagiat. »

Dans le même temps surgit un autre formulateur du collectivisme. Colins, ancien colonel du premier empire, qui écrit en 1843 les premières parties de la Science sociale. Il a à cette époque cinquante ans. En 1835 il a publié, sans le signer, le Pacte social, dans lequel ses disciples affirment à tort qu'il a exprimé, le premier, l'idée collectiviste. Le Pacte social demande un impôt spécial sur le privilège de propriété et quelques avantages spéciaux pour le prolétariat. Rien de plus.

Cet auteur, dit Proudhon, « pourrait bien être envoyé à Bicêtre, à supposer que les magistrats consentissent à ne le regarder que comme fou ». Qu'est-ce donc qui vaut au créateur du « socialisme rationnel » ce jugement féroce ? Sans doute sa théorie cartésienne de l'insensibilité des animaux. Sa philosophie, à laquelle ses disciples, peu nombreux, demeurent encore singulièrement attachés, est en effet déconcertante. Elle est à la fois athée et spiritualiste. L'homme seul a une âme, les animaux sont des mécanismes articulés. Entre eux et lui, il y a « coupe de la série ».

Ce ne sont pas ces théories qui le recommandent à notre attention et à notre respect. Ce n'est point sous cet aspect qu'il se présente comme un ancêtre socialiste, mais sous celui du critique impitoyable du régime capitaliste d'une part et du théoricien de la socialisation du sol d'autre part. Pour lui, le régime du moyen âge vaut mieux que celui dont les prolétaires sont actuellement les victimes. Le mal vient de ce que la propriété du sol est monopolisée. Cette monopolisation « nécessaire, par conséquent juste et rationnelle » pour le passé, ne l'est plus à présent, « où, sous peine de mort sociale, le sol doit entrer à la propriété collective ».

Car, pour Colins, la rente du sol est la source de toute exploitation. La supprimer, c'est ôter tout venin au capitalisme. Le capital étant du salaire passé » ne peut plus se grossir aux dépens du « salaire présent », du moment que la rente a disparu. La propriété mobilière devient alors accessible à tous. « Sous la concurrence rationnelle, dit Colins, chaque enfant devenu majeur, sortant des mains de la société collective, entre dans la société des individus, avec les développements de tous ses moyens, tant physiques que moraux, riche de sa part inaliénable dans la richesse collective et d'une part aliénable résultant de sa dot sociale. »

Cette doctrine sociale, à laquelle son auteur donna le nom de collectivisme, ne fit pas le moindre bruit à son apparition. En vain Colins tenta-t-il de polémiquer avec tous les écrivains connus ; les adhésions se limitaient à un cercle minuscule de fidèles. Quant aux écoles socialistes, elles ignoraient l'école de Colins, et l'on a vu de quel mot dédaigneux autant qu'injuste Proudhon l'avait salué en passant. Colins avait beau dire : « Le saint-simonisme, c'est le despotisme d'un homme ; le fouriérisme, c'est le despotisme des passions ; le communisme, c'est le despotisme de la folie. » On le laissa polémiquer dans le vide. Pourtant, il a laissé un mot : le collectivisme, dont la langue socialiste devait s'emparer vingt ou trente ans plus tard, et sa doctrine de nationalisation du sol est aujourd'hui celle d'une importante école sociale américaine. Il méritait donc mieux que le sarcasme fugitif de Proudhon et que le silence plus injurieux encore des autres socialistes, car Proudhon avait du moins fait à sa « folie » l'honneur de croire qu'elle pouvait s'attirer les rigueurs de la magistrature.

C'est ici le moment de parler de Pierre Leroux, que nous avons vu paraître à certains moments de notre récit. Il est assez malaisé de préciser sa doctrine sociale, car il fut surtout un philosophe en même temps qu'un critique de l'individualisme économique. D'autre part, comment nier son influence sur les esprits de son temps, tels George Sand et Eugène Sue, dans leur orientation, socialiste ? Comment, sans profonde injustice, refuser le titre de socialiste à l'inventeur du mot, puisque ce fut lui qui le prononça le premier en France, dès 1832 ? Avant lui, dans le premier quart du siècle, les disciples d'Owen, en Angleterre, avaient opposé « socialisme » à « capitalisme » ; Pierre Leroux, lui, l'opposa à « l'individualisme ».

Et, d'autre part, quelle noble et intéressante figure ! Qui, plus que Pierre Leroux, avait l'âme profondément socialiste ! Avant de devenir directeur du Globe et de le donner aux saint-simoniens, il y avait été prote de l'imprimerie. Un jour, c'était aux derniers temps de la Restauration, Guizot l'aborda en lui frappant amicalement l'épaule :

— Quand viendra notre ministère, monsieur Leroux ? lui dit-il.

— Dites votre ministère, répondit le jeune chef ouvrier. Je ne serai jamais ministre ; mais les personnages de votre trempe, monsieur, le deviennent toujours.

Toute sa vie, il travailla à une invention que d'autres devaient, mais bien plus tard, mettre au point voulu : un « pianotype » pour la composition d'imprimerie. Dans sa combinaison comme dans celles qui ont réussi depuis, la machine devait fondre les caractères à mesure que le typographe les appellerait en frappant le clavier. Il n'était pas seulement un inventeur de machines, mais encore et surtout un inventeur d'idées ; nul cerveau ne fut plus fécond que celui-là. Les bureaux du Globe furent, un moment, un centre intellectuel où parurent tous ceux qui devaient marquer quelques années plus tard.

M. Dumilâlre, le sculpteur à qui l'on doit la statue que les compatriotes de Pierre Leroux lui ont élevée à Boussac, il y a quelques années, affirme qu'un jour « Sainte-Beuve, en sortant d'une de ces réunions où il s'était laissé séduire par la parole claire et incisive de Pierre Leroux, ne put s'empêcher de déclarer : « Leroux ! Leroux !... mais il a toujours des idées nouvelles ! C'est ma vache à lait ! Il m'a encore donné aujourd'hui le sujet d'un article. »

Nous avons vu que Pierre Leroux avait quitté la communauté de la rue Monsigny lorsque le saint-simonisme était devenu intenable. C'est alors qu'avec son ami Jean Reynaud il fonda la Revue encyclopédique. « Le jour où ils commencent leur premier article, dit Mirecourt, ils ne possèdent pas quinze sous pour leur déjeuner commun. » Il devait en être à peu près toujours ainsi pour lui, et « la misère fut le partage de toute son existence ».

Que pouvaient faire, aussi, les directeurs de journaux et de revues d'un écrivain qui, sans souci de la mode et des courants d'opinion, ne songeait qu'à exprimer les pensées dont son cerveau bouillonnait ! Un jour, n'imagine-t-il pas d'apporter à Buloz, directeur de la Revue des Deux Mondes, un article sur Dieu. Car tous les novateurs sociaux de l'époque étaient déistes, fondaient sur la notion de Dieu et parfois sur une religion leur construction sociale.

— Un article sur Dieu ! s'écria Buloz. Que voulez-vous que j'en fasse ? Dieu, ça n'a pas d'actualité, mon cher monsieur Leroux. Trouvez-moi autre chose.

Mais précisément, si l'écrivain avait autre chose, c'est surtout de Dieu qu'il entendait entretenir ses contemporains. Cette passion métaphysique ne fut point vaine, cependant, et Henri Martin pouvait écrire de Pierre Leroux, dans la préface de son Histoire de France : « Rendons grâces à un homme dont le caractère est au niveau de sa haute intelligence : rare éloge dans notre siècle ! On ne saurait toucher à la philosophie de l'histoire sans rencontrer le profond sillon tracé par Pierre Leroux. Ses travaux sur les actes religieuses et philosophiques nous ont puissamment aidé à comprendre ces mouvements de l'esprit humain. Quelque jugement qu'on ait pu porter sur les théories émises plus tard par M. P. Leroux, la valeur de ses belles études d'histoire philosophique n'en reste pas moins incontestable. »

George Sand, Henri Heine, Viardot, Mazzini, tant d'autres, montraient pour Pierre Leroux un véritable enthousiasme et avaient avec lui de longues conversations dans sa mansarde. George Sand écrit à un de ses amis : « J'ai la certitude qu'un jour on lira Pierre Leroux comme le Contrat social, C'est le mot de M. de Lamartine. » Est-ce l'amour qui fait ainsi parler celle qui déclare elle-même n'être « qu'un pâle reflet de Pierre Leroux » ? Elle proteste en ces termes dans une lettre à un ami :

« L'amour de l'âme, je le veux bien, car de la crinière du philosophe, je n'ai jamais songé à toucher un cheveu et n'ai jamais eu plus de rapport avec elle qu'avec la barbe du Grand Turc. — Je vous dis cela pour que vous sentiez bien que c'est un acte de foi sérieux, le plus sérieux de ma vie, et non l'engoûment équivoque d'une petite dame pour son médecin ou son confesseur. » Béranger, ayant appris que George Sand promenait son philosophe dans les salons mondains, s'en montra mécontent.

« Il faut, écrit-il, que vous sachiez que notre métaphysicien s'est fait un entourage de femmes à la tête desquelles sont Mmes Sand et Marliani, et que c'est dans des salons dorés qu'il expose ses principes religieux et ses bottes crottées. Tout cet entourage lui porte à la tête, et je trouve que sa philosophie s'en ressent beaucoup. »

George Sand admirait, sans toujours bien les comprendre, les théories dé Pierre Leroux. Elle l'avoue en ces termes, dans l'Histoire de ma vie : « Je ne sentis pas ma tête bien lucide quand il nous parla de la propriété des instruments de travail, question qu'il roulait dans son esprit à l'état de problème et qu'il a éclaircie depuis dans ses écrits. » Mais lorsqu'elle ne comprenait pas, elle n'en suivait pas moins de confiance. Elle avait fondé avec lui, en 1841, la Revue indépendante, où elle publia des études sur les poètes ouvriers.

Spiridion, qui ouvre en 1843 la série de ses romans socialistes, a été plus qu'inspiré par la pensée de Pierre Leroux. D'une lettre adressée au biographe de Pierre Leroux, M. Félix Thomas, par M. de Lovenjoul, l'érudit chercheur à qui l'on doit tant de renseignements précieux sur Balzac, il résulte qu'une partie du manuscrit de Spiridion est de la main de Pierre Leroux et composée par lui. « Je possède, ajoute-t-il, ce manuscrit autographe, qui porte les traces habituelles qu'y laissent les compositions d'imprimerie, et je vous parle, bien entendu, du texte de l'édition originale, car dès la première édition in-12 (1843), G. Sand a beaucoup modifié l'ouvrage primitif. »

Pierre Leroux fut meilleur philosophe qu'homme d'affaires, ce qui n'a rien pour surprendre. M. Jules Claretie, dans le Temps du 21 février 1904, en donne une preuve par le fait suivant, qu'il tient de Delavigne, l'ancien éditeur de George Sand. Celle-ci avait chargé Pierre Leroux de ses intérêts auprès de l'éditeur. « Delavigne, dit M. Claretie, trouva M. Leroux dans une petite chambre ayant pour tous meubles une table de bois blanc, une chaise et, en guise de canapé, une malle sur laquelle le chargé d'affaires de Mme Sand invita l'éditeur à s'asseoir. Alors Pierre Leroux :

— Voyons, monsieur, George Sand a achevé un ouvrage nouveau en quatre volumes. J'ai pleins pouvoirs pour traiter avec vous en son nom. Qu'est-ce que vous lui offrez par volume ?

— Mais ce que je donne d'habitude. Cinq francs par volume. « Pierre Leroux paraissait étonné :

— Je vous ai dit qu'il y avait quatre volumes !

— Parfaitement !

— Ce serait donc deux mille francs que vous offririez pour un roman ?

— Deux mille francs, tout juste, oui, monsieur.

« Alors, Pierre Leroux, levant les bras au ciel :

— Deux mille francs ! Deux mille francs pour une œuvre d'imagination, pour un roman ! Je vous l'ai dit, un roman ; mais cela n'a pas de bon sens !

— Ce sont mes prix, je vous l'ai déclaré, faisait Delavigne, se méprenant sur la pensée du philosophe.

« Mais Pierre Leroux ajoutait bien vite :

— Cela n'a pas de bon sens : Je le disais à George Sand, c'est beaucoup trop cher. Un roman ne vaut pas ça.

« L'éditeur était stupéfait, mais le plus charmant, c'est que l'homme d'affaires était sincère et que Mme George Sand lui donnait raison. »

Elle lui donna raison, mais il y a gros à parier qu'elle ne le chargea plus de semblables négociations. Le naïf philosophe s'imaginait sans doute que les tapissiers donnaient pour rien les « salons dorés » où Béranger lui reprocha d'avoir promené sa métaphysique.

La Revue indépendante fut largement ouverte aux poètes ouvriers : Poney, Savinien Lapointe, Mazu, Durand, y chantèrent les rêves et les espérances du prolétariat, tandis que Viardot, Eugène Pelletan, Étienne Arago, Victor de Laprade, Louis Blanc, Pauline Roland, y traitaient avec George Sand et Pierre Leroux les questions littéraires, philosophiques, politiques et sociales. Pierre Leroux avait appelé avec joie les maçons, les menuisiers, les cordonniers à collaborer avec lui. Il voyait éclater dans leurs œuvres poétiques « la puissance conciliatrice des idées nouvelles qui allaient, pensaient-ils, bientôt consolider la paix entre les nations et entre les classes, en l'élevant à la hauteur d'un principe ».

La philosophie religieuse de Pierre Leroux n'avait pas appelé sur lui l'attention des littérateurs et des historiens seulement. L'Église essaya-t-elle, comme il le croit, de l'attirer à elle ? Ceux qui se présentèrent chez lui en son nom avaient-ils mandat valable ? Qui le peut savoir ? Mais on ne peut mettre en doute l'étrange démarche faite auprès de lui, en 1841, par « deux jésuites de robe courte » et qu'il rapporte en ces termes :

« On a lu votre livre (l'Adresse aux Philosophes), me dirent-ils.

— Qui ? leur demandai-je.

— Un comité, — ce que vous appelez un comité... — Enfin, nous avons lu votre livre et nous en sommes contents... Il n'y a pas une ligne, pas un mot à retrancher. Vous avez sondé profondément la plaie du siècle. Vous avez montré le déficit de la philosophie. Nul doute, aussi, le christianisme, tel qu'il est compris, ne suffit pas. Il faut transformer le christianisme. Rien ne manque pour cette œuvre. L'argent, la position dans le monde qui sert à donner de l'argent et qui sert aussi à masquer les desseins, — oui ! ils employèrent cette expression ! — nous avons tout. Voulez-vous contribuer à cette grande œuvre ? Rien ne vous fera défaut. Est-ce une chaire que vous voulez ? Nous allons ouvrir des écoles, des institutions, des collèges. — Voulez-vous, — et c'est plus probable, — continuer à écrire ? Nous vous mettrons la bride sur le cou. Nous avons déjà des journaux, et nous en aurons d'autres, nous allons publier des livres. Ce que nous pouvons dire, ce que nous sommes chargés de vous dire, c'est que nous irons, dans la transformation à faire subir au christianisme, aussi loin qu'il est possible.

« Cette conversation m'est aussi présente que si c'était hier, » ajoute Pierre Leroux.

Il éconduisit les visiteurs, qui étaient venus dans sa mansarde de la rue Saint-Benoît jouant auprès de lui la scène de Satan tentateur transportant le Christ sur la montagne d'où l'on apercevait tous les royaumes du monde. Et il les éconduisit de telle sorte qu'il ne les revit point.

Il s'était chargé de la chronique politique dans la Revue indépendante, et il y étudiait le conflit de la bourgeoisie et du prolétariat. Il constatait avec tristesse le triomphe momentané d'« une sorte de noblesse d'écus qui a remplacé l'ancienne noblesse du sang, et qui, à son tour, est gagnée par la corruption ». Il flétrissait l'absence d'idéal qui était le caractère de celle classe repue. « Où est leur doctrine ? demandait-il. Ont-ils une politique pour continuer la Révolution et la mener à ses fins nécessaires, l'établissement des principes de 89 ? Ont-ils un sentiment social, une idée quelconque ? Ils n'ont que l'intérêt, l'intérêt individuel : chacun pour soi. »

Que proposait Pierre Leroux pour empêcher l'inévitable soulèvement des prolétaires qui s'apprêtaient à mettre la force au service de leur droit ? Que les prolétaires fussent spécialement représentés à la Chambre, que des lois protectrices de la santé et du salaire y fussent votées, que des travaux publics fussent entrepris par l'État, que les retraites ouvrières fussent instituées, enfin que l'instruction et l'éducation fussent données à tous. Et pour décider les bourgeois à appliquer ce modeste programme, il leur disait ce que lord Brougham disait aux gentlemen de son pays : « Si vous ne marchez pas plus vite, je vous préviens que le peuple vous montera sur les talons. » Nous retrouvons là le programme « socialiste » qu'il avait donné à

Ledru-Rollin.

Pierre Leroux vaut donc surtout par sa critique sociale, d'ailleurs plus morale et philosophique qu'économique. Elle n'en est pas moins forte et précise pour cela, et, dans l'Humanité, comme dans l'Égalité que publia d'abord l'Encyclopédie nouvelle, se trouvent d'éloquentes pages sur le droit de propriété, sur la transformation du servage en salariat, sur l'égalité du droit coexistant avec « la plus atroce inégalité ». Mais pour lui la notion du droit, fils de l'idée créatrice, est si puissante, qu'elle finit par créer le fait. Théoriquement, l'égalité s'affirme « sous le nom de concurrence », cela suffit ; le reste viendra ; « le droit de tous à toute propriété et à toute industrie est reconnu » ; ce droit portera ses conséquences, se réalisera dans les faits.

Son passage parmi les saint-simoniens avait, par réaction, ramené Pierre Leroux fort en arrière. Son idéalisme aidant, il avait de l'amour un sentiment si élevé, qu'il n'hésitait pas à n'admettre le divorce que comme « une règle exceptionnelle et temporaire ». El il allait jusqu'à dire : « La cessation de l'amour, la séparation et le divorce équivalent à la mort avant la mort. » Il se posait celle question : « La moralité humaine a-l-elle été augmentée par la proclamation de l'égalité en amour ? » Et il répondait : « Je n'en fais aucun doute, mais je dis qu'il en est résulté provisoirement un grand mal. Hélas ! le progrès ne s'accomplit qu'avec des souffrances ! Oui, c'est un progrès immense dans les destinées humaines que d'avoir proclamé le droit de tous et de toutes au libre développement de leur sympathie. »

Mais il aperçoit le piège où, s'ils avaient réussi, les saint-simoniens auraient inconsciemment pris l'humanité : « Jusqu'à ce que l'homme ail fait un pas correspondant dans la connaissance, dit Pierre Leroux, c'est-à-dire jusqu'à ce que la notion de la véritable égalité en amour, ou, ce qui est la même chose, du véritable amour, soit acquise, tout se réduit à une insurrection sans règle, à une dévastation brutale de la plus belle des facultés humaines, » et l'amour disparaît sous la recherche égoïste du plaisir d'un moment.

La liberté amoureuse en régime d'inégalité sociale, de salariat, de paupérisme, c'est la prostitution des pauvres aux riches. Aussi, Pierre Leroux donne à la femme la garantie du mariage, sous la loi de l'égalité en amour : « Voilà, s'écrie-t-il, la vérité qu'il faut dire aux hommes et aux femmes. Mais c'est fausser cette vérité et la transformer en erreur que de dire aux femmes : Vous êtes un sexe à part, un sexe en possession de l'amour. Émancipez-vous, c'est-à-dire usez et abusez de l'amour. La femme ainsi transformée en Vénus impudique perd à la fois sa dignité comme personne humaine, et sa dignité comme femme, c'est-à-dire comme être capable de former un couple humain sous la sainte loi de l'amour. »

Le socialisme de Pierre Leroux, très vague, comme nous avons vu, est une conséquence de sa philosophie. Dieu est notre créateur à tous, il n'a pu nous vouloir qu'égaux. S'il a mis en nous le sentiment de l'égalité, c'est pour nous porter à le réaliser. Il a mis en nous le triple attribut : sensation-sentiment-connaissance, et a confié à notre liberté le soin de réaliser le plan divin. Nous devons toujours progresser, dans cette vie d'abord, dans la vie extraterrestre ensuite. Le progrès n'est pas une marche vers le bonheur, mais vers un développement de tous les attributs humains. Pour que le bonheur se réalisât, dit Pierre Leroux, « il faudrait que le monde extérieur s'arrêtât et s'immobilisât. Mais alors, nous n'aurions plus de désirs, puisque nous n'aurions plus aucune raison pour modifier le monde, dont le repos nous satisferait et nous remplirait. Nous n'aurions plus, par conséquent, ni activité, ni personnalité. Ce serait donc le repos, l'inertie, la mort, pour nous comme pour le monde ».

Avec une telle philosophie, Pierre Leroux pouvait séduire les esprits d'élite, éveiller en eux un monde de pensées ; mais non donner à la masse souffrant dans la géhenne capitaliste une espérance précise et robuste qui la soulevât et l'en délivrât. Aussi allait-elle à Cabet, qui lui promettait l'immobilité du paradis communiste, et ignorait-elle Pierre Leroux. Elle ne devait revenir que plus tard à la notion du progrès et de l'effort continus, si puissamment affirmés par le philosophe idéaliste.

Ce fut également en 1843 que parut une petite brochure l'Union ouvrière, où se trouve répétée et précisée la pensée exprimée en 1832 par Jean Reynaud, reprise ensuite par Pierre Leroux, sur la nécessité d'une représentation spéciale des prolétaires. Ce sont là, et à ce titre elles sont importantes, les premières vibrations de l'appel que Marx et Engels lanceront en 1847 : Prolétaires de tous les pays, unissez-vous !

L'auteur de cette brochure, Flora Tristan, avait passé quelques années en Angleterre et avait observé la lutte de classes, fort aiguë alors, qui sous le nom de chartisme, lançait le prolétariat à l'assaut de la bourgeoisie pour la conquête des droits politiques et des réformes économiques. « Depuis 1789, disait-elle, la classe bourgeoise est constituée... En 1830, elle se choisit un roi à elle, procède à son élection sans prendre conseil du reste de la nation, et, enfin, étant de fait souveraine, elle se place à la tête des affaires... pour imposer aux vingt-cinq millions de prolétaires, ses subordonnés, ses conditions... comme agissaient les seigneurs féodaux qu'elle a renversés. — Étant propriétaire du sol, elle fait des lois en raison des denrées qu'elle a à vendre. »

« Quant à vous, prolétaires, ajoutait Flora Tristan, vous n'avez personne pour vous aider. » Puisqu'à la classe noble a succédé la classe bourgeoise, déjà beaucoup plus nombreuse et plus utile », il est de toute justice de « constituer la classe ouvrière » puisqu'elle est « la partie la plus vivace de la nation ». Qu'elle le fasse et « elle sera forte ; alors, elle pourra réclamer auprès de MM. les bourgeois et son droit au travail et l'organisation du travail, et se faire écouter ».

Flora Tristan ne proposait pas l'élimination de la bourgeoisie, mais l'association du prolétariat au pouvoir politique et social qu'elle détient seule. Elle appelait les travailleurs sans distinction de sexes, ni de doctrines politiques et religieuses, à se faire « représenter devant la nation ». Elle traçait le plan d'une Union ouvrière qui ne devait pas s'enfermer dans les limites nationales, mais procéder « au nom de l'unité universelle » et ne faire « aucune distinction entre nationaux et les ouvriers et les ouvrières appartenant à n'importe quelle nation de la terre ». En conséquence, disait-elle, « l'Union ouvrière devra établir dans les principales villes d'Angleterre, d'Allemagne, d'Italie, en un mot dans toutes les capitales de l'Europe, des comités de correspondance. »

On remarquera que Flora Tristan n'a qu'un but, organiser l'immense force ouvrière qui s'ignore. Elle ne propose pas un plan social défini, mais veut « faire connaître la légitimité de la propriété des bras », et forcer les esprits, en face de cette organisation internationale des travailleurs, à « examiner la possibilité d'organiser le travail dans l'état social actuel ». L'Internationale elle-même, vingt ans plus tard, ne devait pas non plus, dans son programme inaugural, s'annexer à une des écoles qui tendaient à la direction du prolétariat

Flora Tristan tenta d'intéresser à son grandiose projet les ouvriers, à qui elle fit de nombreuses conférences, et les écrivains les plus en vue, dont quelques-uns souscrivirent pour les frais de sa propagande, notamment Eugène Sue. Mais ce premier appel à l'organisation internationale de classe des travailleurs n'eut pas d'écho. Le second, lancé par Marx et Engels, quatre ans plus tard, ne fut pas non plus entendu sur-le-champ.

Mais déjà des tentatives se faisaient dans ce sens. Une conférence communiste avait été tenue à Londres, en 1839, à laquelle avaient pris part les réfugiés politiques de diverses nationalités, et, comme nous le verrons plus loin, les socialistes allemands et anglais devaient, quelques années plus tard, essayer une organisation internationale des forces communistes, comme la charbonnerie avait organisé internationalement le libéralisme.

En outre de la propagande fouriériste faite en Allemagne, en Belgique, en Espagne, en Angleterre, il y avait, dans ce dernier pays surtout, groupés autour de Robert Owen, des socialistes qui se séparaient du radicalisme politique avec des arguments que nous voyons encore aujourd'hui employer par certains socialistes français.

« On a prétendu, disaient-ils en 1838, que les privilèges politiques impliquent l'amélioration et la régénération de notre organisation sociale, mais nous ne pouvons l'admettre. Contre la vérité de cette affirmation, nous avons à opposer la saisissante anomalie que présente l'Amérique, où une constitution politique fondée sur les principes du radicalisme politique coexiste avec des crises économiques, avec une classe ouvrière misérable, avec une lutte continuelle entre les classes riches et les classes pauvres. » Ils opposaient à ce tableau celui de l'Allemagne encore quasi-féodale et absolutiste, où l'on s'occupait davantage du bien-être et de l'instruction des classes populaires.

Les communistes de l'école de Robert Owen n'étaient pas tous partisans de cet indifférentisme politique. Owen lui-même avait pris part, et une part active, à l'ardente lutte menée par les trades unions. Puis il avait répudié la grève comme il répudiait l'action politique. Il fallait fonder des villages communistes sur le modèle qu'il avait établi à New-Lanark, puis à New-Harmony, et compter sur la force de propagande de l'exemple. De l'immense tâche entreprise par le grand communiste anglais, il reste aujourd'hui une puissante organisation de coopératives de consommation, qui ne réalisent certes pas l'idéal communiste de Robert Owen, mais sont l'école pratique où le génie de la classe ouvrière anglaise se prépare patiemment à exercer la souveraineté économique.

L'Angleterre ayant été le premier théâtre du développement capitaliste et du machinisme, fut également le premier théâtre des luttes de classes du XIXe siècle. Groupés par milliers dans les manufactures, puis refoulés de ces manufactures par les machines, coupeuses de bras, les ouvriers, dès 1814, à Sheffield et à Nottingham, ensuite à Manchester, et un peu partout pendant une quinzaine d'années, s'ameutaient, brisaient les machines, incendiaient les ateliers, subissaient des répressions féroces. Mais tout de même leur nombre affirmé en force par leur union leur donnait le droit syndical.

À l'agitation des luddistes, ou briseurs de machines, succéda l'agitation syndicale par les trades unions, pour la conquête des droits politiques. Ce fut, de 1829 à 1842, une nouvelle période révolutionnaire. Le parti du travail demandait une charte au Parlement, non pour substituer sa souveraineté à la bourgeoisie capitaliste et à la noblesse territoriale, mais pour compter comme classe politique à côté d'elles, et faire reconnaître ainsi son droit à l'existence. D'où le nom de chartisme donné à cette agitation, qui n'acquit pas les droits politiques au prolétariat anglais, mais l'organisa solidement sur le terrain syndical et lui valut le bénéfice d'une législation protectrice du travail que le continent devait imiter de longues années après.

La place manque ici pour tracer les péripéties d'une lutte qui, un moment, fit osciller la forte société anglaise sur ses bases. Obéissant au sens pratique et analytique qui lui est propre comme le nôtre est de procéder par synthèse idéaliste, le prolétariat anglais ne fît pas du socialisme, mais du syndicalisme. Il ne mêla nulle philosophie, nulle religion, nulle politique, à son aspiration continue vers l'amélioration de son sort. Il accepta le concours de tous les partis, apportant sa puissance d'opinion à ceux qui lui offraient un avantage, une réforme, un progrès, si minimes fussent-ils.

De même que les prolétaires étaient la classe opprimée dans le Royaume-Uni, les Irlandais étaient le peuple opprimé. Par la grande voix d'O'Connell, ceux-ci offrirent à ceux-là l'alliance en ces termes, en 1843 :

« Je vous dis que les Cobdenistes, les Sturgistes, les Atwoodistes, les Crawfordistes, ne sont que des sections du capitalisme, du whiggisme. Je vous dis avec raison que, tant qu'il y aura des hommes intéressés à exploiter le travail, et disposant de la force, le travail sera exploité. La loi supprime le pauvre ; la loi est faite pour le riche. Dans cette question, tous les opprimés ont le même intérêt. Les Irlandais doivent sympathiser avec les chartistes d'Angleterre... Que tous ceux qui souffrent s'unissent, serrent leurs rangs, et le travail triomphera de ses oppresseurs. ».

Le travail ne devait pas triompher de ses oppresseurs, puisque ce triomphe est dans leur disparition, mais il devrait créer une puissance qui prendrait peu à peu conscience d'elle-même et des ses destinées. Déjà, des signes nombreux annoncent que les deux forces économiques du prolétariat anglais : la coopérative et le syndicat, se préparent à l'emploi des moyens politiques non plus seulement pour augmenter la part des travailleurs dans la répartition des produits, mais pour leur donner la souveraineté complète et réaliser ainsi la démocratie sociale.

À l'époque où grandissaient en France l'action et la pensée socialistes, et en Angleterre le syndicalisme ouvrier, le mouvement social en Allemagne s'éveillait à la voix de Guillaume Weitling, qui avait reçu à Paris la doctrine communiste. Le jeune ouvrier tailleur, pour lancer l'idée parmi ses compatriotes, se fit écrivain. Sa brochure : l'Humanité telle quelle est et telle qu'elle devrait être, inspirée des écrits de Dézamy, de Laponneraye et de Pillot, le fit expulser de France en 1841. Mais de même qu'elle avait gagné au communisme les ouvriers allemands fixés à Paris, elle y gagna ceux qui s'étaient réfugiés en Suisse à la suite de l'échec des mouvements libéraux de 1830, puis pénétra en Allemagne.

— Écris pour nous, nous travaillerons pour toi, dirent à Weitling les ouvriers communistes.

Et à partir de 1842, de Genève, où il s'est fixé, les brochures et les articles de journaux se multiplient sous la plume de Weitling. Des groupes se forment un peu partout, se réunissent en Fédération des Justes. Le vieux communisme évangélique des paysans révoltés du XVIe siècle se rallume dans l'âme des ouvriers allemands. Lassalle et Marx le transformeront, le préciseront, et lui donneront la puissance que nous lui voyons aujourd'hui.

Chapitre VI
Guizot et le cléricalisme

Le comte de Chambord à Londres : Manifestations légitimistes de Belgrave Square, leur écho à la Chambre. — Guizot traité d'émigré par la droite et par la gauche. — L'annexion de Taïti soulève des difficultés entre la France et l'Angleterre. — Rothschild seconde la politique pacifique de Louis-Philippe. — Les lois sur les petits séminaires et sur l'enseignement secondaire. — Audace croissante des cléricaux : inertie et complicité du gouvernement. — Odieuses polémiques contre l'Université. — Les cours de Michelet et de Quinet au Collège de France. — L'opinion publique se soulève contre le cléricalisme.

Dans l'automne de 1843, le duc de Bordeaux, après avoir visité les cours du Nord, vint à Londres et demanda à être reçu par la reine Victoria. Louis-Philippe, averti par nos agents, fit aussitôt de cette démarche une affaire d'État. Lord Aberdeen répondit aux demandes d'explications de Guizot de manière à prouver qu'il avait sur le cœur l'échec des pourparlers récents. Si le gouvernement français exprimait formellement au cabinet de Saint-James le désir que la reine ne reçût point le prétendant, celui-ci n'irait point déjeuner à Windsor. Louis-Philippe recourut alors, comme il le faisait dans les cas épineux, aux bons offices de son gendre Léopold, qui écrivit à Londres, où sa personne était aimée et son grand bon sens apprécié, et le petit-fils de Charles X ne fut pas reçu.

Le coup aurait d'autant été plus sensible au roi que, dans le même moment, le duc de Nemours était à Londres. Recevoir le duc de Bordeaux eût été placer, devant l'opinion, ce prétendant sur un pied d'égalité avec le prince qui venait d'être investi de la régence par le Parlement français. Il n'y avait donc là de la part de Louis-Philippe, en somme, ni crainte exagérée, ni souci puéril de l'étiquette, et il sut habilement se tirer d'un mauvais pas. Il excellait d'ailleurs dans ces sortes d'opérations, où les alliances familiales se substituaient aux diplomates et à leurs agissements à double fin.

Lord Aberdeen eut sa revanche. Le duc de Bordeaux, que nous préférons appeler désormais du nom qu'il porta presque toute sa vie, le comte de Chambord, donc, s'était installé à Londres, dans Belgrave Square. Comme on était dans la saison des vacances, les visiteurs français affluèrent bientôt chez lui. Les légitimistes organisaient de véritables pèlerinages auprès de ce jeune homme qui portait le léger fardeau de leurs espérances. Le ministre anglais laissa faire, en s'appuyant malicieusement, lui conservateur, sur la tradition de libéralisme hospitalier de son pays.

Des députés, des hommes en vue du parti légitimiste, prirent part à ces pèlerinages. Chateaubriand s'y rendit et séjourna quelques jours à Londres. Après avoir manifesté à Belgrave Square, les monarchistes allaient saluer en lui la royauté de l'esprit. Parmi les députés qui prirent part aux manifestations, on vit Berryer, de Larcy, le duc de Valmy, le marquis de Preigne, Blin de Bourdon, La Rochejacquelein. Le comte de Chambord, qui avait alors vingt-quatre ans, était un jeune homme très doux, très sage et très nul. Le duc de Lévis l'avait pétri avec l'aide de la congrégation, et le tenait de près.

Les royalistes intelligents, ceux qui sentaient tout ce qu'il fallait concéder aux temps nouveaux pour rendre possible une restauration, furent stupéfaits. On avait fait de leur prince une passive marionnette aux mains des prêtres et des absolutistes. On l'avait rendu plus incapable de régner que Charles X lui-même. Ils s'emportèrent furieusement, La Rochejacquelein surtout, à qui ses services donnaient le droit de parler haut ; la camarilla des ultras répondit avec aigreur ; le bruit de ces querelles ahurissait le malheureux jeune homme, ou peut-être l'éclairait sur son incurable déchéance et le prédisposait à parer de noble entêtement dans l'absolutisme du drapeau blanc son paresseux désir de vivre loin des tracas de la vie politique et des entreprises de restauration.

Les pèlerinages de Belgrave Square n'avaient pas mis en péril le trône de Louis-Philippe, ne constituaient même pas une menace à longue échéance. Guizot n'en crut pas moins devoir insérer, dans le discours du trône qui ouvrait la session de 1844, une phrase de flétrissure pour les « coupables manifestations » auxquelles s'étaient livrés des députés, liés par leur serment à la monarchie de Juillet. Cette phrase, qui livrait les actes des députés pèlerins au jugement de la conscience publique, amena Berryer à la tribune. Il se défendit assez mollement, parla de fidélité au passé, garda la posture d'accusé que lui donnait le discours du trône.

Guizot en prit avantage pour comparer la monarchie défunte à celle qu'il représentait. Il démontra que la légitimité ne se fondait pas seulement sur l'hérédité, mais sur le consentement national et sur l'observation par le monarque du pacte passé avec la nation. Il soutint la thèse de la quasi-légitimité avec l'éclat et la force de son robuste talent. Il était au cœur de sa doctrine de monarchie libérale, sur le terrain solide d'où seule la doctrine opposée de la démocratie eût pu le déloger. Il eût donc pu se borner là et remporter un grand succès. Mais il crut devoir incriminer la moralité politique de ses adversaires de droite, et du coup gâta tout.

La Rochejacquelein se paya sur Guizot de ses déboires et de ses déceptions à Londres. Il interdit de se poser en juge de la moralité politique de l'homme qui, pendant les Cent-Jours, était allé porter au roi Louis XVIII, à Gand, l'hommage de sa foi monarchique. La gauche se joignit à l'extrême droite pour accabler Guizot d'invectives, celle-ci l'accusant de trahison monarchique, celle-là de trahison nationale. Guizot, à la tribune, fit tête avec sa ténacité coutumière, rappela, au milieu des interruptions qui hachaient ses phrases, qu'il s'était déjà expliqué à fond sur le voyage de Gand. Tous les esprits clairvoyants, dit-il, sentaient que la tentative de Napoléon en 1815 était condamnée par l'Europe. Monarchiste et libéral, il était allé supplier Louis XVIII d'accepter des institutions libérales, seul moyen d'éviter la révolution et la république.

De fait, c'était vrai, et Guizot ne fut pas le seul libéral qui, en 1815, pensa et agit ainsi. Trahit-il l'Empire dont il était fonctionnaire ? Dans une certaine mesure, non, puisque, précisément à cause de ses menées constitutionnelles en faveur de Louis XVIII, le gouvernement des Cent-Jours l'avait révoqué du poste qu'il occupait au ministère des affaires étrangères. L'opposition n'en avait pas moins beau jeu contre lui. N'était-il pas allé, en somme, à celui que la force des choses et des baïonnettes étrangères devait rendre le maître de la France ? Il n'avait pas fait acte de fidélité au malheur, et sa démarche avait servi sa fortune politique. Il était donc mal qualifié pour professer de si haut la morale politique. Sa majorité fidèle, sa majorité de fonctionnaires et d'aspirants fonctionnaires ne lui en donna pas moins son approbation.

Elle devait le suivre avec plus de répugnance, quelques jours plus tard, dans une affaire qui faillit mettre aux prises la France et l'Angleterre et souleva dans le pays comme de l'autre côté du détroit, une longue et vive agitation. Nous avons dit dans le chapitre précédent que la France avait imposé à la reine Pomaré son protectorat sur Taïti, en 1842. Or, il y avait auprès de cette reine un Anglais, nommé Pritchard, moitié missionnaire et moitié négociant, c'est-à-dire doublement l'un et l'autre, qui, par surcroît, cumulait avec ces fonctions celle de consul d'Angleterre. Son gouvernement, il n'est pas besoin de le dire, avait vu de fort mauvais œil s'établir le protectorat de la France sur un archipel qu'il convoitait.

Pritchard s'était emparé de l'esprit de la reine Pomaré et, sous prétexte de défendre ses droits souverains, il la poussait à se dérober au protectorat français que, d'ailleurs, la force lui avait fait accepter et non sa volonté. Les choses en vinrent à un tel point que l'amiral Dupetit-Thouars, en novembre 1843, déposa la reine et proclama la souveraineté de la France sur tout l'archipel de la Société. La nouvelle en parvint dans le courant de février en Angleterre et en France.

La presse anglaise jeta feu et flammes, ameuta l'opinion. Le ministère de Robert Peel demanda immédiatement des explications à la France. Louis-Philippe insistait auprès de ses ministres pour un désaveu immédiat, formel, de la conduite de l'amiral Dupetit-Thouars. Ceux-ci hésitaient, sauf Guizot, à mécontenter aussi gravement les marins. La presse française avait pris le ton de la presse anglaise, opposant chauvinisme à jingoïsme. On put se croire revenu aux vilains jours de l840. Deux grands peuples allaient-ils entrer en guerre pour la possession de quelques îlots perdus au fin fond de l'Océan ?

La question fut portée, le 29 février, à la Chambre. Billault et Dufaure menèrent le combat contre le cabinet, qui avait enfin pris la résolution de désavouer Dupetit-Thouars. Le colonial Ducos les appuya par un ordre du jour de désapprobation de la conduite du ministère. La Chambre semblait fléchir sous la pression belliqueuse de l'opinion exaspérée d'une nouvelle capitulation devant les exigences anglaises. La suite de la discussion ayant été remise au lendemain, la soirée fut employée par le ministère et ses amis à montrer aux députés les suites du vote qu'on leur demandait.

M. Thureau-Dangin a trouvé dans les notes inédites de M. Duvergier de Hauranne un récit fort significatif de cette soirée, où le baron de Rothschild, à la réception de la duchesse d'Albufera, allait de l'un à l'autre en disant : « Vous voulez la guerre : eh bien, vous l'aurez... Dans quelques jours, on se tirera des coups de canon. » Financiers, négociants, industriels, éleveurs, pour la plupart, les députés voulaient bien fanfaronner à l'unisson de la vanité nationale ; mais de là à vouloir délibérément un conflit qui arrêterait les transactions, fermerait les ateliers, tarirait, sauf pour les entrepreneurs de fournitures militaires, la source abondante de leurs bénéfices en supprimant tout échange avec l'Angleterre, il y avait un pas qu'ils n'étaient point disposés à franchir.

Aussi, le lendemain, furent-ils beaucoup plus froids. Quant à Guizot, son parti était pris. Passant par-dessus les usages parlementaires, il déclara que, si l'ordre du jour Ducos était voté, le cabinet ne se retirerait pas. La Chambre aurait simplement, par cette manifestation, affaibli les négociateurs français dans leur débat avec le gouvernement britannique. L'argument porta et, au vote, Guizot retrouva sa majorité.

Il devait la trouver moins maniable, quelques semaines plus tard, lorsque vinrent en discussion les projets de loi préparés par Villemain sur les petits séminaires et sur l'instruction secondaire. La recrudescence de cléricalisme que nous avons signalée dans un chapitre précédent, et les complaisances du pouvoir pour cette réaction religieuse avaient provoqué nécessairement dans le pays un mouvement de résistance. La bourgeoisie entendait bien se servir de l'Église pour tenir le prolétariat dans l'état de résignation qui en assurait la servitude, mais non se livrer elle-même pieds et poings liés à la puissance cléricale.

Or, tant que l'Église n'est pas tout, n'a pas tout, elle se dit opprimée et persécutée. On ne lui fait pas sa part. Ce qu'elle demandait, sous le nom de liberté de l'enseignement, c'était le monopole pour les établissements d'instruction que les jésuites, les dominicains, d'autres associations tout aussi illégales, ouvraient sur tous les points du territoire. L'Université, objet de sa haine, était accusée avec effronterie de posséder le monopole de l'enseignement et d'en profiter pour « décatholiciser » la France.

Un prêtre nommé Garot, qui pour comble était aumônier de collège, c'est-à-dire d'un établissement de l'État, avait, sous l'inspiration des jésuites de Nancy, publié un ouvrage où l'enseignement de la philosophie déiste de Victor Cousin, conciliée avec « cette misérable anatomie de l'homme » connue sous le nom de philosophie écossaise, était dénoncé comme un nouveau paganisme, comme une « religion à la façon de Robespierre, la raison laissée à elle-même, sans frein, sans règle, si ce n'est la pensée, le caprice, l'intérêt de chaque individu ». Le hargneux prestolet vidait dans ce pamphlet tout le fiel des aumôniers du collège contre leurs concurrents les plus directs dans l'esprit des élèves ; les professeurs de philosophie.

Le pamphlet de l'abbé Garot en fit surgir une quantité d'autres du même ton, où la calomnie et l'outrage contre l'enseignement de l'État étaient à l'ordre du jour. M. Debidour, dans son Histoire des rapports de l'Église et de l'État, en a recueilli quelques-unes. Citons, d'après lui, un épais volume de l'abbé Desgarets où il était dit, entre autres gracieusetés, « que les infâmes ouvrages du marquis de Sade n'étaient que des églogues auprès de ce qui se passait dans l'Université ». D'après cet auteur, les conséquences de l'enseignement par l'État étaient « le suicide, le parricide, l'homicide, l'infanticide, le duel, le viol, le rapt, la séduction, l'inceste, l'adultère, toutes les plus monstrueuses impudicités, les vols, les spoliations, les dilapidations, les concussions, les impôts et les lois injustes, les faux témoignages, les faux serments et les calomnies, la violation de tout ce qu'on nomme loi, les insurrections, les tyrannies, les révolutions » et comme dans la fameuse et cocasse énumération pathologique de Molière : « la mort ».

Tant de fiel entre-t-il dans l'âme des dévots ?

« Selon l'Université, ajoutait le doux abbé Desgarets, il n'y a pas plus de vice, d'injustice, de mal à faire toutes ces choses qu'il n'y en a pour le feu de brûler, pour l'eau de submerger, pour le lion de rugir, pour les boucs et les chèvres de Théocrite de servir de modèles à leurs frères du Collège de France et de l'École normale et à leurs nombreux petits. » Edgar Quinet, avec sa prétention d'être « sorti d'un ver », n'était qu'un « impur blasphémateur ». Victor Cousin, si respectueux des puissances établies, était un détracteur du christianisme. L'évêque de Chartres recommanda le livre de l'abbé Desgarets « aux pères de famille comme un ouvrage vraiment classique ».

L'abbé Védrine, un curé limousin, descendit encore plus bas, s'il est possible, dans l'invective calomnieuse. Pour lui, l'Université enseignait « la philosophie de Voltaire, de Crébillon fils, la politique d'Hébert, l'histoire à la façon de Pigault-Lebrun ». Il traçait des collégiens enlevés par « la presse des matelots du carbonarisme » et jetés dans le repaire de pirates et d' « écumeurs » qu'était l'Université, le tableau que voici :

« ... Vieillards de trois ou quatre lustres, à la face hâve et plombée, aux regards ternes et lascifs : tristes victimes de la luxure qui dévore leur frêle organisme, éteint la pensée dans son foyer immortel, tarit le sang dans leur jeune cœur calciné par le feu des passions lubriques et putréfie l'air au fond de leur poitrine haletante sous une décrépitude précoce. » Il y avait du vrai dans cette description lugubre des victimes de l'internat laïque, mais le bon curé se gardait bien de montrer les victimes de l'internat congréganiste, où l'exemple et l'enseignement de l'immoralité et de la dépravation venaient trop souvent des maîtres eux-mêmes, poussés à des écarts monstrueux par l'absurde règle du célibat.

Les maîtres de l'enseignement universitaire, au regard de cet homme de Dieu, du Dieu de charité, étaient des « calomniateurs », des « hommes sans croyances », des « myrmidons de l'athéisme », une « impure vermine ». Avouant le but de l'Église, il demandait la « liberté », mais c'était « en attendant », car « il fallait que l'Université ou le catholicisme cédât la place ». Pour cela, il fallait que le clergé s'emparât de la presse, afin « d'abattre au pied de la croix les peuples et les rois ». La liberté des cultes, « n'en parlons pas, c'est une invention de Julien l'Apostat ».

Les laïques renchérissaient, s'il est possible, sur cet odieux langage. Leurs journaux, notamment l'Univers, où Veuillot venait d'entrer, tout fraîchement converti, juraient de faire sauter l'Université par les fenêtres. Montalembert avouait que sa revendication de liberté avait pour objet la suppression de la liberté et déclarait que l'éducation « est une partie pratique de la religion et comme un droit inhérent au sacerdoce ». Il ajoutait : « L'Église catholique dit aux hommes : Croyez, obéissez, ou passez-vous de moi. Elle n'est ni l'esclave, ni la cliente, ni l'auxiliaire de personne. Elle est reine, ou elle n'est pas. »

De rares évêques désapprouvaient cette campagne qui avait empli de tapage l'année 1843. Celui de Langres refusait de lier la cause de la religion à un parti. Quant à l'archevêque de Paris, tout en désavouant les diatribes des Védrine et des Desgarets, des Garot et des Carle, il dénigrait doucereusement l'Université et déclarait qu'elle était incapable d'enseigner la morale, puisque la morale ne peut reposer que sur la religion et que la religion ne peut être enseignée que par le prêtre. En somme, il eût fait grâce à l'Université si l'enseignement y avait été remis aux mains du clergé.

Lacordaire blâmait aussi ces excès de zèle, car il sentait tout ce que sa cause avait à perdre en affichant des exigences trop absolues. C'était le moment où il venait de fonder un premier couvent de dominicains, à Nancy, et où il en fondait deux autres ailleurs. Le gouvernement fermait les yeux et des ministres l'invitaient à dîner. Aussi suppliait-il ses amis de ne pas compromettre les avantages déjà obtenus.

« Quelle différence entre 1834 et 1844. écrivait-il alors à l'un d'eux. Il a suffi de dix ans pour changer toute la scène... Ce que nous avons gagné dans cette dernière campagne en unité, en force, eu avenir, est à peine croyable ; quand même la cause de la liberté d'enseignement serait perdue pour cinquante ans, nous avons gagné plus qu'elle-même, parce que nous avons gagné l'instrument qui la procure... Si ce pauvre abbé de Lamennais avait su attendre, quel moment pour lui ! Hélas ! nous le lui avions tant dit. Il serait plus grand que jamais... Il suffisait d'être humble et confiant dans l'Église. »

La tactique des effervescents prévalut. Forts de leur conquête, les cléricaux voulaient l'étendre sans plus tarder. Le gouvernement, d'ailleurs, ne faisait rien pour les décourager. L'évêque de Chartres pouvait accuser l'Université de faire « un horrible carnage d'âmes », les prêtres pouvaient interdire du haut de la chaire aux familles d'envoyer leurs enfants dans les « écoles de pestilence », la jeunesse catholique pouvait envahir le Collège de France et la Sorbonne, y insulter les professeurs attachés à l'esprit de la Révolution, les savants fidèles à la science ; le pouvoir gardait un silence et une passivité complices. Parfois même, — on a revu ce scandale en ces temps-ci, — il exécutait les sentences d'exclusion prononcées contre certains professeurs libéraux, et suspendait les cours de Ferrari et de Bersot, dénoncés par l'Univers, dont plusieurs rédacteurs appartenaient aux bureaux du ministère de l'Intérieur.

Le dépôt, par Villemain, des projets de loi sur les petits séminaires et sur l'enseignement secondaire accrut l'audace du parti clérical. L'abbé Combalot, qui demandait en chaire « la restitution des registres de l'état civil à l'Église », lança une brochure, un Mémoire à consulter adressé aux évêques de France et aux pères de famille, où les infamies des Védrine et des Desgarets étaient dépassées. « L'Université, disait-il, pousse les jeunes générations au brutisme de l'intelligence... Elle double toute la puissance de l'homme pour le mal. » Aux évêques qui songeaient à retirer les aumôniers des collèges de l'État, il proposait une mesure plus radicale : « Défendez, leur disait-il, aux pasteurs des paroisses d'admettre à la première communion et à la Pâques des chrétiens les enfants catholiques que le monopole s'efforcerait de retenir dans son sein. »

C'en était trop tout de même, et le gouvernement ne put s'empêcher de sévir contre Combalot, qui fut condamné en cour d'assises. L'évêque de Châlons, déjà frappé de la bénigne déclaration d'abus, que le Conseil d'État inflige aux prélats en révolte contre les lois, félicita le « martyr » en ces termes : « L'évêque et le clergé de Châlons s'empressent de joindre leurs félicitations à celles de toute l'Église et de tous les gens de bien que M. l'abbé Combalot a reçues. Il était digne de lui de donner un si bel exemple et de prendre aussi ouvertement la défense de nos vérités catholiques contre l'Université, qui en est l'ennemie déclarée. »

Le 19 mars, Dupin apportait à la tribune de la Chambre la protestation de la bourgeoisie contre cette insurrection presque générale d'un clergé qui ne voulait pas se contenter d'être le gardien des privilèges du riche, le corps de fonctionnaires créé par le Concordat pour enseigner la soumission au pouvoir, et prétendait à la direction intellectuelle de la société. Il demanda que les évêques qui faisaient campagne pour le retrait des aumôniers de l'Université, afin d'amener les familles à en retirer leurs enfants, fussent frappés avec toute la rigueur des lois, et non de l'inutile et ridicule déclaration d'abus, comme l'avaient été le cardinal de Bonald, archevêque de Lyon, et Prilly, évêque de Châlons. Il rappela que la Chambre, dans son adresse au roi, du 25 janvier, avait, sur sa proposition et celle de Troplong, demandé que le projet de loi sur l'instruction secondaire « maintînt l'autorité et l'action de l'État sur l'éducation publique ».

Guizot était fort embarrassé. Ce protestant chargé de gouverner un pays catholique croyait et sans cesse répétait que la religion était le fondement nécessaire à la morale. La religion dominante du pays étant le catholicisme, c'était donc à lui qu'il faisait appel. Déjà, en 1841, il avait obtenu de Villemain, avec l'aide du roi, et sur les sollicitations de Montalembert et du jésuite Ravignan, le retrait du projet de loi sur l'enseignement préparé par Cousin. Bien loin d'être adouci par cette concession, le parti catholique l'avait considérée comme une reculade, et prise pour un encouragement à mener campagne pour la substitution de l'Église à l'Université. Si bien que Villemain, sous peine de trahir ouvertement l'Université, dont il était le chef, et l'État, dont il était le représentant, se vit forcé, conformément à ses sentiments propres d'ailleurs, et à ceux de la Chambre nettement exprimés dans l'adresse, de déposer les projets sur les petits séminaire » et sur l'enseignement secondaire.

On avait donc ce spectacle bizarre et qui devait se reproduire fréquemment jusqu'au moment de la séparation de l'Église et de l'État, d'un gouvernement préparant d'une main des lois pour défendre la société civile contre les empiétements du clergé, et de l'autre, le comblant de faveurs et de privilèges. Tandis, que Villemain, en effet, se préparait à défendre l'État contre l'Église, ses collègues au ministère, suivant le haut exemple royal, décoraient des prêtres, donnaient des allocations aux églises, fermaient les yeux sur les congrégations qui se formaient et se multipliaient, allaient même jusqu'à leur accorder des avantages qui n'étaient dus qu'aux associations et institutions reconnues d'utilité publique par décret.

Le dépôt des projets Villemain porta l'agitation cléricale à son comble. Selon le mot de Montalembert, les catholiques devaient former un « parti », et devenir « ce qu'on appelle en langage parlementaire un embarras ». De fait, le parti était tout formé ; il avait ses cadres ecclésiastiques et laïques, sa presse, les propagandistes, qui étaient les moines, ses réunions publiques, qui étaient les assemblées des fidèles pour le culte, son budget, dont l'État faisait en grande partie les frais. La Société de Saint-Vincent-de-Paul était un organe de propagande auquel toute action officielle et publique était interdite sous peine de perdre toute son efficacité. Les dirigeants du parti avaient donc créé une Association catholique qui avait des affiliés dans toute la France. Ces affiliés s'engageaient, en entrant dans l'association, au secret sur « l'existence ou les moyens ou les règles de l'œuvre » et à la « soumission absolue et sans réserve à Notre Saint-Père le pape ».

À Paris siégeait un comité laïque « pour la liberté religieuse », qui n'était autre que l'organe directeur de l'Association. Montalembert avait formé publiquement ce comité et, pour lui donner un caractère de pure défense des droits de l'Église, y avait adjoint un groupe de jurisconsultes. À ce trait, le lecteur qui se rappelle l'agitation cléricale de ces dernières années, lorsque furent mises en discussion les lois sur les associations et sur l'enseignement secondaire, voit que le parti catholique de 1899 n'eut qu'à copier l'organisation de 1843 et 1844. Et comme en 1899, le clergé, évêques en tête, fit corps avec les laïques et les congrégations, subit leur direction, leur prêta la force qu'il tenait de la puissance publique. Le Concordat avait tué le gallicanisme, sauf en quelques prêtres récalcitrants, mal notés à Rome, point soutenus par le gouvernement. Si Bossuet était revenu, par un de ces miracles familiers à l'imagination catholique, et s'il avait repris le gouvernement du diocèse de Meaux, son clergé et les fidèles l'eussent traité comme un ennemi de l'Église. Ce que le Concordat avait commencé, les congrégations, et surtout celle des jésuites, devaient l'achever.

Etait-elle donc si terrible, cette loi Villemain ? Elle donnait la faculté d'ouvrir des institutions ou des pensions aux particuliers pourvus du diplôme de bachelier, d'un certificat de moralité délivré par le maire et d'un brevet de capacité délivré par un jury formé du recteur, du maire, du procureur du roi, d'un chef d'institution et de quatre notables ou professeurs. De plus, les établissements dont les professeurs auraient les mêmes grades que ceux des collèges jouiraient du plein exercice, c'est-à-dire du droit de ne pas conduire leurs élèves aux collèges de l'Université et de les présenter directement au baccalauréat. Enfin, et, par là on croyait se concilier les évêques, qui avaient la direction des petits séminaires, ces établissements, destinés théoriquement à préparer les enfants à la carrière ecclésiastique, conservaient leur indépendance, leurs privilèges et immunités : leurs professeurs étaient dispensés de tout grade universitaire, la moitié de leurs élèves sortants pouvaient être présentés au baccalauréat, et le grade leur demeurait acquis sans qu'ils fussent tenus d'embrasser la prêtrise.

Mais Villemain avait repris une concession importante faite en 1841 aux petits séminaires. Selon la loi de 1828, ils ne pouvaient compter un effectif supérieur à vingt mille élèves, ce chiffre ayant été jugé largement suffisant pour assurer le recrutement du clergé. Mais les cléricaux avaient fait des petits séminaires de véritables établissements secondaires : le projet es 1841 les favorisait en donnant aux petits séminaires le droit de recevoir des élèves en nombre illimité. Le projet de 1844 maintenait la fixation au maximum de vingt mille.

L'archevêque de Paris attaqua vivement le projet sur les petits séminaires, dans un mémoire adressé au roi et reproduit par la presse religieuse. Les évêques suivirent l'impulsion. Limiter le nombre d'élèves des petits séminaires, c'était toucher le cléricalisme dans une de ses œuvres vives, puisque ces établissements vivaient sous un statut spécial, de faveur. Le roi ne put faire autrement, à son vif regret, que de blâmer « l'inconvenance » de l'archevêque Affre.

Ce qui enrageait les cléricaux contre la loi de l'enseignement secondaire, c'était le maintien de l'enseignement de la philosophie dans les programmes.

La philosophie spiritualiste était leur bête noire. Devant leur haine de la raison, Jouffroy même, homme austère et de mœurs exemplaires, ne trouvait pas grâce, et ils insinuaient que sa philosophie autorisait implicitement « le vol, le bouleversement de la société, le parricide, les voluptés les plus infâmes ». Cependant, dans ces programmes, l'instruction morale et religieuse gardait la première place, ce qui donnait le pas à l'aumônier sur le professeur de philosophie. Mais ce n'était pas la subordination de la philosophie qu'on demandait : c'était sa disparition.

Le brevet de capacité leur semblait surtout une atteinte intolérable à ce qu'ils appelaient sans rire la liberté. La manière dont la loi composait les jurys chargés de le délivrer leur offrait cependant toute facilité, puisqu'en réalité les professeurs pouvaient n'y être représentés que par un seul membre et que d'autre part les fonctionnaires et notables qui devaient y figurer seraient dans la main du pouvoir, qui ne demandait qu'à les favoriser, et le prouvait de toutes les manières.

La surveillance et l'inspection de l'État sur les établissements libres, la juridiction des conseils académiques et du conseil de l'instruction publique, leur étaient tout aussi intolérables. Montalembert, dans la séance des pairs du 16 avril, avouait hautement le rêve d'indépendance absolue, et de domination, de l'Église enseignante, proclamait que les catholiques n'étaient « ni des imbéciles, ni des lâches », et qu'ils n'étaient pas assez « abâtardis » pour « livrer leur conscience à l'Université et tendre les mains à une légalité anticonstitutionnelle ». Toujours l'appel aux prétendues promesses de la charte bâclée sur la « liberté de l'enseignement ».

« Nous ne voulons pas être des ilotes, » osait-il dire, avouant ainsi que, pour eux, n'être pas persécuteurs, c'était être persécutés. Et il menaçait : « Nous sommes les successeurs des martyrs ; — il eût pu ajouter : et des inquisiteurs ; — et nous ne tremblerons pas devant les successeurs de Julien l'Apostat ; nous sommes les fils des croisés, et nous ne reculerons pas devant les fils de Voltaire ».

Quelques jours après, le projet Villemain étant venu en discussion au Luxembourg, Montalembert déposait un contre-projet où étaient énumérées les concessions que l'Église souveraine voulait bien faire à la société civile. Ce contre-projet demandait le droit pour tout bachelier de fonder uns école secondaire, sans autre condition que celle d'un certificat de moralité : l'abolition du certificat d'études exigé des candidats au baccalauréat et qui n'était délivré qu'aux candidats qui avaient suivi les cours de rhétorique et de philosophie dans un établissement de l'État ou dans une institution où cet enseignement fût autorisé ; l'institution d'un conseil supérieur de l'enseignement libre, qui aurait qualité pour la surveillance et l'inspection des établissements de cet ordre, c'est-à-dire religieux ; enfin ce conseil partageait avec le conseil de l'instruction publique le droit de nommer les professeurs de faculté.

C'était mettre à la fois la main de l'Église sur l'enseignement secondaire et sur l'enseignement supérieur, tout en libérant ses écoles de toute surveillance. Cousin défendit avec une haute éloquence les droits de l'État, ceux de la société laïque tout entière. « Dès l'enfance, s'écria-t-il, nous apprendrons à nous fuir les uns les autres, à nous renfermer dans des camps différents, des prêtres à notre tête. Merveilleux apprentissage de cette charité civile qu'on appelle le patriotisme. »

Il proclama les droits, les devoirs, la fonction de l'État en ces termes qu'un socialiste n'eût point désavoués : « Il n'y a rien dans la société qui ne soit fait pour la société, rien par conséquent qui ne doive relever en une certaine mesure et par quelque côté de la puissance sociale, c'est-à-dire de l'État. » Rossi confirma en disant de son côté : « Qu'on demande à l'Église si elle livrerait la prêtrise au premier venu ; qu'on demande à l'État s'il permettrait au premier venu d'exercer la médecine ! » Et on lui demanderait de pouvoir « dire au premier venu : Vous êtes parfaitement libre de corrompre une génération, de lui inspirer des sentiments hostiles à notre institution, à notre monarchie ! »

Pour le jurisconsulte Portalis, le droit d'enseigner n'était ni un droit naturel ni un droit individuel, car, disait-il, ce droit « suppose, pour qu'il puisse s'exercer, le concours de plusieurs volontés. Dès lors, c'est un droit que l'on ne peut tenir que de la loi et dans les limites de la loi ». Les établissements d'enseignement sont « publics par leur nature » ; on ne peut donc, sous prétexte d'instruire la jeunesse, « s'emparer des esprits, exalter les passions, disposer des âmes et saper les croyances religieuses, les lois fondamentales de l'État ».

La Chambre des pairs n'en fit pas moins d'importantes concessions aux cléricaux : ils obtinrent que la modification du programme du baccalauréat fût confiée au Conseil d'État et non au conseil de l'Instruction publique, que le nombre des membres de l'enseignement dans les jurys chargés de délivrer les brevets de capacité pût être réduit à une unité, que la juridiction des établissements privés fût enlevée aux conseils académiques et au conseil de l'Instruction publique et transférée aux tribunaux, afin qu'on ne pût être poursuivi devant les tribunaux pour enseignement séditieux. Ces concessions firent pousser des cris de joie au parti de l'Église. Veuillot écrivit une apologie du régime parlementaire, auquel il fallait « s'attacher avec amour ».

Restait la Chambre. Or, celle-ci était plus proche de l'opinion publique que la Chambre des pairs. Elle avait nommé Thiers comme rapporteur, et celui-ci ne cachait pas ses inquiétudes devant l'envahissement des jésuites, et son hostilité à cet envahissement. Toute la presse libérale et républicaine était soulevée contre les votes arrachés aux pairs par Montalembert à la mollesse du duc de Broglie, à la complicité de Guizot et aux hésitations de Villemain.

Aux agressions de la jeunesse cléricale contre les professeurs libéraux, la eunesse des écoles avait répondu en se groupant en nombre aux cours de Quinet et de Michelet. Les étudiants en médecine étaient les plus passionnés, à ces vibrantes leçons du Collège de France, où Quinet, en étudiant la littérature du passé, montrait aux esprits éblouis l'ascension continue de la pensée humaine vers la lumière, et la lutte désespérée de l'Église contre cet effort de libération. Michelet recherchait dans les archives, et les apportait vivantes et palpitantes à ses auditeurs enthousiasmés, les pages d'une histoire qui était le récit d'un combat ininterrompu entre la raison et le dogme, entre la liberté et l'autorité, entre le savoir et l'ignorance, entre le droit et l'arbitraire.

Cinquante-six ans après ces magnifiques manifestations de la pensée qu'étaient les cours de Quinet et Michelet, un « vieux docteur à barbe blanche » en gardait encore l'émotion frissonnante, qu'il exprimait ainsi : « On ne reverra jamais des jours pareils ! Nous étions à Clamart, nous marchions par bandes jusqu'à la montagne Sainte-Geneviève pour assister à ces leçons ; nous chantions tout le long du chemin, et une fois dans la salle, quelles acclamations ! Nous adorions ces deux hommes, nous les divinisions. »

Le 20 juin, une députation des écoles se rendait chez Edgar Quinet pour sceller « l'alliance entre la jeunesse française et les professeurs qui lui montraient le chemin de l'avenir ». Quinet, au nom de son ami absent, reçut les délégués. « Il suffit de vous entendre, leur dit-il, pour sentir qu'une vie nouvelle commence à circuler. La génération qui vous a devancés est lasse ; il faut que vous apportiez à votre tour un nouveau souffle dans le monde ; et puisse cette âme généreuse que vous me montrez ne pas rester seulement dans lés livres, mais entrer avec vous en possession des affaires et des choses. C'est ce que nous nous engageons mutuellement ici à faire quand le temps viendra pour nous. »

Cet engagement, Quinet le tint. Mais la peur du socialisme devait ramener la plupart de ses auditeurs à l'Église et à la réaction, les laisser en tout cas effrayés, découragés, inertes, devant l'agression cléricale et césarienne au moment où ils entraient « en possession des affaires et des choses ». En se soulevant à la voix de Michelet et de Quinet, en n'écoutant que leur généreuse passion de vérité historique et de liberté civile, ils oubliaient un élément capital du problème de l'avenir : la situation d'un prolétariat misérable, dont le labeur assurait le loisir de leurs études.

Bien avant eux, Proudhon, penché sur le problème, avait aperçu l'Église travaillant « à endoctriner le peuple et à entraver les progrès du socialisme ». Au moment où ces jeunes gens se préparaient à prendre la direction sociale, Proudhon apercevait l'action du gouvernement favorable à l'entreprise cléricale contre le socialisme. « Mais, malgré tout, disait-il, le mouvement ne s'arrête point. L'attention du peuple se porte de plus en plus sur les questions sociales. »

Et comment Edgar Quinet eût-il appelé sur ces questions l'attention de ses auditeurs, lui qui acceptait bien d'éventualité de l'émancipation finale des travailleurs, mais en même temps accusait le socialisme, en dépit des nobles protestations répétées des Pierre Leroux, des Considérant et des Proudhon, de se cantonner dans la satisfaction des besoins matériels et de marquer un terme à l'effort humain vers le mieux. « Il y en a qui croient que le jour du repos commencera pour le peuple au jour de l'émancipation, écrivait-il dans une brochure qui eut un assez grand retentissement lors des affaires de 1840 ; et moi, je crois, au contraire, que c'est alors que commencera le vrai travail, le dur labeur. »

Il avait, certes, raison de donner au peuple ce viril avertissement. Mais s'il avait fondé son enseignement d'émancipation de l'esprit sur le terrain solide de l'émancipation du prolétariat, s'il avait aperçu et dénoncé le rôle encore plus social que politique de l'Église, la jeunesse formée par son enseignement ne lui eût pas donné ce mécompte, et cette douleur, de préférer la servitude cléricale à l'émancipation des travailleurs.

Le cours de Michelet, où le jeune historien traçait en lignes saisissantes les luttes du peuple, et ses souffrances, à travers les siècles, avaient par ce côté un caractère social qui, cependant, ne trouvait pas grâce devant l'intraitable Proudhon. « J'ai suivi, écrivait-il, pendant un bon mois, Michelet, Rossi, Lenormant, Saint-Marc Girardin : je vous le répète, ils ont tous de l'esprit, mais ils semblent avoir tous le mot d'ordre pour vanter les bienfaits du régime constitutionnel et prêcher la centralisation la plus centralisante. Paris est tout, la tête et le cœur de la France ; ajoutons l'estomac. » Et il approuvait un « article très vif » du Journal des Écoles « contre le cours de M. Michelet, qui le méritait bien ». Ces messieurs, ajoutait-il, « font leurs cours par-dessous la jambe ». Il en exceptait toutefois les professeurs de sciences.

« Babil de salon, » les leçons de Michelet. Ici, vraiment, l'« expression exterminante » de Proudhon est injuste, profondément. Certainement, dans l'admirable campagne que menèrent les deux professeurs, l'honneur de l'initiative revint à Edgar Ouinet, qui entraînait son ami et le jetait dans l'action. Mais, tandis que Quinet avait les dons et l'extérieur avantageux de l'orateur, aussi était-ce toujours lui qui recevait les délégations des étudiants dans son appartement de la rue Montparnasse, Michelet, petit, chétif, mal portant, faisait son cours sur les notes minutieuses et abondantes que son labeur acharné avait réunies, non en orateur exercé à agir sur les foules, mais en professeur soucieux d'exposer le plus complètement possible son sujet aux auditeurs. Il suffisait cependant de ce sujet, plein de matières inflammables, pour allumer l'incendie révolutionnaire, et l'attention passionnée de l'auditoire, les ovations qu'il faisait en maître attestant que l'immense et sérieux et courageux travail de Michelet n'était pas un « babil de salon ».

En acceptant le rapport sur la loi de renseignement, Thiers faisait coup double. Il affirmait ainsi, après tant de défections, sa fidélité au libéralisme et aux droits de la société civile, et recueillait une part de la popularité qui s'attachait aux défenseurs de ces droits ; et il voyait dans la défaite du ministère une occasion de ressaisir le pouvoir. Car il avait conclu, dans son rapport, déposé le 17 juillet, à des dispositions que Villemain, paralysé par Guizot, n'avait pas inscrites dans son projet et que le ministère n'était pas disposé à accepter.

« L'esprit de notre révolution, disait le rapporteur, veut que la jeunesse soit élevée par ses parents, par des laïques animés de nos sentiments, animés de l'amour de nos lois. Les laïques sont-ils des agents d'impiété ? Non encore, car, nous, le répétons sans cesse, ils ont fait les hommes du siècle présent plus pieux que ceux du siècle dernier. Si le clergé, comme tous les citoyens, sous les mêmes lois, veut concourir à l'éducation, rien de plus juste, mais comme individus, à égalité de conditions, et pas autrement. Le veut-il ainsi ? Alors, plus de difficultés entre nous. Veut-il autre chose ? Il nous est impossible d'y consentir. »

La défaite du parti catholique devant la Chambre était certaine. La loi en sortirait aggravée. Guizot en avait le sentiment très net. Louis-Philippe, de son côté, ne voulait pas que son ministère fut renversé par une querelle « de cuistres et de bedeaux ». Une maladie grave de Villemain vint à propos tirer le cabinet d'embarras. On ne pouvait discuter une loi de cette importance en l'absence du ministre le plus directement intéressé, et qui en était l'auteur. Sentant le courant d'opinion qui s'était formé dans la Chambre contre leurs prétentions, et d'ailleurs mal disposés pour un projet qui obligeait les membres ecclésiastiques de renseignement à déclarer qu'ils n'appartenaient pas à une congrégation non autorisée, forts enfin de la tolérance du pouvoir qui leur faisait prendre beaucoup plus que la loi ne leur eût accordé, les catholiques militants s'étaient, de leur côté, fort assagis. Un accord tacite suspendit donc les hostilités parlementaires.

[illegible]

[illegible]

[illegible]

Chapitre VII
Les Jésuites

L'incident Pritchard et la guerre avec le Maroc. — Vive agitation en Angleterre. — La France accorde une indemnité à Pritchard, mais garde Taïti. — Louis-Philippe rend sa visite à la reine Victoria. — Audace croissante des cléricaux. — Thiers interpelle le gouvernement sur les jésuites. — Aidé par le pape, Guizot joue les Chambres et le pays. — Pas un jésuite n'a quitté la France. — Persécutions contre l'Université ; Salvandy interdit les cours de Mickiewicz et d'Edgar Quinet. — L'art et la pensée en 1845.

Le 31 juillet, on apprenait à Paris que Pritchard, ayant fomenté une insurrection des indigènes de Taïti, avait été arrêté par le commandant de Papeete et expulsé de l'île. En même temps que la nouvelle de cet incident arrivait à Paris, le missionnaire débarquait en Angleterre, où il fut reçu comme un martyr qui vient d'échapper par miracle à la dent des cannibales. La passion religieuse attisant la passion patriotique, le peuple anglais fut bientôt en ébullition.

Que s'était-il passé au juste là-bas, aux antipodes ? Les Anglais n'en avaient cure ; ils ne voyaient que deux choses : on avait attenté à la liberté d'un citoyen de la libre Angleterre, on avait entravé la propagande religieuse d'un de ses missionnaires. L'opinion publique en France, avertie du vacarme par les journaux, ne comprenait pas cette émotion, la trouvait disproportionnée à sa cause. Comment eût-on vu dans l'arrestation de Pritchard un outrage au pavillon britannique ? Il n'était plus consul d'Angleterre lorsque survinrent les faits qui amenèrent son expulsion. Il avait, lui étranger, troublé l'ordre dans une possession française. Sa qualité d'Anglais n'était pas suffisante pour lui assurer l'immunité qu'on réclamait pour lui. Si un Français en avait fait autant, et avait excité les indigènes contre la France, il s'en fût tiré à moins bon compte.

La thèse française, présentée ainsi, était fort juste. Elle se fortifiait encore de ceci : que, par sa qualité de missionnaire, il avait acquis une grande influence morale et matérielle dans cette région de l'Océanie. Les missions méthodistes dont il faisait partie y possédaient des terres, exerçaient sur leurs convertis une sorte de juridiction, constituaient une sorte de souveraineté collective menant de front le commerce et le dressage des indigènes au travail et à la civilisation. L'influence de Pritchard avait encore été accrue par la faveur de la reine Pomaré et par sa fonction, longtemps exercée, de consul de la grande nation maritime.

Dans ces conditions, diriger la résistance passive des Taïtiens à leurs nouveaux maîtres, résistance qui fut encore poussée avec plus de vigueur lorsque l'amiral Dupetit-Thouars amena des missionnaires catholiques et leur accorda les mêmes avantages qu'a leurs confrères méthodistes, était chose facile à Pritchard. Connaissant l'état d'esprit de ses compatriotes, sûr de n'être pas désavoué par eux pour avoir résisté à la France et au catholicisme, il alla donc de l'avant, conseilla les chefs de l'entourage de Pomaré, leur représenta la France comme un pays insignifiant dont les Anglais avaient tenu le chef en prison comme un rebelle, les échauffa si bien, eux et les populations qui étaient sous leurs ordres, que l'insurrection éclata. On était d'autant plus fondé, en France, à le croire l'unique artisan de ce mouvement, que les autorités françaises y annonçaient que tout était resté dans le calme à Taïti dès que Pritchard en avait été expulsé ; ce qui n'était pas absolument exact.

On aperçoit, par l'exposé de ces faits, que la thèse anglaise pouvait se soutenir, elle aussi, et ne manquait pas d'arguments très forts. Les premiers occupants européens étaient des Anglais, venus là pour propager la Bible et les produits de leur pays. Ils avaient fait acte de colonisation, sous la protection du drapeau britannique étendu non sur tout le pays, mais sur eux, leurs propriétés et leurs néophytes.

La méthode anglaise est diamétralement opposée à la nôtre. Ce n'est que lorsque ses missionnaires et ses commerçants se sont implantés dans une région exotique et y ont pris un certain développement, acquis une influence étendue, substitué leur autorité de fait à la puissance des chefs indigènes, que l'Angleterre couvre officiellement de son pavillon la nouvelle possession, l'organise en colonie ou en protectorat, et y exerce les droits de la souveraineté. Ainsi avaient procédé Pritchard et ses compatriotes à Taïti. La France avait en quelque sorte reconnu leur droit d'antériorité, en désavouant l'amiral Dupetit-Thouars, lorsqu'il avait déposé la reine et annexé ses États à la France. Il ns dépossédait pas seulement Pomaré, mais encore les missions, avant-garde de la domination britannique, et substituait la domination française à leur protectorat de fait.

Les Français avaient beau répondre que le fait pour l'Angleterre d'avoir reconnu le protectorat français sur Taïti leur donnait le droit de transformer ce protectorat en annexion, les Anglais avaient beau jeu pour répliquer que la France elle-même, sur leurs réclamations, avait reconnu l'inexistence de ce droit et désavoué l'annexion. Or, le gouvernement français avait bien désavoué l'acte de l'amiral Dupetit-Thouars, mais Taïti n'en était pas moins demeurée annexée à la France.

Allait-on se battre pour ce que Louis-Philippe appelait « les tristes bêtises de Tahïti » ? Les deux grandes nations libérales allaient-elles se disputer à coups de canon quelques îlots perdus au fond du Pacifique ? Si la France avait mis dans cette affaire la même obstination furieuse qu'y mit l'Angleterre, la guerre eût certainement éclaté. Cette exaspération anglaise n'avait pas l'incident Pritchard pour cause unique ; il n'en était même que le prétexte.

Abd-el-Kader, chassé d'Algérie par nos troupes, s'était réfugié au Maroc, y avait prêché la guerre sainte contre les Français, et le mouvement avait été si général dans ce pays fanatique, que le sultan avait dû céder et attaquer la France. Le maréchal Bugeaud avait immédiatement réuni une petite armée sur la frontière du Maroc, tandis qu'une escadre française, commandée par le prince de Joinville, prenait position devant Tanger.

Le sultan Muley-abd-er-Rhaman ayant répondu à l'ultimatum français par les échappatoires qui sont le fin du fin de la diplomatie orientale, la parole avait été laissée au canon. Tanger et Mogador avaient été successivement bombardés et, le 14 août 1844, le maréchal le maréchal Bugeaud avait mis l'armée marocaine en déroute sur les bords de l'Isly. Ces victoires portèrent au comble l'exaspération du jingoïsme britannique, qui ne pardonnait pas à la France la conquête de l'Algérie, la voyait déjà maîtresse du Maroc et en possession de commander, en face même de Gibraltar, l'entrée de la Méditerranée.

Ces craintes ne furent pas justifiées par les événements. Ni Tanger ni Mogador ne furent occupés par les marins français, et le maréchal Bugeaud s'abstint d'entrer sur le territoire marocain. Ainsi le voulut et fort sagement, le gouvernement de Louis-Philippe, qui accepta que le gouvernement anglais intervînt dans les négociations de la paix avec le Maroc. Il était impossible de donner à l'Angleterre des preuves plus décisives de notre désir de paix.

Robert Peel s'était emparé de l'incident Pritchard pour faire chorus au vacarme que menaient, dans la presse et dans les meetings, les patriotes et les prédicants. Aux Communes, il était allé jusqu'à dire que l'Angleterre avait été insultée grossièrement et indignement, et avait terminé sa réponse à une interpellation de complaisance par ces paroles : « Je pense que le gouvernement français fera la réparation qu'à notre avis l'Angleterre a le droit de réclamer. » De son côté, Guizot était interpellé à la Chambre des pairs par Molé, auquel se joignirent Montalembert et le prince de la

Moskowa pour lui demander quelle serait sa réponse aux menaces anglaises. Guizot avait employé toutes les ressources de sa dialectique pour démontrer à ses contradicteurs qu'il n'y avait pas conflit entre la France et l'Angleterre, mais simplement un minime incident colonial que la diplomatie terminerait facilement. Ce fut également sa réponse à la Chambre des députés, où Berryer, Billault, La Rochejacquelein le pressèrent en vain, en invoquant l'honneur national offensé par le ton hautainement agressif du gouvernement anglais.

Le 29 août, il exprimait officiellement des regrets au gouvernement anglais du traitement infligé à Pritchard et, le 2 septembre, une indemnité était offerte en réparation du dommage subi par le missionnaire zélé de l'expansion anglaise, en même temps que la reine Pomaré était rétablie sur son trône. Enfin, pour rassurer complètement l'Angleterre sur les intentions de la France au Maroc, le traité de paix conclu avec le sultan Muley-abd-er-Rhaman accordait à celui-ci les conditions qui lui avaient été offertes avant la guerre : il ne payait pas un sou d'indemnité et promettait seulement l'expulsion d'Abd-el-Kador du territoire marocain.

Qu'est-ce donc qui avait poussé Louis-Philippe à se montrer si conciliant, à la grande fureur de Bugeaud, qui accusait le prince de Joinville de s'être conduit comme un « grand mollasse », et à conclure si rapidement des arrangements qui donnaient les plus complètes satisfactions aux exigences et aux susceptibilités britanniques ? Était-ce son amour de la paix à tout prix ? La crainte que la France ne fût vaincue par l'Angleterre ? Non, mais la crainte de voir la Russie se rapprocher de cette dernière puissance et servir de lien à une nouvelle coalition plus difficile à rompre que celle de 1840. Le voyage du tzar Nicolas à Londres, dans le courant de juin, avait plongé Louis-Philippe dans la plus vive inquiétude, car il n'ignorait pas les sentiments que professait l'autocrate pour notre pays et son gouvernement, si résolument conservateur que fût celui-ci.

Nicolas, qui avait entouré de faste sa visite à la reine Victoria, n'était pas allé à Windsor pour y faire une visite d'apparat, mais dans le but très précis d'établir entre l'Angleterre et la Russie une entente pour la paisible possession de leurs territoires respectifs en Asie, sur les bases d'un partage amiable de leurs zones d'influence. Le Foreign Office n'avait pas accueilli ces ouvertures, mais Louis-Philippe ignorait cela, et se sentait sous la menace imminente d'une alliance anglo-russe. Passant par-dessus les récriminations de la presse et de l'opinion, il avait conclu avec l'Angleterre et le Maroc en toute hâte et, le 8 octobre, il rendait à Victoria la visite qu'elle lui avait faite l'année précédente au château d'Eu.

La jeune reine l'accueillit à merveille. Brillant causeur, désireux de mettre son interlocutrice en confiance, il parla avec un détachement léger et courtois des menues difficultés de leurs gouvernements respectifs. On retrouve un écho des conversations de Windsor dans le journal que la reine a rédigé. « Le roi, dit-elle, est un homme extraordinaire. Il a beaucoup parlé de nos récentes difficultés et de l'émotion excessive de la nation anglaise. Il a dit que la nation française ne désirait pas la guerre, mais que les Français aimaient à faire claquer leur fouet sans songer aux conséquences. Puis il a dit que les Français ne savaient pas être de bons négociants comme les Anglais, et qu'ils ne comprenaient pas la nécessité de la bonne foi qui donne tant de stabilité dans ce pays-ci. « La France, a-t-il ajouté, ne peut pas faire la guerre à l'Angleterre, qui est le Triton des mers ; l'Angleterre a le plus grand empire du monde. »

M. Thureau-Dangin, en les rapportant, affirme que Louis-Philippe n'a pu tenir sur son propre pays des propos que lui attribue la reine Victoria. Pourquoi donc ? L'historien de la monarchie de Juillet n'avoue-t-il pas que le roi était un causeur intempérant et que le désir de briller ou de plaire le portait parfois au-delà des limites de la sincérité et de la prudence ? N'avons-nous pas d'autre part ses lettres, les « notes verbales » qu'il dictait à ses agents diplomatiques ? Ne savons-nous pas, enfin, qu'il n'était allé à Londres en hâte que pour faire préférer à la reine Victoria et à son ministre l'alliance française à l'alliance russe ?

Qu'il ait reconnu la suprématie maritime, coloniale, commerciale de l'Angleterre, quoi d'étonnant à cela, puisqu'il visait à conserver à la France, par l'alliance anglaise, ses possessions d'outre-mer et à lui assurer une situation prépondérante sur le continent européen ? N'indiquait-il pas ainsi les conditions du partage d'influence et d'action des deux pays ? ne les opposait-il pas de son mieux, en usant de l'intimité quasi-familiale que son alliance avec le roi des Belges lui procurait auprès de la reine, aux offres que le tzar avait dû faire ? Lorsque, parlant de l'affaire de Taïti, d'ailleurs réglée au moment de sa visite à Windsor, il disait : « Je la voudrais au fond de la mer, et désirerais beaucoup en être débarrassé », il indiquait expressivement qu'un si mince objet ne pouvait être un obstacle au rapprochement des deux nations.

Louis-Philippe était, certes, mieux inspiré lorsqu'il faisait de telles démarches et se livrait à de si peu compromettants bavardages que lorsqu'il s'entêtait b obtenir des Chambres quelque avantage nouveau, dotation ou apanage, pour l'un de ses nombreux enfants. En partant pour l'Angleterre, il avait travaillé Guizot pour le décider à présenter enfin le projet de dotation d'un million pour le duc de Nemours, retiré en 1843, devant l'opposition presque unanime manifestée par les bureaux et la commission de l'adresse. Cette dotation se motivait par la qualité de régent éventuel donnée au jeune prince par les Chambres ; mais celles-ci estimaient qu'il serait temps de lui attribuer une part du budget lorsqu'il serait mis à même d'exercer sa fonction.

Chaque fois que Louis-Philippe demandait de l'argent pour les siens, on était sur de voir paraître une de ces brochures signées Timon, où Cormenin excellait à reprocher au roi son avidité et à rappeler à la bourgeoisie que la monarchie constitutionnelle ne devait pas coûter aussi cher que l'ancienne cour. Ces brochures avaient le succès le plus vif. Quelques unes allaient jusqu'à la quarantième édition, c'est-à-dire jusqu'à quarante mille exemplaires, car, dit Eugène de Mirecourt, « l'auteur n'a jamais consenti à ce qu'on tirât plus de mille exemplaires à la fois de ses divers ouvrages ».

Chacune de ces éditions, de la sorte, pouvait être remaniée, augmentée de considérations nouvelles fournies par l'au-jour-le-jour de la politique. Cormenin trouvait, à ces retouches et à ces additions, le plaisir le plus vif. Il les annonçait aux journaux, leur en communiquait des extraits, ce qui était « un excellent mode de publicité ». Mais, ajoute Mirecourt, d'autant plus croyable ici que, dans ses biographies, il calomnie volontiers libéraux, républicains et socialistes, « une justice à rendre à M. Cormenin, c'est que la vente de ses pamphlets fut employée par lui en œuvres de bienfaisance ».

Tout en proclamant « l'évidente justice » des demandes répétées de Louis-Philippe en faveur de ses enfants et en déplorant la « sottise méchante des objections qui y étaient faites », M. Thureau-Dangin reproche à son héros de ne pas s'être rendu compte « du péril de ces questions d'argent, surtout pour une monarchie dont l'origine révolutionnaire avait déjà diminué le prestige ». On comprend que l'historien monarchiste ne soit pas flatté d'être forcé de montrer aussi fréquemment Louis-Philippe « dans la posture d'un solliciteur éconduit. »

L'entourage de Louis-Philippe poussait de toutes ses forces Guizot à demander aux Chambres la dotation Nemours dès la rentrée. S'il l'obtenait, c'était un triomphe pour la famille royale ; s'il échouait, on était débarrassé d'un ministre dont la durée au pouvoir lassait les espérances et décourageait les ambitions de ses remplaçants en expectative, et ils étaient aussi nombreux que pressés.

Une coalition s'était formée à la cour et dans les deux Chambres, et les premiers coups devaient être portés contre Guizot dans les premières séances de la session, qui fut ouverte le 26 décembre. S'il y échappait sur la politique étrangère, il n'y échapperait pas sur la question de la dotation. Mais Louis-Philippe, désapprouvant ces manœuvres, avait aplani une partie du terrain en ne s'obstinant pas sur la demande de dotation. Il ne restait donc comme ressource à la coalition que l'incident Pritchard et le traité de paix avec le Maroc.

L'attaque commença au Luxembourg, conduite par Molé, qui, dans la discussion de l'adresse, reprocha au ministre des affaires étrangères son manque de doigté dans les négociations avec l'Angleterre et sa politique à outrance, même dans les faiblesses. Selon l'ancien ministre, Guizot avait compromis la cause du droit de visite, excellente en elle-même, par l'acceptation des conditions de l'Angleterre. À Taïti, la faute de Guizot avait été d'organiser un protectorat qui devait l'entraîner à l'annexion, en face du protectorat de fait des missions anglaises.

L'attaque ne portant pas sur le principe vicieux de sa politique, Guizot n'eut pas de peine à la déjouer, et à prendre tous ses avantages sur un adversaire qui ne l'incriminait qu'à cause des résultats obtenus. Il lui fut facile de répondre à son prédécesseur : « Qu'auriez-vous fait à ma place ? » et de l'embarrasser. Ayant passé à l'offensive, où il excellait, Guizot demanda à Molé comment, s'il prenait sa place, il pourrait suivre sa politique, à lui, Molé, qui était la politique de Guizot, après l'avoir renversé avec le concours d'une majorité qui n'approuverait pas cette politique.

Devant la Chambre, Guizot trouva en face de lui un antagoniste d'une autre envergure. Très habilement, Thiers établit une connexion entre les actes les plus récents du ministère : « C'est à l'affaire de Taïti, dit-il, que vous avez sacrifié nos intérêts au Maroc. » Guizot eût pu avouer, montrer que, désormais, la tranquille possession de Taïti nous était acquise, moyennant l'indemnité Pritchard et une démarche diplomatique. Il préféra nier toute connexion entre les deux affaires, déclarer qu'il avait, dans l'affaire du Maroc, accueilli les bons offices de l'Angleterre pour la conclusion de la paix, et que, pour celle de Taïti, l'indemnité versée à Pritchard n'annulait pas les motifs légitimes qu'on avait eu de l'expulser, mais se justifiait par certaines circonstances regrettables et blâmables de cette opération de police.

À Thiers succéda Dupin, qui, flairant la défaite, apportait son concours aux plus forts. D'autres encore se détachèrent de la majorité ministérielle : Saint-Marc Girardin et de Carné. Billaut adjoignit aux coalisés les forces de l'opposition. Mais, au vote, Guizot l'emporta de cinq voix. C'était une faible majorité, c'était même une minorité si l'on défalquait les députés ministres. Mais, devant le scrutin, c'était la majorité ; et d'autre part, Louis-Philippe n'entendait pas se séparer de Guizot qui, dans ces affaires, l'avait servi et soutenu selon ses intentions.

Pour apprendre à ses députés et pairs fonctionnaires leurs devoirs, et donner la mesure de leur indépendance parlementaire, et maintenir les autres dans la soumission qu'ils devaient avant tout au pouvoir, Guizot, au lendemain de ce débat, révoqua Drouyn de l'Huys, directeur au ministère des affaires étrangères, et le comte Alexis de Saint-Priest, ministre de France à Copenhague, qui avaient, nous dit M. Thureau-Dangin, « l'un comme député, l'autre comme pair, pris hautement parti pour l'opposition ». Comme ministre des affaires étrangères, il fit bien ; mais pourquoi admettait-il ses subordonnés dans le Parlement, sinon pour fausser le peu qu'il y avait de représentation nationale dans les élus de la bourgeoisie ?

La santé de Villemain ne s'étant pas rétablie, on l'avait remplacé au ministère de l'instruction publique par Salvandy, qui n'était pas, lui, un adversaire des congrégations. Aussi entreprirent-elles de ne pas s'en tenir aux avantages obtenus par le maintien du statuquo, en tout cas de les utiliser dans la mesure du possible et de l'impossible. Au premier rang, et menant toute l'Église au combat, était la société de Jésus. « Nous sommes tous jésuites, » disait un évêque, et il disait vrai.

Le temps n'était plus où la puissance des jésuites était niée par ceux qui y participaient et la servaient, où l'évêque de Chartres en parlait comme d'un « fantôme disparu depuis treize ans ». Voici ce qu'il disait d'eux en 1843 : « C'est un petit nombre d'hommes retirés du monde et dont on veut faire croire que la main toute-puissante y remue tout par des ressorts invisibles : Quelle misérable comédie ! Que sont aujourd'hui les jésuites ? Où sont leurs biens ? Où est leur fortune ? Ont-ils donc en leur pouvoir quelqu'un de ces moyens qui, par la nature des choses, mettent seuls en état d'agir sur la disposition générale des esprits et sur la marche des affaires humaines ? Nous déclarons ici, hautement, que cette supposition n'est qu'une fable ridicule, une fiction grossière et sans ombre de réalité. »

Deux ans avaient suffi pour changer le ton des champions de l'Église. Ils avouaient les jésuites, leur nombre, leur puissance, non parce que, pressés par l'évidence, ils ne pouvaient continuer de mentir, mais parce que, sûrs du triomphe, ils pouvaient en hâter le moment en déployant la bannière du Gesù sous laquelle ils étaient tous rangés. Mais c'est toujours la victoire qui les a perdus. C'est dans les temps où ils se plaignent, où ils se disent persécutés, et où en effet l'État s'oppose sérieusement à leurs empiétements, qu'ils utilisent les ressorts d'opposition et de sentiment et accroissent leurs forces et leur nombre. Un pouvoir complice leur donne-t-il la sécurité de l'aveu public et l'espérance d'une conquête définitive : le péril qu'ils sont apparaît à tous les yeux, et la société entière se dresse contre eux et les ramène par contrainte à l'humilité chrétienne.

En vain le garde des sceaux avait demandé à Montalembert, qui l'interpellait hautainement aux Pairs, de parler moins haut et de ne pas attiser le feu. Ivres de leur force déployée, les jésuites de robe courte, de robe longue, prêtres et évêques, car toute l'Église était à eux, taillaient et tranchaient, censuraient avec insolence, bravaient les lois, insultaient les ministres pour obtenir d'eux non plus des complaisances, mais une soumission absolue. Le cardinal de Bonald, critiquant le livre de Dupin sur les Libertés de l'Eglise gallicane, contestait formellement la validité des articles organiques. Rappelé à l'ordre par le Conseil d'État, il déclarait ne relever, en ces matières, que du pape, qui seul avait le droit de le juger : « Jusque là, disait-il, un appel comme d'abus ne peut pas même effleurer mon âme. » Le pape lui donnait raison en faisant condamner le livre « hérétique » de Dupin par la congrégation de l'Index, et soixante évêques se solidarisaient avec le séditieux cardinal. Mais si le gouvernement se bornait à contenir platoniquement les plus furieuses manifestations de l'effervescence cléricale, la société civile, dans ses éléments les plus sains, les plus robustes, les plus cultivés, ne s'abandonnait pas. Michelet, dans un livre retentissant, frappait à la tête, attaquant directement les jésuites, montrant qu'ils étaient désormais les maîtres de l'Église. « Le jésuitisme, disait-il, agit puissamment par ceux qu'on lui croit étrangers, par les sulpiciens qui élèvent le clergé, par les ignorantins qui élèvent le peuple, par les lazaristes qui, dirigeant six mille sœurs de charité, ont la main dans les hôpitaux, les écoles, les bureaux de bienfaisance, etc. Tant d'établissements, tant d'argent, tant de chaires pour parler haut, tant de confessionnaux pour parler bas, l'éducation de deux cent mille filles, la direction de plusieurs millions de femmes, voilà une grande machine. »

Un autre professeur, Guérin, dans les Jésuites et l'Université, dénonçait avec un grand succès leurs polémiques et leurs agissements, Cuvilier-Fleury, pourtant si fortement attaché à la monarchie de Juillet et à la conservation sociale, les signalait comme des « hypocrites patentés », des « marchands d'indulgences », des « pourvoyeurs d'absolution », des « colporteurs de pieuses calomnies. Enfin, et ceci montre que l'insurrection des consciences était générale, le Journal des Débats lui-même les dénonçait comme « un monument vivant du mépris de la loi ». On relisait Pascal et Voltaire. Les Découvertes d'un bibliophile, une brochure où la casuistique des jésuites et l'immoralité des questions traitées dans le chuchotement du confessionnal étaient mises à jour par des textes empruntés à leurs livres sur les cas de conscience, étaient dans toutes les mains. Dans le Juif Errant, Eugène Sue campait son inoubliable jésuite Rodin et enrichissait le Constitutionnel, dont tout le monde s'arrachait le feuilleton.

M. Thureau-Dangin, qui a toutes les tendresses des conservateurs de notre temps pour les jésuites, croit que ce soulèvement de la conscience publique fut un instrument de l'opposition. Il rappelle ironiquement le mot de Benjamin Constant à Corcelles : « On a bien tort vraiment de s'embarrasser pour l'opposition ; quand on a rien, eh bien... il reste les jésuites ; on les sonne comme un valet de chambre, ils arrivent toujours. » Si vraiment le grand orateur libéral avait tenu un tel propos, cela nous serait une preuve de plus qu'il existe entre l'esprit jésuite et le sentiment public une opposition irréductible, que le jésuite est bien l'ennemi de la société, puisqu'il suffit d'évoquer ce spectre pour la dresser sur la défensive. Mais aujourd'hui encore, soixante ans après un débat qu'on croyait décisif, c'est bien à un revenant que nous avons affaire, un revenant bien en chair et non un vain spectre produit par une hallucination.

Cette société-fantôme qui, légalement, n'existait pas, demandait cependant le secours des lois, et l'obtenait. Au commencement de 1845, un employé à l'économat des jésuites, nommé Affnaer, ayant friponné quelque deux cent mille francs à ses maîtres, fut déféré par eux aux tribunaux, qui reçurent leur plainte bien qu'ils n'eussent aucune existence légale. Le voleur se vengea en publiant un livre où étaient dévoilés les mystères de la comptabilité de l'ordre, par quels moyens il s'enrichissait, et quelle était son organisation intérieure.

Proudhon croit avoir aperçu qu'à Lyon tout ou moins, à mesure que le pouvoir tournait à la religiosité, le peuple abandonnait le catholicisme, l'incroyance de la bourgeoisie libérale gagnant le peuple : « Il existe déjà une multitude de ménages qui ont rompu toutes relations avec l'Église, écrit-il en août 1844 ; on ne baptise plus les enfants ; on ne marie plus ecclésiastiquement, plus de premières communions, plus d'enterrements ; des hommes de lettres, des médecins, de bons bourgeois suivent ce courant. »

Le philosophe révolutionnaire a généralisé, cela est évident, le mouvement qu'il a aperçu dans le milieu où il vivait. Il n'en demeure pas moins certain qu'alors que la bourgeoisie distinguait entre le cléricalisme et la religion, rejetant celui-là et gardant celle-ci, les travailleurs qui se passionnaient pour la lutte contre le jésuitisme rejetaient à la fois l'un et l'autre. Mais ceux-là n'étaient pas la majorité, et beaucoup même faisaient comme les bourgeois, se faisaient dans le catholicisme une religion dont ils prenaient et dont ils laissaient, suspectaient et combattaient le prêtre, mais le supportaient aux moments décisifs de la vie, par habitude autant que par un reste de foi.

L'audace des jésuites était telle, et tel le haro public sur eux, qu'en mars 1845, Cousin, à la Chambre des pairs, demandait au gouvernement s'il allait enfin se décider à exécuter les lois, Martin (du Nord) s'était dérobé à cette question directe, que Thiers reprit à la Chambre, où, le 2 mai, il interpella le gouvernement sur la question que nul ne pouvait plus éluder. Les cléricaux eux-mêmes, sûrs de leur force, recherchaient la bataille ; ils y eussent poussé le gouvernement par quelque éclat s'il ne l'avait pas acceptée. Ils donnèrent de toutes leurs forces : Carné cria à la persécution et proclama la « faiblesse » de l'Église en face de ses persécuteurs. Plus crâne, Berryer avoua la puissance des jésuites, fît de leur existence de fait la base de leur droit, se réclama de la liberté. Toucher aux jésuites, c'était attenter à la liberté de l'Église, telle fut la thèse des orateurs catholiques.

Dupin et Thiers s'attachèrent à démontrer que la religion était une chose, et le jésuitisme ou le cléricalisme une autre. Le ministre des cultes eut une attitude embarrassée qui ne satisfit ni les uns ni les autres, et il dut laisser adopter l'ordre du jour déposé par Thiers, l'invitant en ces termes à supprimer la société fameuse : « La Chambre, se reposant sur le gouvernement du soin de faire exécuter les lois de l'État, passe à l'ordre du jour. »

Comment Louis-Philippe, qui disait bien haut sa résolution de ne pas « risquer sa couronne pour les jésuites, » allait-il se tirer de là ? On ne pouvait plus, comme au temps où l'Église était gallicane, nationale, séculière, frapper les jésuites sans la trouver en face de soi, sans l'atteindre elle-même.

Le comte Rossi fut chargé de négocier avec le pape un semblant de soumission aux volontés de la nation, si universellement exprimées. Grégoire XVI parut impressionné par le tableau que lui fit cet ambassadeur extraordinaire de l'état des esprits en France. S'il ne paraissait pas céder, des troubles, bien autrement graves que le sac de l'archevêché en 1831, étaient à craindre.

D'ailleurs, Rossi ne demandait pas grand'chose : simplement « que les jésuites se missent dans un état qui permît au gouvernement français de ne pas les voir et qui les fit rester inaperçus, comme ils l'avaient été jusqu'à ces dernières années ». Le pape feignit de consulter la Congrégation des affaires ecclésiastiques et déclara qu'il ne pouvait donner d'ordres aux jésuites de France. Il acceptait cependant de leur faire parvenir des conseils par quelques cardinaux.

Les jésuites surent vite, étant les maîtres de l'Église, où en étaient les négociations. Le P. Rozaven écrivait de Rome au P. Ravignan, à la date du 28 juin : « Vous savez sans doute que M. Rossi a complètement échoué dans sa mission. Le secrétaire de la légation est parti, il y a quelques jours, porter à Paris l'ultimatum. » Ainsi c'était l'Église qui adressait un ultimatum au gouvernement français. Ce trait en dit long sur la comédie qui se jouait et sur l'attitude prise par Guizot. Le jésuite poursuivait ainsi son intéressante communication : « On fera peut-être courir le bruit de quelques concessions qu'aurait faites le Saint-Siège, mais n'y ajoutez pas foi. Le fin diplomate n'a rien obtenu, ni par ruse ni par intimidation. »

À Paris, cependant, le gouvernement faisait insérer au Moniteur du 6 juillet la note suivante : « Le gouvernement du roi a reçu des nouvelles de Rome. La négociation dont il avait chargé M. Rossi a atteint son but. La congrégation des jésuites cessera d'exister en France et va se disperser d'elle-même ; ses maisons seront fermées et ses noviciats dissous. » Cette note inquiéta un instant les jésuites de France. On a vu comment le P. Rozaven les mit au courant. De son côté, le cardinal Lambruschini écrivait, le 4 août, au nonce à Paris :

« Quant à l'étendue des mesures à prendre, jamais il n'a été question, pour les jésuites, de perdre ou d'aliéner leurs propriétés, de fermer leurs maisons et de ne plus exister en France ; et, comme, après la lecture de la note ministérielle, je réclamais auprès de M. Rossi, celui-ci déclara nettement qu'il ne l'avait point écrite. Des personnes qui se croient bien informées affirment aussi que M. Rossi a fait savoir indirectement au R. P. Général des jésuites qu'il ne fallait pas entendre les paroles au pied de la lettre. Votre Excellence pourra dire, aux jésuites, sous forme de conseil, de s'en tenir à ce que leur P. Général leur prescrira de faire ; ils ne sont nullement obligés d'outrepasser les instructions de leur supérieur. »

On voit, d'après ces textes, combien M. Debidour, qui les reproduit dans son Histoire des rapports de l'Église et de l'État, a raison de dire que la note du 6 juillet était « un impudent mensonge ». Sur quarante-sept établissements que possédaient les jésuites en France, ils en fermèrent cinq : les trois maisons professes de Paris, de Lyon et d'Avignon, et les deux noviciats de Saint-Acheul et de Laval. La maison professe de la rue des Postes se dédoubla d'ailleurs pour former les établissements de la rue du Louvre et de la rue de Sèvres, et rouvrit elle-même un peu plus tard. M. Thureau-Dangin avoue d'ailleurs la comédie jouée alors, sans chercher à dissimuler sa satisfaction.

« Les Chambres s'étaient séparées, dit-il ; les journaux parlaient d'autre chose. Le ministère, plus libre de suivre ses propres inspirations, renonça sans bruit aux mesures annoncées avec tant d'éclat dans le Moniteur... Il y eut des déplacements, des disséminations, des morcellements gênants, pénibles et coûteux pour la Compagnie ; mais pas un jésuite ne quitta la France, pas une maison ne fut fermée : il s'en ouvrit au contraire de nouvelles. » Et l'historien clérical ajoute en riant largement : « M. Guizot laissa faire et n'exigea pas davantage. » Ah ! ce bon « M. Guizot », qui n'exigea pas des jésuites qu'ils ouvrissent plus de maisons qu'ils ne pouvaient... Le trait ne vous semble-t-il pas exquis, et « M. Guizot » ne vous paraît-il pas avoir le remerciement qu'il a mérité ?

À ce semblant de persécution, les jésuites répondirent naturellement par un tapage de plaintes et de gémissements, ameutèrent tous les fidèles, lièrent à leur cause — et ils avaient raison — celle de l'Église tout entière. On était à la veille des élections, le gouvernement ne voulait pas se brouiller avec la droite, en face du développement continu du parti libéral et du parti démocratique. On lui avait demandé de frapper les jésuites ; après le simulacre qu'on a vu, il frappa réellement et de toute sa force sur leurs adversaires. Les cours de Mickiewicz et d'Edgar Quinet furent suspendus.

Pour frapper le cours de Quinet, le ministre Salvandy dut prendre conseil de la Congrégation, tant le moyen employé fut jésuitique. Il demanda au professeur une modification au titre de son cours, d'enlever « des institutions » au titre des Littératures et des institutions comparées de l'Europe méridionale. Quinet, à qui, par ce moyen détourné, on interdisait de parler de Rome et de l'Inquisition, refusa. Son cours fut alors définitivement interdit. Cette mesure souleva l'indignation de la jeunesse studieuse, et lorsque, dans sa chaire, Michelet rappela l'intimité de cœur et d'âme qui l'unissait à son frère de combat, une longue ovation salua ces paroles courageuses.

Quelques semaines après, Salvandy avouait ses sentiments à l'égard de l'Université en présentant à la signature du roi une ordonnance qui ajoutait pour une année vingt conseillers extraordinaires au Conseil royal de l'enseignement chargé de préparer un nouveau projet de loi sur l'enseignement. Ces vingt instruments dociles du gouvernement dompté par l'Église étaient introduits dans le conseil de l'Université, par ce que M. Debidour appelle justement « une sorte de coup d'État ». Cousin, au Luxembourg, Thiers, Dubois, Saint-Marc Girardin à la Chambre, attaquèrent cette mesure. Guizot avoua que l'ancien Conseil royal « représentait trop exclusivement la cause de l'Université », et que, d'autre part, le régime de l'Université était en opposition avec « les droits des croyances religieuses ». La majorité, cette fois, laissa faire, et le gouvernement put préparer à loisir la loi sur l'enseignement, qui devait, dans son esprit et selon les espérances hautement avouées du parti clérical, être une loi contre l'Université.

Tandis que le gouvernement s'apprêtait ainsi à seconder l'œuvre d'obscurcissement de l'esprit humain, les champions parlementaires de la société moderne n'étant pour la plupart guidés que par l'appât du pouvoir, et ne se servant de leur thèse que comme d'un moyen de le conquérir, où en était-on, en 1845, dans la partie réellement pensante, vivante, agissante de la société ? Jamais l'art, la littérature, les sciences, la libre recherche dans tous les domaines, n'avaient montré plus admirable ensemble, plus luxuriante floraison.

En face d'Ingres, maître impeccable de la ligne, Delacroix fait éclater la couleur et donne la vie au dessin ; Corot, Millet, Jules Dupré font palpiter la nature dans leurs admirables paysages. Delaroche ressuscite l'histoire dans ses tableaux et décore l'hémicycle de l'École des Beaux-Arts. Et tandis que Rude campe sa Marseillaise si formidablement hurlante au pied de l'Arc de Triomphe de l'Étoile, David d'Angers inscrit son génie au fronton du Panthéon rendu au culte des grands hommes. Daumier jette son crayon terrible à la face des puissants, caricature le Ventre législatif, et son Gargantua venge les affamés.

Berlioz, encore étouffé par le mauvais goût qui rive la musique française à la décadence italienne, proteste en beauté et en force par la Damnation de Faust. C'est le moment où le saint-simonien David, retour d'Orient, fait exécuter sa symphonie du Désert, et où Béranger console les utopistes socialistes des railleries bourgeoises par sa belle chanson des Fous. Pierre Dupont commence à chanter en hymnes larges la majesté du travail.

Au théâtre, les drames de Félix Pyat bafouent les puissances établies, ceux d'Alexandre Dumas font de l'histoire une imagerie populaire qui montre en raccourci la cruauté de Charles IX, l'ignominie de Henri III et symbolise l'avidité cléricale en Gorenflot, le moine pansu et glouton. Victor Hugo, que l'Académie française a dû admettre, après l'avoir repoussé trois fois, vient d'être nommé pair de France, après avoir rimé des Odes sur Napoléon que les éditeurs présentent au public comme une « véritable épopée napoléonienne ».

Mais avant de marquer un repos dans son œuvre immense, où son âme s'est « mise au centre de tout comme un écho sonore », il a lancé coup sur coup à la foule éblouie Notre-Dame de Paris, où Claude Frollo met son pouvoir de prêtre au service de sa passion d'homme ; Marion Delorme, où l'amour refait une virginité à la courtisane ; le Roi s'amuse, qui montre un roi se vautrant dans la crapule ; Lucrèce Borgia, la fille incestueuse d'un pape ; Marie Tudor, bourreau de son peuple pour l'amour de l'Église ; Ruy Blas, où un valet fait la leçon aux ministres et se fait aimer d'une reine ; tant d'autres œuvres :les Chants du Crépuscule, les Rayons et les Ombres, les Voix intérieures, qui imposent son génie et forcent l'adversaire à l'admiration.

Dans le roman, c'est Balzac qui a pris son plein essor. Nous sommes au moment où la Presse, de Girardin, doit interrompre la publication en feuilleton des Paysans, devant une menace de désabonnement en masse. Il poursuit, morceau à morceau, sa géniale Comédie humaine où, en représentant le monde qui s'agite dans son puissant cerveau, il crée les exemplaires qui se modèleront sur ses Vautrin, ses Rastignac et ses Rubempré. Il aperçoit l'influence sociale de l'argent et la met au premier plan dans son œuvre. Fraternellement, il découvre, et impose à l'admiration publique le génie de Stendhal, dans la magistrale étude qui servira désormais d'introduction à la Chartreuse de Parme.

C'est George Sand, sur qui Proudhon épuise en vain son injuste sarcasme, George Sand, qui proclame les droits de l'amour en face des conventions sociales et commence, au moment où nous sommes, la série de ses romans socialistes, ouverte par Spiridion en 1840, continuée, en 1845 et 1846, par les Compagnons du Tour de France, le Meunier d'Angibault, le Péché de M. Antoine. Eugène Sue, engagé dans la voie socialiste par la lecture des ouvrages des fouriéristes et des saint-simoniens, n'en sortira plus : il prépare les Misères des enfants trouvés et les Mystères de Paris, où, à défaut de doctrine précise, se trouve une peinture si vive des inégalités sociales.

« Ne craignons pas, écrit Jules Duval, dans les Progrès de la cause sociétaire en 1845, de mentionner comme inspirées par les livres de Fourier, parce que telle est la vérité, bien qu'elles n'émanent pas de notre propre centre d'activité, des œuvres littéraires qui portent l'empreinte de notre théorie. Parmi elles brillent au premier rang le Juif errant, d'Eugène Sue. et le Diogène, de Félix Pyat. » De son côté, Enfantin écrivait à un ami : « J'ai fait lire à Sue Nouveau Christianisme, la lettre d'Eugène et la Morale ; ainsi, vous voyez que je n'oublie pas mon métier, mais que je le fais peu à peu, petit à petit. Le Juif errant sera : Aimez-vous les uns les autres. Vous voyez donc qu'il a compris sa lecture du Nouveau Christianisme. >

Dans le même moment, la science marche à pas de géant dans l'œuvre de libération générale. D'abord, ses découvertes sont tournées contre les prolétaires, dépossédés de l'instrument de travail, asservis à la machine et parfois écartés. Mais, est-ce sa faute si les abeilles scientifiques sont volées par les frelons capitalistes ? Elle n'en introduit pas moins, par la force même des choses, un élément de révolution indéfinie, et met à la portée de tous des objets dont seule une minorité jouissait auparavant. Ainsi, par exemple, de la photographie, que Daguerre vient d'améliorer et que Becquerel va encore perfectionner, tout en poursuivant ses recherches fructueuses sur l'électricité. Marsan et Bréguet utilisent la découverte de Faraday sur les phénomènes d'induction en électricité ; Ruhmkorff perfectionnera bientôt leurs appareils. Gay Lussac poursuit ses recherches parallèles en physique et en chimie. François Arago a terminé sa grande carrière scientifique et se donne à la politique, tout en continuant de diriger l'Observatoire.

« Nous sommes un peuple qui s'ennuie », disait alors Lamartine, qui avait déposé la lyre du poète et ouvrait devant lui son admirable carrière d'orateur. Avouons qu'il était bien difficile à émouvoir et à intéresser, ou plutôt appliquons le mot de Lamartine à la détestable politique qui se faisait à une époque grande entre toutes dans l'histoire de l'esprit humain.

Chapitre VIII
L'Europe, le libéralisme et les nationalistes

Conclusion du traité du droit de visite. — La comédie des mariages espagnols. — L'Angleterre, furieuse d'avoir été jouée, rompt l'entente cordiale. — Jacquerie impériale en Galicie. — Chute finale de la république de Cracovie. — L'élection de Pie IX donne des espérances au libéralisme et des craintes à l'absolutisme. — Les Irlandais refusent de s'allier aux ouvriers anglais. — Le cléricalisme en Suisse : défaite du Sonderbund.

La visite de Louis-Philippe à la reine Victoria procura enfin au cabinet de Robert Peel une satisfaction à laquelle l'Angleterre tenait beaucoup. Mais elle ne la reçut pas complète. Fort des répugnances manifestées à diverses reprises par la Chambre, Guizot put obtenir de sérieuses modifications au traité du droit de visite, qui fut enfin signé le 29 mai 1845 ; sur les bases suivantes : la zone de surveillance pour la répression de la traite des esclaves était limitée à la côte occidentale d'Afrique ; la France et l'Angleterre s'engageaient à entretenir dans ces parages le même nombre de croiseurs, fixé à vingt-six pour chaque puissance ; la réciprocité du droit de visite entre les deux puissances était abolie, chacune d'elles ne pourrait visiter que les navires portant son pavillon et ceux des pays dont les gouvernements avaient conclu avec elle des traités sur le principe du droit de visite. De ce fait, les traités- de 1831 et de 1833 étaient suspendus et une clause de la convention, déclarait qu'ils seraient considérés comme abrogés, s'ils n'avaient pas été formellement remis en vigueur au terme de cette convention nouvelle.

C'était une victoire pour la diplomatie française, due surtout à l'opposition parlementaire. Guizot ne l'en inscrivit pas moins à son actif. Cette victoire était d'ailleurs celle du bon sens et de l'équité. Mais le jingoïsme d'outre-manche, qui entendait les choses autrement, fit un grief au ministère de Robert Peel de ce qu'il appelait une capitulation devant les exigences françaises. Et pour maintenir sa situation en face d'une opposition libérale qui ne lui ménageait les difficultés sur aucun terrain, le cabinet tory manœuvra en Espagne de manière à contrarier les visées de Louis-Philippe et à donner pour époux à la jeune reine Isabelle un prince de Saxe-Cobourg, Léopold, cousin du mari de la reine Victoria et frère du prince Ferdinand, qui avait épousé, en 1836, la reine de Portugal. Réussir, c'était asseoir la domination de l'Angleterre sur l'Espagne comme sur le Portugal. Robert Peel s'y employa de son mieux.

Mais avant de raconter la double intrigue qui se noua autour des mariages espagnols, il nous faut reprendre les événements au moment où un soulèvement militaire plaça Espartero au pouvoir. Pour mettre fin aux intrigues de cour, ce général avait exilé la régente Marie-Christine, mère de la jeune veine Isabelle. Espartero n'avait rien d'un libéral, que l'étiquette. Il était simplement le plus audacieux et le plus heureux des chefs militaires qui disputaient le pouvoir aux chefs de l'aristocratie sous la faible et incohérente régence d'une femme.

Un vote des Cortès donna la régence à Espartero en 1841. C'était la donner à l'Angleterre, dont il était le partisan déterminé. Sa politique économique, qui mettait l'Espagne dans la clientèle anglaise, pouvait être acceptée par les provinces agricoles, mais non par celles qui se vouaient à l'industrie, pour laquelle l'entrée en Espagne des produits anglais constituait une concurrence désastreuse. La Catalogne s'agita, une émeute éclata à Barcelone, où la foule brûla les marchandises anglaises. Espartero réprima cruellement cette tentative d'insurrection.

Mais à peine en avait-il fini de ce côté, que les provinces basques, à leur tour, entraient en effervescence pour le maintien de leurs privilèges séculaires, qui, sous le nom de fueros, leur constituaient une quasi-autonomie. Les bandes carlistes se reformèrent et commencèrent leurs courses déprédatrices. Nous trouvons dans une lettre qu'Edgar Quinet adresse à Michelet un tableau assez exact de la vie espagnole au milieu de toute cette agitation des années 1842 et 1843.

« Je me suis arrêté à Burgos, écrit Edgar Quinet, et c'est à cela que je dois de n'avoir pas été dévalisé. J'ai vu dans les journaux une lettre des voyageurs de ce courrier qui racontent qu'ils ont été attaqués à Lerne et remercient ces messieurs de s'être contentés de les voler. »

Quinet note encore « qu'il ne sort pas de Madrid une voiture sans être escortée. Personne ne fait attention à cela. C'est la vie ordinaire. » Dans une autre lettre, il dit à Michelet que la malle-poste qu'il va prendre a été attaquée trois fois ; au dernier coup, on a tué deux chevaux ». À part ces émotions, c'est un pays charmant, où chacun fait ce qu'il veut : « Vous ne pouvez vous figurer comme chacun vit à l'aise et tranquille, sans gouvernement, et dans une anarchie complète. »

À l'aise et tranquille, il ne l'est pourtant pas, le malheureux don Thomas Bue, dont Quinet nous raconte ainsi la fin : « Lundi dernier, dans la petite ville de Morella, au moment où la municipalité entrait dans l'église, don Thomas Perranoya, qui se dit défenseur de la religion de Jésus-Christ, saisit don Thomas Rua, secrétaire de ladite municipalité. Il l'emmena sur la Piazza Mayor où il le décolla sur-le-champ, sans lui laisser le temps de la confession. Le soir, divertissement autour du cadavre et concert, composé de deux flûtes, deux clarinettes, un cor, avec accompagnement de castagnettes, chaque exécutant à un franc (una peseta) par tête. »

« L'Univers n'en est pas encore là », ajoute le narrateur en songeant aux excitations furibondes que, dans le moment, Louis Veuillot prodigue aux cléricaux français. Cependant Quinet est si engagé lui-même dans cette lutte qu'il en arrive à dire, contre toute raison et toute apparence, que « la France a l'air, aujourd'hui, cent fois plus monacale que l'Espagne », et que, tenant « le nôtre suspect de philosophie et d'hérésie ». le clergé espagnol n'a pas suivi les conseils des « gens de l'Univers. » qui « ont cherché à étendre ici la Sainte-Ligue ». Les cléricaux repoussent ces conseils parce qu'ils peuvent dire à leurs frères de France : Ici, nous ne parlons pas ; nous agissons. C'est, en effet, être infecté de « philosophie et d'hérésie » que de combattre les ennemis de la foi et du roi avec des feuilles de papier imprimé, quand l'escopette et le tromblon peuvent faire de si rapide et de si bonne besogne.

« On vit au milieu d'une révolution sans révolutionnaires », dit encore Quinet. Il est, cette fois, complètement dans le vrai. C'est en vain qu'il chercherait ce qu'on appelle en France et en Angleterre des libéraux. « Le peuple, dit-il, est carliste et absolutiste, les littérateurs, les hommes connus, sont doctrinaires et archi-conservateurs. On ne sait d'où vient le vent qui souffle sur ce pays. Les Cortès, que je suis, et le Sénat font assaut de modération et d'humilité. Chacun s'en remet aux conseils de « Reina adorada », qui doit passer bien tristement son temps, dans ce grand palais désert et déjà habité par les pigeons sauvages. »

Oui, certes, le pouvoir de cette reine de treize ans est aux mains de ses « conseils ». Espartero lutte contre la camarilla de grands d'Espagne qui entourent le trône. Les élections aux Cortès sont des parodies du système représentatif. Le parti au pouvoir désigne ses candidats, fixe le contingent de ses députés, celui de l'opposition, qu'il faut bien tout de même admettre pour la forme. Les choses n'ont guère changé depuis, malgré plusieurs révolutions.

Le socialiste Pecqueur a vu avec une grande sagacité les causes de cet arrièrement politique de la péninsule ibérique. Examinant la situation de l'Espagne et du Portugal aux quinzième et seizième siècles, il dit que ces pays étaient « tout à la fois agriculteurs, industriels et commerçants » ; ils comptaient alors « parmi les plus libres des nations contemporaines ». Aujourd'hui, ils sont presque exclusivement agriculteurs, « leur commerce et leur industrie sont morts sous les atteintes réitérées du despotisme et sous le dissolvant de la corruption générale : précisément, leur liberté est également morte ».

Cependant, observe-t-il, « des deux parts, c'est la même race au quinzième et au dix-neuvième siècles ». Oui, mais les libertés publiques ne peuvent se fonder sur le régime féodal ou patriarcal qui convient à l'agriculture, mais seulement sur le régime capitaliste, le régime de l'industrie et de l'échange. Aussi Pecqueur se trouve-t-il en droit de conclure, dix ans avant Karl Marx, que le phénomène économique agit sur « la volonté, les mœurs, l'activité », et de déclarer qu'« on ne saurait citer un seul pays où l'on s'adonne au commerce extérieur, où la face industrielle soit développée, ni où, en même temps, la masse s'immobilise dans la servitude ».

C'est dire s'il prend en pitié, dans le tableau politique et économique qu'il trace de l'Espagne, la caricature de libéralisme dont s'affublent les compétitions des partis. « Certes, il est bon, dit-il, que l'Espagne ait ses Cortès, son statut réal, ses élections » ; mais tout cela ne sera que comédie si l'on ne donne à ce régime politique une réalité par « d'activés, de fécondes entreprises matérielles, une organisation générale du travail, une action prodigieuse et persistante sur un sol négligé, redevenu inculte ou infertile et déjà envahi par les influences délétères d'une demi-barbarie. » Après trois quarts de siècle, si l'on en excepte la Catalogne et les régions industrielles du Nord, ces paroles du vieux socialiste si longtemps méconnu sont encore de la plus éclatante vérité, et chacun des événements qui agitent ce malheureux pays, en proie aux grands seigneurs terriens et au clergé, nous en apporte une nouvelle confirmation.

Tandis que, dans le grand palais désert, Espartero tentait de maintenir Isabelle sous sa domination, la reine-mère, réfugiée à Paris, multipliait les exhortations et les encouragements à ses partisans demeurés en Espagne. Les mécontents que faisait Espartero, les chefs militaires jaloux de sa grandeur, les officiers de la garde royale licenciés en grande partie, se joignaient aux christinos en des conciliabules qui aboutirent à une prise d'armes. L'un deux, O'Donnel s'empara de la citadelle de Pampelune, et bientôt toute l'Espagne du Nord fut en armes. Espartero envoya des troupes, qui se joignirent aux révoltés.

Les partisans de l'ex-régente Marie-Christine, dans le même moment, tentaient d'enlever la jeune reine et sa sœur, avec la complicité d'une partie de la garde du palais. Mais les soldats fidèles à Espartero tinrent bon. Une bataille sanglante s'engagea dans les corridors, au seuil même de la chambre où, tremblantes, les deux jeunes filles s'étaient réfugiées. La victoire resta au régent, et les princesses entre ses mains. Il reprit l'avantage sur O'Donnel et supprima ce qui restait des fueros en assimilant les provinces basques au reste de l'Espagne, sous une constitution politique unitaire.

Ce fut un échec pour Louis-Philippe, qui avait soutenu de son mieux, sans se compromettre, sans mettre aucun de ses agents en avant, la tentative de Marie-Christine. Espartero était dès lors le maître absolu de l'Espagne. Sa victoire sur O'Donnel avait confirmé le titre de duc de la Victoire que lui avait donné la régente avant qu'il la jetât à l'exil. Il prononça la dissolution des Cortès, mais les élections tournèrent contre son gré. La nouvelle majorité, se faisant l'écho du sentiment public, voulait qu'il se débarrassât de deux généraux réprouvés pour leur cruauté : Linage et Zurbano. Soit par fidélité envers ses compagnons d'armes, soit par crainte de les voir susciter contre lui un mouvement militaire, Espartero s'obstina à les garder auprès de lui.

Les députés s'obstinèrent, mirent en minorité le ministère qu'il constitua, conspuèrent l'un des ministres qui était allé s'asseoir à son banc de la Chambre en uniforme, bien qu'il ne fût pas député, un autre ministre qu'ils traitèrent de voleur, et rendirent tout gouvernement impossible. Espartero suspendit d'abord la session, puis prononça une nouvelle dissolution, à laquelle répondit immédiatement une insurrection qui éclata presque simultanément à Grenade et à Barcelone. La junte insurrectionnelle de Grenade nomma Narvaez, le confident de Marie-Christine, capitaine général de Valence et de Murcie.

Espartero se mit immédiatement en campagne, mais tandis qu'il bombardait Séville, Narvaez entrait à Madrid, s'emparait du gouvernement et envoyait Concha au secours de la ville assiégée. Vaincu, Espartero s'enfuit en Angleterre. Un général venait de vaincre un général. La cause de la liberté ne devait rien y gagner. Le simulacre des élections amena aux Cortès une majorité favorable aux vainqueurs. La défaite d'Espartero. que les chefs politiques avaient abandonné, n'était pas celle du libéralisme, mais seulement de l'influence anglaise au profit de l'influence française, ou plutôt au gré des désirs de Louis-Philippe et de ses affections et combinaisons familiales.

Aux révolutions militaires succédaient les révolutions de palais, toujours sous le couvert des institutions représentatives, et avec leur sanction en faveur du plus fort. Les Cortès avaient proclamé la majorité de la reine Isabelle, anticipant d'une année sur la date légale. Narvaez comptait garder l'influence qu'il avait acquise sur elle. Ses détracteurs affirmèrent qu'il s'était attaché par les liens les plus doux la précoce jeune fille. Elle avait alors treize ans et devait, par la suite, en voir bien d'autres.

Au ministère Lopez, ramené par Narvaez, succéda un ministère Olozaga qui ne pouvant gouverner avec les Cortès, dont la majorité était composée de libéraux et de monarchistes coalisés, voulut dissoudre l'Assemblée et, sans prendre l'avis de ses collègues du cabinet, obtint la signature de la reine au bas du décret. Narvaez accusa Olozaga d'avoir employé la violence pour obtenir cette signature. Isabelle, interrogée, répondit comme le voulut Narvaez, qui cria au scandale. On avait touché à la reine ! Il réunit le président et les vice-présidents des Cortès et décida avec eux la destitution d'Olozaga. Celui-ci protesta, cria qu'il n'avait pas employé la violence, que c'était une manœuvre des Christinos. On ne le crut pas : il n'était pas le plus fort. Un nouveau ministère fut nommé, et un de ses premiers actes fut de rappeler d'exil l'ex-reine régente. Rappel purement théorique et formel, Marie-Christine étant rentrée en Espagne lors de la chute d'Espartero.

Pendant son séjour à Paris, elle avait, dès 1840, proposé à Louis-Philippe une combinaison matrimoniale consistant à donner ses deux filles aux deux fils du roi : le duc d'Aumale épouserait la reine Isabelle, et le duc de Montpensier l'infante Louise-Fernande. Les princesses avaient alors dix ans et huit ans. Naturellement, il n'était pas plus question de leur consentement que de celui des fils de Louis-Philippe, qui étaient âgés de dix-huit et seize ans. Les théoriciens de la monarchie présentent ces combinaisons, où les sentiments des futurs époux ne jouent aucun rôle, comme un sacrifice fait par les princes à leurs peuples, à la grandeur de leurs États respectifs. Elles n'ont jamais évité à ces peuples un sacrifice ni une guerre, et n'ont agrandi que les États qui étaient les mieux armés pour la lutte.

Louis-Philippe avait accepté, mais pour Montpensier seulement. Il comprenait très bien que ni l'Angleterre ni l'Europe ne supporteraient jamais qu'un de ses fils fût assis sur le trône d'Espagne, même comme simple prince-consort. Fort de son refus, il pouvait écarter le candidat que l'Angleterre mettait en avant. Lors de son voyage à Windsor, il fit part à lord Aberdeen de son intention bien arrêtée de ne conclure le mariage de son fils avec l'infante que lorsque la reine Isabelle serait mariée elle-même et aurait eu un enfant. De son côte, lord Aberdeen écarterait la candidature de Léopold de Saxe-Cobourg et accepterait que la reine épousât un descendant de Philippe V.

Les candidats de ce côté ne manquaient point. Mais, naturellement, il ne pouvait être question du fils de don Carlos, puisque don Carlos, au nom de la loi salique, ne reconnaissait pas la reine Isabelle et prétendait pour lui et pour son fils au trône occupé par l'usurpatrice. C'eût été, d'autre part, placer l'absolutisme sur le trône, ce que l'Espagne ne permettrait pas. Louis-Philippe porta son choix sur un Bourbon de Naples, don François d'Assise, et donna à son ambassadeur à Madrid des instructions en ce sens.

La jeune reine détestait cordialement son cousin François, un coquebin fanatisé par les prêtres, abruti de dévotions minutieuses et ineptes et par surcroît fort peu avantageux de sa personne. On le disait impuissant, et ce bruit était sans doute arrivé aux oreilles d'Isabelle, car elles étaient habituées à en entendre bien d'autres. Elle n'eût pas aimé davantage son autre cousin don Enrique. Mais celui-ci, ayant montré des velléités libérales, ne pouvait convenir à Louis-Philippe. Donner un époux impuissant à Isabelle, c'était ouvrir l'accès du trône d'Espagne à Montpensier. Telle était l'arrière-pensée du roi, qui tantôt avançait, tantôt reculait, travaillé en sens contraires par la crainte de voir l'Angleterre nouer une coalition des puissances et par le désir de caser ses enfants.

Mais l'ambassadeur anglais, Bulwer, s'inquiétait fort peu des promesses faites par son ministre au roi des Français. Il s'appliqua à miner la candidature d'un Bourbon à la main de la reine, circonvint habilement Marie-Christine qui, n'étant plus sous l'influence directe de Louis-Philippe et n'ayant plus besoin de ses bons offices, oublia ses promesses et écrivit au duc de Saxe-Cobourg pour lui faire savoir qu'elle agréerait la candidature de son fils. Louis-Philippe, immédiatement informé de cette intrigue, s'en plaignit au chef du Foreign Office, qui désavoua son ambassadeur à Madrid et lui enjoignit de cesser d'agir en faveur de Cobourg.

Sur ces entrefaites, le ministère tory était renversé. Le 29 juillet 1846, un ministère wigh, présidé par John Russel, arrivait aux affaires avec Palmerston au Foreign Office. Le premier soin de celui-ci fut d'approuver Bulwer pour ce qu'il avait fait et de donner une liste de trois candidats à la main de la reine d'Espagne : en tête de la liste il inscrivait le nom de Léopold de Saxe-Cobourg. C'était déchirer ouvertement les engagements pris par son prédécesseur avec Louis-Philippe.

Or, dans le même moment, celui-ci réprimandait et désavouait Bresson son ambassadeur à Madrid, qui avait repris l'avantage sur Bulwer auprès de l'ex-régente et réglé un double mariage simultané des deux princesses avec don François d'Assise et le duc de Montpensier. Mais puisque le ministère anglais n'observait plus lui-même les conventions faites, Guizot estima que Louis-Philippe n'était plus engagé à rien. Il décida en conséquence Louis-Philippe à soutenir la combinaison Bresson, non sans peine, car le roi s'inquiétait fort de l'opinion des puissances et tenait quand même à ne pas répondre aux mauvais procédés anglais par des procédés semblables, et le double mariage simultané fut annoncé officiellement.

Cette annonce jeta le cabinet de Saint-James et sa presse dans une exaspération indicible. Bresson fut accusé d'avoir grisé les deux reines et l'infante dans une orgie nocturne afin d'arracher leur consentement. Point n'était besoin de cette explication. Un souper joyeux scella probablement ce pacte, mais ne fut pas à coup sûr le piège où Marie-Christine, au dire des Anglais, se serait fait prendre, elle et ses filles. Il avait suffi à Bresson de pénétrer l'ex-régente de cette vérité élémentaire que, l'influence anglaise établie en Espagne par le mariage avec un Cobourg, c'était à brève échéance le retour d'Espartero.

Palmerston, qui n'avait pas tenu les engagements pris par son prédécesseur, n'en eut pas moins le front de rappeler à Guizot les promesses de Louis-Philippe. Guizot, au lieu de rappeler à son collègue anglais que tout contrat suppose réciprocité, tergiversa, promit que les mariages ne se feraient pas simultanément, sembla s'en tenir aux premières déclarations du roi à lord Aberdeen, puis déclara que la reine se marierait bien la première, mais que sa sœur épouserait Montpensier immédiatement après, et sans attendre que le trône d'Espagne eût un héritier. On sent dans ces hésitations la main de Louis-Philippe, qui tenait la bride très court, nous le savons, à ses ministres des affaires étrangères.

Les deux mariages furent célébrés le 10 octobre, dans la même chapelle. Palmeston, alors, dénonça dans une note aux chancelleries le mariage du duc de Montpensier comme une violation du traité d'Utrecht et manœuvra pour faire entrer les cours du Nord dans ses sentiments. Mais celles-ci avaient bien autre chose à faire que de se jeter directement dans cette querelle. Enchantées au contraire d'un événement qui ruinait l'entente cordiale, elles pouvaient désormais donner elles-mêmes une entorse, dans le sens absolutiste, aux traités de 1815 sans crainte d'être gênées par l'accord des deux grandes nations libérales.

Car tel fut le fruit unique et fâcheux du succès remporté par Guizot et Louis-Philippe dans cette comédie des mariages espagnols. Palmerston, qui n'avait pas besoin de motifs d'animosité contre la France, s'en fit un grief et une arme. De son côté, la reine Victoria se plaignit hautement de la duplicité de Louis-Philippe, qui tenta, mais en vain, de rentrer dans ses bonnes grâces par l'entremise de sa fille Amélie, reine des Belges.

En somme, dans cet imbroglio des dupeurs dupés, l'Angleterre fut jouée, mais la France ne recueillit aucun bénéfice de l'opération. Entre sa politique de la porte fermée et la politique anglaise de la porte ouverte, l'Espagne, eût-elle eu à sa tête Louis-Philippe en personne, ne pouvait hésiter. Elle devait préférer l'Angleterre libre-échangiste à la France protectionniste, et acheter à bon marché les produits anglais, plutôt que d'être contrainte à payer cher les produits français. Voilà ce que Guizot n'avait pas vu, et qui devait ne laisser à sa manœuvre victorieuse que le piteux résultat d'avoir irrité l'Angleterre sans profit pour la France.

Voici dans quelles conditions l'Autriche, la Russie et la Prusse furent amenées à reviser au profit de l'absolutisme les traités de 1815 et à rayer de la carte d'Europe la ville libre de Cracovie dont l'indépendance avait d'ailleurs été presque totalement annulée à la suite des événements de 1836. Désireux d'en finir avec l'agitation polonaise qui menaçait sa tranquille possession de la Galicie, le gouvernement autrichien opposa une machination scélérate aux conspirations qui se nouaient entre patriotes pour l'indépendance de leur pays. Le sentiment patriotique n'existait guère que dans la noblesse et dans la population des villes. Encore astreint aux corvées pour le compte des seigneurs, qui étaient par surcroît des collecteurs d'impôts, le gouvernement autrichien les ayant chargés des répartitions après avoir fixé la part contributive du district, le peuple des campagnes n'avait pas plus de sentiments communs avec eux que d'intérêts.

Excités par des agents autrichiens qui leur promettaient non seulement l'impunité, mais une prime de dix florins par tête d'insurgé polonais, les paysans se jetèrent sur le premier rassemblement de patriotes qui se forma, et les massacrèrent tous. Ce fut le signal d'horribles tueries dans toute la Galicie. Tout noble était réputé un conspirateur ; les femmes et les enfants eux-mêmes n'étaient pas épargnés. Un bandit, naguère condamné pour le meurtre de sa femme et pour le viol d'une enfant de dix ans, Jacques Zzela, recruta une véritable armée d'égorgeurs et fut le chef de cette jacquerie impériale contre les patriotes polonais.

Pour entraîner les paysans, on leur avait tait espérer que les terres des seigneurs leur seraient partagées. Les agents autrichiens leur ayant fait observer que ces biens iraient aux veuves et aux enfants des nobles, Zzela avait répondu : « Je comprends. Alors il faut tuer les chiennes et les petits chiens. » C'était le moment où l'évêque de Tarnow l'invitait à dîner et buvait avec lui à la santé de l'empereur, ami des paysans. Ce trait est à noter aujourd'hui, où nous voyons l'autocratie russe se défendre par les mêmes abominables moyens, où, récemment, des moudjiks abrutis d'eau-de-vie se jetaient sur les étudiants de Moscou et s'en prenaient à « l'intelligence » des maux qu'un régime d'oppression et de stupidité faisait peser sur eux.

Le mouvement polonais, qui devait avoir Cracovie pour centre de ralliement, fut en même temps paralysé par l'occupation de cette ville, où les troupes des trois puissances entrèrent le 18 février 1846. L'insurrection polonaise était vaincue, noyée dans le sang, avant même d'avoir pris les armes. Ce fut une boucherie, une Saint-Barthélemy de patriotes, non la répression d'un mouvement insurrectionnel. Les puissances profitèrent de l'événement pour supprimer le semblant d'autonomie qu'en 1841 elles avaient restitué à la ville de Cracovie, et elle fut annexée à l'Autriche. L'empereur Ferdinand témoigna sa satisfaction au chef des assassins, en lui décernant une médaille d'or « portant l'inscription de bene meretis et suspendue à un grand ruban ».

Interpellé à la Chambre le 13 mars, Guizot avait répondu à La Rochejacquelein qu'il ne pouvait croire que l'Autriche eût recouru à un tel crime pour éviter une insurrection. « Les révolutionnaires font de ces choses-là, avait-il dit de son ton rogue et méprisant ; les gouvernements réguliers ne sauraient se les permettre. » Mais un tel langage ne fut plus possible lorsque, dans la séance du 2 juillet, Montalembert vint faire le récit des atrocités sans nom dont la Galicie avait donné le spectacle. Guizot, alors, déclara que ces faits relevaient de l'opinion européenne et non du Parlement français.

Les mariages espagnols ayant mis au comble la mésintelligence entre la France et l'Angleterre, les puissances du Nord se soucièrent fort peu de l'opinion européenne. Le moment était passé où Palmerston pouvait prononcer à la Chambre des Communes cette parole menaçante : « Si le traité de Vienne n'est pas bon sur la Vistule, il doit être également mauvais sur le Rhin et sur le Pô. » Les trois puissances s'entendirent donc pour annexer Cracovie et son territoire à l'Autriche. La France et l'Angleterre protestèrent séparément par des notes platoniques, et le fait demeura acquis : le faible débris de la Pologne indépendante, devenu d'ailleurs une souricière où pouvaient opérer à coup sûr les polices des trois puissances, disparut de la carte d'Europe. Il n'y eut somme toute, qu'une illusion, un mensonge de moins.

Metternich sut gré à Louis-Philippe de s'être mis dans l'impossibilité d'agir pour le maintien de la république de Cracovie, car il avait dans ce moment-là quelques embarras dont le moindre ne fut pas l'élection, en juillet 1846, du cardinal Mastai au trône pontifical, où il succéda à Grégoire XVI, sous le nom de Pie IX. Le nouveau pape passait en effet pour un libéral, et son avènement avait soulevé les acclamations de tous les ennemis de l'absolutisme. Ses premiers actes administratifs n'avaient pas déçu les espérances de l'opinion : il avait inauguré son règne par une amnistie politique et donné des encouragements aux réformateurs.

Sa popularité devint immense. On l'acclamait dès qu'il paraissait, la foule lui criait : « Courage, Saint-Père ! fiez-vous à votre peuple ». Entraîné par cette sympathie à laquelle il était fort sensible, il promettait des réformes constitutionnelles, et les acclamations redoublaient, portant au loin son renom de pape libéral. L'Italie opprimée tournait les yeux vers lui, dans un immense espoir. Lorsqu'il eut donné aux Romains une garde nationale, l'enthousiasme ne connut plus de bornes, et les princes absolus d'Italie durent songer à faire des concessions au sentiment public.

On conçoit les alarmes de Metternich, qui n'ignorait pas d'ailleurs la faiblesse et la versatilité du nouveau pape, mais craignait qu'il fût entraîné dans l'irrésistible courant du libéralisme et du patriotisme italien. « Le pape qui libéralise, écrivait-il alors, évoque des monstres qu'il ne sera pas le maître de terrasser… Le plus grand malheur qui ait pu être réservé au corps social, c'est de voir les partis du désordre matériel et moral marcher au cri de Viva Pio nonoet sous les couleurs du chef de la catholicité. » Le pape libéralisait, mais il n'avait pas encore désavoué l'encyclique de 1832 contre les libertés modernes, et il n'allait pas tarder à la confirmer et à la renforcer par le Syllabus. En attendant, une ligue douanière s'ébauchait entre le pape, le grand-duc de Toscane et le roi de Sardaigne, et ce pouvait être le commencement d'une fédération politique nationale qui entraînerait rapidement les autres États italiens.

En France, tandis que les libéraux applaudissaient, les catholiques de l'école de Montalembert chantaient bien haut les louanges du pape, pour les avoir approuvés dans leur campagne en faveur de la liberté d'enseignement. Guizot, de son côté, annonçait à la tribune que Pie IX « accomplirait la réconciliation de l'Église catholique et de la société moderne », et Thiers faisait écho par ces paroles : « Un saint pontife a formé ce projet si noble de conjurer les révolutions en accordant aux peuples la satisfaction de leurs justes besoins. Courage, Saint-Père, courage ! »

Pour connaître la véritable pensée de Guizot lorsqu'il prononçait d'un ton pénétré, grave, religieux, les paroles qu'on vient de lire, il faut avoir lu ce qu'il écrivait au même moment à Metternich. Nous tiendrons du coup le secret de la politique conservatrice : « Au fond et au-dessus de toutes les questions, disait-il, vous voyez la question sociale ; j'en suis aussi préoccupé que vous. » Pour empêcher le peuple de poser la question sociale, pour empêcher le travailleur d'affirmer son droit à l'existence, et quelque chose de plus, peu importe la tactique. Ici. il faut être libéral, et là absolutiste ; c'est-à-dire employer les moyens les plus propres à empêcher la question d'être posée.

« Nous sommes placés, dit Guizot à Metternich, à des points bien différents de l'horizon ; mais nous vivons dans le même horizon. » Et il ajoutait : « Nous luttons, vous et moi, j'ai l'orgueil de le croire, pour préserver les sociétés modernes ou les guérir ; c'est là notre alliance. » La voilà, en effet, la véritable sainte-alliance, qui ne combat le libéralisme que parce qu'il est un véhicule de socialisme, toute prête d'ailleurs à invoquer le secours du libéralisme contre le socialisme.

« Ce n'est, poursuit Guizot dans cette lettre significative, ce n'est qu'avec le concours de la France, de la politique conservatrice française, que l'on peut lutter efficacement contre l'esprit révolutionnaire et anarchique… Je tiens à grand honneur ce que vous voulez bien penser de moi ; j'espère que la durée et la mise en pratique de notre intimité ne feront qu'affermir votre confiance et votre bonne opinion. »

Mais si Guizot tentait de rassurer ainsi Metternich sur le caractère de son approbation aux actes d'ailleurs anodins de Pie IX, l'opinion publique en France n'avait point de telles arrière-pensées. Les paroles d'encouragement lancées par Thiers étaient reprises par les fractions libérales et démocratiques. « Des socialistes même, dit M. Debidour, parce qu'ils se réclamaient du Christ, n'étaient pas loin de se réclamer du nouveau pape. » Ce n'était pourtant pas un Lamennais qui venait de prendre la succession de Grégoire XVI ; mais « nul ne remarquait que le vrai

Lamennais, toujours vivant, n'était pas relevé des censures de l'Église ». Avec un grand sens, M. Debidour observe qu'« un tel état d'esprit aide à comprendre l'extraordinaire complaisance dont la seconde république allait faire preuve envers le clergé ».

L'Église, en effet, semble parfois adhérer à la liberté et à la nationalité ; mais c'est sa liberté à elle qui est le but, et pour que la nationalité soit sous la dépendance des prêtres. C'est ainsi qu'on la vit, à la même époque, seconder de tous ses efforts l'agitation irlandaise contre l'hégémonie anglaise et la domination des landlords. L'Irlande était devenue la « grande difficulté » du gouvernement de Robert Peel. Nommé lord-maire de Dublin par le précédent ministère, O'Connell avait été un instant enchaîné dans son effort de propagande. Mais à présent il était libre, et sa puissante voix réveillait l'Irlande, la dressait en face de l'Angleterre pour demander la séparation des deux pays.

Bien qu'âgé de soixante-dix ans, O'Connell se montrait partout à la fois, multipliant les meetings, ameutant les catholiques irlandais contre les privilèges de l'Église anglicane, les fermiers et tenanciers contre les propriétaires, les asservis politiques contre la nation qui s'arrogeait le pouvoir. Les libéraux l'ayant abandonné, il avait tenté, nous l'avons vu, une alliance avec les chartistes. Mais son parti avait refusé de le suivre. Le cléricalisme irlandais ne pouvait accepter le concours de ces révolutionnaires parmi lesquels les socialistes disciples de Robert Owen avouaient, proclamaient leur espérance d'égalité sociale. L'Église, puissance absolutiste par définition, peut bien employer les moyens de la démagogie, mais non se résoudre à favoriser la démocratie et l'émancipation de la classe ouvrière.

Le catholicisme montrait d'ailleurs ses véritables sentiments, et ses véritables tendances dans le conflit qui éclatait en Suisse, où le canton d'Argovie, acquis aux radicaux par les élections de 1841, avait supprimé les congrégations. À cette mesure, les cantons catholiques de Lucerne, Schwitz, Unterwald, Glaris, Zug, Fribourg et le Valais, avaient répondu par des protestations. Le canton de Lucerne appela les moines et les jésuites expulsés par Argovie et les installa sur son territoire. Les radicaux, qui avaient formé des corps francs, pénétrèrent dans le canton de Lucerne au nombre de huit mille hommes. Mais les cantons catholiques s'étaient armés de leur côté ; leur ligue, formée sous le nom de Sunderbund dès 1845, était riche et puissante ; les protestants radicaux furent repoussés. C'était la guerre civile.

Heureusement, les élections donnèrent sur ces entrefaites la majorité aux radicaux à Berne et à Genève. La diète allait pouvoir prononcer la dissolution du Sunderbund, qui constituait un État dans l'État. Cette solution déconcerta et arrêta les manœuvres de Metternich et de Guizot en faveur des catholiques. Les deux ministres invoquaient les traités de 1815, qui avaient donné à la Suisse sa constitution fédérative si favorable aux cantons conservateurs. Mais à présent que l'immense majorité du peuple helvétique se prononçait pour la révision de cette constitution et que l'Angleterre affirmait hautement sa sympathie pour les radicaux, la France ni l'Autriche ne pouvaient donner suite à leur projet d'une intervention européenne. Le Sunderbund, ayant refusé de se dissoudre, fut vaincu rapidement, et la Suisse se donna une constitution fédérale plus conforme à ses véritables sentiments et aux réalités politiques et sociales du temps.

Guizot n'en avait pas moins tenté de seconder Metternich dans une tentative contre-révolutionnaire. Cet acte, ajouté à tant d'autres, acheva de ruiner la façade de libéralisme derrière laquelle le régime de Juillet tentait d'abriter son œuvre de réaction au dedans et au dehors.

Chapitre IX
La décomposition

Rémusat et les incompatibilités parlementaires. — Louis-Napoléon s'évade de Ham et le comte de Chambord se marie. — Les élections d'aout 1846. — La cherté des grains soulève des émeutes en province. — Imprévoyance du pouvoir. — Le procès des communistes de Tours. — Le drame de Buzançais. — Les anciens ministres Teste et Cubières condamnés pour concussion. — Autres scandales. — Tout se corrompt : la presse, agent de décomposition.

Depuis qu'il n'était plus au pouvoir, Thiers se livrait parfois à des manifestations de moralité politique qui étaient la chose la plus réjouissante du monde. On avait alors ce spectacle d'apparence paradoxale d'un pouvoir corrompu, drapé dans l'austérité huguenote et bougonne de Guizot, et d'une opposition rigoriste par nécessité, incarnée dans les sautillantes pasquinades de Thiers. Jamais le vice n'eut si grande mine, ni la vertu si mauvaise allure.

Rémusat ayant déposé, après tant d'autres, un projet sur les incompatibilités parlementaires, ce fut Thiers qui vint à la tribune exprimer le sentiment public. Il déclara sans rire, et sans faire rire, qu'après avoir plusieurs fois participé aux affaires publiques, il se trouvait encore pris de dégoût, et même d'indignation, devant certaines choses. Et invoquant « l'équité naturelle », il s'écria : « Je vois de vieux employés qui ont travaillé toute leur vie, sacrifiés à l'ambition d'un député défectionnaire. »

Le comte Duchatel défendit les députés-fonctionnaires. Et au vote, les députés-fonctionnaires défendirent le ministère et les fonctions qu'ils tenaient de lui. Leur cause était tellement gagnée d'avance, dans une majorité où ils étaient en majorité, que Guizot ne s'était pas même donné la peine de monter à la tribune.

Quelques jours après, le 25 mars 1846, Louis-Napoléon s'évadait de la prison de Ham. déguisé en ouvrier. Dans le même moment, le comte de Chambord se mariait. Les faits et gestes de ces prétendants n'occupaient guère l'opinion. Non plus que l'attentat de Lecomte, un garde-chasse révoqué, contre Louis-Philippe, qui se produisit le 16 avril dans la forêt de Fontainebleau. Les Débats, dans leur zèle contre-révolutionnaire, essayèrent de lui trouver des complices dans la presse d'opposition et de susciter un nouveau procès de complicité morale.

Il semble bien que le ministère soit entré un instant dans ces vues puisque le rédacteur d'un journal ministériel de Lyon, le Rhône, ayant déclaré cette tactique aussi maladroite que perfide, se vit casser aux gages. On n'osa cependant, cette fois, impliquer aucun journaliste, aucun écrivain républicain dans cette affaire ; mais on essaya de lui donner un caractère politique. Cela ne trompa personne : il était trop manifeste qu'on se trouvait en face d'une vengeance individuelle de serviteur évincé. L'avant-veille des élections générales, un nouvel attentat se produisait. Son auteur, nommé Henri, était un fou, que la Cour des pairs n'osa pas envoyer à l'échafaud. Elle ne le condamna pas moins aux travaux forcés à perpétuité. De l'aveu de tous, la place d'Henri était dans un cabanon.

Ces élections, qui eurent lieu le 1er août, ramenaient à la Chambre la majorité conservatrice renforcée en nombre, mais divisée. Parmi les conservateurs, il y en avait qui se rendaient compte que leur rôle ne consistait pas uniquement dans l'opposition à tout progrès, à toute réforme. Ils voulaient bien jouer en politique le rôle du frein, qui ralentit la marche aux passages difficiles, mais non celui de la borne qui arrête net et risque de faire verser l'équipage. Émile de Girardin, qui excellait à connaîtra l'opinion moyenne et s'y rallia toujours, car là était la plus grosse clientèle, avait pressé Guizot de donner satisfaction au sentiment public.

« Ou des réformes politiques, lui avait-il dit, ou des réformes matérielles. À cette condition seulement, vous aurez l'appui de mon journal et de mon vote. » Un journal aussi répandu que la Presse, qui avait dû un moment refuser des abonnés faute de matériel pour les servir, n'était pas à dédaigner. D'autres conservateurs progressistes avaient fait entendre le même avertissement au ministre, notamment Desmousseaux-Givré et Sallandrouze.

Guizot leur avait promis d'en tenir compte, et c'est à leur adresse que furent prononcées ces paroles de son discours du 2 août aux électeurs de Lisieux qui venaient de lui renouveler leur confiance : « Toutes les politiques vous promettent le progrès ; la politique conservatrice seule vous le donnera. » Cet homme grave était un pince-sans-rire admirablement réussi. Les électeurs de Lisieux étaient travaillés, eux aussi, par l'immense désir de réforme dont la France ressentait les premiers frémissements. Que ceux qui veulent être citoyens, faire partie du pays légal, prouvent leur capacité politique par une bonne conduite de leurs affaires, leur disait en substance le député-ministre. Puisque l'argent est le signe et le moyen du pouvoir, eh bien, gagnez-en : « Enrichissez-vous ! » Cette parole de Guizot, cet aveu, ce cri du cœur de l'homme d'affaires de la bourgeoisie au pouvoir, qui d'ailleurs fut personnellement désintéressé, résume tout le régime qui s'achève.

La Chambre, dans sa courte session d'août, uniquement tenue pour la formation de son bureau, ayant élu président Sauzet, le candidat du ministère, avec une majorité de cent-vingt voix, Guizot se promit bien de ne faire aucune réforme et de retenir quand même les conservateurs progressistes dans sa majorité. Six années de pouvoir l'avaient totalement isolé de la nation, et même de ce qu'on appelait le pays légal, avec lequel il ne communiquait plus que par ses fonctionnaires, dont il continuait de peupler la Chambre ; ce qui achevait de l'isoler encore davantage.

Il ne put donc voir venir la crise que la mauvaise récolte de 1846 fit éclater, à la suite d'un été exceptionnellement sec. Il était sur ce point de l'avis d'un de ses fonctionnaires, Cunin-Gridaine, ministre de l'agriculture, qui, le 16 novembre encore, alors que le pain avait renchéri dans des proportions dont seuls les spéculateurs en grains auraient pu donner le secret, déclarait que le déficit de 1845, auquel s'ajoutait pour l'aggraver celui de 1846, avait été couvert par les excédents des années précédentes.

Le gouvernement n'en dut pas moins venir à supprimer temporairement les droits sur les blés étrangers. Mais il le fit si tardivement que les spéculateurs eurent encore là une occasion de prélever leur rançon. La crise du blé, à l'entrée de l'hiver, ajoutait à la crise des industries qui chôment en cette saison, et l'aggravait. Les blés achetés à l'étranger n'arrivaient point, retenus dans les ports par des inondations qui avaient rendu les routes impraticables. On dut ouvrir des chantiers de travaux publics pour le compte de l'État, et certaines communes organisèrent des ateliers de charité. Mais qu'étaient ces faibles moyens de secours devant l'immense détresse ouvrière !

À Paris, le pain fut taxé à quarante centimes le kilo, et la Ville paya aux boulangers une différence de vingt-cinq millions. Le public en payait une bien plus formidable aux agioteurs de toute sorte. C'était alors le beau moment des grandes entreprises. Les chemins de fer ayant été concédés aux compagnies, l'argent affluait pour l'acquisition de leurs titres, la garantie et l'appui de l'État ayant encouragé l'épargne. Mais ce drainage et l'exportation de l'argent pour l'achat de blés étrangers avaient raréfié le numéraire. La Banque en profitait pour porter le taux de l'escompte de quatre à cinq pour cent.

Si, dans les villes et les centres industriels, la crise put être atténuée par les travaux auxquels donnait essor la construction des chemins de fer, beaucoup plus que par les chantiers publics et les ateliers de charité, il n'en fut pas de même dans les campagnes, notamment celles du Centre et de l'Ouest, où la cherté des grains fit éclater des troubles. La foule se portait sur les magasins de blé et les dévastait, empêchait les grains de sortir des localités où ils étaient amassés. À Laval, la foule avait envahi le marché au blé et fixé d'autorité le prix à quatre francs le double décalitre. À Rennes, à Nantes, au Mans, à Mayenne, à Nevers, on s'opposait, les armes à la main, à la sortie des grains. À Tours, la foule pilla plusieurs bateaux de blé. Dans l'Indre, des bandes s'étaient formées pour obliger les propriétaires à signer un engagement par lequel ils vendraient leur blé trois francs le double décalitre au lieu de sept qu'ils en demandaient. Les récalcitrants étaient maltraités. L'un d'eux fut tué à Buzançais, un autre â Belâbre. Les ouvriers du chemin de fer, à Châteauroux, armés de leurs outils, envahissaient le marché.

L'armée réprima ces mouvements et les tribunaux frappèrent impitoyablement les plus exaspérés d'entre les affamés. Le jury des propriétaires de l'Indre en condamna trois à mort, qui furent exécutés sur la place publique de Buzançais, sous les yeux de leurs frères de misère, quatre aux travaux forcés à perpétuité et dix-huit aux travaux forcés à temps.

On tenta d'impliquer le parti communiste dans le procès qui fut fait aux auteurs des troubles de Tours. Blanqui avait été transféré, malade du séjour affreux du Mont Saint-Michel, presque mourant, dans cette ville, en février 1844, et gracié à la fin de l'année. Il refusa sa grâce, dit Gustave Geffroy, « par une lettre énergiquement motivée, adressée le 26 décembre au maire de Tours, pour être transmise au préfet ». Il n'eût d'ailleurs pu en profiter, et, ajoute Geffroy, « il fallut bien garder Blanqui à l'hôpital ».

Enfin, en octobre 1845, après vingt mois de lit, le révolutionnaire put se lever pour la première fois. « Il passe, dit Geffroy, le printemps de 1846 dans les jardins de l'hospice. Il retrouve son ironie pour noter des observations de ce genre : « Les jours de communion, les sœurs de l'hospice de Tours sont inabordables, féroces. Elles ont mangé Dieu. L'orgueil de cette digestion divine les convulsionne. Ces vases de sainteté deviennent des fioles de vitriol. »

Il a pour compagnon de lit Huber, que les odieux traitements endurés au Mont Saint-Michel ont également rendu malade. Le gouvernement, embarrassé de ce prisonnier qui a refusé sa grâce, « laisse sa convalescence se prolonger à l'hospice, dans une demi-liberté ». Blanqui en profite pour faire de la propagande. Béasse et Béraud sont envoyés du Mont Saint-Michel à Tours et rejoignent Blanqui et Huber à l'hospice. Dupoty, condamné pour complicité morale dans l'attentat Quénisset, était également à Tours.

Les communistes de la ville venaient les visiter, et lorsque l'émeute des grains se produisit, ils furent naturellement tous impliqués dans les poursuites. Blanqui fut dénoncé par un agent provocateur, le maçon Houdin, et jeté dans une cellule du pénitencier. La police correctionnelle de Blois l'acquitta, ainsi que Béraud. Vingt-sept autres accusés furent condamnés à des peines variant de cinq jours à six mois de prison.

Cette émeute de Tours, qu'on appela le complot communiste, ou la conspiration des Cabet, affecta profondément l'auteur du Voyage en Icarie, qui, aussitôt après le prononcé du jugement, publia une brochure intitulée : le Voile soulevé sur le procès du communisme à Tours et à Blois.

Dans cette brochure, Cabet constate avec amertume que Blanqui et ses amis révolutionnaires ont entraîné quelques communistes icariens à se séparer de lui et à renoncer à la propagande pacifique et légale qu'il a toujours recommandée et pratiquée. Il les accuse de s'être livrés à ce débauchage de ses adhérents, tout en se servant de son nom et de ses écrits, c'est-à-dire en le compromettant :

« Le procès établit : 1° Qu'une partie des communistes de Tours, dédaignant les conseils et les recommandations du Populaire, se sont laissé entraîner à organiser, sous le titre de goguette, une espèce de société de chant qui se réunissait dans les cafés ; 2° que, parmi les meneurs, se trouvaient un et peut-être deux espions ou agents provocateurs, par lesquels ils se sont laissé tromper et duper ; 3° que, pour entraîner dans la goguette, on disait qu'on y chantait des chansons communistes et révolutionnaires de M. Cabet (ce qui était un infâme mensonge), et que, après le chant, on y applaudissait en criant : Vive Cabet ! 4° que ces mêmes communistes se sont laissé entraîner dans les cafés, puis dans la rue, par les agents provocateurs, pendant l'émeute des 21 et 22 novembre, au sujet de la disette ; 5° qu'ils se sont ainsi exposés à être accusés par le cri public et par la justice d'être les instigateurs et les auteurs de l'émeute, même d'être coupables d'un complot, ou du moins d'une société secrète, dans le but d'établir la communauté par la violence ; 6° que deux des accusés qui avaient poussé ou entraîné les autres, ont tout révélé contre leurs camarades ; 7° que, dans la procédure et pendant les débats il a été très souvent question de M. Cabet et du Voyage en Icarie, et que l'accusation semblait vouloir les incriminer ; 8° qu'ainsi ces communistes dédaigneux de la marche icarienne ont gravement compromis, non M. Cabet, que rien ne peut compromettre réellement, mais le communisme lui-même et les communistes en général en les exposant au soupçon de désirer la société secrète, l'émeute et la violence ».

À l'ouverture de la session de 1847, le gouvernement de Guizot fut vivement attaqué, dans la discussion de l'adresse, mais non sur son imprévoyance à propos de la crise des blés. Puisque force était restée à la loi et que l'émeute de la faim ne grondait plus, il n'y avait point là matière à passionner une assemblée d'hommes d'affaires et de fonctionnaires. L'attaque, commencée par Odilon Barrot, porta donc sur la politique extérieure. Thiers démontra que la politique suivie dans l'affaire des mariages espagnols avait permis aux puissances du Nord de détruire de leurs mains les traités de 1815.

Mais Thiers n'ayant blâmé que la hâte du gouvernement à marier le duc de Montpensier, Guizot demeurait inattaquable sur le fond même de sa politique. Il la justifia en niant avoir promis à lord Normanby que le duc de Montpensier n'épouserait la princesse Louise-Fernande qu'après que la reine Isabelle aurait mis au monde un infant. L'ambassadeur anglais à Paris, mis ainsi en cause, accusé devant la Chambre d'inexactitude, se plaignit à Palmerston, qui lui répondit en affirmant sa pleine confiance en lui. En même temps, un journal anglais inspiré par le ministère déclarait que Guizot était « un imposteur convaincu d'imposture ».

Les rapports ainsi tendus entre le ministre des affaires étrangères et le représentant de l'Angleterre, se rompirent tout à fait, quelques jours plus tard, par la maladresse d'un commis de l'ambassade anglaise qui, ayant envoyé par erreur à Guizot une invitation à une soirée, ajouta à cette erreur la faute grossière d'aller reprendre cette carte d'invitation au ministère des affaires étrangères. Ce fut au tour de Guizot de se fâcher et d'essayer ainsi de faire oublier le premier incident, où il n'avait pas le beau rôle. Il avait de son côté les formalistes du protocole mondain et diplomatique, pour qui un acte d'impolitesse est chose plus grave qu'un acte de malhonnêteté. La querelle étant ainsi suffisamment envenimée pour produire des effets ultérieurs, Metternich, en riant sous cape, rendit à Guizot le service d'arranger les choses par l'intermédiaire d'Apponyi, son ambassadeur à Londres, de manière à sauvegarder l'amour-propre de Normanby et de Guizot.

Celui-ci avait alors d'autres affaires sur les bras, et les soucis n'allaient pas lui manquer. Guizot n'ayant pas tenu ses promesses de Lisieux, Girardin avait exécuté ses menaces et était passé à l'opposition avec son journal. Les conservateurs progressistes cherchaient une occasion de se manifester. Guizot la leur fournit par un remaniement ministériel qui eut pour cause initiale la mort de Martin (du Nord), ministre de la Justice. Pour bien affirmer le caractère de sa politique, Guizot le remplaça par le procureur général Hébert, l'ennemi juré du libéralisme et de la presse. Il profita de l'occasion pour se débarrasser de deux incapables, Moline de Saint-Yon, qui tenait le portefeuille de la Guerre, et le baron de Mackau, celui de la Marine. Le gaspillage et le désordre étaient au comble dans les deux départements ministériels de la défense nationale ; surtout au ministère de la Marine, le scandale était à son comble. D'autre part les deux ministres, moralement affaiblis par leur mauvaise gestion, n'étaient pas capables de faire figure à la tribune. C'étaient donc des non-valeurs aussi compromettantes qu'encombrantes. Guizot les invita à démissionner ; ils obtempérèrent.

Restait un autre ministre en qui Guizot ne trouvait pas toute la docilité désirable : Lacave-Laplagne, que sa fonction faisait le bouc émissaire d'un déficit budgétaire toujours croissant. Mais le ministre des Finances poussait l'indocilité aux ordres du tout-puissant chef du cabinet jusqu'à refuser de donner sa démission. Froidement, Guizot le révoqua. Mais où trouver des candidats au ministère qui consentissent à être des chefs de bureau ? Si invraisemblable que cela paraisse, Guizot n'en trouva point dans la Chambre. Il s'adressa alors aux fonctionnaires : le général Trézel fut nommé ministre de la Guerre ; Jayr, préfet de Lyon, fut nommé aux Travaux publics en remplacement de Dumon, qui passa aux Finances, et Montebello, ambassadeur à Naples, eut la Marine.

La nomination d'Hébert au ministère de la Justice laissait vacant un poste de vice-président de la Chambre. Guizot désigna son candidat à sa majorité ; mais les dissidents unis à l'opposition élurent un partisan de la réforme électorale. Enhardis par ce premier succès, les conservateurs progressistes affrontèrent les combats de la tribune. Givré-Desmousseaux, récemment encore ministériel résolu, fit, dans la discussion des fonds secrets, le procès de l'immobilisme, accusa hautement « l'inertie du gouvernement », qui à toutes les questions répondait : « Rien, rien, rien ! »

Selon M. Thureau-Dangin, « l'immobilité qu'on reprochait à la politique du gouvernement n'était pas imputable seulement au cabinet ». Nous savons, en effet, que « le roi y avait plus de part encore », et il ne nous déplaît pas de voir l'historien bienveillant du régime avouer que « souvent c'était lui qui l'imposait à ses ministres ». Louis-Philippe « avait alors soixante-quatorze ans » et « son intelligence, bien que toujours supérieure, se ressentait du poids de l'âge ». Soit. Mais c'est avouer que Guizot, dans son amour pour les apparences d'un pouvoir qu'un autre exerçait derrière lui, n'avait pas le courage, beaucoup plus facile que celui de Gil Blas vis-à-vis de l'archevêque de Grenade, de se retirer si on ne le laissait pas maître de gouverner selon ses propres inspirations.

Louis-Philippe était intelligent, certes. Mais Guizot l'était à un degré bien supérieur. Il ne pouvait pas ne point voir que « l'âge avait eu sur Louis-Philippe un autre effet ; il augmentait chez lui, en même temps que la défiance des choses, la confiance en soi » Cette confiance en soi, que M. Thureau-Dangin a bien aperçue, ce qui fait honneur à sa probité d'historien, « menaçait de tourner en une obstination intraitable et impérieuse qui tenait de la sénilité ».

Comment Guizot n'aurait-il pas été frappé de cet état ? Et le connaissant, comment peut-on expliquer sa docilité à suivre cette politique qui s'ossifiait en même temps que le cerveau qui la dirigeait ? Dévouement à la personne du roi ? Crainte des troubles politiques ? Allons donc ! un homme tel que Guizot passant à l'opposition eût empêché le roi de trouver des ministres, eût empêché de gouverner les ministres qu'il aurait trouvés. Son excuse ne peut se trouver que dans l'isolement auquel l'avait condamné son système de gouvernement de l'État et du Parlement par les fonctionnaires. Et cette excuse, pour le doctrinaire du parlementarisme qu'il prétendait être, est une charge de plus contre lui.

Duvergier de Hauranne, avec son projet de réforme électorale, donna aux conservateurs dissidents une nouvelle occasion de s'aguerrir. Résistant aux objurgations du cabinet, ils en firent autoriser la lecture par les bureaux. L'auteur de la proposition avait au préalable fait une grande publicité : dans une brochure qui fut très lue, car elle était le manifeste d'un conservateur qu'on avait vu jusqu'au moment de la coalition se prononcer en toute occasion contre toute concession au libéralisme, il traçait le tableau de la corruption désorganisatrice, montrait le danger croissant d'une révolution et proposait l'abaissement du cens électoral, la fixation à quatre cents du nombre d'électeurs nécessaires pour former un collège et l'adjonction d'une liste de capacités différente de la seconde liste du jury.

Dans la discussion, Duchâtel se borna à prévenir la Chambre que voter une modification électorale, c'était voter la dissolution. Il est certain que lorsqu'une assemblée a décidé de se recruter par un mode nouveau, élue par un mode ancien elle se trouve pour ainsi dire périmée. Mais cet appel à l'égoïsme des députés suffit à impressionner quelques néophytes de l'opposition, encore peu aguerris. Le ministre de l'Intérieur les acheva en déclarant que si la Chambre votait la réforme, le ministère se retirerait.

Les orateurs de gauche, Odilon Barrot et Crémieux, leur rendirent un peu de courage par une vigoureuse intervention. Mais le coup était porté. L'économiste Adolphe Blanqui vint au nom de la « minorité de la majorité » adjurée par Crémieux, déclarer que ses amis avaient bien voté la lecture de prise en considération du projet, mais qu'il voteraient contre la prise en considération. « Nous ne sommes pas, dit-il, des traîtres qui se sont introduits dans la place pour la livrer à l'ennemi, mais des sentinelles vigilantes qui donnent l'alarme quand la garnison s'endort ».

Cette reculade n'adoucit pas Guizot, qui intervint alors et déclara préférer une majorité réduite, mais compacte et sûre. Puis il tenta de remontrer aux dissidents de la majorité qu'on voulait les entraîner, de réforme en réforme, jusqu'à la démocratie, jusqu'au suffrage universel. « Son jour viendra ! » cria Garnier-Pagès. Guizot, dans son mépris pour les classes populaires, répondit de son ton tranchant : « Il n'y a pas de jour pour le suffrage universel. »

Au vote, il eut sa majorité compacte. Elle était réduite d'une cinquantaine de voix. Elle devait le suivre aveuglément jusqu'à la catastrophe. Lorsque Rémusat revint à la charge avec les incompatibilités, elle se retrouva massée autour du système immobiliste et le projet fut définitivement repoussé. La France, ainsi gouvernée par un clan de fonctionnaires à la dévotion des maîtres de l'argent, glissait insensiblement au régime bureaucratique qui vient de conduire la Russie à deux doigts de sa perte, et comme tout organisme en qui la vie ne fonctionne plus se corrompt, la décomposition ne tarda pas à se montrer par de nombreux symptômes.

Le plus éclatant de ces symptômes apparut soudain le 2 mai par la publication dans un journal de plusieurs lettres adressées en 1842 par un ancien ministre de la Guerre de Thiers, le général Despans-Cubières, à Parmentier, directeur des mines de Gounehans, dans la Haute-Saône. Ce dernier, furieux d'avoir perdu un procès d'intérêt contre le général, avait communiqué ces lettres à la presse : elles prouvaient clair comme le jour que le général Cubières, ancien député de la Haute-Saône, ancien ministre, pair de France, actionnaire des mines de Gounehans, avait profité de sa haute situation pour protéger la compagnie contre les conséquences des illégalités nombreuses commises dans son exploitation et pour obtenir en sa faveur, après la perte de ses procès, une nouvelle concession.

Dans une de ces lettres, le général disait à Parmentier, pour le décider à demander à son conseil d'administration un « sacrifice » :

« On se montrera sans doute très disposé à compter sur notre bon droit, sur la justice de l'administration, et cependant rien ne serait plus puéril. N'oubliez pas que le gouvernement est dans des mains avides et corrompues, que la liberté de la presse court risque d'être étranglée sans bruit l'un de ces jours, et que jamais le bon droit n'eut plus besoin de protection. » Dans une autre, il mentionnait ainsi ses démarches : « Je passe ma vie au milieu des députés, je vais chez la plupart des ministres, dont je crois utile au succès de notre affaire de cultiver l'amitié. » Dans une autre, il déclare le succès assuré : « Je crois être en mesure d'obtenir non seulement la concession, mais, au préalable, l'autorisation d'exploiter ». Trois autres lettres avaient trait aux démarches auprès du préfet de Saône-et-Loire afin de le stimuler, et aux difficultés que Parmentier trouvait auprès de ses associés pour les décider à emplir les « mains avides et corrompues ».

Le scandale était immense. Le coupable étant un ami de Thiers, Guizot hésitait d'autant moins à le sacrifier. Un conseil réunit les ministres le soir même de la publication des lettres. On savait que le ministère serait interpellé dès le lendemain à l'ouverture de la séance. Les ministériels avaient toute la journée assailli le président du Conseil, l'avaient pressé de livrer le général à la justice. Dans le Conseil, Louis-Philippe opina pour le silence et l'immobilité. Mais les ministres étaient unanimes et le roi céda.

Une instruction fut donc ouverte. Elle établit d'abord que la Société des mines de Gounehans était administrée par des coquins qui avaient entraîné le général Cubières dans des démarches de corruption sur des fonctionnaires et exerçaient depuis sur lui un effronté chantage. C'est parce qu'il avait fini par résister à leurs exigences répétées que Parmentier, pour se venger, avait publié les lettres en question. Mais les défenseurs de Parmentier eurent à cœur de prouver que si leur client avait réclamé d'importantes sommes d'argent au général, c'est que le directeur des mines avait été lui-même forcé de les verser par l'entremise d'un nommé Pellapra. Celui-ci était en fuite, mais son notaire vint déclarer que les sommes avaient été versées à Teste, alors ministre des Travaux publics.

La Cour des pairs se réunit pour juger cet extraordinaire procès, où l'on voyait au banc des accusés deux pairs de France, anciens ministres, et dont l'un, Teste, était président de chambre à la Cour de cassation, accolés à un courtier d'affaires et à un entrepreneur véreux. La culpabilité de Teste apparut si évidente, que celui-ci se tira un coup de pistolet dans la tête la veille du prononcé du jugement. Ils furent condamnés. Teste à la dégradation civique, à 94.000 francs d'amende et à trois ans de prison ; Cubières, à la dégradation et à 10.000 francs d'amende ; Parmentier et Pellapra à la même peine.

Quelques jours plus tard, la Cour des pairs se réunissait de nouveau pour juger un de ses membres, le duc de Praslin, accusé d'avoir assassiné sa femme, fille du maréchal Sébastiani. Convaincu d'avoir commis ce crime, acculé aux aveux par les instances du président, Praslin s'empoisonna au cours des débats.

Partout, la décomposition morale, politique, administrative, s'étalait en plein.

Chaque jour apportait son scandale. C'était le directeur de la Manutention générale qui spéculait sur les grains avec les fonds de l'État et laissait à sa mort un déficit de 14.000 quintaux de blé dans les magasins de Paris. C'était le personnel des constructions de la Marine qui mettait au pillage les fournitures de l'État. L'incendie de l'arsenal du Mourillon à Toulon était venu opportunément, en 1845, masquer bien des dilapidations. Elles furent si éhontées dans les autres ports, à Rochefort et à Brest, que la justice fut contrainte de frapper quelques coupables, fournisseurs et fonctionnaires. Le suicide du directeur des subsistances de Rochefort vint sceller les aveux de ses complices.

Dans la Presse, Girardin établissait que le directeur du théâtre lyrique avait vu renouveler son privilège moyennant le versement de 100.000 francs dans la caisse du journal ministériel l'Époque, dirigé par Granier de Cassagnac. Le même journal du fondateur de la dynastie des Cassagnac s'engageait, moyennant un versement de

1.200.000 francs, à faire déposer par le ministre de l'Intérieur un projet de loi favorable aux maîtres de poste. Girardin reproduisit ses accusations à la tribune de la Chambre, le 17 juin, il ajouta les achats de votes ouvertement faits, à Quimperlé, aux élections de 1846, et qui avaient abouti à la condamnation en Cour d'assises de Brouillard, le député corrupteur. Il rappela les paroles du procureur général dans le procès de corruption électorale intenté à un membre du conseil général de la Creuse : « La corruption électorale n'est plus un vain mot, s'était écrié ce magistrat : le mal existe, il est flagrant. »

« S'il était bien prouvé que M. de Girardin ne méritait aucun crédit, fait M. Thureau-Dangin, il l'était moins que tout eût été irréprochable, sinon dans les actes du gouvernement, du moins auprès de lui. » En tout cas, Girardin avait accusé, et l'on n'avait pas osé accepter les preuves qu'il offrait. Il avait dit qu'une promesse d'un siège à la Chambre des pairs avait été vendue, et, appelé à fournir ses explications devant la haute assemblée, il avait été renvoyé indemne. En vain, on pressait le ministre de l'Intérieur de poursuivre son accusateur, de traduire les journaux en justice : il se tenait coi.

Aussi, le baron de Viel-Castel, un fidèle du régime, pouvait-il écrire dans son Journal inédit, le soir du 17 juin : « On ne s'entretient qu'avec tristesse de la scandaleuse séance. Les ministériels, tout en se félicitant du vote qui l'a terminée, reconnaissent que la situation qui avait rendu un vote indispensable est pénible, fâcheuse pour le pouvoir et le pays. »

L'Église avait sa part dans ces tribulations. Aux scandales répétés de l'année précédente, où des cas de séquestration et de tortures monacales avaient indigné l'opinion publique, s'ajoutait, en 1847, celui du frère Léotade, qui violait Cécile Combettes, puis assassinait la malheureuse jeune fille.

L'argent dominateur faussait tout, pervertissait tout, domestiquait la science, qui inventait de nouveaux poisons pour falsifier les marchandises et les denrées alimentaires. Un professeur de chimie pouvait déclarer qu'à sa connaissance il se débitait chaque année « plusieurs centaines de kilogrammes de strychnine à Paris ». Ce poison violent, extrait de la noix vomique, était substitué au houblon dans la bière à bon marché Le sulfate de cuivre servait aux boulangers et aux pâtissiers, ce produit dangereux étant plus économique que le levain.

Dans le même moment. Toussenel était témoin du fait suivant : « Une fois que je me trouvais de passage à La Rochelle, dit-il, je vis un rassemblement de femmes qui tentaient d'accaparer toutes les voitures publiques et offraient aux conducteurs des prix doubles des prix ordinaires pour les conduire à Rochefort. M'étant informé auprès d'une de ces femmes des motifs du rassemblement, il me fut répondu qu'une cargaison de fromage de Hollande avarié devait être mise en vente dans ce dernier port, le jour même ; et comme je ne saisissais pas bien le rapport qui unissait ces deux choses : l'empressement des voyageuses et le fromage avarié, mon interlocutrice eut la bonté de m'expliquer comme quoi il y avait gros à gagner pour l'épicier au détail : « Ce fromage avarié, disait-elle, on va nous le donner à soixante, soixante-dix centimes le kilogramme, et nous le revendrons deux francs. — Comment cela ? — Eh ! sans doute, en détail, au peuple... »

Toussenel ajoute : « Et penser que parmi tous ces savants qui disent aimer le peuple, il ne s'en soit pas trouvé un seul pour se poser en vengeur de la vraie science et en défenseur du peuple, tant est redoutable la puissance des empoisonneurs patentés ! M. Arago, M. Gay-Lussac, M. Dumas, M. Laurent, comment se fait-il que cette gloire ne vous ait pas tentés ? Ne savez-vous pas que génie oblige ? » Gay-Lussac, nous l'avons vu, avait tenté un faible effort pour assurer l'hygiène du travail industriel, mais il s'était rendormi aussitôt dans son fauteuil de la Chambre des pairs.

Constatons qu'aujourd'hui les savants comprennent mieux leurs devoirs. Et si les lois étaient à la mesure de leurs avertissements et de leurs prescriptions, la santé publique, l'hygiène des travailleurs recevraient de sérieuses et efficaces protections. Mais nous sommes en 1847, et à ce moment le dogme de la liberté du commerce et de l'industrie est encore intangible. C'est de ce dogme que Gay-Lussac s'est inspiré en 1840 pour repousser la loi limitant l'exploitation du travail dans les manufactures.

C'est ce dogme que les journaux sérieux propagent. Les économistes des Débats le promulguent ex cathedra, et sans distinction d'opinion le Siècle et l'Epoque, le Constitutionnel et la Presse, le répètent à leurs abonnés. Eux-mêmes la pratiquent, cette liberté commerciale, trafiquant de l'annonce et de l'article de fond, vendant leur publicité aux entreprises les plus effrontées sur les bas de laine de l'épargne. L'Époque et la Presse, un moment aussi ministérielles l'une que l'autre, se font une guerre au couteau et se reprochent leurs pirateries respectives.

Nous sommes au moment où Robert Macaire et son ami Bertrand sont des héros symboliques. Du théâtre, ils ont passé dans la caricature, où Daumier les montre exerçant leur canaillerie organique dans la politique, la finance, la presse, partout où id y a quelque chose à gagner sur la sottise et la crédulité du public. Il est encore plus vraisemblable que vrai, ce gérant d'un journal bien posé à qui on vient demander de se prononcer pour les colonies dans la question des sucres et qui répond : « Désespéré, monsieur, de ne pouvoir vous être agréable ; mais nous avons vendu hier notre question des sucres. Un journaliste honnête n'a que sa parole ! »

Le 10 mai, un débat, vite écourté, avait surgi à la Chambre. Un député naïf s'était élevé contre le trafic que ses collègues faisaient de leur influence. Nulle compagnie de chemins de fer ou de mines, nulle entreprise aussi lointaine que chimérique, nulle escroquerie décemment organisée en actions qui n'eût sur son prospectus d'émission les noms de deux ou trois pairs et députés. Le gêneur parla dans le vide et la Chambre se remit aux affaires.

Chapitre X
L'agitation pour la réforme

Manifestation populaire au faubourg Saint-Antoine. — Le banquet réformiste du Château-Rouge — La campagne des banquets en province. — Les socialistes se tiennent à l'écart. — Proudhon et sa polémique avec Karl Marx : les socialistes allemands adoptent le « Manifeste communiste ». — Le parti clérical et ses exigences : ajournement du projet Salvandy sur l'enseignement. — Guizot et la politique extérieure de Louis-Philippe. — Jugement du prince de Joinville sur le gouvernement personnel du « père ».

Ces scandales répétés, ce scandale permanent, pour mieux dire, éveillaient enfin la conscience publique de son long engourdissement. Les maîtres du pouvoir en reçurent l'avertissement, si quelque chose pouvait les avertir, par ce qui se passa le 5 juillet 1847, dans le faubourg Saint-Antoine, ce centre de la vie ouvrière d'alors, où battait le cœur même du peuple. Ce jour-là, le duc de Montpensier donnait une fête à Vincennes pour l'inauguration du polygone d'artillerie ; il avait invité toute la haute société parisienne. Le défilé de ce beau monde, en claires toilettes, en fracs, en uniformes de gala, souleva l'indignation du faubourg. Les équipages de cette aristocratie du nom et de l'argent furent accueillis par des huées. Le cri dominant était : « A bas les voleur. ! » Les ouvriers montraient le poing à ces gens bien vêtus, à leurs valets trop gras, et s'écriaient : « Le peuple n'a pas de pain pendant que ces coquins-là s'amusent. » « Peu de jours après, conte M.Thureau-Dangin, M. Duvergier de Hauranne se trouvant avec M. Recurt, ancien président de la Société des Droits de l'Homme et qui connaissait bien le quartier Saint-Antoine, où il exerçait la médecine, lui demanda si le parti républicain avait été pour quelque chose dans la manifestation faite contre les invités du duc de Montpensier. « Pour rien du tout, répondit M. Recurt, et je vous avoue que nous en avons été aussi effrayés que vous. » Puis, après avoir insisté sur le caractère socialiste de cet incident : « Il y a là, ajoutait-il, un travail, un danger auquel on ne songe pas assez. Ce que je puis vous affirmer, c'est que la manifestation dont vous me parlez est la plus grave que j'aie vue. Si nous l'avions voulu, il nous était facile de la tourner en émeute, peut-être en révolution. »

Ces républicains, qui étaient aussi « effrayés » que les libéraux dynastiques de ce mouvement spontané de la foule, ne les croirait-on pas aussi loin du peuple que Guizot lui-même ? Recurt, cependant, dut enregistrer le symptôme menaçant qui venait d'apparaître si brusquement. Il avait adhéré des premiers au mouvement d'agitation pour la réforme dont Odilon Barrot donnait le signal à quelques jours de là. Il fut, comme on le verra, de ceux qui lui donnèrent toute son amplitude, et finalement une signification révolutionnaire.

Odilon Barrot et ses amis s'étaient enfin convaincus de l'inutilité de leurs protestations à la Chambre. Les élections do 1846 leur avaient montré d'autre part le courant qui se formait dans le pays, même parmi les électeurs censitaires, pour la réforme électorale. Ils s'adresseraient donc au pays, aux forces vives de l'opinion écartées du pouvoir. Des pourparlers furent engagés par les libéraux dynastiques avec les autres partis d'opposition. Les légitimistes refusèrent de s'associer au mouvement. Les radicaux n'eurent pas un instant d'hésitation, et en quelques jours l'opposition de gauche, de Thiers à Garnier-Pagès. fut prête à entrer en campagne pour la réforme.

Dans la réunion où fut discutée la forme que prendrait cette agitation, qui devait rester légale, constitutionnelle, et se borner à unir tous ceux qui voulaient l'extension du droit électoral à des catégories plus nombreuses de citoyens, l'éditeur républicain Pagnerre fit adopter l'idée d'une série de banquets en province, précédée d'un grand banquet à Paris. En sortant de cette réunion, Pagnerre dit à ses amis :

« Je n'espérais pas pour nos propositions un succès aussi prompt et aussi complet. Ces messieurs voient-ils bien où cela peut les conduire ? Pour moi, je confesse que je ne le vois pas clairement, mais ce n'est pas à nous, radicaux, a nous en effrayer.

— Vous voyez cet arbre, répondit Garnier-Pagès ; eh bien ! gravez sur son écorce le souvenir de ce jour : ce que nous venons de décider, c'est une révolution. »

La campagne commença par une pétition que Pagnerre avait rédigée et qui demandait à la Chambre la réforme de la loi électorale de 1831, parce qu'elle n'avait « pas de base suffisamment rationnelle ni sur la population, ni sur le territoire, ni sur la propriété, ni sur les contributions, ni sur l'aptitude politique, ni sur la capacité intellectuelle ». Cette loi avait « éteint le mouvement politique. qui est la vie même des gouvernements constitutionnels » et ouvert « une large porte à toutes les corruptions ». C'était un manifeste au pays, un acte d'accusation contre le régime, bien plus qu'une pétition à la Chambre.

Le 9 juillet, au banquet au Château-Rouge, douze cents électeurs parisiens, auxquels s'étaient joints de nombreux députés, acclamaient le commentaire que les orateurs réformistes faisaient, chacun avec son tempérament et ses vues propres, du manifeste commun. Le président Charles de Lasteyrie, un vieux libéral, porta le premier toast : A la souveraineté nationale ! Recurt, qui n'avait pas voulu imiter Ledru-Rollin et les amis de la Réforme dans leur abstention hautaine et dans leur refus de toute alliance avec les libéraux dynastiques, invita tous les républicains à participer au mouvement. Odilon Barrot but « à la Révolution de Juillet ». La Marseillaise, exécutée par une musique et chantée par tous les assistants, lui répondit. Et Pagnerre porta un toast « à la réforme électorale et parlementaire ».

Duvergier de Hauranne s'associa éloquemment à ces toasts. Le doctrinaire de la veille fut aussi véhément que les opposants de toujours. « Regardez-vous, s'écria-t-il, comme de purs accidents tous ces désordres, tous ces scandales qui viennent chaque jour porter la tristesse et l'effroi dans l'âme des honnêtes gens ? Non, messieurs, tous ces désordres, tous ces scandales, ne sont pas des accidents ; c'est la conséquence nécessaire, inévitable, de la politique perverse qui nous régit, de cette politique qui, trop faible pour asservir la France, s'efforce de la corrompre. »

C'était prendre l'effet pour la cause, ne pas voir que le système de Guizot était une conséquence du règne absolu de la bourgeoisie qui avait voulu un système politique à son image. Et c'est parce que des forces et des idées nouvelles avaient surgi que ce système devenait intolérable. La bourgeoisie ne pouvait développer sa richesse, augmenter son pouvoir qu'en faisant appel à l'intelligence, au savoir, aux activités essentielles du pays ; elle déchainait des pensées tout en prétendant garder tout le profit matériel ; elle suscitait des sentiments et des aspirations et refusait de les satisfaire. C'est de cette contradiction que surgissait le mouvement révolutionnaire qui allait lui enlever le pouvoir politique et l'obliger à employer d'autres moyens, moins absolus, pour le conserver lorsqu'elle l'aurait reconquis.

Il n'en demeure pas moins que Duvergier de Hauranne, s'il se trompait sur les causes de la corruption, était dans le vrai lorsqu'il s'écriait aux acclamations de l'assistance : « Tant que le système durera, les scandales dureront et augmenteront. » Parmi les autres orateurs, mentionnons Marie, député de Paris, qui fit entrevoir que le parti du progrès ne s'arrêterait pas à la réforme électorale et parlementaire, et Grisier qui but « à l'amélioration des classes laborieuses et déclara que les réformes politiques étaient l'instrument des réformes sociales ».

La campagne des banquets se poursuivit par toute la France. Celui de Strasbourg était présidé par le bâtonnier des avocats, Lichtenberger, un républicain militant, et celui de Colmar, par de Rossée, premier président de la cour d'appel. Odilon Barrot allait parler dans ceux de Soissons, de Saint-Quentin et de Meaux. À Orléans, sous la présidence d'Abatucci, président de chambre à la cour d'appel, Marie et Crémieux faisaient acclamer la réforme.

À Mâcon, Lamartine menaçait un pouvoir obstiné à s'opposer au mouvement universel. « Si vous lui résistiez, lui criait-il, après avoir eu les révolutions de la liberté et les contre-révolutions de la gloire, vous auriez la révolution de la conscience publique et la révolution du mépris. » À Cosne, Crambon, juge au tribunal, protestait contre le toast au roi et le ministre lui faisait infliger une peine disciplinaire.

Ledru-Rollin dut céder à l'entraînement général. Il accepta de se rencontrer avec Odilon Barrot au banquet qui s'organisait à Lille. Mais la Réforme avait dit que le leader républicain s'y rendrait pour relever un drapeau que d'autres avaient abaissé ; Odilon Barrot écrivit alors aux organisateurs du banquet qu'il ne s'y rendrait que s'ils acceptaient à l'avance un toast en l'honneur des institutions de Juillet. Les commissaires ayant refusé de limiter ainsi le droit des orateurs invités par eux, Odilon Barrot refusa de se rendre à Lille. Ledru-Rollin y alla et prononça un discours qui souleva l'enthousiasme.

Après avoir retracé la misère des travailleurs et demandé des lois sociales, il déclara que ces lois ne pouvaient être faites par les riches et les privilégiés : « Est-ce que jamais, s'écria-t-il, j'ai éprouvé, moi, les quarante-huit heures de la faim ? Est-ce que j'ai jamais vu autour de moi, l'hiver, entre quatre murs humides, les miens sans pain, sans espoir d'en avoir, sans feu, sans argent pour payer le loyer, prêts à être jetés à la porto pour de là tomber dans la prison ? »

Bientôt ce furent les radicaux qui prirent la tête du mouvement. Ils eurent leurs banquets dans un grand nombre de villes, où les « petits réformistes » de la coalition des gauches étaient pris à partie par Ledru-Rollin, Étienne Arago, Louis Blanc, tandis que Garnier-Pagès et Odilon Barrot continuaient leur campagne.

Les socialistes ne prirent pas une part directe à l'agitation pour la réforme. La Démocratie pacifique s'expliqua, pour le compte des fouriéristes, par une série d'articles sur les banquets. Pour Considérant et ses amis, seule la réforme sociale importait. Ils avaient leurs banquets, eux aussi. Pour celui du 25 mars 1846, ils avaient affirmé en ces termes leur caractère distinct dans le prospectus de convocation :

« Ce banquet est une occasion de rapprochement pour les partisans chaque jour plus nombreux des Réformes sociales pacifiques, pour tous ceux qui sympathisent avec les travaux et les efforts dont le bien de l'humanité est l'objet. » Et pour bien accentuer leur éloignement de toute action politique, ils ajoutaient : « Toutes les opinions y sont admises ; mais nos toasts, arrêtés d'avance, ne s'écartent pas de ce caractère de neutralité qui accompagne toujours la science. »

Cependant, Considérant, le chef de la doctrine, fut candidat à Montargis aux élections générales de cette année-là, et 102 voix libérales se comptèrent sur son nom. Mais il s'était présenté en son nom propre et comme professant personnellement des opinions libérales, et non en qualité de représentant du fouriérisme. Il n'empêche que s'il avait été élu, ses partisans eussent enregistré cette victoire à l'actif de la doctrine, comme ils avaient fait lorsqu'il fut nommé conseiller général de la Seine.

Quant aux communistes groupés autour de Cabet, leur journal le Populaire, de mensuel qu'il était depuis sa fondation, en 1841, devenait hebdomadaire en avril 1847. À la veille même de cette agitation qui allait aboutir à une révolution, Cabet y disait : « Nous sommes profondément convaincus que ceux qui pousseraient à la Révolution aujourd'hui attireraient sur leur tête une responsabilité terrible… L'école communiste et son organe le Populaire se donnent une autre mission, celle d'instruire et de moraliser, de former l'opinion publique, et de réformer par la raison plutôt que de révolutionner par la violence. » Et le mois suivant il proposait la fondation d'une colonie communiste en Amérique.

D'ailleurs, communistes pacifiques ou révolutionnaires étaient tenus à l'écart de cette campagne des banquets par leur situation de prolétaires, puisque seuls y prenaient part les électeurs censitaires. Il est vrai que, dans les leurs, les radicaux appelaient les citoyens de la veille et ceux du lendemain, ceux qui l'étaient selon le droit comme ceux qui l'étaient selon la loi. Mais sauf des individualités isolées, impatientes de se mêler à l'action, les communistes dus deux fractions, ainsi que l'ensemble des phalanstériens, se tinrent à l'écart.

Ceux-ci eussent eu qualité légale, cependant, pour figurer dans les banquets réformistes organisés par Odilon Barrot et Garnier-Pagès. Leur banquet de 1847, tenu à Marseille, où soixante-sept convives étaient réunis, le prouve éloquemment. Le compte rendu de ce banquet nous a conservé le nom et la profession de chacun d'eux. On y trouve trois médecins, deux pharmaciens, quatre notaires, neuf professeurs, quatre avocats, un avoué, trois ingénieurs, cinq conducteurs des ponts-et-chaussées, un bibliothécaire, huit officiers, un magistrat, un sculpteur, sept fonctionnaires et employés de l'ordre administratif, un maître de postes, un vétérinaire, quatre négociants ou employés de banque, un prote d'imprimerie, un maître serrurier, un marchand tanneur, un entrepreneur, un directeur d'assurances, six propriétaires.

Si nous savons compter, cela fait soixante-six. Il pouvait donc y avoir deux ouvriers à ce banquet en comptant le prote d'imprimerie, qui est d'ailleurs un contremaître.

Il existait cependant des « ouvriers phalanstériens » ; les chefs de la doctrine les admettaient dans les banquets, mais Bourgin, qui donne ces détails dans son ouvrage sur Fourier, a raison de dire que ces ouvriers « ne dénaturaient pas le caractère bourgeois de l'école ».

Proudhon, qui vient d'écrire les Contradictions économiques, ouvrage qui le met hors de pair, n'a pour ainsi dire personne autour de lui. Cette « philosophie de la misère » écarterait plutôt de lui les socialistes d'alors, car il démolit avec une égale fureur le saint-simonisme, le fouriérisme, le communisme de Cabet et des révolutionnaires et le réformisme d'État de Louis Blanc, en même temps qu'il répudie les conclusions désespérantes des économistes libéraux qui trouvent que tout est bien dans la meilleure des sociétés.

Il ne montre encore que sa face négative, se refuse à toute affirmation dogmatique. Comment aurait-il un parti autour de lui ? Cependant, il songe à rallier la foule, puisqu'il cherche à fonder un journal quotidien qui s'appellera le Peuple. Entré en relation avec Marx en 1844 et avec Karl Grün un peu plus tard, il discute avec les deux proscrits allemands la philosophie hégélienne, qu'ils tentent de lui inculquer. Marx est communiste, mais la doctrine telle que l'exposent les partisans de Cabet et la Fédération communiste allemande ne peut recevoir son adhésion. Il sent qu'il manque à cette doctrine trop simple un fondement économique.

« Cherchons ensemble, si vous voulez, les lois de la société », écrit Proudhon en 1846, à Marx, qui a été expulsé de France par Guizot et s'est réfugié à Bruxelles ; « mais, pour Dieu ! après avoir démoli tous les dogmatismes a priori, ne songeons point à notre tour à endoctriner le peuple… Ne taillons pas au genre humain une nouvelle besogne pour de nouveaux gâchis… ne nous posons pas en apôtres d'une nouvelle religion, fût-elle la religion de la logique, la religion de la raison. Accueillons, encourageons toutes les protestations ; flétrissons toutes les exclusions, tous les mysticismes… À cette condition, j'entrerai avec plaisir dans votre association ; sinon, non. »

Il n'y avait guère moyen de s'entendre. Armés comme Proudhon, de la critique économique, Karl Marx et son collaborateur Engels cherchaient également à fonder la pensée et l'action socialistes sur cette critique. Mais, ils cherchaient à édifier en même temps qu'à détruire, et leur dialectique hégélienne leur montrait les formes sociales d'un moment de l'histoire surgissant de la contradiction qui opposait entre elles les formes du moment précédent et les décomposait. Leur thèse du matérialisme historique n'était pas encore mûre dans leur cerveau, mais ils sentaient qu'elle allait être au point. Et ils en tireraient le communisme né de la concentration des travailleurs et des capitaux par les grandes entreprises capitalistes armées du machinisme.

Voilà où ils en étaient, alors que Proudhon, attaché à émonder de ses plantes parasites le champ de l'économie sociale et de leurs préjugés les cerveaux socialistes, refusait encore de faire autre chose que nier, que critiquer. Grouper ceux qui nient et critiquent, leur dire, ainsi qu'il disait à Marx, que le problème posé consiste à « faire rentrer dans la société, par une combinaison économique, les richesses qui sont sorties de la société par une autre combinaison économique », ce n'était pas offrir aux masses populaires de quoi les décider à se mettre en mouvement. Aussi, à Marx qui songeait à organiser révolutionnairement le prolétariat, Proudhon répondait-il :

« J'ai aussi quelques observations à vous faire sur ce mot de votre lettre :au moment de l'action. Peut-être conservez-vous encore l'opinion qu'aucune réforme n'est actuellement possible sans un coup de main, sans ce qu'on appelait jadis une révolution, et qui n'est tout bonnement qu'une secousse. Cette opinion que je conçois, que j'excuse, que je discuterais volontiers, l'ayant moi-même longtemps partagée, je vous avoue que mes dernières études m'en ont fait complètement revenir. Je crois que nous n'avons pas besoin de cela pour réussir, et qu'en conséquence, nous ne devons point poser l'action révolutionnaire comme moyen de réforme sociale, parce que ce prétendu moyen serait tout simplement un appel à la force, à l'arbitraire, bref, à une contradiction… Je préfère donc faire brûler la Propriété à petit feu, plutôt que de lui donner une nouvelle force, en faisant une Saint-Barthélemy de propriétaires. »

Dans celle lettre, Proudhon dit qu'il croit « savoir le moyen de résoudre, à court délai, ce problème ». Mais il n'a pas sa solution. Que dirait-il au peuple dès lors ? Comment se mêlerait-il à l'agitation pour la réforme électorale et parlementaire, lui qui est persuadé que c'est d'une réforme économique qu'il s'agit avant tout ? Et comment proposerait-il une réforme qui n'est pas encore dégagée dans son esprit en travail de recherche ?

Dans sa Philosophie de la Misère, Proudhon avait cru appliquer la méthode hégélienne qui consiste à constater le surgissement d'un phénomène social des contradictions du phénomène qui l'a précédé. Il pensait avoir ainsi bien profité des leçons de Marx et de Grün, et il avait annoncé à Marx cet ouvrage en lui disant : « J'attends votre férule critique. » Marx répondit, il l'avoue lui-même, en ces termes, « et de telle façon que notre amitié prit fin immédiatement et pour toujours », par un livre : la Misère de la Philosophie, qui est en réalité le piano sur lequel Marx essaie les gammes qui vont être, quelques mois après, le Manifeste communiste et, quelques années plus tard, le Capital.

Sur ce piano, dont chaque touche est une des thèses soutenues par Proudhon, Karl Marx tape furieusement, avec une verve ironique et désordonnée. Proudhon, si prompt à la polémique, qui avait si peu épargné ceux-mêmes qui ne lui disaient rien, et se plaignait de ne point recevoir de coups, écrivit à son éditeur Guillaumin en lui accusant réception d'un envoi de livres : « J'ai reçu en même temps le libelle d'un docteur Marx, les Misères de la Philosophie, en réponse à la Philosophie de la Misère. C'est un tissu de grossièretés, de calomnies, de falsifications, de plagiats. »

Il ne répondit pas au « libelle » du « docteur Marx ». Celui-ci venait de quitter Bruxelles avec son collaborateur et inséparable ami Frédéric Engels. Tous deux s'occupaient activement à organiser le congrès communiste qui devait se tenir à la fin de novembre 1847, afin de continuer une tradition qu'en 1836 déjà, un socialiste anglais, Patrick Howell, avait essayé de fonder. Patrick Howell, un ami de jeunesse du musicien Wagner, qu'il avait connu à Dresde, entreprit, sur le modèle des associations politiques internationales qui s'étaient formées sous la Restauration et sous le régime de Juillet, une « Organisation internationale pour l'émancipation des classes laborieuses ». Mais son projet échoua. Nous avons vu cependant qu'il en était resté quelque chose, puisqu'une conférence internationale, composée en presque totalité de communistes réfugiés en Angleterre, s'était tenue à Londres en 1839.

En 1846, il y eut une nouvelle tentative d'organisation internationale. Il s'agissait de réunir les démocrates de toutes les nations qui donnaient le pas aux préoccupations sociales sur les préoccupations politiques, et faisaient servir l'action politique à la réalisation du socialisme. Cette organisation devait s'appeler le comité européen. Bruxelles était le siège de ce comité, qui ne fonctionna pas, et c'est sans doute à cette tentative que Marx voulait rallier Proudhon. Celui-ci, en effet, y devait représenter les socialistes français avec Mellinet, Imbert et Flocon. Karl Grün y représentait l'Allemagne, Ernest Jones les chartistes et Julien Harney les fraternal démocrates anglais.

Le congrès de 1847 fut surtout allemand. Il réorganisa la Fédération communiste, à laquelle s'incorporèrent les anciens adhérents de la Fédération des Justes fondée par Weitling, et dès lors à la devise : « Tous les hommes sont frères », qui avait été celle du communisme allemand, fut substitué l'appel qui termine le Manifeste communiste ; « Travailleurs de tous les pays, unissez-vous ! » Ce congrès, en effet, avait adopté le manifeste rédigé par Marx et Engels, après des débats qui durèrent dix jours. Désormais le socialisme international avait sa charte, son programme et son cri de ralliement.

Mais le prolétariat français, même dans ses éléments communistes révolutionnaires que réorganisait alors Blanqui, ne devait entendre et retenir ce cri que quelques années plus tard et n'adopter le programme qu'après la fondation de l'Internationale, où la pensée de Proudhon domina d'abord les esprits. Quant à Blanqui et à ses amis, ils devaient rester réfractaires à l'idée d'organisation des travailleurs en parti de classe soit sur le terrain international, soit sur le terrain national. Ce fut cependant leur tactique, à la fois démocratique et révolutionnaire, qui inspira Marx et Engels.

Par cet exposé, on voit que l'agitation pour la réforme ne comptait en fait de socialistes que ceux qui s'étaient ralliés aux théories de Louis Blanc, mais demeuraient confondus dans les rangs de la fraction républicaine d'avant-garde. En même temps que par leurs divisions personnelles et doctrinales, les socialistes se trouvaient donc hors d'état, non seulement d'agir dans le mouvement révolutionnaire qui se dessinait, mais encore d'orienter la démocratie vers le socialisme au moment décisif de la victoire. Le socialisme, faute de préparation théorique, faute de culture des masses ouvrières, allait être évincé de la victoire démocratique, comme en 1830 les républicains, et pour les mêmes raisons, l'avaient été de la victoire du libéralisme.

Le gouvernement de Guizot, pendant l'agitation réformiste, ne songeait qu'à durer. Il sentait néanmoins la nécessité, puisqu'il voulait durer sans réformer, de prendre appui sur les éléments les plus conservateurs du pays : les cléricaux. Ceux-ci, aux élections de 1846, avaient manœuvré de manière à se faire craindre du pouvoir. Aux avances que Guizot leur faisait, Montalembert répondait d'une manière peu encourageante, et constatait que les néo-catholiques, les ultramontains, avaient vu « le premier ministre revenir sur ses pas pour leur tendre la main et que les plus ardents de leurs ennemis se taisaient prudemment et sollicitaient leurs voix. »

Le protestant Gasparin et le spécialiste phalanstérien Considérant s'étant prononcés pour la liberté d'enseignement, le comité clérical les avait soutenus. Les élections de 1846 avaient été un triomphe pour le parti clérical, qui fit élire cent quarante-six de ses candidats. Parmi eux se trouvait le comte de Falloux, qui prit vite une situation prépondérante. Guizot allait être forcé de faire à ce parti d'autres avantages que ceux qu'il lui avait laissé prendre.

Ces avantages n'étaient pas minces. Mais pouvaient-ils contenter l'Église, qui se considère comme frustrée du moment qu'elle ne tient pas tout ? D'autre part c'était à l'abandon et à la tolérance du pouvoir autant qu'à l'activité de ses partisans qu'elle devait ces avantages. Il lui tardait de les grossir et de consolider le tout par un statut légal qui la mît à l'abri de toute reprise. Elle se considérait comme si peu satisfaite, qu'elle continuait de crier à la persécution au moment même de sa plus vigoureuse offensive ; et l'on avait vu, à la fin de 1843, l'archevêque de Paris, passant par-dessus la tête de Guizot, adresser directement, et impunément, ses doléances au pape.

Les beaux jours de la Restauration étaient revenus, et ce n'était pas encore assez pour l'Église. Le gouvernement avait toléré les congrégations ; à présent il les encourageait, — et les évêques gémissaient sur le malheur du temps. La loi sur les associations était violée ouvertement, et les communautés constituaient à Paris une main-morte si considérable que le Conseil général de la Seine demandait au gouvernement d'en arrêter le progrès. Le gouvernement demeurait sourd à cet appel, — et le clergé le signalait comme un persécuteur.

Des scandales éclataient dans les couvents, les commissaires de police n'osaient y pénétrer pour mettre fin à d'odieuses séquestrations : — l'Église suppliait, par un pétitionnement qui réunissait cent quarante mille signatures, qu'on lui donnât la liberté. « On laissait, dit M. Debidour, comme sous la Restauration, le clergé embaucher des soldats à prix d'argent pour les mener communier ostensiblement. Dans l'enseignement primaire, les écoles congréganistes se multipliaient à vue d'œil. Les Ignorantins, qui n'avaient que 87.000 élèves en 1830, en comptaient plus du double en 1847 ; les congrégations enseignantes étaient recommandées en chaire et au confessionnal. Les dons et les collectes affluaient dans leurs caisses. En revanche, les instituteurs laïques, réduits souvent à trois ou quatre cents francs de portion congrue, étaient calomniés, dénoncés, persécutés, quand ils ne se laissaient pas domestiquer par les curés. » L'Église déclarait intolérable la situation qui lui était faite.

Le gouvernement « tolérait que des écoles religieuses se refusassent à toute inspection et même qu'un aumônier de collège prétendît empêcher un inspecteur général de questionner ses élèves sur l'Histoire sainte. Par contre, il admettait que le clergé lui dénonçât certains professeurs de philosophie comme indignes d'enseigner, pour cause de judaïsme ou de protestantisme ». — L'Église ne pouvait demeurer plus longtemps dans cette misère et sous cet opprobre. Elle avait un parti à la Chambre. Elle somma Guizot de lui donner enfin la liberté, toute la liberté, c'est-à-dire tout pouvoir contre qui lui résisterait.

Guizot avait obéi de son mieux à cette impérieuse alliée en faisant déposer par Salvandy, en février 1847, un nouveau projet de loi sur l'enseignement secondaire. Mais il n'avait pu tout lui livrer, lui donner la liberté illimitée qu'elle réclamait et faire pour elle plus que Charles X lui-même. Ce projet enlevait à l'Université la juridiction sur le personnel des écoles privées, mais lui laissait le droit de rédiger les programmes et de désigner les livres classiques, ainsi que le contrôle de ces établissements. Le certificat de moralité, le brevet de capacité, le stage, n'étaient plus exigés, et si le certificat d'études était maintenu, c'était pour la forme. Les congrégations non autorisées restaient bien exclues du droit à l'enseignement, mais les professeurs des établissements privés n'étaient plus forcés de déclarer qu'ils n'appartenaient pas à une congrégation non autorisée.

C'était trop pour les défenseurs de la société civile, et trop peu pour les cléricaux. « Le gouvernement du roi pense à la religion en instituant la liberté », disait Salvandy dans son exposé des motifs. « Mais, ajoutait-il, il se préoccupe aussi de l'État, de ses droits, des institutions que la France a voulues, et il ne souffrira pas qu'aucun de ces grands intérêts soit mis on péril. En renonçant à l'administration absolue de l'enseignement, on rompant le lien qui enchaînait à l'Université les établissements particuliers, la nombreuse jeunesse qu'ils abritent, il a toujours les yeux ouverts sur elle, il ne la livre pas à l'esprit de faction. »

Talonné par les invectives de Veuillot, qui l'accusait d'avoir fait des avances au gouvernement, l'évêque Dupanloup se prononça contre le projet. Le Comité pour la défense religieuse le repoussa, en disant que la lutte devait « être reprise avec plus d'énergie que jamais ». Montalembert mena son parti à l'assaut de l'État enseignant, en reprochant leur « mollesse » et leur « lâcheté » aux catholiques qui avaient paru accepter ce que leur offrait Salvandy, en attendant le reste. Cette intransigeance donna beau jeu aux partisans de l'Université. Le rapporteur du projet à la Chambre, Liadières, s'inspira de leur esprit et conclut au rejet.

Le ministère, sentant la commission hostile, ne demanda pas la mise à l'ordre du jour, malgré les hautaines sommations de Montalembert. « Cela se fera, lui répondait Guizot à la Chambre des pairs, avec la prudence que nous y apportons, avec le temps que nous y mettons. » Et pour le faire patienter, il suspendait, en janvier 1848, le cours de Michelet au Collège de France.

Guizot et Salvandy attendaient que l'opinion se fût rendormie de l'alarme des années précédentes. De fait, le calcul n'était pas faux. Le temps faisait son œuvre. L'opinion se passionnait à présent pour la réforme électorale, en même temps qu'elle abandonnait la guerre aux jésuites et qu'elle s'éprenait du pape libéral. Les libéraux tombaient d'accord pour faire trêve vis-à-vis de l'Église, les uns parce qu'ils comptaient sur la réforme pour emporter les jésuites et leur pouvoir avec le reste, les autres parce qu'ils espéraient que le pape libéral débarrasserait l'Église du jésuitisme et la réconcilierait tout à fait avec la société moderne. Georges Renard dira bientôt quels périls contenait cette illusion, et comment elle devait permettre au parti catholique d'obtenir de la République ce que Guizot lui-même n'avait osé ni voulu lui donner.

Telle était la fausseté de sa situation, qu'il n'était pas plus permis à Guizot d'être clérical à l'extérieur qu'à l'intérieur, tout en y étant également conservateur. Il avait bien menacé la Suisse de venger la défaite du Sonderbund, mais force lui avait été, finalement, ainsi qu'à Metternich, d'accepter les faits accomplis, et de laisser cette république se donner la constitution qui lui convenait en remplacement de celle que lui avait imposée la Sainte-Alliance. En Italie, où des mouvements révolutionnaires avaient éclaté au commencement de 1847, à l'instigation du grand agitateur Mazzini, Metternich avait envoyé des troupes au secours des principicules absolutistes menacés.

Grand embarras pour Guizot, interpellé à la Chambre sur cette intervention, car s'il était hostile aux révolutions, il était bien forcé, d'autre part, d'employer ses efforts à modérer le despotisme des princes d'Italie et à exiger d'eux des réformes. De plus, il ne pouvait admettre que l'Autriche mît le pied sur ce pays tout entier. Les troupes autrichiennes massacraient le peuple à Milan, les étudiants à Pavie. La Sicile se soulevait. Parme, Modène, le Piémont étaient en effervescence. Le maréchal autrichien Radetzky répondait par d'horribles menaces, occupait Parme et Modène.

Le pape, pressé par les libéraux et les patriotes, demandait des fusils à la France pour armer ses gardes civiques, et Louis-Philippe lui en envoyait. Les troupes autrichiennes, alors, entraient dans les États de l'Église et occupaient Ferrare. À cette violation des traités de 1815, Guizot répondit en envoyant le prince Joinville avec une forte escadre croiser sur la côte de Civita-Vecchia, pour assurer au pape la protection qui lui était due. Alors on négocia. Metternich ne voulait pas la guerre. Guizot la voulait encore moins. Les troupes autrichiennes évacuèrent Ferrare et la France rappela le prince de Joinville. Ces actes affaiblirent un peu la critique de l'opposition. Cependant Thiers, Mauguin, Odilon Barrot, Lamartine purent reprocher au gouvernement son impudent hommage à la « modération » de l'Autriche acharnée à rétablir le pouvoir absolu dans les petits États d'Italie.

Bresson, notre ambassadeur à Naples, ayant critiqué l'abandon par la France des libéraux italiens après les avoir encouragés par les remontrances qu'elle adressait aux princes absolutistes, reçut de Louis-Philippe un blâme si rude, qu'il ne put le supporter et se suicida. Le prince de Joinville, douloureusement impressionné par cette mort, écrivit à son frère, le duc de Nemours, une lettre où la politique personnelle de leur père, toute de réaction et de perfidie, était jugée avec sévérité et inquiétude.

« Le roi est inflexible, disait Joinville dans cette lettre, il n'écoute plus aucun avis ; il faut que sa volonté l'emporte sur tout... Il n'y a plus de ministres ; leur responsabilité est nulle ; tout remonte au roi. Le roi est arrivé à un âge auquel on n'accepte plus les observations : il est habitué à gouverner ; il aime à montrer que c'est lui qui gouverne... Nous arrivons devant les Chambres avec une détestable situation intérieure et, à l'extérieur, une situation qui n'est pas meilleure. Tout cela est l'œuvre du roi seul, le résultat de la vieillesse d'un roi qui veut gouverner, mais à qui les forces manquent pour prendre une résolution virile. »

Le régent éventuel, à qui ces craintes et ces reproches étaient confiés, ne les entendait pas pour la première fois. Quatre ans auparavant, lors de sa visite au Mans, Trouvé-Chauvel, maire de cette ville, député modéré et ancien préfet de police, lui avait rappelé qu'il devait, « par ses tendances comme par son âge, appartenir à la jeune génération », et « accepter les institutions représentatives », car « les révolutions ne doivent pas placer un peuple au-dessous de ce qu'il était, alors qu'il obéissait aux volontés absolues des rois ». Ce langage avait alors choqué le jeune prince, qui ne s'était pas opposé à la destitution de celui qui le lui avait tenu. Sans doute accueillit-il avec plus d'attention les avis de son frère. Mais il était trop tard, et, d'ailleurs, il ne pouvait rien.

Cette année 1847 finit par un événement qui assurait la conquête matérielle de l'Algérie. Abd-el-Kader, pressé par les troupes du duc d'Aumale, s'était rendu, après avoir vainement tenté de conquérir le Maroc, tandis que Bugeaud entreprenait la conquête de la Grande-Kabylie. Le ministère fit grand bruit de cette reddition du plus dangereux adversaire armé de la France en Algérie. Il ne nous restait plus qu'à en conquérir les habitants. Il y a près de soixante ans que l'émir a déposé les armes, et cette conquête n'est pas encore achevée.

Chapitre XI
La révolution

Cabet fonde la communauté icarienne en Amérique. — Derniers combats parlementaires. — Malgré les avertissements de leurs amis, Louis-Philippe et Guizot s'opposent à la réforme. — Le banquet du douzième arrondissement transformé en manifestation populaire. — Le gouvernement prend des mesures de répression. — Le peuple descend dans la rue : la manifestation du 22 février ; l'émeute du 23 ; la révolution du 24.

Le 5 janvier 1848, deux heures après son retour de Londres, où il était allé négocier l'acquisition des terrains d'Amérique sur lesquels devait s'édifier l'Icarie projetée, Cabet était arrêté chez lui, par mandat du juge d'instruction de Saint-Quentin, sous une inculpation d'escroquerie. Ainsi était qualifié par le gouvernement le plan d'émigration communiste auquel le groupe du Populaires 'était attaché.

Nous avons dit que l'idée de réaliser dans une communauté distincte l'idéal tracé par le Voyage en Icarie avait été lancée par Cabet au mois de mai 1847. « Allons en Icarie ! écrivait Cabet dans le Populaire. Puisqu'on nous persécute en France, puisqu'on nous refuse tout droit, toute liberté d'association, de réunion, de discussion et de propagande pacifique, allons chercher en Icarie notre dignité d'homme, nos droits de citoyens et la Liberté avec l'Égalité. »

Et, prévoyant les objections, Cabet ajoutait : « Nous ne partirons pas au hasard, mais avec un plan discuté, adopté à l'avance. Et pendant le temps nécessaire aux préparatifs du premier départ (probablement un an au moins), nous examinerons et nous discuterons toutes les questions, nous appellerons à notre aide toutes les lumières, tous les avis, toutes les expériences de tous les savants et de tous les amis de l'humanité. » Il s'agissait d'ailleurs d'essaimer, et non de rompre les attaches avec le sol natal : « En nous éloignant de la France, nous n'oublierons jamais qu'elle fut notre mère ».

Cependant, on l'abandonnait. Pour la libérer dans l'avenir en exposant à ses yeux éblouis le bonheur qu'elle avait refusé, et qu'elle se donnerait sur l'exemple des Icariens quand ceux-ci auraient fait leur preuve. « Restez en France ! » avait crié naguère Proudhon aux fouriéristes, à l'imitation desquels Cabet tentait son essai de communauté sur les terres vierges des États-Unis. Cabet ne comprenait pas plus que Considérant, même moins encore, que la transformation sociale n'est pas œuvre artificielle qui s'impose à la raison les foules par un exemple extérieur et triomphant, mais le résultat naturel du mouvement des choses éclairé par les intelligences, secondé par les volontés.

Il avait donc passé l'année à organiser son entreprise, pour laquelle les communistes pacifiques se passionnèrent aussitôt. Owen l'avait encouragé, lui avait donné des documents et des avis, l'avait mis en relation avec ceux qui, en Amérique, pouvaient lui être utiles. Les communistes allemands de Londres, sur qui la forte pensée de Marx commençait à exercer son action, déconseillaient dans leur journal ce moyen puéril de résoudre la question sociale, tout en reconnaissant le « service immense » que Cabet avait rendu aux prolétaires « par ses avertissements contre les conspirations comme aussi par son Voyage en Icarie ».

Plein de son idée, fort de l'enthousiasme qu'elle avait suscité parmi la plupart des communistes, Cabet avait répliqué à cet avertissement amical et invoqué les motifs qui lui donnaient la certitude d'être dans la bonne voie. Comment ne l'eût-il pas cru ? Les lettres d'adhésion lui arrivaient chaque jour de tous les points de la France, d'un certain nombre de villes de l'étranger. Pouvait-il résister à ce mouvement de fraternité universelle que sa voix avait soulevé ?

Le lieu choisi pour l'expérience communiste se trouvait dans la partie nord-ouest du Texas, le long de la rivière Rouge. En septembre, Cabet prépara le « contrat social » ou acte de la Société pour la communauté d'Icarie et dressa son plan financier. Le 10 octobre, cent cinquante Icariens réunis dans le bureau du Populaire adoptaient le projet à l'unanimité et le Populaire publiait les noms par ordre alphabétique. Il fut décidé qu'une avant-garde partirait dans les derniers jours de mars 1848 et que le premier grand départ se ferait dans les derniers jours de septembre.

Une commission partit immédiatement pour explorer les lieux et choisir l'endroit du premier établissement et, à la fin de décembre, Cabet passait à Londres un traité assurant à l'association la possession d'un territoire d'un million d'acres en bonnes terres pour le premier établissement. Une petite avant-garde devait partir au plus tôt, acquérir le bétail et organiser les premiers travaux d'installation.

Tels furent les faits qui servirent de base au procès intenté à Cabet, et que l'accusation dut abandonner, les plaignants, des Icariens dissidents, ayant eu honte du rôle qu'on voulait leur faire jouer. Le 7 janvier, Cabet était remis en liberté et s'occupait immédiatement d'organiser le départ de la première avant-garde. A la nouvelle de son arrestation, les actionnaires du Populaire avaient immédiatement ouvert une souscription pour défendre leur chef devant les tribunaux.

Le départ eut lieu au Havre le 3 février. Soixante-neuf Icariens, conduits par Gouhenant, s'embarquaient sur le navire Rome, et, après avoir reçu les dernières recommandations de Cabet, s'en allaient chercher de l'autre côté de l'Océan la liberté qui semblait morte en France. Moins de trois semaines après, elle ressuscitait et leur donnait le regret d'avoir douté d'elle.

Ces incidents passèrent inaperçus dans la grande agitation politique du moment. La session parlementaire s'était ouverte dans les premiers jours de janvier et Odilon Barrot avait aussitôt dénoncé comme un symptôme de la décomposition du gouvernement le scandale soulevé par le mémoire d'un nommé Petit et dans lequel il était établi que la recette particulière de Corbeil lui serait donnée s'il pouvait mettre à la disposition du ministère, par la démission du titulaire, une charge de conseiller à la Cour des comptes. Petit avait payé, puis, pris de scrupule, il démissionna en dénonçant le trafic auquel il avait été mêlé !

Guizot couvrit encore de son manteau de probité personnelle cette prévarication. Il parut s'étonner qu'on fît tant d'affaires pour un « petit fait », et accusa l'opposition de perdre le temps de la Chambre. La majorité fut de l'avis de Guizot. Elle n'avait pas, en effet, à s'émouvoir d'un si petit fait, après tant de gros scandales. En vain Dupin l'avait-il avertie par sa défection. En vain il venait de donner à ce petit fait toute son importance, en déposant une proposition de loi sur la vénalité des charges et des offices. Les deux cents fonctionnaires de Guizot partageaient son aveuglement. On passa donc à la discussion de l'adresse après avoir validé les pouvoirs d'un député soumis à la réélection, à raison de sa nomination au poste de médecin inspecteur des eaux de Néris. Ce député-fonctionnaire avait été réélu grâce à la pression officielle la plus éhontée. Il n'en était que plus digne de siéger dans une telle assemblée.

Dans la discussion de l'adresse, rédigée par la commission avec une platitude exemplaire, Thiers vint sonner le glas du déficit. Il apporta la protestation des intérêts contre la politique financière du gouvernement ; ceux de la boutique aussi bien que ceux de la finance s'alarmaient d'une situation qui conduisait aux catastrophes publiques par des malaises particuliers. Les capitalistes ont épuisé et surmené l'État et son crédit, ils se tournent maintenant contre lui. Enfermé dans sa forteresse de fonctionnaires, il s'est fié aux recettes croissantes du budget, et au lieu d'en profiter pour amortir la dette, il l'a augmentée. Le public de l'épargne s'est jeté sur les valeurs de l'État, qu'il sait de tout repos, et a dédaigné celles des entreprises privées. Et voici que les actions des chemins de fer sont tombées de neuf cents francs à cinq cents.

Garnier-Pagès, alors, sème l'alarme dans ce public si confiant, lui dénonce l'emprunt de deux cents millions fait par l'État aux caisses d'épargne, si bien que dans un moment de crise qui amènerait les déposants aux guichets, il ne pourrait les rembourser, ces deux cents millions portant la dette flottante aux environs du milliard : exactement à neuf cent cinquante millions.

Tocqueville porte l'attaque sur l'immoralité organique du régime. Il s'empare de l'élection Richemond de Brus, qu'on vient de valider, et du scandale Petit, qu'on vient d'absoudre. Il apporte à ces emmurés, sourds aux rumeurs du dehors, l'écho des huées du faubourg Saint-Antoine. Il s'agit bien d'émeutes que la force militaire peut réprimer, leur dit-il. Et il leur montre que la révolte est dans les consciences, la révolution dans les esprits.

Pâle et la tête renversée, sans un tressaillement, ne vivant que par les yeux, qui montrent plus de fureur que de honte, Guizot écoute ce premier son du tocsin révolutionnaire. Pas plus qu'à Tocqueville, il ne répond à Billault, qui dresse le bilan du désastre moral sous lequel tout croule. Il ne sort de son immobilité que pour défendre, de la manière que nous avons vue au chapitre précédent, sa politique d'alliance docile avec Metternich, la politique de réaction internationale du vieux roi entêté.

Cette discussion est passionnément suivie par les chancelleries. Palmerston fait des vœux ardents pour le renversement de Guizot, tandis que Metternich ne se tient pas de dire : « S'il tombe, nous sommes tous perdus ! » C'est bien, en effet, le combat du libéralisme et de l'absolutisme qui se livre au Palais-Bourbon, non pour la France, mais pour l'Europe entière.

Duvergier de Hauranne est venu justifier la campagne des banquets, à laquelle le discours du trône a fait allusion en récriminant contre les « passions ennemies et aveugles ». Il disculpe ses amis de toute hostilité aux institutions de la monarchie de Juillet, montre que c'est le pouvoir qui a renoncé à ces institutions pour s'appuyer, lui, sur « les passions cupides et basses ». Quant aux passions ennemies, le pouvoir les déchaîne en donnant le signal de l'illégalité, en s'avisant subitement d'interdire le banquet du douzième arrondissement.

À ce discours, Duchâtel répliqua en déclarant que le gouvernement, fort de la loi de 1790, non abrogée, maintenait l'interdiction du banquet du 19 janvier. « Le gouvernement ne cédera pas », dit-il. En vain Odilon Barrot le rappela aux principes de 1830. En vain, de leur côté, un certain nombre de ministériels, tentèrent une conciliation par un amendement à l'adresse. Guizot refusa hautainement, et il accusa l'auteur de l'amendement de trahison. Mais avant le vote de cet amendement, qui invitait le cabinet à prendre « l'initiative des réformes sages et modérées », et parmi elles la réforme parlementaire, il avait prononcé quelques paroles que les ministériels irréductibles de l'entourage du roi voulurent interpréter comme une promesse aux espérances des réformistes.

Guizot avait-il promis quelque chose ? Il avait seulement répondu à Sallandrouze. auteur de l'amendement, que le ministère n'accepterait les réformes que le jour où le parti conservateur les accepterait tout entier. Il n'en fallut cependant point davantage pour irriter le roi. La majorité ministérielle, réduite à trente-trois voix, dans une Chambre composée par moitié de fonctionnaires, ne l'éclairait pas.

Il « protestait avec vivacité, nous dit M. Thureau-Dangin, qu'aucune promesse n'avait été apportée à la tribune par son ministre ». Il faut bien pourtant que Guizot ait reconnu la nécessité de faire quelques concessions, puisque les Débats, où pas une ligne ne paraissait sans sa permission, déclaraient que la réforme s'accomplirait et qu'elle était décidée en principe.

Tandis que le journal de Guizot exprimait ainsi la pensée du ministre, Louis-Philippe disait à son entourage : « Il n'y aura pas de réforme, je n'en veux pas. Si la Chambre des députés la vote, j'ai la Chambre des pairs pour la rejeter. Et quand bien même la Chambre des pairs l'adopterait, mon veto est là. » Et Montalivet, qui venait de lire les Débats et félicitait le roi d'avoir permis à Guizot de faire « un premier pas dans la voie des concessions » ; était « vertement rabroué » par son maitre, nous apprend M. Thureau-Dangin.

Le roi était-il si ferme en son dessein de ne pas céder ? Sans doute puisqu'à certains moments il envisageait l'éventualité de son abdication. Mais ce n'est pas à son fils, désigné par les Chambres pour occuper la régence, qu'il songeait alors. Il eût voulu que le roi des Belges acceptât d'être régent. Il s'en ouvrit à celui-ci, qui sans douta posa des conditions inacceptables. « Eh bien dit-il alors à son neveu, le duc régnant de Saxe-Cobourg, que le bon vieux monsieur mange sa soupe lui-même. »

L'entourage du « bon vieux monsieur » le pressait de se séparer de Guizot. Car Guizot était accusé par les amis du roi, dont il faisait la politique personnelle de rendre le roi impopulaire. Et Guizot acceptait la situation qui lui valait une telle avanie, et si injuste. C'était à croire que Guizot et le roi s'étaient juré un pacte de mutuelle servitude. Disait-on à Louis-Philippe que partout on demandait des réformes, il répliquait qu'il savait le contraire. Montalivet lui parlait-il du mécontentement croissant de la garde nationale dont il était colonel de la légion à cheval, il paraissait un instant ébranlé, puis se renfonçait dans son entêtement.

L'opposition se devait de répondre à l'interdiction du banquet prononcée par le ministre de l'Intérieur. Le soir même du vote de la Chambre, les députés s'étaient donné rendez-vous pour le lendemain à midi, au restaurant Durand, place de la Madeleine. D'un commun accord, les jurisconsultes avaient déclaré au comité des électeurs que l'interprétation de la loi de 1790 donnée par le comte Duchâtel était abusive. Puisqu'on avait le droit pour soi, allait-on reculer. Toute la question était là.

À la réunion du restaurant Durand, présidée par Odilon Barrot, Marie et Chambolle proposèrent une démission en masse des cent députés de l'opposition. Lamartine, Duvergier de Hauranne se prononcèrent contre ce moyen et déclarèrent qu'il fallait organiser quand même le banquet. L'assemblée se prononça pour le banquet et la note envoyée aux journaux pour annoncer cette décision porta qu'elle « avait été prise sans préjudice des appels que, sous d'autres formes, les députés de l'opposition se réservaient d'adresser au corps électoral et à l'opinion publique ».

La Réforme publia cette note. Le groupe de Ledru-Rollin cessa de se tenir à l'écart et son chef envoya son adhésion. Le comité électoral parisien avait décidé qu'au banquet, fixé au 22 février, se joindrait une grande manifestation des partisans de la réforme. Ledru-Rollin demanda une place dans le cortège pour le comité de la Réforme et le groupe des étudiants républicains. Les plus clairvoyants sentaient qu'on allait à une révolution. À une réunion tenue chez Goudchaux, on dressait une liste de membres d'un gouvernement provisoire. Un des membres de cette réunion ayant dit à Marie qu'on l'avait inscrit sur cette liste, celui-ci demanda avec étonnement s'il y avait des projets de révolution : « Non je n'en connais pas, lui répondit l'ami, mais tout est possible dans le mouvement qui se prépare ».

Après bien des difficultés, le comité avait pu louer un terrain clos de murs dans une des rues désertes qui avoisinaient les Champs-Élysées. En vingt-quatre heures, une tente y fut construite. Le gouvernement accepta alors que Morny et Vitet allassent trouver Odilon Barrot pour l'engager à laisser trancher le conflit par les tribunaux. Le banquet aurait lieu, mais un commissaire de police se présenterait, verbaliserait et se retirerait ensuite. Odilon Barrot accepta.

Mais le cortège qui devait se former pour se rendre au banquet devenait formidable par le nombre des adhésions qui arrivaient au comité. La garde nationale s'y vit assigner un rang et elle fut publiquement convoquée à l'occuper. Le gouvernement prit prétexte de cette convocation à laquelle il savait que les gardes nationaux répondraient, surtout ceux des quartiers populeux, et ceux de Montmartre, de Belleville, de Saint-Denis, de Bercy ; il fit savoir au comité organisateur que les conventions faites ne tenaient plus et qu'il ne tolérerait ni la manifestation ni le banquet.

On était à la veille même du banquet. Au cours de la séance, Barrot demanda au ministre de l'Intérieur des explications. Duchâtel répondit qu'il avait autorisé le banquet, mais non une manifestation publique. Il ajouta qu'il permettait toujours aux assistants de se rendre individuellement au lieu de réunion, mais qu'il disperserait tout attroupement sur la voie publique. À la fin de la séance, les membres de l'opposition tinrent conseil, mais ne purent s'entendre. Le soir, une nouvelle réunion eut lieu chez Odilon Barrot, effaré d'avoir déchaîné un péril révolutionnaire, et on convint de décommander la manifestation et le banquet.

Mais si les députés et les hommes politiques en vue reculaient, ceux que leur campagne avait lancés en avant n'entendaient pas battre en retraite. Cependant, à la réunion de la Réforme, Ledru-Rollin et Louis Blanc faisaient repousser la proposition de prendre les armes faite par plusieurs républicains, notamment Albert, Baune, Caussidière et Rey. Aux Saisons, reformées par Blanqui, à la Société des étudiants, on était également, après débat, contre l'insurrection. Mais, là, on était résolu à se rendre quand même au rendez-vous auquel les chefs manqueraient et d'y surveiller les événements.

La note des députés de l'opposition avait eu beau engager les « bons citoyens » à s'abstenir de toute manifestation publique et promettre de demander la mise en accusation du ministère, la Réforme avait eu beau, publier un article où Flocon disait à ses amis : « Gardez-vous de tout téméraire engagement », le matin du 22 février vit une foule immense descendre des hauteurs populeuses et se diriger vers les Champs-Élysées par les boulevards. Bientôt des rassemblements se formèrent un peu partout, d'où jaillissaient le cri de : Vive la Réforme ! et le chant de la Marseillaise. Une masse de manifestants poussa jusqu'à la Chambre, la troupe voulut la disperser ; elle fut reçue à coups de sifflet et aussi à coups de pierres. On fit alors venir de la cavalerie et les manifestants furent refoulés dans le centre, où ils élevèrent des barricades et échangèrent des coups de fusil avec les gardes municipaux.

Le 23, à l'aube, la foule emplissait les rues et les places. Les barricades s'élevaient un peu partout. Soudain le rappel de la garde nationale est battu, sur l'ordre des maires, et même des particuliers. Les gardes nationaux s'équipent et se rendent à leurs points de ralliement aux cris de : Vive la Réforme ! À bas les ministres ! Puis de là il se dirigent vers les centres d'agitation et se jettent entre la troupe et le peuple. Des masses compactes les entourent, les acclament.

La nouvelle en arrive au roi, qui se rappelle alors les avertissements de Montalivet. Sur ces entrefaites, Guizot arrive et lui offre sa démission. Il accepte, et sitôt que le peuple apprend cette résolution, l'émeute se change en fête. Jusque là, seuls les hommes emplissaient les rues, les parcourant à grands cris furieux. Ils se transforment en promeneurs joyeux, les femmes, les enfants, les vieillards les rejoignent, et montrent leur joie de la paix enfin revenue, les ouvriers et les bourgeois fraternisent avec les soldats campés sur le boulevard.

Le soir venu, la foule demande des lampions sur l'air classique. Les fenêtres s'illuminent. Devant le ministère des affaires étrangères, boulevard des Capucines, on ne crie plus : à bas Guizot ! mais : des lampions ! Soudain, un coup de feu part des rangs pressés de cette foule en liesse. Quels ordres sévères ont été donnés aux soldats qui gardent la demeure de Guizot ? À quel péril croient-ils avoir à faire face ? Spontanément, ils abattent leurs fusils et font une trouée sanglante dans la masse humaine.

La consternation, la terreur, la fureur succèdent à la joie. En vain ceux qui se sentent une autorité, une responsabilité essaient de montrer au peuple qu'il y a là un effroyable malentendu. Un tombereau dans lequel on a entassé les cadavres a commencé une lugubre promenade sur les boulevards, soulevant, partout les cris de vengeance. Et les illuminations éclairent une veillée des armes tout entière passée à relever les barricades et à en construire de nouvelles.

Au jour, des placards officiels annoncent que le maréchal Bugeaud est nommé commandant de toutes les forces militaires de Paris. Mais en même temps que Louis-Philippe charge le répresseur de Transnonain de diriger la bataille, il demande à Thiers, répresseur en chef de Saint-Merri et de Transnonain, les moyens de négocier la paix. Celui-ci, qui voit à quelle insurrection l'on a affaire, déclare qu'on ne peut calmer le peuple qu'en annonçant la présence d'Odilon Barrot dans le ministère. — Vous me rapportez des propos de café, dit le vieil entêté avec dédain.

Mais Thiers déclare nettement qu'il n'acceptera le pouvoir qu'à cette condition, et le roi finit par mander Barrot. Mais, peu soucieux de voir Bugeaud dans un cabinet dont il aura la responsabilité, dont il est le garant, Barrot refuse. On lui promet en effet de le laisser faire la réforme lorsque Bugeaud aura terminé la répression. Son refus accule le roi et la cour à une nouvelle capitulation. Barrot est libre de constituer son ministère comme il l'entendra. Il choisit Thiers, Duvergier de Hauranne et Lamoricière, confie à ce dernier le commandement en chef de la garde nationale de Paris, fait savoir la nouvelle par une affiche qui annonce en même temps que l'ordre est donné de suspendre le feu.

La Réforme, parue en même temps que le roi confiait le pouvoir à Barrot, posait ou croyait poser les conditions auxquelles le peuple poserait les armes. Il suffisait de mettre en liberté les citoyens arrêtés, de mettre les ministres en accusation, d'abolir les lois contre la presse et de donner une réforme électorale très large. « Avec ces mesures, disait-elle, on rétablira l'ordre très promptement. » Au National, Marrast comprenait mieux les sentiments du peuple, dont il avait senti l'invincible défiance. L'exaspération, dans le peuple, l'emportait sur la défiance : il ne voulait plus d'un roi qui ne cédait que faute de trouver des complices pour la répression.

Quand on vint annoncer à Marrast le ministère Thiers-Barrot, il répondit à l'unisson de Paris soulevé : « Cela ne suffit plus. L'abdication du roi avant midi. Après midi, il serait trop tard. » Barrot put se rendre compte personnellement de la réalité. Entouré de républicains qui ne croyaient pas que l'heure de la République fût venue, il passa une partie de la matinée à parcourir la foule et rentra chez lui découragé. « Vous voyez, lui dit Garnier-Pagès, il faut aller vite, car les événements nous poussent. Aujourd'hui c'est vous, demain ce sont mes amis et moi, après-demain c'est Ledru-Rollin. » Les événements ne poussaient pas les hommes, ils les bousculaient, les faisaient tournoyer comme des feuilles mortes.

Proudhon est à la Réforme. Saisissant les outils de son ancien métier de typographe, il compose un placard qui dit toute la situation du moment : « Citoyens, Louis-Philippe vous fait assassiner comme Charles X ; qu'il aille rejoindre Charles X ». Puis il sort et, avisant un passant qui flâne autour d'une ébauche de barricade avec des airs effrayés, il prend un air comiquement féroce et lui ordonne d'y porter son pavé. Les chefs républicains courent de rendez-vous en rendez-vous, sans se joindre, égarés par le policier de la Hodde pendant toute la matinée. Enfin, quelques-uns se trouvent réunis vers midi à la Réforme ; ils dirigent le peuple sur le Château-d'Eau.

La troupe est désorientée, sans ordres, laissée à son inspiration. Ici, elle résiste aux insurgés ; là elle fraternise avec eux. Duvergier de Hauranne et Rémusat ont vu, sur la place de la Concorde, les soldats offrir leurs armes au peuple. Ils courent aux Tuileries annoncer ce désastre. Le roi déjeunait. Il se lève de table, passe son uniforme, monte à cheval et passe en revue les troupes massées dans la cour du palais. À ces troupes se sont joints deux bataillons de la garde nationale. L'un d'eux crie : Vive la Réforme. Le roi comprend alors qu'il est abandonné par la boutique. Il rentre désespéré.

Les messagers de mauvaises nouvelles se succèdent auprès de lui. L'un lui apprend que l'École polytechnique est avec le peuple et dirige la construction des barricades, un autre que la garde nationale tout entière est gagnée à l'insurrection, un autre que la troupe livre partout ses armes et ses cartouches. Il peut entendre le bruit de la fusillade, à présent. Il peut voir l'avant-garde de l'insurrection lançant ses éclaireurs sur la place du Carrousel.

Louis-Philippe a dévêtu son uniforme. En dépouillant l'insigne de la force, il a pris la résolution de résigner un pouvoir que la force ne soutient plus. Il signe son abdication, lègue la tâche à son petit-fils, le comte de Paris ; appuyé sur le bras de Marie-Amélie, il traverse le jardin des Tuileries et entouré d'un dernier groupe de fidèles, gagne la place de la Concorde. Un régiment de cuirassiers l'entoure. Mais la foule n'est pas hostile. « Qu'il parte », crie-t-on de toutes parts. Et on s'écarte pour laisser passer le fiacre dans lequel montent le vieux roi et sa femme. La suite s'entasse dans un autre fiacre et dans un cabriolet et la monarchie de Juillet s'en va, dans ce mince équipage, jusqu'à Saint-Cloud, d'où un omnibus la transporte provisoirement à Trianon.

Laissons s'en aller celui qui la représenta finir en exil une existence publique commencée dans l'émigration. Laissons le roi de la quasi-légitimité porter sa méditation sur la terre étrangère où repose en l'attendant le dernier roi légitime. Il n'emporte pas avec lui la puissance sociale et politique de la bourgeoisie, et elle saura, forte de l'ignorance des masses et de leur pli de servitude non encore effacé, tourner contre leur liberté l'instrument de liberté que les plus hardis et les plus conscients d'entre elles ont conquis d'un geste révolutionnaire, et la lui arracher.

Il appartient à d'autres de dire comment fut déçu et ajourna l'immense espoir du prolétariat. Notons seulement qu'au point d'éducation civique et sociale où le surprit une révolution faite par mégarde, il était hors d'état de conserver une conquête qui lui avait si peu coûté, et qu'un événement d'apparence miraculeuse mettait inopinément entre ses mains, ou plutôt sur ses bras. Dire que cette conquête ne lui a pas coûté son prix, ce n'est pas faire injure au prolétariat, ni mépriser le sang précieux versé pour elle des barricades de juillet 1830 à février 1848, et dont la traînée se continue de Lyon à Saint-Merri, de Transnonain au massacre des mineurs de la Loire, en deux courants parfois rapprochés, point encore confondus ; celui qui coule pour la liberté, celui qui coule pour le pain. Mais ceux qui ont donné leur vie pour le pain n'ont songé qu'au pain du jour, qu'à la faim du moment. Et ceux qui l'ont offerte à la liberté n'étaient qu'une héroïque avant-garde, que son surgissement en pleine lumière désignait plus sûrement aux coups meurtriers.

Le système politique de la bourgeoisie s'est effondré de lui-même, avant que le prolétariat appelé par l'histoire à former le sien ait été mis à même de se préparer à cette tâche. Le 24 février est bien moins une victoire du peuple qu'une faillite politique de la bourgeoisie, et l'on sait que, dans cette classe, la faillite n'est pas nécessairement la ruine, mais parfois au contraire le point de départ d'une fortune nouvelle.

Le lecteur qui a suivi avec attention les dix-huit années d'un règne de classe plein et absolu, dont les principaux événements ont été rapportés ici, sera-t-il, aussi complètement que celui qui s'est efforcé d'en être le greffier sincère, convaincu de l'incapacité organique de la bourgeoisie à tirer d'elle-même les éléments d'autorité reconnue et consentie qui correspondent à sa notion du pouvoir politique et au besoin qu'elle a de l'exercer à son profit ? Nous l'avons observé au début de ce travail, la bourgeoisie est divisée, doublement divisée. Au moment où le sentiment de classe vit en elle avec une intensité qu'on ne verra plus dans l'histoire de notre pays, elle n'est pas homogène et ce sentiment lui-même ne l'est pas davantage.

D'un côté, la finance qui groupe les capitaux de l'épargne et organise les grandes forces de production et de circulation, entreprend de diriger les forces politiques du pays dans le sens des intérêts économiques dont elle a la garde et le profit. De l'autre, la boutique, remuante et pullulante, frondeuse et craintive à la fois, ivre de sa souveraineté politique et prise entre la finance qui la despotise et la classe ouvrière qui commence à montrer les dents, veut un gouvernement à bon marché et qui fasse aller les affaires. Casimir Perier, banquier et industriel, représente au pouvoir les hommes d'affaires. C'est lui, c'est eux, bien plus que l'Angleterre, qui repoussent l'idée d'annexer à la France la Belgique qui s'est un instant offerte, dans les premières effervescences révolutionnaires de 1830.

La boutique a eu aussi ses hommes au pouvoir. Laffitte, tout banquier qu'il était, en fut. Odilon Barrot la représenta jusqu'au bout, la mena jusqu'au bout, dans une commune inconscience du danger, jusqu'aux barricades de février. Thiers, boutiquier né, parlait pour la boutique, agissait pour la finance. Pour la première, il paradait, montrait le poing à la Sainte-Alliance et aux jésuites, et ne faisait jamais montre de tant de libéralisme que lorsqu'il était hors du pouvoir. Mais pour la seconde, qui ne se payait pas de paroles, il était l'homme d'affaires utile et avisé qui savait orienter les discussions des Chambres vers les « grands intérêts » et procurer à ceux-ci toute satisfaction.

La bourgeoisie, ai-je dit, n'était pas plus homogène dans sa pensée que dans ses cadres. Elle était à la fois libérale et conservatrice, en effet. Si parfois son libéralisme n'était qu'un masque de conservatisme et, si, au nom de la liberté des plus forts, elle repoussait avec horreur jusqu'à l'idée de voir l'État intervenir dans les rapports du travail et du capital ; si même elle poussait l'hypocrisie jusqu'à affirmer la liberté économique tout en maintenant et en renforçant la législation de classe qui mettait les ouvriers en état d'infériorité, juridique, si en même temps elle forçait l'État à la protéger contre la concurrence étrangère et à faire les frais de premier établissement des lignes de chemin de fer et de navigation, la bourgeoisie n'en était pas moins travaillée par une insoluble contradiction. Sa puissance politique, économique et sociale ne pouvait se maintenir et se développer dans les conditions d'immobilisme et d'ignorance qui furent pendant de longs siècles celles de la féodalité terrienne. Le propriétaire du sol vit de la rente du fermier, de la redevance du tenancier, des corvées du serf ; la coutume héréditaire, les routines agricoles, tout l'entretient dans l'état d'oisiveté. Il peut donner tous ses loisirs au gouvernement et à la guerre. Le gouvernement est son champ d'exploitation assurée, la guerre son champ d'entreprise fructueuse.

Tout autre est le propriétaire d'industrie ou de négoce : il ne peut augmenter sa richesse et son pouvoir que par la lutte et par la coalition avec ses semblables sur un terrain extrêmement mouvant, et dans des conditions qui nécessitent une activité de tous les instants, un développement continu de l'intelligence et du savoir. Toutes les sciences, que le noble laissait croupir dans l'ombre des cloîtres, où le moine les pliait comme feuilles mortes dans les in-folios de saint Augustin et de Thomas d'Aquin, le bourgeois était tenu de les appeler à accroître sa puissance. Comment extraire du sol la houille et le minerai, de manière à alimenter les machines nouvelles et en créer d'autres, sans pousser au développement des mathématiques, de la physique, de la géologie, de la chimie ? Et comment développer ces connaissances, sans que les hommes qui se vouent aux recherches trouvent en même temps et à chaque pas un démenti nouveau aux affirmations des bibles et des dogmes ?

Comment, d'autre part, transformer en richesses échangeables, en capital, les trésors latents du sol et du sous-sol, si l'on ne seconde chez les mieux doués d'entre les pauvres le désir de savoir, si l'on ne crée une classe ouvrière habile à seconder la machine dans l'œuvre de multiplication des produits ? La machine réduit les artisans à la fonction de manœuvres, soit ; mais pour un temps seulement. D'ailleurs, la machine ne s'invente, ne se construit, ne se perfectionne pas toute seule. Et à mesure qu'elle se perfectionne, elle exige non plus pour la servir, mais la conduire, des mains plus expertes, et en nombre sans cesse accru. La bourgeoisie poussera donc au progrès du savoir, ouvrira des écoles, installera des laboratoires. Amenée à l'incroyance par son propre développement intellectuel, elle sent que l'éveil des esprits est un ferment d'incrédulité. Sa richesse croissante a besoin d'instruments conscients, mais dociles et résignés. Voilà donc la bourgeoisie forcée de donner d'une main et de reprendre de l'autre. Comment neutraliser le poison du savoir dans l'âme ouvrière, sinon en appelant à l'aide l'ennemie du savoir, l'Église ? Ce fut toute la politique de Guizot, politique qui devait aboutira la faillite qu'on sait.

Même laissé dans l'inculture absolue, comment le prolétariat des villes, sans cesse grossi à chaque progrès industriel par un flot de prolétaires ruraux, fût-il demeuré inattentif à ce qui se passait sous ses yeux ? Son servage n'était pas héréditairement séculaire. L'ouvrier voyait naître et grandir la fortune de son maître, par le hasard d'une invention ou d'une spéculation heureuse. Les plus anciens des fiefs industriels ne se perdaient pas, comme les plus récents des fiefs nobiliaires, dans la nuit d'un ou deux siècles. Cette puissance n'avait donc pas comme l'autre les apparences de l'éternité dans le passé, si favorables aux croyances d'éternité dans l'avenir. Jamais le serf, sur la glèbe du seigneur, n'avait été incité à discuter les titres du seigneur comme l'était l'ouvrier enfermé entre les murs neufs de la manufacture ou de l'usine. Le premier ne savait comment s'était formé le pouvoir féodal, le second voyait se former sous ses yeux le pouvoir capitaliste. La terre, Dieu avait pu la donner dès l'origine aux maîtres. Mais les métaux, les tissus, les poteries, les métiers, les machines, tout cela était créé par les mains de l'ouvrier. Ouvrier, le mineur qui extrayait le fer et la houille, ouvrier, le portefaix du port qui déchargeait les balles de laine et de coton, ouvriers, le maçon et le charpentier qui construisaient l'usine. Tout apparaît alors dans sa réalité ; rien ne masque plus la fonction éminente du travail dans la satisfaction des besoins humains, rien non plus l'odieuse iniquité du partage inégal des produits entre ceux qui dirigent le travail et ceux qui l'exécutent.

Les sophismes de ses économistes étaient, pour la bourgeoisie, une protection insuffisante contre une revendication que suscitent et expriment dans cette période les Fourier, les Cabet, les Proudhon, les Blanqui, les Louis Blanc et les Pecqueur. À mesure que cette revendication grandissait, la bourgeoisie, qui avait fait du pouvoir politique l'instrument de sa domination économique et sociale, accentuait son intime contradiction et devenait plus conservatrice dans un temps où tout se développait dans le sens de la liberté. La science, la littérature et l'art refusaient de se laisser mutiler et asservir par elle. Il ne lui restait que l'Église, puissance conservatrice par définition. Mais si l'Église acceptait bien de protéger la bourgeoisie, c'était à la condition qu'on lui laissât prendre ce que Charles X lui-même lui avait refusé. Et si la finance acceptait bien d'aller jusque-là, la boutique ne le pouvait plus sans risquer de perdre la part de pouvoir politique, son instrument de défense contre la finance autant que contre le prolétariat, que lui avait donnée la révolution de Juillet.

L'Église ramenait avec elle au pouvoir la classe fidèle des nobles, des propriétaires terriens, éternels émigrés de tout progrès et de tout développement de civilisation. La boutique résista, se cabra, et appela le peuple à la libérer de ce péril, comptant bien, comme en 1830, l'écarter du pouvoir après l'avoir libéralement payé de promesses.

En somme, la révolution de 1848 n'est que l'achèvement de celle de 1830. Du moment que celle-ci n'avait pas été évitée, celle-là devenait inévitable. Le verrou tiré sur la révolution par Casimir-Perier avait été fixé par Guizot. Et si la bourgeoisie est responsable de son propre effondrement politique, elle n'en est pas seule responsable. La faute initiale remonte à la classe des propriétaires terriens, si profondément inférieurs à leurs congénères anglais. Tandis que ceux-ci, dans la période de croissance politique de la bourgeoisie industrielle, contraignaient les nouveaux féodaux à ne pas appliquer à la lettre leur sinistre programme d'exploitation intensive de la classe ouvrière et contribuaient avec elle à imposer une législation protectrice des plus faibles, l'aristocratie française, sauf exceptions rares, se bornait à dénigrer le cruel libéralisme bourgeois, créateur de chômage et de paupérisme. Tout comme la nôtre, plus que la nôtre, l'aristocratie anglaise rançonnait par la rente du sol le travail rançonné de surcroît par le profit capitaliste. Mais elle avait su, en s'interposant entre l'ouvrier et le capitaliste, conserver une part du pouvoir politique, faire utilement contrepoids à la bourgeoisie.

En France, elle n'avait qu'un rêve : annuler la révolution de 1789 dans ses moindres conséquences. Elle s'était, ainsi, fermée totalement au monde nouveau et rendue de plus en plus incapable, non même de réaliser sa prétention totale, qui était de le ramener en arrière, mais d'en assumer une part de direction en fonction de mécanisme pondérateur et régulateur. Faute de ce contrepoids — on ne peut compter pour tel le groupe de courtisans qui vieillissaient autour du roi redevenu lui-même un émigré de l'intérieur, — la bourgeoisie perdit pied, après avoir oscillé de la boutique à la finance, et de la finance, renforcée trop tard de l'Église arrogante et de ses hobereaux boudeurs, à la boutique qui lâchait le « tigre » sur Louis-Philippe.

Celui-ci eût pu tout sauver, s'il était demeuré dès 1830 le fils de Philippe-Égalité le régicide, et si, faute de pouvoir accorder les maîtres du sol et ceux du capital dans une impossible collaboration, il s'était fortement posé en arbitre des puissances en possession et de la puissance en devenir, s'il n'avait pas été uniquement le roi d'une bourgeoisie égoïste et divisée. Un trône peut s'asseoir sur les quatre pierres massives de l'échafaud, mais non sur les pavés branlants d'une barricade, à moins qu'il ne conserve comme périlleux gardiens ceux qui l'ont édifiée. Les barricadiers de 1830, ayant amené leurs fils, aperçurent qu'il manquait quelques pierres à leur ouvrage. Il les posèrent. Cela décala le trône, qui culbuta sous les regards ébahis de ceux qui avaient cru le consolider.

Eugène Fournière.

Table des matières

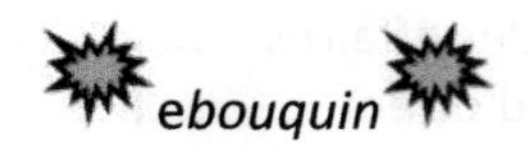
ebouquin